Gauguin

A la mémoire de Merete Bodelsen
pionnière des études sur Gauguin (1907-1986)

Galeries nationales du Grand Palais
Paris

10 janvier-24 avril 1989

Gauguin

Ministère de la Culture, de la Communication,
des Grands Travaux et du Bicentenaire

Éditions de la Réunion des musées nationaux

Cette exposition est réalisée à Paris en association avec Olivetti

Cette exposition a été organisée par la Réunion des musées nationaux/musée d'Orsay, la National Gallery de Washington et l'Art Institute de Chicago, avec le concours, pour Paris, des équipes techniques du musée d'Orsay du musée du Louvre et des galeries nationales du Grand Palais.

La présentation en a été conçue par Richard Peduzzi.

L'exposition a été présentée du 1er mai au 31 juillet 1988
à la National Gallery of Art de Washington
et du 17 septembre au 11 décembre 1988
à l'Art Institute de Chicago.

Elle a bénéficié du soutien généreux du Federal Council on the Arts and the Humanities.

Traduction :
Florence Austin
Jeanne Bouniort
Gilles Courtois
Claude Mallerin
Monique Nonne

Couverture : *Pastorales tahitiennes* (détail)
Leningrad, musée de l'Ermitage

ISBN 2-7118-2-220-6 édition française brochée
ISBN 2-7118-2-223-0 édition française reliée
ISBN 0-89468-112-5 édition américaine brochée
ISBN 0-8212-1723-2 édition américaine reliée

Commissariat :

Richard Brettell
directeur du Dallas Museum of Art, Dallas

Françoise Cachin
directeur du musée d'Orsay, Paris

Claire Frèches-Thory
conservateur au musée d'Orsay, Paris

Charles F. Stuckey
conservateur à l'Art Institute de Chicago

Administrateur des galeries nationales du Grand Palais :
Marie-Ange Laumonier

Que toutes les personnalités qui ont permis par leur généreux concours la réalisation de cette exposition trouvent ici l'expression de notre gratitude et particulièrement :

M. Jean-Pierre Bacou
Mlle Roseline Bacou
Anne Desloge Bates
Edward Mc Cormick Blair
Annick et Pierre Bérès
Fondation E.G. Bührle Collection, Zurich
Carrick Hill Collection, South Australia
Neil A. Mc Connell
Mme Robert B. Eichholz
Collection Gustave Fayet, Igny
M. et Mme Marshall Field
M. et Mme Martin L. Gecht
Collection Josefowitz
Collection Joshua I. Latner
Henri et Rose Pearlman Foundation, Inc.
The Phillips Family Collection
M. et Mme Alexander E. Racolin
Mme Francisca Santos
M. et Mme Herbert D. Schimmel
Lucille Ellis Simon
Dr H.C. Max Schmidheiny
M. et Mme Eugène Victor Thaw
Fondation Dina Vierny, Paris
Monsieur Uno Wallman
John C. Whitehead

ainsi que toutes celles qui ont préféré garder l'anonymat.

Nos remerciements s'adressent également aux responsables des collections suivantes :

Argentine
Buenos-Aires
Museo nacional de bellas artes
Autriche
Vienne
Graphische Sammlung Albertina
Belgique
Bruxelles
Musées royaux d'Art et d'Histoire
Brésil
Sao Paulo
Museu de Arte
Danemark
Copenhague
Ny Carlsberg Glyptotek
Museum of decorative art
The Ordrupgaard Collection
États-Unis d'Amérique
Baltimore
The Baltimore Museum of Art
Buffalo
Albright-Knox Art Gallery
Chicago
The Art Institute
Cleveland
The Cleveland Museum of Art
Houston
The Museum of Fine Arts
Indianapolis
Indianapolis Museum of Art
Kansas City
The Nelson Atkins Museum of Art
Los Angeles
Los Angeles County Museum of Art
Minneapolis
Minneapolis Institute of Art
New York
The Brooklyn Museum, Museum Collection Fund
The Metropolitan Museum of Art
The Museum of Modern Art
Philadelphie
Philadelphia Museum of Art
Saint Louis
The Saint Louis Art Museum

Syosset
    Nassau County Museum (Museum Services division, department of recreation and Parks)
Toledo
    The Toledo Museum of Art
Washington
    Hirshhorn Museum and Sculpture Garden
    Smithsonian Institution
    National Gallery of Art
    The Phillips Collection
West Palm Beach
    Norton Gallery of Art
Williamstown
    Sterling and Francine Clark Art Institute
Worcester
    Worcester Art Museum

France

Grenoble
    Musée de peinture et de sculpture
Lyon
    Musée des beaux-arts
Orléans
    Musée des beaux-arts
Paris
    Bibliothèque d'art et d'archéologie (Fondation Jacques Doucet)
    Bibliothèque nationale, département des estampes
    Musée des arts africains et océaniens
    Musée des arts décoratifs
    Musée du Louvre, département des arts graphiques
    Musée d'Orsay
    Musée du Petit Palais
Tahiti
    Papeari, musée Paul Gauguin

Grande-Bretagne

Edimbourg
    The National Galleries of Scotland
Londres
    Courtauld Institute Galleries
    Trustees of the British Museum
Newcastle Upon Tyne
    Laing Art Gallery, Tyne and Wear Museums Service

Israël

Jérusalem
    Musée d'Israël

Japon

Kurashiki
    The Ohara Museum of Art
Tokyo
    Musée National d'Art Occidental
    Galerie Fujikawa

Norvège

Oslo
    Nasjonalgalleriet

Pays-Bas

Amsterdam
    Rijksmuseum Vincent van Gogh (Fondation Vincent van Gogh)

République Fédérale d'Allemagne

Cologne
    Musée Wallraf Richartz
Essen
    Musée Folkwang
Hambourg
    Hamburger Kunsthalle
Stuttgart
    Staatgalerie Stuttgart

Suisse

Aarau
    Aargauer Kunsthaus
Arlesheim
    Fondation Rudolf Staechelin
Bâle
    Kunstmuseum Basel
Genève
    Musée du Petit Palais
Zurich
    Kunsthaus Zürich

Tchécoslovaquie

Prague
    Národni Galerie v Praze

URSS

Leningrad
    Musée de l'Ermitage
Moscou
    Musée des Beaux-Arts Pouchkine

Sommaire

Avant-propos

Trois expositions différentes consacrées à Paul Gauguin étaient en projet il y a cinq ans. L'Art Institute de Chicago envisageait une présentation exhaustive de l'œuvre gravé. Le musée d'Orsay élaborait une exposition de grande envergure consacrée à l'école de Pont-Aven, où les œuvres réalisées par Gauguin en Bretagne occuperaient une place de premier plan. Quant à la National Gallery of Art de Washington, elle envisageait une exposition Gauguin centrée sur les œuvres tahitiennes. Après examen de ces projets divers et presque simultanés, on décida d'interrompre les démarches déjà entreprises afin de faire converger les efforts sur une grande rétrospective de l'art de Paul Gauguin.

Le propos de cette nouvelle exposition était d'étudier l'œuvre de Gauguin dans son ensemble, toutes techniques confondues, et de se pencher sur ses méthodes de travail effectives plus que de s'étendre sur le symbolisme maintes fois analysé de ses œuvres les plus célèbres. La réalisation de cette manifestation en France a bénéficié du généreux soutien d'Olivetti. L'exposition aux États-Unis avait, quant à elle, été soutenue dès 1986 par l'American Telephon and Telegraph.

La présente exposition est le fruit d'une collaboration entre trois musées dont les collections d'œuvres de Gauguin, conjuguées pour former le noyau de cette manifestation, sont déjà très riches et très complètes.

Nos conservateurs et nos spécialistes de la restauration ont examiné les peintures des trois collections en faisant appel aux techniques scientifiques les plus modernes. Des restaurateurs, des chercheurs et des enseignants de l'Art Institute se sont efforcés de « recréer » certains des dessins-empreintes énigmatiques de Gauguin de manière à faire comprendre par l'exemple ses procédés éminemment personnels. Les bibliothèques et les services de documentation des trois institutions ont rassemblé des livres rares, des articles, des documents d'archives, des photographies et des manuscrits pour asseoir nos observations sur des bases sûres et rigoureuses.

A partir de là, les commissaires de l'exposition ont parcouru le monde pour examiner des œuvres de Gauguin et, ce faisant, ils ont tenté de renouveler le corpus des peintures souvent reproduites et si bien connues de ceux qui s'occupent de l'art moderne. S'ils n'ont pas ménagé leurs efforts pour retrouver des peintures et des sculptures importantes, ils n'ont pas négligé pour autant les objets utilitaires, les céramiques décoratives, les linteaux de portes, les dessins-empreintes à l'aquarelle, les dessins sur des supports aux contours irréguliers ou les brouillons manuscrits. De ce fait, l'exposition « Paul Gauguin » rend hommage à une création artistique remarquablement complexe. Elle ne se veut pas bornée à la seule peinture de Gauguin, pas plus qu'elle n'est centrée sur la vie de l'artiste. Bien que le catalogue contienne une chronologie minutieusement documentée, l'exposition met l'accent sur les réalisations de l'artiste Gauguin dans toute leur diversité, et non sur la vie exotique, mouvementée et fascinante qui a presque atteint les dimensions d'un mythe, et doit rester du domaine du biographe ou du cinéaste.

Le but de cette exposition est d'offrir une nouvelle appréciation de l'art de Gauguin par le grand public comme par les spécialistes. Bon nombre des œuvres présentées ont été réinterprétées, redatées et réintitulées. Chacun des auteurs a cherché à récapituler les écrits existants, mais aussi et surtout à réévaluer les œuvres considérées et leur contexte. Souvent, ils ont soulevé des questions auxquelles seules les recherches à venir pourront apporter une réponse.

Cette exposition n'aurait pas été possible sans l'alliance des concours publics et privés. Chez Olivetti, nous avons vivement apprécié l'aide de Paolo Viti, Giorgio Parisi et Renzo Zorzi. Aux États-Unis, chez AT&T, nous souhaitons remercier particulièrement Marilyn Laurie, R.Z. Manna, et Jacquelyn R. Byrne.

Nos autres collaborateurs sont si nombreux qu'ils trouveront leurs noms dans des pages spéciales de remerciements. Le mérite de cette exposition revient avant tout aux conservateurs de nos trois institutions qui l'ont conçue : à Paris, Françoise Cachin et Claire Frèches-Thory ; à Chicago, Richard Brettell, qui a pris aujourd'hui la direction du musée de Dallas et à Washington, Charles F. Stuckey — aujourd'hui à Chicago —, ont sélectionné les œuvres et rédigé le catalogue.

Bien sûr, notre plus profonde gratitude va aux prêteurs dont les noms figurent plus loin. Nous tenons à remercier plus particulièrement nos institutions sœurs en Union Soviétique, le musée de l'Ermitage de Leningrad et le musée Pouchkine de Moscou. L'on sait depuis longtemps que les collections soviétiques de peintures de Gauguin sont les plus magnifiques au monde, et pourtant depuis 1906 aucune exposition Gauguin n'a présenté une seule peinture de ces collections. C'est donc une immense reconnaissance que nous exprimons à nos confrères soviétiques pour leurs prêts généreux, sans lesquels cette exposition « Paul Gauguin » n'eût guère été concevable. Nous nous réjouissons à l'idée qu'eux-mêmes célébreront à leur tour à Moscou puis à Léningrad l'art de Gauguin après la fermeture de cette manifestation.

J. Carter Brown
National Gallery of Art, Washington

James N. Wood
The Art Institute of Chicago

Olivier Chevrillon
Directeur des musées de France

Préface

Les initiatives dans le domaine des Beaux-Arts pour la période 1988-1989, dont Olivetti s'est fait le promoteur pour célébrer son quatre-vingtième anniversaire, sont accueillies très favorablement par le public et suscitent un consensus croissant auprès des spécialistes et des critiques. La série de ces manifestations a été ouverte par l'exposition « Les Verres des Césars » : une présentation de plus de cent soixante chefs-d'œuvre de l'art du verre représentatifs de l'ensemble des techniques, des styles et des formes, propres aux différents ateliers implantés sur toute l'étendue de l'empire romain entre le premier siècle avant Jésus-Christ et le cinquième siècle après Jésus-Christ. L'exposition, qui est le fruit de la collaboration des institutions dépositaires de la quasi-totalité des œuvres, le British Museum, le Römisch-Germanisches Museum de Cologne et le Corning Museum of Glass, a été présentée à Londres, à Cologne et à Rome à l'initiative d'Olivetti.

Elle a été suivie de l'exposition « L'art précolombien du Mexique » qui rassemblait, dans les salles du palais des Doges à Venise, 139 œuvres produites entre 1500 av. J.-C. et la conquête espagnole : des sculptures appartenant aux différentes cultures autochtones du pays, parmi lesquelles, à côté d'œuvres désormais connues dans le monde entier, figuraient des chefs-d'œuvre récemment mis à jour grâce aux campagnes archéologiques de ces dernières années et jamais encore présentés, ni en Europe, ni ailleurs. Pour cette exposition, Olivetti a pu se prévaloir de la collaboration des principaux musées du Mexique et de l'adhésion enthousiaste de la jeune école archéologique de ce pays, dont l'autorité est désormais reconnue.

Le troisième événement de cette série a été l'exposition consacrée aux dessins de Michel-Ange : dessins d'architecture (auxquels avaient été ajoutés deux grands modèles des projets de Michel-Ange pour la façade de San Lorenzo et pour la coupole de Saint-Pierre) et portraits, présentés, après une première exposition partielle à Florence, à la National Gallery of Art de Washington. Dans une version nouvelle et enrichie, cette exposition sera, au printemps prochain, présentée au Louvre, peu de temps après l'ouverture au public de la Pyramide et des nouveaux espaces du « Grand Louvre ». Les prêteurs des œuvres présentées sont, outre le Louvre, les Cabinets des dessins des principaux musées possédant des œuvres de Michel-Ange : Windsor, le British Museum, Les Offices, l'Albertina, Naples, et Casa Buonarroti à Florence, pour ne citer que ceux-là.

La quatrième grande manifestation à laquelle Olivetti a participé en 1988-1989 est consacrée à l'exposition « Gauguin » à Paris. Elle constitue probablement le plus grand événement artistique de ces dernières années. Elle offre une occasion unique d'étudier un artiste à travers un grand nombre d'œuvres : tableaux, sculptures, dessins et gravures, partie de l'œuvre qui, depuis peu, fait l'objet d'une attention croissante. Cette exposition va permettre de dissiper les derniers doutes qui affleurent même dans les études critiques les plus rigoureuses sur la dimension artistique de Gauguin.

En effet, sa destinée et sa postérité ont souffert de sa légende de peintre maudit. La précieuse publication en cours de la correspondance générale est en train de replacer l'artiste dans une perspective plus humaine et plus authentique.

Dans le soutien apporté à cette initiative qui est le fruit de la collaboration de trois grandes institutions, la National Gallery of Art de Washington, l'Art

Institute de Chicago et la Réunion des musées mationaux/Musée d'Orsay, Olivetti a été particulièrement heureux de pouvoir s'associer à AT & T, société dont il est proche en raison de liens financiers et d'une collaboration industrielle désormais ancienne. En donnant un nouveau témoignage de son activité en faveur d'initiatives culturelles et éducatives, AT & T a pris en charge la plus grande partie des deux étapes américaines de l'exposition. Pour sa part, en vertu d'une compétence géographique naturelle, Olivetti s'est chargé de l'étape parisienne, dans ce Grand Palais où il a déjà présenté il y a quelques années, « Les Chevaux de Saint-Marc » et « Le Trésor de Saint-Marc ».

Il s'agit d'un événement et d'une présence tout à fait appropriés pour clore ce quatre-vingtième anniversaire d'Olivetti ; d'une exposition qui demeurera dans la mémoire de notre génération comme le triomphe définitif d'un artiste qui a ouvert à l'art du vingtième siècle la voie royale d'un renouvellement expressif ; de la reconnaissance du rôle que jouent, partout et toujours, la liberté de créer et la recherche de la nouveauté dans le développement de l'esprit humain.

Pour souligner la conviction qui nous animait quand nous avons accepté l'invitation à cosigner cette exposition avec la Réunion des musées nationaux, nous avons décidé de consacrer à Gauguin également notre calendrier d'art 1989, le trente-neuvième d'une série que des dizaines de milliers d'amateurs passionnés de tous les pays ont l'habitude d'attendre au début de chaque nouvelle année.

Carlo de Benedetti

Remerciements

Sans les conseils, l'hospitalité et la coopération de collectionneurs, spécialistes et marchands du monde entier, cette vaste exposition et le catalogue qui l'accompagne n'auraient pu voir le jour. Nous limiterons ici nos remerciements aux personnes qui ont fait pour cette exposition beaucoup plus que ne l'exigeait la courtoisie professionnelle.

Dans un premier temps, l'équipe de l'exposition a bénéficié des conseils enthousiastes de la regrettée Merete Bodelsen, qui avait une connaissance incomparable de l'art de Gauguin. D'autres précurseurs dans les recherches sur Gauguin ont ouvert tout aussi généreusement les archives où ils ont accumulé un savoir considérable, et c'est pour nous un honneur de les citer ici : Bengt Danielsson, Richard Field, Eberhard Kornfeld, Maurice Malingue, Ursula Marks-Vandenbroucke et John Rewald. Leurs travaux ont frayé la voie à une nouvelle génération de spécialistes, parmi lesquels Kirk Varnedoe qui a participé à l'élaboration du projet initial. D'autres se sont joints à nous pour nous aider à surmonter d'innombrables problèmes de documentation et difficultés d'interprétation : Marie-Amélie Anquetil, Gilles Artur, Juliet Bareau, Douglas W. Druick, Georges Gomez y Càceres, Robert L. Herbert, Michel Hoog, Vojtech Jirat-Wasiutynski, Naomi Maurer, Victor Merlhès, Kunio Motoe, Karen R. Pope, Antoine Terrasse, Robert Welsh, Bogomila Welsh-Ovcharov, et parmi l'équipe de la fondation Wildenstein, Ay Wang Hsia en particulier. Les Archives du musée Getty (Malibu) nous ont procuré une documentation des plus riches, et Nicholas Oslberg et son équipe ont apporté une aide précieuse pour cette exposition. D'autres bibliothécaires, archivistes ou chercheurs nous ont fourni des informations inappréciables : Sylvie Barot, Mette Bruun Beyer, François Bordes, Leigh Bullard, R. Brucker, Catherine Cosker, Ted Dalziel, M. Debreczini, Muguette Dumont, Patrick Dupont, Josette Calliegue, Jacques Lugand, M. Lupu, Mlle Jehanne, Bob Karrow, Mme Lasteyrie, Thomas McGill, Vivianne Miquet, Sue Nolan, Sophie Pabst, Isabelle Pleskoff, Catherine Puget, Mlle Renoud, Simone Roudière, Luise Skak Nielsen et Jonas Storve.

Pour préparer une exposition de cette ampleur, nous avons sollicité l'assistance de marchands, qui nous ont aidés à retrouver des œuvres dans des collections particulières et nous ont ménagé des occasions de les examiner. En outre, les archives de galeries et des salles de vente sont des sources d'informations historiques tout à fait essentielles. Nous voudrions remercier plus particulièrement William Acquavella, Michael Apsis, Rutgers Barclay, France Daguet, Caroline Durand-Ruel Godfroy, M. Fabiani, Michael Findlay, Stephan Hahn, Libby Howie, Daniel Malingue, Robert Schmit, John Tancock, Eugène V. Thaw et Daniel Wildenstein. Comme tout organisateur d'exposition, nous nous sommes appuyés sur les compétences des spécialistes de la restauration, qui nous ont fourni des données techniques souvent inaccessibles aux chercheurs dans le passé. Le concours éclairé des restaurateurs ou ingénieurs-chimistes des deux pays dont les noms suivent a énormément enrichi nos connaissances sur Gauguin : Marianne Wirenfeldt Assmussen, Michael Auprey, David Bull, Carol Christensen, Charles de Couessin, Inge Fiedler, Gisela Helmskampf, Mitsuhiko Kuroe, Annick Lautraite, William Leisher, et Travers Newton.

De nombreux collectionneurs et conservateurs ont généreusement facilité l'étude attentive des œuvres qui se trouvent entre leurs mains. Beaucoup, de

Pasadena à Hivaoa, ont bien voulu orienter nos recherches vers des collections que nous aurions sans doute négligées : M. et Mme R. Bissone, Mme Carlos Blaquier, Guillaume le Bronnec, Micheline Colin, George Embiricos, M. Jean Fontaine, Margrit Hahnloser, Evy Hirshon, Sam Josefowitz, M. et Mme Paul Josefowitz, Kristian Klemm, Marc et Elizabeth Maza, Ronald Pickvance et Thomas M. Whitehead.

A Chicago, la coopération de Daniel C. Searle et Peter Bakwin a grandement facilité nos recherches.

Le personnel de la National Gallery of Art de Washington, de l'Art Institute de Chicago et du musée d'Orsay a accompli un énorme travail en coulisse, s'occupant aussi bien du courrier que du transport des œuvres, de la documentation et de la mise au point des conditions de prêt. Parmi les nombreux collaborateurs dont le talent et le dévouement ont assuré la réussite de ce projet, il nous faut remercier tout spécialement Marla Prather de la National Gallery of Art de Washington, dont la connaissance des écrits sur Gauguin nous était indispensable, Gloria Groom, de l'Art Institute de Chicago, et Isabelle Cahn, du musée d'Orsay, qui ont rédigé la chronologie détaillée de la vie de Gauguin publiée ici, et réalisé la documentation de l'exposition. L'énergie et les compétences déployées par ces trois principales collaboratrices ont joué un rôle décisif dans la bonne marche de notre entreprise collective.

Au musée d'Orsay, nous remercions particulièrement Eve Alonso, registrar, Agnès Arquez-Roth, Jean Coudane, Françoise Fur, André Guttierez, Peter Kropmanns, Nadine Larché, Marie-Pierre Pichon, Michèle Rongus et Elisabeth Salvan.

Pour l'édition française du catalogue, nous tenons à remercier les traducteurs Florence Austin, Jeanne Bouniort, Gilles Courtois, Claude Mallerin, Monique Nonne et Caroline Larroche qui a procédé à la relecture des épreuves du catalogue.

Les commissaires de l'exposition et Irène Bizot, administrateur délégué de la Réunion des musées nationaux, expriment toute leur gratitude à Marie-France Cocheteux, Ute Collinet, Claire Filhos-Petit, Marion Mangon et Nathalie Michel.

Avertissement

L'expression « couleurs à l'eau » a été utilisée lorsqu'il était impossible de déterminer la nature exacte du médium.

Les dimensions des œuvres sont données en centimètres.

La bibliographie générale est suivie par une liste des expositions de Gauguin citées en abrégé et par une bibliographie de ses écrits, comprenant des articles, des lettres, des carnets de croquis et des manuscrits.

La rubrique « exposition » des notices du catalogue mentionne les principales expositions ayant eu lieu avant la première guerre mondiale et une sélection de celles qui ont suivi.

Abréviations des catalogues raisonnés souvent cités :

B : Bodelsen, Merete, *Gauguin's Ceramics : A Study in the Development of His Art* (Londres, 1964).

Dorival 1954 : Bernard Dorival, *Le Carnet de Tahiti* (Paris, 1954).

F : Field, Richard S., *Paul Gauguin, Monotypes* [cat. expo., Philadelphia Museum of Art 1973].

Field 1977 : Field, Richard S., *Paul Gauguin : The Paintings of the First Trip to Tahiti,* thèse, Harvard University, 1963 (New York et Londres, 1977).

FM : Fezzi, Elda et Minervino, Fiorella, *« Noa Noa » e il primo viaggio a Tahiti di Gauguin* (Milan, 1974).

G : Gray, Christopher, *Sculpture and Ceramics of Paul Gauguin* (Baltimore, 1963 ; nouv. éd. New York, 1980).

Gerstein 1978 : Gerstein, Marc, « Impressionist and Post-Impressionist Fans », thèse, Harvard University (Cambridge, Massachusetts, 1978).

Gu : Guérin, Marcel, *L'Œuvre gravé de Gauguin* (Paris, 1927 ; éd. rev. San Francisco, 1980).

K : Kornfeld, Eberhard, Joachim, Harold et Morgan Elizabeth, *Paul Gauguin : Catalogue raisonné of his Prints* (Berne, 1988).

W : Wildenstein, Georges, *Gauguin,* Raymond Cogniat et Daniel Wildenstein (Paris, 1964).

Abréviations utilisées dans la chronologie :

AD : Archives Départementales

AL : Archives Loize. Tahiti, Papeari, Musée Gauguin

AM : Archives Charles Morice. Philadelphie, Temple University, Paley Library

AN : Paris, Archives Nationales

AP : Archives de Paris

DR : Paris, Archives Durand-Ruel

LM : Livret militaire de Gauguin, Tahiti, Papeari, Musée Gauguin

Les notices du catalogue ont été rédigées par :

Richard Brettell (R.B.)
38, 67 à 77, 87, 128, 160 à 163, 165 à 202, 205 à 210, 212, 213, 215 à 217, 219 à 280

Françoise Cachin (F.C.)
22, 29, 42, 43, 49, 51 à 53, 61, 63, 64, 79 à 81, 83, 84, 90 à 96, 98 à 103, 105, 106, 110, 117, 159, 165, 214, 218, 226

Claire Frèches-Thory (C.F.-T.)
17 à 21, 23 à 28, 30 à 37, 39 à 41, 40 à 48, 50, 54 à 60, 62, 65, 66, 78, 82, 85, 86, 88, 89, 97, 104, 107 à 109, 111 à 116, 154, 211

Charles F. Stuckey (C.F.S.)
1 à 16, 118 à 127, 129 à 153, 155 à 158, 203, 204

avec la participation de Peter Zegers

Gauguin vu par lui-même et quelques autres

Françoise Cachin

« Vous remarquerez comment parlent de Gauguin tous ceux qui l'ont approché : les uns avec amour, les autres avec aversion, aucun avec sang-froid »[1].

Voir à la suite les autoportraits de Gauguin provoque deux mouvements contraires : de l'agacement envers les formes variées de sa pose, de son tempérament histrionique où l'on sent une volonté de « faire l'artiste », d'« ouvrir boutique de grand homme » comme aurait dit Jules Renard ; et puis de la sympathie et de l'admiration pour un tel entêtement, car ces effigies répétées de lui-même qu'il trace au cours des dix années cruciales de sa vie traduisent une quête permanente de quelque chose de plus fort que lui, à quoi peu à peu il sacrifiera tout, et d'où est sorti le très grand artiste que nous connaissons.

Les premières véritables apparitions de Gauguin vu par lui-même datent de 1884 et 1885. Elles sont timides : deux croquis[2] où il semble, pour l'un, découvrir les ressources du dessin si caractéristique de son nez et de sa paupière, pour l'autre, s'examiner avec un demi-sourire et un brin d'étonnement. Il faut attendre le séjour à Copenhague en 1885 pour le voir faire son premier véritable autoportrait. Mais avant de nous y arrêter, comparons deux autres images de Gauguin à Copenhague : sa photo, debout, derrière Mette, posant au bon mari et au jeune homme d'affaires sérieux, et l'amusante caricature de profil au-dessus de sa famille, toutes les têtes émergeant d'une soupière où est écrit « mélasse » : « être dans la mélasse » voulait déjà dire à l'époque comme aujourd'hui patauger dans les problèmes, la « dèche ». Au-dessus d'Émile à gauche et de Mette à droite encadrant les trois autres enfants, il a déjà le profil dédaigneux, farouche, concentré de ses portraits

1. Rey 1928, 129 (a connu de nombreux contemporains proches de Gauguin).
2. Carnet de croquis publié en fac-similé par Cogniat et Rewald 1962, le premier, 86 et le deuxième, 111.

Mette et Paul Gauguin à Copenhague en 1885,
(Saint-Germain-en-Laye,
Musée départemental du Prieuré)

Gauguin, *Autoportrait,*
carnet de croquis de Bretagne et d'Arles, 86,
(collection Armand Hammer)

Ci-contre :
Gauguin, *Autoportrait de profil,*
détail, vers 1900, dessin
(Paris, collection particulière)

futurs ; et le contraste entre son visage photographié et son visage caricaturé fait comprendre mieux que de longs discours ce qu'il est en train de vivre, la complète dichotomie entre l'honnête représentant de commerce père de famille, et l'artiste qui veut s'affirmer. Cette double personnalité est vécue comme un déchirement : « Quant à moi, il semble par moments que je suis fou, et plus je réfléchis le soir dans mon lit, plus je crois avoir raison »[3]. « Je suis ici plus que jamais tourmenté d'art et mes tourments d'argent aussi bien que mes recherches d'affaires ne peuvent m'en détourner »[4].

C'est le moment où précisément il peint son premier autoportrait, *devant son chevalet*. Malgré d'évidentes maladresses — la palette et le bras sont placés de l'autre côté du tableau, il se peint directement comme il se voit dans la glace : son reflet inversant son image, le voilà gaucher, la main crispée en moignon sur son pinceau exprimant le sentiment d'étouffement qui le caractérise alors. Véritablement coincé entre le tableau qu'il peint, un autre derrière lui au sol et la soupente où il est relégué, son visage nettement partagé entre l'ombre et la lumière est celui de l'inquiétude. A la fois timide et égaré : seul son œil gauche, parfaitement clair et lucide, semble percer un avenir encore incertain, et donne le sentiment d'une assurance bientôt conquise.

Au cours des années précédentes, et jusqu'en 1886, Gauguin était familier de Pissarro, son véritable « père » formateur ; il connaissait donc bien les deux portraits d'artistes que celui-ci avait sur ses murs : le sien, d'abord, superbe en patriarche devant ses tableaux (1873, Musée d'Orsay) et celui qu'il avait fait de Cézanne, devant un mur couvert d'objets divers dont un de ses paysages et un autoportrait caricaturé de Courbet[5]. Des images de l'artiste antinomiques de celles de Courbet, qui s'était montré avec complaisance en « bel homme », en « grand homme » ou en héros blessé. Gauguin se souvient certainement des portraits de ses deux « maîtres », où Pissarro affirme la grandeur d'être peintre dans le registre de la modestie et de l'artisan sublimé, quand lui-même se représente sur le tableau dédié à Laval (cat. 29), très simplement, en impressionniste, devant une fenêtre ouverte sur les paysages mêmes de ses tableaux d'alors. Leur souvenir n'est peut-être pas encore totalement effacé quand il se peint devant ses tableaux dans *L'autoportrait au christ jaune* et *L'autoportrait au chapeau (L'esprit des morts veille)* (cat. 99, 164), cette fois d'une façon plus narcissique.

Bien sûr dans ces deux tableaux — comme dans son autoportrait du musée Pouchkine où l'on voit le coin inférieur de la *femme dans les vagues* (cat. 80) — Gauguin s'inscrit, au-delà de ses « parrains » Cézanne et Pissarro, dans une longue tradition d'artistes posant devant leurs œuvres, dont le Louvre, avec le célèbre autoportrait de Poussin, lui offrait le grand modèle classique. Mais

3. A Schuffenecker, 14 janvier 1885 - Merlhès 1984, n° 87.
4. Merlhès, 1984, n° 88.
5. Voir Reff 1967.
6. Seguin, 1903a, 160.
7. Lettre à Mette, in Rostrup 1956, 78.
8. A Theo, 17 septembre 1888, [537 F], Van Gogh 1960, t. III, 198.

Gauguin, *Mélasse*, 1885, croquis sur papier à lettre à en-tête de la Maison Dillies et Cie (Paris, Musée d'Orsay, Service de Documentation)

Gauguin, *Autoportrait*, carnet de croquis de Bretagne, 111 (collection Armand Hammer)

Gauguin, *Autoportrait devant son chevalet*, 1885, huile sur toile (Berne, collection particulière)

Dieppe, 1885

Sa curieuse physionomie (dont nous avons de beaux portraits par lui-même), l'extravagance de sa mise, et un certain air hagard, que trop de fois mon père m'avait indiqués comme les signes de la mégalomanie, m'éloignaient de lui. Si cet homme-là n'était pas un fou, il devait être un client de ces brasseries moyenâgeuses où nous allions, dans le quartier Pigalle, avec des poètes.

Pourtant Gauguin, non encore chef d'école à Pont-Aven, venait à peine de quitter les bureaux d'un agent de change ; il ne peignait que les dimanches et les jours fériés, des nus et de fins paysages à la manière impressionniste la plus modérée.

Blanche 1928, 5-6.

Pissarro, *Autoportrait*,
1873, huile sur toile
(Paris, Musée d'Orsay)

dans chacun de ces trois cas, il se montre devant une œuvre très récente, qu'il estime neuve, difficile, provocante, et semble défier le spectateur : voilà ce que je viens de faire ! et tant pis pour vous si vous n'aimez pas ! Il n'y a plus rien là de la tranquille assurance morale de Poussin ou de Pissarro, mais une inquiétude, une impatience, une volonté de s'affirmer qui l'inscrit plutôt dans une toute autre tradition, celle des romantiques. On pourrait déjà en déceler une amorce dans un détail du sage premier autoportrait de Bretagne (cat. 29) : son costume breton est une des premières marques, dès 1886, de la volonté de Gauguin de traiter son apparence comme une œuvre : « il inventait tout. Il avait inventé son chevalet (...) une manière de préparer ses toiles (...) aussi avait-il inventé son costume bizarre »[6]. Son « déguisement », dès 1886, est un des premiers pas vers l'expression de sa singularité, loin du peintre impressionniste qu'il était encore, vers l'invention de son nouveau personnage qui précède celle de son art, et qui devait bientôt l'éloigner définitivement de Pissarro : « il se trouve dans un autre milieu » devait bientôt laconiquement constater celui-ci[7].

Les raisons qui poussent les artistes à se peindre sont variées ; la plus simple et souvent invoquée : la commodité du reflet contre la difficulté de faire poser autrui. Le peintre est le plus patient et le plus économique des modèles : « j'ai acheté un miroir assez bon pour pouvoir travailler d'après moi-même à défaut de modèle » écrit Vincent van Gogh à son frère en septembre 1888[8]

Pissarro, *Portrait de Cézanne*,
vers 1874, huile sur toile
(collection particulière)

Courbet, *L'homme blessé*,
huile sur toile
(Paris, Musée d'Orsay)

Gauguin, *Autoportrait*, vers 1888, huile sur toile (Moscou, Musée Pouchkine)

Pont-Aven, 1886

Grand, les cheveux bruns et le teint basané, les paupières lourdes, de beaux traits s'associaient à une stature puissante ; Gauguin, à cette époque, était vraiment un beau spécimen d'homme (...). Il s'habillait, comme un pêcheur breton, d'un chandail bleu et portait le béret penché avec désinvolture. Son allure générale, sa démarche et le reste, rappelait celle d'un basque aisé, patron de goélette ; rien n'eut semblé plus éloigné de la folie ou de la décadence. Il était, d'une certaine manière, réservé et sûr de lui, taciturne et presque austère, bien qu'il pût se détendre et se montrer tout à fait charmant quand il le désirait (...). La plupart des gens en avaient plutôt peur et les téméraires ne s'avisaient d'aucune liberté avec lui. « C'est un malin », était en quelque sorte le jugement général.

Sportif par goût incontestablement, il avait encore la réputation, méritée je crois, d'être une excellente lame : quoi qu'il en fût, cela ajoutait à la prudence avec laquelle on l'approchait, car on le traitait en homme à se concilier plutôt qu'à provoquer.

Hartrick 1939, 31.

Gauguin, *Autoportrait,*
croquis sur une lettre à Émile Schuffenecker,
8 octobre 1888
(localisation actuelle inconnue)

Paris, 1889

C'était en 1889, dans un petit restaurant voisin de l'Odéon où se rencontraient quelques-uns de ces poètes qu'indistinctement on nommait encore Symbolistes et déjà Décadents (...).

Ce soir-là, (...) j'aperçus un visage nouveau dans le groupe de mes amis, un grand visage osseux et massif, au front étroit, au nez non pas courbé, non pas busqué, mais comme cassé, avec une bouche aux lèvres minces et sans inflexion, avec des paupières lourdes qui se soulevaient paresseusement sur des yeux un peu saillants, dont les prunelles bleuâtres circulaient dans leurs orbites pour regarder à gauche ou à droite, sans que le buste et la tête, presque, prissent la peine de se déplacer.

Il y avait peu de charme chez cet inconnu ; pourtant, il attirait, par une très personnelle expression mêlée de noblesse hautaine, évidemment native, et d'une simplicité qui confinait à la trivialité ; on s'apercevait vite que ce mélange signifiait la force : l'aristocratie se retrempait dans le peuple. Et si la grâce manquait, le sourire qui, pourtant, convenait mal à ces lèvres aux lignes trop droites, trop minces —, en se détendant, elles semblaient regretter et démentir comme une faiblesse l'aveu de la gaieté —, le sourire de Gauguin n'en avait pas moins une douceur étrangement ingénue. Surtout, cette tête devenait vraiment très belle dans la gravité, quand elle s'éclairait, cédant à l'ardeur de la discussion, des rayons, soudains devenus intensément bleus, jaillis de ses yeux.

Morice 1920, 25-26.

moment précis où il réclame à Gauguin et à Bernard un portrait d'eux-mêmes.

Le mouvement qui porte Gauguin à se peindre est radicalement différent, il est lié à la nature même de ses recherches artistiques, et peut-être à une collusion entre son propre visage, au caractère naturellement farouche, violent, « exotique » aussi, et sa quête d'un art primitif : « ci-inclus une photographie de ma figure de sauvage. Elle vous rappellera le copain » écrit-il d'Arles à Schuffenecker[9].

Dans ces années cruciales 1888-1889, se peindre c'est aussi pour lui s'inscrire dans une tradition, c'est accéder magiquement au peuple des artistes de l'histoire de la peinture, rejoindre les grands visages de son panthéon particulier : Raphaël, Rembrandt, Ingres.

Il est significatif que, très précisément l'année 1888-1889 où Gauguin produit la plupart de ses autoportraits (cat. 64, 90, 92, 95, 99), paraisse un livre-plaidoyer pour la création en France d'un musée de portraits d'artistes, suivi d'un recensement de 3 000 portraits[10]. L'année précédente, en 1887, Castagnary, l'ancien champion du réalisme promu directeur des Beaux-Arts, avait annoncé dans son discours inaugural la création (qui n'eut pas lieu) d'une galerie du Louvre analogue à celles des Offices à Florence : « les portraits sont là, une quarantaine au Louvre, une cinquantaine à Versailles, une soixantaine à l'École des Beaux-Arts. »[11]

Ce renouveau d'intérêt pour le portrait agitait les milieux officiels parisiens depuis une bonne décennie, précisément depuis la grande exposition de *Portraits nationaux,* au Trocadéro, pendant l'Exposition Universelle de 1878. On voyait dans la création d'un musée du portrait, un excellent enseignement historique pour l'écolier de la République fraîchement établie

9. P.S. d'une lettre à Schuffenecker, Merlhès 1984, n° 184.
10. Jouin, 1888.
11. Cité par Jouin, 1888, XVIII.

« quel enseignement que ce musée d'un jour ! » s'était écrié Paul Mantz, « (...) une image est une leçon. Par le portrait, enseignons l'histoire »[12].

Ainsi les frères van Gogh, Vincent surtout, en cherchant dès 1887 à se constituer une collection d'effigies d'artistes, s'inscrivaient sans s'en rendre compte dans un mouvement général d'idées, à vrai dire avec une confiance et une prescience étonnantes dans l'avenir de leurs jeunes amis, alors inconnus[13] ; ils pensaient garder trace des futures célébrités de demain : un des grands regrets de Vincent fut par exemple de ne pas avoir un portrait de Seurat. Leur rôle auprès de Gauguin fut, à ce moment précis, capital.

En effet, cette orageuse liaison amicale entre Gauguin et le couple fraternel des van Gogh, l'artiste et le marchand, fut tout compte fait très fructueuse[14] — au moins intellectuellement. Ainsi, il est évident que la cristallisation du thème de l'autoportrait qui deviendra presque obsessionnel chez Gauguin en 1888 et 1889 (neuf en moins de deux ans sur quinze environ dans toute l'œuvre[15]) revient à l'origine aux frères : la demande pressante de Vincent d'avoir des portraits de ses amis fut déterminante[16] sur le petit groupe établi à Pont-Aven l'été 1888, Gauguin, Bernard, puis Laval.

Rappelons la chronologie des faits. Dès juin 1888, Vincent tentait de faire venir à Arles Gauguin et Bernard pour créer un phalanstère analogue à celui qui s'instaurait à Pont-Aven[17] ; Gauguin n'obtempérera que le 21 octobre. Entre temps, à la demande de Vincent, les deux compères de Pont-Aven avaient envoyé leurs portraits dédicacés au peintre d'Arles, et celui-ci avait expédié le sien « à l'ami Gauguin » en Bretagne[18].

Les deux portraits de Gauguin et Bernard ont dû être peints à la mi-septembre[19] et arrivent à Arles le 9 octobre, peu après la lettre de Gauguin décrivant son propre tableau. Il semble qu'à l'origine Vincent ait demandé à ses amis leurs portraits réciproques, et que Bernard, intimidé par la personnalité de Gauguin, n'ait pu le faire[20] tandis que Gauguin lui écrivait début septembre « je ferai le portrait que vous désirez, mais pas *encore*. Je ne suis pas en état de le faire, attendu que ce n'est pas une copie d'un visage que vous désirez mais un portrait tel que je le comprend. J'observe le petit Bernard et je ne le possède pas encore. Je le ferai peut-être de mémoire mais en tout cas ce sera une abstraction. Peut-être demain, je ne sais pas cela me viendra tout d'un coup »[21]. Or, ce qui vint tout d'un coup et fut peint, très rapidement semble-t-il, quelques jours plus tard, c'est son autoportrait dit « les misérables » dédicacé « à l'ami Vincent » et malheureusement absent de cette rétrospective en raison de sa fragilité. « Nous avons accompli votre désir », écrit Gauguin, « d'une autre façon il est vrai, qu'importe puisque le résultat est le même. Nos 2 portraits. » Puis il décrit longuement son propre tableau, « je me sens le besoin d'expliquer ce que j'ai voulu faire non pas que vous ne soyez apte à le deviner tout seul mais parceque *(sic)* je ne crois pas y être parvenu dans mon œuvre. Le masque de bandit mal vêtu et puissant comme Jean Valjean qui a sa noblesse et sa douceur intérieure. Le sang en rut inonde son visage et les tons en feu de forge qui enveloppent les yeux indiquent la lave de feu qui embrase notre âme de peintre. Le dessin des yeux et du nez semblables aux fleurs dans les tapis persans résume un art abstrait et symbolique. Ce petit fond de jeune fille avec ses fleurs enfantines est là pour attester notre virginité artistique. Et ce Jean Valjean que la société opprime mis hors la loi, avec son amour sa force, n'est-il pas l'image aussi d'un impressioniste *(sic)* aujourd'hui. Et en le faisant sous mes traits vous avez mon image personnelle ainsi que notre portrait à tous pauvres victimes de la société nous en vengeant en faisant le bien (...) »[22]. En l'évoquant à Schuffenecker, quelques jours plus tard, il précise que son portrait est « absolument incompréhensible (par exemple) tellement il est abstrait (...) la couleur est une couleur loin de la nature : figurez-vous un vague souvenir de la poterie tordue par le grand feu ! tous les rouges, les violets, rayés par les éclats de feu comme une fournaise rayonnant aux yeux, siège des luttes de la pensée du peintre »[23].

Ces extraits de lettres sont les seuls textes connus de Gauguin sur ses autoportraits, et montrent à quel point tout, depuis quelque temps, est voulu et réfléchi dans sa peinture, et trahit sa recherche de ce qu'il appelle *abstraction,*

Gauguin, *Les Misérables,*
1888, huile sur toile
(Amsterdam, Rijksmuseum Vincent van Gogh,
Fondation Vincent van Gogh)

soit une réalité plus profonde, plus symbolique, au-delà des apparences, qu'il veut atteindre par des recherches formelles où le style prime l'observation. Il suffit de comparer *Les Misérables* à l'autoportrait précédent dédicacé à Laval (cat. 29) pour saisir le nouveau poids d'intentions dont il leste sa peinture. Bien sûr son portrait est destiné à impressionner Vincent et, par ricochet, Theo, à leur inspirer des sentiments d'admiration et de terreur, à les convaincre qu'il faut le plaindre, l'admirer et l'aider. Mais il correspond aussi à une réalité, à un désespoir vrai, à un sentiment justifié de son pouvoir nouveau, d'une maîtrise de nouvelles formules qu'il est en train d'atteindre envers et contre tous. En dehors d'une part de comédie, exprimée par sa position même dans le tableau — glissant, comme s'effondrant, à gauche, vers le bas — et malgré son air de conclure le monologue d'un clochard qui aurait le vin mauvais, quelque chose d'impressionnant passe, une violence, une aisance dans l'expression, et, par ce jaune de chrome pur qui deviendra une de ses couleurs fétiches, derrière l'accablement apparent de l'image, une sorte d'allégresse picturale.

Le court séjour à Arles ne pouvait que pousser Gauguin à réfléchir sur le thème précis des portraits et autoportraits : c'était alors au cœur des obsessions de Vincent. D'ailleurs, ce dernier aurait bien voulu faire poser Gauguin, mais la tension entre eux était telle qu'il ne parvint à peindre de Gauguin que l'image même de son absence : «j'ai essayé de peindre sa place vide (...), une étude de son fauteuil (...) et à la place de l'absent un flambeau allumé et des romans modernes»[24].

L'écho des conversations des deux hommes peut s'imaginer à travers les lettres de Vincent, dont les propos n'avaient pu qu'impressionner Gauguin : «je voudrais peindre des hommes et des femmes avec ce je ne sais quoi d'éternel, dont autrefois le nimbe était le symbole, et que nous cherchons par le

12. Jouin, 1888, XVI.
13. Par exemple, Vincent intime à Bernard l'été 1887 l'ordre de faire son autoportrait, Van Gogh 1960, t. III [B1F], 11.
14. Cooper 1983, 11.
15. Peinture, sculpture ou céramique ; les dessins ne sont pas inclus dans ce décompte.
16. «Tu vois bien que si je ne leur avais pas écrit un peu fortement, ce portrait n'existerait pas» écrit Vincent à Theo après que Gauguin eut peint *Les Misérables,* van Gogh 1960, t. III [Lettre 544 F], 221.
17. Van Gogh 1960, t. III [494 a], 85.
18. Aujourd'hui au Fogg museum of art, Cambridge, Mass., voir V. Jirat Wasiutynski et H. Travers Newton, 1984.
19. Envoyé mais reçu le 29 septembre environ (lettre à Theo), Merlhès, 1984, nº LXVII. Le portrait de Laval, sans doute plus ancien (voir fig. cat. 29) sera envoyé ensuite.
20. Vincent à Theo, lettre 539 F, Van Gogh 1960, t. III, 205.
21. Gauguin à Vincent van Gogh, Cooper 1983, [32-1-32-2], 215-227.
22. Cooper 1983, [nºs 33-1, 33-2], 243-244.
23. Lettre à Schuffenecker, 8 octobre 1888, in Malingue 1949, nº LXXI.
24. A Aurier, février 1890, Van Gogh 1960, [lettre 626 AF], 439.

Le Pouldu, 1889-1890

Gauguin avait alors quarante-deux ans. Dans toute la force de l'âge et d'une santé encore intacte, il avait la taille élevée, le visage brun, les cheveux noirs et assez longs, le nez aquilin, de gros yeux verts, une légère barbe en fer à cheval et une moustache courte. Il possédait un aspect grave et imposant, un maintien calme et réfléchi qui devenait parfois ironique en présence des philistins et une grande vigueur musculaire dont il n'aimait pas à se servir. Sa démarche lente, son geste sobre, sa mine sévère lui donnaient beaucoup de dignité naturelle et tenaient à distance les inconnus et les étrangers. Sous ce masque de froideur impassible se dissimulaient des sens ardents et un tempérament de jouisseur toujours à l'affût de sensations nouvelles. N'ayant jamais terminé ses études, il était resté dans l'incompréhension des Latins et des Grecs qu'il méprisait, faute de les avoir pratiqués. De ses pérégrinations de matelot, il avait rapporté quelques préceptes d'un pragmatisme rudimentaire qu'il résumait en une formule plusieurs fois inscrite sur les objets familiers qu'il aimait à décorer : « Vive le vin, l'amour et le tabac ! » Le vin se limitait heureusement à quelques rares petits verres de cognac dont il n'abusait pas et qu'il se faisait servir plutôt par convenance que par goût. Mais « l'amour et le tabac » lui tenaient fort à cœur (...).

Donc chez lui, grande activité de sensation. En revanche, pénurie de sentiments. La base de son caractère était un cynisme féroce, l'égoïsme du génie qui considère le monde entier comme une proie vouée à la glorification de sa puissance, comme une matière première de ses créations personnelles. Mais l'exagération même de cet égoïsme forcené l'empêchait de transformer en un bourgeois banal ou en pilier d'estaminet l'artiste qui restait une figure héroïque.

Motheré cité par Chassé 1955, 68-69.

rayonnement même, par la vibration de nos colorations »[25] ou « je voudrais faire des portraits qui un siècle plus tard apparussent comme des apparitions »[26]. Un an plus tard il se souvient : à propos de sa « volonté (...) de faire du portrait de ces jours (...), Gauguin et moi nous nous causions de cela et d'autres questions analogues de façon à nous tendre les nerfs jusqu'à l'extinction de toute chaleur vitale »[27].

D'ailleurs, on sent dans plusieurs des autoportraits ultérieurs de Gauguin l'ombre indirecte de Vincent, par exemple quand le tableau répond à une expérience commune : *Bonjour monsieur Gauguin* (cat. 95) rappelle leur visite au Courbet du musée de Montpellier. Ou encore, lorsqu'il peint son autoportrait en *Christ au jardin des oliviers* (cat. 90), il illustre ce qu'il avait écrit à Vincent « c'est un long calvaire à parcourir que la vie d'artiste ! et c'est peut-être ce qui nous fait vivre. La passion vivifie et nous mourons lorsqu'elle n'a plus d'aliment »[28] et qui dut être un des thèmes de leurs orageuses discussions. « Votre conception de l'impressionniste en général dont votre portrait est un symbole est saisissante » avait répondu Vincent à la lettre de Gauguin accompagnant l'envoi des *Misérables*, mais quand le portrait arriva, il ne fut pas enthousiaste : il reprochait au fond à Gauguin d'être irréaliste dans la peinture des chairs, trop noir, et surtout d'exhiber ses « plaies », de faire endurer aux autres ses tourments et sa tristesse. Son propre autoportrait envoyé à Gauguin en échange, où il s'est représenté un peu en moine bouddhique moderne, impliquait des vertus d'ascétisme et de stoïcisme qui n'étaient pas précisément celles du destinataire. Curieusement, on ne sait pas ce que Gauguin pensait de l'autoportrait de Vincent, mais il n'est pas exclu qu'il en ait compris le message muet et la nuance de reproche. Quoi qu'il en soit, les objections ou les critiques de Vincent ne pouvaient que stimuler Gauguin et le pousser à s'affirmer plus encore[29]. A une époque où il avait impérativement besoin du soutien financier de Theo, il savait bien que son image en Christ (cat. 90) allait à l'encontre des idées et des goûts de Theo et de Vincent, qui désapprouveraient autant l'irréalisme du sujet que sa grandiloquence. Enfin, on ne peut pas ne pas voir une sorte de coquetterie, de défi dans la façon dont il accentue systématiquement l'étroitesse de son front dans ses autoportraits des années suivantes, soit par des cheveux ramenés en avant, soit par des chapeaux, lui qui se souvenait encore quinze ans plus tard à propos de Vincent qu'« une de ses colères c'était d'être forcé de me reconnaître d'une grande intelligence, tandis que j'avais le front trop petit, signe d'imbécillité »[30].

En effet, le besoin de déplaire et celui de convaincre sont toujours liés chez Gauguin ; l'hostilité lui semble une garantie de son identité, un diplôme d'originalité. Deux choses seulement pouvaient l'abattre : le manque d'argent et l'indifférence. C'est une des raisons de ses masques divers, de ses provocations, de ses portraits douloureux ou renfrognés, lourds de reproches ou de défi.

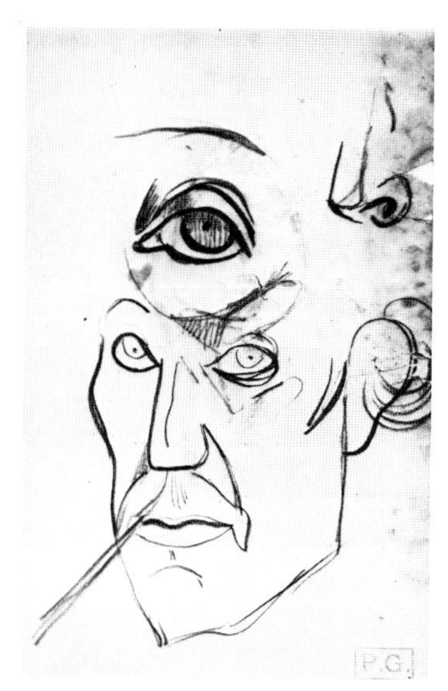

Gauguin, *Autoportrait*, dessin (Strasbourg, Musée des Beaux-Arts)

Cette inscription des destinées de son art dans les traits même de son visage est une des caractéristiques de ses portraits à partir du début 1889, époque où ses principaux soutiens moraux ou financiers — Pissarro, Theo van Gogh ou Degas (ce dernier, provisoirement) — contestaient la direction que prenait son art. C'est le moment où il choisit de se montrer sous la forme d'une sorte de monstre, de Quasimodo libidineux et infantile, un pouce dans la bouche, sur le coin supérieur droit du bois *Soyez amoureuses* (voir fig. cat. 65) ou dans la céramique du pot à tabac, étouffant un cri d'angoisse (cat. 65). Le voilà bientôt en Christ, abattu, souffrant, trahi (cat. 90), en guillotiné-martyr (cat. 64), puis en démon « superbe, droit comme un arbre vigoureux, ricanant comme l'ange qui se perdit par son orgueil »[31] dans le portrait-charge (cat. 92).

Chacune de ses images, qu'il réussit à rendre extrêmement fortes et individualisées, correspond pourtant à une identification où le *moi* se coule dans des conceptions forgées depuis quelques années, au fil de lectures, d'idées flottant dans « l'air du temps », qu'il saisit et adopte. Ses autoportraits marquent les étapes vers ce « But que j'ai pensé depuis longtemps mais que je ne formule que depuis peu »[32].

Le Pouldu, 1890

Je revois aussi Gauguin se baignant, à la plage du Pouldu, avec son bec d'aigle, ses yeux clairs de marin et ses cheveux noirs, un peu longs, son béret, son caleçon de bain, le ventre de l'homme de quarante ans ; il vous faisait penser à la fois à un bateleur, à un troubadour, à un pirate. Il avait la plus grande admiration pour le personnage de Vautrin, dans la Comédie Humaine, et l'idée qu'en d'autres temps et circonstances et dépourvu de l'amour de l'art, il aurait pu être le frère de celui-ci vous effleurait l'esprit. L'énergie se dégageait de toute sa personne ; il semblait couver un travail énorme. Il avait beaucoup lu ; la Bible, Shakespeare, Balzac me semblent avoir tenu la première place dans ses admirations.

J'ai toujours pensé qu'il y avait du sauvage en lui ; il le croyait également, se retrouvant une vieille parenté avec les Aztèques dont il avait vraiment le masque.

Paul-Émile Colin cité par Chassé 1955, 82.

---

25. A Theo, septembre 1888, van Gogh 1960 [531], 185.
26. A sa sœur, juin 1890, van Gogh 1960 [W 22 F], 468.
27. A Theo, septembre 1889, in van Gogh 1960, t. III [604 F], 372.
28. Cooper 1983, 31-1.
29. Exemple : « Pissarro et *d'autres* ne sont pas contents de mon exposition *donc* elle est bonne pour moi » (in Cooper 1983, [14-4], 107).
30. *Avant et après*, ms. 16.
31. Seguin 1903a, 163.
32. Lettre à Vincent, 20 novembre 1889, Cooper 1983, [22-4, 22-5], 157.

Héros de sa propre histoire, il se sent aussi celui de l'art de son temps, à ses yeux en pleine décadence. Il cristallise dans la peinture un courant individualiste néo-romantique, moralement inspiré de Carlyle, dont le «Culte des héros» est précisément traduit en français en 1886[33], et esthétiquement de Wagner — au moins tel que Wysewa l'avait popularisé, en particulier dans un article sur la «peinture wagnérienne» qui dut frapper beaucoup Gauguin en 1886. C'est en tout cas à partir de là que se formule l'esthétique de Pont-Aven popularisée par Sérusier puis par Maurice Denis chez les Nabis. En effet, on y trouvait un programme que Gauguin avait fait sien. «Il faut au-dessus de ce monde des apparences habituelles bâtir le monde saint d'une meilleure vie, (...) c'est la tâche même de l'art (...) arracher le réalisme aux apparences en le recréant (...) les couleurs et les lignes dans un tableau, ne sont pas la reproduction des couleurs et des lignes, toutes autres, qui sont dans la réalité. Elles ne sont que des signes conventionnels, etc.»[34].

C'est ce que Gauguin appelait «l'abstraction» dans sa peinture, une réalité plus vraie parce que ressentie par ce qu'il avait de «primitif» en lui. Se peindre en sauvage, en rebelle, en proscrit, en Christ, en mage, c'est pour lui une façon protéiforme de se montrer en artiste — voyant et rédempteur. Albert Aurier, avant le grand départ pour Tahiti discerne déjà en Gauguin «un de ces sublimes voyeurs (...) initiateur d'un art nouveau»[35] «qu'a voulu instaurer, en notre lamentable et putrifiée patrie, ce grand artiste de génie à l'âme de primitif et un peu de sauvage»[36]. On comprend que Gauguin ait reçu plus tard la bénédiction d'André Breton, pour avoir été «avant les abords immédiats du surréalisme, le seul peintre à avoir aperçu qu'il portait un magicien en lui»[37].

C'est également aux poètes que revient, au début des années 1890, d'avoir suscité un renouveau d'intérêt pour le portrait d'artiste. Dans la décennie précédente, ce genre pictural était encouragé, on l'a vu, dans le monde artistique officiel, pour sa vocation de témoignage historique. Il prend cette fois une nouvelle vie dans les milieux de l'art indépendant. Le portrait d'un peintre par un autre ou par lui-même, qui était l'exception dans l'iconographie impressionniste et la règle dans la peinture du Salon, devient un nouveau sujet de prédilection de l'avant-garde de la fin du siècle, des néo-impressionnistes aux nabis et aux symbolistes. Sur l'initiative de la revue littéraire les *Essais d'art libre* fut organisée en septembre 1893 une exposition dont le titre même *Portraits du prochain siècle* était un défi[38]. Y figuraient surtout des portraits d'écrivains symbolistes, Adam, Beaubourg, Tailhade, Rodenbach, Verlaine, etc. et de peintres, Ibels, Zuloaga, etc., et de nombreux autoportraits: de Cézanne «qui a possédé tous les dons de la perfection y compris la modestie»[39], de van Gogh «une telle page passionne comme une confession»[40], d'Angrand, d'E. Bernard, de Filiger, etc. Celui de Gauguin fait contre lui l'unanimité: «son propre portrait, qui est affreux et ridicule»[41] et paraît

33. Notons que la succession des chapitres du Héros comme Roi, poète, prêtre, etc. laissait une place vide à Gauguin : Carlyle n'avait pas prévu le héros comme peintre.
34. De Wysewa 1886, 102-104.
35. Aurier 1891, 159.
36. *Ibid*, 164.
37. Breton 1957, 216.
38. Chez Le Barc de Boutteville, septembre 1893.
39. Mauclair 1893, 118.
40. *Ibid*, 119.
41. *Ibid*, 119.
42. Christophe 1893, 416.
43. Helleu, cité par Blanche 1928 (voir encadré p. 29).
44. Annonce signée E. Girard et P. N. Roinard in *Essais d'art libre*, octobre 1893, p. 124-126: le premier volume consacré aux écrivains, parut seul en 1894. Le deuxième qui devait traiter des peintres ne parut pas. Le portrait de Gauguin devait être écrit par J. Dolent.

Tahiti, 1891

Disons le tout de suite, dès son débarquement Gauguin avait attiré les regards des indigènes, provoqué leur étonnement et surtout leurs lazzis, surtout ceux des femmes. Grand, droit, taillé en force, gardant, malgré sa curiosité déjà éveillée et soucieuse sans doute de ses futurs travaux, un grand air de profond dédain (...), ce qui retenait l'attention surtout sur Gauguin, c'était ses longs cheveux poivre et sel tombant en nappes sur ses épaules au-dessous d'un vaste chapeau de feutre brun à large bords, à la cowboy.

Jénot 1956, 117.

Paris (1894?)

Un mage, mon cher, un « symbolo » d'hostellerie ; regardez-moi sa main ! il porte à l'index un bijou d'art ! Ça fait du mal à la santé de voir ça. Impossible d'avoir du talent avec une pareille dégaine, voyez-vous ; il parle tout seul ! Il a l'air dessiné d'après Albert Dürer.

Helleu rapporté par Blanche 1928, 6.

Gauguin dans son atelier,
fin 1893 ou 1894, photographie
(Paris, Archives Larousse)

« amusant et fumiste, en indomptable corsaire ou en ogre terrifiant »[42]. Il est très difficile de déterminer de quel portrait précis il s'agit, mais cette dernière description peut correspondre au tableau du musée Pouchkine ou, s'il était encore à Paris parmi les effets laissés par la veuve de Theo van Gogh, à l'autoportrait *Les Misérables*.

La réaction de la critique une des rares fois où fut exposé de son vivant un autoportrait de Gauguin est révélatrice : elle l'oppose à la modestie de Cézanne et à l'émotion vraie de van Gogh : généralement Gauguin irritait, on le trouvait, sur la toile comme en chair et en os, provocant, ridicule : « un symbolo d'hostellerie »[43]. Et pourtant Gauguin ne faisait, avec un mélange de courage et de naïveté, qu'incarner au pied de la lettre l'attitude intellectuelle de ses amis écrivains, et s'installer dans un personnage encouragé par sa petite « cour » de peintres et de poètes, au Pouldu et à Paris. D'ailleurs, le programme du livre *Portraits du prochain siècle* projeté à la suite de l'exposition qui voulait « en une série de synthétiques portraits (...) donner, par le groupement d'éparses individualités, précurseurs militants et nouveaux-venus, la physionomie générale des esprits et du mouvement qu'anime l'espérante grandeur de délivrer la prochaine humanité par l'individualisme artistique et social »[44] était dans le droit fil des idées esthétiques de Gauguin, proclamées dans ses autoportraits des années précédentes.

Ces portraits de lui-même n'étaient pas destinés à un large public. Il est remarquable qu'à peu près tous aient été à usage, si l'on peut dire, intime et aucun destiné à être exposé ou vendu ; c'étaient, la plupart du temps des cadeaux : un message, l'expression d'un lien, un don de lui-même à ses pairs, sa femme, ses amis peintres, critiques, poètes ou simple « copain », comme le dernier, Ky Dong. Chacune de ces œuvres, peintes, sculptées, ou en céramique, peut être interprétée comme une confession à usage spécifique ; le premier portrait dit à Mette : je veut être peintre ; à Laval puis Carrière (cat. 29) : je suis

Paris, 1894

Il inventait tout (...). Aussi avait-il inventé son costume bizarre, le bonnet d'astrakan, cette énorme houppelande bleu foncé que maintenaient des ciselures précieuses et sous laquelle il paraissait aux Parisiens un magyar somptueux et gigantesque, un Rembrandt de 1635, lorsqu'il allait lentement, gravement, s'appuyant de sa main gantée de blanc, cerclée d'argent, sur la canne qu'il avait décorée.

Seguin 1903a, 160.

enfin moi, et je vous aime bien ; à Schuffenecker (cat. 65), à van Gogh, à Meyer de Haan (cat. 92) : nous sommes de la même confrérie de ceux qui souffrent, mais qui *savent ;* à Molard (cat. 164) : je suis un grand peintre, et je compte sur vous ; à Morice (cat. 159) : je suis un *très* grand peintre, faites le savoir ! A Monfreid, il envoie son touchant portrait de profil « à l'ami Daniel » (fig. cat. 226) avec ces mots pleins de la même surprenante modestie que le tableau : « étude d'après moi, histoire de peindre »[45].

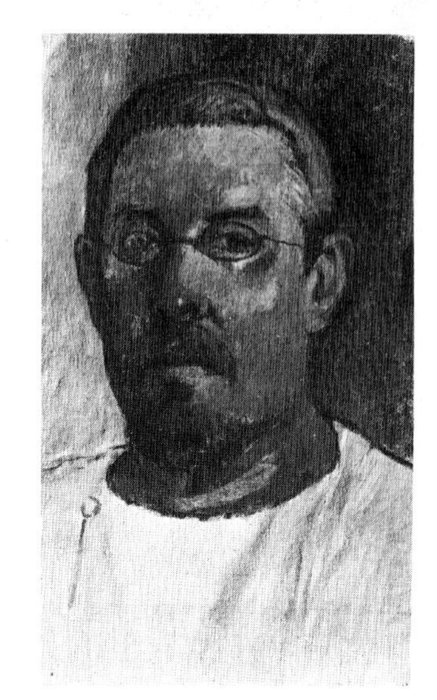

Gauguin, *Autoportrait,* 1903, huile sur toile (Bâle, Kunstmuseum)

En dehors même de ceux qu'il donne ou dédicace, la destinée de ses autres autoportraits a voulu qu'ils soient toujours acquis aussi par des écrivains et des artistes — *Bonjour monsieur Gauguin* (cat. 95) et le portrait en forme de pot (cat. 65) par Schuffenecker, *l'autoportrait au christ jaune* (cat. 99) par Maurice Denis, le *Christ au jardin des oliviers* (cat. 90) par Octave Mirbeau, celui dit « *au Golgotha* » (cat. 218) par Segalen —, comme s'il était nécessaire qu'il y eut un lien particulier et puissant entre le possesseur et le portraituré. La mort de Gauguin et l'intervention du marché supprimèrent bientôt ce lien mystérieux. Hors de leur contexte, beaucoup de ces autoportraits ont perdu une de leurs clés, et leurs intentions se sont alourdies, parfois jusqu'à la caricature, comme si l'absence de l'ami possesseur, capable de donner la réplique, accentuait la part de la pose, du soliloque, du déguisement.

A un moment de particulière détresse à Tahiti, Gauguin s'est une dernière fois, et de façon très littérale, identifié au Christ dans *Près du Golgotha* (cat. 218) : on y sent à quel point son symbolisme était arrêté à un certain moment de la littérature parisienne d'avant-garde, et s'il avait été exposé alors, il n'aurait pas « passé la rampe », moins encore que son portrait exposé en 1893 ; l'identification romantique et archaïsante de son personnage, serait tombée dans le ridicule des « Rose-croix » qu'il était pourtant le premier à condamner[46]. Alors réellement malade, malheureux, isolé, il n'est émouvant que presque malgré lui.

Dans ce qui est sans doute l'un de ses tous derniers portraits le visage « inca » dont il était si fier s'est défait comme un masque tombé. La simplicité de la prise de vue, l'austérité du vêtement, de la coiffure, le regard éteint par des petites lunettes de presbyte qui lui donnent l'air d'un vieux savant et évoquent les autoportraits de Chardin ou de Bonnard âgés, font de celui-ci un simple constat, presque distrait, sans complaisance. Il n'y a plus d'interlocuteurs à convaincre, seule la mort à regarder en face. Tous les autres autoportraits étaient chargés de discours, celui-ci se tait. Mais avec le silence définitif du modèle, la gloire tant attendue, que ses attitudes avaient vainement provoquée, est à la porte, pour de bon, bruyante même, avec son parfum d'amours exotiques et d'aventure héroïque, fournisseuse de romans à grand tirage et de séries télévisées. Renommée gênante : comme de son vivant, l'homme aura été encombrant pour l'artiste, ce qu'un de ses contemporains les plus lucides, Jean Dolent, avait bien senti, en déclarant à la nouvelle de sa disparition lointaine en 1903 : « il y avait deux personnes en Gauguin et j'étais avec l'une d'elles, d'accord avec Gauguin quelquefois, contre l'autre : le théoricien était abondant et imprécis mais l'artiste au chevalet était silencieux. Il se défendait. Il se défend mieux mort que vivant »[47].

F.C.

45. Joly-Segalen 1950, [XXIX], 101.
46. « Je redoute un peu pour vous le ridicule des Rose-Croix » écrit-il en juin 1899 à Maurice Denis, « pensant que l'art n'a rien à voir dans cette maison de Péladan », Malingue 1946, nº CLXXI.
47. Morice 1903b, 415.

Ci-contre : Leclercq, *La main de Gauguin,* 1893-95, photographie (Papeete, Archives Danielsson)

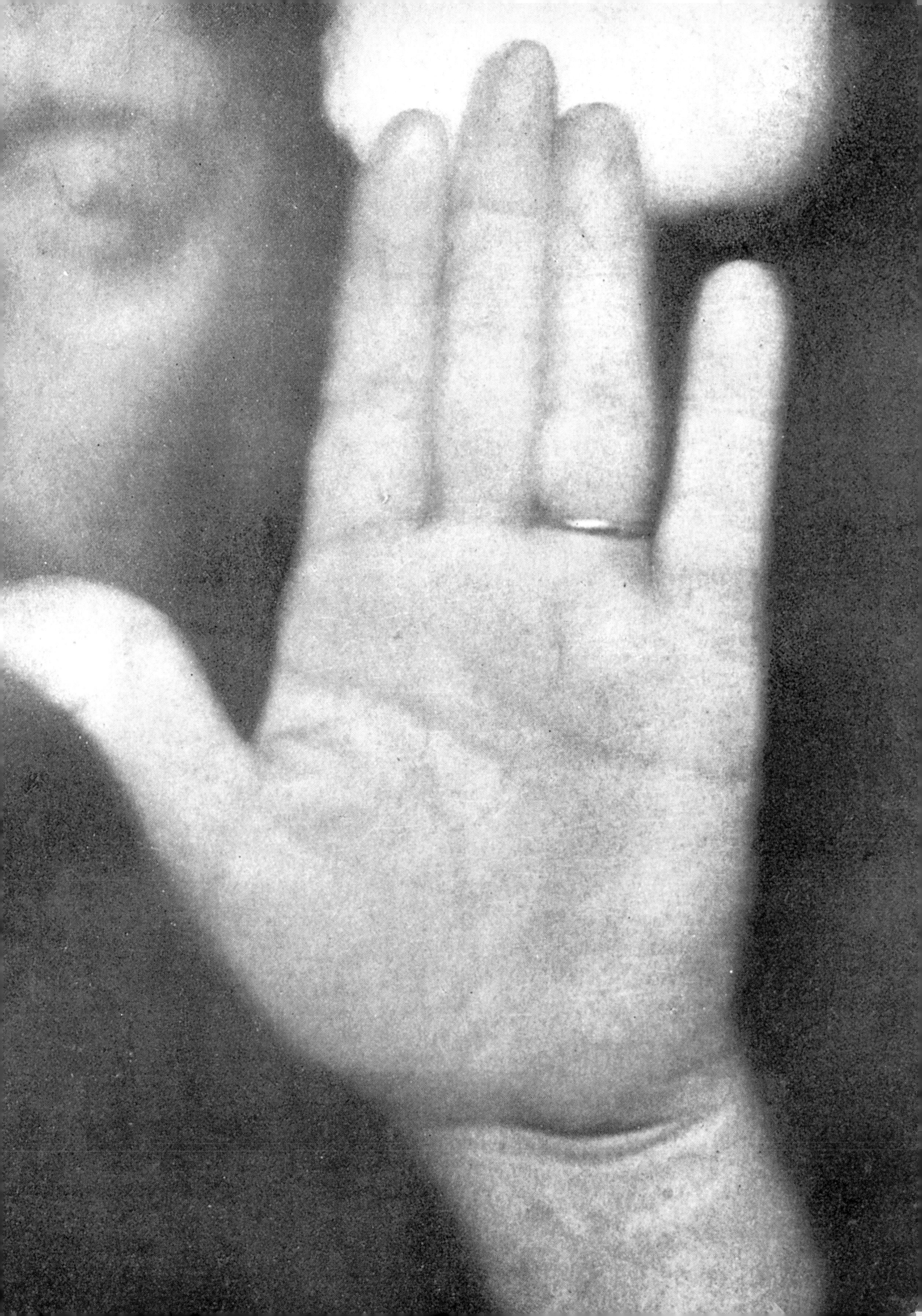

Chronologie: juin 1848-juin 1886

Isabelle Cahn

1848

7 juin
Naissance d'Eugène Henri Paul Gauguin à Paris, 52 (aujourd'hui 56) rue Notre-Dame-de-Lorette, fils de Pierre Guillaume Clovis Gauguin, rédacteur au *National* et d'Aline Marie Chazal.
Sa grand-mère maternelle est Flora Tristan (1803-44). (Paris, Mairie du IXe arr., acte de naissance.)

Jules Laure, *Aline Gauguin,* la mère de l'artiste
Huile sur toile
(Saint-Germain-en-Laye,
Musée départemental du Prieuré)

1849

19 juillet
Il est baptisé à l'église Notre-Dame-de-Lorette. Son père qui n'assiste pas au baptême est mentionné sur l'acte « sans profession ». Le parrain est Guillaume Gauguin, son grand-père paternel.
(Registre des baptêmes de la Paroisse Notre-Dame-de-Lorette, 1849, n° 467.)

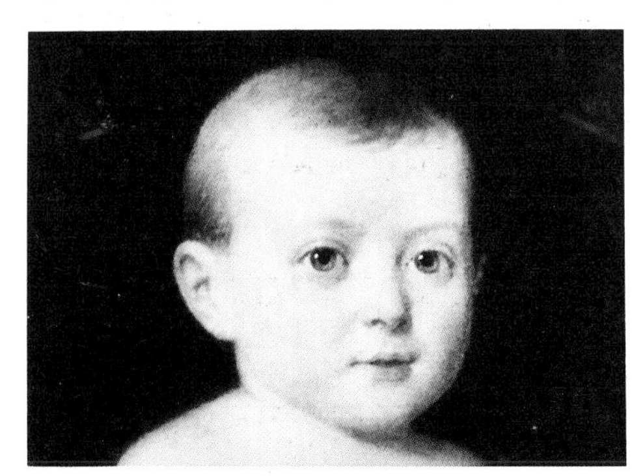

Jules Laure, *Paul Gauguin,* huile sur toile
(Saint-Germain-en-Laye,
Musée départemental du Prieuré)

8 août
La famille Gauguin s'embarque au Havre pour le Pérou. (Merlhès 1984, 321 n. 4.)
« Mon père, après les événements de 48 (...) il lui prit la fantaisie de partir pour Lima avec l'intention d'y fonder un journal ». (*Avant et après* 1923, 134.)

30 octobre
Son père meurt d'une rupture d'anévrisme (Gauguin 1923, 134) dans la Baie de Port-Famine (Punta Arenas) dans le Détroit de Magellan, (Chili) où il est enterré. (Rotonchamp 1906, 6. Inventaire après décès d'Aline Gauguin, Archives départementales des Hauts-de-Seine.)
Aline Gauguin, Paul et Marie, sa sœur aînée, née le 29 avril 1847 (Paris, Mairie du IXe arr., acte de naissance), s'installent à Lima chez leur grand-oncle Don Pio de Tristan Moscoso. (*Avant et après* 1923, 134-5.)

La Cathédrale de Lima, photographie
(Paris, Société de Géographie)

1850

7 septembre
Naissance de Mette Sofie Gad, future épouse de Gauguin, à Vesterhavn dans l'île de Laesö (Danemark). (A. P., acte de mariage de Gauguin.)

1853

19 septembre
Guillaume Gauguin, le grand-père paternel, consent une donation entre vifs à titre de partage anticipé au profit de ses petits enfants Marie et Paul.
(A.D., Hauts-de-Seine, analyse des titres et papiers de la succession d'Aline Gauguin.)

fin 1854/début 1855

Aline Gauguin rentre en France avec ses enfants. Son passeport lui est délivré à Lima le 9 août 1854. (A. D., Hauts-de-Seine, inventaire après décès d'Aline Gauguin.)
« Quatre années s'écoulèrent ainsi lorsqu'un beau jour des lettres pressantes arrivèrent de France. Il fallait revenir pour régler la succession de mon grand-père paternel». (*Avant et après* 1923, 138.)
La famille s'installe à Orléans, Paul est inscrit comme externe dans un pensionnat. (*Avant et après* 1923, 234.)

1855

9 avril
Mort de Guillaume Gauguin, à Orléans, 25 quai Tudelle. (Mairie d'Orléans, acte de décès.)

20 avril
Après délibération du conseil de famille, Isidore Gauguin, l'oncle paternel, est nommé subrogé-tuteur de Marie et de Paul. (A.D., Hauts-de-Seine, inventaire après décès d'Aline Gauguin.)

1856

Mort de son grand-oncle, Don Pio de Tristan Moscoso, à Lima. (Gauguin 1923, 138.)

1859

Il poursuit sa scolarité au Petit Séminaire (*Avant et après* 1923, 235) de la Chapelle Saint-Mesmin à Orléans. (Merlhès 1984, 322 n. 4.)

1861

Aline Gauguin s'installe à Paris, 33, rue de la Chaussée d'Antin. Son appartement au premier étage, bâtiment du fond, se compose d'une antichambre, un salon et deux chambres à feu. Sa profession : couturière-marchande. (A.P., calepins cadastraux, D^{1} P^{4}, 1861 ; elle est mentionnée à cette adresse dans *l'Annuaire-Almanach du commerce* Didot-Bottin de 1861 à 1865, avec, à partir de 1862, la profession de couturière.) Début de ses relations avec la famille Arosa. (Merlhès 1984, 322 n. 4.)

1862

Paul rejoint sa mère à Paris pour préparer le concours d'entrée à l'École Navale. Il est élève à l'Institut Loriol, 49, rue d'Enfer à Paris. (Marks-Vandenbroucke 1956, 31 ; *Annuaire-Almanach du commerce*, Didot-Bottin, 1862.)

1864

Il est interne au lycée d'Orléans pour sa dernière année scolaire. (Rotonchamp 1906, 9.)

1865

13 novembre
Aline Gauguin rédige un testament où elle désigne Gustave Arosa tuteur de ses enfants, ses seuls héritiers. Elle lègue à sa fille son mobilier, linge, dentelles et cachemires et à Paul ses portraits et

La famille Arosa, photographie
(Saint-Germain-en-Laye,
Musée départemental du Prieuré)

tableaux, sa chaîne avec montre, ses breloques et la bague chevalière de son grand-père. Elle recommande à son fils de « se faire sa carrière car il a su si peu se faire aimer de tous mes amis qu'il va se trouver bien abandonné ». Son adresse est 3, rue de la Paix, au village de l'Avenir (route de Romainville). (A.D., Hauts-de-Seine, testament d'Aline Gauguin.)

6 décembre
Ayant dépassé l'âge limite du concours d'entrée à l'École Navale, Gauguin embarque au Havre en qualité de novice-pilotin (élève-officier) à bord d'un trois-mâts, le *Luzitano* qui appareille pour Rio-de Janeiro. Le voyage dure trois mois et vingt et un jours. (A.D., Seine-Maritime, 6P6/282, rôle de bord du *Luzitano*.)

1866

2 mai
Second voyage à bord du *Luzitano* vers Rio de Janeiro (trois mois et vingt neuf jours). (A.D., Seine-Maritime, 6P6/290, rôle de bord du *Luzitano*.)

1er octobre
Sa mère s'installe à Saint-Cloud, 2 rue de l'Hospice. (A.D., Hauts-de Seine, inventaire après décès d'Aline Gauguin.)

27 octobre
Il embarque au Havre comme second lieutenant sur le *Chili :* Cardiff, Valparaiso, Iquiqué (Pérou), Arica (Chili). Le voyage dure treize mois et quinze jours. (A.D., Seine-Maritime, 6P6/309, rôle de bord du *Chili*.)

1867

7 juillet
Sa mère meurt à Saint-Cloud. (Mairie de Saint-Cloud, acte de décès.) Il apprend sa mort au cours d'une escale. (Perruchot 1961, 44.)

14 décembre
Le *Chili* est désarmé au Havre. (Marks-Vandenbroucke 1956, 34.)

1868

22 janvier
Gauguin est inscrit définitif. (A.D., Seine-Maritime, 6P5/165.)

26 février
Il est incorporé à la Division de Cherbourg comme matelot de 3e classe, inscrit au Havre.
Sa profession : marin.
Son signalement :
taille : 1,603 m
poils : châtains
yeux : bruns
nez : moyen
front : haut
bouche : moyenne
menton : rond
visage : ovale
(L.M., 47-48).

3 mars
Il est affecté sur le *Jérôme-Napoléon*, une corvette aménagée en yacht. (L.M., 60.)

juin-juillet
Le *Jérôme-Napoléon* croise en Méditerranée orientale et en Mer Noire. (Perruchot 1961, 46.)

septembre
La corvette se rend à Londres. *(Ibid.)*.

Le Jérôme Napoléon, photographie
(Paris, Musée de la Marine)

1869

avril-mai
Le *Jérôme-Napoléon* fait une croisière en Méditerranée avec escale à Bastia, Naples, Corfou, la côte Dalmate, Trieste, Venise. *(Ibid.)*

juin
A sa majorité, Gauguin hérite en partage avec sa sœur, des biens de sa mère et de son grand-père

Marie Gauguin, photographie
(Saint-Germain-en-Laye,
Musée départemental du Prieuré)

paternel s'élevant respectivement à 32 707,87 francs et 6215,84 francs, composés de maisons et de terres à Orléans, de créances et d'actions. (A.D., Hauts-de-Seine, testament d'Aline Gauguin.)

25 septembre-29 octobre
Il est hospitalisé. (L.M., 61.)

1870

1er juillet
Il est promu matelot de 2e classe. (L.M., 62.)

3 juillet
Le *Jérôme-Napoléon* croise vers le Cap-Nord. (Psichari 1947, 24.)

8 juillet
Arrivée à Bergen (Norvège). (Psichari 1947, 25.)

13 juillet
Le *Jérôme-Napoléon* franchit le cercle polaire. (Lettre de Renan à sa femme, 14 juillet 1870 in *Lettres familières* 1947, 210.)

19 juillet
Déclaration de guerre de la France à la Prusse.

21 juillet
Le *Jérôme-Napoléon* rallie Calais, via Edimbourg et Londres. (Psichari 1947, 29.)

25 juillet
Départ pour une nouvelle croisière en Mer du Nord. (Perruchot 1961, 48.)

26-30 août
Escale à Copenhague. *(Ibid.)*

11 octobre-1er novembre
Le *Jérôme-Napoléon*, rebaptisé après le 19 septembre, *Desaix* (Paris, Archives du Musée de la Marine), capture quatre bateaux allemands dont le *Franziska* (Perruchot 1961, 38) sur lequel Gauguin est détaché jusqu'au 1er novembre. (L.M., 62.)

1871

25 janvier
La maison de sa mère, 2 rue de l'Hospice à Saint-Cloud, est brûlée par les Prussiens. (*Avant et après*, 174-5.)

23 avril
Il est libéré de son service militaire par un congé de six mois renouvelable, nanti d'un certificat de bonne conduite. (L.M., 64.)

1872

Il habite 15 rue La Bruyère. (A.P., listes électorales, D¹M², IXe arr., 1873 : rien n'est inscrit sous la colonne qualification.)
Recommandé par Gustave Arosa, il entre comme remisier chez Paul Bertin (Rotonchamp 1906, 15) agent de change 11 rue Laffitte. (*Annuaire-Almanach du Commerce* Didot-Bottin, 1872 ; A.P., listes électorales D¹M², IXe arr., 1874 : Gauguin donne comme qualification « employé agent de change ».)
Chez Bertin il se lie avec Émile Schuffenecker (1851-1934). (Biographie de Schuffenecker envoyée à Jules Bois, Paris, Vente Hôtel Drouot, 2 avril 1987, no 153.)

automne
Mette Gad séjourne à Paris en compagnie d'une amie Marie Heegaard. Elles logent à la pension de Pauline Fouignet, avenue d'Eylau. Madame Fouignet entretenait des relations amicales avec la famille Arosa. (Merlhès 1984, 319 n. 1.)

1873

janvier
Gauguin demande la main de Mette. (Lettre à Madame Heegaard, 9 février 1873 in Merlhès 1984, 2, n. 1.)
Il peint pendant ses loisirs. (Lettres de Marie Heegaard à sa sœur [vers la mi-juillet 1873], à sa famille [3e décade de juillet ou 1er août 1873], à sa mère [fin juillet ou août 1873] *in* Merlhès 1984, 5-6, n. VII à X.)

22 novembre
Il épouse Mette Gad à la mairie du IXe arrondissement de Paris.
Les témoins sont Paul Bertin, Gustave Arosa, Oscar Fahle (Secrétaire au Consulat Danois). (A.P., registre des mariages du IXe arr. de Paris ; son adresse : 15 rue La Bruyère).
La bénédiction nuptiale a lieu le jour même à l'église évangélique luthérienne de la Rédemption, rue Chauchat. L'adresse du couple est 28 Place St Georges. (Église de la Rédemption, registre des mariages, janvier 1871-décembre 1881.)
L'appartement, au quatrième étage, se compose d'une entrée, salle à manger, salon, chambre à coucher, cabinet au fond, cuisine. (A.P., calepins cadastraux D¹P⁴, 1874.)

Paul Gauguin en 1873, photographie
(Saint-Germain-en-Laye,
Musée départemental du Prieuré)

Mette Gad en 1873, photographie
(Saint-Germain-en-Laye,
Musée départemental du Prieuré)

Paul Gauguin
(Paris, Harlingue-Viollet)

Aimé Morot, *Portrait de Mr Bertin*
huile sur toile
(Paris, collection particulière)

Paris, la Place de la Bourse,
vers 1888, photographie
(Paris, Bibliothèque Nationale)

1874

31 août
Naissance d'Emil Gauguin, 28 Place St Georges. Les deux témoins sont commis de banque. (A.P., registre des naissances du IXe arr. de Paris, 1874.)

14 octobre
Ingeborg Gad, la sœur de Mette, épouse le peintre Fritz Thaulow. (Merlhès 1984, 326 n. 16.)

1877

Il s'installe 74, rue des Fourneaux à Vaugirard. Son propriétaire, le sculpteur Bouillot, l'initie au modelage et à la sculpture. (A.P., registre des naissances du XVe arr. de Paris, actes de naissance d'Aline et de Clovis Gauguin, 1877 et 1879 ; A.P., listes électorales D^1M^2, XVe arr. de Paris, 1878, 79, 80 où Gauguin est inscrit en qualité d'« employé agent de change » ; A.P., calepins cadastraux D^1P^4, 1876 ; *cat.* expo. impressionniste 1880 ; Gauguin (Pola) 1938, 44).
Il entre en relation avec le sculpteur Aubé. (voir cat. 10).
Il fait connaissance de Karl Madsen, un critique d'art danois. (Rostrup 1956, 63).

Mette Gauguin accoudée à une ballustrade
photographie (Saint-Germain-en-Laye, Musée départemental du Prieuré)

Emil Gauguin dans les bras de Justine en 1875
photographie (Saint-Germain-en-Laye, Musée départemental du Prieuré)

Gauguin, *Buste d'Emil,* 1879, marbre
(New York, The Metropolitan Museum of Art)

1875

janvier
Gauguin emménage 54 rue de Chaillot. L'appartement, au troisième étage, comprend une antichambre, une salle à manger, trois pièces à feu, un cabinet noir, un salon, un couloir, des lieux et une cuisine. (A.P., calepins cadastraux D^1P^4, 1875 à 1877.)

8 mai
Emil Gauguin est baptisé à l'Église de la Rédemption. Son parrain est Fritz Thaulow, ses marraines Elisabeth Möller et Marie Gauguin, la sœur du peintre. (Église de la Rédemption, registre des baptêmes, 13 mars 1869-16 octobre 1876.)

1876

mai-juin
Il expose pour la première fois au Salon : *Sous-bois à Viroflay (Seine-et-Oise).* (W. 12 ?). (*Cat.* Salon, 1876 ; Yriarte « Le Salon de 1876 » in *G.B.A.* juillet 1876, 36).

vers la fin de l'année ou au début de 1877
Il cesse ses fonctions chez Bertin. (Lettre de Marie Heegaard à sa famille [novembre 1876 ?] in Merlhès 1984, n° XII, 11 et 327 n. 20).

24 décembre
Naissance d'Aline Gauguin. Les témoins sont deux sculpteurs : Bouillot et Orsolini. (A.P., registre des naissances du XVe arr. de Paris, 1877).

1878

25 février
Vente à l'Hôtel Drouot de la collection de tableaux de Gustave Arosa. La préface du catalogue est de Philippe Burty. (Cat. vente).

1879

Gauguin est employé chez le banquier André Bourdon, 21 rue Lepeletier.
(Papier à en-tête de la correspondance de Gauguin in Merlhès 1984, n°s 7, 9, 10, 11, 14-6).

10 avril-11 mai
Invité au dernier moment par Pissarro et Degas, il participe à la quatrième exposition impressionniste mais son nom ne figure pas au catalogue. (Lettre à Pissarro, 3 avril 1879 in Merlhès 1984, 12, n° 6 ; Duranty « La quatrième exposition faite par un groupe d'artistes indépendants » in *La chronique des Arts et de la curiosité,* 19 avril 1879, 127). Il prête à l'exposition trois œuvres de Pissarro lui appartenant. (Cat. expo impressionniste, 1879). Il fréquente le café de la Nouvelle-Athènes, Place Pigalle, où se retrouvent autour de Manet, Degas, Duranty, Renoir, Pissarro... (Lettre à Pissarro [2e décade de juillet 1879] in Merlhès 1984, n° 8, 14).

10 mai
Naissance de Clovis Henri Gauguin. (A.P., registre des naissances du XVe arr. de Paris).

juillet ?
Gauguin achète un tableau à Pissarro. (Lettre à Pissarro [2e décade de juillet] in Merlhès 1984, n° 8, 14).

Gauguin, *Buste de Mette,* 1880, marbre
(Londres, Courtauld Institute of Art)

été
Premier séjour chez Pissarro à Pontoise. (Lettre à Pissarro, 26 juillet 1879 in Merlhès 1984, n° 11, 16).

1880

1er avril-30 avril
Il participe à la Ve exposition impressionniste :
– *Les pommiers de l'Hermitage (Seine-et-Oise)* (W 31 ?)
– *Les maraîchers de Vaugirard* (W 36)
– *Effet de neige* (W 37 ?)
– *Nature morte* (W 28 ou 47)
– *La sente du père Dupin (Seine-et Oise)* (W 35 ?)
– *Étude* (W 38 ?)
– *Ferme Pontoise* (W 34 ?)
– *Buste* marbre (G 1)
(Cat. expo. impressionniste, 1880 ; Havard « L'exposition des artistes indépendants » in *Le Siècle*, 2 avril 1880 ; Goetschy « Indépendants et Impressionnistes » in *Le Voltaire*, 6 avril 1880 ; Charry « Le Salon de 1880. Préface - Les Impressionnistes » in *Le Pays*, 10 avril 1880 ; Sylvestre « Exposition de la rue des Pyramides » in *La Vie Moderne*, 24 avril 1880 ; Ephrussi « L'Exposition des artistes indépendants » in *G.B.A.*, 1er mai 1880, 487).

été
Il emménage 8 rue Carcel. « (...) j'ai trouvé à Vaugirard une occasion épatante d'atelier avec trois pièces pour appartement ». (Lettre à Pissarro, 16 août 1880 in Merlhès 1984, n° 13, 19).
Le pavillon était sous-loué au peintre Félix Jobbé-Duval qui avait un bail de location de vingt ans pour l'immeuble, depuis le 18 juillet 1863. Une des portes de sortie donnait rue Blomet où à partir d'avril 1882 Haviland exploite, au n° 153, une fabrique de faïence dont Chaplet devient directeur (voir cat. 24) (A.P., calepins cadastraux D1P4, 1862 ; cette adresse apparaît aussi sur les listes électorales où Gauguin reste inscrit comme « employé agent de change » de 1881 à 1894).
Il est employé à l'agence Thomereau (vente et achat des actions des Compagnies d'Assurances 93 rue Richelieu. (Merlhès 1984, 340-1 n. 39 ; papier à en-tête des lettres à Pissarro [août-septembre 1881] et 11 novembre 1881 in Merlhès 1984, 352 n. 58 et n° 18, 23).

Le jardin et l'atelier de la rue Carcel, photographie (Saint-Germain-en-Laye, Musée départemental du Prieuré)

Émil, le fils aîné, est envoyé au Danemark où il vit chez une amie de sa mère Karen Lehmann (Rostrup cité par Bodelsen 1970, 601 et n. 32).

1881

16 mars
Premiers achats de Durand-Ruel à Gauguin : *Paysage, Église de village, Coin de jardin* pour 1 500 francs. (D.R.).
Gauguin achète à son tour des tableaux à Durand-Ruel : le 25 mars, une marine de Manet, le 27 avril il obtient en commission — après la vente par Durand-Ruel de l'*Église de Vaugirard* à Baroux — deux Renoir ; le 12 octobre il achète un tableau de Brown, le 16 et le 19 décembre deux Jongkind. (D.R.)

2 avril-1er mai
Il participe à la VIe exposition impressionniste :
– *Une nuit à Vaugirard* (remis par Durand-Ruel à l'exposition) (W 30 ?).
– *Le terrain de ma propriété* (remis par Durand-Ruel à l'exposition) (W 44 ?).
– *La tombée des feuilles* (W 85).
– *Fleurs et tapis* (appartient à M. de Bellio) (W 48).

Pissarro
Gauguin sculptant la Dame en promenade, dessin (Stockholm, Statens Konstmuseet)

– *Sur une chaise* (appartient à M. Degas) (W 46).
– *Pour faire un bouquet* (W 49).
– *Étude de nu* (W 39) (voir cat. 4).
– *Le petit Mousse* (W 43).
– *La chanteuse*. Médaillon (sculpture) (voir cat. 5).
– *Dame en promenade* (figurine en bois) (voir cat. 6).
(Cat. expo. impressionniste, 1881 ; Havard « L'exposition des artistes indépendants » in *Le Siècle* 3 avril 1881 ; Gonzague-Privat « L'exposition des artistes indépendants » in *l'Événement*, 5 avril 1881 ; Goetschy « Exposition des artistes indépendants » in *Le Voltaire*, 5 avril 1881 ; Valabregue « L'exposition des impressionnistes » in *La Revue littéraire et artistique* 15 avril 1881 ; Geffroy « L'exposition des artistes indépendants » in *La Justice*, 19 avril 1881 ; Mantz in *Le Temps* 23 avril 1881 ; Huysmans « L'exposition des indépendants en 1881 » in *l'Art Moderne* 1883).

12 avril
Naissance de Jean-René, quatrième enfant du peintre. (A.P., registre des naissances du XVe arr. de Paris).

19 octobre
Durand-Ruel achète *Effet de nuit*, 200 francs. (D.R.).

1882

janvier
La faillite de l'Union Générale entraîne un effondrement de la Bourse.

mars
Malgré les divisions qui s'installent dans le groupe, il participe à la septième exposition impressionniste :
– *Fleurs*, nature morte (W 50 ?).
– *Église de Vaugirard* (W 61).
– *Un morceau de jardin* (W 58 ?).
– *Le mur mitoyen* (W 56 ?).
– *La petite rêve*, étude (voir cat. 13).
– *A la fenêtre*, nature morte (W 63 ?).
– *Fleurs et tapis*, nature morte (W 64 ?).
– *Bébé*, étude (W 51 ?).
– *Oranges*, nature morte (W 65 ?).
– *La petite s'amuse* (W 55 ?).
– *Usine à gaz*, pastel (W 62).
– *Un coin du mur (effet de nuit)* (W 57 ?).
– *Clovis* (buste) sculpture (G 6).
(Cat. expo. impressionniste, 1882 ; La Fare « Chez les Impressionnistes-Les cinq » in *Le Gaulois* 23 février 1882 et 2 mars 1882 ; Havard in *Le Siècle* 2 mars 1882 ; anon. in *La Patrie* 2 mars 1882 ; « Fichtre » [G. Vassy] « L'exposition des impressionnistes » in le *Réveil* 2 mars 1882 ; Hepp « Impressionnisme » in *Le Voltaire* 3 mars 1882 ; Flor « Deux expositions » in *Le National* 3 mars 1882 ; Hustin in *L'Estafette*, 3 mars 1882 ; Nivelle « Les peintres indépendants » in *Le Soleil*, 4 mars 1882 ; Chesneau in *Paris-Journal* 7 mars 1882 ; Burty « Les indépendants » in *La République française*, 8 mars 1882 ; Sylvestre in *La vie moderne* 11 mars 1882 ; Hennequin in *La Revue littéraire et artistique* 11 mars 1882 ; Charry in *Le Pays* 14 mars 1882 ; Leroy in *Le Charivari* 17 mars 1882 ; Rivière in *Le chat noir* 8 avril 1882).
Gauguin dont les affaires boursières périclitent, hésite à choisir entre la finance et la peinture. (Lettres à Pissarro, [mai-juin], juin, [fin octobre-début novembre 1882] in Merlhès 1984, 20-30, 35, nos 23, 24, 28).
Il rend visite à Pissarro, le dimanche, à Pontoise puis à Osny. (Lettres à Pissarro [mai-juin 1882], [juillet 1882], 9 novembre 1882, 8 décembre 1882 in Merlhès 1984, nos 23, 25, 30, 29-31-36).

1883

14 avril
Mort de Gustave Arosa. Gauguin n'assiste pas à l'enterrement qui a lieu le 16 avril. (Lettre à Pissarro [22 ou 23 avril 1883] in Merlhès 1984, n° 33, 42).

3 mai
Il n'assiste pas à l'enterrement de Manet et s'en explique dans une lettre à Pissarro. Il participe à l'achat d'une couronne de fleurs. (Lettre à Pissarro [vers le 7 mai 1883] in Merlhès 1984, n° 35, 43.

15 juin-5 juillet
Invité par Pissarro, il séjourne trois semaines à Osny. (Lettre à Pissarro [début juin 1883) in Merlhès 1984, 49, n° 37 ; lettres de Pissarro à son fils Lucien [16 juin 1883] et 5 juillet 1883 in Bailly-Herzberg 1980, n° 161, 221, n° 166, 226).
Il veut faire des modèles de tapisserie impressionniste. (Lettre de Pissarro à son fils Lucien [16 juin 1883] in Bailly-Herzberg 1980, n° 161, 221).

août
Il se rend à Cerbère, à la frontière espagnole, en mission pour le compte des républicains radicaux espagnols. (Lettre à Pissarro [13 août 1883] in Merlhès 1984, n° 39, 52 et 388 n. 119 ; lettre de D. de Monfreid à Bausil (s.d.), A.L.).

septembre
Il recherche un emploi. Il se fait recommander auprès du marchand de tableaux G. Petit. (Lettres à Pissarro [vers fin septembre ou début octobre 1883], 11 octobre 1883, 29 octobre 1883 in Merlhès 1984, n° 40-41-42, 53-55-56).

1er novembre
Il se rend chez Pissarro à Rouen où il compte se fixer. (Lettre de Pissarro à E. Murer, 2 novembre 1883 in Merlhès 1984, n° XXI, 57).

6 décembre
Naissance de Paul Rollon. Sur l'acte de naissance il se déclare artiste-peintre. (A.P., registre des naissances du XVe arr. de Paris).

1884

janvier
Il s'installe à Rouen, 5 impasse Malherne. (Lettre à Pissarro [vers le 12 ou 13 janvier 1884] in Merlès 1984, 59 n. 43 ; lettre à Murer [13 ou 20 janvier 1884] in Merlhès 1984, n° 44, 60 ; cat. expo. des Beaux-Arts de Rouen, août 1884 ; le nom de Gauguin cependant, ne figure pas sur le registre des habitants de l'impasse Malherne en 1884, Rouen, A.D., 6 M 338).
L'appartement a été choisi par Pissarro et Gauguin pendant l'automne 1883. (Lettre de Pissarro à Murer, 2 novembre 1883, in Bailly-Herzberg 1980, n° 186, 247).

avril
Il voyage pendant quinze jours dans le sud de la France en compagnie d'Émile Armand Bertaux — caissier chez un coulissier de l'avenue de l'Opéra — pour le compte des républicains espagnols. De passage à Montpellier, il visite le Musée Fabre où il fait une rapide étude d'*Aline la mulâtresse* de Delacroix.
(Lettres à Pissarro [vers le 8 mai 1884] et [vers la mi-mai 1884] in Merlhès 1984, n° 47-48, 62, 63 et 394 n. 134).

9 avril
Il laisse sept tableaux en dépôt chez Durand-Ruel : *Jardin du Bon Secours, Côteau des malades, Le clos d'Ernemont, Jardin abandonné, Chez le jardinier, La maison blanche, La rue du Nord* (D.R.).

été
Exposition chez Murer, à l'Hôtel du Dauphin et d'Espagne à Rouen, des toiles de sa collection dont un tableau de Gauguin. (Lettres à Pissarro [vers le 10 juillet 1884] et [fin juillet 1884] in Merlhès 1984, n° 49, 50, 65-6).

juillet
Départ de Mette pour deux mois au Danemark en compagnie d'Aline et de Paul Rollon. A court d'argent, il vend à 50 % de perte son contrat d'assurance sur la vie. (Lettre à Pissarro [fin juillet 1884] in Merlhès 1984, n° 50, 66-7).

12 août
Ouverture de l'exposition municipale des Beaux-Arts de Rouen où Gauguin (« élève de M. Jobbé-Duval ») expose :
— *Une Scandinave* (pastel).
— *Mette* (buste) (G 1).
(Cat. expo. des Beaux-Arts, Rouen 1884).

septembre
Retour de Mette à Rouen.
(Lettre à Pissarro, [fin juillet 1884] in Merlhès 1984, n° 50, 66).

automne
Il expose à la Kunstudstilligen de Kristiania [Oslo], Norvège :
— *Nature-morte.*
— *Nature-morte.*
— *Portrait.*
(Cat. expo.)
Il dépose chez Chercuitte un tableau de Monet que lui a donné Durand-Ruel et un Renoir. (Lettre de Durand-Ruel à Pissarro, 23 octobre 1884, Paris, Hôtel Drouot, 21 novembre 1975, n° 21).

octobre
Il est employé par une fabrique de bâches de Roubaix, A. Dillies et cie, comme représentant pour le Danemark. (Lettre à Pissarro [octobre 1884] in Merlhès 1984, n° 54, 70).

Vue intérieure du Musée de Montpellier à la fin du XIXe siècle, photographie (Montpellier, Musée Fabre)

Copenhague, Lille Rosenborg, Frederiksberg Allé 29, photographie (Copenhague, Bymuseum)

Copenhague, la rue Gammel Kongevej, photographie (Copenhague, Bymuseum)

fin octobre
Il étudie la graphologie. (Lettre à Pissarro [octobre 1884] in Merlhès 1984, n° 54, 71).
Mette retourne à Copenhague : « Je pars avec mes enfants et les meubles ». (Lettre de Mette à Émile et Louise Schuffenecker [29 octobre 1884] in Merlhès 1984, n° XXV, 74).

novembre
Gauguin les rejoint au Danemark via Kristiania [Oslo] (16 novembre). Il emporte sa collection de tableaux et de dessins qu'il laissera à Copenhague. Il s'installe provisoirement avec sa famille chez Madame Gad, la mère de Mette, « Lille Rosenborg » 29 Frederiksberg Allé.
(Lettre de Mette Gauguin à Émile et Louise Schuffenecker [29 octobre 1884] et lettre de Gauguin à Dillies, novembre 1884 in Merlhès 1984, n° XXV et n° 56, 74 ; Bodelsen 1970, 601).

décembre
Il emménage 105 Gammel Kongevej. (Lettre à Dillies, novembre 1884 in Merlhès 1984, 75, n° 56 ; Gauguin est inscrit comme « représentant de commerce » dans le bulletin de recensement du 1er février 1885 de Copenhague, Archives Nationales du Danemark).
Mette donne des leçons de français. (Lettre à Pissarro [fin novembre-début décembre 1884] in Merlhès 1984, n° 57, 77).

1885

Sur un carnet acheté à Rouen, il rédige les *Notes synthétiques.* (Gauguin *Carnet de croquis* conservé à New York, Hammer Galleries, éd. par

Mette et Paul Gauguin à Copenhague en 1885
photographie (Saint-Germain-en-Laye, Musée départemental du Prieuré)

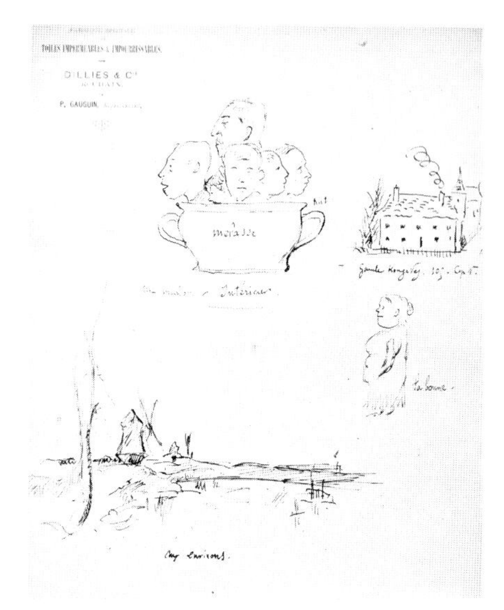

Gauguin, *Mélasse*, dessin à la plume sur une feuille à en-tête de la maison Dillies, Copenhague, hiver 1885 (Paris, Musée d'Orsay, Service de documentation)

Copenhague, Norregade 51
photographie (Copenhague, Bymuseum)

Cogniat et Rewald, 1962 ; Jirat-Wasiutynski, 1978, 16-7).
Il touche 1 300 francs de la vente par Portier à Alexander Cassatt de son tableau de Manet *Vue de Hollande* (RW 185). (Merlhès 1984, 406 n. 157).

25 avril
Il emménage 51 Nørregarde. (Lettre à Schuffenecker, 17 mars 1885 in Merlhès 1984, nº 75, 100).

1er-6 mai
Il expose à Copenhague à la Société des Amis de l'Art. (*Politiken*, 29 mars 1885 ; *Nationaltidende*, 29 avril 1885 et 9 mai 1885 ; Rostrup 1956, 70).

juin
Il rentre à Paris en chemin de fer avec son fils Clovis. (Cogniat et Rewald 1962, 17-8).
A bout de ressources, il demande à Durand-Ruel de lui racheter un tableau de Monet et un Renoir reçus par lui en commission. (Lettre à Durand-Ruel, 22 juin 1885 in Merlhès 1984, nº 80, 109, 415 n. 179).
Il vit chez Schuffenecker 29, rue Boulard. (Lettre à Durand-Ruel, 22 juin 1885 in Merlhès 1984, nº 80, 109).

Bâtiment de l'exposition de la Société des Amis de l'Art, Amaliege, 30, photographie (Copenhague, Bymuseum)

juillet
Il se rend à Dieppe où il séjourne jusqu'au début du mois d'octobre chez un ami. (Lettre à Pissarro, 2 octobre 1885 in Merlhès 1984, nº 85, 113).

fin août-mi septembre
Il passe trois semaines à Londres pour « les affaires d'Espagne ». Il regarde aussi la peinture anglaise. (Lettres à Mette, 19 septembre 1885 et à Pissarro, 2 octobre 1885 in Merlhès 1984, nº 84, 112 et nº 85, 113).
A son retour à Dieppe il rencontre Degas, qui refuse de le recevoir dans son atelier. (Lettre à Pissarro, 2 octobre 1885 in Merlhès 1984, nº 85, 113).
Clovis, confié quelques mois à la sœur du peintre, vient habiter avec lui chez Favre, 19 rue Perdonnet. (Lettre à Mette [vers le 10 octobre 1885] in Merlhès 1984, nº 86, 114).

La maison de Schuffenecker, 29 rue Boulard
photographie (Saint-Germain-en-Laye, Musée départemental du Prieuré)

octobre
Il loue un appartement 10 rue Cail, près de son ami Favre. (Lettre à Mette, 13 octobre 1885 in Merlhès 1984, nº 87, 115).
Mette vend des tableaux de la collection de Gauguin laissés à Copenhague. (Lettre à Mette [1re quinzaine de décembre 1885] in Merlhès 1984, nº 90, 118).

décembre
Ses tableaux sont refusés à une exposition au Danemark. (Lettre à Mette, 29 décembre [1885] in Merlhès 1984, nº 92, 120).
Clovis est atteint par la variole. Gauguin devient colleur d'affiches dans une société d'affichage dans les gares puis il est engagé comme inspecteur et secrétaire d'administration. (Lettre à Mette [janvier 1886] in Merlhès 1984, nº 94, 122).

fin 1885-6
Il recopie le texte d'un poète turc Vehbi Mohamed Zunbul-Zadé, suivi de préceptes picturaux qu'il insèrera plus tard dans *Avant et après*. Il prête le texte à Seurat qui le recopie. (Herbert 1958, 151 n. 21).

1886

6 mai
Il assiste au dîner organisé par Pissarro à l'occasion de la huitième exposition impressionniste au Lac St Fargeau (Kahn 1925, 44-5), un music-hall situé 296 rue de Belleville. (Bailly-Herzberg 1986, 46 n. 1).

15 mai-15 juin
Il participe à la huitième exposition impressionniste :
– *Nature morte*
– *Vaches au repos* (W 160 ?)
– *Vache dans l'eau* (W 159 ?)
– *Un coin de la mare* (W 158 ?)
– *Les saules* (W 156 ?)
– *Près de la ferme* (W 161)
– *Paysage d'hiver* (W 188 ou 170)

– *Le château de l'anglaise*
– *L'église* (W 102 ?)
– *Vue de Rouen* (W 103 ?)
– *Avant les pommes*
– *Les baigneuses* (W 167 ?)
– *Fleurs, fantaisie* (W 182 ?)
– *Route de Rouen* (W 109 ?)
– *Parc, Danemark* (W 141 ou W 142)
– *Conversation* (W 144 ?)
– *Chemin de la ferme* (W 152 ?)
– *Falaises* (W 170)
– *Portrait* (W 186)

Il expose aussi *La toilette* (G 7) (bas relief en bois appartenant à Pissarro).
(Cat. expo. impressionniste, 1886 ; lettre à Pissarro [début mai 1886] in Merlhès 1984, n° 96, 124 ; Adam « Peintres impressionnistes » in *La Revue contemporaine, littéraire et philosophique,* avril 1886 ; Fouquier « Les Impressionnistes » in *Le XIXe siècle* 16 mai 1886 ; Geffroy « Salon de 1886, VIII, hors du Salon – Les impressionnistes » in *La Justice,* 26 mai 1886 ; Fèvre « Étude sur le Salon de 1886 et sur l'exposition des Impressionnistes » in *La Revue de demain,* mai-juin 1886 ; Darzens « Exposition des Impressionnistes » in *La Pleiade,* mai 1886 ; Hennequin « Notes d'art. Les Impressionnistes » in *La vie moderne,* 19 juin 1886 ; Fénéon « VIIIe exposition impressionniste du 15 mai au 15 juin, 1 rue Laffitte » in *La Vogue,* n° 8, 13-20 juin 1886 ; Ajalbert « Le Salon des Impressionnistes » in *La Revue Moderne* [Marseille], 20 juin 1886 ; anon. « Les vingtistes parisiens » in *L'Art Moderne* [Bruxelles] 27 juin 1886).
Clovis est en pension chez Lennuier à Antony. (Lettres à Mette [24 mai 1886] et [fin juillet 1886] in Merlhès 1984, n° 97, 125, n° 110, 137).
Bracquemond achète à Gauguin un tableau 250 francs. Il le met en relation avec le céramiste Chaplet qui lui propose de travailler pour lui l'hiver prochain. (Lettre à Mette [1re quinzaine de juin 1886] in Merlhès 1984, n° 99, 126).

juin
Il est attesté pour la première fois que Gauguin fréquente l'atelier de céramique de la rue Blomet. (Lettre à Bracquemond, 24 juin 1886 in Merlhès 1984, n° 100, 129).

Delaherche en train de défourner rue Blomet
photographie
(Beauvais, Musée départemental de l'Oise)

Les années impressionnistes

Charles F. Stuckey

Les premières toiles de Gauguin, généralement mises à l'écart, sont souvent considérées comme le préambule grossier et presque sans rapport avec une brillante carrière qui n'aurait commencé véritablement qu'avec son premier séjour en Bretagne, peu de temps après la huitième et dernière exposition impressionniste. Ces œuvres étaient tenues pour négligeables par Gauguin lui-même, qui écrivait vers 1900 à un collectionneur : « J'estime à trois cents toiles au plus le nombre de toiles *depuis que j'ai commencé à peindre*. Dont une centaine ne comptent pas, étant du début »[1]. Si en effet dans ses nombreux écrits autobiographiques, Gauguin raconte maintes anecdotes relatives à son enfance et à sa carrière après 1886, il passe pratiquement sous silence ses œuvres antérieures, exposées avec celles des Impressionnistes à la fin des années 1870 et au début des années 1880.

Étant donné le grand nombre de peintres qui se disputaient la faveur du public, parmi lesquels Degas, Morisot et Pissarro, il n'est guère surprenant que les toiles de Gauguin aient pour la plupart échappé à l'œil des collectionneurs et des critiques. Il est toutefois frappant que Gauguin ait exposé aux côtés de ces peintres. Il n'accorda au départ qu'une partie de son temps à la peinture, dans laquelle il s'était lancé en autodidacte, et cela moins d'un an avant que Cézanne, Monet, Renoir et Sisley n'organisent en 1874 une exposition révolutionnaire, hors des critères de l'art officiel.

Rien au début de sa vie ne laissait penser que Gauguin allait, ne serait-ce qu'en amateur, s'intéresser à l'art, en dehors du souvenir rapporté dans ses écrits de compliments d'un domestique à propos d'un étui de poignard décoré par ses soins lorsqu'il était enfant[2]. Ce n'est qu'à l'âge de vingt-deux ans, juste après son service militaire en 1871, qu'il commença à rencontrer des peintres et des collectionneurs. Sa mère, décédée quatre ans auparavant, avait pris des dispositions pour confier la tutelle de ses enfants à un voisin, Gustave Arosa. Celui-ci financier de son métier, était également un photographe renommé, spécialisé dans les reproductions d'art et qui collectionnait les œuvres des peintres contemporains[3]. C'est par son entremise que Gauguin entra chez un agent de change, où il fit la connaissance d'Émile Schuffenecker, qui allait par la suite devenir peintre comme lui et s'avérer l'un de ses plus ardents défenseurs[4]. La fille cadette d'Arosa souhaitait aussi se lancer dans cet art et Gauguin peignit quelquefois en sa compagnie[5]. C'est également chez Arosa que lui fut présentée Mette Gad, une Danoise de deux ans plus jeune que lui, qu'il devait épouser à la fin de 1873. Quelques mois plus tard, la sœur de Mette Gad épousait un peintre norvégien du nom de Fritz Thaulow et venait s'installer avec lui à Paris[6].

Dès 1876, Gauguin se sentait prêt à exposer au Salon qui se tenait chaque année à Paris sous les auspices du gouvernement. Le fait que le jury conservateur avait accepté un paysage de Gauguin alors qu'il refusait des toiles de Manet et de Cézanne explique pourquoi les Impressionnistes avaient pris l'initiative d'organiser deux ans plus tôt d'une série d'expositions indépendantes. Les catalogues des Salons suivants ne mentionnant aucune œuvre de Gauguin, on peut émettre deux hypothèses, soit il avait renoncé à soumettre ses toiles au jury soit celui-ci les avait refusées. Tout ce que l'on sait de cette période importante est que Gauguin quitta son travail et emménagea dans un plus grand appartement, juste avant la naissance de son second enfant. Son nouveau propriétaire et ami, Jules Bouillot, était sculpteur[7] : il enseigna son art à Gauguin.

Ci-contre :
Gauguin, *Les maisons de Vaugirard*, détail, 1880, huile sur toile (collection particulière)

1. Malingue 1949, n° CLXXIII, 299.
2. Gauguin 1923, 193.
3. Merlhès 1984, 319-320, n. 2 et Field 1977, 239ff, n. 50.
4. Merlhès 1984, 401-403, n. 153.
5. Merlhès 1984, 323-324, n. 5.
6. Merlhès 1984, 326, n. 16.
7. Merlhès 1984, 330, n. 20.

C'est à la même époque qu'il devint également l'un des plus actifs collectionneurs de peinture impressionniste[8]. Toutefois, lorsque début 1878, Arosa mit en vente sa remarquable collection de tableaux dont trois Pissarro, Gauguin ne se porta pas acquéreur. En revanche, dans le catalogue de la 4e exposition impressionniste qui s'ouvrit en avril 1879, on pouvait trouver, à propos de deux toiles et d'un éventail de Pissarro, la mention suivante : « Appartient à Mr. G. »[9].

Se rendant compte que Gauguin, tout peintre amateur qu'il fût, ne manquait pas d'ambition[10], Pissarro et Degas l'invitèrent à la dernière minute à exposer avec eux. Ayant donné son accord, il présenta le buste en marbre de l'aîné de ses enfants, Émil, seule sculpture de l'exposition. Cézanne, Renoir et Sisley refusèrent de participer à l'exposition, en protestation contre la règle établie par Degas, selon laquelle les membres du groupe devaient s'abstenir d'exposer au Salon. Ce fut le début des discordes parmi les premiers Impressionnistes[11]. La coïncidence entre ces dissensions et l'entrée de Gauguin dans le groupe allait avoir des conséquences importantes. Essayant, au cours des années suivantes, de se former auprès de peintres se trouvant dans des camps opposés, Gauguin semble avoir évolué dans plusieurs directions à la fois. La fréquentation d'artistes aux théories contradictoires fut peut-être le facteur le plus déterminant dans l'évolution de Gauguin ; on comprend qu'il ait, par la suite, inventé le terme de « synthétisme » pour définir son art et encourager la génération suivante de jeunes peintres à embrasser la plus grande variété de conceptions esthétiques, au nom de l'universalité. La collaboration de Gauguin avec ces artistes talentueux, ajoutée au plaisir de se constituer avec ses gains en bourse une collection de peinture contemporaine intensifia son espoir d'un changement de carrière[12]. Lorsqu'en avril 1880 s'ouvrit la 5e exposition impressionniste, il était en mesure de présenter plusieurs toiles nouvelles, ainsi qu'un buste de femme. Trois au moins de ses peintures représentaient les alentours de Pontoise, où Pissarro était venu s'installer avec sa famille, à la fois par souci d'économie et par désir d'échapper aux pénibles discussions qui agitaient le monde parisien de la peinture. Les critiques de cette exposition firent à juste titre remarquer l'importance de la dette contractée par Gauguin envers son tuteur. Bien que moins évidente, l'influence de Degas dans ses premières œuvres était tout aussi forte. Gauguin, pour sa part, prenait un grand plaisir à ces débats théoriques sur la peinture qui avait pour cadre le café de la Nouvelle-Athènes où Degas tenait salon. Il en vint même à adopter une forme de chauvinisme qu'il devait renier catégoriquement dix ans plus tard. « Il fallait absolument vivre à Paris pour faire de la peinture afin de s'entretenir les idées » écrivait-il à Pissarro en 1881[13].

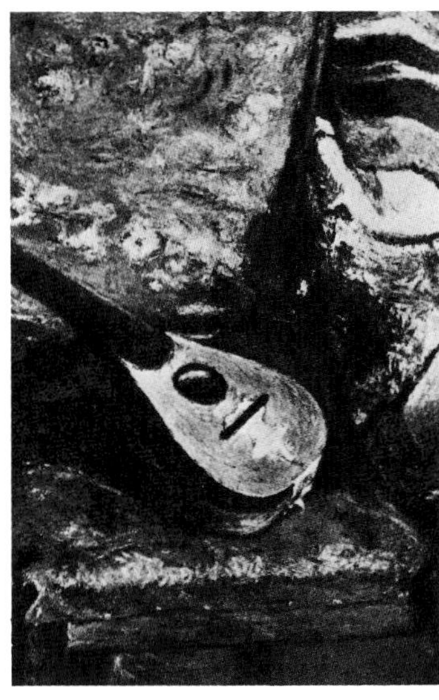

Gauguin, *La Mandoline*, 1880, huile sur toile (collection particulière)

Avec une nature morte de 1880[14], offerte à Degas en échange d'un pastel, Gauguin a prouvé qu'il avait dépassé les leçons de Pissarro quant à la composition et la construction de la forme par la touche, de la lumière et de la couleur ; il ajouta même des détails humoristiques. Ainsi Gauguin a-t-il introduit dans cette peinture des fragments d'objets parodiant malicieusement, bien qu'il s'agisse d'une nature morte, la manière qu'avait Degas de faire figurer dans le champ de ses tableaux des personnages tronqués, pour rendre le mouvement. Par ailleurs, le choix et l'arrangement des objets représentés mettent l'accent sur l'aspect purement esthétique de la recherche de Gauguin : en effet, la mandoline n'a pas de corde et la chaise sur laquelle elle repose sert de table. Cette nature morte, ainsi qu'une autre du même type[15] avec des fleurs

Van Gogh, *Le fauteuil de Gauguin,*
1888, huile sur toile
(Amsterdam, Rijksmuseum Vincent van Gogh,
Fondation Vincent van Gogh)

Stock, *Caricature de Paul Cézanne avec deux tableaux refusés au Salon de 1870*
(d'après un journal parisien non identifié,
photographie J. Rewald)

sur une chaise, annoncent le fameux tableau réalisé en 1888 par van Gogh, avec une bougie et des livres posés sur une chaise, comme un portrait abstrait de Gauguin.

Mentionnée dans le catalogue sous le titre de *Sur une chaise,* cette toile, exposée en 1881, montre clairement l'influence croissante de Degas. Alors que ses collègues adoraient la lumière du jour, Degas cherchait à représenter des scènes nocturnes avec des lumières artificielles, et c'est sans doute pour lui faire écho que Gauguin peignit sa *Nuit à Vaugirard*[16]. S'inspirant directement de pastels de Degas, les deux sculptures sur bois (cat. 5, 6) grossièrement taillées que Gauguin exposa également en 1881 trahissent sa dette envers son aîné de façon évidente. Et pourtant, ces sculptures sont un véritable défi à Degas. Intentionnellement dépourvues de tout raffinement, elles contrastent de manière saisissante avec l'art de Degas, proche de la réalité photographique, dont nous donne un bel exemple sa *Petite danseuse de quatorze ans,* pièce majeure et controversée de l'exposition de 1881. Les sculptures sur bois de Gauguin, volontairement rustiques et imitant l'art populaire, annoncent le style primitif qui devait devenir sa plus puissante forme d'expression. Le grand nu que Gauguin exposa sous le modeste titre d'*Étude* (cat. 4) visait de la même façon les productions artistiques du réalisme moderne. Ici, la mandoline de Gauguin est suspendue au mur, avec un tapis rayé, comme pour évoquer un harem, cadre traditionnel des nus destinés aux salons. Représentant une femme épaissie, courbée sur son ouvrage, le tableau de Gauguin semble au premier abord trancher par son réalisme soutenu avec l'artifice des poses conventionnelles. Mais comme, en réalité, aucune femme n'aurait fait de la couture nue et le dos tourné à la lumière, cette *Étude* apparaît donc plutôt comme une parodie du réalisme en peinture.

L'ambition professionnelle de Gauguin trouva sa justification lorsque le marchand de tableaux Durand-Ruel lui acheta trois paysages, peu de temps avant l'ouverture de l'exposition de 1881[17]. Le fait que Gauguin ait employé un modèle pour son nu est une preuve de plus de cette ambition. Mais à l'exception de deux autres nus, beaucoup plus modestes[18], pour lesquels il avait utilisé un autre modèle, ce fut jusqu'en 1887 (cat. 34) sa seule tentative dans ce genre, peut-être à cause de la désapprobation de sa femme. Il est probable que Gauguin réalisa toutes ces peintures dans l'atelier de la maison plus spatieuse où il s'était installé en 1880 qui lui permettait de loger sa famille, toujours plus nombreuse, et de se consacrer à son art[19]. Il avait sans doute également besoin de place pour cacher certains tableaux de sa collection qu'il ne pouvait montrer à sa famille, comme, par exemple, le nu imposant et satirique peint par Cézanne[20].

L'esprit critique qui guida Gauguin dans sa peinture entre 1880 et 1882 se retrouve dans le goût avant-gardiste qui l'amena à collectionner les toiles de Cézanne qui souvent choquaient ses collègues impressionnistes, malgré leurs idées révolutionnaires : ainsi le nu qu'avait refusé le jury du Salon de 1870. Contrairement à l'affirmation couramment répandue que Gauguin fit la connaissance de Cézanne chez Pissarro, à Pontoise, au cours de l'été 1881, les deux hommes en fait se sont probablement rencontrés à Paris[21] ; Cézanne avait en effet séjourné dans la capitale d'avril 1880 à avril 1881, parenthèse dans l'isolement qu'il s'était imposé dans sa Provence natale. Si Degas allait servir de modèle à Gauguin en Bretagne, d'image de ralliement pour de jeunes disciples, c'est Cézanne qui fut celui du prophète de Tahiti, loin des

8. Bodelsen 1970.
9. Bodelsen 1970, 590 ; Merlhès 1984, 333, n. 27.
10. Lettre de Gauguin à Pissarro, 3 avril 1879, in Merlhès 1984, nº 6, 12.
11. Pickvance in San Francisco 1986, 244-250.
12. En ce qui concerne la carrière financière de Gauguin, voir Bodelsen 1970, 598-601, et Merlhès 1984, 332-333, n. 26 et 340-341 n. 39.
13. Merlhès 1984, nº 16, 20 et lettre à sa femme [mars 1892] in Malingue 1946, nº CXXVII, 221.
14. W 46.
15. W 49.
16. W 30.
17. Bodelsen 1970, 593.
18. Copenhague 1984, nº 10.
19. Merlhès 1984, nºs 13, 14, 19 ; Pickvance 1985, 5, 395, fait remarquer que ces deux citations proviennent de la même lettre.
20. Bodelsen 1970, 605, nº 4.
21. Merlhès 1984, 350-351, n. 56.

controverses contemporaines, pour méditer sur les anciennes valeurs et aussi renouveler l'art à sa source.

Les œuvres réalisées par Gauguin en 1881, illustrant pour la plupart sa vie de famille dans son nouveau logement de la rue Carcel, ne reflètent pas tant son enthousiasme croissant pour la peinture de Degas et de Cézanne que le dialogue qu'il avait entamé avec la protégée de Degas, Marie Cassatt qui, comme Gauguin, avait commencé à exposer avec les Impressionnistes en 1879. Comme s'ils cherchaient à développer un thème encore inexploré par les membres du groupe, ces deux artistes se mirent à peindre des enfants, en acceptant le risque d'un échec en raison de la difficulté de les faire poser. Bien que la commodité pour Gauguin de faire poser sa famille entre en ligne de compte, ces toiles sont très éloignées des portraits domestiques conventionnels, joyeux et innocents. Au contraire, elles sont des allégories voilées du monde intérieur et rêveur de l'enfance. On n'a pas assez apprécié l'originalité saisissante de ce groupe de tableaux qui préfigurait pourtant les peintures plus directement symboliques de Tahitiens ignorant le monde industriel.

Lorsque Gauguin présenta ces peintures d'enfants à l'exposition impressionniste de 1882, il leur donna les titres de *La petite s'amuse*[22] (allusion au titre de la pièce controversée de Victor Hugo, *Le Roi s'amuse*) ou *La petite rêve,* la « petite » étant en l'occurence sa fille Aline, qui, avec ses cheveux courts, ressemblait à un garçon et que l'on prenait souvent pour l'un des fils de l'artiste. Plusieurs de ces portraits inaugurent une tendance qui allait s'épanouir dans les œuvres de sa maturité, à savoir l'intégration de figures individuelles dans un contexte pictural inattendu (cat. 120). Il peignit par exemple deux œuvres représentant chacune le même enfant deux fois (comme en dialogue avec lui-même) et utilisa par la suite, dans certaines de ses premières scènes tahitiennes, le même modèle pour deux personnages différents (cat. 130). Apparemment, il se serait servi d'un portrait d'Aline en train de lire comme point de départ pour le portrait de son voisin Aubé, représenté dans son atelier de céramique (cat. 10), et les étranges discontinuités décelables sur le pastel sont dues à l'intégration incomplète, surréaliste avant l'heure, de deux scènes et de deux atmosphères distinctes.

Pour autant qu'on le sache, ce serait à partir de l'exposition impressionniste de 1882 que Gauguin, suivant l'exemple de ses collègues, se mit à employer pour ses peintures de simples cadres blancs[23], et cela jusqu'en 1893 (cat. 16, 111). Malheureusement les cadres originaux furent par la suite remplacés par des cadres dorés plus traditionnels, faussant l'intention de Gauguin d'utiliser un entourage neutre pour faire ressortir ses peintures, un peu comme les estampes mises en valeur par leurs marges blanches. Quel que fût le rôle exact que l'on voulait attribuer à ces cadres dans l'harmonie générale des couleurs, ils constituaient des symboles de la modernité, et Gauguin s'enorgueillissait de leur caractère novateur. Vincent van Gogh écrivant en 1888 à son frère Theo, marchand de tableaux, lui posait la question : « Sais-tu que c'est un peu Gauguin l'inventeur du cadre blanc ? »[24]. Tout aussi révélateur de l'ambition croissante de Gauguin et de son assurance, fut le rôle actif qu'il joua dans l'organisation de la VIIe exposition impressionniste de 1882. Pour subvenir aux besoins de sa famille, Gauguin était obligé de se créer une renommée, et ces expositions étaient le meilleur moyen d'y parvenir, à condition que leur critère de qualité restât élevé. L'exposition de 1881 inquiéta de nombreux collectionneurs, critiques et peintres dont Gauguin, les nouveaux venus au sein du groupe, recrutés par Degas, étant en effet des artistes médiocres. Blessé par les critiques de ses collègues, Degas prit ses distances et se brouilla avec Gauguin, jusqu'en 1886[25]. Il est significatif que pendant tout le temps de sa rupture avec Degas, Gauguin ait renoncé à ses essais de peintre de figures. La dernière œuvre expérimentale de Gauguin en ce domaine fut un bas-relief en bois figurant un enfant nu en train de se brosser les cheveux[26], que lui avait inspiré une peinture de Corot exposée en 1881. Gauguin l'offrit à Pissarro qui se considérait comme un élève de Corot, en lui assurant qu'il n'y avait pas d'amateur pour ce genre de sculpture[27]. Après le krach boursier de janvier 1882, Gauguin recherchait d'urgence un succès commercial. Étant donné ses responsabilités — il avait maintenant quatre enfants à charge —, il est surprenant que la crise n'ait fait, semble-t-il, qu'accroître sa détermination à abandonner sa carrière d'agent de change pour essayer de vivre exclusivement de la peinture[28]. Les lettres qu'il écrivit pendant cette période font souvent allusion à son intérêt pour les arts décoratifs et à ses projets dans ce domaine, parmi lesquels des dessins de meubles et des cartons de tapisserie[29]. Même si de tels projets, susceptibles de lui rapporter de l'argent, n'aboutirent pas, Gauguin continua à s'intéresser aux arts décoratifs, comme en atteste le soin qu'il apportait à la représentation des meubles dans ses peintures (cat. 8, 160, 223). C'est en pensant également à un débouché commercial que Gauguin se mit à réaliser des éventails décorés (cat. 15, 23). De 1882 à 1886, il ne peignit pratiquement que des paysages, car il savait que les marchands de tableaux comme Durand-Ruel avaient plus de clients susceptibles d'acheter ce genre de peinture que des figures[30].

Bien que limité dans sa liberté artistique par ses difficultés financières, Gauguin n'en conçut pas moins une passion croissante pour les questions abstraites de style et de théorie, partageant la vénération de Pissarro pour les principes des peintures égyptiennes, perses, chinoises et japonaises[31]. Se faisant le défenseur de ces systèmes peu orthodoxes de représentation, il transcrivit un texte sur la question qu'il fit circuler parmi ses collègues, et que lut notamment Seurat[32]. Ce texte de Gauguin, traduction présumée d'un vieux manuel de peinture perse, justifie l'importance donnée à l'orchestration des couleurs et des personnages qui allait caractériser presque toute la peinture décorative post-impressionniste.

Malgré la naissance de son cinquième enfant prévue pour la fin de l'année 1883, Gauguin quitta son travail et vint s'installer avec toute sa famile à Rouen, où la vie était moins chère. Pissarro craignait qu'aux prises avec les difficultés qui l'assaillaient, Gauguin n'en vînt à produire des œuvres trop commerciales[33]. En avril 1884, Gauguin mit en dépôt chez Durand-Ruel sept toiles, dont une seule apparemment fut vendue. Malheureusement, les titres donnés alors par Gauguin rendent impossible leur identification et ne permettent pas de dire si les craintes de Pissarro étaient fondées ou non.

Angoissée par leur situation de plus en plus précaire, la femme de Gauguin insista pour retourner à Copenhague avec ses enfants. Gauguin les rejoignit début septembre, espérant gagner de l'argent en travaillant comme représentant en Scandinavie d'un fabricant français de toiles. Sa volonté de continuer à peindre au Danemark rencontra la désapprobation de sa belle-famille et les peintres locaux critiquèrent son style impressionniste qui heurtait les règles danoises. Dans *Avant et après,* en évoquant cette période, Gauguin déclarait : « Je hais le Danemark »[34].

22. W 51 (sans doute pas W 55).
23. Hepp 1882.
24. Merlhès 1984, n° XCII, 279.
25. Merlhès 1984, nos 20-22, 24-28, et n° XXXI, 141.
26. G 7 ; et voir Robaut 1905, n° 1568.
27. Merlhès 1984, nos 29, 35-36.
28. Merlhès 1984, nos 23, 29.
29. Merlhès 1984, nos XVII-XVIII, 49-50.
30. Merlhès 1984, nos 40, 53.
31. Bailly-Herzberg 1980, n° 164, 224.
32. Kahn 1925, 115.
33. Merlhès 1984, XX, 57.
34. Gauguin 1923, 144.

Pendant son séjour dans ce pays, il continua à formuler une nouvelle théorie pour son art. Écrivant à Schuffenecker en janvier 1885, il exprimait son désaccord avec le dogme impressionniste fondé sur la représentation fidèle des sensations physiques, et expliquait la nécessité pour les artistes de rechercher les vérités invisibles et sous-jacentes de la vie[35]. Choisissant Cézanne comme modèle pour cette approche plus mystique de l'art, il se mit à spéculer sur le symbolisme abstrait des différentes couleurs et des lignes. En mai, il écrivit à Pissarro : « Plus que jamais, je suis convaincu qu'il n'y a pas *d'art exagéré*. Et même je crois qu'il n'y a de salut que dans l'extrême... ». La mentalité des habitants de Copenhague que Gauguin jugeait ultra-conservatrice le poussa à adopter une attitude tout aussi extrémiste que les théories picturales qu'il professait. « Chaque jour, je me demande s'il ne faut pas aller au grenier me mettre une corde autour du cou »[36] disait-il également à Pissarro dans la même lettre. Il s'enfuit du Danemark avec son fils Clovis, laissant le reste de sa famille pour rentrer à Paris.

Loin d'être résolus par son retour en France, ses problèmes ne firent que changer de nature. N'arrivant pas à trouver, comme il l'espérait, un travail d'assistant dans un atelier de sculpteur ou un nouvel emploi d'agent de change à la bourse, il se vit contraint d'aller coller des affiches et cela pour un salaire dérisoire. Son irritabilité l'entraînait parfois à des accès de colère incontrôlable. Il faillit à plusieurs reprises se battre en duel[38]. « Espérons que l'hiver prochain sera meilleur — écrivait-il à sa femme — en tout cas je serai moins incertain je me tuerais plutôt que de vivre en mendiant comme l'hiver dernier »[39].

Le plus grand espoir de Gauguin était d'être remarqué à la prochaine exposition impressionniste (qui devait d'ailleurs être la dernière) dont l'ouverture était prévue pour mai 1886[40]. Comprenant que Monet et Renoir refuseraient d'exposer avec le groupe, les organisateurs invitèrent plusieurs inconnus hors du commun, dont les œuvres, composées de points uniformes aux couleurs soigneusement étudiées, avaient fort impressionné Pissarro. Ce furent ces artistes Seurat et Signac, avec leur approche scientifique de l'Impressionnisme qui dominèrent l'exposition. Gauguin, qui n'avait guère eu le temps pour l'occasion de préparer de nouvelles toiles, passa inaperçu. Opposé aux théories des néo-impressionnistes et jaloux de leur succès, Gauguin avait sympathisé avec un nouveau venu qui avait accepté de participer à cette exposition historique. Comme un critique le remarquait : « Ce nouveau peintre, Odilon Redon, est pratiquement le seul à résister au grand mouvement naturaliste et à opposer le rêve à la réalité, l'idéal à la vérité »[41]. La peinture de Gauguin allait prendre la même voie. Cinq années plus tard, à la veille de son départ pour Tahiti, le même critique qui n'était autre qu'Octave Mirbeau, allait être le défenseur de Gauguin dans la presse.

35. Merlhès 1984, n° 65, 87-89.
36. Merlhès 1984, n° 79, 107.
37. *Ibid.*, 107-8.
38. Merlhès 1984, n° 91, 119.
39. Merlhès 1984, n° 107, 134.
40. Merlhès 1984, n° 92, 120.
41. Mirbeau, 26 avril 1886.

Ci-contre :
Gauguin, *L'enfant endormi*, détail, 1884, huile sur toile (collection Josefowitz)

1

Portrait de Gauguin par Pissarro et portrait de Pissarro par Gauguin

Vers 1879-1883
35,8 × 49,5 forme irrégulière
Fusain et pastel sur papier vergé bleu

Paris, Musée du Louvre, Département des Arts Graphiques, Musée d'Orsay

Exposé à Paris

C'est l'un des croquis que Gauguin exécuta entre la fin des années 1870 et le début des années 1880. Selon toute évidence, l'artiste arracha la feuille d'un de ses carnets pour la donner en souvenir à Pissarro, lequel ajouta de sa main un portrait rapide de Gauguin. Le fils de Pissarro, Paul-Emile, en fit don au musée du Louvre en 1947.

Gauguin rencontra peut-être Pissarro au début des années 1870, époque où son tuteur le célèbre collectionneur Gustave Arosa commençait justement à acheter des œuvres de Pissarro. En tout cas, cette rencontre eut lieu au plus tard en 1878, car Gauguin prêta trois œuvres de Pissarro pour la quatrième exposition du groupe impressionniste présentée au début de l'année suivante. Pissarro invita Gauguin à Pontoise pendant l'été 1879[1]. Ils commencèrent alors à peindre ensemble, comme ils allaient le faire pendant les étés 1881, 1882 et 1883.

On pense généralement que ce double portrait fut exécuté à l'occasion d'un de ces séjours estivaux, encore qu'il ait très bien pu être réalisé à Paris. Le portrait de Pissarro par Gauguin présente des similitudes de style avec un croquis au crayon de son mentor, conservé dans une collection particulière, qui porte la date de 1880 ; celle-ci est sans doute de la main d'un des enfants de Gauguin ou de sa femme[2]. Si l'on a différemment daté le dessin du Louvre entre 1880 et 1883[3], il est en fait impossible pour ces deux artistes de préciser la date des dessins de cette période d'après leur style. C.F.S.

1. Selon Merlhès 1984, 334 n. 30 et n° 11, Gauguin n'aurait pas séjourné chez Pissarro en 1879.
2. Rostrup 1956, 65 ; Rewald 1958, n° 5.
3. Rewald 1958, 23, n. 4 ; Pickvance 1970, 19, n. 1 ; Londres 1981, n° 112.

2

Pommiers de l'Hermitage, dans les environs de Pontoise

1879
65 × 100
Huile sur toile

Aarau, Aargauer Kunsthaus

Exposition
Bâle 1949, n° 4.

Catalogue
W 33.

Gauguin a peint une version plus petite (W 32) du même sujet, sans doute en plein air, ainsi qu'une version plus grande (W 31), signée et datée de 1879, qui figura à la cinquième exposition du groupe impressionniste en avril 1880[1]. Cette exposition ne comportait pas moins de trois peintures[2] de Gauguin représentant des paysages des environs de Pontoise, où Pissarro habitait depuis le début de 1866. Les petits vergers et jardins sur les coteaux du quartier de l'Hermitage comptaient parmi les sujets privilégiés de Pissarro. Le motif des pommiers traité ici par Gauguin rappelle plusieurs paysages exécutés par Pissarro au début des années 1870, dont l'un appartenait apparemment à Gustave Arosa[3]. Quand Gauguin eut acheté des œuvres de Pissarro pour sa collection personnelle, tout en essayant de persuader ses collègues de la Bourse d'en faire autant, Pissarro l'invita à Pontoise pour peindre avec lui. A en juger par leur correspondance[4] et par certains détails des peintures réalisées à Pontoise, il semble bien que Gauguin s'y rendit en juin 1979.

Gauguin a sans doute peint la plus grande version des *Pommiers* sur une partie d'un large rouleau de toile acheté à Paris vers la fin juillet[5]. Il est permis de penser toutefois qu'il a exécuté les autres sur le motif, à Pontoise. La plus petite version des *Pommiers*, où la configuration

1. Sous le titre *Les Pommiers de l'Hermitage*. Les trois versions sont très souvent appelées par erreur *Pommiers en fleurs*, alors que les arbres représentés ne le sont pas.
2. W 31, W 34, W 35, et peut-être W 37 et W 38 bis.
3. Pissarro et Venturi 1939, nº 94.
4. Merlhès 1984, nºs 6-11.
5. Merlhès 1984, nº 11.
6. Voir W 6-7, W 37-38, W 70-71, W 75-80, W 150-152, W 153-154, W 162-163, W 348-349, W 415-415 bis, W 431-432, W 436-437, W 544-545, W 581-582.
7. Séguin 1903b, 230-231.

des nuages est différente, correspond probablement à une première notation du motif, sans retouche. Apparemment, Gauguin a opté dans les deux autres versions pour l'effet décoratif des arbres qui se découpent sur le bleu du ciel, et non plus sur un écran de nuages blancs comme dans la première. La version d'Aarau ne se différencie du grand tableau exposé en avril 1880 que par un détail important : le repoussoir que constitue le feuillage au premier plan à droite. Il se pourrait que Gauguin ait ajouté cet élément pour équilibrer sa composition, mais en fin de compte il a préféré le supprimer dans la plus grande version. Le fait qu'à partir de 1874 Gauguin reprenait pafois un motif sur deux toiles successives[6] laisse supposer qu'il était enclin à retravailler un motif de cette façon au lieu de faire des dessins préparatoires. Cela dit, l'existence de trois versions des *Pommiers* indique sans doute l'importance particulière que Gauguin attachait à ce sujet à un moment où il s'efforçait d'être reconnu comme peintre de paysages impressionniste.

L'affirmation progressive de son tempérament artistique personnel se manifeste par l'insistance des arabesques décoratives, comme en témoignent les contours des nuages et des arbres ainsi que les ombres denses, qui sont un signe de la lumière intense dans cette image des travaux des champs. Son disciple Séguin devait écrire à propos des peintures de Bretagne exécutées dix ans plus tard : « Aucune personne, plus que lui, ne fut capable de trouver dans toutes les choses et sans exagération une décoration toujours parfaite. En raisonnant des émotions qu'il éprouvait, il perçut dans les rochers, dans les arbres, dans la nature entière, l'arabesque qui caractérise un mouvement de terrain ou précise l'expression d'une figure. »[7]

C.F.S.

3
Bâtiments de ferme

81 × 116
Huile sur toile.
Signé en bas à gauche en noir, *P. Gauguin 1880.*

Collection Sam Spiegel

Expositions
Paris 1881, nº 31, *Le terrain de ma propriétaire* (?) ;
Vienne 1960, nº 3.

Catalogue
W 44.

Cette toile, l'une des premières dans la série des « portraits » de hameaux échelonnés sur dix ans (cat. 12, 59, 109)[1], illustre une veine réaliste moderne et cependant pittoresque de la peinture de paysage, que Corot mit en honneur vers 1830 et que Pissarro, Cézanne et van Gogh adoptèrent par la suite. Ces paysages, caractérisés par des profils de toits irréguliers et des alternances de pans de murs clairs et foncés qui soulignent les jeux de lumière, exaltent la géométrie élémentaire des habitations et lieux de travail. Gauguin acheta un tableau dans cette veine réalisé par Cézanne lors d'un séjour chez Zola à Médan en 1880[2].

Ici, Gauguin a choisi un point de vue légèrement surélevé, derrière un groupe de bâtiments dont les murs aveugles et nus sont assez comparables par leur mutisme aux personnages de dos dans certaines peintures de genre de Degas. Gauguin, lui, a complètement supprimé les personnages, comme s'il voulait que de banals objets inanimés, telles les meules de foin fortement structurées et la citerne, deviennent les protragonistes de la scène évoquée.

Un dessin préparatoire où Gauguin a soigneusement étudié le grand bâtiment de droite atteste son intérêt prononcé pour les effets de matière et les contours découpés[3]. En transposant ces observations dans la peinture à l'huile, il a utilisé de petites touches en virgules aussi bien pour le toit de tuiles patinées que pour l'herbe au premier plan. Ces coups de pinceau alliés à une palette assourdie renforcent l'effet de tapisserie.

La facture étudiée, la composition dense aux dimensions relativement ambitieuses et l'atmosphère intime font de *Bâtiments de ferme* l'un des tableaux d'exposition les plus importants que Gauguin ait réalisés à ses débuts. On a supposé que cette toile pourrait correspondre à l'œuvre qui figura dans la sixième exposition impressionniste sous le titre curieux *Le terrain de ma propriétaire*. Dans ce cas, l'artiste a peut-être représenté parmi les grandes maisons du fond, dans l'esprit du « portrait » de la maison de Zola réalisé par Cézanne qui figurait dans sa collection, son nouveau domicile du quartier de Vaugirard, sous-loué au peintre Jobbé-Duval durant l'été 1880. Pourtant, le paysage vallonné que nous montre cette peinture ne ressemble pas du tout à un quartier parisien, mais bien plutôt à l'un des villages des environs de Pontoise ou d'Osny, où Gauguin peignait quand il allait voir Pissarro.

C.F.S.

1. Voir aussi W 35, W 36, W 37, W 38, W 100, W 121, W 196, W 199, W 200, W 271, W 394.
2. Bodelsen 1970, 606, nº 6.
3. Nationalmuseum, Stockholm, NM I-36/1936, 24 verso.

4

Étude de nu, ou Suzanne cousant

1880
111,4 × 79,5
Huile sur toile.
Signé en haut à gauche en violet *[G]auguin*[1] ; et daté en rouge *1880*.

Copenhague,
Ny Carlsberg Glyptotek

Expositions
Paris 1881, nº 36, *Étude de nu* ;
Copenhague 1889 ;
Copenhague, Udstilling 1893, nº 148, *Studie afen nogen Kvinde, som syer,* daté par erreur 1889 ;
Copenhague 1984, nº 4 ;
Copenhague 1985, nº 9.

Catalogue
W 39.

Pola Gauguin (né en 1883 !) affirmait que Justine, la bonne d'enfants de la famille, avait posé pour cette peinture. Il estimait par ailleurs que ce tableau était le « premier symptôme du retour au primitivisme » dans l'art de Gauguin, et que l'accueil favorable de la critique avait déterminé son père à abandonner sa carrière financière pour se consacrer totalement à son art[2]. En 1892, Gauguin appelait ce tableau *Suzanne* dans une lettre à sa femme[3]. Selon Merete Bodelsen, Gauguin avait dû faire appel à un modèle professionnel répondant à ce prénom[4], mais Merlhès fait observer que « Suzanne » pourrait être un nom générique utilisé pour désigner les modèles[5], Gauguin d'autre part, à l'instar de Degas, voyait dans ses nus modernes un prolongement du thème traditionnel de « Suzanne et les vieillards »[6]. A en croire Merete Bodelsenn cette *Étude de nus* représenterait un modèle cité dans une lettre que Gauguin écrivit après avoir loué un nouvel atelier en 1880[7]. Parmi les œuvres

de cette période, *Étude de nu* semble faire contrepoids à la grande peinture conventionnelle pour laquelle sa femme avait posé occupée à sa couture, mais tout habillée[8] (W 26). C'est sans doute vers cette même époque que Gauguin ajouta à sa collection un grand nu de Cézanne, aujourd'hui disparu[9]. Cette œuvre controversée, qui représentait un modèle décharné, a peut-être incité Gauguin à tenter un traitement aussi peu orthodoxe du nu.

Huysmans a consacré un long passage élogieux à l'*Étude de nu* dans son compte rendu de la sixième exposition du groupe impressionniste de 1881. Il la présentait comme un sommet du réalisme qui éclipsait les célèbres nus de Courbet et renouait avec le génie d'un Rembrandt[10]. Huysmans songeait sans doute plus précisément à la *Bethsabée* de Rembrandt (1654, Musée du Louvre), car cette interprétation peu flatteuse du nu plantureux pourrait bien avoir fourni un point de départ à Gauguin pour sa conception du nu moderne. En outre, la touche inégale, voire rugueuse, de Gauguin n'est pas sans rappeler la facture vigoureuse de Rembrandt. Il se pourrait aussi que Gauguin ait cherché une sorte d'analogie picturale avec la texture grossière du tapis qui décore le mur du fond dans sa composition[11].

Reste que, même comparée à l'œuvre de Rembrandt, l'*Étude de nu* manque singulièrement d'élégance, comme l'a remarqué un autre critique[12]. Le visage du modèle est comme meurtri par les ombres, et sa poitrine blafarde est tachetée de bleu et de vert. Le pire de tout, c'est encore la courbe disgracieuse du dos, qui semble avoir été remaniée à plusieurs reprises. On peut présumer que Gauguin a élaboré son tableau au coup par coup, selon la méthode de Manet, en nettoyant et repeignant tel ou tel détail jusqu'à obtenir un effet satisfaisant, car on ne connaît aucun dessin préparatoire pour l'*Étude de nu*. Peut-être Gauguin a-t-il modestement intitulé « étude » ce tableau ambitieux afin d'expliquer la présence des retouches[13].

Les bras assez frêles qui contrastent avec le ventre ballonné et les hanches larges donnent à penser que le modèle n'est pas une femme habituée à de rudes travaux, mais plutôt une bourgeoise dont la laideur serait l'emblème de la vie civilisée moderne. Huysmans, insensible à cet aspect satirique, y voyait « une fille de nos jours, et une fille qui ne pose pas pour la galerie, qui n'est ni lascive ni minaudière, qui s'occupe tout bonnement à repriser ses nippes »[14]. Alors que Degas et Manet avaient déjà peint des nus modernes d'apparence naturelle, dans des situations quotidiennes tout à fait vraisemblables, Gauguin semble avoir fait poser son modèle au mépris de tout détail narratif conventionnel et réaliste. Les femmes cousent rarement en tenue d'Eve dans la vie réelle ! Du reste, hormis le dé à coudre, les quelques accessoires ont un caractère plus exotique que domestique : le tapis et la mandoline évoquent moins le Paris moderne que le monde fabuleux des odalisques orientales peintes par des artistes dans la lignée d'Ingres et de Delacroix. Indépendamment des couleurs discordantes, c'est le décalage entre le physique du modèle, sa pose et les accessoires qui rend l'*Étude de nu* si dérangeante et si moderne. A la parution du compte rendu d'Huysmans, en 1883, Gauguin exprima aussitôt sa contrariété dans une lettre à Pissarro : « (...) malgré le côté flatteur je vois qu'il n'est séduit que par la littérature de ma femme nue et non par le côté peintre[15] ».

C.F.S.

1. Le bord gauche, où se trouve le « G » a été replié sur le châssis.
2. Malingue 1959, 30. Au sujet du symbolisme éventuel de l'*Étude de nu*, voir Andersen 1971, 30-32.
3. Malingue 1949, nº CXXVII, 223.
4. Bodelsen janvier 1966, 34.
5. Merlhès 1984, 342 n. 44.
6. Damiron 1963, n., p.
7. Merlhès 1984, nº 14, 19. Pickvance (1985, 395) signale que les nºs 13 et 14 dans Merlhès 1984 sont des extraits d'une même lettre.
8. Datée 1878 par erreur, sans doute exécutée sur le large rouleau de toile dont parle Merlhès (1984, nº 11, 16).
9. Bodelsen 1962, 208.
10. Huysmans 1883, 240.
11. Gauguin a représenté ce même tapis, ou un autre qui lui ressemble, dans plusieurs natures mortes (W 46, W 47 et W 209). Huysmans le qualifie d'« algérien », mais il était peut-être d'origine sud-américaine.
12. Trianon 1981, 2-3.
13. Renoir avait de même intitulé *Étude* le nu sujet à controverse qu'il présenta à l'exposition impressionniste de 1876.
14. Huysmans 1883, 238.
15. Merlhès 1984, nº 36, 48.

5

La chanteuse, ou Portrait de Valérie Roumi

1880
54 × 51 × 13
Acajou et plâtre, partiellement polychrome avec rehauts d'or.
Signé sur le bouquet en plâtre et daté en bas à gauche, *P. Gauguin, 1880.*

Copenhague, Ny Carlsberg Glyptotek

Expositions :
Paris 1881, nº 38, *La Chanteuse. Médaillon. Sculpture* ;
Copenhague, Udstilling 1893, nº 126, *Valérie Roumi*, dateé par erreur 1882 ;
Copenhague 1948, nº 75 ;
Copenhague 1984, nº 5.

Catalogue
G 3.

La *Chanteuse*, présentée à l'exposition impressionniste de 1881, fait penser d'emblée à un pastiche d'un pastel de Degas de l'exposition de 1879, la *Chanteuse de café-concert*. Les deux œuvres sont des portraits en buste accompagnés d'un minimum d'accessoires, et il semble que les deux artistes aient voulu se limiter aux conventions du genre sans renoncer à la spontanéité d'une scène de la vie moderne observée en gros plan. Gauguin a introduit dans sa composition un bouquet de roses enveloppé dans du papier, cadeau de quelque admirateur. C'est un motif figurant chez les danseuses de Degas de la fin des années 1870, et il s'agit là d'un clin d'œil de Gauguin à l'art de son aîné. Le bouquet façonné dans du plâtre teinté, de manière à se fondre dans le rouge de l'acajou, indiquerait que l'artiste l'a ajouté après coup. A moins qu'il ne se soit pas senti assez à l'aise dans la sculpture sur bois pour restituer les formes complexes des pétales et du papier froissé. Mais il se pourrait aussi que Gauguin ait voulu contester les conventions de la sculpture en mélangeant les techniques[1]. Toujours est-il que ce mélange a induit les critiques en erreur lors de l'exposition de 1881. L'un d'eux écrivit que *La Chanteuse* était en plâtre peint, et un autre qu'elle était sculptée dans du poirier[2].

A part Huysmans, tous les critiques qui daignèrent mentionner *La Chanteuse* dans leurs comptes rendus jugèrent la facture du bouquet et du personnage beaucoup trop grossière. On pourrait mettre les maladresses apparentes sur le compte de l'inexpérience, mais ce serait oublier un peu vite que tous les reliefs en bois exécutés ultérieurement par Gauguin sont d'une facture encore plus fruste, leur stylisation visant à retrouver le pouvoir expressif de l'art populaire ou « primitif ». Le style de *La Chanteuse* reflète peut-être aussi le penchant satirique qui caractérise d'autres œuvres de cette période (cat. 4, 5). Ce portrait rappelait à Huysmans[3] le type de personnage féminin que l'artiste belge Félicien Rops utilisait pour fustiger les mœurs décadentes de l'Europe contemporaine.

Nous n'avons malheureusement aucun document sur Valérie Roumi, le modèle de *La Chanteuse*, dont le nom apparaît pour la première fois dans le catalogue de l'exposition de Copenhague en 1893. Gauguin a possédé jusqu'en 1884-1885 un portrait au pastel de ce même modèle, dû à Forain[4], qui porte cette inscription au verso : « Valéry Roumy (montmartroise) ca.1880 donné par F. au peintre Gauguin ».

La forme en médaillon, plus courante dans la décoration architecturale ou dans l'art funéraire, est associée d'ordinaire à des matériaux comme la pierre ou le bronze. *La Chanteuse* rappelle surtout les grands bas-reliefs funéraires en forme de médaillons sculptés par David d'Angers et Auguste Préault[5]. On parla beaucoup de Préault après sa mort au début de 1876, et cela donna

1. Comme il allait le faire pour un portrait en buste de son fils Clovis (G 6), exécuté en cire et noyer, qu'il exposa en 1882.
2. Huysmans 1883, 212, et Trianon 1881, 2-3.
3. Huysmans 1883, 212.
4. Bodelsen 1967, 225. Degas a noté dans un carnet de 1880-1884 : « Valérie Romi/104 quai Jemmapes » ; Reff 1976b, I, 141.
5. Millard 1976, 80.
6. Mantz 1881, et Trianon 1881.

peut-être à Gauguin l'idée de sa *Chanteuse*. Bien que rien ne prouve que Gauguin ait conçu ce portrait de Valérie Roumi comme une effigie, Mantz et Trianon notaient tous deux dans leurs comptes rendus de l'exposition de 1881 que le modèle paraissait maigre et souffreteux[6]. Si ce bas-relief rehaussé de touches dorées dans le fond n'était pas une effigie funéraire, mais un élément de décoration architecturale, ce serait la première œuvre à attester chez Gauguin l'ambition de donner une dimension décorative à son art. Hélas, aucun témoignage sur l'exposition impressionniste de 1881 ne nous dit si *La Chanteuse* était accrochée au mur ou posée à plat. Comme pour la *Dame en promenade* (cat. 6), Gauguin a laissé apparaître par endroits le bloc de bois originel, dont le contour contribue à justifier la forme en médaillon si insolite.

Certains détails de *La Chanteuse* appellent la comparaison avec d'autres sculptures sur bois réalisées par Gauguin à la même époque. Ainsi, les perles rouges dans les cheveux de la femme sont à rapprocher des motifs de baies sur des bas-reliefs que Gauguin incorpora dans un meuble, et des motifs analogues visibles sur le dessus d'un coffret exécuté en 1884 (cat. 9). Pour le style, les netsuke en bois représentant des têtes qui sont incrustés à l'arrière du coffret sont à comparer avec le traitement du visage de *La Chanteuse*. C.F.S.

Degas, *Chanteuse de café-concert*, 1878, pastel et détrempe sur toile (Cambridge, The Harvard University Art Museums, Fogg Art Museum, collection Maurice Wertheim)

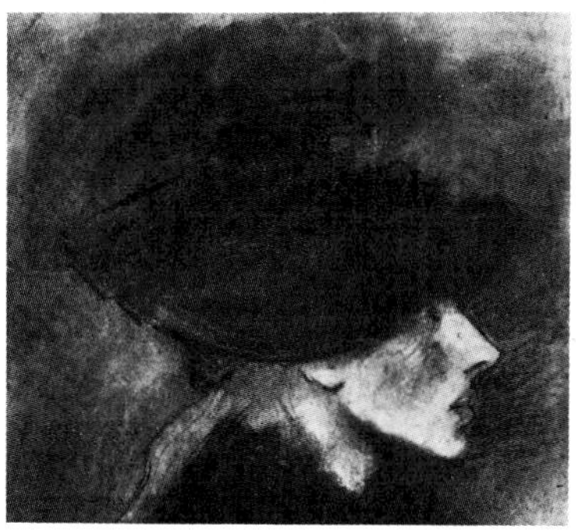

Forain, *Portrait de Valéry Roumy (Montmartroise)*, vers 1880-83, pastel (Copenhague, Statenskunstmuseet, Département des Arts Graphiques)

6

Dame en promenade, ou La petite parisienne

1880
H. 25
Laurier des tropiques (Terminalia), teinté en rouge et noir.

M. et Mme Edward M.M. Warburg

Expositions
Paris 1881, nº 39, *Dame en promenade ;*
Chicago 1959, nº 116.

Catalogue
G 4.

Exposé à Washington et Chicago

La *Dame en promenade* sommairement sculptée, que Gauguin présenta à la sixième exposition du groupe impressionniste en 1881, était apparemment destinée à narguer les critères du bon goût, de même que l'*Étude de nu* (cat. 4). Un critique expliqua : « Je ne parle pas de la *Dame en promenade* qu'on [Gauguin] a l'audace de montrer au public. J'ai connu dans mon pays plus d'un petit gardeur de bêtes qui sculptaient, au bout de bâtons, des figurines plus intéressantes que cela »[1].

Cette statuette grossièrement taillée fut peut-être la première sculpture sur bois de Gauguin. Comme presque toutes celles qui allaient suivre, elle trahit un tel mépris pour les raffinements de toute sorte qu'elle semble faite pour provoquer les accusations de gaucherie. Ainsi, il est impossible de savoir exactement ce que le personnage tient dans sa main droite, et il est bien difficile de discerner la bourse pendue à son poignet gauche. Si des critiques bienveillants comme Huysmans et Trianon ont supposé que Gauguin cherchait à évoquer la simplicité de la sculpture gothique ou les proportions archaïques et mystérieuses de l'art égyptien (deux formes d'art que Gauguin allait adapter par la suite à ses propres besoins). il serait sans doute plus juste de comparer la *Dame en promenade* avec les figurines de l'art populaire.

Gauguin, déjà père de trois enfants, éprouvait une certaine attirance pour les objets ludiques, si l'on en juge par la marionnette introduite dans le décor d'une peinture de 1881 (cat. 8) et par cette confidence dans *Avant et après* : « Quelquefois je me suis reculé bien loin, plus loin que les chevaux du Parthénon... jusqu'au dada de mon enfance, le bon cheval de bois »[2]. Les caricaturistes dessinaient souvent des poupées de bois quand ils voulaient parodier les personnages peints par des artistes comme Courbet et Manet, car ces jouets disproportionnés symbolisaient à leurs yeux la gaucherie dans l'art. La *Dame en promenade,* sorte de caricature en trois dimensions d'une Parisienne élégante, est l'une des premières manifestations dans l'art de Gauguin de son profond dédain pour les artifices de la vie contemporaine.

Pour cette statuette, qui représente une femme vêtue d'un mantelet à capuchon sur une robe moulante, Gauguin semble s'être inspiré du personnage visible sur la gauche d'un *Projet de frise* au pastel que Degas présenta à l'exposition impressionniste de 1879[3]. La relation précise entre les deux œuvres ne fait guère de doute quand on sait que l'autre sculpture de Gauguin (cat. 5) exposée en même temps que la *Dame en promenade* s'inspirait d'un pastel de Degas également exposé en 1879. En outre, Degas accordait une attention particulière à la sculpture durant cette période et, selon toute vraisemblance, il se rendit dans l'atelier de Gauguin rue Carcel[4]. Les similitudes frappantes entre *L'Écolière* en cire (vers 1881) de Degas et la *Dame en promenade* de Gauguin semblent dénoter un échange entre les deux artistes : la statuette de Gauguin aurait amené Degas à pousser plus loin sa réflexion sur la sculpture moderne, ou vice versa. Quoi qu'il en soit, la pose raide adoptée pour leurs sculptures a certainement influencé Seurat, dont les dessins sculpturaux et archaïsants de personnages de la vie moderne sont généralement datés vers 1882[5].

Le croquis rapide d'un carnet utilisé par Gauguin entre 1877 et 1887 (Nationalmuseet, Stockholm) (fig. 17, p. 6) nous montre l'artiste au travail sur la *Dame en promenade*[6]. On a toujours attribué ce dessin à Pissarro, dont le nom est tracé légèrement sur la manche de Gauguin. On sait que Pissarro, encouragé par Gauguin, s'est mis à sculpter des vaches vers le début des années 1880, mais aucune n'a été conservée[7].

Des versions moulées en terre cuite et en bronze de la *Dame en promenade* furent réalisées à une date inconnue, peut-être par Gauguin. Dans tous ces moulages, la sculpture se prolonge en dessous de la robe pour former un socle grossièrement façonné, incorporant ainsi l'extrémité du bout de bois que Gauguin avait taillée pour en faire une partie intégrante de son œuvre. La signature *P. Gauguin* figure sur l'avant du socle. On peut penser que ce socle rustique constituait un élément important de la version en bois de la *Dame en promenade*[9]. Le socle perdu était le prototype des vestiges de rondins de bois brut qui servent de socles dans les sculptures en bois que Gauguin a exécutées plus tard au Pouldu (cat. 94) ou à Tahiti (cat. 138-140). C.F.S.

1. Mont 1881.
2. *Avant et après* 1923, 16.
3. Reff 1976a, 257-262.
4. Degas a noté l'adresse de Gauguin dans un de ses carnets de cette période. Reff 1976b, vol. I, 138.
5. De Hauke 1961, n°s 425, 426, 428, 439, 443, 495-511.
6. Bjurström 1986, n° 1656.
7. Merlhès 1984, n°s 28 et 29, 34 et 36.
8. Dans le vol. III de l'*Art Lovers Library* (New York, 1930), la sculpture est reproduite dans son état actuel, ce qui prouve que le socle avait déjà disparu en 1930.

Seurat, *La femme en noir*, vers 1882-83, crayon Conté (Genève, collection Heinz Berggruen)

7

Fleurs, nature morte, ou Intérieur du peintre, rue Carcel

1881
130 × 162
Huile sur toile.
Signé et daté en bas à droite, en noir sur la plinthe noire, *P. Gauguin 1881*.

Oslo, Nasjonalgalleriet

Expositions
Paris 1882, n° 18, *Fleurs, nature morte* ;
Copenhague 1985, n° 11.

Catalogue
W 50.

Aucun des commentateurs de l'exposition impressionniste de 1882 ne fit la moindre allusion à ce grand tableau, sauf Huysmans : « Quant à son intérieur d'atelier, il est d'une couleur teigneuse et sourde »[1]. Trois portèrent tout de même un jugement global sur la participation de Gauguin à cette exposition, en estimant que dans l'ensemble ses œuvres étaient fort sombres pour des peintures impressionnistes[2]. De fait, la signature noire sur la plinthe noire indique peut-être chez Gauguin le désir de se poser en défenseur des couleurs foncées. Les bleus et jaunes sombres de son salon (et non de son atelier, comme l'écrivait Huysmans) ainsi que l'atmosphère calme semblent se rapprocher plus particulièrement des œuvres que Caillebotte présentait aux expositions impressionnistes depuis 1876.

Même si le bouquet de zinias dans la coupe de céramique[3] occupe une place prépondérante dans la composition, on peut s'étonner que Gauguin ait décidé d'intituler simplement ce tableau *Fleurs, nature morte*, compte tenu de l'arrière-plan complexe où figurent deux personnages. Cette formule hybride, qui associe la nature morte traditionnelle à la peinture de genre, renvoie à des amalgames analogues dans des œuvres de Degas, Monet et Renoir remontant au milieu des années 1860. Les personnages sont dissimulés pour une large part derrière les meubles, et donc impossibles à identifier avec certitude. Toutefois, c'est probablement Mette qui joue du piano tandis que Gauguin l'écoute.

Des éléments narratifs simples relient le motif de nature morte, qui se découpe au premier plan sur un paravent déployé, avec le décor complexe de l'espace situé derrière ce paravent. La boîte à ouvrage ouverte et le carnet de croquis de format horizontal sont des rappels des personnages du fond, qui suggèrent que Gauguin ou sa femme travaillait avant de quitter son siège pour aller rejoindre l'autre au piano. Ces détails semblent conçus pour donner l'impression d'un ménage bourgeois harmonieux. C'était là, de toute évidence, un thème qui préoccupait Gauguin à cette époque, car pas moins de six des œuvres[4] qu'il envoya à l'exposition impressionniste de 1882 représentaient des membres de sa famille chez lui (cat. 8).

Mais, sachant que Gauguin allait abandonner femme et enfants en 1885 pour se consacrer entièrement à son art, on serait plutôt enclin à interpréter *Fleurs, nature morte* comme une évocation allégorique de ses nouvelles idées sur la peinture et la sculpture. Il écrivit vers 1885 : « La peinture est le plus beau de tous les arts ; en lui se résument toutes les sensations, à son aspect chacun peut, au gré de son imagination, créer le roman (...) Comme la

7

musique, il agit sur l'âme par l'intermédiaire des sens, les tons harmonieux correspondent aux harmonies des sons ; mais en peinture on obtient une unité impossible en musique où les accords viennent les uns après les autres, et le jugement éprouve alors une fatigue incessante s'il veut réunir la fin au commencement (...) Comme la littérature, l'art de la peinture raconte ce qu'il veut avec cet avantage que le lecteur connaît immédiatement le prélude, la mise en scène et le dénouement[5]. » Si on le rapproche de *Fleurs, nature morte,* ce passage explique la juxtaposition nettement littéraire du bouquet coloré au premier plan et du piano dans le fond. En outre, le carnet de croquis, la figurine en céramique[6] et les sabots semblables à ceux que Gauguin allait sculpter plusieurs années après (cat. 105) peuvent s'interpréter comme une préfiguration de la diversité des genres et des techniques dans son œuvre ultérieure. C.F.S.

1. Huysmans 1883, 288.
2. Hennequin 1882 ; Rivière 1882 ; Havard 1882.
3. Cette même coupe, ornée de tulipes et d'oiseaux peints, fut empruntée aux descendants de l'artiste pour servir d'accessoire dans le film *The Wolf at the Door* d'Henning Carlsen, sorti en 1987.
4. G 6, W 51, cat. 8, W 53, W 54 et probablement W 57.
5. Extrait des « Notes synthétiques » que Gauguin rédigea dans un carnet de 1884-1885, Cogniat et Rewald 1962, 2-3.
6. Elle est visible aussi dans W 174.

8

La petite rêve, étude

1881
59,5 × 73,5
Huile sur toile.
Signé et daté (en travers) en haut à gauche, en noir, 1881 *p Gauguin*.

Copenhague, Ordrupgaard Sammlungen

Expositions
Paris 1882, n° 22, *La petite rêve, étude ;* Copenhague 1948, n° 13.

Catalogues
W 52, W 54.

1. Bodelsen 1970, 601.
2. Roskill 1970, 236.
3. Voir Merlhès 1984, n° 29, 35.
4. Damiron 1963.

La petite rêve et *La petite s'amuse* sont deux scènes de genre pour lesquelles Gauguin a fait poser sa fille Aline (née le 24 décembre 1877). La coupe de cheveux plutôt masculine de la fillette a longtemps fait supposer que le modèle de ces deux peintures de 1881 était Emil. Or, Emil partit pour Copenhague avec sa mère en 1880, et y resta jusqu'à la fin de sa vie[1].

Sur le mur du fond de *La petite rêve,* Gauguin a tracé des notes de musique, et il faut voir là un signe avant-coureur de son intérêt tout symboliste pour les « correspondances » et les rêves[2]. La notation musicale n'est qu'un des détails d'une composition particulièrement fouillée destinée à évoquer la chambre confortable d'une petite Parisienne issue d'un milieu aisé. C'est la première des nombreuses œuvres de Gauguin qui comportent un papier peint décoratif dans le fond. Ici, le papier peint est orné de motifs de feuilles et d'oiseaux dont le vol et le chant imaginaires font comme un écho aux rêves de l'enfant, de même le pantin qui veille sur son sommeil. Le lit-bateau en fer forgé à volutes et le papier peint témoignent de la très grande attention que Gauguin portait aux arts décoratifs modernes, qui allaient l'influencer dans toutes ses recherches[3].

Aucun compte-rendu de l'exposition impressionniste de 1882 ne cite cette merveilleuse peinture. Alors même que la palette restreinte donne encore plus de force à la composition, plusieurs critiques ont déploré l'aspect trop sombre des tableaux de Gauguin en général (cat. 7). Les blancs et les bleus des draps et couvertures semblent au contraire trop lumineux pour un intérieur nocturne, à moins que Gauguin n'ait voulu suggérer que de la lumière entre par une porte ou une fenêtre extérieure à la scène représentée. Gauguin fut, avec le peintre impressionniste Mary Cassatt, l'un des artistes qui contribuèrent le plus au renouvellement de la scène de genre avec enfants.

Douze ans après avoir peint *La petite rêve,* Gauguin rédigea un cahier à l'attention de sa fille, le *Cahier pour Aline,* où il consigna des méditations personnelles et des textes de Poe et de Wagner auxquels il attachait beaucoup de prix[4]. Un passage de ce cahier, intitulé « La genèse d'un tableau », décrit *Manao tupapaù* (*L'esprit des morts veille,* cat. 154), l'une des plus importantes toiles tahitiennes, qui est à maints égards une reprise de *La petite rêve.*

C.F.S.

9

Coffret en bois sculpté

1881-1882 ou 1884-1885 (?)
21 × 51 × 13
Poirier teinté de rouge, charnières métalliques, cuir, avec incrustation de deux netsuke en forme de masques.
Date et signature gravées sur une plaque de bois fixée à l'arrière,
1884/GAUGUIN.

Uno Wallman

Catalogue
G 8.

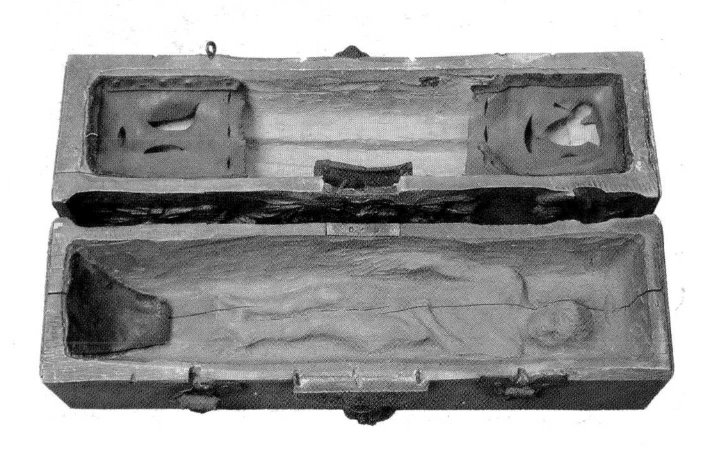

Les avis sont aujourd'hui partagés sur la date d'exécution, le but et la signification exacte de cette œuvre, sans doute la plus étrange que Gauguin ait jamais réalisée. Une plaque de bois fixée à l'arrière porte la date 1884, mais ces chiffres maladroitement gravés s'accordent mal avec l'exécution soignée de la signature, et ne sont peut-être pas de la main de l'artiste. Pola Gauguin, qui avait dû hériter de ce coffret de sa mère, le datait de 1881[1]. Ses arguments pour une datation antérieure restent convaincants, avec une réserve cependant[2]. C'est vers 1880 que Gauguin accorda le plus d'attention à l'œuvre de Degas et lui emprunta des motifs pour ses sculptures un peu frustes, comme il le fit pour les bas-reliefs de ce coffret[3]. Si la date de 1884 était exacte, le coffret serait la seule sculpture sur bois que Gauguin aurait réalisée dans la relativement longue période comprise entre 1882[4] et 1888[5] environ.

Gauguin passa presque toute l'année 1884 à Rouen. Sa femme partit en novembre pour sa ville natale Copenhague où elle emmena les enfants, et Gauguin ne tarda pas à les rejoindre. Selon toute apparence, ce départ était le signe d'une mésentente conjugale qui allait décider Gauguin à abandonner sa famille pour retourner à Paris en juin 1885[6]. Gray a écrit que le coffret muni d'un fermoir et de poignées était peut-être un genre de boîte à bijoux macabre[7] ; depuis lors tout le monde suppose que Gauguin avait confectionné un cadeau sardonique à l'intention de sa femme, préoccupée de sa sécurité matérielle au point de provoquer la rupture. Le caractère extrêmement personnel attribué à cette œuvre est une des raisons pour lesquelles on ne l'a jamais montrée au public. L'idée que Gauguin aurait cherché à dénoncer la futilité humaine en concevant la décoration du coffret a reçu une nouvelle caution lorsque Merete Bodelsen a cru déceler dans le personnage couché, sculpté à l'intérieur, l'influence des corps partiellement momifiés retrouvés dans un cercueil de l'âge du bronze, que Gauguin aurait pu voir au Musée national de Copenhague[8]. Comme l'artiste n'est arrivé au Danemark que dans les derniers jours de 1884, et qu'il n'aurait pu achever une œuvre aussi complexe avant 1885, l'hypothèse fort plausible de Merete Bodelsen jette un doute supplémentaire sur la date gravée.

Or, la date d'exécution de ce coffret revêt une importance capitale quand il s'agit de retracer la genèse du synthétisme, du primitivisme et du symbolisme de Gauguin, qui furent autant de dominantes dans son œuvre. Les netsuke en forme de masques incrustés dans le coffret attestent déjà l'éclectisme stylistique de Gauguin. S'il s'est vraiment inspiré d'un cercueil de l'âge du bronze vu en 1885, cette attitude préfigure ses emprunts de 1889 à divers objets d'art médiévaux ou primitifs, dont une momie péruvienne ((cat. 79, 88, 89). Bien que ses premières œuvres ouvertement symboliques datent seulement de 1888 (W 339 et cat. 50), il avait commencé, dès 1881, à associer des détails dans certains tableaux (cat. 7, 8) de manière à ajouter des connotations littéraires ou poétiques. Alors que les ballerines sculptées sur le devant du coffret semblent purement décoratives, le personnage féminin et la tête d'homme visibles sur le couvercle signalent la sensualité et le voyeurisme qui caractérisent bon nombre des œuvres de Degas sur le thème du spectacle[9]. Considérés dans cette optique, ces personnages édifiants formeraient un tout avec la figure sculptée à l'intérieur, que l'on a interprétée comme un gisant[10]. La décoration du coffret à bijoux serait donc là pour nous rappeler que le salaire du péché est la mort.

Il est également permis d'imaginer que le personnage androgyne sculpté à l'intérieur représente un enfant ou un adolescent endormi, comparable à ceux qui figurent dans d'autres œuvres de Gauguin (cat. 8 et 84). C.F.S.

1. Pola Gauguin 1937, 67, et légende de l'illustration placée en regard.
2. A savoir un vase orné de silhouettes de ballerines (G 12) exécuté vers 1886.
3. Alors que Gray (1963, 4-5) avait désigné le n° 400 dans Lemoisne 1946-1949 comme source d'inspiration des motifs utilisés par Gauguin, Reff (1976a, 267 et 336, notes 103-104) l'a identifiée avec le n° 340, tout en précisant que Gauguin s'est peut-être inspiré également des personnages des n°s 448, 838 et 841. A cette liste, Amishai-Maisels 1985 (60, n. 7) ajoute le n° 186. De toutes ces œuvres, seul le n° 340 avait figuré dans une exposition, en 1876.
4. G 7.
5. G 58, G 59, G 60, G 71, G 72, G 73, G 74, G 75, G 76.
6. Merlhès 1984, n°s 68 et 78-80.
7. Gray 1963, 5.
8. Bodelsen 1964, 144.
9. Andersen 1971, 33-34.
10. Amishai-Maisels 1985, 13.

10

Le sculpteur Aubé et un enfant

1882
53,8 × 72,8
Pastel sur papier vélin.
Signé et daté en bas à gauche, en noir, *1882/p. Gauguin,*
et inscription sur le passe-partout brun moucheté :
« Ta main pose l'outil bien qu'au labeur ardente
Modelant tour à tour les rires et les pleurs
Elle anime à son gré les femmes et les fleurs
Et courbe le damné sous le talon de Dante.
Pour P. Gauguin
Mette G. »

Paris, Musée du Petit Palais

Expositions
Paris 1936, n° 7 ;
Munich 1960, n° 78.

Catalogue
W 66.

Exposé à Paris

Pola Gauguin affirmait que sa mère logeait dans une pension de famille tenue par la femme d'Aubé lors de son premier séjour à Paris[1], mais cette allégation paraît totalement injustifiée[2]. En réalité, les Gauguin firent la connaissance du sculpteur Paul Aubé (1837-1916) en 1877, lorsqu'ils emménagèrent au 74 rue des Fourneaux (actuelle rue Falguière). Leur propriétaire Jules Bouillot[3], qui allait initier Gauguin à la sculpture sur marbre, louait aussi un atelier à Aubé[4]. Ce dernier avait commencé à exposer au Salon de 1861 et avait déjà reçu plusieurs récompenses et commandes de sculptures publiques[5]. Le quatrain consigné sur le passe-partout du pastel de Gauguin semble faire allusion à la statue de Dante qu'Aubé exécuta pour le Collège de France, et qui fut exposée dans sa version en plâtre au Salon de 1879, puis dans sa version en bronze au Salon de 1880. A la fin des années 1870, Aubé commença aussi à façonner des figurines de femmes nues en plâtre blanc pour décorer des vases que des céramistes comme Edouard Lindeneher (mort en 1910) réalisaient pour la firme Haviland[6]. Un vase assez semblable à celui qui figure au premier plan du pastel de Gauguin fut exposé au premier Salon des arts décoratifs en 1882. Si l'on n'a pu retrouver la trace du vase représenté ici, la pose de la statuette semble tout de même proche de celle du nu (cat. 4) présenté par Gauguin à l'exposition impressionniste de 1881, et de

celle d'un autre nu dans un bas-relief en bois (G 7) qu'il sculpta en 1882. Lorsque Félix Bracquemond, qui collaborait avec la manufacture Haviland depuis 1873, vit ce bas-relief à l'exposition impressionniste de 1886, il exhorta Gauguin à faire de la céramique avec Chaplet, l'orientant ainsi dans une voie extraordinairement féconde pour son art. Quand Gauguin rapporta les conseils de Bracquemond dans une lettre à sa femme, il expliqua : « Aubé avait autrefois travaillé pour lui ces pots [les céramiques Haviland] qui l'on fait vivre (...) »[7].

Gauguin a peut-être offert le pastel du Petit Palais à Aubé juste après l'avoir achevé, mais le nom du sculpteur ne figure pas sur la liste, pourtant assez exhaustive, des collectionneurs de ses œuvres que l'artiste établit à partir de 1887 environ[8]. On s'étonne de constater que Gauguin n'a apparemment jamais exposé ce double portrait fort peu conventionnel, car c'est l'un de ses premiers chefs-d'œuvre toutes techniques confondues, et une sorte de démonstration de ses idées novatrices sur la couleur et la composition. Le tableau est partagé en deux moitiés qui présentent des disparités et des contrastes extrêmement curieux. Cette hétérogénéité de la composition semble indiquer que Gauguin a modifié la moitié gauche à un certain stade de l'élaboration du pastel, mais sans éprouver le désir d'opérer les ajustements nécessaires à la création d'un ensemble cohérent. Une harmonie de bleus et jaunes éclatants occupe la moitié droite. Aubé s'essuie les mains, debout derrière sa table de travail où un vase achevé côtoie un tas de plâtre verdâtre dans lequel est plantée une spatule. On aperçoit sur la droite le contour de ce qui semble une autre œuvre d'Aubé posée sur un socle. La table et le vase du premier plan se prolongent sur la gauche, par-delà la bande médiane du passe-partout, mais pas l'épaule d'Aubé. D'ailleurs, tous les autres éléments situés à gauche appartiennent à un décor différent. Là, le mur du fond est d'un beau jaune-orangé, complémentaire des bleus de droite, et même le sol semble à une hauteur différente si l'on en juge par la taille de l'enfant.

Apparemment, Gauguin n'avait pas prévu de représenter cet enfant quand il a commencé son pastel. Les traces de l'épaule d'Aubé encore visibles sous forme de repentirs dans la moitié gauche donnent une idée de la composition avant la séparation opérée par la suite en son milieu. La décision audacieuse de créer une telle disparité traduit à merveille les préoccupations décoratives de Gauguin, et sa conception de l'art pour l'art. C'est par l'orchestration de la couleur, appliquée en touches invariablement nerveuses, et par le rythme des courbes de l'enfant, de la chaise et du vase, que Gauguin a réussi à unifier la composition de ce double portrait curieusement partagé en deux. C.F.S.

1. Pola Gauguin 1937, 37.
2. Bodelsen 1965, 310 (appendice I).
3. Rotonchamp 1925, 18.
4. Merlhès 1984, 330, n. 20.
5. Voir Longuy 1979.
6. Albis 1968, 37.
7. Merlhès 1984, n° 99, 126.
8. Huyghe 1952, 222-228.

11

11

Carrière près de Pontoise

1882
89 × 116
Huile sur toile.
Signé et daté en bas à gauche, *P. Gauguin 1882.*

Zurich, Kunsthaus, Vereinigung Zürcher Kunstfreunde

Catalogue
W 72.

Exposé à Washington et Chicago

En novembre 1882, Gauguin écrivait à Pissarro : « J'ai terminé une toile de 50 que j'ai beaucoup travaillée. C'est la répétition du temps gris à la carrière que j'avais fait à Pontoise. Bertaux à qui je devais un billet de mille francs me l'achète, et j'aurais bien voulu que nous me donniez votre avis avant que le tableau ne parte. »[1] Bertaux, qui travaillait chez un agent de change, finit par posséder cinq peintures de Gauguin. Merlhès pense que le tableau évoqué dans la lettre doit être cette *Carrière près de Pontoise* dont le format correspond à celui des « toiles de 50 » vendues toutes prêtes dans le commerce[2]. Cela voudrait dire que la première version, sans doute peinte en plein air durant l'été 1882 où Gauguin alla travailler avec Pissarro à Pontoise[3], est soit perdue, soit détruite. D'autres peintures de carrières réalisées par les deux artistes, et datées, témoignent de leurs séances de travail dans les petites gorges du Chou, entre Pontoise et Auvers[4].

Le traitement complexe de l'espace dans le tableau de Zurich montre bien que Gaughin avait beaucoup appris sur la peinture de paysage auprès de Pissarro, qui choisissait souvent des motifs dont certains éléments débordaient de son champ de vision. Dans la peinture de Gauguin, le sol se dérobe brusquement sur la gauche, là où la crête d'une colline semble dissimuler un sentier au pied d'une autre colline sur la droite. Cette dernière bouche la vue, ne laissant apercevoir que le sommet des peupliers agités par le vent. La cavité profonde creusée dans la paroi sur la gauche attire le regard dans une autre direction, où la vue est également bouchée. Ces détails de la peinture sont autant d'articulations isolées dans la composition.

Dans le paysage accidenté de Gauguin, l'échelle et la distance deviennent par elles-mêmes porteuses de mystère, comme chez Millet ou Courbet. Ces deux peintres, ainsi que Corot, sont d'ailleurs cités avec admiration par Gauguin dans une lettre à Pissarro vers le mois de mai 1882[5], date à laquelle une importante rétrospective Courbet fut présentée à Paris. Étant donné la savante diversité des herbes vertes au premier plan, on peut estimer que cette peinture de Gauguin se situe dans le prolongement des paysages rocheux et verdoyants de Courbet. L'interprétation pourrait aussi refléter l'intérêt de Gauguin au début des années 1880 pour la sculpture en bas-relief.

La *Carrière près de Pontoise* dénote l'aspiration de Gauguin à se faire connaître comme peintre de paysages abandonnés et poétiques (W 87), et il convient de signaler ici qu'il intitula l'une de ses toiles *Coteaux des malades*[6]. C.F.S.

1. Merlhès 1984, n° 29, 36.
2. Merlhès 1984, 370, n. 81-82.
3. Merlhès 1884, n° 23, 29 (allusion au projet de départ de Gauguin pour Pontoise) et n° 25, 31 (allusion à son retour à Paris).
4. W 70, W 71 et Pissarro et Venturi 1939, voir Brettell 1977, 94-95.
5. Merlhès 1984, n° 23, 29.
6. Archives de la galerie Durand-Ruel, Paris, *Brouillard*, à la date du 9 avril 1884. On n'a pu rattacher ce titre à aucune œuvre existante de Gauguin.

12

Effet de neige

1883
117 × 90
Huile sur toile.
Signé et daté en bas à droite, *P. Gauguin 83.*

Collection Neil A. McConnell

Expositions
Copenhague 1948, n° 22 ;
Edimbourg 1955, n° 6 ;
Paris 1960, n° 11 ;
Munich 1980, n° 14.

Catalogue
W 80, *La neige rue Carcel (II).*

Ce paysage sous la neige compte parmi les peintures les plus grandes et les plus ambitieuses de la période impressionniste de Gauguin. On a toujours pensé qu'il représentait le jardin de la maison que l'artiste loua rue Carcel entre 1880 et la fin 1883[1]. Mais l'arrière-plan d'une autre peinture censée représenter ce jardin est sensiblement différent (W 67). Notamment, on n'y retrouve pas l'usine et les cheminées qui donnent un caractère indéniablement urbain et moderne à *Effet de neige.*

Les cheminées, emblèmes de la civilisation industrielle, apportent une note discordante ironique dans beaucoup de paysages impressionnistes, à première vue idylliques, de Pissarro et de Monet. Elles sont en revanche extrêmement rares dans les tableaux de Gauguin. Le pastel qu'il présenta sous le titre *Usine à gaz* (W 62) à la septième exposition impressionniste, en 1882, reste l'exception la plus notable[2]. De fait, les trois cheminées visibles dans *Effet de neige* sont peut-être celles-là même qui étaient déjà représentées dans cette œuvre de l'année précédente.

Les paysages enneigés aux multiples inflexions de tons et de nuances constituaient une véritable gageure pour les peintres de plein-air. Ils attiraient surtout des virtuoses aussi intrépides que Courbet ou Monet. Gauguin, peut-être déterminé à suivre leur exemple, peignit d'abord une version plus petite de la même vue (W 75), sans personnage[3]. Il n'a pas signé cette petite huile et l'on ignore s'il comptait s'en servir d'étude préparatoire pour une peinture plus grande et plus complexe. Gauguin n'avait élaboré aucune autre peinture à partir d'une étude à l'huile depuis 1879, et cette fois-là il s'agissait également d'un paysage enneigé. En 1879 comme en 1883, l'artiste commença sans doute par peindre sur le motif, avec toute la ferveur d'un impressionniste orthodoxe, et décida ensuite de reporter les fruits de son travail sur une plus grande toile, dans son atelier.

Les jeunes filles blondes en fichu annoncent peut-être le thème qui revient le plus fréquemment dans l'œuvre de la maturité de Gauguin, en Bretagne puis à Tahiti, à savoir des femmes surprises en pleine conversation, et observées le plus souvent de loin. La jeune fille de gauche qui se tient en équilibre pour rajuster sa chaussure, à l'instar de certaines danseuses de Degas, est le précur-

12

seur du personnage de droite dans la première scène de genre importante réalisée par Gauguin en Bretagne (W 201)[4].

Effet de neige correspond apparemment à la toile de 50 dont parle Gauguin dans une lettre à Pissarro de l'été 1884. L'artiste fixa à 400 F le prix de son tableau lorsqu'il le prêta pour une exposition organisée par le collectionneur Eugène Murer[5]. Ce fut Murer qui encouragea Gauguin, établi à Rouen depuis le début de 1884, à envoyer cette même toile à une exposition d'art contemporain qui devait se tenir au mois d'août dans cette ville. Cependant, le jury refusa le tableau de Gauguin, présenté à l'origine dans un cadre blanc[6].

Il se pourrait aussi que *Effet de neige* soit la grande peinture mentionnée par Gauguin dans une lettre à sa femme à la fin de 1885 : « Je croyais que Madeleine Adler devait t'acheter le grand effet de neige ? »[7] Pourtant, ce tableau semble avoir appartenu dans un premier temps aux Gad, la belle-famille de Gauguin, encore qu'il soit impossible de savoir si l'œuvre désignée par « Neige » sur la liste de Gauguin, et offerte à Theodor Gad, correspond à la petite version ou à la grande.

Quoi qu'il en soit, *Effet de neige* constitue assurément un tour de force, avec son ciel opalescent composé de touches bleues et rose-pâle entremêlées à la manière de Monet. Cette lumière moirée danse sur la fine couche de neige que transpercent des brins d'herbe. Les arbrisseaux dénudés ont l'air à la fois vulnérables et héroïques dans ce lieu entouré de murs, sorte de réserve naturelle paisible enclavée dans l'univers urbain qui s'étend au-delà. C.F.S.

1. Le Pichon 1986, 32.
2. Voir Bodelsen 1970, ill. 22.
3. Roskill 1970, 16.
4. Lemoisne 1946-1949, n°s 343 et 585. Bodelsen 1966, 35.
5. Merlhès 1984, n°s 49 et 50, 65-66.
6. Merlhès 1984, n° 144, 175.
7. Merlhès 1984, n° 91, 120.

13

Enfant endormi

1884
46 × 55,5
Huile sur toile.
Signé et daté en haut en rouge, *p Gauguin 84.*

Collection Josefowitz

Catalogue
W 81.

La signature et la date ont permis de déterminer que l'*Enfant endormi* faisait partie des huit peintures dont Gauguin parlait dans une lettre à Pissarro, écrite à Rouen vers la fin septembre 1884. Il expliquait qu'il les avait envoyées à Oslo où elles devaient participer à une exposition collective[1]. Le catalogue de l'exposition ne recense que trois œuvres de Gauguin, car, selon toute évidence, les organisateurs s'étaient fixé cette limite pour chacun des artistes invités. L'*Enfant endormi*, peut-être l'un des cinq tableaux écartés, fut vendu à Hermann Thaulow dont le frère Frits était le beau-frère de Gauguin, et siégeait au comité d'organisation de l'exposition en qualité de peintre[2].

L'identité de l'enfant reste incertaine. Pour l'établir définitivement, il faudra tenir compte de la peinture de 1883 qui représente deux fois la tête d'un enfant blond vêtu de la même chemise à carreaux[4]. L'identification est d'autant plus difficile que la chope est étrangement démesurée par rapport à la tête de l'enfant. Comme cette chope et le petit objet singulièrement insignifiant placé à côté semblent posés sur une table, la position de l'enfant couché sur la même surface revêt une ambiguïté déconcertante. Cette incohérence indique peut-être que Gauguin a ajouté soit la chope soit l'enfant après coup, sans se préoccuper de faire concorder leurs tailles relatives. Gauguin semble avoir élaboré plusieurs de ses tableaux

Mette, Paul-Rollon et Jean-René Gauguin, 1884, photographie

Pichet norvégien, XVIIIe siècle, bois, ayant appartenu à Gauguin (ex-collection Mette Gauguin, Londres, Trafalgar Galleries)

1. Merlhès 1984, nº 53, 68. Renseignement communiqué au propriétaire actuel par Douglas Cooper.
2. Renseignement communiqué au propriétaire actuel par Douglas Cooper.
3. Cooper a indiqué au propriétaire actuel que cet enfant pourrait être Jean-René. Mais sur une photographie prises à Rouen en 1884, Jean-René qui est accompagné de Mette et Pola, porte les cheveux courts.
4. Bodelsen 1967, 225-226 (ill. 65-66). En se fondant sur une lettre de 1883 (Merlhès 1984, nº 39, 52), Merete Bodelsen estime que cet enfant est Aline.

(voir W 176), les plus remarquables de cette période, selon la même méthode que l'on peut qualifier de pré-surréaliste. Ici, la juxtaposition a quelque chose de grotesque, car on dirait que l'enfant, dont la joue est tachée de rouge, de bleu et de vert, s'est endormi sous l'emprise d'un excès de boisson.

Ces taches de couleur apparemment arbitraires procèdent d'une application de la loi du contraste simultané énoncée par Chevreul, selon laquelle une couleur donnée modifie son environnement en diffusant sa couleur complémentaire. Ainsi ,la chope rougeâtre diffuse du vert, et les cheveux blonds font apparaître une nuance bleue sur la joue rouge. La lumière qui entre par la gauche pour éclairer la face cachée de la chope et les cheveux de l'enfant, dont le visage reste dans l'ombre, accentue encore cet effet.

Les peintres représentent souvent les enfants endormis (voir cat. 8) pour des raisons pratiques, étant donné la difficulté de fixer longtemps l'attention de ces modèles. Mais il semble évident que Gauguin cherchait ici à évoquer l'univers onirique de l'enfant, symbolisé par les motifs de plantes et d'animaux qui ornent le papier peint dans le fond. Ce papier peint sert aussi d'arrière-plan à une nature morte de format identique (W 132) réalisée la même année que l'*Enfant endormi*. Ce type d'élément décoratif séduisait manifestement Gauguin, qui a commencé à les introduire en motifs stylisés et multicolores dans ses compositions vers 1880 (W 48).

C.F.S.

14

Portrait de Clovis et Pola Gauguin

1885
72 × 53,5
Fusain et pastel sur papier vélin tendu sur un châssis en bois.
Signé et daté en bas à droite, au pastel rose
P. Gauguin/85.

M. et Mme David Lloyd Kreeger

Expositions
Copenhague, Udstilling 1893, nº 132, *Portraeter* ;
Copenhague 1948 ;
Copenhague 1984, nº 19, *Aline og Pola Gauguin.*

Catalogue
W 135.

Exposé à Washington

Aline et Clovis Gauguin, 1884, photographie

Bon nombre des artistes qui participèrent aux expositions du groupe impressionniste s'attachèrent à renouer avec la grande tradition du pastel issue du XVIIIe siècle. Dès 1879, Caillebotte, Cassatt, Degas et Pissarro, ainsi que Monet, Berthe Morisot et Renoir avaient commencé à exposer des pastels avec les peintures. Si Gauguin ne suivit leur exemple qu'une fois, en présentant deux pastels[1] à l'exposition de 1882, il exécuta en moyenne un portrait par an dans cette technique entre 1880 et 1885 (cat. 10 et W 40, W 68, W 69, W 81 bis, W 98). Par la suite, il devait utiliser le pastel pour des œuvres autrement complexes (cat. 35).

Rostrup[2] a cru reconnaître Aline et Pola dans ce double portrait, mais comme la fillette avait les cheveux courts et bruns, l'enfant assis ne peut être que Clovis, le deuxième fils de Gauguin. On a toujours présumé que Gauguin avait achevé cette œuvre, datée de 1885, après avoir quitté Copenhague pour rentrer à Paris avec Clovis, en juin. Pourtant, il est à noter que l'artiste s'est fait envoyer ses pastels à Paris peu après son retour[3]. Le quadrillage au crayon visible sous le visage de Pola pourrait indiquer que Gauguin a exécuté le pastel à Paris, en y reportant un portrait de Pola au crayon qu'il aurait rapporté avec lui. Sa femme, étrangement indifférente à la valeur sentimentale de ce double portrait, le vendit à son beau-frère Edvard Brandes avant 1893, date où il fut probablement exposé à Copenhague[4].

Ce pastel à la facture vigoureuse a servi de prétexte à une orchestration des tons complémentaires bleu et jaune, entremêlés ou juxtaposés, qui sont repris dans le mur, l'ameublement, le chaton, et dans la chemise et les cheveux de Clovis. Les visages résignés des enfants nous rappellent les dissensions qui conduisirent leurs parents à se séparer. Abstraction faite des lettres envoyées de Copenhague à Pissarro et à Schuffenecker, dans lesquelles Gauguin relatait l'évolution du conflit conjugal[5], ce double portrait profondément émouvant est peut-être le meilleur témoin du déchirement qu'il éprouva lorsqu'il prit la décision de tout sacrifier à son art. C.F.S.

1. *Cf.* W 35 et *Usine à gaz*. Bodelsen 1970, 591, ill. 22.
2. Rostrup 1960, 161.
3. Merlhès 1984, n°s 87 et 89.
4. Bodelsen 1970, 615 n. 6. Le double portrait de la collection Brandes exposé en 1893 pourrait correspondre aussi à cat. 10 ou W 82, ou encore à une œuvre de 1883 reproduite dans Bodelsen 1967, 22-226, ill. 65-66.
5. Merlhès 1984, n°s 68, 78 et 79.

15

Éventail décoré d'un portrait de Clovis et d'une nature morte

1885
32,5 × 56,3
Gouache sur tissu.
Signé et daté en bas à droite, en noir, *P. Gauguin 85*.

Dr. Ivo Pitanguy

Exposition
Copenhague 1948, nº 54.

Catalogues
W 180 ;
Gerstein 8.

Les impressionnistes furent nombreux à peindre des compositions en forme d'éventail, à la suite de Degas qui commença à en réaliser vers 1869[1]. Dans les années suivantes, divers arts mineurs dont la tradition remontait au XVIIIe siècle firent un retour en force sous l'impulsion de l'impératrice Eugénie, des écrits des frères Goncourt et de Philippe Burty, puis grâce au projet de créer un musée des arts décoratifs à Paris[2]. La vogue croissante des éventails japonais dans les années 1860 ne fit que renforcer ce mouvement. Vers le milieu des années 1870, le regain d'intérêt pour les éventails peints se manifesta aussi dans les Salons, et dès 1879 plusieurs de ces objets figurèrent aux expositions de la Société des aquarellistes français comme à celles du groupe impressionniste. Ainsi, à l'exposition impressionniste de 1879, Degas présenta cinq éventails, Forain six et Pissarro douze. D'après le catalogue, l'un de ceux de Pissarro appartenait à Gauguin[3]. Si tous ces artistes déployaient autant de soin et d'inventivité dans leurs projets d'éventails que dans leurs autres œuvres, ce genre d'activité n'en obéissait pas moins à des motivations commerciales. En 1882, Durand-Ruel pressa Pissarro de faire davantage d'éventails parce qu'ils se vendaient bien[4].

Gauguin exécuta un dessin préparatoire pour une peinture d'éventails dans l'un des carnets de croquis qu'il utilisait vers 1880, mais il ne s'en servit manifestement pas pour une œuvre plus élaborée[5]. Ce fut, selon toute apparence, la nécessité urgente d'assurer la subsistance de sa famille qui le décida en 1884 à réaliser des objets aussi demandés, après s'être installé à Rouen. On connaît une trentaine d'éventails dus à Gauguin. Quelques-uns, réalisés en 1884, comportent des motifs empruntés à Cézanne (W 116 et W 147) ou à Pissarro (W 108 et W 147)[6], mais tous les autres reprennent des éléments de

1. Lemoisne 1946-1949, nº 173, et Gerstein 1982.
2. Ce renouveau est particulièrement bien expliqué dans Gerstein 1978 et dans Kopplin 1984.
3. Bodelsen 1970, 612, n. 43.
4. Pissarro et Venturi 1939, II, 248.
5. Bjurström 1986, nº 1545 f. 12 verso, et Gerstein 1981, 3.
6. Rostrup 1960, Bodelsen 1970, 612 notes 44 et 45, et Gerstein 1981, 4.
7. Huyghe 1952, 222-228, et Gerstein 1981, 6.

ses peintures à l'huile. Par la suite, il a introduit ses éventails à l'arrière-plan de certaines peintures (cat. 41 et W 314). A en juger d'après la liste de ses éventails consignée dans son carnet d'Arles[7], Gauguin en offrait souvent à des amis et à des collectionneurs (cat. 83).

Ici l'artiste a repris le motif d'une nature morte (cat. 16), en plaçant les pivoines à gauche et sa chère mandoline au centre, auquel il a ajouté un portrait de son fils Clovis. Cette façon d'incorporer des images différentes dans l'arc de cercle de l'éventail n'est pas sans rappeler sa prédilection à juxtaposer plusieurs points de vue différents dans un même tableau (cat. 10, 13).

C.F.S.

16

Nature morte à la mandoline

1885
64 × 53
Huile sur toile.
Signé et daté en bas à droite, en noir, *P Gauguin 85.*

Paris, Musée d'Orsay

Catalogue
W 173.

Il est impossible de savoir si Gauguin a peint cette nature morte vivement colorée et soigneusement composée juste avant son départ de Copenhague en juin 1885, ou juste après son arrivée à Paris. Il avait déjà représenté des pivoines dans deux œuvres de l'année précédente (W 132 et W 133). Pour la *Nature morte à la mandoline,* il a placé ces fleurs dans un vase comparable à ceux qu'il réalisait depuis 1886 (G 10). Il a choisi celui-ci en raison de sa couleur soutenue en harmonie avec le bleu foncé du mur, de même que les blancs, rouges et verts chatoyants du bouquet jouent avec les verts de la peinture encadrée en haut à gauche. L'artiste a coordonné les formes tout autant que les couleurs. Les contours arrondis des objets répondent à la circonférence à peine discernable de la table sur laquelle ils sont disposés. Gauguin choisissait les objets autant en fonction de leur sens que de leur forme. La mandoline peut être interprétée comme le symbole d'une harmonie musicale analogue à celle qu'il cherchait à obtenir par le jeu des formes et des couleurs dans ses peintures (cat. 7). Quant au vase et au plat, ils attestent son intérêt pour les motifs stylisés propres aux arts décoratifs.

La peinture accrochée au mur derrière la nature morte, où la verdure est rehaussée par les rouges des vaches et des toits, nous donne le souvenir d'une peinture perdue d'Armand Guillaumin. Merete Bodelsen a cru reconnaître *Le Verger*, tableau de Guillaumin appartenant à Gauguin et acheté plus tard par Edvard Brandes. Le large cadre blanc est caractéristique des œuvres de la collection de Gauguin achetées par Brandes[1].

Comme beaucoup de ses confrères impressionnistes, Gauguin commença à utiliser des cadres blancs vers 1881, sans doute pour faire vibrer les couleurs des peintures, tout comme l'on entoure les estampes d'une large marge blanche pour en rehausser le coloris. Un critique de l'exposition impressionniste de 1882 qualifia même de « hiéroglyphes à l'huile dans un cadre blanc » les œuvres que Gauguin y présentait[2]. En 1884, l'artiste fut persuadé que le jury d'une exposition avait refusé ses peintures à cause de leur cadre blanc[3]. D'après ce que semble indiquer une lettre que Vincent van Gogh écrivit à son frère Theo vers le début novembre 1888, Gauguin pouvait revendiquer la paternité de cette innovation. Vincent demandait en effet : « Sais-tu que c'est un peu Gauguin l'inventeur du cadre blanc ? »[4] A partir de 1884, il représenta parfois des peintures à cadre blanc, ou des estampes à large marge blanche, dans le fond de ses natures mortes et compositions à personnages (cat. 41, 51, 61, 111)[5]. Gauguin renonça complètement aux cadres blancs après son exposition chez Durand-Ruel en 1893[6]. Il est à présumer que ses peintures des années 1880 étaient souvent conçues pour recevoir un cadre blanc destiné à faire partie intégrante de l'ensemble.

C.F.S.

1. Bodelsen 1970, 608.
2. Hepp 1882.
3. Merlhès 1984, nº 50, 66.
4. Merlhès 1984, nº XCII, 279.
5. Voir également W 131, W 211, W 287 et W 314.
6. Genthon 1958, 21.

16

Double page suivante :
Gauguin, *La plage au Pouldu,*
détail, 1889, huile sur toile
(collection particulière)

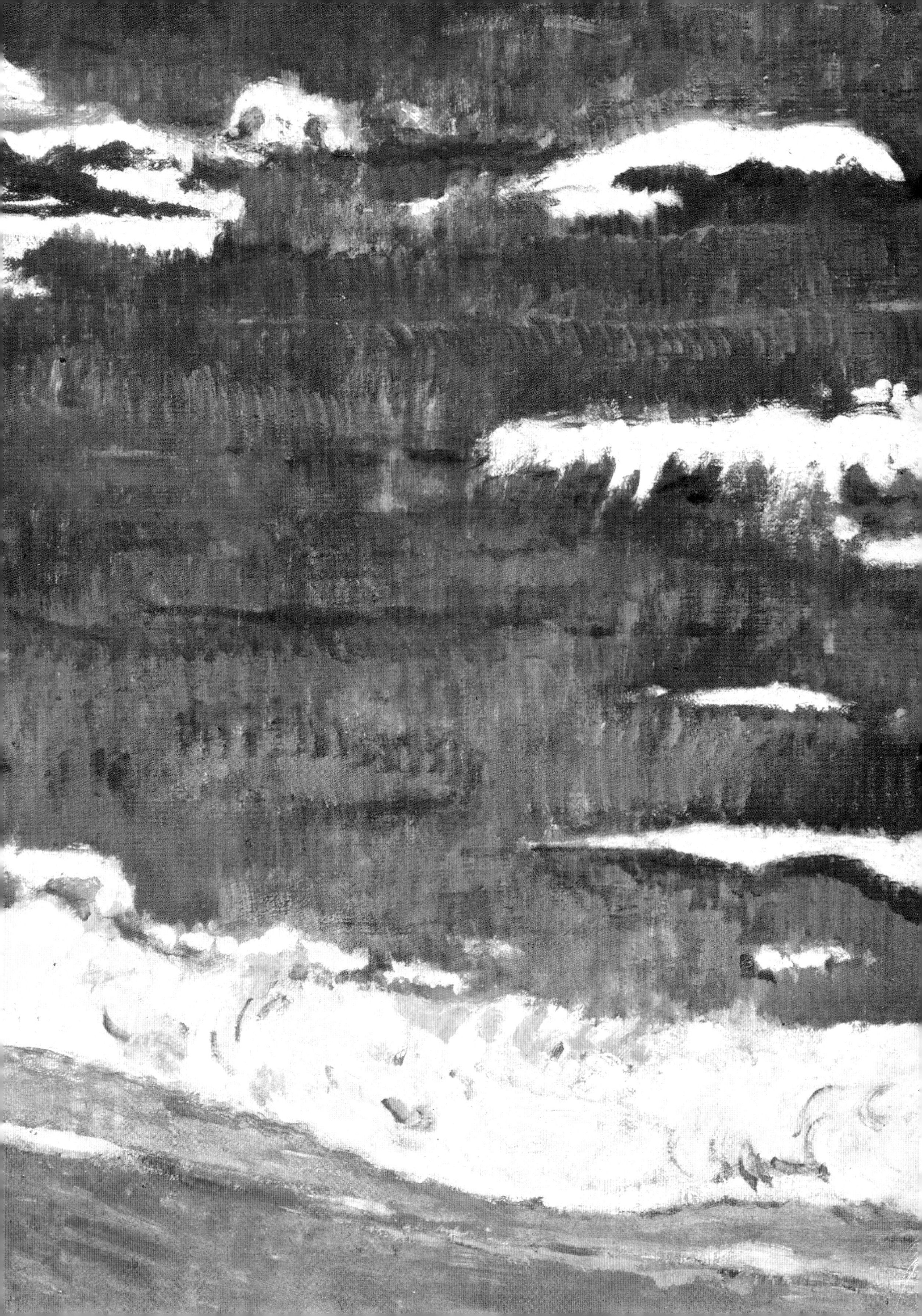

Chronologie: juillet 1886-avril 1891

Isabelle Cahn

1886

juillet
Gauguin quitte son domicile de la rue Cail ; son adresse postale est 29 rue Boulard, chez Schuffenecker. (Lettre à Mette [vers le 5-10 juillet 1886], Merlhès 1984, n° 102, 130.
Grâce à un prêt d'une de ses relations — le banquier Eugène Mirtil — il part à Pont-Aven. Il s'installe à la pension Gloanec pour trois mois. Pendant son séjour, il se rend probablement au Pouldu. (Merlhès 1984, 426 n. 195 ; lettres à Bracquemond [vers le 8-12 juillet 1886] et à Mette [vers le 25 juillet 1886] et [fin juillet 1886], Merlhès 1984, n° 105, 132, n° 107, 133-4, n° 110,137, et 490 n. 264.)
Il fait la connaissance du peintre Eugène Laval (voir cat. 30). (Malingue 1946, 94 n. 1.)
Schuffenecker lui rend visite et s'occupe de son envoi à l'exposition de Nantes. (Lettre de Pissarro à son fils Lucien, 17 septembre 1886, Bailly-Herzberg 1986, n° 353, 71 ; lettre à Mette [fin juillet 1886], Merlhès 1984, n° 110, 137.)

L'auberge Gloanec vers 1881, photographie (Paris, Harlingue-Viollet)

15 août
Première rencontre avec Emile Bernard à Pont-Aven mais Gauguin ne se lie avec lui qu'en 1888. (Malingue 1946, 94 n. 1 ; lettre de Bernard à ses parents, 19 août 1886 citée par Dorra 1980, 235 ; Bernard 1895, 333 ; Bernard 1904, 8 ; Bernard [1939], 8.)

21 août-21 septembre
Il refuse de participer à l'exposition des Indépendants. (Lettre de Signac à Pissarro [été 1886] Paris, vente hôtel Drouot, 21 novembre 1975, n° 166 ; lettre de Pissarro à Signac [fin juillet/début août 1886], Bailly-Herzberg 1986, n° 349, 66.)

18 septembre
Moréas publie le manifeste du Symbolisme dans le *Figaro littéraire.*

10 octobre-30 novembre
Il participe à l'exposition des Beaux-Arts de Nantes :
— *Église à Rouen* (W 102 ou W 103)
— *Parc ; Danemark* (W 141 ou W 142).
(Cat. expo. des Beaux-Arts, Nantes 1886.)

mi-octobre
Il rentre à Paris où il s'installe 257 rue Lecourbe. (Lettre à Mette [1re décade d'octobre 1886], Merlhès 1984, n° 113, 140.)
Il fait de la céramique dans l'atelier de Chaplet. (Lettre à Bracquemond [fin octobre ou courant novembre 1886], Merlhès 1984, n° 114, 141.)

novembre ?
Il se réconcilie avec Degas. (Lettre de Pissarro à son fils Lucien [30 novembre ? 1886], Bailly-Herzberg 1986, n° 360, 77.)

novembre
Première rencontre avec Vincent van Gogh. (Rewald 1961, 30.)

fin novembre
Incident au Café de la Nouvelle-Athènes : il refuse de serrer la main de Signac et de Pissarro. C'est la rupture avec les « Impressionnistes scientifiques ». (Lettre de Pissarro à son fils Lucien, 3 décembre 1886, Bailly-Herzberg 1986, n° 361, 80.)
Il vend 350 francs un tableau de Jongkind. (Lettre à Mette, 26 décembre 1886, Merlhès 1984, n° 115, 142.)

fin novembre-décembre
Il est hospitalisé ving-sept jours pour soigner des angines. (Lettre à Mette, 26 décembre 1886, Merlhès 1984, n° 115, 142.)

Émile Bernard, photographie (Paris, Musée d'Orsay, Service de documentation)

1887

6 janvier
Gauguin, Degas, Zandomeneghi sont témoins au mariage de Guillaumin. (Mairie du VIe arr. de Paris, acte de mariage.)
Pour lui venir en aide, Bracquemond essaie de vendre ses tableaux et ses céramiques. (Lettre de Pissarro à son fils Lucien, 23 janvier 1887, Bailly-Herzberg 1986, n° 387, 120-1 ; lettres à Bracquemond [peu après la mi-janvier 1887] et [2e quinzaine de janvier 1887], Merlhès 1984, nos 118, 119, 144.)
C'est peut-être cette année-là que Gauguin se rend à Saint-Quentin pour voir l'œuvre de La Tour. (Lettre à Fontainas, août 1899, Malingue 1946, n° CLXXII, 294.)

avril
Mette vient à Paris pour chercher Clovis. Elle repart en emportant plusieurs œuvres de son mari. (Lettres à Mette [premiers jours d'avril 1887], [vers le 1er mai 1887], 24 novembre 1887, Merlhès 1984, n° 123, 150, n° 124, 151, n° 136, 165.)

10 avril
Gauguin s'embarque à Saint-Nazaire pour Panama en compagnie du peintre Charles Laval. (Lettre à Mette [fin mars 1887], Merlhès 1984, n° 122, 147-8.)

Colon (Panama), Front Street, photographie (Paris, Société de Géographie)

30 avril
Débarqué à Colón, il passe quelques jours à Panama où son beau-frère, Juan Uribe, est installé. (Lettre à Mette [vers le 1er mai 1887], Merlhès 1984, n° 124, 151.)

mi-mai
Il travaille à Colón à la Société des travaux publics et de construction du Canal de Panama. (Lettre à

Schuffenecker [peu avant le 12 mai 1887], lettre à Mette [vers le 12 mai 1887]; Merlhès 1984, n°s 125, 126, 152-3.)

début juin
A la suite d'une compression du personnel, il est renvoyé après quinze jours de travail. Il s'embarque avec Laval pour la Martinique. Il vit dans une case sur une plantation à deux kilomètres de St-Pierre. (Lettre à Mette, 20 juin [1887], Merlhès 1984, n° 127, 154.)

Saint-Pierre de la Martinique en 1889
photographie
(Paris, Société de Géographie)

juillet
Peu après son arrivée, il tombe gravement malade (dysenterie et paludisme). (Lettre à Mette [vers le 25 août 1887], Merlhès 1984, n° 130, 157-8.)
Albert Dauprat achète des céramiques de Gauguin chez Chaplet. (Lettre à Schuffenecker, 25 août 1887, Merlhès 1984, ° 131, 159; Huyghe 1952, 226.)

octobre
Il s'embarque sur un bâteau à voile et arrive en France vers le 13 novembre. (Lettre à Mette, 24 novembre 1887, Merlhès 1984, n° 136, 164 et 469 n. 234.)

novembre
Il loge chez Schuffenecker, 29 rue Boulard. (Lettre à Bracquemond [mi-novembre 1887], Merlhès 1984, n° 135, 164.)
Il rencontre Daniel de Monfreid chez Schuffenecker. (Monfreid 1903, 266.)
Il échange un tableau *(Au bord de la rivière)* avec Vincent van Gogh. (Cooper 1983, 33 n. 1.)

La famille Schuffenecker, photographie
(Saint-Germain-en-Laye,
Musée départemental du Prieuré)

Theo van Gogh vers 1888, photographie
(Amsterdam, Rijksmuseum
Vincent van Gogh,
Fondation Vincent van Gogh)

décembre
Theo van Gogh présente quatre peintures et cinq céramiques de Gauguin mises en dépôt à la galerie Boussod, Valadon et Cie, 19 boulevard Montmartre. Le 26 décembre, il vend à un certain Dupuis un tableau *Les baigneurs* (W 272) 450 francs. (Fénéon, 1888a; registre de la galerie, Rewald 1973, appendice I.)

1888

Pendant plusieurs mois, Gauguin souffre des suites de la dysenterie et du paludisme qu'il a contractés à la Martinique.

janvier
Theo van Gogh, probablement accompagné de Vincent, lui rend visite chez Schuffenecker et achète trois tableaux pour 900 francs dont une grande toile martiniquaise *Aux Mangos* (W 224) payée 400 francs. (Lettre à Mette [1re semaine de janvier 1888], Merlhès 1984, n° 138, 168, 472 n. 10; reçu signé de Gauguin à Theo van Gogh, 4 janvier 1888, Cooper 1983, 33; Huyghe 1952, 73.)
Theo van Gogh expose un nouveau tableau de Gauguin *(Deux baigneuses)* à la galerie Boussod, Valadon et Cie (voir cat. 34; Fénéon, 1888b.)
Il enseigne dans l'atelier libre de Rawlins, un homme d'affaires londonien. (Rotonchamp 1906, 152, 1925, 177.)

fin janvier-début février
Il part à Pont-Aven où il s'installe à la pension Gloanec. (Lettre à Mette [vers le 22 janvier-6 février 1888], Merlhès 1984, n° 139, 169-70, 472 n. 239.)

mars
Van Gogh fait part à Gauguin de son projet de fonder une association de peintres pour vendre leurs tableaux. (Lettre de Vincent van Gogh à Theo [10 mars 1888], Van Gogh 1960, n° 468 F, 29; lettre à Vincent van Gogh [vers le 14-16 mars 1888], 1984, n° 143, 174.)
Gauguin de son côté pense plutôt à une association commerciale avec Theo van Gogh comme « marchand de tableaux impressionnistes » à sa tête. (Lettre de Vincent van Gogh à Theo [juin 1888], Van Gogh 1960, n° 496 F, 87.)
Vincent veut faire venir Gauguin à Arles pour vivre et travailler à ses côtés. (Lettre de Vincent van Gogh à Theo [mai 1888], Van Gogh 1960, n° 493 F, 83-4.)

avril
Fénéon remarque à la galerie Boussod, Valadon et Cie un paysage martiniquais de Gauguin. (Fénéon « Calendrier d'avril », *La Revue indépendante,* mai 1888.)

juin
Theo propose à Gauguin, s'il va s'installer à Arles, 150 francs par mois contre un tableau. Gauguin accepte cet arrangement. (Lettres de Vincent à Theo [septembre 1888], Van Gogh 1960, n° 538 F, 201 et [29 juin 1888], Merlhès 1984, n° L, 166-7; lettre à Schuffenecker [8 juillet 1888], Merlhès 1984, n° 156, 197.)

fin juillet
Il séjourne quelques jours à Plestin-les-Grèves (Côtes-du-Nord) chez le Capitaine des douanes de Pont-Aven, Yves-Marie Jacob (voir cat. 49). (Chassé 1955, 65 n. 1; Merlhès 1984, 490 n. 264.)

début août
Bernard rejoint Gauguin et Laval de retour de la Martinique, à Pont-Aven. (Lettre de Vincent van Gogh à Theo [début août 1888], Van Gogh 1960, n° 523 F, 171.)

Paul Gauguin, photographie prise
à Pont-Aven par un amateur en août 1888
(Paris, Musée du Louvre,
Département des Arts Graphiques, Musée d'Orsay)

Madeleine Bernard en costume breton, photographie
(Paris, Bibliothèque du Musée du Louvre,
Archives Émile Bernard)

Gauguin rencontre Madeleine Bernard qui passe quelques semaines de vacances avec sa mère et son frère (voir cat. 51).

septembre
Vincent demande à Gauguin et à Bernard de faire un échange avec lui de leurs portraits l'un par l'autre. (Lettre de Vincent van Gogh à Theo [10 septembre 1888], Van Gogh 1960, n° 535 F, 194.)

octobre
Sérusier peint *Le Talisman* (Paris, musée d'Orsay), paysage du Bois d'Amour, sous la dictée de Gauguin. (Denis 1942, 42-4.)
Vincent reçoit le portrait de Gauguin par lui-même (*Les misérables,* W 239, Amsterdam Rijksmuseum Vincent van Gogh) et l'autoportrait de Bernard (L. 133, Amsterdam, Rijksmuseum Vincent van Gogh). Il envoie son portrait en échange (F 476, Cambridge, Fogg Art Museum). (Lettre de Vincent van Gogh à Theo [octobre 1888], Van Gogh 1960, n° 545 F, 228.)
Il souffre à nouveau de dysenterie. (Lettre à Theo van Gogh [7 ou 8 octobre 1888], Merlhès 1984, n° 167, 247.)
Theo van Gogh lui envoie 300 francs provenant d'une vente de céramiques. (Lettre à Theo van Gogh [7 ou 8 octobre 1888] et lettre à Schuffenecker, 8 octobre 1888, Merlhès 1984, n°s 167, 168, 248-9.)
Il règle ses dettes à Pont-Aven. (Lettre à Theo van Gogh [7 ou 8 octobre 1888], Merlhès 1984, n° 167, 248.)

21 octobre
Il quitte Pont-Aven pour se rendre en Arles où il arrive le 23 octobre. (Lettre à Schuffenecker, 25 octobre 1888, Merlhès 1984, n° 174, 264.)

La maison de Vincent van Gogh, 2 Place Lamartine à Arles, photographie (Amsterdam, Rijksmuseum Vincent van Gogh, Fondation Vincent van Gogh)

Theo van Gogh vend à Dupuis, 600 francs, un tableau: *Bretonnes* (W 201). Il lui envoie 500 francs. (Lettre de Theo van Gogh à Vincent [23 octobre 1888], Van Gogh 1960, n° 557, 258; Huyghe 1952, 223; la somme de 510 francs est notée sur le registre de la galerie Boussod, Valadon et Cie, Rewald 1973, appendice I.)
Gauguin demande à Schuffenecker de lui envoyer en Arles quelques-unes de ses céramiques dont le pot à cornes (G 57). (Lettre à Schuffenecker, 25 octobre 1888, Merlhès 1984, n° 174, 264.)
Le banquier Mirtil choisit un tableau de Gauguin [*Le champ Derout,* W 199] à la galerie Boussod, Valadon et Cie en échange des 300 francs avancés pour son départ à Pont-Aven en juillet 1886. (Lettre à Theo van Gogh [27 octobre 1888], Merlhès 1984, n° 175, 266; Huyghe 1952, 224.)

fin octobre
Gauguin envoie ses tableaux de Pont-Aven à Theo van Gogh. Ils sont admirés de tous. (Lettre à Theo van Gogh [27 octobe 1888], Merlhès 1984, n° 175, 266; lettre à Bernard [fin octobre-début novembre 1888], Merlhès 1984, n° 176, 270; lettre de Theo van Gogh à Gauguin, 13 novembre 1888, Merlhès 1984, n° XCIII, 280; lettre de Schuffenecker à Gauguin, 11 décembre 1888, Merlhès 1984, n° CI, 299.)

novembre
Gauguin envoie de l'argent à E. Bernard pour régler ses dettes à Pont-Aven. (Lettre à Bernard [fin octobre-début novembre 1888], Merlhès 1984, n° 176, 270.)
Il projette de repartir à la Martinique pour fonder un atelier. (Lettre de Vincent van Gogh à Theo [vers le (2 ou le) 6 novembre 1888], Merlhès 1984, n° 177, 273; lettre à Schuffenecker [2e semaine de novembre (le 13?) 1888], Merlhès 1984, n° 180, 281; lettre à Theo van Gogh [14 novembre 1888], Merlhès 1984, n° 181, 283; lettres de Vincent van Gogh à Theo [vers le 24 novembre 1888] et [décembre 1888], Van Gogh 1960, n° 558a F, 262 et n° 563 F, 277; lettre à Theo van Gogh [3e semaine de décembre 1888], Merlhès 1984, n° 192, 302; lettre à Schuffenecker [vers le 20 décembre 1888], Merlhès 1984, n° 193, 305.)
Theo van Gogh présente dans deux petites salles à l'entresol de la galerie Boussod, Valadon et Cie, ses derniers tableaux et quelques grès. (Rotonchamp 1906, 44-5.) Degas s'enthousiasme pour ses œuvres et envisage d'acheter une toile représentant des bretonnes à Lezaven (voir cat. 40). (Lettre à Bernard [vers le 9-12 décembre 1888], Merlhès 1984, n° 178, 274; lettre de Theo van Gogh à Gauguin, 13 novembre 1888, Merlhès 1984, n° XCIII, 280.)

Arles, les Alyscamps, photographie (Jean Dieuzaide)

10-12 et 13 novembre
Theo van Gogh vend successivement trois tableaux:
– *Mare au bord d'une route* (W 226) à Cheret, 300 francs.
– *Prairie avec deux chiens* (W 265) à Dupuis, 400 francs.
– *Vue de Pont-Aven* (W 195?) à Dupuis, 500 francs.
(Registre de la galerie Boussod, Valadon et Cie, Rewald, 1973, appendice I.)
Gauguin demande à Schuffenecker de lui envoyer en Arles quelques effets personnels et ses eaux-fortes de Degas. (Lettre à Schuffenecker [2e semaine de novembre (le 13?) 1888], Merlhès 1984, n° 180, 281.)
Il demande à Bernard d'envoyer deux dessins conservés par sa mère à Theo van Gogh, en remboursement des cinquante francs avancés l'été passé. (Lettre à Bernard [3e ou 4e semaine de novembre 1888], Merlhès 1984, n° 182, 284; lettre de Vincent van Gogh à Theo [novembre 1888], Van Gogh 1960, n° 560 F, 269; lettre à Theo [vers le 4-7 décembre 1888], Merlhès 1984, n° 187, 294.)
Il offre à Madeleine Bernard en échange un pot (aujourd'hui disparu). (Lettre à Bernard [3e ou 4e semaine de novembre 1888], Merlhès 1984, n° 182, 284.)
Il envoie plusieurs toiles à Theo van Gogh:
– *La ronde des petites bretonnes* (cat. 44)
– *Un café de nuit* (cat. 57)
– *Paysage* ou *Les trois grâces au temple de Vénus* (cat. 56)
– *Les cochons* (W 301)
– *La vendange* ou *La Pauvresse* (W 304).
(Lettre à Theo van Gogh [vers le 22 novembre 1888], Merlhès 1984, n° 183, 288.)
Il est invité à exposer aux XX à Bruxelles: « Je vais organiser à Bruxelles une exposition sérieuse en opposition avec le petit point » [les Néo-impressionnistes]. (Lettre à Schuffenecker [dernière semaine de novembre (le 23?) 1888], Merlhès 1984, n° 184, 290.)
Theo van Gogh s'occupera de l'envoi et Maus du placement. (Lettre à Maus [dernière semaine de novembre] 1888, Merlhès 1984, n° 185, 291.)

fin novembre-début décembre
Gauguin refuse d'exposer à la Revue Indépendante. (Lettre à Theo van Gogh [vers le 4-7 décembre 1888], Merlhès 1984, n° 187, 294-5.)

4 décembre
Theo van Gogh vend à Clapisson un tableau *Pêcheurs bretons* (W 262) 400 francs; il vend aussi des poteries. (Registre de la galerie Boussod, Valadon et Cie, Rewald 1973, appendice I; lettre à Theo van Gogh [vers le 4-7 décembre 1888], Merlhès 1984, n° 187, 294.)
Il envoie 200 francs à Mette. (Lettre de Theo van Gogh à Gauguin [vers le 7-12 décembre 1888], Merlhès 1984, n° C, 298; lettre à Mette [vers le mi-décembre 1888], Merlhès 1984, n° 190, 300.)

mi-décembre
Il veut rentrer à Paris en raison d'une incompatibilité d'humeur avec Vincent puis il annule sa décision. (Lettre à Theo van Gogh [3e semaine de décembre 1888 (vers le 18?)] et [3e semaine de décembre 1888 (vers le 19-20?)], Merlhès 1984, n° 191, 192, 301.)

vers le 17-18 décembre
Il se rend à Montpellier avec Vincent où il visite le musée Fabre, particulièrement la collection Bruyas qu'il avait déjà vue en 1884. (Lettre à Theo van Gogh [3e semaine de décembre 1888 (vers le 19-20 ?)], Merlhès 1984, n° CIII, 302 ; lettres de Vincent van Gogh à Theo [3e semaine de décembre 1888 (vers le 19-20 ?)] et [7 janvier 1889], Van Gogh 1960, n° 564 F, 278 et n° 568 F, 283).

23 décembre
Vincent pris d'un accès de folie menace Gauguin puis se tranche l'oreille. (Gauguin 1923, 21.) Gauguin est arrêté par les gendarmes puis relâché. (Lettre de Bernard à Aurier, 1er janvier 1889, Paris, Vente Hôtel Drouot, 29 mars 1985, n° 48.)

24 décembre
Il demande à Theo de venir assister son frère. (Télégramme disparu à Theo van Gogh [24 décembre 1888], Merlhès 1984, n° 194, 307.)

26 décembre
Il rentre à Paris avec Theo van Gogh (Marks-Vandenbroucke, thèse inédite, 1956, 173). Il habite chez Schuffenecker. (Lettres à Vincent van Gogh [vers le 9 et vers le 20 janvier 1889], Cooper 1983, n° 34, 255, n° 35, 257.)

28 décembre
Il assiste à l'exécution capitale d'un certain Prado devant la prison de la Petite Roquette. (Gauguin 1923, 179-181.)

1889

5 janvier
Gauguin loue un atelier 16 rue du Saint-Gothard. (Acte de location, Paris, Vente Hôtel Drouot, 3 et 4 décembre 1948, n° 112 ; cette adresse figure dans le carnet de Theo van Gogh conservé à Amsterdam, Rijksmuseum Vincent van Gogh ; lettre à Vincent van Gogh [vers le 20 janvier 1889], Cooper 1983, n° 35, 259.

Sérusier, *Paul Gauguin ramant*, 1889, fusain et encre de Chine (Paris, Musée du Louvre, Département des Arts Graphiques, Musée d'Orsay)

Il demande à Vincent de lui renvoyer ses carnets de dessins, ses masques et ses gants d'escrime laissés à Arles.
Il commence une série de gravures qu'il veut faire publier (voir cat. 67-77). (Lettre à Vincent van Gogh [vers le 20 janvier 1889], Cooper 1983, 257, 260-1 n° 35 ; lettre de Vincent van Gogh à Theo [22 février 1889], Van Gogh 1960, n° 578 F, 307).

février
Il expose aux XX à Bruxelles :
— *Aux Mangos* (Tropiques) (W 224)
— *Conversation* (Tropiques) (W 227)
— *Paysage breton* (cat. 40)
— *Bretonne et veau* (W 258)
— *Berger et bergère* (W 250)
— *Lutteurs en herbe* (cat. 48)
— *Vision du Sermon* (cat. 50)
— *En pleine chaleur* (W 301)
— *Misères humaines* (W 304)
— *Au presbytère*
— *Les mas* (W 309)
— « *Vous y passerez la belle* » (cat. 60).
(Cat. expo. ; A.j.w. « Aux XX » in *La Gazette*, 2 février 1889 ; « Bruxelles : le Salon des XX » in l'*Indépendance Belge*, 4 février 1889 ; « Exposition. VIe Salon des Vingtistes au Musée Royal » in l'*Étoile belge*, 10 février 1889 ; Maus « Le Salon des XX à Bruxelles » in *La Cravache*, 2 mars 1889 ; [Le Capitan] « Au Salon des XX » in *Sancho*, 3 mars 1889).

mi-février
Il part à Pont-Aven. (Cooper 1983, 257 n. 3).

21 mars
Theo van Gogh vend 400 francs une toile de Gauguin *Berger et bergère* (W 250) à Anna Boch. (Registre de la galerie Boussod, Valadon et Cie, Rewald 1973, appendice I.)
Maus envoie 400 francs à Theo van Gogh provenant de la vente du tableau de Gauguin pendant l'exposition. (Lettre de Theo van Gogh à Pissarro, 8 mars 1888, Bailly-Herzberg 1986, 267 n. 1 ; lettre de Theo van Gogh à Maus, 22 mars 1889 (Bruxelles, Musées royaux des Beaux-Arts de Belgique, Archives de l'Art Contemporain, collection Octave Maus, donation van de Linden, inv. 5226).

printemps
Gauguin organise avec Schuffenecker une exposition « pour un petit groupe de copains ». (Lettre à Schuffenecker [avril 1889] (datée décembre 1888), Malingue 1946, n° LXXVII, 152.)

mi-avril
Il regagne Paris (Lettre de Philipsen, 16 avril 1889, Bibliothèque Royale de Copenhague citée par Rostrup 1956, 76), pour s'occuper de l'exposition et de la cuisson d'une statue (cat. 85). (Lettre à Mette [avril 1889] (datée avril 1890), Malingue 1946, n° CI, 185.)
Il habite chez Schuffenecker. (Cat. *Exposition de peintures du groupe Impressionniste et Synthétiste*.)

juin-octobre
L'*Exposition de peintures du Groupe Impressionniste et Synthétiste* se tient pendant l'Exposition Universelle, au Café des Arts (cat. expo.) aménagé par M. Volpini — propriétaire du Grand Café, 14 Bd des Capucines et 1 rue Scribe (*Annuaire-Almanach du commerce* Didot-Bottin, 1889) — le long du Palais des Beaux-Arts. Schuffenecker avait suggéré à Volpini de remplacer la coûteuse décoration de glaces prévue initialement par une exposition de toiles. (Bernard [1939], 14).

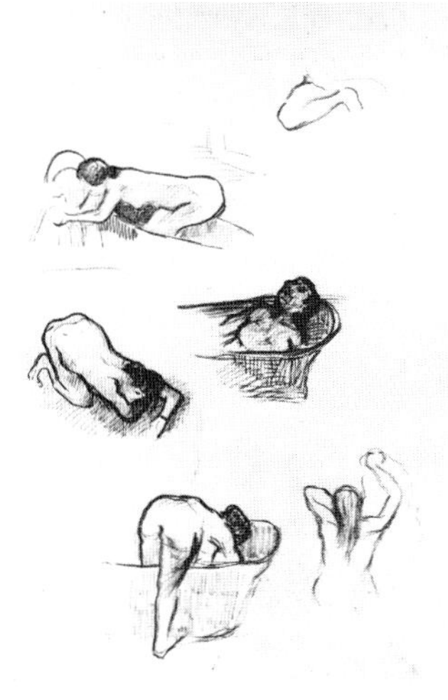

Gauguin, *Croquis d'après des dessins de Degas*, 1889 (Album Briant, Paris, Musée du Louvre, Département des Arts Graphiques Musée d'Orsay)

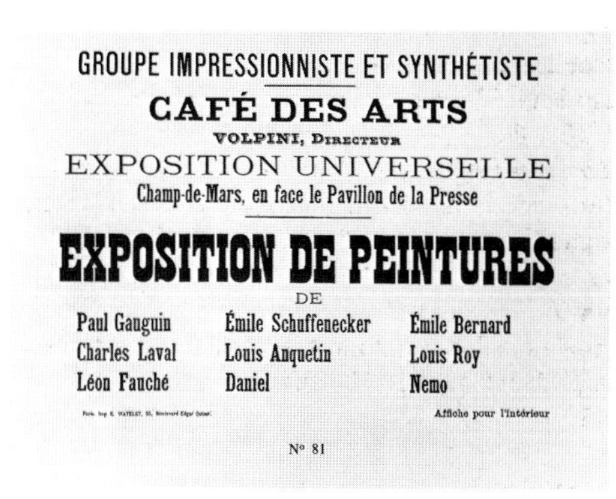

Affiche de l'exposition du groupe impressionniste et synthétique
(Paris, Musée d'Orsay, Service de documentation)

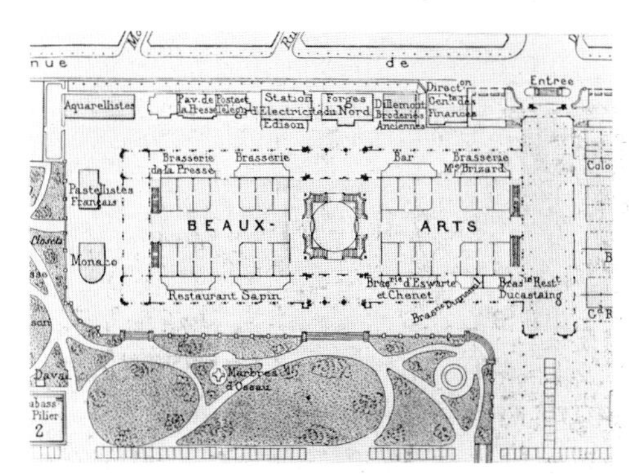

Plan de l'Exposition Universelle de 1889, le Palais des Beaux-Arts et le Café des Arts, face au Pavillon de la presse
(Paris, Musée d'Orsay, Service de documentation)

Synthétisme, un cauchemar, dessin
(Paris, Musée du Louvre, Département des Arts Graphiques, Musée d'Orsay)

Danseuses javanaises, Exposition Universelle de 1889, photographie (Paris, Société de Géographie)

Gauguin expose :
– *Premières fleurs. Bretagne* (cat. 40)
– *Les Mangos. Martinique* (W 224)
– *Conversation. Bretagne* (W 250)
– *Hiver. Bretagne* (W 258)
– *Presbytère de Pont-Aven*
– *Ronde dans les foins* (cat. 44)
– *Paysage d'Arles* (W 310)
– *Les Mas. Arles* (W 309)
– Pastel décoratif
– *Jeunes lutteurs.* Bretagne (cat. 48)
– *Fantaisie décorative.* Pastel
– *Ève.* aquarelle (P II?)
– *Misères humaines* (W 304)
– *Dans les vagues* (cat. 80)
– *Le modèle.* Bretagne
– *Portrait.* Arles
– *Paysage.* Pont-Aven

Un album de lithographies par Paul Gauguin et Émile Bernard est visible sur demande (voir cat. 66-77).
(Cat. expo. ; Aurier « Concurrence » in *Le Moderniste illustré,* 27 juin 1889, 74 ; Aurier « La peinture à l'exposition » in *La Pléiade,* (juillet) 1889, 102-4 ; Aurier « Calendrier » in *La Pléiade,* (juillet) 1889, 105 ; Fénéon « Autre groupe impressionniste » in *La Cravache,* 6 juillet 1889, 1 ; Kahn « L'Art Français à l'Exposition » in *La Vogue,* n° 2 [août], 1889 ; Aurier « Chronique d'art » in *Le Moderniste illustré,* 24 août 1889, 138-9 (même article paru dans *La Pléiade,* juillet 1889) ; Antoine « Impressionnistes et Synthétistes » in *Art et Critique,* n° 24, 9 novembre 1889, 369-71).

debut juin
Gauguin retourne à Pont-Aven. (Lettre de Theo van Gogh à Vincent, 16 juin 1889, Van Gogh 1952-4, 268, T. 10).
Il loue un atelier à Lezaven. (Lettre à Bernard [août 1889], Malingue 1946, n° LXXXIV, 162.

18 juin
Theo van Gogh vend 300 francs *Négresses à la Martinique* (W 227) à Lerolle. (Registre de la galerie Boussod, Valadon et Cie, Rewald 1973, appendice I).

27 juin
Marc d'Escaurailles annonce dans un article « La critique sans phrases » dans *Le Moderniste illustré,* une série de « notes sur les Beaux-Arts à l'Exposition » par Gauguin à paraître dans la revue.

fin juin
Gauguin s'installe au Pouldu à l'auberge Destais puis à l'auberge de Marie Henry en compagnie de Sérusier. (Chassé 1955, 63, 65-7).

4 et 13 juillet
Ses « Notes sur l'Art à l'Exposition Universelle » paraissent en deux parties dans *Le Moderniste illustré.*
Parmi ses tableaux exposés à la Galerie Boussod, Valadon et Cie, le critique Jules Antoine remarque particulièrement des Bretonnes. (« Tableaux et pastels chez M. Van Gogh » in *Art et Critique,* 27 juillet 1889).

juillet-août
Il travaille pendant un mois au Pouldu avec Meyer de Haan. (Lettre à Theo van Gogh [environ le 15 août 1889], Cooper 1983, n° 15, 109 ; Lettre à Bernard [août 1889], Malingue 1946, n° LXXXIV, 162 et n° 1, 160.)
Il retourne à Pont-Aven où il s'installe à crédit à l'auberge Gloanec.
(Lettre à Bernard [août 1889], Malingue 1945, n° LXXXIV, 163 ; Lettre à Bernard [début septembre 1889], Malingue 1946, n° LXXXVII, 167.)
Il loue une pièce au rez-de-chaussée de la ferme Furnic comme atelier. (Saint-Germain-en-Laye 1985, 77.)

septembre
Nouvel envoi de toiles à la galerie Boussod, Valadon et Cie. (Lettre à Theo van Gogh [vers le 15 août 1889] et [fin août-début septembre 1889], Cooper 1983, n° 15, 111-3, n° 17, 121.)
Theo van Gogh est déçu par les tableaux, exceptée *La Belle Angèle* (cat. 89). (Lettre de Theo van Gogh à Vincent, 5 septembre 1889 Van Gogh 1952-4, 274, T. 16.)
Gauguin refuse de céder une céramique au critique Champsaur qui lui proposait en échange une somme modique et quelques articles dans la presse. (Lettres à Theo van Gogh [22 août, 1er septembre, 18 septembre 1889], Cooper 1983, n° 16, 117, n° 17, 123, n° 18, 127, n° 19, 135 ; Lettre de Gauguin à Schuffenecker, Paris, Vente Hôtel Drouot, 16 avril 1974, n° 49.)

16 septembre
Theo van Gogh vend 500 francs un tableau *Bretonnes dansant en rond* (cat. 44) à Montandon. (Registre de la galerie Boussod, Valadon et Cie, Rewald 1973, appendice I.)

21 septembre
Le Moderniste illustré publie un article de Gauguin « Qui trompe-t-on ici ? » attaquant la politique d'achat des tableaux par l'État et la critique d'art.

2 octobre
Gauguin retourne au Pouldu. Meyer de Haan partage ses revenus avec lui. (Lettres à Theo van Gogh [18 septembre 1889] et [vers le 20 octobre 1889], Cooper 1983, n° 19, 137 et n° 21, 147 ; Denis 1942, 53 ; lettre de Theo van Gogh à Vincent, 3 janvier 1890 Van Gogh 1952-4, 282, T. 23.)
Les deux artistes louent comme atelier les combles de la Villa Mauduit, aux Grands Sables. (Lettre à Vincent van Gogh [vers le 8 novembre 1889], Cooper 1983, n° 37, 283-4 ; Chassé 1955, 67.)

Les Grands Sables au Pouldu, photographie (Musée de Pont-Aven)

C'est probablement à cette époque que Gauguin recopie des citations, analyses et paraphrases d'écrits de Wagner. (*Texte Wagner,* Paris, B.N. département des manuscrits ; Dorra 1984.)
Nouvel envoi de toiles à Theo van Gogh. (Lettre à Theo van Gogh [vers le 20 octobre 1889], Cooper 1983, 147 n° 21 ; lettre de Theo van Gogh à Vincent, 22 octobre 1889, Van Gogh, 1952-4, 277, T. 19.)
André Gide passe quelques jours au Pouldu dans l'auberge de Marie Henry.
(*Si le grain ne meurt,* 1924, vol. II, 193-196.)

31 octobre-11 novembre
Exposition d'impressionnistes français et scandinaves organisée par la Société des Amis de l'Art à Copenhague (Kunstforeningen) à l'initiative du critique Karl Madsen. L'exposition se compose en grande partie des tableaux de la collection de Gauguin restée au Danemark et de ses premières œuvres. (Lettre à Vincent van Gogh [vers le 28 janvier 1890], Cooper 1983, n° 39, 301 ; Rostrup 1956, 75 ; Madsen « Les Impressionnistes à la Société des Amis de l'Art » in *Politiken,* 9 et 10 novembre 1889 ; Hartmann in *Nationaltidende,* 9 novembre 1889 ; Krohg in *Kobenhavn,* 12 novembre 1889 ; *Kobenhavns Borstidende* 15 novembre 1889 ; Balle in *Kobenhavn,* 19 novembre 1889.)

Bâtiment de l'exposition de la société des Amis de l'Art, Frederiksholms Kanal photographie, (Copenhague, Bymuseum)

début novembre
Gauguin envoie à Theo van Gogh un bois sculpté *Soyez amoureuses et vous serez heureuses* (G 76). (Lettre à Vincent van Gogh [vers le 8 novembre 1889], Cooper 1983, n° 37, 285-7.)
Le bois arrive à Paris vers la mi-novembre. (Lettre de Theo van Gogh à Vincent, 16 novembre 1889, Van Gogh, 1952-4, 278, T. 20.)
Gauguin se fait recommander pour obtenir une place au Tonkin. (Lettres à Mette et à Schuffenecker [novembre ou décembre 1889], Malingue 1946, n° LXXXII, 160, n° LXXXIII, 162 (datées fin juin et juillet 1889) ; lettre à Theo van Gogh [vers le 1er septembre 1889], Cooper 1983, n° 17, 123.)

mi-novembre-mi-décembre
Gauguin et Meyer de Haan décorent la salle à manger de l'auberge de Marie Henry. (Lettre de Meyer de Haan à Theo van Gogh, 13 décembre 1889 Van Gogh 1952-4, 307-8, T. 49 ; lettre à Vincent van Gogh [décembre 1889] (datée vers le 20 octobre 1889),Cooper 1983, n° 36, 273.)

fin novembre-début décembre
Son fils Pola fait une chute du 3e étage d'un immeuble.
(Lettre à Mette [novembre ou décembre 1889] (datée fin fuin 1889), Malingue 1946, n° LXXXII, 158 ; lettre à Schuffenecker [novembre ou décembre 1889] (datée juillet 1889), Malingue 1946, n° LXXXIII, 161 ; lettre à Theo van Gogh [vers le 16 décembre 1889], Cooper 1983, n° 23, 177 ; lettre de Theo van Gogh à Vincent, 22 décembre 1889, Van Gogh, 1952-4, 281 T. 22 ; lettres de Vincent van Gogh à Theo [décembre 1889] et à sa sœur [janvier 1890], Van Gogh 1960, n° 620 F, 421, n° W19 F, 431 ; lettre à Vincent van Gogh [vers le 10 janvier 1890], Cooper 1983, n° 38, 291.)
Gauguin rédige quelques notes inspirées par la lecture de *Certains* de Huysmans, paru à la fin de l'année 1889. (Loize « Un inédit de Gauguin » in *Les Nouvelles littéraires,* 7 mai 1953.)

Mette Gauguin et ses cinq enfants à Copenhague en 1889
Paris, Musée d'Orsay, Service de documentation)

1890

janvier
Tout en poursuivant son projet de s'installer au Tonkin, Gaugin propose à Vincent van Gogh de fonder un atelier en son nom à Anvers avec Meyer de Haan et plus tard Theo van Gogh comme marchand. (Lettres à Vincent van Gogh [vers le 10 et vers le 28 janvier 1890], Cooper 1983, n° 38, 293, n° 39, 299-301.)

7 février
Grâce à Schuffenecker qui lui envoie l'argent de son voyage, Gauguin rentre à Paris et s'installe chez son ami, 12 (aujourd'hui 14) rue Durand-Claye. (Lettre de Theo van Gogh à Vincent, 9 février 1890, Van Gogh 1952-4, 286, T. 28 ; lettre à Schuffenecker [janvier 1890], Malingue 1946, n° XCVII, 181 ; Rotonchamp 1906, 67 ; Le Paul et Dudensing 1978, 56.)
Il enseigne dans un atelier à Montparnasse, l'Académie Vitti. (Perruchot 1961, 204 ; lettre à Monfreid, mai 1899, Joly-Segalen 1950, n° LIV, 144.)
Il échange avec Vincent van Gogh un tableau contre deux toiles de tournesols, répliques de celles que Vincent avait placées dans sa chambre à Arles et une réplique de *La berceuse.* (Lettres de Vincent van Gogh à Theo, 3 février 1889 et [12 février 1890], Van Gogh 1960, n° 576 F, 303, n° 626 F, 438.)

février
Exposition d'œuvres récentes de Camille Pissarro à la galerie Boussod, Valadon et Cie où sont aussi présentés une sculpture et des céramiques de Gauguin. (Cat. expo. : « Le bas-relief en bois sculpté et les objets en grès émaillé, qui sont exposés dans la salle, sont de Paul Gauguin ».)

20 mars-27 avril
Gauguin visite le Salon des Indépendants. (Lettre à Vincent van Gogh [vers le 1er avril 1890], Cooper 1983, n° 40, 305-7.) Il admire les tableaux de Vincent et veut échanger l'une de ses toiles contre un tableau des « Alpines » *(sic).* (Lettre de Theo van Gogh à Vincent, 19 mars 1890, Van Gogh, 1952-4, 286, T. 29 ; lettre de Vincent van Gogh à Theo [mai 1890], Van Gogh 1960, n° 630 F, 447.)

30 avril
Theo van Gogh achète pour la galerie Boussod, Valadon et Cie une nature morte *Oranges dans un vase* (W 401 ?), 225 francs. (Registre de la galerie Boussod, Valadon et Cie, Rewald 1973, appendice I.)

mai
Gauguin espère vendre 5 000 francs, 38 toiles — dont 14 sont à la galerie Boussod, Valadon et Cie — et 5 céramiques, à un amateur : le docteur Charlopin. (Lettre à Theo van Gogh, Paris, Archives du musée du Louvre.) Il compte sur cet argent pour fonder à Madagascar un « atelier des Tropiques » avec Bernard et Meyer de Haan. (Lettre à Bernard [avril 1890], Malingue 1946, n° CII, 186-7 ; lettre à Vincent van Gogh [vers le 25 mai 1890], Cooper 1983, n° 41, 315 ; lettre à Bernard, Paris, vente Hôtel Drouot, 17 juin 1987, n° 170.)
Son séjour à Paris n'est pas très productif. (Lettre à Bernard, Paris, vente Hôtel Drouot, 17 juin 1987, n° 170 ; lettre de Theo van Gogh à Vincent, 15 juin 1890, Van Gogh 1952-4, 293, T. 37.)
Il demande conseil à Redon pour choisir le lieu de son installation à Madagascar. (Lettre à Redon [printemps 1890], Bacou 1960, n° II, 192.

début juin
Il part avec Meyer de Haan au Pouldu. (Lettre à Vincent van Gogh [vers le 25 mai 1890], Cooper 1983, n° 41, 317.)

3e semaine de juin
Il passe cinq jours à Pont-Aven en compagnie de Meyer de Haan. (Lettre à Vincent van Gogh [vers le 24 juin 1890], Cooper 1983, n° 42, 321.

juillet
Theo van Gogh vend deux tableaux de Gauguin. (Lettre de Theo van Gogh à Vincent, 5 juillet 1890, Van Gogh, 1952-4, 296, T. 40 ; registre de la galerie Boussod, Valadon et Cie : « 5 juillet, *Chien courant dans l'herbe* à Blot, 200 francs », Rewald 1973, appendice I.)
Gauguin, très excité par son projet de voyage, travaille peu. Il hésite entre Madagascar et Tahiti pour l'« atelier des tropiques » et demande à Bernard de se renseigner sur le voyage. (Lettres à Bernard [juillet et août 1890], Malingue 1946, n° CVII, 195, n° CIX, 199, n° CXI, 200 (datées juin, août 1890).)
Paul Émile Colin rejoint Gauguin, Meyer de Haan et Filiger à l'Hôtel de la plage au Pouldu. (Chassé 1955, 80.)

pendant l'été
Gauguin peint le plafond de la salle à manger de l'auberge de Marie Henry. Sérusier et Filiger participent à la décoration de la pièce. (Welsh *in* Saint-Germain-en-Laye 1985, 124.)

Sérusier, *Paul Gauguin jouant de l'accordéon,* dessin (Paris, Musée du Louvre, Département des Arts Graphiques, Musée d'Orsay)

29 juillet
Mort de Vincent van Gogh à Auvers-sur-Oise.

19 août
Theo van Gogh vend 300 francs à Chausson le tableau *Oranges dans un vase,* acheté quelques mois auparavant par la galerie Boussod, Valadon et Cie. (Registre de la galerie Boussod, Valadon et Cie, Rewald 1973, appendice I.)

Boutet de Monvel,
Paul Gauguin au gilet breton, 1891, photographie
(Saint-Germain-en-Laye,
Musée départemental du Prieuré)

23 et 31 août
Maurice Denis publie « Définition du Néo-traditionnisme » dans la revue *Art et Critique* où il définit l'esthétique de la nouvelle école de peinture.

septembre
Gauguin souhaite revenir à Paris, mais il est retenu au Pouldu par ses dettes. (Lettre à Bernard, septembre 1890, Malingue 1946, n° CXII, 202.)
Bernard demande à Aurier d'écrire des articles sur Gauguin dans *Le Mercure de France* ou *La Revue indépendante.* (Lettre de Bernard à Aurier [septembre ? 1890], Malingue 1946, 329-330.)

octobre
Gauguin envoie deux sculptures à la galerie Boussod, Valadon et Cie. (Lettre de Joyant à Maus, 17 octobre 1890, citée par Rewald 1973, 68.)

14 octobre
Theo van Gogh devenu fou est interné à la clinique du Docteur Blanche. (Perruchot 1961, 213.)
La vente que Gauguin espérait faire à Charlopin est annulée. Il demande à Redon d'intervenir auprès de Fabre pour qu'il incite Chausson et Lerolle à acheter un grand nombre de ses tableaux à bas prix puis à en revendre quelques uns à leurs relations. (Lettre à Redon [octobre 1890], Bacou 1960, n° IV, 194-5.)
Eugène Boch lui envoie 500 francs provenant de la vente de cinq tableaux à cinq amateurs parmi lesquels se trouve Maus. Il a choisi les toiles avec Bernard parmi celles restées à la galerie Boussod, Valadon et Cie. Les tableaux restants et les céramiques sont transférés chez Schuffenecker. (Lettre de Boch à Maus, 4 novembre 1890, citée par Rewald 1973, 69.)

8 novembre
Gauguin rentre à Paris et habite chez Schuffenecker. (Rotonchamp 1906, 67 ; Le Paul et Dudensing 1978, 56.)
Il se querelle avec Schuffenecker et s'installe dans un hôtel meublé, 35 rue Delambre. (Rotonchamp 1906, 69 ; cette adresse figure dans la lettre au ministre de l'Instruction publique et des Beaux-Arts, 15 mai 1891, A.N. F^{21} 2286 feuillet 20.)
Il utilise l'atelier de Daniel de Monfreid, 55 rue du Château. (Loize 1951, 14.)
Il rencontre pour la première fois Charle Morice au restaurant « La Côte d'Or ». (Morice 1920, 25-6, 87.)
Il fréquente la brasserie Gangloff, 6 rue de la Gaîté et les réunions littéraires du Café Voltaire, 1 place de l'Odéon, où se retrouvent les Symbolistes. (Rotonchamp 1906, 70-1, 74.)

automne
Monfreid lui présente Juliette Huet, une jeune couturière demeurant 15 rue Bourgeois (acte de naissance de Germaine Huet), qui devient son modèle et sa maîtresse (voir cat. 113 ; Chassé 1955, 88.)

31 décembre
Julien Leclercq se bat en duel contre Rodolphe Darzens. Paul Gauguin et Jules Renard sont ses témoins. (Dossier autographe du duel, Paris, vente Hôtel Drouot, 19 et 20 novembre 1987 n° 84-9 ; Renard, *Journal,* 31 déc. 1890, éd. 1984, 76-7.)

fin décembre-début janvier
Morice présente Gauguin à Mallarmé (voir cat. 115-116). (Morice 1920, 88.)

1891

Gauguin fréquente l'atelier de Bonnard, Denis, Vuillard et Lugné-Poe, 28 rue Pigalle. (Lugné-Poe *Le Sot du tremplin* 1930, 189-90.)

janvier
Jean Dolent le recommande auprès de Rachilde, romancière, auteur dramatique, membre du Comité du Théâtre d'Art, épouse d'Alfred Valette le directeur de *Mercure de France,* pour illustrer d'un dessin le drame, *Madame la mort,* qu'elle vient de composer (voir cat. 114). (Lettre à Dolent [janvier 1891], Malingue 1946, n° CXVI, 207-8.)
Exposition de peintures, sculptures sur bois, grès et d'une lithographie de Gauguin à la galerie Boussod et Valadon (Aurier « Choses d'Art » in *Le Mercure de France,* janvier 1891, 62).

5 janvier
A la demande de Charles Morice, Mallarmé prie Mirbeau d'écrire un article sur Gauguin afin d'attirer l'attention sur le peintre qui envisage de vendre ses œuvres pour financer son voyage à Tahiti. (Lettre de Mallarmé à Mirbeau, 5 janvier 1891, Mondor 1973, n° XXXIX, 176-7.)
Mirbeau invite Gauguin et Morice dans sa propriété des Damps. Mallarmé le remercie. (Lettre de Mirbeau à Mallarmé, janvier 1891, Mondor 1973, 177 n. 2 ; lettre de Mallarmé à Mirbeau, 17 janvier [1891], Mondor 1973, n° MXLVII, 185.)

12 janvier
Pissarro recommande Gauguin à Mirbeau. Il lui demande de voir ses tableaux et ses poteries dans l'atelier de Schuffenecker. (Lettre de Pissarro à son fils Lucien, 12 janvier 1891, Pissarro 1950, 247 n. 1.)

18 ou 25 janvier
Gauguin se rend, en compagnie de Morice, aux Damps chez Mirbeau. (Lettre de Mirbeau à Pissarro, Paris, vente Hôtel Drouot, 21 novembre 1975, n° 86 ; lettre de Morice à Mallarmé (s.d.), Mondor 1973, 183 n. 2.)
Mirbeau se rend à Paris pour voir « quelques toiles récentes et quelques poteries » de Gauguin. (Lettre de Mirbeau à Monet (s.d.) in *Cahiers d'aujourd'hui,* n° 9, 1922, 172.)
Il rédige un article pour le *Figaro* mais doit l'abréger et ne le trouve pas bon. (Lettre de Mirbeau à Mallarmé, 1er février 1890, Mondor 1973, 189 n. 1.)

25 janvier
Theo van Gogh meurt en Hollande.

février
Gauguin obtient l'autorisation de copier *Olympia* de Manet, offerte au musée du Luxembourg grâce à une souscription, en novembre 1890 (cat. 117). (Notice biographique autographe de Gauguin, Paris, vente Hôtel Drouot, 16 avril 1973, n° 50.)
Il expose aux XX à Bruxelles.
— *Soyez amoureuses* (bas-relief) (G 76)
— *Soyez mystérieuses* (id.) (cat. 110)
— Statue émaillée (cat. 104)— Trois vases (poterie) appartiennent à M. Schuffenecker.
(Cat. expo. ; « L'exposition des XX » in *Le Soir* (Bruxelles), 1er février 1891 ; Champal « Chez les XX » in *La Réforme,* 11 février 1891 ; Verhaeren « L'exposition des XX » in *La Fédération artistique,* 15 février 1891 ; Chainaye « Le carnaval d'un ci-devant » in *L'Art Moderne,* 15 février 1891 ; *Le Journal de Liège,* 17 février 1891 ; « L'exposition des XX » in *L'Impartial de Gand,* 17 février 1891 ; A.J.W. « Aux XX » in *La Nation,* 20 février 1891 ; S.S.V. « Le Salon des XX » in *Le Soir* (Bruxelles), 20 février 1891 ; A.J.W. « Aux XX » in *La Gazette,* 20 février 1891 ; George « Aux XX » in *L'Impartial Bruxellois,* 22 février 1891 ; « Le vingtisme » in *Chronique,* 23 février 1891 ; « Gauguinisme littéraire » in *Chronique,* 24 février 1891 ; « Nos mardis : les XX » in *L'Impartial de Gand,* 24 février 1891 ; Lagye « Chronique des Beaux-Arts : le Salon des XX » in *L'Éventail,* 1er mars 1891 ; « Exposition des XX » in *Le Journal de Bruxelles,* 8 mars 1891 ; « A propos des XX » in *L'Art Moderne,* 29 mars 1891 ; Olin « Les XX » in *Le Mercure de France,* avril 1891, pp. 236-40.)
L'adresse qu'il donne dans le catalogue de l'exposition, 10 rue de la Grande-Chaumière est celle des ateliers Colarossi.
Il rencontre Rachilde. (Lettre à Rachilde [2 février 1891], Malingue 1946, n° CXVII, 208.)

2 février
Il assiste au banquet symboliste donné en l'honneur de Jean Moréas, présidé par Stéphane Mallarmé. (« Échos divers et communication » in *Le Mercure de France,* mars 1891, 189-91.)

5 février
Il participe au dîner des Têtes de Bois, présidé par Jean Dolent, à l'Auberge des Adrets, en compagnie d'Eugène Carrière, Armand Berton, Jules Valadon, Agache, Albert Maignan, Charles Morice, Jules Cheret, Armand Renaud (Inspecteur en chef des Beaux-Arts de la Ville de Paris), Jean Dampt, Marc Amarieux, Henry Piazza, Charles Masson, Frantz Jourdain, Paul Dupray, Ernest Carrière, P. Giat, Félicien Champsaur. (« Dîners artistiques » in le *Journal des Artistes,* 11 février

Boutet de Monvel,
Paul Gauguin, le 13 février 1891, photographie
(Saint-Germain-en-Laye,
Musée départemental du Prieuré)

1891 ; « Échos divers et communications » in *Le Mercure de France*, mars 1891, 191.)

5 février
Il envoie à Rachilde deux dessins pour illustrer son drame *Madame la Mort* (voir cat. 114). (Lettre à Rachilde [5 février 1891], Malingue 1946, n° CXVIII, 209.)

16 février
Mirbeau publie un article « Paul Gauguin » dans *L'Écho de Paris*.

18 février
Un second article de Mirbeau « Paul Gauguin » paru dans *Le Figaro* annonce la vente prochaine de ses œuvres à l'Hôtel Drouot.

19 février
Charles Morice annonce à Mallarmé son projet d'organiser une soirée au Théâtre d'Art au bénéfice de Verlaine. (Lettre de Morice à Mallarmé [vers le 19 février 1891], Mondor 1973, 199 n. 2.)

20 février
Roger Marx publie un article « Paul Gauguin » dans *Le Voltaire*.

22 février
Exposition à l'Hôtel Drouot des tableaux mis en vente par Gauguin. (Geffroy « Paul Gauguin » in *La Justice*, 22 février 1891 ; annonce de la vente dans *Le Journal des Artistes*, 22 février 1891.)
Jean Dolent publie un article « Paul Gauguin » dans *Le Journal des Artistes* que Gauguin recopiera dans *Diverses choses*. (Paris, musée du Louvre, Département des Arts graphiques, manuscrit, 227-230.)

23 février
Vente à l'Hôtel Drouot des tableaux de Gauguin. L'article de Mirbeau « Paul Gauguin » paru dans *L'Écho de Paris* du 16 février sert de préface au catalogue.
Le produit de la vente est de 9 635 francs pour trente tableaux dont un racheté par Gauguin. (Procès-verbal de la vente, Paris, Orangerie 1949, 95-6.)
Mallarmé assiste à la vente. (Lettre de Mallarmé à Mirbeau [23 février 1891], Mondor 1973, n° MLXV, 201.)
Jules Huret publie un article « Paul Gauguin devant ses tableaux » dans *L'Écho de Paris*.

24 février
Une lettre de Paul Fort (directeur du Théâtre d'Art et du Livre d'Art, organe du Théâtre d'Art) publiée dans *L'Écho de Paris* annonce une représentation au Théâtre d'Art au profit de Verlaine et de « l'admirable peintre symboliste Paul Gauguin ».

mars
Aurier publie « Le Symbolisme en peinture. Paul Gauguin » dans *Le Mercure de France*.

7 mars
Gauguin arrive à Copenhague. C'est la dernière rencontre avec sa femme et ses enfants. Il descend à l'Hôtel Dagmar, Halmtorvet, 12. (Rostrup 1956, 78.)

12 mars
Aurier publie un article « Monticelli ; Paul Gauguin » dans *La revue indépendante*.

14 mars
Mirbeau achète 500 francs *Le Christ rouge* (cat. 90). (Registre de la galerie Boussod, Valadon et Cie, Rewald 1973, appendice I.)

15 mars
Gauguin écrit au Ministre de l'Instruction publique et des Beaux-Arts pour demander une mission gratuite pour Tahiti. (Paris, A. N., F^{21} 2286, feuillet 20.)

18 mars
Georges Clemenceau appuie sa demande auprès du Ministre. (Paris, A.N., F^{21} 2286, feuillet 19.)

23 mars
Banquet donné en l'honneur du départ de Gauguin, au Café Voltaire, sous la présidence de Mallarmé. (Lettre à sa femme, 24 mars 1891, Malingue 1946, n° CXXIII, 213 ; Rotonchamp 1906, 78-9.) Parmi la quarantaine de convives se trouvent : Rachilde, Eugène Carrière, Odilon Redon, Jean Dolent, Charles Morice, Jean Moréas, Albert Aurier, Saint-Pol Roux, Julien Leclercq, Adolphe Retté, Edouard Dubus, Dauphin Meunier, Alfred Valette. (« Dîners artistiques » in *Le Journal des Artistes* 29 mars et 5 avril 1891, 94.)

Mette Gauguin à Copenhague, photographie
(Saint-Germain-en-Laye,
Musée départemental du Prieuré)

Paul Gauguin, *Emil et Aline*, photographie
(Saint-Germain-en-Laye,
Musée départemental du Prieuré)

Mallarmé porte le premier toast au peintre : « Messieurs, pour aller au plus pressé, buvons au retour de Paul Gauguin ; mais non sans admirer cette conscience superbe qui en l'éclat de son talent, l'exile, pour se retremper, vers les lointains et vers soi-même ». (Mondor 1973, 211 n. 3.)

26 mars
Sa mission à Tahiti est acceptée par le Ministère de l'Instruction publique et des Beaux-Arts. « M. Gauguin, artiste peintre, est chargé d'une mission à Tahiti, à l'effet d'étudier au point de vue de l'art et des tableaux à en tirer, les coutumes et les paysages de ce pays. Cette mission est gratuite. » (Arrêté du Ministre de l'Instruction publique et des Beaux-Arts, 26 mars 1891, A. N., F^{21} 2286, feuillet 17.)
Gauguin en est informé le jour même ainsi qu'Ary Renan qui l'avait recommandé au ministre de l'Instruction publique et des Beaux-Arts. (Lettres du Directeur des Beaux-Arts à Gauguin et à Renan, A. N., F^{21} 2286, feuillet 18.)

26 mars
Le Directeur des Beaux-Arts demande au Directeur de la Compagnie des Messageries maritimes d'accorder à Gauguin, une réduction sur le prix du voyage à bord d'un des paquebots de sa compagnie. (Lettre du Directeur des Beaux-Arts au Directeur général de la Compagnie des Messageries maritimes, A. N., F^{21} 2286, feuillet 18.)

28 mars
La Compagnie des Messageries maritimes délivre à Gauguin un billet de 2e classe Marseille-Nouméa avec 30 % de réduction. (Lettre du Directeur général de la Compagnie des Messageries maritimes au Directeur des Beaux-Arts, 28 mars 1891, A. N., F^{21} 2286, feuillet 12.)

1er avril
Le Directeur des Beaux-Arts recommande Gauguin au Sous-Secrétaire d'État aux Colonies. (Lettre du Directeur des Beaux-Arts au Sous-Secrétaire d'État aux Colonies, brouillon conservé à Paris, A. N., F^{21} 2286, feuillet 18, lettre conservée au dépôt des Archives d'Outre-Mer d'Aix-en-Provence, carton 40.)
Gauguin s'embarque à Marseille à bord de *L'Océanien*. (A. N., F^{21} 2286, feuillet 15 ; Danielsson 1975, 55.)

Gauguin et la Bretagne 1886-1890

Claire Frèches-Thory

« Je voulais à cette époque tout oser, *libérer* en quelque sorte la nouvelle génération puis travailler pour acquérir un peu de talent. La première partie de mon programme a porté ses fruits, aujourd'hui vous pouvez tout oser et qui plus est, personne ne s'en étonne. »

Lettre de Gauguin à Maurice Denis, Tahiti [juin 1899], Malingue 1946, n° CLXXI, 290-1

Dagan-Bouveret, *Le Pardon en Bretagne*, 1886, huile sur toile (New York, The Metropolitan Museum of Art, don George F. Baker, 1931)

« Heureusement, j'apprends que l'initiative individuelle vient d'essayer ce que l'imbécillité administrative, à jamais incurable, n'aurait jamais consenti à accomplir. Un petit groupe d'artistes indépendants ont réussi à forcer les portes, non point du palais des Beaux-Arts, mais de l'Exposition, et à créer une minuscule concurrence à l'exhibition officielle. Oh ! l'installation est un peu primitive, fort bizarre et, ainsi qu'on dira sans doute, « bohème »... ! Mais que voulez-vous ? Si ces braves diables avaient eu, à leur disposition, un palais, ils n'auraient certes point accroché leurs toiles aux murs d'un café.

Quoi qu'il en soit, cette petite Exposition, que je me suis empressé d'aller visiter, m'a paru très curieuse. J'ai cru remarquer dans la plupart des œuvres exposées, et plus particulièrement dans celles de P. Gauguin, Émile Bernard, Anquetin, etc., une tendance marquée au synthétisme du dessin, de la composition et de la couleur, ainsi qu'une recherche de simplification des moyens qui m'a paru fort intéressante par ce temps d'habileté et de truquage à outrance... Allez visiter leurs œuvres, cela vous reposera des Cabaneleries et des Bouguereaucraties courantes !... »[1] C'est en ces termes enthousiastes que le critique Albert Aurier[2] invitait ses lecteurs à délaisser les cimaises de l'exposition officielle de peintures qui se tenait dans le cadre de l'Exposition Universelle de 1889.

Les Bouguereau, Bonnat et Jules Breton attendus en pareille circonstance y rivalisaient, dûment sélectionnés par un jury où l'on retrouvait les noms des mêmes, à la fois juges et parties. Parmi des paysages aux titres évocateurs, des portraits sérieux ou des peintures allégoriques, quelques toiles faisaient entrer la Bretagne profonde à Paris. Une même approche naturaliste et pittoresque caractérisait les *Brûleuses de varech* de Clairin, *Le Pardon* de Dagnan-Bouveret ou *La Femme de Douarnenez* de Jules Breton[3].

Ci-contre :
Gauguin, *Les quatre bretonnes*, détail, 1886, huile sur toile (Munich, Bayerische Staatsgemäldesammlungen, Neue Pinakotek)

L'exposition Volpini : la révélation d'un Maître

C'est une toute autre Bretagne que l'on pouvait découvrir sur les murs tendus de rouge du Café Volpini qu'avait ouvert pour la durée de l'Exposition Universelle « un Italien, aimant beaucoup la peinture et directeur du Café Riche, un des plus grands établissements des Boulevards »[4]. Face au hall de la presse, le Café Volpini accueillait en effet, *L'Exposition de Peintures du Groupe Impressionniste et Synthétiste*, soit une centaine d'œuvres de huit artistes dont les noms n'étaient pas tous inconnus du public mais dont la formation en tant que groupe constituait un fait nouveau. Si l'initiative en revenait à

1. Alexandre Cabanel (1823-1889) et William Bouguereau (1825-1905), tous deux membres de l'Institut, étaient d'éminents représentants de l'art officiel.
2. Aurier 1889, 2.
3. Respectivement n°s 306, 370 et 198 du *Catalogue Général Officiel de l'Exposition Universelle Internationale de 1889*, Paris, Tome premier, groupe I, classe 1.
4. « La première manifestation synthétiste », in Bernard [1939], 10.

E. Schuffenecker (voir cat. 61) qui avait trouvé le local, la liste des participants avait été soigneusement contrôlée par Gauguin ; dans une lettre adressée à Schuffenecker, probablement au printemps 1889, celui-ci écrivait : « Seulement rappelez-vous que ce n'est pas une exposition pour les *autres*. En conséquence arrangeons-nous pour un petit groupe de copains et à ce point de vue, je désire être représenté le plus possible »[5]. Suivait une liste de dix de ses œuvres ainsi que celle des futurs exposants admis : Schuff, Guillaumin, Gauguin, Bernard, Roy, l'homme de Nancy[6], Vincent. « Avec cela c'est suffisant. Moi je refuse d'exposer avec les autres, Pissarro, Seurat, etc. — C'est notre groupe ! »

L'exposition restée depuis dans l'histoire sous le nom d'*Exposition Volpini* avait été conçue comme une manifestation de rupture. Rupture avec Pissarro et les Impressionnistes, d'abord : d'ailleurs la cohésion du groupe impressionniste avait volé en éclats et certains d'entre eux exposaient à la Centennale de l'Art Français dans le cadre de l'Exposition Universelle : Cézanne une toile, Pissarro deux, Monet trois, et Manet, disparu depuis 1883, y était à l'honneur avec quatorze toiles. Ce qui fera écrire à Gauguin lors de son retour en Bretagne début juillet 1889 : « Attendu que ce que je vise au fond c'est montrer à Pissarro etc... que je peux agir sans eux, que tous leurs discours de fraternité artistique ne correspondent pas avec leurs actes. En somme, ils exposent maladroitement à la Centennale perdus dans la masse et voisins de leurs ennemis. Pissarro et d'autres ne sont pas contents de mon exposition *donc* elle est bonne pour moi »[7]. Mais Gauguin ne voulait pas moins se démarquer du chef de file du néo-impressionnisme, Seurat dont il ne perdait pas une occasion de ridiculiser la technique divisionniste, il devait même intituler *Ripipoint* une de ses natures mortes peintes par dérision selon les préceptes pointillistes (W 376).

En investissant le Café Volpini exceptionnellement bien placé sur le flanc du Palais des Beaux-Arts, on peut dire que Gauguin et son groupe faisaient un gigantesque pied de nez à l'art officiel tout comme aux quelques impressionnistes qui exposaient non loin de là. En définitive, Guillaumin qui venait d'exposer à la Revue Indépendante[8] se désista et van Gogh fut dissuadé, non sans regrets, d'y participer par son frère Theo qui jugeait cette manifestation trop risquée. Restaient donc en lice les artistes cités par Gauguin à Schuffenecker auxquels se joignirent Charles Laval, compagnon du premier séjour de Gauguin en Bretagne en 1886 et du voyage à la Martinique l'année suivante, Louis Anquetin, condisciple de Bernard à l'atelier Cormon et Georges Daniel de Monfreid qui allait devenir le plus fidèle soutien de l'artiste durant ses séjours tahitiens. La diversité des exposants explique le double qualificatif du groupe « impressionniste et synthétiste » : « cette exposition n'avait pas été méditée et, à cause de son impromptu, offrait un caractère assez disparate. A tout prendre, Gauguin, Laval et moi [Bernard] étions les seuls synthétiques, les autres : Anquetin, Lautrec, Roy, Schuffenecker, Fauché, Daniel de Monfreid restaient des impressionnistes. »[9]

Il faut ici relever la première consécration publique du terme « synthétiste » qui avec celui de « synthèse » était au cœur des discussions qui animaient les pensionnaires de Marie-Jeanne Gloanec à Pont-Aven en 1888. Selon le témoignage du peintre H. Delavallée[10] qui avait eu très souvent l'occasion de bavarder avec Gauguin à Pont-Aven lors de son premier séjour en 1886, Gauguin était déjà préoccupé par le problème de la synthèse dès cette date. Si

Gauguin, *Les quatre bretonnes,*
1886, huile sur toile
(Munich, Bayerische Staatsgemäldesammlungen,
Neue Pinakotek)

l'on entend par ce mot la recherche et la mise en situation des éléments caractéristiques d'un motif, la simplification et la mise en ordre des données de l'observation, cela apparaît particulièrement frappant dans la première grande toile où Gauguin met en scène des Bretonnes, *Les quatre Bretonnes* de Munich (W 201) dont les pastels préparatoires témoignent du même souci de « synthèse » du pittoresque breton. Parmi les dix-sept œuvres que Gauguin avait sélectionnées pour le représenter à l'Exposition Volpini, pas moins de neuf toiles et un pastel étaient de sujet breton. Au nombre de ces dernières, *Jeunes lutteurs* (cat. 48) et *Dans les vagues* (cat. 80) illustraient particulièrement brillamment la recherche de la synthèse alors poursuivie par l'artiste. Dans les deux cas, une énergique simplification des formes, des couleurs posées en à-plats sur fond de japonisme transformaient le motif breton en archétype d'une certaine vie primitive.

C'est en Bretagne qu'avait pu se produire la découverte des moyens plastiques de la synthèse — laquelle n'eut lieu que grâce au catalyseur que constitue pour Gauguin la confrontation avec le jeune Émile Bernard à la fin de l'été 1888 (voir cat. 50). Cette découverte allait de pair avec l'expression de l'âme bretonne dans ce qu'elle avait d'essentiel, de primitif. C'est ainsi, dès les années bretonnes, — et parmi celles-ci 1888 et 1889 sont les années-clés — que Gauguin découvre l'essentiel des moyens plastiques qu'il développera pleinement à Tahiti.

Pourquoi la Bretagne?

Plusieurs raisons avaient poussé le peintre au début de juillet 1886 à quitter Paris pour le petit bourg de Pont-Aven, chef-lieu de canton de l'arrondissement de Quimperlé qui comptait alors, à six kilomètres de l'embouchure de l'Aven, quelque 1 519 habitants[11]. Il devait y séjourner jusqu'à la mi-octobre et ce premier exil breton concrétise les aspirations de l'artiste à fuir la vie de la capitale, ses intrigues et ses vissicitudes pour s'immerger dans un monde où, croyait-il, le temps s'était arrêté. La première de ces raisons était simplement d'ordre économique. « C'est encore en Bretagne qu'on vit le meilleur marché »[12] écrivait-il déjà à sa femme le 19 août 1885. Aussi n'hésita-t-il pas l'année suivante à partir « faire de l'art dans un trou »[13], un trou où la pension ne lui reviendrait qu'à 60 F par mois. A Pont-Aven, Gauguin s'installe, en effet, à la pension tenue par Joseph et Marie-Jeanne Gloanec qui pratiquaient alors les prix les plus modérés.

Ce « trou » était loin d'être un désert car depuis les années 1860 Pont-Aven attirait les peintres, en majorité des anglais et des américains, qui élisaient domicile dans un de ses hôtels pour artistes, la Villa Julia ou l'Hôtel du Lion d'Or, pour la belle saison d'abord, puis progressivement à l'année. « Parmi les peintres qui à cette époque résidaient à l'Hôtel Julia, je peux vous citer l'Écossais Donaldson, les Anglais Morris, Floyd, Wake... »[14] se souvient le peintre Delavallée qui s'y trouvait en 1886 en même temps que Gauguin. En 1880, l'Anglais Henry Blakburn vantait les charmes de ce village des peintres dans le récit de son « *Voyage artistique en Bretagne* »[15] : « Pont-Aven est un lieu de prédilection pour les artistes et une " terra incognita " pour la majorité de ceux qui voyagent en Bretagne. L'artiste étudiant qui a passé l'hiver au

5. Lettre de Gauguin à Schuffenecker, Malingue 1946, n° LXXVII, 152, datée [Arles décembre 1888], à redater [printemps 1889].
6. Léon Fauché (1862-1952).
7. Lettre de Gauguin à Theo van Gogh [vers le 1er juillet 1889], Cooper 1983, 14.3, 105-107.
8. Lettre de Gauguin à Theo van Gogh, 10 juin 1889, Cooper 1983, 13 B1, 93.
9. « La première manifestation synthétiste », in Bernard [1939]. En fait, Toulouse-Lautrec, trop indépendant, ne participa pas à cette exposition (voir lettre de Gauguin à Theo van Gogh citée n. 7).
10. Chassé 1955, 47.
11. Merlhès 1984, 433.
12. Lettre de Gauguin à sa femme, 19 août 1885, Merlhès 1984, n° 83, 111.
13. Lettre de Gauguin à Bracquemond, Merlhès 1984, n° 105, 132 [8-12 juillet 1886].
14. Chassé 1955, 45.
15. Henry Blacburn, *Breton Folk, an artistic tour in Brittany*, illustrations par Randolph Caldecott, Londres 1880, nouvelle édition, Londres 1883, 130-132, cité par Merlhès 1984, 433-435.

quartier latin, arrive ici quand verdissent les feuilles et s'y établit pour l'été afin d'étudier en paix... Pont-Aven possède un avantage sur les autres localités bretonnes ; ses habitants dans leur costume pittoresque (et qui demeure inchangé) ont appris que poser comme modèle est une activité agréable et lucrative et ils s'y prêtent pour un salaire modique sans hésitation ni "mauvaise honte". »

La démarche de Gauguin, élisant domicile à Pont-Aven en 1886 puis en 1888, n'a donc en soi rien d'original. La Bretagne avec ses landes pittoresques, ses côtes accidentées, ses églises et sa statuaire primitives, sa population paysanne enfin, avait, depuis l'époque romantique, la réputation d'une « finis terrae » où les survivances d'un passé ancestral incitaient les voyageurs, artistes-peintres ou littérateurs, à chercher le témoignage de racines ailleurs abolies. Déjà en 1840, l'Anglais T.A. Trollope avait été profondément impressionné par les charmes puissants de ce bout de l'Europe : « Là seulement le peintre peut rencontrer la sauvage et saisissante majesté d'une nature vierge de toute trace moderne, entremêlée partout de ruines druidiques, religieuses et féodales qui s'y trouvent comme les pages éparses d'une histoire oubliée »[16].

Quelques années plus tard, Flaubert avait sillonné à pied la Bretagne en compagnie de son ami le peintre Maxime du Camp à la recherche du pittoresque de ses paysages, de ses coutumes religieuses immémoriales, de ses églises et de leur statuaire où affleurent des réminescences des vieilles légendes celtiques. De ce voyage « au pays des chevaliers de la Table ronde, dans la contrée des fées, dans la patrie de Merlin, au berceau mythologique des épopées disparues »[17], il avait écrit ses impressions qui parurent précisément en 1886, près de quarante ans après, sous le titre *Par les champs et par les grèves* chez l'éditeur Charpentier. Cette Bretagne mythique devait exercer la même emprise sur un esprit aussi positif qu'Ernest Renan, d'origine bretonne par surcroît. Dans la *Prière sur l'Acropole* parue en 1883, il évoque la Bretagne de son enfance, celle de l'époque romantique : « j'ai vu le monde primitif. En Bretagne avant 1830, le passé le plus reculé vivait encore. Le XIVe, le XVe siècle étaient le monde qu'on avait journellement sous les yeux dans les villes. L'époque de l'émigration galloise (V^e^ et VIe siècles) était visible dans les campagnes pour un œil exercé. Le paganisme se dégageait derrière la couche chrétienne, souvent fort transparente. A cela se mêlaient des traits d'un monde plus vieux encore que j'ai retrouvés chez les Lapons... »[18].

La Bretagne que découvre Gauguin lors de son premier séjour à Pont-Aven en 1886 est celle même que décrit alors Maurice Barrès dans une série d'articles donnés au *Voltaire* en août de la même année[19]. Pour Barrès, la Bretagne est cette terre de résistance aux civilisations imposées d'ailleurs, où « enfin, l'oiseau gaulois n'est pas terni de poussière latine »[20]. Rien d'étonnant donc à ce que Gauguin, en quête d'une nature vierge des effets pervers de la civilisation moderne, se soit tourné vers cette contrée où l'on pouvait encore espérer voir se perpétuer la sève d'une civilisation primitive.

C'est en Bretagne qu'il devait trouver les premières réponses à son besoin fondamental d'exotisme. « J'aime la Bretagne, j'y trouve le sauvage, le primitif. Quand mes sabots résonnent sur ce sol de granit, j'entends le ton sourd, mat et puisant que je cherche en peinture. »[21] C'est d'ailleurs toujours la recherche d'une adéquation entre son art et le sol où il pourrait s'ancrer qui poussera

Jeune bretonne en costume de Pont-Aven,
carte postale ancienne
(Musée de Pont-Aven)

Gauguin aux déracinements successifs qui rythment sa carrière d'artiste, de la Bretagne à la Martinique, du Pouldu à Tahiti puis aux îles Marquises, à la recherche d'un primitivisme toujours plus authentique.

Les bretonnes que peint Gauguin sont dépourvues de toute joliesse, ses paysannes sont taillées à la serpe (cat. 91) ; *La Belle Angèle* (cat. 89) à l'air d'une « jeune vache ». Séduit par le costume breton qu'il observe avec la plus scrupuleuse attention, Gauguin en extrait le pur pouvoir décoratif; loin du pittoresque ou de la mièvrerie des peintres qui peu avant lui avaient trouvé dans la Bretagne et ses coutumes une inspiration de pacotille[22], il découpe hardiment les coiffes dans la *Vision du sermon* ou le *Christ jaune* (cat. 50, 80), fait contraster le sarrau et le capot d'une paysanne sur la pierre verdie d'un calvaire (W 328). S'il détaille le costume de fête de *La Belle Angèle* (cat. 89) c'est pour en faire une icône primitive. La statuaire bretonne et le spectacle de la piété populaire lui inspirent ses plus belles toiles symbolistes, la *Vision* et, l'année suivante, le *Christ jaune* (cat. 50, 80).

S'il ne présente pas la *Vision* à l'Exposition Volpini, c'est sans doute en raison de la tempête que n'avait pas manqué de soulever ce tableau au Salon des XX à Bruxelles — salon pourtant très tourné vers l'avant-garde — au début de l'hiver 1889. L'Exposition Volpini, qui outre les toiles bretonnes donnait à voir un tableau de la Martinique et quatre d'Arles, offrait un bilan, certes incomplet, mais suffisamment évocateur de l'activité de Gauguin et de son groupe au milieu de l'année 1889 ; elle eut pour effet immédiat de consacrer celui-ci comme chef du nouveau mouvement. Gauguin resté à Paris, un tel rassemblement eût été inconcevable. C'est en Bretagne qu'il acquiert rapidement l'autorité d'un véritable chef d'école et c'est là qu'il réalisa, au moins partiellement, son rêve tenace de thébaïde artistique. Dès la fin juillet 1886, il écrivait à sa femme « Je travaille ici beaucoup et avec succès ; on me respecte comme le peintre le plus fort de Pont-Aven ; il est vrai que cela ne me donne pas un sou de plus. Mais cela prépare peut-être l'avenir. En tout cas cela me fait une réputation respectable et tout le monde ici (Américains, Anglais, Suédois, Français) se dispute mes conseils que je suis assez bête de donner parce qu'en définitive on se sert de nous sans juste reconnaissance. »[23]

En 1886, seul Laval semble avoir vraiment suivi les conseils de Gauguin. Mais en 1888, viennent se joindre à eux Moret, Chamaillard, et Émile Bernard qui débarque à la fin de l'été, précédant de peu Sérusier. C'est par l'intermédiaire de ce dernier que s'étend de manière inattendue et capitale le rayonnement de Gauguin. De retour à Paris à l'automne 1888, Sérusier montrera à ses camarades de l'Académie Julian le petit paysage du Bois d'Amour peint par lui en couleurs pures sous la dictée de Gauguin, le fameux *Talisman* aujourd'hui au Musée d'Orsay. Cette révélation sera à l'origine de la formation du groupe des Nabis et Maurice Denis saura donner aux principes esthétiques de Gauguin tout leur développement théorique dans sa célèbre formule : « se rappeler qu'un tableau avant d'être un cheval de bataille, une femme nue ou une quelconque anecdote, est essentiellement une surface plane recouverte de couleurs en un certain ordre assemblées »[24]. A deux ans de distance, cette définition faisait écho au conseil que Gauguin donnait à Schuffenecker dans une lettre envoyée de Bretagne le 14 août 1888 : « ... ne copiez pas trop d'après nature — L'art est une abstraction ; tirez-la de la nature en rêvant devant et pensez plus à la création qu'au résultat... »[25].

16. T.A. Trollope, *A Summer in Brittany*, Londres 1840, II, 3, cité par D. Delouche, « Gauguin au regard d'autres peintres ses prédécesseurs en Bretagne », in Delouche et al. 1986, 69.
17. Flaubert, *Par les champs et par les grèves*, Paris 1886, 199-200.
18. Renan, *Souvenirs d'enfance et de jeunesse, Prière sur l'Acropole*, Paris 1883, 87-88.
19. Cachin 1968, 83.
20. Barrès, « L'Art Breton », *Le Voltaire*, 26 août 1886.
21. Lettre de Gauguin à Émile Schuffenecker [fin février-début mars 1888], Merlhès 1984, nº 141, 172.
22. Delouche et al. 1986, n. 17.
23. Lettre de Gauguin à Mette, Merlhès 1984, nº 110, 137 [fin juillet 1886].
24. Maurice Denis 1890, éd. 1964, 33.
25. Merlhès 1984, nº 159, 210, 14 août 1888.

Un « Tahiti breton » : *Le Pouldu*

Tandis que son message fait son chemin à Paris par le relai de Sérusier, Gauguin ne tarde pas à rejoindre Pont-Aven début juin 1889 où il s'installe de nouveau à la pension Gloanec. Mais l'agitation de la petite ville pleine « de monde étranger abominable », où l'on croise des rapins de tout poil à chaque détour de chemin lui est bientôt insupportable. Pour creuser davantage son exil, il gagne alors le village de pêcheurs du Pouldu distant de quelques kilomètres sur l'embouchure de la Laïta. Après une brève incursion au cours de l'été dans cette nouvelle solitude, il décide de s'y installer et élit domicile chez Marie Henry dont l'auberge restera le symbole de cette thébaïde artistique à laquelle il ne cesse d'aspirer. Le peintre Armand Seguin qui séjourna à Pont-Aven en 1894 nous a laissé un vibrant témoignage sur ce village qui sous l'impulsion de Gauguin « fut semblable au jardin de Platon »[26]. En quelques mois, Gauguin et ses disciples Meyer de Haan et Sérusier s'emploient à décorer du sol au plafond la salle à manger de l'auberge, faisant de ce lieu l'un des plus extraordinaires ensemble décoratif de la fin du siècle. Le portrait-charge de Gauguin (cat. 92) et celui de Meyer de Haan (cat. 93) tout enprunts des spéculations théosophiques qui les agitaient alors, y voisinent avec celui de la maîtresse des lieux, la belle Marie Henry peinte par Meyer de Haan qui jouissait alors de ses faveurs.

« Les arts du maître et de ses disciples firent rapidement d'une vulgaire auberge un temple d'Apollon : les murs se couvrirent de décorations qui stupéfiaient les rares voyageurs et nulle surface ne fut épargnée, de nobles sentences encadraient de beaux dessins, les vitres du cabaret devinrent d'éblouissantes verrières... »[27]. De nombreux témoignages, ceux des peintres Maxime Maufra, Jan Verkade et Paul-Émile Colin, celui d'André Gide et celui de Charles Chassé qui recueillit notamment les souvenirs du compagnon de Marie Henry, Henri Mothéré, ont permis à la critique récente de reconstituer le décor de la fameuse auberge aujourd'hui dispersé[28]. Ces souvenirs évoquent l'atmosphère de grande effervescence artistique qui fut celle de ce lieu où se trouvaient réunis au cours de l'été 1890 « Meyer de Haan dans la grande chambre, Gauguin dans la chambre sur la cour, M. Sérusier dans la chambre sur la rue ; M. Filiger dans l'atelier »[29]. « Là, Bernard discuta les nouvelles théories, Filiger remit en lumière les primitifs religieux, Sérusier chercha la caractéristique du paysan breton. Voici de Haan qui écoute les bonnes paroles, sa figure de gnome se répète dans une curieuse sculpture, taillée dans le bloc d'un chêne [cat. 94], l'une des plus belles et des plus vivantes que produisit Gauguin. Accroupi dans un coin, de Chamaillard tente ses premiers essais et il peint avec la rage qu'il ne devait pas perdre... »[30]. Là, le style décoratif de Gauguin s'affermit et sa dimension symboliste s'approfondit tant en sculpture (cat. 110) qu'en peinture (cat. 92, 93).

Après le départ de Gauguin qui regagna Paris en octobre 1890, suivi de Sérusier et Meyer de Haan, Filiger resta seul au Pouldu bientôt rejoint par Maufra et Moret venus, trop tard, interroger le Maître.

Celui-ci rêvait d'autres cieux et sa correspondance des années 1889-1890 reflète son désir de contrées de plus en plus lointaines, le Tonkin d'abord, puis Madagascar où il rêve de fonder « L'Atelier des tropiques. Viendra m'y trouver qui voudra »[31]. Pour finir, Tahiti s'impose, d'abord comme un rêve poétique,

Sérusier, *le Talisman*, 1888, huile sur bois (Paris, Musée d'Orsay)

26. Séguin 1903 a, 159.
27. Séguin 1903 a, 159.
28. J.M. Cusinberche, « La Buvette de la Plage racontée par... » et R.P. Welsh, « Le plafond peint par Gauguin dans l'auberge de Marie Henry au Pouldu », in cat. 1985 Saint-Germain-en-Laye. Voir aussi R.P. Welsh, article à paraître, *Revue de l'Art*, juin 1989.
29. Chassé 1921, 37.
30. A. Séguin 1903 a, 159.
31. Lettre de Gauguin à Émile Bernard, datée [avril 1890], sans doute [mai], Malingue 1946, n° CII, 186-187.
32. Lettre de Gauguin à Mette, Malingue 1946, n° C [février ou juin ? 1890], 184.
33. Lettre de Gauguin à Odilon Redon [septembre 1890], Bacou 1960, 193.
34. Chassé 1921, 28.
35. Sur Ernest Chaplet rénovateur de l'art du grès en France à la fin du XIXe siècle, voir cat. Paris, 1976.
36. Roger Marx, 1910.

« Là à Tahiti, je pourrai au silence des belles nuits tropicales, écouter la douce musique murmurante des mouvements de mon cœur en harmonie amoureuse avec les êtres mystérieux de mon entourage... »[32], puis comme le lieu idéal pour approfondir ce qu'il a découvert en Bretagne : « Je juge que mon art que vous aimez n'est qu'un germe et j'espère là-bas le cultiver pour moi-même à l'état primitif et sauvage. / Il me faut pour cela le calme. Qu'importe la gloire pour les autres ! / Gauguin est fini pour ici, on ne verra plus rien de lui »[33].

On y verra encore les toiles qui le 23 février 1891 passaient en vente à l'Hôtel Drouot pour financer son voyage... Dans l'itinéraire artistique de Gauguin, le Pouldu restera comme « le premier de ses Tahitis », son « Tahiti français »[34].

Les Céramiques

« Comment raconter enfin ces étranges et barbares et sauvages céramiques où, sublime potier, il a pétri plus d'âme que d'argile ?... ».

A. Aurier, « Néo-Traditionnistes,
Paul Gauguin », *La Plume,* 1er septembre 1891

Chaplet, *Pichet*, grès brun,
décor en relief avec rehauts d'or
(Sèvres, Musée National de la céramique)

En juin 1886, à la suite de la huitième exposition impressionniste, Gauguin fit, par l'intermédiaire du graveur Félix Braquemond, la connaissance du céramiste Ernest Chaplet[35]. Celui-ci (1835-1909) était devenu peintre sur porcelaine après un apprentissage de treize ans à la Manufacture de Sèvres. Après avoir consacré plusieurs années à la mise au point et à la fabrication du décor à la barbotine qui obtint un succès immédiat dans les années 1870, Chaplet travailla avec Braquemond à l'atelier d'Auteuil (1876-1882) de la firme Haviland avant de se voir confier en 1882 la direction d'une petite fabrique à Vaugirard, 153, rue Blomet. C'est là que pendant trois ans, de 1882 à janvier 1886, il travailla à restaurer pour Haviland la technique du grès. De cet atelier sortirent des pots, pichets, gourdes de grès, façonnés au tour et au décor floral caractéristique d'émaux de couleurs, cernés en creux, au contour souvent rehaussé d'or. En 1886, Chaplet se sépare d'Haviland et reprend à son compte l'atelier de la rue Blomet ; c'est là que Gauguin, qui habitait alors dans la rue Carcel voisine, eut la chance d'être initié à la technique du grès par un maître dont Roger Marx écrira plus tard « d'âme haute et de commerce sûr... l'homme était rare comme l'œuvre »[36]. Gauguin qui s'était déjà brillamment essayé à la sculpture devait immédiatement trouver dans la céramique une technique de choix où exprimer son goût de la matière brute et son tempérament de décorateur. S'il reste une soixantaine de pièces sorties des mains de l'artiste, on évalue au moins à une centaine l'ensemble de son œuvre céramique, de nombreux objets ayant disparu, perdus ou irrémédiablement détruits. Cet ensemble a fait l'objet de deux catalogues raisonnés établis respectivement par

C. Gray en 1963 et M. Bodelsen en 1964. L'extrême difficulté de datation des céramiques de Gauguin — dont un très petit nombre seulement est numéroté — explique les divergences d'interprétation de ces deux auteurs entre lesquels il est parfois particulièrement délicat de trancher.

L'activité céramique de Gauguin débute donc en 1886 sans que l'on puisse établir en toute certitude s'il enfourna quelques pièces dès avant son premier départ en Bretagne. Néanmoins, il peut écrire à Braquemond fin 1886 ou au début de l'hiver 1887 : « Si vous êtes curieux de voir sortis du jour tous les petits produits de mes hautes folies, c'est prêt — 55 pièces en bon état — vous allez jeter les grands cris devant ces monstruosités mais je suis convaincu que cela vous intéressera. »[37] Cette lettre témoigne donc d'une productivité intense si l'on tient compte des ratés inévitables en la matière. Celle-ci se poursuivra lors de chaque séjour parisien de l'artiste entre ses voyages en Bretagne, à la Martinique ou à Tahiti. Les dernières pièces datent de l'hiver 1894-95, époque après laquelle la sculpture prendra définitivement le relais de la céramique.

La passion de Gauguin pour la céramique prend très rapidement le tour d'une défense et illustration de cet art à ses yeux tombé en décadence en cette époque d'électisme triomphant. La fabrication de Sèvres, voilà le grand mal : « Sèvres, pour ne point nommer, a tué la céramique ». Or, « La céramique n'est pas une futilité. Aux époques les plus reculées, chez les Indiens d'Amérique on trouve cet art constamment en faveur. Dieu fit l'homme avec un peu de boue/avec un peu de boue on peut faire du métal, des pierres précieuses, avec un peu de boue et aussi un peu de génie »[38] écrit-il au sortir de l'exposition universelle en 1889.

On peut penser que le goût de Gauguin pour les arts de la terre et du feu avait été formé dès son plus jeune âge car sa mère aurait possédé notamment une collection de poteries péruviennes, malheureusement détruite lors de l'incendie de la maison de Saint-Cloud en 1871[39]. Chez Gustave Arosa son tuteur, Gauguin avait également pu voir des spécimens de céramiques anthropomorphes du Pérou qui devaient fortement influencer son œuvre. Mises à part quelques pièces façonnées au tour de manière traditionnelle avant d'être décorées (cat. 24), les céramiques de Gauguin sont entièrement faites à la main ce qui autorise les formes les plus baroques : pichets, pots, vases à simple, double ou triple orifice, munis d'anses multiples rajoutées en colombins ; les céramiques reçoivent un décor émaillé ou mat, parfois incisé avec des rehauts d'or, le plus souvent en relief. On y retrouve les motifs des tableaux de la période bretonne (bergers, moutons, oies...) (cat. 25 à 28) à moins que des visages ne surgissent de la forme même du vase (cat. 37-39). Ceux-ci tendent de plus en plus à devenir de véritables sculptures-céramiques (cat. 62, 64, 65) jusqu'aux dernières pièces qui n'ont plus rien d'objets utilitaires et sont des sculptures à part entière (cat. 85, 104, 211).

La même originalité se remarque du point de vue technique et Gauguin apparaît comme un des grands rénovateurs de l'art du grès à la fin du XIXe siècle « le grès honni, néfaste et dur, il l'aime »[40]. Fortement influencé par l'Extrême-Orient, il recherche systématiquement les effets de matière, mettant en relief les morsures de la cuisson, torsions, oxydations, coulures pour donner à ses pièces le « sentiment du grand feu ».

Plein d'illusions, Gauguin misait beaucoup sur sa céramique pour le faire vivre à une époque où sa peinture ne se vendait pas. Plusieurs lettres à Mette, envoyées de Bretagne ou de la Martinique, témoignent des espoirs fondés sur ses poteries pour le tirer d'affaire, au point qu'il ait envisagé de s'associer avec Chaplet à son retour de la Martinique fin 1887. Cependant, rares sont les amateurs et les céramiques de Gauguin se vendent aussi mal que ses tableaux. En janvier 1888, le critique Félix Fénéon essaie d'attirer l'attention du public sur ces « faces hagardes, aux larges glabelles[41], aux minimes yeux bridés, au nez camard... »[42] exposées chez Boussod et Valadon. C'est cependant la vente pour 300 F de céramiques confiées à Theo van Gogh qui fournira à Gauguin l'argent du voyage pour retrouver Vincent à Arles...

La pratique de l'art du potier est indissociablement liée chez Gauguin à celle de la peinture. Les carnets de croquis de Bretagne sont émaillés de motifs communs aux peintures et aux poteries ainsi que de projets de céramiques. Par ailleurs, celles-ci figurent souvent dans les toiles de l'artiste (cat. 30, 41). Comme l'a brillamment démontré M. Bodelsen[43], la technique de la céramique a amené Gauguin a simplifier puis à cerner ses formes le conduisant ainsi naturellement au cloisonnisme avant même qu'il n'expérimentât cette technique en peinture. Enfin, l'évolution de la céramique de Gauguin s'inscrit dans le cadre de son développement stylistique général vers un symbolisme de plus en plus complexe comme en témoignent ses dernières pièces comme la *Vénus noire* ou *Oviri* (cat. 85, 211).

C.F.-T.

Les peintures du séjour à la Martinique : juin-novembre 1887

Ayant débarqué le 30 avril au port atlantique de Colón après une brève escale à la Martinique, Gauguin, accompagné de son ami, le jeune peintre Charles Laval, n'allait pas tarder à découvrir l'isthme de Panama sous un jour peu enthousiasmant. L'aide un moment escomptée d'un beau-frère, J.N. Uribe, l'époux de sa sœur Marie installé là comme commerçant, s'avérant nulle, les deux amis n'eurent d'autre ressource que d'emménager à l'hôtel où le prix de pension eut vite fait de dépasser leurs possibilités financières. Dès lors, Gauguin n'aura de cesse de gagner l'argent de son passage à la Martinique et se fait employer par la Société du percement du canal de Panama. Laval pour sa part tire des subsides de l'exécution de portraits dans le style académique. Mais la malchance s'acharne ; de santé délicate, Laval est vite en butte aux accès de la fièvre jaune tandis que Gauguin perd son emploi quinze jours seulement après avoir été embauché.

Début juin, tous deux parviennent cependant à s'embarquer pour la Martinique où ils espèrent vivre à bon marché et s'installent dans une modeste

37. Merlhès 1984, n° 116, 143.
38. Gauguin 1889ª, 84.
39. *Avant et Après,* éd. 1923, 174-175. Perruchot 1961, 49.
40. Fénéon 1888ª, repris in Fénéon 1970, I, 91.
41. Glabelle : espace glabre compris entre les deux sourcils.
42. Fénéon 1888ª, repris in Fénéon 1970, I, 91.
43. Bodelsen 1959.

Ci-contre :
Gauguin, *Les meules ou le champ de pommes de terre*, détail, 1890, huile sur toile (Washington, National Gallery of Art, don de la Fondation W. Averell Harriman en souvenir de Marie N. Harriman)

case à deux kilomètres du port de Saint-Pierre que domine la Montagne Pelée.

C'est alors que s'offre à eux le spectacle d'un réel paradis tropical que Gauguin traduit dans des toiles où sa palette apparaît transformée par une véritable ivressse de couleurs. Relativement peu nombreuses, les toiles qu'il rapportera de ce séjour aux Antilles constituent une étape importante dans son développement stylistique. Il convient d'y ajouter quelques forts beaux pastels, de nombreux croquis et quelques éventails. Après la retraite bretonne, le séjour martiniquais constitue la première approche concrète de l'exotisme et de ce primitivisme dont la quête orientera toute la vie de l'artiste. A l'émerveillement ressenti devant une nature édenique s'ajoute l'observation fascinée des indigènes noirs à l'exclusion des blancs et des créoles. La touche de type encore impressionniste est soigneusement contrôlée et confère aux toiles de cette période une texture particulièrement riche, en accord avec le parti de plus en plus décoratif de compositions amplement rythmées.

S'il reste assez confidentiel, l'accueil réservé en France, au retour du peintre, à ces réalisations auxquelles il attachait tant de prix est plutôt favorable. Fénéon remarque en janvier 1888 une toile martiniquaise exposée chez Boussod et Valadon aux côtés d'œuvres antérieures et en décrit « le caractère barbare et atrabilaire »[44]. Un an plus tard, l'exposition au Café Volpini de la superbe toile *Aux mangos* (W 224), récemment acquise par un Theo van Gogh enthousiasmé, requiert l'admiration de Jules Antoine dans sa revue de cette manifestation[45]. Il faut cependant attendre février 1891 et la vente des œuvres de l'artiste précédant son départ pour Tahiti pour voir reconnue sous la plume d'Octave Mirbeau l'originalité des toiles martiniquaises en tant que telles : « ... il rapporte une suite d'éblouissantes et sévères toiles, où il a conquis, enfin, toute sa personnalité, et qui marquent un progrès énorme, un acheminement rapide vers l'art espéré... Le rêve le conduit, dans la majesté des contours, à la synthèse spirituelle, à l'exposition éloquente et profonde. Désormais, M. Gauguin est maître chez lui... »[46]

Ce jugement s'accorde avec la propre appréciation de Gauguin sur son œuvre qui déclarait sensiblement à la même époque dans une lettre à Charles Morice : « L'expérience que j'ai faite à la Martinique est décisive. Là seulement je me suis senti vraiment moi-même et c'est dans ce que j'en ai rapporté qu'il faut me chercher, si l'on veut savoir qui je suis, plus encore que dans mes œuvres de Bretagne »[47]. Cette assertion qui sonne comme un aveu autorise à voir dans la paranthèse martiquaise un des fondements les plus profonds de ce primitivisme qui trouvera son plein épanouissement dans l'œuvre tahitienne de l'artiste.

Commencé dans l'euphorie de la découverte, le séjour martiniquais devait s'achever dans des conditions dramatiques. Dès le mois d'août, Gauguin ressent les atteintes conjugées du paludisme et d'une dysenterie dont il mettra des mois à se relever. A court d'argent, il ne réussit à se faire rapatrier en France que fin novembre où il arrive épuisé.

44. *Allées et venues*, Lugano, coll. Thyssen-Bornemyszа, non catalogué dans W, Fénéon 1888, repris in Fénéon 1970, I, 90-91.
45. Antoine 1889, 369-371.
46. Mirbeau 1891, 1.
47. Lettre à Charles Morice, [fin 1890], citée par Rewald 1938, 19.

17

La bergère bretonne

1886
60,4 × 73,3
Huile sur toile.
Signé et daté en bas à gauche,
P. Gauguin 86.

Newcastle-upon-Tyne,
Laing Art Gallery

Expositions
Paris 1906, nº 11 ;
Londres 1966, nº 3 ;
Zurich 1966, nº 4 ;
Londres 1979, nº 81 ;
Washington 1980, nº 42.

Catalogue
W 203.

Gauguin,
Croquis pour la bergère bretonne,
carnet de Bretagne, 101, 107, 110
(Collection Armand Hammer)

Si cette toile a parfois été datée de 1888 ou 1889, dès 1906 pourtant, dans sa revue du Salon d'Automne[1], Paul Jamot assignait à *La bergère bretonne* la date de 1886, c'est-à-dire celle du premier séjour breton de l'artiste. Les dessins préparatoires, le sujet, le style et la facture viennent étayer cette affirmation.

On trouve plusieurs croquis préparatoires pour *La bergère bretonne* à la fin du carnet de Bretagne[2], notamment une première pensée pour la bergère assise et diverses études où l'on reconnaît formellement les moutons, le petit paysan et la vache de droite qui détourne la tête. Autant de croquis datés 1886 par M. Bodelsen[3] dans son étude du carnet de Bretagne. Avec les *Quatre bretonnes* de Munich (W 201), *La bergère* apparaît comme une des premières scènes à sujet paysan breton à s'inscrire dans un paysage encore franchement impressionniste par la conception et la facture, type de sujet que Gauguin développera systématiquement lors de ses séjours ultérieurs en Bretagne. A ce titre, *La bergère bretonne* dans son attitude rêveuse revêt l'importance d'un prototype qui, métamorphosé par l'exotisme, trouvera son complet épanouissement dans la période tahitienne.

Si la mise en page et la perspective déjà basculante de cette toile annoncent timidement les recherches qui seront mises en œuvre en 1888-1889[4], la tranquille sérénité de *La bergère bretonne* est encore bien éloignée du sombre primitivisme cultivé par Gauguin par la suite. Une étude poussée de la figure de la bergère figure au Musée des Arts Africains et Océaniens (cat. 18). On retrouve celle-ci sur un côté d'une des deux jardinières à sujet breton (cat. 25) et en relief sur le couvercle d'un vase de l'ancienne collection Ulmann (G 27) que M. Bodelsen date de l'hiver 1886-1887[5]. Le mouton couché à gauche au premier plan ainsi que celui de profil au centre réapparaissent respectivement sur un vase de l'ancienne collection G. Fayet (G 42), sur un des petits côtés de la jardinière déjà citée et sur le *Vase décoré de scènes bretonnes* de Bruxelles (cat. 24). *La bergère bretonne* réunit donc plusieurs des motifs systématiquement explorés par l'artiste en 1886-1887. On trouve à la page 222 du carnet breton édité par R. Huyghe en 1952 la mention « Fauché (vache et moutons) 150 ». Celle-ci se rapporte vraisemblablement à ce tableau que Gauguin aurait ainsi vendu à Léon Fauché, futur exposant du Café Volpini, pour la somme de 150 F. La toile appartint ensuite pour quelque temps à G. Fayet qui possédait également plusieurs céramiques réalisées au cours de l'hiver 1886-1887 (cat. 25, 36, 39). C.F.T.

1. Jamot 1906, 467.
2. Cogniat et Rewald 1962, 100-101.
3. Bodelsen 1964, 200.
4. Cet aspect novateur du tableau est souligné par J. House dans le cat. Londres 1979, n° 81.
5. Bodelsen 1964, 42, fig. 1.

18

Jeune bretonne assise

1886
30,5 × 42,2
Fusain rehaussé d'aquarelle sur papier vergé, marque *L. Berville.*

Paris, Musée des Arts Africains et Océaniens, donation Lucien Vollard, 1944.

Exposition Saint-Germain-en-Laye 1985, n° 154.

Exposé à Paris

Ce dessin finement rehaussé d'aquarelle est une étude pour *La bergère bretonne* de 1886 (cat. 17). Comme le remarque très justement J. Wasiutynski[1], il semble avoir été fait d'après un modèle qui aurait posé tout spécialement pour le tableau. Comme Degas mais aussi comme son maître Pissarro[2], Gauguin a recours dès 1886 à un répertoire d'attitudes et de gestes qui se retrouvent d'œuvre en œuvre et d'une technique à l'autre. C'est ainsi que cette figure réapparaît dans la même pose dans deux céramiques réalisées à Paris au cours de l'hiver 1886-1887 (G 27 et cat. 25). C.F.T.

Gauguin,
Pot décoré d'une bergère bretonne,
1886-1887, grès
(ex.-collection Ulmann, Paris)

1. Jirat Wasiutynski 1978, 52-53.
2. Lloyd in Londres 1981, 157.

19

Bretonne assise

1886
32,8 × 48,0
Fusain et pastel partiellement retravaillé au pinceau et à l'eau sur papier vergé ; marque *Lalanne.*

Signé des initiales et dédicacé en haut à droite, *à Mr. Laval/Souvenir/PG.*

Inscription au revers
Ce dessin ci-contre a été utilisé par/Gauguin pour décorer une jardinière en/Céramique par Chaplet./Ce renseignement a été donné à la/ Galerie Choiseul par Lenoble gendre de Chaplet/le 15 avril 28./Cottereau.

The Art Institute of Chicago

Expositions
Chicago 1959, nº 76 ;
Paris 1976, nº 71.

Exposé à Washington et Chicago

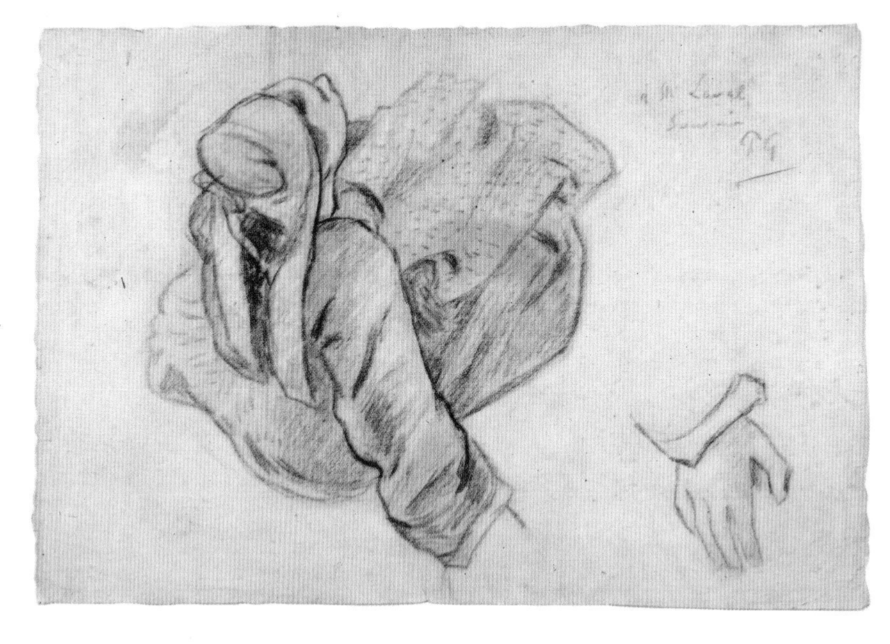

Proche de la *Jeune bretonne assise* du Musée des Arts Africains et Océaniens (cat. 18) par l'attitude, ici inversée, ce pastel fait preuve d'une plus grande audace dans la mise en page et la vue plongeante. Si ce motif ne semble pas avoir été utilisé par Gauguin en peinture, on le retrouve dans le vase issu de la collaboration de Gauguin avec Chaplet du Musée de Bruxelles (cat. 24) ainsi que dans la partie droite de l'éventail représentant des *Bretonnes assises*, (cat. 23). La pose de la tête fortement rejetée en arrière est reprise dans une céramique postérieure de 1889, *Monstre marin et femme dans les vagues* (cat. 82). La dédicace à *Mr Laval* incline à penser avec J. Rewald[1] que le dessin fut donné à une date précoce, avant le départ des deux amis pour Panama et la Martinique en avril 1887. C.F.T.

1. Rewald 1958, nº 6.

20

Bretonne et étude de main

1886
32 × 46,5
Pastel.

Signé des initiales et daté, *P.G. 1886.*

Annotation, *à mr Newman/souvenir affectueux.*

Suisse, collection particulière

Ce dessin constitue comme le suivant (cat. 21) une étude pour le tableau de Munich *Les quatre bretonnes* (W 201), une des toiles les plus significatives du premier séjour breton de l'artiste. Le fait qu'il soit formellement daté fournit une référence précieuse et permet de reconstituer sur la base d'analogies techniques et stylistiques un groupe de dessins de la même période (cat. 18, 19, 21).

A ces deux études pour le tableau de Munich s'en ajoute une troisième représentant, une bretonne de dos, mains sur les hanches, aujourd'hui au Musée de Glasgow[1]. Sur ces trois feuilles de même dimension, Gauguin use des mêmes pastels et de la même mise en page solide du modèle. La technique hachurée du rendu du volume rappelle celle de Pissarro dans ses pastels de paysannes des années 1880. Déjà s'affirme chez Gauguin une tendance à cerner fermement les contours. Fortement impressionné par le costume traditionnel de ces bretonnes, comme il ne tardera pas à l'être par celui des martiniquaises, Gauguin est attentif à en rendre la rusticité qui, par contraste, met en valeur la délicatesse des coiffes.

Ce répertoire de formes mis au point dès 1886 devait resservir à l'artiste lors de son second séjour en Bretagne en 1888. Ainsi retrouve-t-on dans *Bretonnes et veau* (W 252) une bretonne de dos, tête de profil, qui combine les attitudes respectives du dessin ici exposé et de celui de Glasgow.

Le dédicataire de cette œuvre, M. Newman, reste mystérieux. Peut-être s'agit-il d'un peintre américain alors à Pont-Aven, mais on n'en a pas trouvé trace.
C.F.T.

1. Glasgow Museums and Art Galleries, Burrell Collection. Pickvance 1970, II.

21

Bretonne de face, tête de profil vers la gauche

1886
44 × 31
fusain et pastel.
Signé en bas à gauche
des initiales, *P Go.*

Collection particulière

Ce pastel est une étude pour la troisième figure au fond à droite du tableau *Les quatre bretonnes* de Munich (W 201). Ici représenté aux trois quarts en pieds, le personnage disparaît en partie dans la toile, caché par un muret. Il prend également dans le tableau une expression plus méditative, les yeux presque clos.

La même bretonne réapparaît, simplifiée, dans le vase de Bruxelles (cat. 24). C.F.T.

20

21

22

Bretonne glanant

1886
46 × 38
Crayon de couleurs sur papier.

Upperville (Virginia), collection Mr et Mme Paul Mellon

Exposition
Paris 1906, n° 124.

Exposé à Washington et Chicago

Plus qu'un véritable dessin préparatoire pour le tableau *Petit berger breton* (cat. 42) il s'agit d'une grande feuille « à part entière », exécutée au cours du premier séjour en Bretagne, en 1886, et dont Gauguin s'est servi deux ans plus tard pour son tableau[1]. Il ne s'agit pas forcément d'une glaneuse mais plutôt d'une ramasseuse de fagots. Pourtant, cette paysanne en costume breton ramassant une branche fait un mouvement, symbolique depuis Millet ; il met en valeur sa grande jupe et l'immense coiffe blanche dont le dessin sinueux se détache sur le corselet de velours. On voit ici, dans le sujet, comme dans le trait, ce que Gauguin doit à son « maître » Pissarro, et à travers lui au peintre des *Glaneuses*.

Il est facile d'imaginer que, deux étés plus tard, ressentant qu'il fallait relever l'harmonie verte et un peu monotone de sa composition, Gauguin ait ressorti ce dessin d'un carton, et peint d'après lui, à la même dimension, la figure de droite de son tableau. En l'ajoutant — un peu grande et disproportionnée par rapport à l'enfant — il a accentué le motif de la coiffe, l'a rendu plus précis, plus décoratif, et en a fait le véritable point fort de son tableau.

Ce dessin faisait encore partie de la collection de Paco Durio quand il fut exposé au Salon d'automne de 1906 ; dans son compte rendu de l'exposition, Paul Jamot y discernait, plus que celles de Pissarro, les « marques non douteuses de l'influence exercée sur Gauguin par le plus illustre dessinateur de notre temps, par M. Degas »[2].

F.C.

1. Voir Pickvance 1970, 23, pl. 18.
2. Paul Jamot 1906, 466.

23

Trois bretonnes assises, éventail

1886-1887
18,5 × 41

Aquarelle et gouache sur traits à la mine de plomb.

Paris, collection particulière

Exposition
Paris 1960, n° 27.

Catalogues
W 202; Gerstein 10.

Cet éventail reprend en les associant dans une composition essentiellement décorative divers éléments du vocabulaire formel que s'était constitué Gauguin au cours de son premier séjour à Pont-Aven. Les deux paysannes assises au centre, le jeune garçon, les arbres et le buisson sont repris de la toile *Les quatre bretonnes* de Munich (W 201). On les retrouve, ainsi que la vache, sur la jardinière en céramique exécutée au cours de l'hiver 1886-1887 aujourd'hui dans la collection Ghez à Genève (G 41). La bretonne de gauche est également le principal motif décoratif d'un vase exécuté à la même époque et ayant appartenu à G. Fayet (G 18). Enfin, la bretonne assise à droite dans l'éventail est la même que celle du dessin de l'Art Institute (cat. 19) que l'on retrouve également sur le vase de Bruxelles (cat. 24).

Comme c'est rarement le cas, la forme semi-circulaire de l'éventail a inspiré à l'artiste une composition d'une subtile symétrie par rapport à l'axe central de l'arbre. Le fait que cet éventail soit composé comme un puzzle à partir d'éléments que l'on retrouve dans diverses autres œuvres incline à penser qu'il s'agit d'un souvenir d'impressions bretonnes — d'ailleurs d'une grande fraîcheur — exécuté au retour de l'artiste à Paris. C.F.T.

Gauguin, *Jardinière avec Bretonne*, 1886-1887, grès émaillé (Genève, Musée du Petit Palais)

23

24

Vase décoré de scènes bretonnes

Hiver 1886-1887
H. 29,5
Grès émaillé à décor incisé et rehauts d'or.
Signé dans la partie inférieure, au pied de l'arbre, *P Go*.
Sur le fond marque de Chaplet et n° *21*.

Bruxelles, Musées Royaux d'Art et d'Histoire

Exposition
Bruxelles 1896, n° 77.

Catalogues
G 45, B 9.

Exposé à Paris

Ce vase est un des rares exemples attestés de la collaboration effective entre Gauguin et Ernest Chaplet au cours de l'hiver 1886-1887. A la différence d'autres céramiques de la même période modelées par Gauguin lui-même (cat. 27, 28, 36), il porte sur le fond la marque de Chaplet, ce qui indique, comme l'a montré A.M. Berryer[1] à qui l'on doit la publication de ce vase, qu'il a été exécuté au tour par Chaplet, la décoration émaillée étant l'œuvre de Gauguin.

On trouve des exemples de la technique tout à fait particulière de ce vase — dont la zone centrale a reçu un englobe blanc sur lequel a été appliqué le décor gravé et émaillé, tandis que la base et la partie supérieure sont restées de la couleur de la terre — dans la production de l'atelier Chaplet rue Blomet à Paris, avant le départ du céramiste pour Choisy-le-Roi à la fin de 1887.

Le recours de Gauguin à un contour simplifié, incisé et rehaussé d'or pour les motifs du décor a amené A.M. Berryer à dater ce vase de 1888-1889[3], c'est-à-dire d'une période où l'artiste était en pleine possession de son style cloisonniste et synthétiste. L'analogie de technique avec une céramique de l'ancienne collection Fayet également tournée par Chaplet et décorée par Gauguin (G 64) qu'il date de 1889 a, de même, incité C. Gray à ne pas exclure une date aussi avancée. Plus convaincante cependant, s'avère la démonstration de M. Bodelsen[4] qui en reliant ce vase aux peintures, pastels et croquis du premier séjour breton en vient à le dater de l'hiver 1886-1887 et y voit une des œuvres-clés dans la genèse du style cloisonniste de l'artiste.

Les deux figures principales de bretonnes debout dérivent en effet de la toile des *Quatre bretonnes* de Munich (W 201). La bretonne de dos figure sur un pastel du Musée de Glasgow[5] qui servit d'étude pour le tableau de Munich tandis que celle de face, tête de profil, se retrouve dans un autre pastel de la même période (cat. 21). La bretonne assise vue de dos est celle même du pastel de l'Art Institute de Chicago (cat. 19); quant aux moutons et aux oies, ils apparaissent sur plusieurs feuillets d'un carnet de Bretagne[6] ainsi que sur une autre céramique à décor breton de la même époque (G 18).

La confrontation entre les dessins et leur transposi-

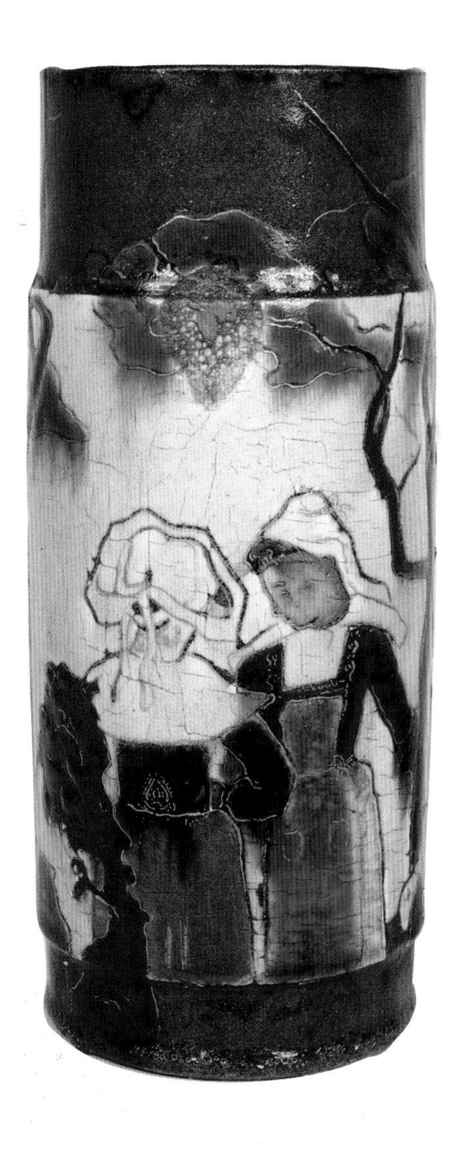

tion sur le vase montre que Gauguin a été amené par les exigences et techniques de la céramique — éviter le mélange des couleurs à la cuisson par l'incision des contours — à simplifier ses motifs et à en donner une interprétation plus synthétique.

Il est intéressant de noter que Gauguin laissa Chaplet disposer de ce vase élaboré en commun, comme s'il ne lui semblait pas assez personnel. Exposé au Salon de la Libre Esthétique à Bruxelles en 1896, il y fut acquis de Chaplet lui-même par les Musées Royaux d'Art et d'Histoire.

C.F.T.

1. Berryer 1944, 17.
2. Bodelsen 1964, fig. 154.
3. Berryer 1944, n. 1.
4. Bodelsen 1959, 329-344.
5. The Glasgow Museums and Art Galleries, Burrel collection ; Pickvance 1970, II.
6. Bodelsen 1964, figs. 12, 16, 40a.

Gauguin, *Bretonne,* 1886, pastel (Glasgow Museums and Art Galleries, collection Burrell)

25

Jardinière décorée de motifs de «La bergère bretonne» et de «La toilette»

Hiver 1886-1887
H. 27 ; L. 40 ; P. 22
Grès décoré de barbotine, partiellement émaillé.

Signé sur un des petits côtés, *P. Gauguin.*

France, collection particulière

Exposition
Paris 1906, n° 54.

Catalogues
G 44, B 10.

Exposé à Paris

La céramique offrait à Gauguin un champ nouveau d'expérimentation où pouvait s'exprimer son tempérament de décorateur. Le format rectangulaire de la jardinière — on en connaît deux exemples — lui fournit la possibilité d'un décor à la barbotine en simili bas-relief. Les deux pièces connues de ce type sont décorées de sujets bretons. La première (G 41), probablement légèrement antérieure à celle présentée ici, appartient à la collection O. Ghez à Genève. Son décor entièrement émaillé reprend des motifs de la toile *Les quatre bretonnes* (W 201). La présence au fond de cette céramique de la marque de Chaplet associée aux initiales de la firme Haviland[1] indique qu'il s'agit d'une des rares pièces connues exécutées en collaboration par Gauguin et le grand céramiste.

La jardinière ici exposée, quoiqu'exempte du petit chapelet gravé distinctif du céramiste son homonyme, présente assez d'analogies avec celle de Genève pour se rattacher au petit groupe de pièces exécutées en commun par les deux artistes au cours de l'hiver 1886-1887 dont le vase à sujet breton de Bruxelles (cat. 24) est un exemple significatif. Parmi ces céramiques figurent également deux pots (G 42, G 43) qui comme cette jardinière firent partie de la collection de Gustave Fayet, grand amateur de Gauguin. C'est de Schuffenecher que celui-ci acquit cette jardinière en 1903 pour le prix de 600 F.

Le corps de cette jardinière au décor de barbotine mat s'oppose à la base revêtue d'un vernis au couleurs rouges. Cette différence de traitement montre bien les tentatives de Gauguin pour explorer dès cette époque les diverses potentialités techniques de la céramique. Dans la jardinière de la collection O. Ghez, les couleurs avaient diffusé et s'étaient mélangées, ce qui expliquerait le changement de technique de l'artiste pour cet exemplaire que C. Gray[2] fut amené, pour cette raison, à dater un peu plus tard, du début de 1887.

Sur l'un des grands côtés nous retrouvons le modèle assis de *La bergère bretonne* de 1886 (cat. 17) tandis que les petits côtés sont ornés d'oies et d'un mouton, motifs familiers des premières peintures bretonnes. Le décor de

l'autre grand côté reprend le motif du bas-relief en poirier sculpté en 1882 intitulé *La toilette* (G 7) où apparaissent les mêmes pieds crispés que dans *La perte du pucelage* (cat. 113). On en connaît une étude partielle mise au carreau au verso d'une *Tête de bretonne* figurant dans la collection de l'Art Institute de Chicago. Exposé hors catalogue à la huitième exposition impressionniste en 1886, ce bas-relief aurait attiré l'attention de Chaplet. Peu de temps après, Gauguin écrivait à sa femme : « Enchanté de ma sculpture, il m'a prié de lui faire à mon gré cet hiver des travaux qui vendus seraient partagés de moitié[3] ».

Avec M. Bodelsen[4], on peut donc voir dans cette jardinière un des points de départ de l'activité de Gauguin comme céramiste. C'est aussi un des exemples les plus manifestes de l'étroite connexion entre les préoccupations du peintre, du sculpteur et du céramiste puisque les motifs s'en retrouvent dans les trois techniques.

« J'ai acquis une superbe jardinière céramique de Gauguin » écrivait G. Fayet à D. de Monfreid le 2 octobre 1905[5]. Il devait la faire figurer avec les nombreuses toiles de Gauguin de sa collection à la rétrospective consacrée à l'artiste au Salon d'Automne de l'année suivante.

C.F.T.

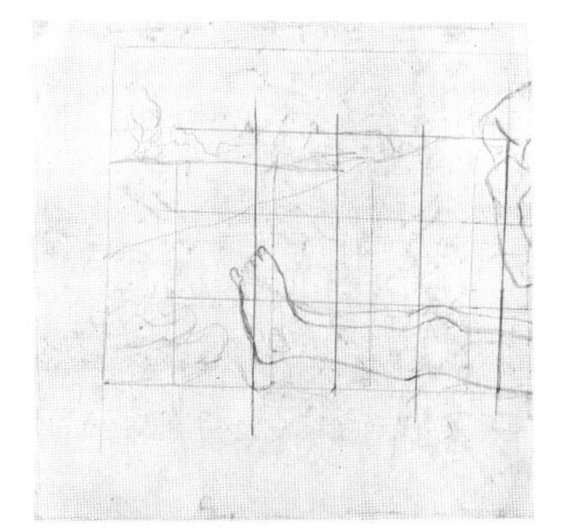

Gauguin, *Étude pour la jardinière* (G 44), au verso une tête de bretonne, crayon (The Art Institute of Chicago, Arthur Heun Fund)

Gauguin, *La toilette,* 1882, bas-relief en poirier (Paris, collection particulière)

1. Sur cette marque, voir d'Albis, 1976, 91.
2. Gray 1963, 156.
3. Lettre de Gauguin à Mette, [première quinzaine de juin 1886], Merlhès 1984, nº 99, 126.
4. Bodelsen 1964, 30.
5. Loize 1951, 145, nº 436.

26

Vase décoré d'une figure de bretonne

Hiver 1886-1887
H. 13,6
Grès brun-rouge non émaillé.

Signé sous l'anse gauche, *P Go* et numéroté *49*.

Copenhague, Kunstindustrimuseet

Expositions
Copenhague Kleis 1893 ; Copenhague 1948, n° 78.

Ce petit vase fait partie des rares pièces munérotées par Gauguin. A la différence du vase à décor breton de Bruxelles (cat. 24), il a été modelé à la main. Exécuté pendant l'hiver 1886-1887, il se dinstingue des autres vases de la même période par sa forme simple, plutôt massive que viennent alléger trois anses brun foncé. Non vernis, il combine les agréments d'un décor de figure en relief — une bretonne très stylisée vue de dos, bras levés — et ceux de motifs simplement gravés dans la terre comme les pieds et les soleils sur les côtés. La polychromie due à l'usage d'engobes de couleur avec quelques rehauts d'or est très discrète et s'accorde au style volontairement rustique recherché par Gauguin dans ses premières céramiques. Le motif de la bretonne aux bras levés apparaît sur un feuillet de l'Album Briant du Louvre[1] en compagnie d'une série de projets de céramique ainsi que sur deux pages d'un carnet de Bretagne[2]. On la retrouve sur deux vases (G 31, G 32) de la même période dont l'un fut acheté, comme l'exemplaire ici exposé, par le Kunstindustrimuseet de Copenhague en 1943 après avoir appartenu à Mette Gauguin. C.F.T.

1. Album Briant, Louvre. Département des Arts graphiques, Orsay, 25.
2. Cogniat-Rewald 1962, 73 et 98.

27

Vase décoré de trois figures de bretonnes

Hiver 1886-1887
H. 21
Grès émaillé.
Signé sur le côté, *P Go* ; inscription sur le côté en relief, *ANNO*.

New York, Mr et Mme Herbert D. Schimmel

Exposition
Tokyo 1987, n° 26.

Catalogues
G 34, B 24.

Exposé à Chicago et Paris

On retrouve sur cette céramique le même décor de petites bretonnes aux bras levés que sur le vase de Copenhague (cat. 26). Ce motif qui apparaît dans plusieurs croquis de l'artiste de 1886-1887 accompagnant des études de céramiques constitue le décor essentiel de plusieurs vases de l'hiver 1886-1887 (G 31, G 32, G 33). Ici la frise des trois petites bretonnes en jupe bleue et ponctuées d'or s'adapte heureusement à la base du vase, laissant surgir la panse à trois ouvertures dont l'ornement essentiel est une solide anse rectangulaire. La forme massive et symétrique de ce vase contraste avec celle plus fantaisiste de la plupart des céramiques de cette période où plusieurs réceptacles sont généralement reliés entre eux par de légères anses arrondies. C.F.T.

28

Vase à quatre anses à décor de paysans bretons

Hiver 1886-1887
H. 17
Grès non émaillé, très légères traces d'or sur le col du paysan.
Signé à gauche de la bretonne, *P Go.*

Paris, Musée d'Orsay, affecté par le Musée des Arts Africains et Océaniens en 1986 (don Lucien Vollard, 1943)

Exposition
Paris 1976, n° 104.

Catalogues
G 21 ; B 26.

Exposé à Paris

A la différence du vase à décor breton des Musées Royaux d'Art et d'Histoire de Bruxelles (cat. 24), ce pot affectant la forme d'une fontaine n'a pas été modelé au tour mais façonné directement à la main par Gauguin lui-même. Sa conception est tout à fait caractéristique des premières céramiques exécutées au cours de l'hiver 1886-1887 après le premier séjour breton de l'artiste. A cette époque, Gauguin se plaît à modeler des vases aux formes compliquées qui s'éloignent de leur destination utilitaire. Anses et éléments décoratifs sont façonnés dans des colombins ou morceaux de pâte collés sur le corps principal du vase, lui conférant un caractère fantaisiste, première manifestation de cette céramique-sculpture que Gauguin développera par la suite. On retrouve ici le décor de paysans bretons que l'artiste affectionnait alors dans ses peintures, traité ici avec une grande naïveté. Une discrète polychromie anime ce vase dans lequel rusticité et fantaisie s'allient avec bonheur. Deux oies appliquées respectivement sur deux faces contigües de ce pot ont reçu un engobe blanc. On distingue un soleil, à la partie supérieure, dont les rayons ont été gravés dans la pâte. Ce motif d'un symbolisme naïf apparaît ainsi que la lune dans quelques autres céramiques de la même époque. C.F.T.

29

Autoportrait à l'ami Carrière

1886 ?
40,5 × 32,5
Huile sur toile.
Signé et dédicacé en haut à gauche, *l'ami Carrière/P Gauguin.*

Washington, National Gallery, collection M. et Mme Paul Mellon

Gauguin connaissait Eugène Carrière (1849-1906) dès 1890[1] et dut le fréquenter assez régulièrement en 1891, au cours de réunions de poètes et de peintres liés au symbolisme, en particulier au café Voltaire. C'est à ce moment là que Carrière commence un portrait de Gauguin[2] et que, rapporte Charles Morice « en échange (...) Gauguin a donné son propre portrait, fait par lui-même jadis, à Carrière »[3]. Ce *jadis*, ainsi que la dédicace antérieure *à Charles Laval* en bas et à gauche, qu'on aperçoit en regardant très attentivement[4], autorisent à imaginer ceci : le portrait, d'un style assez sage, a pu être peint à deux moments : soit dès l'été 1886, au moment de la *Nature morte au profil de Laval* (cat. 30), soit l'été 1888, au moment où Laval peint également un autoportrait devant une fenêtre, pour Vincent van Gogh — Gauguin semble placé symétriquement devant la même fenêtre. Si c'est le cas, on doit mesurer l'immense distance stylistique parcourue en quelques semaines entre cet autoportrait et celui qu'il envoie bientôt à Vincent (fig. 000 p. 000). Aussi faut-il plutôt, me semble-t-il, dater cette œuvre de 1886. En tout état de cause, Laval et Gauguin se brouillent en 1889 — en partie à cause de Madeleine Bernard, courtisée par les deux hommes et qui choisit Laval. On peut supposer que Laval rendit à Gauguin son portrait. C'est donc un vieux portrait « récupéré » que Gauguin retravaille sans doute un peu, dans le fond en particulier, et qu'il dédicace à Carrière, pour lui donner, soit avant son départ en 1892, soit plus probablement[5] au cours de son dernier séjour à Paris en 1894-1895. Les deux artistes se revoient alors mais toujours de manière relativement officielle — dans des expositions communes, au cours de banquets comme il s'en faisait souvent en l'honneur d'un peintre ou d'un écrivain[6].

Pourtant la relation d'estime entre les deux hommes, à peu près exactement contemporains, était assez réser-

29

Laval, *Autoportrait,*
1888, huile sur toile
(Amsterdam, Rijksmuseum Vincent van Gogh, Fondation Vincent van Gogh)

Carrière, *Portrait de Paul Gauguin,*
1891, huile sur toile
(New Haven, Yale University Art Gallery, Legs Fred T. Murphy)

Expositions
Paris 1906 (collection Fayet) ;
Baltimore 1936, nº 20 ;
New York 1951.

Catalogue
W 384.

vée ; « Carrière a pour Gauguin une sympathie réelle, mais seulement intellectuelle, je crois, et qui ne va pas sans réticences : « la bouche n'est pas bonne » m'a-t-il dit »[7]. Il est d'ailleurs frappant que sur le portrait qu'il fait de Gauguin, la bouche est particulièrement amère, le visage las et « ronchon ». Mais dans son autoportrait — où il porte le gilet breton brodé qu'on lui voit sur ses photos — Gauguin se regarde lui-même sans déplaisir et si l'on peut dire avec une sorte d'intérêt où pointe de l'amusement. C'est un portrait intime, détendu, qu'on sent fait pour un proche dans un moment de complicité. Ce n'est, malgré la dédicace, pas le portrait de « l'ami de Carrière », — on peut imaginer que s'il lui avait destiné son portrait, à l'époque de la dédicace, il eut été bien différent, plus solennel — mais bien celui de « l'ami de Laval » celui des années héroïques de Pont-Aven et de la Martinique[8]. Au fond, Carrière n'a vu en Gauguin que le bavard amer et inabouti qu'il décrit à mi-mot à Charles Morice, dans l'enquête faite par celui-ci après la mort de Gauguin « Gauguin était une expression décorative (...). Cette organisation subtile, riche en nuances, si neuve d'esprit, souple et violente, mais impatiente dans sa philosophie, désespéra trop vite »[9]. On peut supposer qu'à l'époque de l'enquête — peu après la mort de Gauguin — Carrière avait déjà vendu son tableau à Gustave Fayet.
F.C.

1. Gustave Geffroy rapporte à Charles Chassé une visite qu'il fit à Gauguin l'été 1890 au Pouldu et où il dit l'avoir déjà rencontré à Paris chez Carrière. Chassé 1921, 37.
2. Une lettre de Gauguin à Carrière s'excusant d'interrompre la pose car il part pour Copenhague, permet de dater précisément ces séances, du début de février 1891. (Voir J.R. Carrière, *De la vie,* 174, cité par Bantens 1983, 93.)
3. Morice 1920, 43.
4. Dossier technique du tableau fait à la National Gallery of Art de Washington.
5. C'est l'initerprétation de Bantens 1983, 96.
6. En l'occurence, celui de Puvis de Chavannes en 1895 (voir Bantens 1983, 94).
7. Morice, 1920, 43.
8. Charles Laval devait mourir à Paris en 1894, voir Walter 1978, 290.
9. Morice 1903, 413-414.

30

Nature morte au profil de Laval

1886
46 × 38
Huile sur toile.
Signé et daté en bas à gauche, *P Gauguin 86.*

Collection Josefowitz

Exposition
Toronto 1981, n° 45.

Catalogue
W 207.

La physionomie du peintre Charles Laval (1862-1894), élève de Bonnat avant d'être l'émule de Gauguin, nous est bien connue grâce à l'*Autoportrait au paysage* (1888, Amsterdam, Rijksmuseum Vincent van Gogh) dédicacé à van Gogh et l'*Autoportrait* de 1889 du Musée d'Orsay. En revanche, son œuvre, peu nombreuse, reste encore mal étudiée[1]. Laval rencontra Gauguin à Pont-Aven dès 1886 et s'engagea dans le sillage du maître. Assez d'amitié s'établit entre les deux peintres — « c'est une belle et noble nature malgré ses défauts transcendants »[2] — pour que tous deux décident de partir ensemble à Panama puis à la Martinique en 1887.

Cette nature morte formée d'éléments composites reste énigmatique à bien des points de vue. Par l'arrangement rigoureux des fruits et leur traitement à petites touches elle traduit nettement l'influence de Cézanne dont Gauguin possédait personnellement une nature morte à laquelle il était particulièrement attaché (voir cat. 111). L'introduction insolite du profil de Laval coupé par le bord droit de la toile reflète d'autre part l'influence des mises en page de Degas pour lequel Gauguin nourrissait une profonde admiration. Un tel parti décoratif anticipe le traitement de *La nature morte aux fruits* du Musée Pouchkine de 1888 (cat. 55) et du fameux portrait de *Meyer de Haan* de 1889 (cat. 93). Ce genre de composition où un personnage n'est que partiellement introduit dans la toile deviendra un des principes familiers de Bonnard, qui fut avec ses jeunes confrères un des fervents admirateurs de Gauguin à l'exposition Volpini.

La datation précise de cette *Nature morte* dans le courant de l'année 1886 reste problématique[3], tout comme l'identification de l'étrange céramique placée au centre. Celle-ci se retrouve dans le portrait de *La femme au chignon* (W 184) qui date de la même année. Il s'agit d'une œuvre de Gauguin comme l'atteste un croquis illustrant une lettre du peintre à sa femme du 6 décembre 1887 où celle-ci est parfaitement reconnaissable : « As-tu

…s le déménagement et non pas
…mporté puisque je te l'avais
… un pot de ma fabricat…
…sement j'y tiens à …
… vendre (un bon prix 100f) - …
…r mon livret du service qu…

Gauguin, *Croquis de céramique,*
lettre de Gauguin à Mette, 6 décembre 1887
(Paris, Bibliothèque d'Art et d'Archéologie, photographie S.A.B.A.A.)

emporté aussi un pot de ma fabrication ; conserves-le [sic] moi précieusement j'y tiens à moins que tu ne trouves à le vendre (un bon prix 100 F) »[4].

M. Bodelsen[5] et C. Gray[6] s'accordent pour voir dans cette céramique une des premières réalisations de Gauguin, fruit de sa collaboration avec Ernest Chaplet au printemps 1886, avant son premier départ pour la Bretagne. Mais leur argumentation repose sur la conviction que le tableau a été peint en Bretagne au cours de l'été 1886, ce qui reste à prouver.

Quoi qu'il en soit, cette œuvre requiert dès sa date précoce une lecture symbolique puisqu'elle se présente comme un chassé-croisé d'admirations, celle de Gauguin pour Cézanne et Degas, celle de Laval pour Gauguin dont le jeune peintre contemple fixement la céramique.

C.F.T.

1. On trouvera le point sur la biographie de Laval dans Merhlès, 1984, 450-454, n. 219.
2. Lettre de Gauguin à Emile Bernard, [fin octobre ou début novembre 1888], Merlhès 1984, nº 176, 270.
3. Voir sur ce point Welsh-Ovcharov in Toronto 1981, nº 45.
4. Merlhès 1984, nº 137, 167.
5. Bodelsen 1964, 154.
6. Gray 1963, 12, 18.

31

Végétation tropicale

1887
116 × 89
Huile sur toile.
Signé et daté en bas à droite, *1887 P. Gauguin.*

Edimbourg, National Gallery of Scotland (don de Sir Alexander Maitland)

Expositions
Bruxelles 1894, nº 188 ;
Edimbourg 1955, nº 19 ;
Londres 1979, nº 83 ;
Washington 1980, nº 44.

Catalogue
W 232.

Exposé à Chicago et Paris

Par son format plutôt exceptionnel et l'éclatant chatoiement de ses couleurs cette toile est souvent et à juste titre considérée comme le chef-d'œuvre de la brève période martiniquaise de Gauguin. Cette vue de la baie de Saint-Pierre a été réalisée depuis le Morne[1] d'Orange qui domine l'anse maritime au Sud. Au fond se dresse la silhouette de la Montagne Pelée le plus souvent masquée par les nuages, aujourd'hui de sinistre mémoire car ce volcan devait détruire la ville lors d'une subite éruption en 1902.

Ce panorama idyllique est fréquemment représenté sur les cartes postales et les illustrations de livres de l'époque. Cependant l'étude approfondie du site menée par K. Pope[2] a fait apparaître que Gauguin a volontairement occulté la ville de Saint-Pierre qu'on devrait logiquement apercevoir au centre gauche de la toile et que l'artiste a soigneusement dissimulée sous d'abondantes frondaisons. De la même manière, il a omis de représenter l'imposante statue de Notre-Dame-du-Port érigée en 1870 et qui aurait dû normalement apparaître dans son champ visuel. Ainsi a-t-il transformé sa toile en un paysage pur, eden encore vierge de toute trace humaine, où le seul élément vivant que l'on puisse discerner est le coq qui émerge au centre derrière un buisson de lauriers. Ce travestissement de la réalité du paysage se fait au profit de l'ordonnancement très décoratif du tableau qui témoigne de l'émerveillement du peintre devant l'exubérance de la nature tropicale dont il traduit les couleurs avec une véritable ivresse.

Saint-Pierre pouvait d'ailleurs s'enorgueillir d'offrir au visiteur un exceptionnel Jardin des Plantes créé au début du siècle et qui fournissait en végétaux exotiques nombre de parcs européens et des colonies françaises. Gauguin ne fut certes pas insensible à la richesse naturelle de la flore de l'île et l'on retrouve un petit croquis d'une branche de papayer dans l'album Briant du Louvre[3].

Cet arbre dont l'élégante silhouette se découpe à gauche sur le ciel nuageux contraste avec les masses des autres feuilles traités dans une subtile gamme de verts rares relevés d'accents orangés. Tandis que le premier plan et le ciel sont largement brossés, Gauguin a recours dans la partie centrale à la juxtaposition minutieuse de touches très fines qui confèrent à cette œuvre une texture infiniment travaillée. Cette toile où il semble que l'impressionnisme de Gauguin jette ses derniers feux sous les tropiques a appartenu au musicien Ernest Chausson qui possédait aussi des œuvres de Degas, Morisot, Redon... et fut un grand ami de Maurice Denis.

C.F.T.

1. Nom donné aux hauteurs volcaniques de l'île.
2. Pope 1981, 125.
3. Album Briant, Louvre, Département des Arts graphiques, Orsay, 21.

32

Bord de mer

1887
46 × 61
Huile sur toile.
Signé et daté en bas à gauche, *P. Gauguin 87.*

Paris, collection particulière

Expositions
Paris 1906, nº 214 ;
Bâle 1928, nº 26 ou 29 ;
Paris 1949, nº 5 ;
Saint-Germain-en-Laye 1985, nº 61.

Il existe deux versions de ce *Bord de mer* qui représente une vue de l'anse Turin à mi-chemin entre Saint-Pierre et le village de Carbet. Celle-ci est la plus petite, l'autre (W 217) où ne figurent pas les deux grands personnages au premier plan appartient à la Ny Carlsberg Glyptotek de Copenhague. Dans la version parisienne on distingue, au loin à droite, les toits rouges de la ville de Saint-Pierre.

« Nous sommes depuis trois semaines à la Martinique, pays des dieux créoles... Ce qui me sourit le plus, ce sont les figures, et chaque jour c'est un va-et-vient de négresses accoutrées d'oripeaux de couleur avec des mouvements gracieux variés à l'infini. Actuellement je me borne à faire croquis sur croquis afin de me pénétrer de leur caractère et ensuite je les ferai poser. Tout en portant de lourdes charges sur la tête elles bavardent sans cesse. Leurs gestes sont très particuliers et les mains jouent un grand rôle en harmonie avec le balancement des hanches... »[1] écrit Gauguin à Schuffenecker peu après son arrivée.

Fasciné par les paysages qui s'offraient à lui, Gauguin ne l'était pas moins par les attitudes de ces femmes — les porteuses — qui, de l'intérieur de l'île à la côte, assuraient quotidiennement dans de grands paniers posés en équilibre sur leur tête le transport de lourdes charges. Ce spectacle pittoresque, caractéristique de la vie économique du pays devait également frapper l'écrivain américain Lafacadio Hearn qui séjourna dans l'île à peu près en même temps que Gauguin. « L'artiste observateur qui visite la Martinique sera surtout frappé par le port droit et la démarche rapide et régulière des femmes qui portent des fardeaux. C'est à la vue d'une de ces passantes qu'il devra surtout le ton et la couleur de ses premières impressions »[2].

31

32

Catalogue
W 218.

Exposé à Paris

1. [Début juillet 1887], Merlhès 1984, nº 129, 156-157.
2. L. Hearn, « Martinique Sketches », *Twoo Years in the French West Indies,* New York et Londres 1890, chap. 1, 103 ; trad. Marc Logé. Paris 1924, cité par Merlhès 1984, 464, n. 227.
3. Album RF 29877-31, Louvre, Département des Arts graphiques, Orsay, 31.
4. Carte inédite de Daniel de Monfreid à E. Cros, [un samedi d'avril 1891] Paris, collection particulière.

Un de ces croquis que Gauguin se plaisait à prendre sur le vif dès son arrivée subsiste dans un carnet de dessins du Louvre[3] et représente une négresse assise de dos très proche de celle qui se découpe au premier plan de notre tableau et que l'on retrouve également à l'arrière-plan de la toile intitulée *Conversation tropiques* (W 227).

D'un spectacle pittoresque et familier à Saint-Pierre, Gauguin a tiré une procession hiératique de figures légèrement cernées qui se déploie dans un paysage très stylisé. S'il se souvient des rythmes majestueux de Puvis de Chavannes, il a certainement vu la série d'estampes consacrée par Hokusai aux *Trente six vues du Mont Fuji.* L'une d'entre elles représente notamment des voyageurs devant un rideau de pins au delà desquels on aperçoit le Mont Fuji. Gauguin tire ici un parti analogue des troncs de raisiniers, ces arbres aux larges feuilles arrondies qui bordent la côte en cet endroit. L'ordonnance décorative de cette toile et son traitement en touches franches, à l'exception du premier plan, marquent une tentative de rupture avec l'impressionnisme particulièrement intéressante à cette date. Le thème des porteuses sera plus tard plus amplement développé dans une zincographie de la série Volpini, *Les cigales et les fourmis* (cat. 76). Cette toile a appartenu à un amateur peu connu, Ernest Cros (1857-1946). Polytechnicien, qui fit carrière comme ingénieur aux chemins de fer de l'Etat, celui-ci était un ami de jeunesse de Daniel de Monfreid. Si ses moyens ne lui permirent pas de constituer une véritable collection, il fut rapidement au contact de l'œuvre de Gauguin par l'intermédiaire de Monfreid. C'est à ce dernier qu'il acheta *Bord de mer* en 1891 au prix dérisoire de 130 F[4]. Il avait acquis également une toile intitulée *Le Saule* (1889) (W 347) et eût acheté *Te arii vahine, La femme aux mangos* (cat. 215) si D. de Monfreid n'avait pas vendu cette toile à son insu à G. Fayet. C.F.T.

Hokusaï, *Mont Fuji vu de Hodogaya sur la route du Tokaïdo,* gravure sur bois, tirée des *Trente-six vues du Mont Fuji,* vers 1831
(Paris, Huguette Bérès)

33

La mare

1887
90 × 116
Huile sur toile.
Signé et daté en bas à droite, *Paul Gauguin 87.*

Munich, Neue Pinakothek, Bayerische Staatsgemäldesammlungen

Exposition
Copenhague, Udstilling 1893, n° 142.

Catalogue
W 226

Exposé à Washington

De même format que *Végétation tropicale* (cat. 31), mais en largeur, *La mare* nous invite à pénétrer dans l'intérieur de l'île aux épais sous-bois. Cette vue d'une ferme martiniquaise n'a pu être identifiée avec certitude mais il pourrait s'agir, selon K. Pope[1], d'une partie de l'habitation de sieur Bouchereau au lieu-dit l'Anse Latouche, entre le village de Carbet et Saint Pierre. En tout cas, Gauguin ne manquait pas de traverser de tels sites lorsqu'il se rendait de sa case à Saint-Pierre, distante de deux kilomètres.

Avec cette toile, Gauguin reprend un thème de sous-bois et de ruisseau — hérité de Pissarro — et maintes fois traité dans une facture plutôt épaisse et des harmonies sombres en 1885-1886. La palette de *La mare* est plus chaude, roses, mauves et orangés contrastant avec les verts profonds. Comme dans *Végétation tropicale* (cat. 31) la touche assez large au premier plan fait place à une juxtaposition de fines hachures parallèles dans le traitement des feuillages, texture caractéristique des toiles martiniquaises.

Octave Mirabeau qui fut l'un des premiers à saluer l'originalité des œuvres de la Martinique fut particulièrement sensible au charme de ces paysages : « il y a, dans ces sous-bois, aux végétations, aux flores monstrueuses, aux figures hiératiques, aux formidables coulées de soleil, un mystère presque religieux, une abondance sacrée d'Eden »[2].

La Mare est peut-être « le grand tableau... de la Martinique » auquel Gauguin fait allusion dans une lettre à la veuve de Theo van Gogh, Jo Bonger, du 4 mai 1894[3] ; celle-ci aurait alors été momentanément en possession de la toile.

C.F.T.

1. Pope 1981, 129-130.
2. Mirbeau 1891, 1.
3. Cooper 1983, 45.2, 341.

34

La baignade

1887
87,5 × 70
Huile sur toile.
Signé et daté en bas à droite, *P. Gauguin 87.*

Buenos-Aires, Museo Nacional de Bellas Artes

Expositions
Paris 1888 ;
Bâle 1949, nº 79.

Catalogue
W 215.

Datée par Gauguin 1887, *La baignade* n'en continue pas moins de poser un problème chronologique déjà soulevé à maintes reprises[1]. Le motif de baigneuses est incontestablement breton – ce que viennent confirmer les sabots que l'on distingue dans l'angle inférieur droit — et Gauguin a dû l'observer durant son séjour en Bretagne au cours de l'été précédent, en 1886. Cependant la végétation, le chromatisme employé et la touche très menue évoquent fortement les œuvres réalisées à la Martinique entre juin et novembre 1887. Ceci explique que cette œuvre ait été assignée à la période martiniquaise lors de l'exposition de Bâle en 1949-1950[2]. Il semble plus plausible que Gauguin ait terminé, après son retour de la Martinique en novembre 1887, et encore fortement marqué par les couleurs qu'il avait pu observer là-bas (voir cat. 31 à 33), une toile qu'il avait pu commencer à Paris avant son départ...

L'artiste avait déjà traité le thème de la baignade dans une toile de 1886 (W 272)[3] figurant de jeunes garçons au bord de l'Aven, tableau aujourd'hui disparu. Il devait y revenir à plusieurs reprises en 1888-1889 (cat. 47, 48), trouvant là matière à des études de nus dont les qualités plastiques et décoratives allaient rapidement l'emporter sur l'interprétation naturaliste. *La baignade* apparaît ainsi comme une des premières manifestations d'un thème qui trouvera par la suite son ultime développement dans les toiles de Tahiti (voir cat. 144).

Présentée chez Boussod et Valadon en février 1888 en complément de toiles bretonnes et de la Martinique ainsi que de plusieurs céramiques, *La baignade* devait susciter un commentaire nourri de Félix Fénéon dans la *Revue Indépendante* : « Chez Van Gogh (maison Boussod et Valadon boulevard Montmartre) s'entrepose un nouveau Gauguin : *Deux baigneuses*. L'une que sectionne à la ceinture l'eau, développe un large dessin d'épaules, une architecture d'opulente bourgeoise ; sur le pré, une pantoise petite servante, aux courts cheveux raides, à l'ahuri museau, la regarde grelotter, et, hésitante à faire le dernier pas, la main gauche au genou-hanche. Un grêle, rectiligne et lisse fût, déjà vu dans Cézanne, les sépare et divise la toile en deux caissons. Derrière elles, le paysage s'arrête net, interrompu par un ressaut dont la pente quasi verticale se vêt de frondaisons lourdes et sourdement rousses ; tout dans la courbe s'engourdit de la torpeur des canicules... »[4].

Cette toile est encore proche du modèle de Degas auquel Gauguin reprochera bientôt de sentir « la mauvaise odeur du modèle »[5]. A la même date d'ailleurs, Degas exposait, également chez Boussod et Valadon, une série de pastels de femmes à leur toilette qui n'ont sûrement pas échappé à Gauguin. L'année précédente, en 1886, Degas avait présenté à la 8e exposition impressionniste une *Suite de nus* au pastel dont l'écho se fait sentir dans cette toile.

Dans *La baignade* apparaissent certains motifs qui seront systématiquement développés ultérieurement. Particulièrement remarquable à cet effet apparaît la baigneuse coupée par le bord du tableau dans l'angle inférieure gauche. Ce dos ici traité de façon naturaliste est le prototype d'*Ondine* (cat. 80), lui-même repris dans le bois *Soyez mystérieuses* (cat. 110) avant d'être somptueusement exalté par les vibrantes couleurs de *Vahiné no te miti* (cat. 144). La figure de droite est également appelée à divers développements ; nous la retrouvons coupée à mi-corps dans un éventail (W 216)[6] daté comme la *Baignade* de 1887 et dont une première pensée apparaît dans un carnet de croquis de Bretagne[7]. Au cours de l'hiver 1887-1888, Gauguin isole à nouveau ce motif et l'insère dans deux céramiques, une coupe émaillée ayant appartenu au peintre danois Mogens Ballin (cat. 38) et un vase (cat. 51) de l'ancienne collection Gustave Fayet. Enfin, la même figure reparaît, inversée, dans une des zincographies de la série Volpini (cat. 71), bon exemple de la récurrence dans l'œuvre de Gauguin de certains thèmes traités dans les techniques les plus diverses.

La composition est particulièrement audacieuse : la verticale de l'arbre vient en effet couper une diagonale qui s'établit grâce aux masses claires des deux baigneuses dont le point de départ est un cochon vu de profil en haut à droite. Nul doute que celui-ci n'ait été placé à dessein par Gauguin dans cette position dominante ; il y joue le rôle, pour lors plus ironique que dérangeant, qui sera celui plus pervers du renard dans *La perte du pucelage* (cat. 113).

Restée en consignation chez Boussod et Valadon[8], *La baignade* ne trouva preneur en la personne du collectionneur Roger Marx qu'en 1891, lors de la vente des toiles de l'artiste avant son départ pour Tahiti[9]. C.F.T.

Degas, *Femme s'essuyant*, 1885,
pastel faisant partie d'une *Suite de nus*
exposée à la huitième exposition impressionniste en 1886
(Washington, National Gallery of Art,
don de la Fondation W. Averell Harriman,
en souvenir de Marie N. Harriman)

1. Bodelsen 1959, 186-190.
2. Georg Schmidt, Bâle 1949, nº 79, 108.
3. Daté 1888 dans Wildenstein 1964.
4. Fénéon 1888, 307-308, repris in Fénéon 1970, vol I, 95.
5. Lettre à E. Bernard [novembre 1889] ; Malingue 1946, nº XCII, 174.
6. Localisation actuelle inconnue.
7. Cogniat-Rewald 1962, 90.
8. Rewald 1973, 49, (prix 400 F).
9. Rotonchamp 1906, 77, nº 18, procès verbal de la vente de tableaux de Paul Gauguin, Paris, Hôtel Drouot, 23 février 1891, nº 18, « adjugé 360 francs ».

35

Baigneuse, étude pour «La baignade»

1886-1887
58,8 × 35,8 (forme irrégulière)
Fusain et pastel ; traces de pinceau et encre brune mis au carreau à la mine de plomb sur papier vergé.
Signé en bas à gauche au fusain, *P Gauguin* ; inscription au fusain en haut à droite, *Mars 87.*

The Art Institute of Chicago, don de Mme Gilbert W. Chapmann en souvenir de Charles B. Goodspeed

Exposé à Wasghinton et Chicago

En dépit de l'inscription « Mars 87 » que l'on peut encore déchiffrer en haut à droite, ce pastel pose de délicats problèmes de datation. La technique complexe de cette grande feuille fait apparaître que Gauguin y a travaillé à plusieurs reprises. Il s'agit d'une étude à l'échelle définitive et mise au carreau pour la figure de droite du tableau de Buenos-Aires, *La baignade* (cat. 34).

Étudiant ce dessin, M. Bodelsen[1] avait bien perçu le hiatus entre le rendu flou et pulpeux du modèle au moyen de hachures au pastel et la fermeté du contour repris au fusain. Elle interprétait alors cette différence de traitement comme une reprise en 1887 d'un dessin exécuté en Bretagne en 1886 en vue de *La baignade.*

En réalité, l'observation attentive du pastel révèle que ce médium a été appliqué par dessus les contours renforcés au fusain, donc après ceux-ci ; l'hypothèse la plus logique serait donc la suivante : après avoir fait une première esquisse de sa baigneuse, sans doute en Bretagne pendant l'été 1886, Gauguin utilise son dessin, mis au carreau et dont il rehausse les contours au fusain, pour le report du modèle sur sa toile. C'est sans doute l'étape de mars 1887.

C'est seulement après qu'il revient à son dessin pour le colorier au pastel ; il en fait alors une œuvre finie en soi. Le découpage irrégulier de la feuille, fréquent chez l'artiste (voir cat. 45), a pu intervenir lors du report ou lors de la dernière étape. Enfin l'impression que le pastel a été mouillé n'exclut pas l'hypothèse que Gauguin ait par la suite réutilisé son dessin pour en faire une contre-épreuve en appliquant dessus un feuille humide[2].

Quoi qu'il en soit, ce pastel est un excellent exemple du goût de l'artiste pour la manipulation de ses propres œuvres : faire un dessin, en accentuer les contours, en découper le support, le colorier... Cette tendance au « bricolage » s'épanouira pleinement dans les monotypes et les gravures sur bois. Dès 1889, Gauguin reprend le motif de cette *Baigneuse* dans le projet d'assiette (cat. 77) qui sert de couverture à l'Album Volpini et dans la zincographie de la même série intitulée *Baigneuses bretonnes* (cat. 71).

Quant au style, cette étude montre bien le passage d'une inspiration encore naturaliste, sous l'influence des nus de Degas, à une appréhension plus synthétiste des formes, évolution qui se précisera à la faveur du deuxième séjour en Bretagne en 1888. C.F.T.

1. Bodelsen 1964, 174-176.
2. Je dois toutes ces observations techniques à P. Zegers, conservateur consultant à l'Art Institute de Chicago.

36

Jarre à quatre pieds

Hiver 1887-1888
H. 18,2
Grès émaillé.

Paris, Fondation Dina Vierny

Catalogues
G 23 ; B 43.

Exposé à Paris

Ce curieux vase à quatre pieds fait partie d'une série de céramiques que M. Bodelsen situe entre le retour de Gauguin de la Martinique en novembre 1887 et son nouveau départ pour Pont-Aven en février 1888[1]. Les céramiques de cette période se caractérisent par une recrudescence de la recherche d'exotisme, ici la forme ramassée évoque les bronzes chinois et un intérêt croissant pour les effets de vernis, la recherche systématique des coulures. Celle-ci est soulignée dans ce vase par des touches dorées qui ponctuent la gamme de bruns rouges et d'ocre. C'est encore un motif breton qui décore la partie supérieure, une femme et une oie comme on en trouvait dans les tous premiers essais de l'artiste en 1886-1887 (cat. 26 à 28). Cette céramique a fait partie de la collection de G. Fayet, grand amateur d'art de Béziers. C.F.T.

1. Bodelsen 1964, 95.

37

Pot décoré d'une tête de femme

Hiver 1887-1888
H. 17,5
Grès émaillé.
Signé devant sur la tête, *P Go.*

Genève, Musée du Petit Palais

Expositions
Paris 1906, nº 178 (*Masque au diadème*) ;
Pont-Aven 1953, nº 42 ;
Saint-Germain-en-Laye 1895, nº 52.

Cet étonnant vase en grès émaillé orné d'une tête de femme non vernie est à rattacher, comme le cat. 39, à une série de céramiques anthropomorphes exécutées par l'artiste à Paris, après son retour de la Martinique durant l'hiver 1887-1888. La technique de Gauguin a beaucoup évolué par rapport aux premiers vases à sujets bretons de l'hiver 1886-1887. Ses formes ont pris de l'ampleur ; les motifs décoratifs ne sont plus rajoutés mais font partie intégrante de la structure du vase. Celui-ci surprend par l'originalité de sa forme, une double collerette surmontée d'une triple anse formant une aura spectaculaire autour du masque de femme dont la matité contraste avec les émaux qui recouvrent le corps de la pièce. Les couleurs flammées allant du noir au jaune en passant par toutes les nuances du brun-rouge sont obtenues à partir de la cuisson de différents oxydes métalliques attestant une singulière maîtrise technique.

On trouve un croquis d'un vase analogue mais sans collerette sur un feuillet de l'Album Briant[1] du Louvre où figurent également des études pour les vases-portraits de Mme Schuffenecker (G 49) et de sa fille Jeanne (cat. 39).

Démon-crabe pêcheur,
céramique, Pérou,
culture Mochica
(100 avant J.-C. - 600 après)
(Paris, Musée de l'Homme)

Gauguin, *Étude de vases,*
Album Briant, 27
(Paris, Musée du Louvre,
Département des Arts Graphiques, Musée d'Orsay)

1. Album Briant, Louvre, Département des Arts graphiques, Orsay, 27.
2. Bodelsen 1964, 66, fig. 45.

Le rapprochement de ces trois céramiques sur la même feuille joint au témoignage d'une photographie de la famille Schuffenecker a suggéré à M. Bodelsen de voir dans la figure féminine du vase de Genève la nurse de la famille Schuffenecker qui figure sur la photo. Cette identification est pourtant difficilement contrôlable.

La source péruvienne de cette céramique semble évidente. On peut en effet la rapprocher d'un vase de culture mochica (100 av.-600 ap. J.C.) représentant un démon-crabe pêcheur, à la tête surmontée d'une tiare en éventail. Il est fort possible que Gauguin ait vu ce vase qui faisait partie des collections de l'ancien Musée d'Ethnographie du Trocadéro, aujourd'hui Musée de l'Homme, dès 1878. Une telle confrontation montre bien le degré d'invention formelle rapidement atteint par Gauguin dont le primitivisme puise aux sources de la céramique anthropomorphe péruvienne pour en exploiter très librement les ressources décoratives.

38

Compotier à la baigneuse

1887-1888
29 × 29
Grès.

Mme Arthur M. Sackler

Expositions
Copenhague, Kleis 1893 ;
Copenhague 1948, n° 81.

Catalogues
G 50 ; B 41.

1. Gray 1963, 164.
2. Bodelsen 1964, 91.
3. Malingue 1946, n° CXIX, 210 où le nom est ortographié *Moggens Ballin.*
4. Fénéon 1888b, repris in Fénéon 1970, vol. I, 94-95.

Les auteurs font soit une coupe soit un compotier de cette céramique où Gauguin a déployé une prodigieuse inventivité. Dans son catalogue, Gray la présente comme une coupe et la rapproche d'une lettre non datée envoyée par Gauguin à Redon, où l'artiste fait allusion à « une *Coupe* que je regarde comme une *pièce rare,* vu la difficulté de les cuire, à cause de l'affaissement probable à la chaleur[1] ».

Merete Bodelsen a donné à cette œuvre un titre plus logique, *Compotier à la baigneuse*[2], dans la mesure où elle est garnie de fruits dans une nature morte exécutée par Gauguin en 1888 (W 289). Elle semble avoir été vendue à Mogens Ballin, un ami danois de Mette Gauguin, juste après le départ de l'artiste pour Tahiti[3].

Le compotier a la forme d'un bassin peu profond où une baigneuse s'apprête à entrer. Le personnage correspond à une baigneuse debout dans un peinture de 1887 (cat. 34) ou à un dessin en couleurs (cat. 35), étude préparatoire de ce tableau. Mais la céramique a permis à Gauguin de le représenter en trois dimensions, et de le placer dans un décor qui se compose de feuilles immenses, de tiges sinueuses et d'eau tourbillonnante. La toute petite baigneuse donne une impression de vulnérabilité dans cet environnement végétal.

Gauguin semble avoir poussé la technique de la céramique jusqu'à ses limites extrêmes, en façonnant dans le grès des courbes comme « dessinées » à main levée. Le compotier a d'ailleurs subi plusieurs cassures peu après son exécution, et on lui a ajouté un support en bois pour le rendre plus stable. Tout cela conduit à penser que Gauguin l'a réalisé après son retour de la Martinique en novembre 1887, dans une période consacrée à des recherches intensives sur la céramique. La peinture à laquelle se rattache cette œuvre fut exposée en janvier 1888 à la galerie Boussod et Valadon, où Fénéon la remarqua[4], et il se pourrait que l'admiration évidente de Fénéon pour sa baigneuse peinte ait incité Gauguin a créer diverses variantes, dont le compotier. R.B.

39

Pot en forme de buste de jeune fille, portrait de Jeanne Schuffenecker

Hiver 1887-1888
H. 19
Grès non émaillé.
Signé et dédicacé devant à droite, *à mon ami Schuff./P Go.*

France, collection particulière

Exposition
Paris 1900, nº 2878 (?).

Catalogues
G 62 ; B 32.

Exposé à Paris

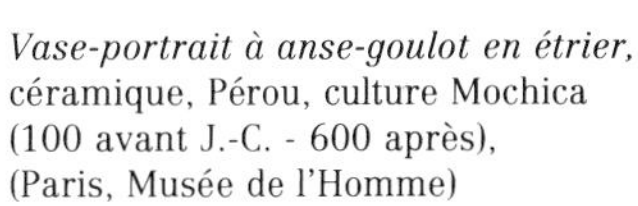

Vase-portrait à anse-goulot en étrier, céramique, Pérou, culture Mochica (100 avant J.-C. - 600 après), (Paris, Musée de l'Homme)

Ce vase reflète bien l'évolution de la céramique de Gauguin au cours de l'hiver 1887-1888 dans le sens de la sculpture ; il n'est pas conçu comme un pot décoré d'une tête mais comme un véritable buste dont l'intérieur aurait été évidé. L'artiste s'est d'ailleurs expliqué sur sa démarche dont le but était de « remplacer le tourneur par des mains intelligentes qui puissent communiquer au vase la vie d'une figure, tout en restant dans le caractère de la matière »[1].

A cet égard, l'influence des vases-portraits péruviens est déterminante. S'inspirant librement de ce schéma, Gauguin se met à façonner dans la terre de véritables portraits individualisés de lui-même (cat. 64) ou de ses proches dont certains ont pu être identifiés (cat. 62).

Sur la base d'une photographie de la famille du peintre Schuffenecker prise rue Boulard où Gauguin fut hébergé à son retour de la Martinique de novembre 1887 à fin janvier 1888, M. Bodelsen[2] a pu reconnaître le modèle de ce vase ; il s'agirait de Jeanne Schuffenecker, fille d'Émile et Louise Schuffenecker, alors âgée de six ou sept ans. On rapprochera donc cette céramique des deux vases-portraits de Mme Schuffenecker, dont l'un appartient au Musée de Dallas (cat. 62) et l'autre à une collection particulière (G 49).

Un croquis pour le portrait de Jeanne Schuffenecker apparaît dans l'Album Briant du Louvre[3]. Ce vase a appartenu au peintre Emile Schuffenecker avant d'entrer dans la collection de Gustave Fayet. C.F.T.

1. Gauguin 1895c, 1.
2. Bodelsen 1964, 58, 63.
3. Album Briant, Louvre, Département des Arts graphiques, Orsay, 27 ; voir fig. cat. 37.

40

Premières fleurs — Bretagne

1888
70 × 92
Huile sur toile.
Signé et daté en bas à gauche, *P Gauguin 88.*

Zurich, en prêt au Kunsthaus

Peinte à Pont-Aven au printemps 1888, cette toile témoigne d'une fraîcheur d'inspiration exceptionnelle due en partie à son sujet sans prétention et exempt de tout arrière plan symbolique mais surtout à une technique impressionniste ici poussée à l'extrême. Il semble que Gauguin ait voulu éprouver les limites de ce que pouvait lui apporter la touche divisée dans un contexte d'inspiration idyllique proche de l'esprit des œuvres de son premier séjour breton. Il en résulte un charme fluide qu'on ne retrouve guère que dans une toile contemporaine de technique analogue intitulée *Conversations Bretagne* (W 250) qui comme les *Premières fleurs* faisait partie de l'envoi de l'artiste à l'exposition Volpini[1].

Cette rare qualité ne laissa pas Degas indifférent. La toile fut, en effet, présentée avec d'autres œuvres de Gauguin chez Boussod et Valadon en novembre 1888 où Degas put la voir. Le 13 novembre 1888, Theo pouvait écrire à Gauguin qui séjournait alors à Arles auprès de

40

Expositions
Paris 1888 ;
Bruxelles 1889, n° 3 ;
Paris 1889, n° 31.

Catalogue
W 249.

1. Lettre de Gauguin à Schuffenecker, Malingue, 1946, n° LXXVII, 152. [décembre 1888] : *3° Les bretonnes (1 debout, 1 par terre).*
2. Bodelsen 1957, 200. Merlhès 1984, n° XCIII, 280 et n. 300, 512-513.
3. Rewald 1973, n. 76.
4. Lettres à Emile Bernard, in Bernard 1942, 83.
5. Rotonchamp 1906, 77, n° 12. Procès-verbal de la vente n° 13, *Bretonnes au printemps.*
6. Merlhès 1984, n° 159, 211.

Vincent : « Il vous fera probablement plaisir de savoir que vos tableaux ont beaucoup de succès... Degas est si enthousiaste de vos œuvres qu'il en parle à beaucoup de monde et qu'il va acheter la toile qui représente un paysage de printemps avec une prairie sur l'avant-plan avec deux figures de femme, l'une assise, l'autre debout »[2].

En définitive, Degas dut se raviser et acheta probablement une toile de la Martinique *Huttes sous les arbres* (W 230)[3], qui figurait aussi à l'exposition chez Boussod et Valadon et qui est la seule œuvre de 1887-1888 ayant fait partie de sa collection.

Pour sa part, Gauguin, rasséréné par les nouvelles encourageantes reçues de Theo, devait écrire peu après à Emile Bernard : « Je suis aussi satisfait que possible du résultat de mes études de Pont-Aven. Degas doit m'acheter celui des deux bretonnes aux Avins. C'est pour moi la plus grande flatterie : j'ai comme vous le savez la plus grande confiance dans le jugement de Degas. En outre, c'est commercialement un très bon point de départ. Tous les amis de Degas ont confiance en lui. »[4]
C'est finalement Alexandre Natanson, directeur de la Revue Blanche et judicieux collectionneur qui se rendit acquéreur de la toile pour 250 F lors de la vente des œuvres de Gauguin à l'hôtel Drouot en 1891[5].

Un croquis pour la bretonne debout figure au verso d'une lettre adressée le 14 août 1888 par Gauguin à Schuffenecker[6].

C.F.T.

41

Nature morte à l'éventail

Vers 1888
50 × 61
Huile sur toile.
Signé en bas à droite, *P Gauguin.*

Paris, Musée d'Orsay

Expositions
Paris, Orangerie 1949, nº 13 ;
Bâle 1949, nº 38.

Catalogue
W 377.

L'examen radiographique de cette nature morte révèle qu'elle a été peinte sur une autre composition malheureusement difficilement identifiable, probablement un morceau d'une toile antérieure où l'on distingue un curieux objet à long manche barrant verticalement la toile en son milieu. L'anse du pichet a par ailleurs été rajoutée postérieurement.

Il est pourtant difficile de tirer des conclusions certaines des études en laboratoire de cette œuvre, traditionnellement datée 1889. L'identification du mystérieux objet situé au deuxième plan à droite est due à M. Bodelsen[1] qui y reconnaît la céramique *Rat à cornes* — ici avec les cornes mais sans tête de rat — à laquelle Gauguin fait allusion dans une lettre à Schuffenecker[2]. C'est également à cette céramique que van Gogh se réfère dans une lettre envoyée d'Arles à Theo[3] où il lui annonce que « Gauguin a fait revenir de Paris un pot magnifique avec deux têtes de rats ». Cette céramique que M. Bodelsen date du retour de l'artiste de la Martinique, c'est-à-dire de l'hiver 1887-1888, apparaît clairement dans un croquis de l'Album Briant du Louvre[4].

L'éventail, probablement de Gauguin, ainsi que la céramique se retrouvent à l'arrière-plan du portrait de Mme Kohler, femme d'un caissier du Bon Marché, généralement daté de 1889, aujourd'hui à la National Gallery de Washington (W 314). La composition somme toute très sage de cette nature morte, la touche employée ainsi que le type d'éventail représenté n'excluent pas la possibilité d'une datation antérieure à 1889, sans doute courant 1888[5]. Cette toile a appartenu au Prince japonais Matsukata (1865-1950). Ce célèbre amateur avait acheté à Paris presque un millier de tableaux impressionnistes, post-impressionnistes et de l'Ecole de Paris, conseillé par Léonce Bénédite, conservateur du musée du Luxembourg et par le peintre Aman-Jean. Une partie de sa collection restée en France pendant la dernière guerre fut séquestrée, et fit l'objet d'une négociation entre le Japon et la France après l'armistice, au terme de laquelle, en 1959, trois cent soixante et onze pièces furent rendues au Japon et constituent une grande part du musée d'art occidental de Tokyo. Ce tableau en faisait partie, ainsi que *Les deux petites bretonnes devant la mer* (cat. 91). *Baigneuses à Dieppe* (W 167) et le *Portrait de Slewinsky* (W 386). En même temps revenaient au Louvre, « en application du traité de paix avec le Japon » plusieurs œuvres de Gauguin dont *La famille Schuffenecker* (cat. 61), *La nature morte à l'éventail* (cat. 41), *Le moulin David* (W 528) et *Vairumati* (W 559). C.F.T.

1. Bodelsen 1964, 154-155.
2. Citée par Bodelsen 1964, 213, n. 12.
3. Lettre de Vincent à Theo, in Van Gogh 1960, nº 562 F, 274.
4. Album Briant, Louvre, Département des Arts graphiques, Orsay, 20.
5. Huyghe 1952, 59, n. 1.

Gauguin,
Madame Alexander Kohler,
1887-1888, huile sur toile
(Washington, National Gallery of Art,
collection Chester Dale)

Gauguin, *Feuille de croquis,*
Album Briant, 20
(Paris, Musée du Louvre,
Département des Arts
Graphiques, Musée d'Orsay)

42

Petit berger breton

1888 février (?)
89×116
Huile sur toile.
Daté et signé en bas et à gauche, *88 P. Gauguin.*

Tokyo, Musée national d'art occidental, collection Matsukata

Expositions
Paris Orangerie 1949, n° 9 ;
Quimper 1950, n° 4 ;
Tokyo 1987, n° 24.

Catalogue
W 256.

Exposé à Washington et Chicago.

Le titre de ce tableau — sans doute donné bien tardivement — est assez surprenant puisque le petit paysan en blouse bleue ne garde aucun animal, ou alors veille sur un troupeau lointain, à gauche, en dehors du cadre. Il paraît plutôt accompagner la ramasseuse de fagots du premier plan, pour lequel Gauguin a utilisé un beau pastel de même dimension (cat. 22). D'ailleurs, Gauguin intitulait lui-même tout simplement son tableau *Paysage, coteaux avec garçon blouse bleue* dans la liste de ses tableaux consignés chez Boussod et Valadon[1]. Le même enfant au chapeau rond a servi de modèle pour le *Gardien de porcs* (cat. 43) ; et on le retrouve sur un éventail (W 257), dans la même position, mais cette fois au milieu des oies. Ce petit breton était croqué sur le vif, au crayon dans un carnet d'études[2] : grimpant sur une échelle, portant une cruche à la fontaine, etc... Notons au passage la méthode de travail de Gauguin : le paysage est fait d'après nature, et les deux personnages sont comme « appliqués » dessus, à partir de dessins antérieurs pris dans ses cartons ou en feuilletant ses carnets. Ce qui explique d'ailleurs une certaine disproportion entre ces deux personnages.

La dimension est assez exceptionnelle dans l'œuvre de Gauguin à l'époque et lui permet de développer largement un paysage de coteaux à l'horizon très haut, en jouant seulement sur une variété subtile de verts et de bleus, à peine relevés du brun des branches hivernales, du rose de la route et surtout de l'accent blanc de la coiffe de la « glaneuse » (voir cat. 22). La technique encore très proche de l'impressionnisme et l'atmosphère de rusticité douce évoquent bien évidemment l'influence persistante de Pissarro, et incitent à dater le tableau du tout début 1888, avant les grands bouleversements stylistiques de l'été. D'ailleurs Gauguin doit évoquer cette toile quand il écrit à Schuffenecker fin février « j'ai quatre tableaux en train presque tous terminés dont deux de 50 (...) »[3].

On ne sait pas quelle a été la destinée de ce tableau entre la date où Gauguin le laisse chez Boussod et Valadon[1], et sa présence dans les années vingt dans la fameuse collection du prince Matsukata (voir cat. 41).

F.C.

1. Rewald 1973, 49.
2. Publié par Cogniat et Rewald 1962 ; voir Bodelsen 1964, 201.
3. Merlhès 1984, n° 141.

43

Paysage breton avec cochons

1888 [fin du printemps[2]]
73 × 93
Huile sur toile.
Signé et daté en jaune en bas et à droite, *P. Gauguin 88.*

Expositions
Paris 1906, nº 24 ;
Chicago 1959, nº 10.

Catalogue
W 255 (le gardien de porcs).

Los Angeles, collection Mrs Lucille Ellis Simon

1. Wildenstein 1956, 94.
2. Cogniat et Rewald 1962, 19, 20.
3. Cogniat et Rewald 1962, 23.

Il est rare que Gauguin représente, comme ici, une Bretagne pimpante, avec un ciel clair et des couleurs vives qui sont celles du beau temps et non de l'imagination — comme le rouge de *La vision* (cat. 50) ; bref celles de la simple observation « à l'impressionniste ». Les fleurs et le vert acide de l'herbe indiquent la fin du printemps ou le début de l'été. La scène se situe dans un pâturage bordé de rochers de granit qui surplombe la petite ville de Pont-Aven — dont on voit à droite les maisons chaulées de blanc briller au soleil ; la colline couverte de champs géométriques, au fond, est la colline Sainte Marguerite[1]. L'enfant est fait d'après les croquis d'un carnet de 1886, dont l'un montre le même petit breton perché sur une échelle, coiffé de son grand chapeau et la main devant la bouche[2]. La vache qui broute les fleurs à gauche vient aussi du même carnet de croquis[3], ce qui confirme une fréquente méthode de travail, d'ailleurs bien traditionnelle, chez Gauguin : la partie « paysage » est souvent faite sur nature, et les personnages ou animaux peints en atelier à partir de croquis repris dans des carnets antérieurs, ici de deux ans. Il procède ainsi dans le *Petit berger breton* (cat. 42).

Les petits cochons sont certainement des favoris du bestiaire de Gauguin, pour leur incarnation immémoriale de tous les plaisirs gloutons, pour leur peau dont la couleur est plus stridente dans un paysage que celle des vaches, et dont la forme bouffie et joviale se termine de façon si comique par leur queue en tire-bouchon. Il en fait la même année un motif important, d'ailleurs ajouté, près de son nu d'Arles *Dans le foin* (W 301), et le cœur de son assiette, *Les folies de l'amour* (cat. 103). Il les retrouvera à Tahiti avec une sympathie évidente, ceux-là tout petits et noirs, et les peindra à de nombreuses reprises, en particulier dans *Les pourceaux noirs* (W 446), et *Rupe Rupe* (W 585).

A la rétrospective du Salon d'automne en 1906, parmi les quelques vingt-cinq toiles de Gauguin appartenant au collectionneur Fayet, surtout attiré par les œuvres d'océanie, il y avait tout de même six tableaux bretons, dont *Dans les vagues* (cat. 80), *Le champ de pommes de terre* (cat. 107) et celui-ci. Il représente, au début de 1888, un moment d'équilibre entre une vision pittoresque du paysage local, à la limite de la banalité, et des éléments qui annoncent toutes les inventions picturales des mois à venir. Le grand Gauguin apparaît, dans la façon dont il peint le talus fleuri rouge et rose, à gauche, les cochons en objets précieux, dorés, la rivière de l'Aven qui serpente au fond, d'une couleur jaune dorée arbitraire, ou le triangle vert vif plat au centre en haut de la toile. F.C.

44

La ronde des petites bretonnes

1888
71,4 × 92,8
Huile sur toile.
Signé et daté en bas à droite, *P Gauguin 88.*

Washington, National Gallery of Art, Collection Mr et Mme Paul Mellon

Expositions
Paris 1888 ;
Paris 1889, nº 36 ;
Londres 1911, nº 17 ;
Paris 1919, nº 12.

Catalogue
W 251.

Exposé à Washington

« Je suis en train de faire une gavotte dansée par 3 petites filles au milieu des foins. Je crois que vous en serez content. Ce tableau me paraît original et j'en suis assez content au point de vue du dessin » écrit Gauguin à Theo van Gogh à la mi-juin 1888[1].

De facture impressionniste assez classique, *La ronde des petites bretonnes* témoigne de la même inspiration détendue que *Premières fleurs — Bretagne* (cat. 40). Le site représenté est le champ dit Derout, du nom de son propriétaire, qui s'étend à flanc de coteau derrière l'église de Pont-Aven dont on aperçoit ici le clocher. Gauguin avait déjà peint cet endroit lors de son premier séjour breton (W 199, W 200) et le même champ sert de cadre à plusieurs peintures de 1888 (W 269, W 270, W 271).

Comparée aux *Quatre bretonnes* de Munich (W 201), toile de mêmes dimensions peinte en 1886 où se découpent quatre silhouettes alternativement représentées de face, de dos ou de profil, *La ronde des petites bretonnes* fait preuve de moins d'audace dans l'organisation spatiale et l'on serait tenté de trouver la toile de 1888 plus conventionnelle que celle peinte lors du premier séjour de 1886. Dans *La ronde des petites bretonnes* se font cependant jour des préoccupations décoratives perceptibles notamment dans la mise en scène rythmique des personnages, l'enchaînement harmonieux des lignes et l'insistance sur les divers éléments du costume, coiffes, cols et sabots, la plupart cernés d'un trait. Le même parti décoratif s'affirme dans l'emploi de la couleur où les masses sombres des costumes que pimentent deux taches rouges vif se découpent sur un fond jaune moutarde.

Cette toile faisait partie de l'accrochage d'œuvres de Gauguin chez Boussod et Valadon en novembre 1888. Theo van Gogh lui avait trouvé preneur à condition que Gauguin y apporte une légère retouche : « Je pourrai encore vendre la ronde des petites bretonnes, mais il y aura une petite retouche à faire. La main de la petite fille qui vient au bord du cadre prend une importance qu'elle ne paraît pas avoir quand on ne voit que la toile (sans cadre). L'amateur voudrait que vous revoyiez un peu la forme de cette main sans autrement modifier quoi que ce soit dans le tableau. Il me semble que cela ne sera pas difficile et pour cela je vous envoie la toile. Il donnera 500 F du tableau tout encadré avec un cadre qui revient à près de 100 F. Voyez si vous pouvez le contenter et si vous voulez faire l'affaire. » (Lettre de Theo van Gogh à Gauguin, 13 novembre 1888)[2].

Theo renvoya donc la toile à Gauguin qui se trouvait alors à Arles. Celui-ci effectua la retouche comme l'écrit Vincent à son frère : « La toile de Gauguin, « Enfants bretons » est arrivée, et il l'a très bien changée. Mais

1. Merlhès 1984, nº 151, 190, [15-18 juin 1888].
2. Bodelsen 1957, 200. Voir aussi Rewald 1973, 32.
3. Van Gogh 1960, 274.
4. Rewald 1973, Appendix I.
5. Huyghe 1952, 222.
6. Malingue 1946, nº LXXXIX, 169 [Le Pouldu, octobre 1889].

quoique j'aime assez cette toile c'est d'autant mieux qu'elle soit vendue puisque les deux qu'il va t'envoyer d'ici sont trente fois meilleures. Je parle des Vendangeuses et de la Femme aux cochons. »[3] (W 304, W 301).

La ronde des petites bretonnes qui fut exposée pendant l'été 1889 à Paris sous le titre *Ronde dans les foins* ne trouvera cependant acheteur qu'à l'automne suivant où on la trouve consignée dans les registres de Boussod et Valadon comme vendue 500 F à Montaudon le 16.09.89[4], ce qui correspond au prix indiqué par Gauguin dans son carnet de Bretagne et d'Arles[5] et que vient confirmer une lettre de celui-ci à Emile Bernard[6].

Le thème de la danse paysanne bretonne fut souvent repris par les peintres de l'Ecole de Pont-Aven et l'on en trouve des exemples chez Bernard, Sérusier, Lacombe et M. Denis. Pour les études préparatoires, voir cat. 45.

C.F.T.

45

Petites bretonnes dansant

1888
24 × 41(forme irrégulière)
Fusain et pastel mouillé sur papier vergé.

Amsterdam, Rijksmuseum Vincent van Gogh

Exposition
Toronto 1981, nº 48.

Exposé à Chicago et Paris

Ce pastel est une étude avec quelques variantes pour *La ronde des petites bretonnes* (cat. 44). Comme *La Baigneuse* de l'Art Institute (cat. 35), il est possible que ce dessin ait été retravaillé après avoir servi à l'élaboration du tableau[1]. Le fond bleu intense ainsi que l'annotation « vert » sur la poitrine de la fillette de droite indiquent des préoccupations de coloriste également sensibles dans la toile où une vue du village de Pont-Aven sert de fond à la scène. On trouve dans une lettre de Gauguin à Schuffenecker du 14 août 1888[2], un croquis pour les deux fillettes de droite d'un style particulièrement incisif et simplificateur, très proche des recherches contemporaines d'Emile Bernard qui venait alors d'arriver à Pont-Aven.

Selon M. Bodelsen[3] et J. Rewald[4], Gauguin envoya ce pastel à Theo van Gogh à la fin de 1888 en compensation des 50 F que ce dernier lui avait fait parvenir en Bretagne au cours de l'été. Suite à un malentendu, la mère d'Emile Bernard chargée de remettre le pastel à Theo l'aurait gardé pour elle. Gauguin aurait alors offert en compensation une de ses céramiques à Madeleine Bernard : « il y a chez Goupil un petit pot mat avec une décoration d'oiseau et fond bleu vert. Prenez-le de ma part en montrant ma lettre à Van Gogh il vous le donnera. Je le lègue à Madeleine... C'est une chose très sauvage mais qui est plus l'expression de moi-même que le dessin des petites filles »[5].

C.F.T.

1. Cette hypothèse est suggérée par P. Zegers.
2. Merlhès 1984, nº 159, 211.
3. Bodelsen 1964, 72, n. 46, 215.
4. Rewald 1973, n. 65, 62.
5. Lettre à E. Bernard fin novembre 1888, Merlhès 1984, nº 182, 284.

46
Jeune baigneur breton avec reprise du pied en haut à droite

Été 1888
Au verso, *Paysanne bretonne tricotant avec reprise des mains et étude de tête de bretonne.* Probablement 1886.
60,2 × 41,5
Sanguine, pastel et fusain, mis au carreau au crayon noir sur papier vergé.
Signé en bas à droite des initiales *P.G.* (autographe ?).

Paris, Louvre, Département des Arts Graphiques, Orsay

Exposition
Londres 1966, n° 45.

Exposé à Paris

Gauguin, *Bretonne tricotant*
1886, pastel, verso du cat. 46

Puvis de Chavannes, *Étude pour « l'Enfant prodigue »*, 1879, crayon noir (Paris, Musée du Petit Palais)

Ce très beau dessin a servi d'étude pour le jeune baigneur de gauche du tableau de Hambourg (cat. 47). Exécuté dans les tonalités de la peinture grâce à un subtil mélange de sanguine et de pastel jaune, il frappe par sa monumentalité et l'originalité de sa mise en page. Le sujet comme les recherches de modelé évoquent Degas que Gauguin admirait profondément. Quoique n'ayant pas reçu de formation académique, Gauguin retrouve ici, peut-être accidentellement un procédé cher à l'Ecole des Beaux-Arts qui consiste à rependre dans un coin de la feuille un détail de sa figure, ici, le pied.

Le fait que certaines portions des contours à la sanguine (notamment celui de la jambe dans le détail de la partie supérieure) aient été repris au fusain ont orienté certains auteurs, M. Bodelsen et R. Pickvance[1], vers une double datation du recto de cette feuille. Un premier jet aurait été exécuté lors du premier séjour de l'artiste à Pont-Aven au cours de l'été 1886 ; Gauguin aurait ensuite repris les contours de son dessin en vue de l'exécution de son tableau en 1888 dans un style plus synthétiste. Cette supposition ingénieuse reste une hypothèse. En fait, stylistiquement, rien ne s'oppose à ce que ce baigneur ait été réalisé en 1888 directement en vue du tableau, et très probablement sur le motif.

L'étude de bretonne tricotant qui figure au verso de ce dessin ne correspond à aucun tableau connu de l'artiste. Elle a, selon toute vraisemblance, été exécutée en 1886 comme l'indiquent sa parenté de technique et de style avec les quelques figures de bretonnes sûrement répertoriées pour cette date. Il faut par ailleurs mettre en relation le détail de la tête de bretonne reprise à droite avec une céramique de l'hiver 1886-1887, appartenant à la collection D. Werenskiold à Oslo (G 39).

Degas, *Petites filles spartiates provoquant des garçons*, vers 1860-1862, huile sur toile (Londres, The Trustees of the National Gallery)

1. Bodelsen 1964, 176, Pickvance 1970, 22.

47

Jeunes baigneurs bretons

Été 1888
92 × 73
Huile sur toile.
Signé et daté en bas à gauche, *P. Gauguin 88*.

Hambourg, Hamburger Kunsthalle

Exposition
Toronto 1981, nº 47.

Catalogue
W 275.

Toile moins japonisante que *Les enfants luttant* (cat. 48) *Les jeunes baigneurs bretons* fait probablement partie de la série de nus que Gauguin mentionne dans une lettre à Schuffenecker du 8 juillet 1888[1]. S'il prétend s'y être formellement dégagé de l'influence de Degas, le seul fait qu'il juge nécessaire de s'en démarquer montre à quel point l'exemple de ce dernier était alors présent dans son esprit. Le souvenir des nus de Puvis de Chavannes est également sensible dans ces deux toiles[2] qu'unit un même principe de composition : deux figures dans un paysage que complète une nature morte au premier plan. La touche impressionniste des deux *Baigneurs* s'oppose au traitement plus synthétique des *Enfants luttant* « très peu exécuté » ; leur conception plus classique incite également à penser qu'ils sont antérieurs aux lutteurs. Pourtant, les contours des deux jeunes baigneurs sont fermement cernés et témoignent que l'artiste s'achemine vers le cloisonnisme. Cette œuvre fait partie des trois toiles achetées par Alexandre Natanson, directeur de la Revue Blanche, lors de la vente des tableaux de Gauguin à l'hôtel Drouot le 23 février 1891[3]. Il existe une étude préparatoire très poussée pour le garçon de gauche (cat. 46). C.F.T.

1. Merlhès 1984, nº 156, 197.
2. Welsh-Ovcharov in Toronto 1981, nº 47.
3. Rotonchamp 1906, 77, nº 10 ; procès verbal de la vente de tableaux de Paul Gauguin, Paris, Hôtel Drouot, 23 février 1891, nº 11, adjugé 360 F.

48

Les enfants luttant

Juillet 1888
93 × 73
Huile sur toile.
Signé daté en bas au milieu, *P Gauguin 88*

Collection S. Josefowitz

Expositions
Bruxelles 1889, nº 6 (*Lutteurs en herbe*) ;
Paris 1889, nº 40 (*Jeunes lutteurs — Bretagne*) ;
Saint-Germain-en-Laye 1985, nº 67 ;
Tokyo 1987, nº 28.

Catalogue
W 273.

Peint à Pont-Aven au début de l'été 1888 par un Gauguin recouvrant peu à peu ses forces après les accès de la fièvre contractée lors de son séjour à la Martinique, *Les enfants luttant* fait partie d'une petite série de toiles consacrées à des jeunes bretons se baignant ou luttant au bord de l'Aven (voir cat. 47).

« J'ai des rechutes de temps en temps ce qui me met au lit mais en somme je me remets petit à petit et mes forces sont revenues. Aussi je viens de faire quelques *nus* dont vous serez content. Et ce n'est pas du tout du Degas. Le dernier est une lutte de deux gamins près de la rivière — tout à fait japonais par un sauvage du pérou — très peu exécuté pelouse verte et le haut blanc » écrit Gauguin à Schuffenecker le 8 juillet 1888[1]. Cette lettre est illustrée d'un rapide croquis du motif principal des deux enfants, barré par la diagonale de la rive.

Peu de temps après, le 24 ou 25 juillet 1888, Gauguin décrit son tableau à van Gogh dans une lettre également illustrée[2] où l'on relève au début cette assertion bien caractéristique de ses cogitations du moment : « l'art est une abstraction, malheureusement on devient de plus en plus incompris » et de poursuivre en ces termes : « Je viens de terminer une lutte bretonne que vous aimerez j'en suis sûr./ Deux gamins caleçon bleu et caleçon vermillon. Un dans le haut à droite qui monte sortant de l'eau — pelouse verte — Véronèse pur dégradant jusqu'au jaune de chrome *sans exécution* comme les crépons japonais./ En haut cascade d'eau bouillonnante blanc rose et arc-en-ciel sur le bord près du cadre./ En bas tache blanche un chapeau noir et blouse bleue. »

Ainsi Gauguin était-il bien conscient de l'audace de cette toile au prime abord déconcertante. Les préoccupations spatiales y sont déterminantes et marquent la rupture avec la perspective traditionnelle par la suppression de la ligne d'horizon accentuée par la diagonale de la rive ; cette liberté trouvera son plein épanouissement dans des toiles comme *Au dessus du gouffre* (cat. 53) ou *La nature morte aux trois petits chiens* (cat. 54). Les déformations — les pieds démesurés des garçons — vont dans le sens des recherches antinaturalistes et synthétiques de l'artiste et accentuent le caractère primitif du tableau (*cf.* le « sauvage du Pérou »), accordé au sujet de la traditionnelle lutte bretonne.

Les sources japonaises du thème — *Les lutteurs* dans la suite de la Mangwa d'Hokusai de 1815 — ainsi que ses prolongements dans l'Ecole de Pont-Aven et le mouvement nabi ont été récemment soulignés[3]. Plus proche de Gauguin devait être le souvenir des deux enfants luttant au bord de la mer dans la décoration de Puvis de Chavannes pour l'hôtel particulier du peintre Bonnat rue de Bassano, à Paris, *Doux pays*. Il y a fort à parier que Gauguin avait vu cette toile lorsqu'elle avait été montrée à la galerie Durand-Ruel dans une exposition monographique consacrée à Puvis entre le 20 novembre et le 20 décembre 1887. A cette date, en effet, Gauguin était rentré de la Martinique et une telle manifestation n'a pas dû lui échapper.

Les enfants luttant revêt par ailleurs une particulière importance dans la mesure où il annonce *La vision du sermon* (cat. 50) peinte environ un mois plus tard où le thème des lutteurs emprunté à la célèbre décoration de Delacroix pour la chapelle des Saints Anges à l'église Saint-Sulpice à Paris, sera repris sur le mode symbolique. Dans *Les enfants luttant*, l'artiste trouve également la formule de l'association de figures dans un paysage et d'une nature morte au premier plan, formule plus tard élaborée dans une synthèse décorative dans plusieurs toiles tahitiennes (W 450, W 451).

Gauguin voulut que cette œuvre le représente à l'exposition Volpini[4] ainsi qu'à celle des XX à Bruxelles en 1889. Ce tableau pour lequel il existe une belle étude préparatoire au pastel[5] fut acheté par Alfred Natanson, écrivain et frère du directeur de la *Revue Blanche*, lors de la vente des œuvres de l'artiste à l'hôtel Drouot en 1891 pour 250 F[6]. Il appartint ensuite à Ambroise Vollard et est mentionné par deux fois dans le carnet de Bretagne et d'Arles ainsi qu'un dessin de *Lutteurs* vendu 20 F au peintre Charles Filiger[7].

C.F.T.

1. Merlhès 1984, nº 156, 197-198.
2. Merlhès 1984, nº 158, 200-201.
3. Anquetil in Saint-Germain-en-Laye 1985, 46-49.
4. Lettre à Schuffenecker [Arles décembre 1888], Malingue 1946, LXXVII, 153.
5. Coll. part. ; sans doute celui que Gauguin aurait vendu à Filiger, *cf.* Huyghe 1952, 223 : *Filiger dessin lutteurs 20.*
6. Rotonchamp 1906, 77, nº 21 ; procès verbal de la vente de tableaux de Paul Gauguin, Paris, Hôtel Drouot, 23 février 1891, nº 22.
7. Huyghe 1952, 72, 73 et 223.

Lutte bretonne que vous aimerez j'en suis sûr
Deux gamins caleçon bleu et caleçon vermillon. Un dans le haut à droite qui monte sortant de l'eau —

Gauguin, Croquis pour *Les enfants luttant*, lettre à Vincent van Gogh (24 ou 25 juillet 1888) (Amsterdam, Rijksmuseum Vincent van Gogh, Fondation Vincent van Gogh)

Puvis de Chavannes, *Doux-Pays*, petite version, détail, vers 1882, huile sur toile (New Haven, Yale University Art Gallery, The Mary Gertrude Abbey Fund)

P Gauguin . 88

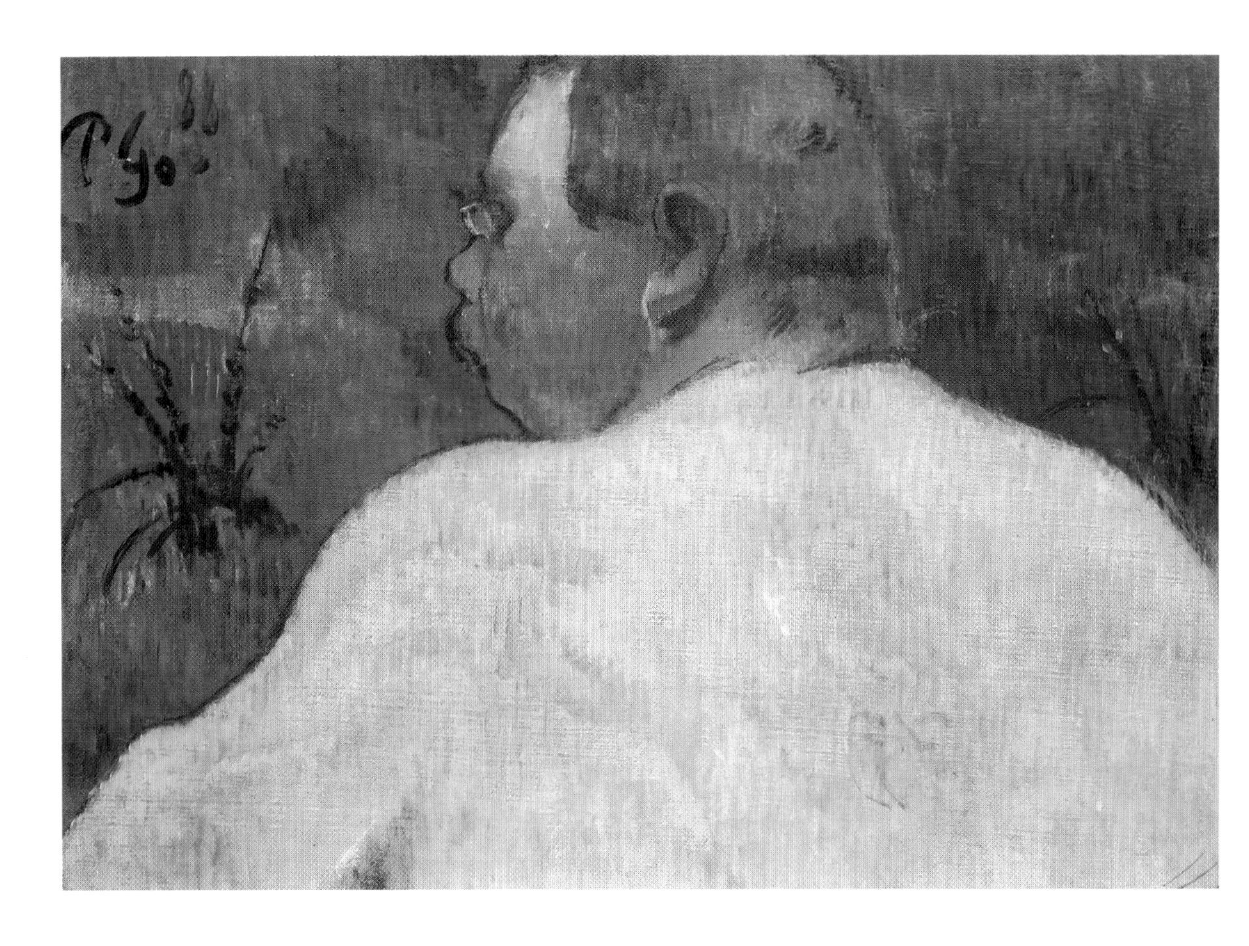

49

Le capitaine Jacob

1888
31 × 43
Huile sur toile.
Signé et daté en haut à gauche, *P. Go 88.*

Collection particulière

Exposition
Saint-Germain-en-Laye 1985, nº 152.

Catalogue
W 241 (cité comme disparu).

Exposé à Paris

1. Sérusier, in Chassé 1955, 65.
2. Perruchot 1961, 189.

« Pour transporter notre petit bagage de Pont-Aven jusqu'au Pouldu, nous nous embarquâmes sur la barque des gabelous, grâce à la bienveillance de M. Jacob, le capitaine de douanes (...) Le capitaine Jacob ! Je me souviens encore du visage si rouge que lui fit Gauguin lorsqu'il peignit son portrait en caleçon de bains »[1].

La description correspond parfaitement à ce tableau où Gauguin, de façon amusante et dans un cadrage surprenant, préfigurant Bonnard, n'en saisit pas moins la personnalité de son modèle : évidemment bon vivant, gai et joyeux mais non sans finesse ni originalité : frayer avec ces bohèmes pour un fonctionnaire des douanes n'était sans doute pas banal. Il paraît d'ailleurs sur le point d'entrer dans l'eau malgré la présence de ses petites lunettes d'intellectuel.

Il n'est pas impossible que Gauguin ait recoupé le tableau primitif, le format n'étant évidemment pas un format de chassis traditionnel. Ce qui expliquerait qu'on ne voie pas le « caleçon de bains » cité par Sérusier. Le capitaine, chargé de veiller à la contrebande du sel entre Pont-Aven et Quimperlé[2] emmenait obligeamment ses amis peintres de Pont-Aven au Pouldu, dans ses tournées d'inspection le long des côtes ou dans des excursions souvent aussi gastronomiques que picturales, vers Port-Manech et le Pouldu, que Gauguin connut bien avant son installation à l'automne 89.

Gauguin donna au capitaine Jacob une petite nature morte (W 291) sur un fonds de papier peint fleuri. Ici le fond bleu où sont piquées quelques touffes d'herbes sans doute aquatiques, traité comme un papier peint, n'en représente pas moins la mer ou la rivière de l'Aven.

Notons en passant qu'un célèbre homonyme du capitaine était né une dizaine d'années plus tôt tout près de là, à Quimper, un autre ami d'un grand autre peintre : le poète Max Jacob (1876-1944). F.C.

50

La vision du sermon ou La lutte de Jacob avec l'ange

Été 1988
73×92
Huile sur toile.
Signé et daté en bas à gauche, *P. Gauguin 1888.*

Edimbourg, National Gallery of Scotland

Expositions
Bruxelles 1889, nº 7 ; Paris, Boussod et Valadon, avant 1891 ; Paris 1906, nº 209 ; Paris Orangerie 1949, nº 6.

Catalogue
W 245.

Exposé à Paris.

Probablement commencée à la mi-août 1888 et achevée peu après la mi-septembre[1], cette toile qui a donné lieu aux interprétations les plus variées, symboliques, psychanalytiques voire théosophiques[2], marque une césure dans la production de Gauguin en cette année cruciale et constitue un point fort de son développement stylistique en général. Avec *La vision du sermon*, son premier tableau à thème religieux, Gauguin tourne en effet délibérément le dos à un impressionnisme qu'il n'avait pas encore vraiment dépassé ; il crée en même temps la première image accomplie d'un nouveau style, le synthétisme, dont on trouvait certes des prémices dans plusieurs de ses œuvres antérieures mais qui se trouve ici pour la première fois parfaitement adapté à une conception globale de la peinture, antinaturaliste et symboliste. Aussi est-ce par une enthousiaste description explicative de ce tableau que le critique Albert Aurier commence son retentissant article sur *Le Symbolisme en peinture*[3] où il sacre Gauguin chef de la nouvelle école. « Loin, très loin, sur une fabuleuse colline, dont le sol apparaît vermillon rutilant, c'est la lutte biblique de Jacob avec l'Ange... ».

La source de ce tableau est le célèbre passage de la Genèse[5] qui relate comment, après avoir traversé le torrent du Jabboq avec sa famille, Jacob passa la nuit à lutter contre un mystérieux ange ; énigmatique combat tour à tour interprété comme la lutte de l'homme contre Dieu, contre Satan ou contre lui-même[6], qu'avait auparavant illustré Delacroix à l'église Saint-Sulpice en 1861 et qui devait également inspirer G. Moreau.

« Je viens de faire un tableau religieux très mal fait mais qui m'a intéressé à faire et qui me plaît. Je voulais le donner à l'église de Pont-Aven. Naturellement on n'en veut pas » écrit Gauguin à van Gogh vers la fin septembre 1888[7]. Emile Bernard a par la suite raconté comment, suite à ce refus, il accompagna Gauguin et Laval pour offrir le tableau au curé de l'église voisine de Nizon : « Un silence plein de méfiance suivit une explication assez longue que fit l'artiste ; puis un refus s'affirma »[8]. Face à cette incompréhension, Gauguin confia la toile à E. Bernard, à charge pour celui-ci de la remettre à Theo van Gogh pour la vendre à Paris. « Le tableau d'église vous sera remis et vous pourrez le montrer. Malheureusement il est fait pour une Eglise et ce qui va là n'a pas le même effet dans cet entourage de vitraux pierres etc... que dans celui d'un salon »[9] écrit Gauguin à Theo. L'œuvre resta donc en dépôt chez Boussod et Valadon — le prix demandé par l'artiste était de 600 F[10] — sans trouver acheteur jusqu'à la vente à l'Hôtel Drouot du 23 février 1891 où elle fit l'enchère la plus forte à 900 F[11]. Notons que ce prix était légèrement en retrait par rapport au prix de réserve de 1 000 F demandé par l'artiste deux ans plus tôt lorsqu'il envoya sa toile au Salon des XX à Bruxelles en février 1889[12].

« J'ai cette année tout sacrifié l'exécution la couleur pour le style voulant m'imposer autre chose que ce que je sais faire. C'est je crois une transformation qui n'a pas porté ses fruits mais qui les portera » écrit Gauguin à Schuffenecker le 8 octobre 1888[13] en lui annonçant la réalisation de son tableau. Ces quelques lignes nous éclairent sur les motivations du peintre pour lequel cette œuvre constituait un véritable défi.

Gauguin décrit par ailleurs son tableau à Vincent en ces termes : « Des bretonnes groupées prient costumes noirs très intense — Les bonnets blancs jaunes très lumineux. Les deux bonnets à droite sont comme des casques monstrueux — Un *pommier* traverse la toile violet sombre et le feuillage dessiné par masses comme des nuages vert *émeraude* avec les interstises [sic] vert jaune de soleil. Le terrain *vermillon pur.* A l'église il descend et devient brun rouge.

L'ange est habillé de bleu outremer violent et Jacob de vert bouteille. Les ailes de l'ange jaune de chrome 1 pur — Les cheveux de l'ange chrome 2 et les pieds chair orange — je crois avoir atteint dans les figures une grande simplicité rustique et *supertitieuse* — le tout très sévère — La vache sous l'arbre est toute petite par rapport à la vérité et se cabre — Pour moi dans ce tableau le paysage et la lutte n'existent que dans l'imagination des gens en prière par suite du sermon c'est pourquoi il y a contraste entre les gens nature et la lutte dans son paysage non nature et disproportionnée — »[14]. Cette lettre est accompagnée d'un croquis du tableau avec quelques annotations de couleurs.

La polémique entre E. Bernard et Gauguin a suffisamment alimenté la critique[15] pour qu'il suffise ici d'en exposer les grandes lignes. En arrivant à Pont-Aven à la mi-août, le jeune Bernard apportait avec lui — à moins qu'il ne l'ait peint immédiatement après le grand Pardon de Pont-Aven qui eut lieu le 16 septembre 1888[16] — un tableau aussi déconcertant qu'audacieux intitulé *Bretonnes dans la prairie.*

« Le Pardon de Pont-Aven venait d'avoir lieu et j'avais peint, me servant comme thème du costume local, une prairie ensoleillée de parti pris jaune historiée de coiffes bretonnes et de groupes noir-bleu. De ce tableau Gauguin partit et fit *La vision du sermon*, tableau dans lequel les coiffes formaient également le motif principal. Il découpa son avant-plan sur un fond de parti-pris tout rouge où deux lutteurs, empruntés à un album japonais, furent dévolus à représenter une vision. / Une technique nouvelle / Ce tableau à teintes plates tranchait comme une négation sur les œuvres précédentes de Paul Gauguin, il se rapprochait jusqu'à la ressemblance de mes *Bretonnes dans la prairie.* »[17]

Bernard n'a cessé depuis sa brouille avec Gauguin à la suite de l'article d'Aurier sur le Symbolisme en 1891 de revendiquer la paternité du nouveau style, usurpée selon lui par Gauguin. La critique récente[18] a bien mis en relief le rôle joué par Bernard, Anquetin et Toulouse-Lautrec dès 1886-1887 dans l'élaboration du cloisonnisme, cette peinture en aplats de couleurs nettement cernées comme les émaux du Moyen-Age ou les vitraux ; aussi n'est-il pas question de mésestimer l'importance des *Bretonnes dans la prairie* dans la genèse de *La vision du sermon.* Dans ces deux œuvres, on trouve le même parti-pris de couleur unique pour le fond sur lequel se découpent des silhouettes simplifiées, le même rejet du réalisme au profit d'une peinture décorative et un semblable espace japonisant...

Cependant, même si Bernard voulut quelque temps plus tard conférer à sa toile une aura religieuse en l'intitulant *Bretonnes au pardon* lorsqu'il la présenta au Salon des Indépendants de 1892, la nouveauté de *La vision* pour laquelle il existe un premier croquis préparatoire dans l'album Walter du Louvre[19], réside dans le fait que Gauguin a réalisé l'archétype du tableau symboliste en représentant dans une image unique la réalité matérielle des bretonnes en prière au premier plan et, séparé de celles-ci par la diagonale du pommier, le

1. Sur ce point particulièrement délicat, l'avis des critiques diffère. Pour sa part, W. Darr (« New Evidence for Dating Paul Gauguin's *Vision du sermon* after the pardon at Pont-Aven », *The Sources in Art History* s.d., estime que *La vision* n'a pu être peinte qu'après le Pardon de Pont-Aven du 16 septembre 1888.
2. Roskill [1970], 132 ; Jirat-Wasintynski 1978, passim, Andersen 1971, 60 ; Viirlaid 1980.
3. Aurier 1891.
4. On aimerait avec M. Herban III 1977, ajouter aux sources couramment admises du tableau le Pardon de Saint Nicodème à Saint-Nicolas-des-Eaux auquel Gauguin aurait pu assister le 8 août 1888, mais rien ne prouve que l'artiste ait pu se rendre ce jour-là à quelque 100 km de Pont-Aven.
5. *Genèse* 32, 23 à 31.
6. Merlhès 1984, 501, n. 2.
7. Merlhès 1984, nº 165, 230, [vers le 25-27 septembre 1888] ; Cooper 1983, 32-2, [vers le 22 septembre 1888].
8. Bernard [1939].
9. Lettre de Gauguin à Theo van Gogh, Merlhès 1984, nº 167, 247-248, [7 ou 8 octobre 1888] ; Cooper 1983, 6.2, [vers le 29 septembre 1888].
10. Rewald 1973, 49.
11. Rotonchamp 1906, 77 ; procès verbal de la vente de tableaux de Paul Gauguin, 23 février 1891,

50

Gauguin, *Croquis pour «La Vision du Sermon»*
Album Walter, 3
(Paris, Musée du Louvre,
Département des Arts Graphiques, Musée d'Orsay)

Gauguin, *Croquis pour «La Vision du Sermon»,*
joint à la lettre à Vincent van Gogh
[Vers le 22 septembre 1888]
(Amsterdam, Rijksmuseum Vincent van Gogh,
Fondation Vincent van Gogh)

Bernard, *Bretonnes dans la prairie,*
1888, huile sur toile
(Saint-Germain-en-Laye, collection particulière,
photographie Giraudon)

nº 6. Le tableau fut adjugé à Henry Meilheurat des Pruraux.
12. Lettre inédite de Gauguin à O. Maus, [1889], Bruxelles, Musée Royaux des Beaux-Arts de Belgique, Archives de l'Art contemporain, Fonds Octave Maus, Donation Van der Linden, Inv. nº 5225.
13. Merlhès 1984, nº 168, 248-249.
14. Merlhès 1984, nº 165, 232.
15. Citons entre autres auteurs : Thirion 1956, 98-103 ; Roskill [1970] 103-105, etc...
16. Si l'on ajoute foi au témoignage — tardif, 1903 — de Bernard, cela reporte la date de *La Vision* après le 16 septembre 1888. C'est la thèse de W. Darr, *op. cit.*, n. 1.
17. Bernard 1903, 679-680.
18. Voir en particulier Welsh-Ovcharov in Toronto 1981.
19. RF 30569, folio 3 r.
20. Thirion 1956.
21. *Le Japon Artistique*, nº 30, octobre 1890 [69] et nº 2, juin 1888, 15.
22. Merlhès 1984, nº 163, 220.
23. Merlhès 1984, nº 172, 255.
24. Maus 1889.
25. Pissarro 1950, 234, lettre du 20 avril 1891.

contenu de leur vision intérieure à la suite du sermon. L'extraordinaire pouvoir de suggestion du tableau — pouvoir qu'on chercherait vainement dans la toile de Bernard — vient de l'unification de ces deux niveaux de réalité par des moyens plastiques appropriés.

Dès lors, le tableau de Bernard comme les sources japonaises bien connues de *La vision* — l'arbre en diagonale, le groupe de Jacob et de l'ange dérivé des gravures de lutteurs dans le Mangwa d'Hokusai[20] — semblent avoir servi de catalyseur tout au plus à l'imagination poétique de Gauguin. Ajoutons à ces sources nippones, deux gravures d'Hokusai reproduites dans la revue *Le Japon Artistique*[21] bien connue des peintres, représentant respectivement les spectateurs d'une lutte et les officiants d'une cérémonie religieuse disposés en diagonale comme les Bretonnes dans *La vision*. De telles images peuvent avoir inspiré à Gauguin la disposition de ses bretonnes.

« Je ne connais pas d'*idées poétiques* c'est probablement un sens qui me manque. Je trouve TOUT poétique et c'est dans les coins de mon cœur qui sont parfois mystérieux que j'entrevois la poésie » écrivait Gauguin à van Gogh vers le 7 septembre 1888[22]. Les coiffes des bretonnes sont devenues de purs motifs décoratifs, leurs visages des masques en méditation ; quant à la couleur, largement appliquée par masses mais aussi subtilement modulée, elle joue déjà ici par son pouvoir évocateur le rôle qui lui sera dévolu dans les plus somptueuses toiles tahitiennes.

Gauguin était d'ailleurs bien conscient du tour décisivement original que venait de prendre sa peinture et prévoyait l'incompréhension qui allait s'ensuivre ; ainsi écrivait-il à Schuffenecher le 16 octobre 1888 « Evidemment cette voie symboliste est pleine d'écueils et je n'y ai mis encore que le bout du pied, mais elle est au fond dans ma nature et il faut toujours suivre son tempérament. Je sais bien qu'on me comprendra de *moins en moins*. Qu'importe si je m'éloigne des autres — Pour la masse je serai un rébus pour quelques-uns je serai un poète et tôt ou tard le bon prend sa place — N'importe quoi qu'il en soit je vous dis que j'arriverai à faire *des choses de 1er ordre* je le sens et nous verrons — Vous savez bien qu'en art j'ai toujours raison dans le fond. »[23]

Cette superbe conviction n'était pas superflue pour faire face aux critiques qui n'allaient pas tarder. En février 1889, la présentation de *La vision* au Salon des XX fait scandale : « ... et l'on infère d'une *Vision du Sermon* symbolisée par le combat de Jacob et de l'Ange luttant sur un pré vermillon que l'artiste a voulu se moquer outrecuidamment des visiteurs » rapporte O. Maus[24] pour sa part admiratif de l'envoi de Gauguin.

Quant à C. Pissarro, il devait se déchaîner, peu après le départ de Gauguin pour l'Océanie, contre un tableau qu'il jugeait un peu sottement rétrograde par le sujet et dont il refusait de voir la nouveauté formelle : « je ne reproche pas à Gauguin d'avoir fait un fond vermillon, ni deux gerriers luttant et les paysannes bretonnes au premier plan, je lui reproche d'avoir chipé cela aux japonais et aux peintres byzantins et autres, je lui reproche de ne pas appliquer sa synthèse à notre philosophie moderne qui est absolument sociale, anti-autoritaire et anti-mystique —... C'est un retour en arrière »[25]. C.F.T.

51

Madeleine Bernard

1888
72 × 58
Huile sur toile.
Signé et daté en haut à droite, *P. Gauguin 88*.

Musée de Grenoble

Expositions
Paris 1906, nº 157 ; (exposé sur la face : *Rivière blanche*) ;
Paris orangerie 1949, nº 7 ;
Bâle 1949, nº 19 ;
Lausanne 1950, nº 9 ;
Edimbourg 1955, nº 125.

Catalogues
W 240, W 263.

Pour peindre ce portrait, Gauguin a utilisé en le prenant dans le sens de la hauteur, c'est-à-dire dans le format « figure » traditionnel, le revers d'un paysage peint à Pont-Aven sans doute l'été 1886, *La Rivière blanche*. Frais de couleur et fragmenté de touche, la mise en page — une vue plongeante sur la rivière de l'Aven, rappelle plusieurs paysages du même séjour, comme *L'allée dans la forêt* (W 197) et *La baignade devant le port de Pont-Aven* (W 198). Il reprendra bientôt ce thème en centrant la composition sur les baigneurs en gros plan, (voir cat. 34, 47 et 48).

Ce réemploi d'une toile antérieure prouve sans doute son impecuniosité, mais aussi la certitude éprouvée par Gauguin du progrès fait depuis deux ans, et le sentiment que le style personnel tout récemment trouvé rendait négligeable son « impressionnisme » des années précédentes. Et cela d'autant plus que le modèle qui s'imposait à lui était associé de très près à ses nouvelles préoccupations, ses nouvelles recherches.

En effet, il s'agit de la jeune sœur d'Emile Bernard, Madeleine (1871-1895). Elle avait dix-sept ans quand elle vint, chaperonnée par sa mère, passer les mois d'août et de septembre 1888 à Pont-Aven, près de son frère : « ma sœur était fort belle et très mystique, elle s'éprit aussitôt de la Bretagne et se fit faire un costume de Pont-Aven (...). L'amitié et l'approbation que m'avait vouées Gauguin, aussitôt qu'il avait vu ce que j'apportais de Saint-Briac, son grand talent, sa misère, nous firent les deux amis du peintre maudit (...). Il fit le portrait de ma sœur, tandis que je la peignait au Bois d'Amour, dans l'attitude allongée d'une gisante. Bien entendu, ni Gauguin ni moi ne firent de ma sœur autre chose qu'une caricature, étant données nos idées d'alors sur le *caractère* ; mais il demeure que Gauguin peignit un portrait (non ressemblant, mais très intéressant quant au style) derrière un paysage de Pont-Aven (ancienne manière). »[2]

On sait que Gauguin s'est beaucoup intéressé à la jeune-fille, qu'il en a été fort amoureux, et qu'elle lui préféra Laval. Non seulement le charme physique de l'adolescente avait fait grand effet sur Gauguin — qui était en âge d'être le père des deux jeunes Bernard — mais il l'avait en grande estime intellectuelle. Le peintre et son modèle, pour des raisons différentes, cherchaient à l'époque une direction à leur vie et des justifications à leurs aspirations. On connaît celles de Gauguin, alors agité de sentiments contradictoires entre son affection pour sa famille et la volonté d'obéir au « devoir supérieur » de l'artiste, en abandonnant la charge du ménage à son épouse. Cela n'allait pas sans culpabilité, et réflexions sur ce que devait être le rôle d'une femme, autant de questions vitales que la jeune Madeleine se posait pour son propre compte ; et l'on imagine que les séances de pose devaient s'accompagner de conversations exaltées. Entre Gauguin et cette adolescente peu banale, mystique et indépendante, s'établit une relation ambiguë, que le portrait transmet très bien. Dès son

51

1. Bodelsen 1966, 33.
2. Bernard 1939, 7.
3. Lettre de Gauguin à Madeleine Bernard [vers le 15-20 octobre 1988] in Merlhès 1984, nº 173, 256. C'était alors un thème à la mode, dans l'univers symboliste, en particulier par Péladan dans *Curieuse* (1886) : « les génies et les héros sont androgynes » (*cf.* l'analyse de Jirat Wasiuntynski, *Paul Gauguin in the Context of symbolism* 1978, 147.
4. Lettre de Madeleine de 1888 citée par Bernard [1939], 15.
5. Roskill 1970, 101.
6. Identification faite par Peter Zeghers qui me l'a aimablement communiquée.
7. Voir Elisabeth Walter 1978, 290, nº 17, 19, 19.
8. Huyghe 1952, 227.

Gauguin, *La rivière blanche*, verso de cat. 51, 1888, huile sur toile (Musée de Grenoble)

retour à Paris il lui écrit, encourage sa « chère sœur » à « être quelqu'un », c'est-à-dire, selon lui, à être « orgueilleuse » (...) « faire votre possible pour gagner votre existence » et à supprimer « la *Vanité* qui est le lot de la médiocrité ». Pour cela il ne faut pas suivre le chemin traditionnel des femmes, sous entendu ne pas dépendre d'un homme, « toute *chaîne* vient d'un ordre inférieur » ; bref il faut en soi tuer « la poupée » et se « considérer comme Androgyne sans sexe »[3].

La Madeleine du portrait n'a pas endossé le costume breton qu'elle aimait porter à Pont-Aven, « par protestation artistique » ![4]. Elle est simplement vêtue d'une blouse montante et d'une sorte de manteau trop grand pour elle, peut-être celui de Gauguin, qu'il aurait posé sur ses épaules. Elle se détache sur un mur bleu où l'on voit le bas d'une gravure ou d'une reproduction, montrant les pieds de ballerines. Il semble s'agir, non pas d'un Degas ou d'un pastiche de Degas comme on l'a pensé[5], mais d'une gravure de Forain reproduite sur la couverture du *Courrier Français* du 18 mars 1888[6]. Y aurait-il dans ces danseuses une référence à Madeleine, par contraste, entre l'univers frivole des « petits rats » de Forain, — dont on ne voit ici que les pieds, mais on sait bien que les vieux protecteurs et les mères maquerelles ne sont pas loin — et la gravité vertueuse du modèle ?

Le visage intelligent, a, selon l'expression consacrée, « du caractère » ; le regard est aigu et comme maquillé, effet dû sans doute à la recherche de style au détriment de la ressemblance que Bernard reprochait à Gauguin ; mais ce portrait trahit une intensité qui sonne juste, une vérité, et même, pourquoi pas, un brin de coquetterie. Gauguin n'avait-il pas raison de voir, chez la « Sainte » Madeleine que nous présentent les souvenirs de son frère, des ressources de femme fatale ? Elle allait en effet faire souffrir Gauguin, en lui préférant le jeune Laval, en refusant la céramique qu'il lui offrait (*cf.* cat. 65) et où il se présentait à la fois, en séducteur — comme elle le comprit semble-t-il par la ressemblance avec le portrait de Gauguin dans « soyez amoureuses » — et en bébé malheureux suçant son pouce, appelant les consolations !

Fatale, la destinée le fut au contraire pour la pauvre Madeleine. Fiancée à Laval, elle le soigne d'une tuberculose dont il meurt en 1894, puis l'ayant contractée, elle-même disparaît l'année suivante au Caire, où elle a rejoint son frère, à moins de vingt-cinq ans[7].

Gauguin avait donné à Emile Bernard le portrait de sa sœur[8], mais celui-ci s'en était déjà séparé au moment de la rétrospective Gauguin du Salon d'automne en 1906, où Madeleine était le nez au mur : le tableau étant exposé sur le côté du paysage.

F.C.

Bernard, *Portrait de la sœur de l'artiste*, 1888, huile sur toile (Albi, Musée Toulouse-Lautrec)

Forain, *A l'Opéra*, illustration du *Courrier Français*, 18 mars 1888.

52

Nature morte «fête Gloanec»

1888
38 × 53
Huile sur toile.
Titré et signé (sur le rebord de la table), *Fête Gloanec. Madeleine B.* en bas et à droite ; daté sur la table à droite, *88*.

Orléans, Musée des Beaux-Arts

Expositions
Paris 1923, n° 10 ;
Bâle 1928, n° 31 (ou 35) ;
Berlin 1928, n° 21 ;
Paris Orangerie 1949, n° 8 ;
Londres 1979, n° 85 ;
Washington 1980, n° 86 ;
Saint-Germain-en-Laye 1985-1986, n° 80.

Catalogue
W 290.

Exposé à Paris

Maurice Denis posséda longtemps ce tableau ; il l'avait acheté directement à celle à qui Gauguin en avait fait cadeau en août 1888, Marie-Jeanne Gloanec. Laissons-lui la parole, car le propos du tableau et l'anecdote liée à la signature de l'œuvre lui ont été directement racontés par plusieurs témoins, certainement Sérusier et Marie-Jeanne Gloanec, et sans doute Emile Bernard. « Il y avait aussi, cette année là, à Pont-Aven Madeleine Bernard, sœur d'Emile et fiancée de Laval. Elle avait beaucoup de charme et Gauguin lui faisait assez cyniquement la cour. C'est à elle qu'il attribua une fort belle nature morte (poires, bouquet et gâteau sur un guéridon vermillon). La première de sa nouvelle manière, que Mme Gloanec avait refusé d'accrocher comme cadeau de fête dans sa salle à manger : elle avait été poussée par le parti adverse, notamment par un peintre nommé Gustave de Maupassant, qui passait pour le père de l'écrivain. Pour obtenir finalement que Mme Gloanec acceptât le tableau. Gauguin le signa Madeleine B., déclarant que c'était l'œuvre d'une débutante. Quand je l'achetai, longtemps après, Mme Gloanec m'assura qu'elle n'avait pas été dupe »[1].

Gauguin part d'éléments réels : les objets de circonstance de la fête de la patronne[2] — le bouquet de soucis oranges piqué d'un bleuet démesuré dans un emballage de papier blanc en cornet, les fruits et le gâteau breton (*far* ou crêpe épaisse ?) — posés sur le guéridon de la pension Gloanec qu'Émile Bernard a également représenté[3].

Mais la vue plongeante, héritée de Degas et des japonais, et ce rouge arbitraire qui baigne les objets créant comme dans la *Vision* (cat. 50) un espace imaginaire, font de cette nature morte un exemple somptueux de sa nouvelle liberté, de son nouveau style partiellement « cloisonniste »[4]. L'interprétation selon laquelle le bouquet de fleurs et les deux poires seraient une représentation emblématique de la tête et des seins de Madeleine Bernard, faisant de ce tableau un portrait symbolique de la jeune fille, paraît peu convaincante[5]. L'œuvre est une parfaite illustration de ce que les jeunes artistes d'alors voyaient en Gauguin : le créateur d'une peinture qui soit « essentiellement une surface plane recouverte de couleurs en un certain ordre assemblés »[6], comme le proclamera deux ans plus tard le jeune Maurice Denis, théoricien des « nabis » et précisément futur possesseur du tableau. Il est difficile de ne pas évoquer ici Pierre Bonnard, et surtout Henri Matisse, celui des natures-mortes ou scènes *d'atelier* baignées du même rouge.

F.C.

1. M. Denis 1942, 59.
2. Sans doute sa fête patronyme, le 15 août, fête de la vierge Marie et non comme le dit Perruchot, son anniversaire, elle était née le 8 février 1839 à Pont-Aven.
3. In *Nature morte au pichet*, collection Durand-Ruel ; Luthi 1982, n° 156.
4. Welch Ovcharov in Toronto 1981, n° 51.
5. House in Londres 1979, n° 85.
6. Denis 1890.

53

Marine avec vache au-dessus du gouffre

1888
73 × 60
Huile sur toile.
Signé et daté en bas à gauche, *P. Gauguin, 88.*

Paris, Musée des Arts Décoratifs

Expositions
Bâle 1928, n° 38 ou 43 ; Toronto 1981, n° 50.

Catalogue
W 282.

Lacombe, *Falaises à Camaret,* 1892, huile sur toile (Brest, Musée des Beaux-Arts)

Fénéon a-t-il ce tableau en mémoire lorsqu'il écrit les lignes qui suivent ? Il est difficile de le prouver, mais elles le définissent parfaitement, dans le style savoureux du critique : « la réalité ne lui [Gauguin] fut qu'un prétexte à créations lointaines : il réorganise les matériaux qu'elle lui fournit, dédaigne le trompe-l'œil, fut-ce le trompe-l'œil de l'athmosphère, accuse les lignes, restreint leur nombre, les hiératise ; et dans chacun des spacieux cantons que forment leurs entrelacs, une couleur opulente et lourde l'enorgueillit mornement sans attenter aux couleurs voisines, sans se muer elle-même »[1].

Malgré la perspective plongeante dont le cadrage est inspiré de l'art japonais[2], le lieu peint par Gauguin — au Pouldu — est bien réel, et aussi spectaculaire ; les côtes bretonnes sont coutumières de ces à-pics au bord de l'eau de champs ou de prés, avec des meules jaunes-orangées

1. Fénéon 1889a repris in Fénéon 1970, 157-158.
2. Welch Ovcharov voit même la source dans une estampe précise d'Hiroschigé *Le Pont de Shobeibashi* in Toronto 1981, n° 50.
3. Bodelsen 1964, 191.
4. Voir Rewald 1973, 49.

se découpant sur la mer, et où les vaches vivent dangereusement ! En aplatissant la distance et la profondeur, en mettant sur le même plan la vache ici, et la barque là-bas, Gauguin transmet plastiquement un sentiment de vertige, qui n'exclut pas celui du comique, par le contraste de la placidité de l'animal terrestre, et de l'emportement du petit bateau en haut de la toile. Il reprendra ensuite plusieurs fois cette composition, dans *Au-dessus de la mer* (W 369) et *Le joueur de flageolet sur la falaise* (W 361) mais curieusement, de façon plus traditionnelle, moins expérimentale. Le fort modelé des rochers et leur couleur bleu-violet, aux reflets irisés ont suggéré à Merete Bodelsen l'hypothèse intéressante que le peintre aurait ici été influencé par les audaces du céramiste[3].

Le synthétisme, ou « cloisonnisme » audacieux, les masses de couleurs vives et contrastées, imbriquées comme dans un puzzle, préfigurent à la fois l'esthétique simplifiée des Nabis, et les entrelacs de l'art-nouveau. Ce tableau est à la source de plusieurs tableaux de Lacombe, en particulier celui du Musée de Brest.

Le titre donné par Gauguin dans la liste de ses œuvres déposées chez Boussod et Valadon un peu auparavant était tout simplement : *Marine avec vache*[4] ; le titre « au dessus du gouffre » apparaît à la vente de février 1891, avant le départ pour Tahiti, où le tableau fut acheté (230 F) en même temps que *Les Alyscamps* (cat. 56) par un des rares amateurs qui ne soit pas un artiste ou un écrivain lié à Gauguin. On remarque à plusieurs reprises cette petite « dramatisation » des titres des œuvres de Gauguin destinées au public par rapport à la façon, plus simple et plus précise, dont il les nomme à titre privé.

F.C.

54

Nature morte aux trois petits chiens

Été 1888
92 × 63
Huile sur bois.
Signé et daté en bas à gauche, *P Go/88.*

New York, The Museum of Modern Art,
Mrs. Simon Guggenheim Fund, 1952

Expositions
Edimbourg 1955, n° 22 ;
Chicago 1959, n° 12 ;
Londres 1966, n° 13.

Catalogue
W 293.

1. Thirion 1956, 106.
2. Van Gogh 1960, n° 527 F, 180, [août 1888].
3. Merlhès 1984, n° 162, 216.

Parmi les natures mortes exécutées au cours du séjour breton de 1888, cette toile est certainement la plus hardie du point de vue formel ; elle développe en les poussant à l'extrême les principes de composition mis en œuvre dans la *Nature morte Fête Gloanec* (cat. 52) dont on retrouve ici le bord de la table arrondi dans la partie inférieure du panneau. La perspective est niée au profit d'une peinture qui se confond avec le plan du tableau, formule qui anticipe bien des natures mortes de Bonnard, de Matisse ou des cubistes. Matisse, tout particulièrement, reprendra à son compte cette formule de juxtaposition d'objets sur la toile sans lien logique apparent comme par exemple dans *Les coloquintes* de 1916 du Museum of Modern Art de New-York. Dans *Les trois petits chiens*, le sujet volontairement déconcertant est traité — à l'exception des fruits réunis dans l'angle inférieur droit — en aplats vigoureusement cernés selon un parti dont on ne trouve vraiment l'équivalent que dans *Les bretonnes dans la prairie verte* de Bernard (voir fig. cat. 50). L'inspiration japonisante — probablement une estampe de Kuniyoshi[1] — renforce le traitement décoratif du tableau où trois registres se superposent. Une telle négation de la réalité — les formes sont rendues sans ombre et sans modelé — correspond à la recherche consciente de naïveté que poursuivaient alors Bernard et Gauguin à Pont-Aven. Trois petits chiens, trois coupes, trois pommes... visiblement Gauguin s'est amusé comme dans un conte pour enfants. Van Gogh écrivait d'ailleurs à Theo en août 1888 : « Gauguin et Bernard parlent maintenant de faire de « la peinture d'enfant ». J'aime mieux cela que la peinture des décadents »[2].

« Comme ils sont bien sur terre, ces pompiers avec leur trompe-l'œil de la nature. Nous seuls voguons sur le vaisseau fantôme avec toute notre imperfection fantaisiste »[3] écrivait par ailleurs Gauguin à Schuffenecker vers la fin août 1888 dans une lettre bien caractéristique de ses recherches antinaturalistes d'alors.

C.F.T.

Matisse, *Les coloquintes*, 1916, huile sur toile (New York, Museum of Modern Art, Mrs. Simon Guggenheim Fund)

55

Nature morte aux fruits

Été 1888
43 × 58
Huile sur toile.
Signé, daté en bas à droite et dédicacé, *à mon ami Laval P Go 88.*

Moscou, Musée Pouchkine

Catalogue
W 288.

Dédicacée à Charles Laval qui de retour de la Martinique avait rejoint Pont-Aven où il se trouvait début août 1888, cette nature morte à dû être exécutée à la fin de l'été si l'on s'en réfère aux fruits représentés. Avec la *Nature morte, fête Gloanec* (cat. 52), la *Nature morte aux trois petits chiens* (cat. 54) et la *Nature morte à la céramique* (W 289), elle constitue un groupe d'œuvres où la préoccupation essentielle de Gauguin semble être l'exploration des différentes solutions possibles à la représentation des objets dans l'espace. Chacune de ces natures mortes adopte un point de vue différent mais toutes sont fortement marquées par les formules spatiales des estampes japonaises.

Ici Gauguin choisit le parti de faire basculer brutalement le plan de la table dont le bord coupe le coin supérieur gauche en diagonale, tronquant les formes qui sortent du champ visuel comme dans les futures natures mortes de Bonnard. Les ombres portées bleues stabilisent les objets qui, sans elles, flotteraient de manière indéterminée dans l'espace.

En haut à gauche apparaît pour la première fois un personnage tragique, la tête enfoncée dans les poings, les

54

55

yeux bridés, à l'expression d'infinie prostration. Ce curieux faciès n'est pas sans rappeler la physionomie de la bretonne qui occupe l'angle inférieur droit des *Bretonnes dans la prairie verte* de Bernard (voir fig. cat. 50). Cette apparition dérangeante reléguée dans un coin de la toile fait basculer ce qui aurait pu n'être qu'une nature morte au contenu ordinaire dans les mouvances ambiguës du symbolisme. Ainsi cette femme dont l'expression rappelle le regard diabolique dont Gauguin gratifiera bientôt le peintre Meyer de Haan (cat. 93) semble-t-elle incarner à la fois la tentation devant les fruits de la terre et la sinistre fatalité de la condition humaine[2].

Ce personnage est la figure centrale de *Misères humaines* (W 304), toile exécutée à Arles aux côtés de van Gogh quelques semaines plus tard et constitue l'un de ces thèmes récurrents fréquents dans l'œuvre de Gauguin (voir cat. 69, 78, 244).

Cette toile a appartenu au grand collectionneur russe Stchoukine dont les peintures ont formé avec celles d'Alexandre Morosov le noyau de l'ancien Musée de Peinture Moderne Occidentale de Moscou, aujourd'hui Musée Pouchkine. C.F.T.

1. Voir sur ce point Andersen 1971, 88 et Jirat-Wasiutysnski 1978, 160.

56

Les Alyscamps

Fin octobre 1888
92 × 73
Huile sur toile.
Signé et daté en bas à gauche, *P Gauguin 88.*

Paris, Musée d'Orsay

Expositions
Paris Orangerie 1949, nº 11 ;
Paris 1960, nº 174 ;
Los Angeles 1984, nº 133.

Catalogue
W 307.

L'antique nécropole des Alyscamps aux confins de la vieille cité d'Arles devait inspirer à Gauguin et à van Gogh en novembre 1888 des toiles exaltant les couleurs flamboyantes de l'automne. De la nécropole romaine plus tard utilisée par les Chrétiens il ne subsistait plus à l'époque qu'une « mélancolique allée de cyprès bordée par une succession de sarcophages antiques vides, moussus et mutilés »[1]. Au fond de l'allée, s'élevait l'église romane de Saint Honorat dont on aperçoit la tour-lanterne sur la toile de Gauguin.

Les Alyscamps semble être le premier d'une série de sujets traités en commun par les deux artistes depuis l'arrivée de Gauguin en Arles le 23 octobre. Quelques jours plus tard, les 4-5 novembre tous deux devaient entreprendre deux scènes de vendanges aussi dissemblables que *La vigne rouge*[2] de van Gogh et *Misères*

Van Gogh, *Les Alyscamps*, 1888, huile sur toile (Lausanne, collection particulière)

P Gauguin. 88

1. H. James, *A little tour in France*, Boston 1884, cité par Schaefer in Paris 1985, 340.
2. La Faille 1970, nº 495 ; Hulsker 1980, nº 1626.
3. Roskill [1970], 137-138.
4. La Faille, nºs 568, 569, 486 et 487 ; Hulsker 1980, nºs 1620 à 1623.
5. Sur *Les Alyscamps* de van Gogh voir Pickvance, New-York 1984, nºs 115 à 117.
6. Lettre de Vincent à Emile Bernard, vers le 2 novembre 1888 citée par Pickvance in New-York 1984, 200. Merlhès 1984,nº 177, 273.
7. La Faille 1970, nº 568.
8. Merlhès 1984, nº 182, 284.
9. Cooper 1983, nº 9.1.
10. Rewald 1973, 49.
11. Rotonchamp 1906, 77, nº 11. Procès verbal de la vente, nº 12.

humaines (W 304) de Gauguin. Mais le plus souvent Gauguin reprenait un sujet traité peu auparavant par van Gogh comme c'est le cas de *Au Café, Mme Ginoux* (cat. 57) ou des *Lavandières à Arles* (W 302, W 303). Dans le cas des *Alyscamps* il est difficile de trancher si les deux artistes ont travaillé ensemble sur le même site ou à quelque temps d'intervalle comme l'affirme M. Roskill[3].

Dans *Les Alyscamps*, Gauguin a choisi de se placer à l'extérieur de la célèbre allée de peupliers bordée de sarcophages, le long de la rive du canal de Craponne. Les sépultures antiques apparaissent par contre dans l'autre version qu'il a peint sur le même site dans le même format mais en largeur (W 306).

Van Gogh nous a pour sa part donné quatre versions des *Alyscamps*[4] dont deux en largeur furent exécutées sur une toile grossière qu'avait acquis Gauguin peu après son arrivée[5] et qui servit aux deux artistes. C'est à ces deux toiles que Gauguin fait allusion dans le post-scriptum d'une lettre de Vincent à Emile Bernard : « Vincent a fait deux études de feuilles tombantes dans une allée qui sont dans ma chambre et que vous aimeriez bien. Sur toile à sac très grosse mais très bonne »[6]. Il n'y a rien de commun entre la toile d'Orsay et ces deux versions de van Gogh.

Plus proche du moins par le format en hauteur et la composition générale s'avère la toile de van Gogh figurant dans une collection particulière suisse[7]. Mais la facture en pleine pâte de van Gogh contraste avec la touche striée et légère de Gauguin. Celui-ci écrivait à ce propos à Emile Bernard dans la deuxième semaine de novembre : « Vincent et moi sommes bien peu d'accord en général, surtout en peinture... Il est romantique et moi je suis plutôt porté à un état primitif. Au point de vue de la couleur, il voit les hasards de la pâte comme chez Monticelli et moi je déteste le tripotage de la facture etc. »[8]

Touche raisonnable certes, mais couleur exaltée et parfois arbitraire, le tronc bleu et la violente tache rouge du premier plan témoignent de l'effet éclatant du séjour arlésien sur la palette de Gauguin.

Vers le 4 décembre, c'est sous le titre ironique de *Les trois grâces au temple de Vénus*[9] que Gauguin envoya cette toile à Theo van Gogh en même temps que *La ronde des petites bretonnes* retouchée (cat. 44), *Au café* (cat. 57), *Dans le foin* (W 301) et *Misères humaines* (W 304). L'œuvre devait rester en dépôt chez Boussod et Valadon[10] avant d'être reprise par l'artiste puis vendue 350 F. à M. de Cholet lors de la vente Gauguin du 23 février 1891[11]. Elle fit ensuite partie du legs de la Comtesse Vitali en souvenir de son frère le Vicomte de Cholet au Louvre en 1923. C.F.T.

57
Au café

Début novembre 1888
72 × 92
Huile sur toile.
Signé et daté en bas à droite, *P Gauguin 88*.
Et au centre à gauche sur le billard, *P Gauguin 88*

Moscou, Musée Pouchkine

Exposition
Paris 1978, nº 10.

Catalogue
W 305.

1. La Faille 1970, 463, Hulsker 1980, nº 1575.
2. Lettre de Vincent à Theo, 8 septembre 1888, in Van Gogh 1960, nº 533 F, 190.
3. Lettre de Vincent à Theo, in Van Gogh 1960, nº 559 F, 266.

Cette toile représente l'intérieur du Café de la Gare que tenaient les époux Ginoux au 30 place Lamartine à Arles. Van Gogh y avait trouvé refuge lors de son arrivée en Arles avant d'emménager dans la toute proche Maison Jaune et y avait occupé une chambre de mai 1888 jusqu'à la mi-septembre. Il en avait représenté l'intérieur désolé, peint de nuit sous le violent éclairage de ses lampes à gaz, dans une toile[1] exécutée fiévreusement début septembre, cherchant « à exprimer avec le rouge et le vert les terribles passions humaines »[2].

A cette œuvre pathétique répond *Au Café* de Gauguin, toile beaucoup plus distanciée, entreprise dès les premiers jours de novembre, en même temps que *Misères humaines*[3] (W 304). « Gauguin a dans ce moment en train une toile du même café de nuit que j'ai peint aussi, mais avec des figures vues dans des bordels. Cela promet de devenir une belle chose » écrit van Gogh à Emile Bernard la première semaine de novembre[4].

Quelques jours plus tard, Gauguin décrit son tableau dans une lettre à Emile Bernard accompagnée d'un rapide croquis de l'œuvre : « J'ai fait aussi un café que Vincent aime beaucoup et que j'aime moins. Au fond ce n'est pas mon affaire et la couleur locale canaille ne me va pas. Je l'aime bien chez les autres mais j'ai toujours de l'appréhension. C'est affaire d'éducation et on ne se refait pas. Le haut papier rouge trois putains, une la tête hérissée de papillotes la deuxième de dos châle vert. La troisième châle vermillon. Au gauche un dormeur. Billard. Au premier plan une figure assez exécutée d'Arlésienne avec châle noir sur le devant [... ?] blanc. Table de marbre. Le tableau traversé par une bande de *fumée bleue* mais la figure du premier plan est beaucoup trop comme il faut. Enfin.[5] »

Cette figure au premier plan n'est autre que Mme Ginoux immortalisée par les célèbres portraits d'*Arlésienne*[6] de van Gogh. Les deux artistes lui avaient demandé de poser pour eux et van Gogh avait alors « sabré » en une heure la première version de l'*Arlésienne* que l'on s'accorde aujourd'hui à penser être celle du Musée d'Orsay[7]. Gauguin en fit pour sa part un portrait au fusain remarquable par la solidité de ses formes qui lui servit d'étude pour *Au Café* ; il fit ensuite don du dessin à van Gogh qui l'utilisa pour ses versions ultérieures de Mme Ginoux. Dans le tableau de Moscou, celle-ci apparaît crânement accoudée sur le marbre blanc derrière une bouteille d'eau de Selz reprise du tableau de van Gogh, et lançant une œillade au spectateur sans doute pour faire écho à la présence des trois prostituées à l'arrière-plan.

Ce n'est pas sans ironie à l'égard de Vincent[8] que Gauguin a introduit deux autres personnages également immortalisés par le hollandais : le facteur Roulin que l'on reconnaît à sa casquette et le zouave Millet à l'extrême gauche. Ces deux figures qui n'apparaissent pas sur le croquis de la lettre à Emile Bernard ont peut-être été rajoutées dans un deuxième temps ce qui serait une explication possible à la présence inhabituelle de deux signatures sur le tableau.

Tout en ayant recours aux même oppositions de couleurs — vert, rouge et ocre — que van Gogh, Gauguin donne une version beaucoup plus stylisée et décorative du sujet. La scène est observée froidement et n'a rien de commun avec la vision expressionniste de van Gogh. L'insistance rythmique sur les horizontales donne à la toile un équilibre qui fait totalement défaut à la version de Vincent. Les personnages disposés en frise à l'arrière-

Gauguin, *L'Arlésienne, Mme Ginoux,*
1888, fusain et pastel
(The Fine Arts Museums of San Francisco,
Achenbach Foundation for Graphic Arts,
don du Docteur T. Edward et Tullah Hanley,
Bradford (Pennsylvanie), Achenbach Foundation)

Van Gogh, *Le café de nuit,*
1888, huile sur toile
(New Haven, Yale University Art Gallery,
Legs Stephen Carlton Clark)

c'est ma meilleure toile de cette année et aussitôt qu'elle sera sèche je l'enverrai à Paris. J'ai fait aussi un café que Vincent aime beaucoup et que j'aime moins. Au fond ce n'est pas mon affaire et la couleur locale canaille ne me va pas. Je l'aime bien chez les autres mais j'ai toujours de l'appréhension. C'est affaire d'éducation et on ne se refait pas.

Le haut papier rouge trois putains. Une la tête hérissée de papillotes la deuxième de dos avec châle vert. La troisième châle vermillon à gauche un dormeur. Billard. Au 1er plan une figure assez exécutée d'arlésienne avec châle noir et le devant tulle blanc. Table de marbre. Le tableau traversé par une bande de fumée bleue mais la figure de 1er plan est beaucoup trop comme il faut. Enfin

Gauguin, *Croquis d'après «Au café»,*
lettre à Émile Bernard (novembre 1888)
(localisation actuelle inconnue)

4. Lettre de van Gogh à Emile Bernard, [vers le 2 ou le 6 novembre 1888], Merlhès 1984, nº 177, 273.
5. Lettre de Gauguin à Emile Bernard, [2e semaine de novembre 1888], Merlhès 1984, nº 179, 275.
6. La Faille 1970, nº 488-489, 540 à 543 ; Hulsker 1980, nºs 1624-1625, 1892 à 1895.
7. Pickvance, in New-York, 1984, nºs 120-121.
8. Roskill [1970], 142.
9. Van Gogh 1960, nº 561 F, 271 ; Merlhès 1984, nº XCII, 279, [entre le 9 et le 12 novembre 1888].
10. Lettre de Gauguin à Theo, Cooper 1983, nº 9.1, 75, [vers le 4 décembre 1888] ; Merlhès 1984, nº 183, 288 [vers le 22 novembre 1888].
11. Cooper 1983, nº 35.4, n. 10, 263.

plan semblent des marionnettes que domine l'imposante figure de Mme Ginoux. L'atmosphère générale est admirablement symbolisée par l'indifférent voile de fumée bleue qui stagne en travers de la pièce, incitant à une réflexion sur l'inanité des passions humaines.

« Gauguin a aussi presque fini son *Café de nuit* » pouvait écrire Vincent à Theo dans une autre lettre de novembre 1888[9]. Vers la fin du mois[10], Gauguin expédiait sa toile roulée à Theo, dans un paquet qui contenait également *La danse des petites bretonnes* retouchée (cat. 44), *Les Alyscamps* (cat. 56) et deux autres toiles arlésiennes (W 301, W 304).

Douglas Cooper[11] a émis l'hypothèse que le *Café de nuit* ait figuré à l'exposition des XX à Bruxelles en 1889 sous le titre *Vous y passerez la belle*. Cette assertion n'est nullement prouvée et je pense que le tableau ainsi désigné est *Les arbres bleus* (cat. 60), facilement identifiable dans les commentaires critiques de cette exposition.

Acquis par Ambroise Vollard, *Au café* appartint ensuite au grand collectionneur russe I. Morosov.

C.F.T.

58

Vieilles femmes à Arles

Mi-novembre 1888
73 × 92
Huile sur toile.
Signé et daté en bas à gauche, *P. Gauguin 88*.

The Art Institute of Chicago, Mr and Mrs Lewis Larned Coburn Memorial Collection

Expositions
Bâle 1928, nº 39 ;
Chicago 1959, nº 13 ;
Londres 1979, nº 86 ;
Toronto 1981, nº 55 ;
New York 1984, nº 127.

Catalogue
W 300.

Cette toile exécutée à la mi-novembre nous éclaire sur les véritables questions qui alimentèrent les échanges artistiques entre Gauguin et van Gogh pendant la durée de leur brève cohabitation. Il faut remonter aux quelques semaines précédant l'arrivée de Gauguin en Arles, en septembre et début octobre 1888 pour comprendre les circonstances de l'élaboration de cette œuvre. C'est à cette époque que van Gogh entreprend, en effet, une série de vues des jardins publics d'Arles dont celui situé en face de la Maison Jaune qu'habitait l'artiste[1]. Certaines de ces toiles s'intitulent *Le jardin des poètes* par association avec Boccace et Pétrarque dont van Gogh évoque alors le souvenir dans ses lettres à Theo. Cette série était destinée à la décoration de la chambre que n'allait pas tarder à occuper Gauguin.

Tout porte à penser que *Les vieilles femmes à Arles* sont la réponse de Gauguin aux toiles que van Gogh venait d'exécuter sur le motif[2]. Si le point de départ de l'œuvre est assurément un des jardins publics proches de la Maison Jaune, nous avons affaire ici à un tableau totalement repensé en imagination. L'espace y est traité de façon arbitraire, sans horizon grâce à une perspective remontante que viennent caler au premier plan la barrière et le bosquet violemment contrastés. La géométrisation des formes prime sur l'observation naturaliste. Ainsi les sombres silhouettes d'Arlésiennes se serrant dans leurs châles répondent aux deux étranges cônes orangés qu'il faut interpréter comme des arbustes paillés contre le gel. Alors que van Gogh animait ses jardins de promeneurs ou d'amoureux expressifs, Gauguin hante le sien de silhouettes énigmatiques.

Peu après son arrivée en Arles, il écrivait d'ailleurs à E. Bernard : « c'est drôle Vincent voit ici du Daumier à faire, moi au contraire je vois du Puvis coloré à faire

Van Gogh, *Souvenir du Jardin d'Etten*, 1888, huile sur toile (Leningrad, Musée de l'Ermitage)

Gauguin, *Croquis d'Arlésiennes*, carnet de Bretagne et d'Arles (Jérusalem, Musée d'Israël)

1. La Faille 1970, nºs 468, 470, 471, 472, 479, 485.
2. House, Londres 1979, nº 86 ; Pickvance, New-York 1984, nº 127.
3. Lettre de Gauguin à E. Bernard, [fin octobre-début novembre 1888], Merlhès 1984, nº 176, 270.
4. Huyghe 1952, 51, 52, 56, 60.
5. Van Gogh 1960, nº 562 F, 274.
6. Huyghe 1952, 223.
7. Rewald 1973, 35.

mélangé de Japon. Les femmes sont ici avec leur coiffure élégante, leur beauté grecque, leurs châles formant plis comme les primitifs, sont, dis-je, des défilés grecs. En tout cas il y a ici une source de beau *style moderne.* »[3]

Le carnet de croquis de Bretagne et d'Arles[4] montre, par ailleurs, que Gauguin avait exécuté plusieurs études de détail pour les figures, le banc, le jet d'eau et les cônes avant d'assembler ces divers éléments. Il est sans doute possible de reconnaître Mme Ginoux (cat. 57) dans l'Arlésienne du premier plan. Cependant, même si l'on peut identifier ponctuellement certains motifs directement observés, cette œuvre dont la composition a été mûrement délibérée s'oppose en tout point à la spontanéité des toiles de van Gogh.

Suivant les exhortations de Gauguin à peindre « d'imagination », celui-ci entreprit au même moment une toile où il mèle des traits des jardins d'Arles aux souvenirs des jardins de sa jeunesse à Nuenen et Etten. Avec *La Salle de danse à Arles* du Musée d'Orsay, le *Souvenir du jardin d'Etten* est l'œuvre où l'influence de Gauguin sur van Gogh est la plus sensible. On ne peut cependant ne pas y percevoir l'effort de l'artiste pour peindre contre son penchant naturel. « Gauguin me donne courage d'imaginer et les choses d'imagination certes prennent un caractère plus mystérieux » écrit à ce propos van Gogh à Theo pour lui expliquer sa démarche[5].

Gauguin reprendra en les inversant les motifs essentiels des *Vieilles femmes à Arles* dans une de ses zincographies de la série Volpini (cat. 67). La mention du tableau sous le titre *Arlésiennes (mistral)* dans une liste d'œuvres du carnet de Bretagne et d'Arles[6] indique que Gauguin vendit sa toile pour 300 Frs à Theo van Gogh, sans doute à la fin de 1889. L'œuvre fut ensuite vendue par Theo à Emile Schuffenecker[7]. C.F.T.

59

59

Ferme à Arles

Mi-novembre 1888
91 × 72
Huile sur toile.

Indianapolis Museum of Art (don en mémoire de William Ray Adams)

Expositions
Copenhague, Udstilling 1893, nº 156 *Efterrarslandskab fra Arles ?* ;
Houston 1954, nº 11 ;
Edimbourg 1955, nº 27 ;
New-York 1956, nº 12 ;
Chicago 1959, nº 14 ;
Paris 1960, nº 39 ;
Munich 1960, nº 38 ;
Vienne 1960, nº 12 ;
Los Angeles 1984, nº 102.

Catalogue
W 308.

1. Sur cette série, voir Pickvance, New York 1984, 93-94.
2. Lettre de van Gogh à Theo, [après le 12 juin 1888], Van Gogh 1960, nº 497 F, 89, citée par Pickvance, New York 1984, 93.
3. Voir Brettell, in Los-Angeles, nº 102.
4. La Faille 1970, nºs 561, 412.
5. Roskill [1970], 43.
6. Bodelsen 1966, 36.

Sur les dix-sept toiles peintes par Gauguin à Arles aux côtés de van Gogh, on compte six paysages tous exécutés sur de grandes toiles de 30 (72 × 93 cm), alternativement prises dans le sens vertical ou horizontal. C'est aussi le format que van Gogh avait adopté pour la majeure partie de sa série de moissons et de meules, dix toiles pour la plupart exécutées entre le 13 et le 20 juin précédant l'arrivée de Gauguin[1].

La *Ferme à Arles* montre un Gauguin au carrefour des influences de van Gogh et de Cézanne, un van Gogh qu'il côtoie tous les jours et un Cézanne dont le souvenir devait le hanter durant ce séjour dans le Midi, tout comme il habitait van Gogh qui écrivait à son frère en juin 1888 : « Involontairement ce que j'ai vu de Cézanne me revient à la mémoire parce que lui a tellement — comme dans la Moisson que nous avons vue chez Portier — donné le côté âpre de la Provence (...) La nature près d'Aix où travaille Cézanne c'est juste la même qu'ici, c'est toujours la Crau ».[2]

Si Gauguin reprend dans la *Ferme à Arles* un thème cher à van Gogh qui s'était aussi souvenu de Millet dans ses imposantes *Meules* du Musée Kröller Müller[3] — une des toiles les plus importantes de la série exécutée par van Gogh — le traitement en est radicalement différent. Les touches vibrantes de van Gogh confèrent à ses meules une impressionnante présence dans une toile habitée par une véritable fièvre. D'autres meules de van Gogh, comme celle de l'Academy of Arts d'Honolulu ou du Rijksmuseum Vincent van Gogh d'Amsterdam[4], se détachent sur un vaste horizon communiquant à ces toiles le sentiment de l'infini cosmique.

Chez Gauguin en revanche, la solide structure de la meule se découpe au centre d'un paysage où des éléments architecturaux ferment la composition de construction géométrique. Mise à part celle utilisée dans l'angle inférieur gauche où se manifeste l'influence de van Gogh, la touche employée striant régulièrement la toile dérive encore de Cézanne et confère à cette œuvre une stabilité bien éloignée de la vision passionnée du Hollandais.

Il est intéressant de noter que ce dernier avait fait plusieurs dessins à l'encre et au roseau de ses toiles de meules et en avait adressé certains à Emile Bernard vers la mi-juillet 1888, donc peu avant l'arrivée de celui-ci à Pont-Aven.

Rappelons pour mémoire que la *Ferme à Arles* autrefois considérée comme un paysage de Bretagne de 1888 fut aussi assignée par erreur à l'année 1889[5]. Quoique cette toile ne soit pas datée, le type d'habitations et de végétation ne permet pas d'hésitation.

Hypothétique reste par contre la présence de la *Ferme à Arles* à l'exposition d'œuvres de Gauguin à Copenhague en 1893[6] ainsi que son éventuelle présentation à l'exposition Volpini sous le titre *Paysage d'Arles*. C.F.T.

Van Gogh, *Les meules*, 1888, huile sur toile (Otterlo, Rijksmuseum Kröller-Müller)

60

Les arbres bleus

Automne 1888
92 × 73
Signé et daté en bas à droite, *P Gauguin 88*.

Charlottenlund, Ordrupgaard Samlingen

Expositions
Bruxelles 1889, nº 12, *Vous y passerez la belle*(?) ;
Copenhague, Udstilling 1893, nº 157 (Landskab ved Solnedgang) ;
Copenhague 1948, nº 36 ;
Paris 1981, nº 15 ;
Copenhague 1984, nº 29.

Du compte-rendu enthousiaste que fit Octave Maus de l'envoi de Gauguin à l'exposition bruxelloise des XX en 1889, il faut conclure que *Les arbres bleus* figurait à cette manifestation. Si aucun tableau n'apparaît formellement sous ce titre dans le catalogue de cette exposition au nom de Gauguin, on voit mal à quelle autre toile pourrait se rapporter ce commentaire du grand critique belge : « De ce qu'un paysage montre des troncs d'arbres bleus et un ciel jaune, on conclut que M. Gauguin ne possède pas les plus élémentaires notions du coloris (...) J'avoue humblement ma sincère admiration pour M. Paul Gauguin, l'un des coloristes les plus raffinés que je connaisse et le peintre le plus dénué des trucs coutumiers qui soit. »[1] Je propose donc de voir dans *Les arbres bleus*, où l'on aperçoit un couple à travers les arbres, le tableau qui figurait aux XX sous le titre énigmatique de *Vous y passerez la belle* et dont l'identification est restée problématique (voir cat. 57).

Cette toile construite sur de francs contrastes de couleurs, jaune-bleu, vermillon-vert, obéit à un schéma décoratif basé sur l'opposition rythmique des verticales des troncs et d'une ligne d'horizon très remontée. L'étagement des plans y est renforcé par la nette délimitation de zones de couleurs cernées de bleu au premier plan et dans le ciel qui contraste avec le traitement de la partie centrale en dégradés de tons oranges, bleus et verts.

Dans la lignée de *La vision du sermon* (cat. 50), on peut considérer *Les arbres bleus* comme la mise en pratique par Gauguin lui-même de la célèbre leçon qu'il venait de dispenser à Sérusier en Bretagne sur le site du Bois d'Amour en octobre 1888. On sait que de cette mémorable séance devait naître le petit tableau intitulé le *Talisman*[2] (voir fig. essai C.F.T.) peint par Sérusier sous la dictée de Gauguin, véritable manifeste de la liberté du peintre par rapport au motif.

60

Catalogue
W 311.

1. O. Maus 1889, cité par Rewald 1979, 249 (éd. française, Paris, 1961, [161], n° 1, [184].
2. Paris, Musée d'Orsay.
3. Van Gogh 1960, n° 559, citée par Bodelsen 1964, n° 144, 22.
4. Huyghe 1952, 72.
5. Bodelsen 1964, 221, n. 144.
6. Rewald 1973, 49.

Les arbres bleus fut peint à Arles sur la même toile grossière que *Misères humaines* (W 304) ou que l'*Autoportrait, les misérables* (W 239). On sait, par une lettre de Vincent à son frère Theo écrite vers le 10 novembre 1888, que Gauguin avait acheté « 20 mètres de toile très forte » à bon marché[3]. Il mentionne son tableau aux côtés d'autres toiles arlésiennes dans son carnet de Bretagne et d'Arles[4]. Cette œuvre fait peut-être partie de l'envoi complémentaire de l'artiste à Theo chez Boussod et Valadon à la fin de l'année 1888 car Schuffenecker écrit à Gauguin le 11 décembre 1888 pour le féliciter de ses dernières toiles d'Arles, tout en le mettant en garde contre cette toile de mauvaise qualité : « La peinture s'en va par écailles c'est fort ennuyeux et rend les toiles momentanément invendables[5] ». Quelques mois plus tard, c'est probablement *Les arbres bleus* qui figure au prix de 300 F sur une abondante liste d'œuvres déposées par Gauguin chez Boussod et Valadon, sans doute en 1890[6].

La partie inférieure des *Arbres bleus,* simplifiée, apparaît à l'arrière-plan d'une autre toile de la période arlésienne de l'artiste, le *Portrait de Mme Roulin* (W 298), modèle également immortalisé par van Gogh à la même époque. C.F.T.

61
La famille Schuffenecker

Janvier 1889
73 × 92
Huile sur toile.
Signé au milieu et à droite, sur le poêle, en rouge, *P. Go.*
Dédicacé et daté en bas et à droite en bleu, *Souvenir à ce bon Schuffenecker 1889.*

Paris, Musée d'Orsay

Expositions
Paris, Orangerie 1949, n° 12 ;
Bâle 1949, n° 25 ;
Quimper 1950, n° 5 ;
Saint-Germain-en-Laye 1985-1986, n° 135.

Catalogue
W 313.

Exposé à Paris

1. Lettre de Gauguin à Vincent van Gogh, Cooper 1983, n° 35.3, 261, et lettre de Vincent à Theo du 19 janvier, (Van Gogh 1960, 295) montrant qu'il l'a reçue.
2. Rotonchamp 1906, 37.
3. On retrouve cette même estampe dans la nature morte *Pommes et pot à oreilles* (W 287), glissée dans un plus grand cadre, et certainement fait également chez Schuffenecker l'année précédente.

« Je vais m'atteler aux portraits de toute la famille Schuffenecker, lui sa femme et ses deux enfants en tablier vermillon » écrit Gauguin à Vincent van Gogh autour du 15 janvier 1889[1]. Ce tableau est un des rares que Gauguin ait peint à Paris en 1889, où il s'est consacré surtout à la poterie. Il a semble-t-il été peint en deux temps : d'abord en janvier, « il fait un rude froid en ce moment à Paris »[1] écrit-il à Vincent, ce qui explique le manteau et le fichu dont Madame Schuffenecker est enveloppée, ainsi que le poêle incandescent où Gauguin, homme de feu, a signé en rouge ! Il a dû terminer le tableau à son retour à Paris, pour l'exposition Volpini, en mai-juin, ayant séjourné entre temps — de fin février à mai — à Pont-Aven. On comprend alors mieux le paysage verdoyant qu'on devine derrière la verrière d'un atelier qui est certainement celui de Schuffenecker, dans une impasse donnant au 29 rue Boulard, où il hébergeait Gauguin. « Une étroite allée, entourée de treillages, était bordée à droite et à gauche de petits pavillons symétriquement alignés et précédés chacun d'un minuscule jardinet. La salle à manger et une pièce voisine — ancien salon transformé en atelier — donnaient de plein-pied dans le jardin », nous décrit le futur biographe de Gauguin, familier des lieux[2].

On est frappé dans ce portrait de groupe — genre nouveau pour Gauguin — par l'association d'une réalité très justement observée, dans le paysage, voire cruellement, dans les portraits, les attitudes — et d'un traitement de la couleur délibérément arbitraire. Ces grandes plages de couleurs primaires opposées, jaune et bleu, évoquent la période d'Arles et la marque de van Gogh. Il a baigné ses personnages dans le volume réel de l'atelier, mais traité en à-plat de couleurs comme dans *La vision* (cat. 50) et surtout comme dans l'estampe japonaise, sur le mur à droite, où un groupe de personnages est placé sur un grand fond rouge, image qui donne une des clés harmoniques du tableau[3]. Remarquons que cette estampe, comme le tableau au dessus, ont été ajoutés après coup par l'artiste, au cours du deuxième temps de l'exécution, ainsi que le montrent les analyses techniques[4].

L'élément principal du tableau est le triangle central où s'inscrit le groupe de Mme Schuffenecker et de ses deux enfants. De l'aînée[5], Jeanne, Gauguin avait déjà modelé un charmant portrait en céramique (cat. 39), et ce sont sans doute elle et son petit frère qu'il faut voir dans un tableau d'enfants cocasse et un peu terrifiant[6], qui rappelle assez ceux que Vincent avait fait à Arles du bébé Roulin. Ici, les deux enfants dans leur tablier rouge sont décrits sans mièvrerie, mais non sans tendresse.

On ne peut en dire autant de l'image des parents. Madame Schuffenecker, que Gauguin avait déjà décrite comme une « harpie » et un « crampon »[7] dans une lettre à Mette, était une fort jolie jeune femme, d'un caractère apparemment difficile. Gauguin l'avait représentée plusieurs fois, d'abord dans un buste en plâtre, sans doute très tôt, au moment du mariage des Schuffenecker en 1880 (Musée d'Orsay, G 89), puis sous la forme d'un vase sculpté l'hiver 1887-1888 où l'on reconnaît fort bien ses traits fins, ses hautes pommettes et sa grande oreille dégagée[8], puis dans un deuxième où elle est couronnée d'un serpent (cat. 62). Ici Gauguin nous propose l'image d'une créature revêche, amère et triste avec un capuchon noir de mauvais augure ; son grand pardessus et l'énorme main fermée évoquent sa puissance maléfique. On a remarqué que le manteau était traité en volume, comme modelé dans une matière pesante[9] alors que le fond est plat ; le contraste fait d'elle une image redoutable. Peut-être Gauguin en voulait-il à Louise Schuffenecker de ne pas l'accueillir avec enthousiasme chaque fois qu'il devait s'installer chez eux — en s'y comportant avec un sans-gêne bien souvent décrit[10] : peut-être, comme son entourage le soupçonnait, Gauguin avait-il cherché à séduire la femme de son ami et avait été éconduit. Gauguin lui-même nous donne quelques indications symboliques qui permettent de confirmer l'hypothèse : les deux portraits en céramique de Louise Schuffenecker avaient un serpent pour attribut, symbole de tentation où l'on peut voir Gauguin[11] ; et surtout ici, le traitement caricatural du visage et de la main de la jeune femme dont l'alliance conjugale, montrée avec ostentation, forme le centre du tableau, permet de penser que Gauguin s'est vengé à sa manière en la montrant non plus seule en Eve, mais, dans un portrait de famille, en mère dominatrice et en épouse revendicatrice ! On doit à la vérité d'ajouter que la malveillance picturale de Gauguin n'était peut-être pas sans fondement, car Schuffenecker parle de sa femme moins de dix ans plus tard comme du « pauvre et lamentable être à qui la cruauté de la vie m'a attaché comme le forçat à son boulet »[12].

Le voici à gauche, tout petit dans ses grandes pantoufles, regardant sa femme d'un air humble, devant son chevalet où le tableau, vu de la tranche, en est comme effacé. Ses mains sont croisées, sans le moindre pinceau, dans l'attitude d'un serveur obséquieux ou d'un cocu de

61

comédie. Tel est peint le « bon Schuffenecker » de la dédicace : bon, peut-être, mais nié comme peintre, ridiculisé comme mari, anéanti comme ami. Et encore, il semble que Gauguin avait ajouté une légende « je vote pour Boulanggg » (c'est-à-dire le Général Boulanger qui se présentait aux élections du 27 janvier 1889), qui fut supprimée par la suite — sans doute par l'intéressé — et encore signalée dans la biographie de Rotonchamp en 1925.

« (Gauguin) fut toujours très dur pour Schuffenecker » nous dit un témoin »[15] ; on le croit sans peine, et l'on sait qu'il le jugeait « né pour être un simple ouvrier, ou concierge, ou un petit boutiquier ». C'était peut-être vrai, mais ne rendait pas compte du rôle important de Schuffenecker tout au long de la vie du « maudit ». D'abord il lui montre la voie, lorsque, comme Gauguin employé de l'agence de change Bertin depuis 1872, il entraîne son compagnon à visiter les musées et l'encou-

4. Renseignement aimablement communiqué par le laboratoire des musées nationaux.
5. Au moment du tableau, Jeanne Schuffenecker avait 7 ans 1/2, et son frère Paul 4 ans.
6. W 530 (Copenhague, ny Carlsberg.)
7. Malingue 1946, nº LXXIX, 156.
8. Identification faite par Merete Bodelsen 1964, 66.
9. Bodelsen 1964, 188, citant Denys Sutton.

Schuffenecker, *Autoportrait*, crayon et pastel (collection Mr. and Mrs. Arthur G. Altschul)

10. Rotonchamp 1906, 38.
11. Bodelsen 1964, 119.
12. Lettre inédite du 19/12/98 à Jules Bois, vente d'autographes, Drouot, 2 avril 1978, nº 153.
13. Rotonchamp 1925, 38.
14. Lettre à Monfreid, [avril 1893] in Joly-Ségalen 1950, 69.
15. Voir Le Paul et G. Dudensing 1978, et Merlhès 1984, 401-402.

rage à faire de la peinture, puis quitte son emploi pour s'y consacrer, le premier, avant Gauguin ; il l'aidera matériellement tout au long de sa vie — le premier fils de Gauguin, est baptisé Émile, en témoignage de la reconnaissance des parents ; il l'hébergera, le nourrira, aura l'idée de l'exposition en marge de l'exposition universelle de 1889 chez Volpini, moment-clé pour l'histoire de l'influence de Gauguin sur les jeunes peintres ; enfin il lui fait connaître son futur biographe, Brouillon dit Rotonchamp, et surtout l'ami essentiel des dernières années, Daniel de Monfreid[15]. Quand Gauguin rêvait, un an après ce tableau, d'organiser son « atelier des tropiques » — qui devait s'établir à Madagascar avant Tahiti — il avait compris dans son phalanstère, outre Bernard, Meyer de Haan et van Gogh, le « bon Schuffenecker », jugeant qu'après tout le peintre n'était pas déshonorant, et que l'ami habile aux problèmes d'intendance, pouvait rendre des services. En remerciement, son génie cruel n'offrira à sa postérité, que ce dérisoire et éloquent portrait de famille.

F.C.

62

Vase en forme de tête de femme. Mme Schuffenecker

1889
H. 24,2
Grès émaillé avec quelques touches d'or.

Dallas Museum of Art, The Wendy and Emery Reeves Collection

Expositions
Paris 1906, nº 175 (?);
Paris 1917, nº 37 (?);
Paris 1923, nº 64;
Paris 1928, nº 38;
Paris 1936, nº 21.

Exposé à Washington et Chicago

Exécuté pendant l'hiver 1889, ce vase est traditionnellement considéré comme un portrait de Mme Schuffenecker[1]. A la différence du pot représentant Jeanne, sa fille (cat. 61), cette céramique est, comme le vase contemporain à double tête de garçons, complètement émaillé et a reçu un traitement coloré particulièrement remarquable, souligné d'accents dorés par endroits.

Selon M. Bodelsen[2], Mme Schuffenecker avait également inspiré un autre vase-portrait (G 49), en grès non émaillé celui-là, exécuté à Paris l'hiver précédent. Elle apparaissait alors en buste, parée d'un collier et la taille ceinte d'un serpent. Cet animal reparaît, prenant faussement l'apparence d'un ruban, dans le vase de Dallas, lové au sommet de la chevelure du modèle et tacheté de bleu. Dans le décor floral qui orne l'arrière de ce vase on distingue également un long serpent lové dans un arbre. Ainsi Mme Schuffenecker est-elle par deux fois apparentée à l'Eve tentatrice, ce qui est une allusion directe aux sentiments pour le moins ambigus que lui portait Gauguin. La tradition veut en effet que celui-ci ne se soit pas privé de courtiser la femme de son ami et que cela ait été la cause de la rupture des deux peintres en 1891 (voir cat. 61).

Dans le vase de Dallas, Mme Schuffenecker est par ailleurs dotée d'une oreille démesurée lui conférant un air de faunesse qui vient renforcer la signification symbolique de cette évocation.

Gauguin, *Vase en forme de torse de femme, Madame Schuffenecker* (?) (collection particulière)

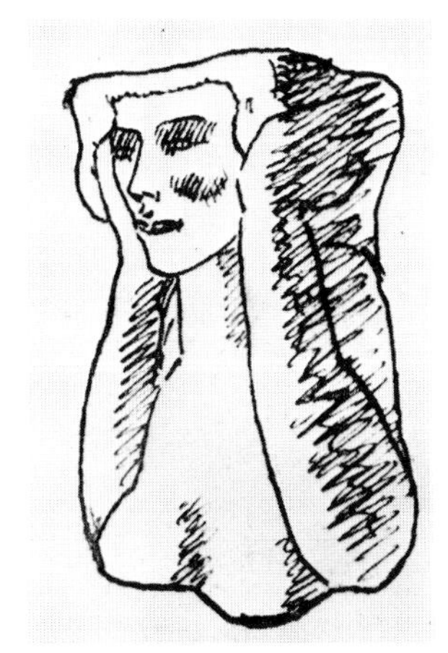

Picasso, *Étude de femme*, dessin à la plume (The Fine Arts Museums of San Francisco, California Palace of the Legion of Honor)

Ce vase qui n'a rien de commun avec un buste traditionnel présente un « aspect » de Mme Schuffenecker dont il décrit des éléments démembrés. C'est ainsi que la main gauche du modèle apparaît à l'arrière du vase, sans relation avec le reste du corps.

Cette approche très moderne de la sculpture a dû déconcerter plus d'un contemporain de Gauguin et il est intéressant de rapprocher[3] cette pièce d'un dessin du jeune Picasso où celui-ci fait preuve de la même approche fragmentaire du modèle.

Ce vase-portrait a appartenu au peintre Emile Schuffenecker avant de passer dans la collection de son frère et héritier, Amédée.

C.F.T.

1. Bodelsen 1964, 119.
2. Bodelsen 1964, 63.
3. Johnson 1975, 64.

63

Le jambon

1889
50 × 58
Huile sur toile.
Signé sur la table à droite, non daté, *P. Go.*

Washington D.C.
The Phillips collection

Expositions
Houston 1954, nº 10 ;
Chicago 1959, nº 21.

L'espace représenté ici est un des plus simples et des plus construits de l'œuvre de Gauguin, jouant sur l'opposition des bandes verticales du fond et des formes concentriques, celles de la table, du plat et des volutes opulentes du jambon cru.

Le papier peint jaune du fond n'est pas traité en grand à-plat, mais il est au contraire plein de passages modulés, particulièrement au-dessus de la table, et — tout comme la façon dont sont posés et décrits les oignons roses et le verre de vin — rappelle une fois encore l'admiration que Gauguin portait à Cézanne : « allons faire un Cézanne » s'écriait-il souvent, d'après Sérusier, surtout quand il se disposait à faire une nature morte[1]. On sait que Gauguin malgré ses graves difficultés financières, conservait précieusement une nature morte de Cézanne (voir cat. 111) dont il ne se sépara que contraint et forcé en 1898.

Mais c'est Manet qu'il faut surtout évoquer ici. La très belle nature morte de Manet, *Le jambon*[2] venait d'être achetée à la vente Pertuiset en juin 1888 par Degas. Comment ne pas imaginer que Gauguin ne l'a pas admirée chez lui, à son passage à Paris en janvier-février 1889 ? Gauguin était une des rares personnes à qui ce célèbre mysanthrope ouvrait sa porte. Peut-être alors a-t-il peint cette toile de retour dans son atelier de l'avenue Montsouris, où on peut imaginer qu'il « campe », avec une table de bistro en métal et un jambon cru fumé qui lui permet de se nourrir sans faire de cuisine ni interrompre son travail ?

Les deux tableaux sont très proches : l'objet est centré de la même façon, posé sur un même plat d'étain ovale, et devant un fond de papier peint.

On voit ce que Gauguin doit aux deux peintres — Cézanne et Manet — qu'il admirait tout particulièrement ; mais dans son tableau, la couleur poivrée et exotique, l'étrangeté dans la simplicité n'appartiennent qu'à lui.
F.C.

Manet, *Le Jambon,*
vers 1875-78, huile sur toile
(Glasgow Museums and Art Galleries, The Burrell Collection)

1. Sérusier cité par Chassé, 1955, 50.
2. 1880, Musée de Glasgow, cat. W 351, huile sur toile 32 × 42 cm. Ce tableau avait été exposé à la rétrospective Manet de janvier 1884, que Gauguin n'avait pas vue (lettre : Pissarro, Merlhès 1984, nº 59, 79).

64

Pot en forme de tête, autoportrait

1889 (janvier ?)
H. 19,3
Céramique en grès flammé avec couverture de vernis vert-olive, gris et rouge.

Copenhague, Kunstindustrimuseet

Expositions
Copenhague, Udstilling 1893, nº 138 ; Copenhague 1948 ; Copenhague 1948, nº 30.

Catalogues
G 65, B 48.

Gauguin a fait ici le plus saisissant, le plus troublant de ses autoportraits ; à partir d'un simple pot, il a réussi à imposer avec force une vision dramatique de lui-même ; la simplicité de la matière et de la forme lui épargnant toute la mise en scène inhérente à la composition d'un tableau.

Il exécute cette céramique début 1889 ; elle a sans doute été modelée chez Schuffenecker où il habite, puis cuite dans l'atelier de Chaplet. Mais l'image qu'il donne de lui-même était née peu à peu au cours de l'année précédente. Merete Bodelsen décrit de façon très convaincante l'interaction de son travail de céramiste et de celui de peintre, et comment la première technique, où il s'affirme plus inventif dès 1886-1887, avait entrainé Gauguin à trouver des idées et des formules picturales nouvelles[1]. Ainsi, dans sa lettre à Schuffenecker du 8 octobre 1888, peut-il décrire le fameux autoportrait envoyé à Vincent, intitulé *Les misérables* : « la couleur est une couleur assez loin de la nature ; figurez-vous un vague souvenir de ma poterie tordue par le grand feu — tous les rouges, les violets, rayés par des éclats de feu comme une fournaise rayonnant aux yeux, siège des luttes de la pensée du peintre »[2]. Il avait accompagné ces mots d'un dessin de lui-même très proche de ce pot qu'il exécutera quelques mois plus tard, comme s'il y avait un aller retour dans son travail, ses poteries de 1887 lui inspirant l'autoportrait de 1888 dédié à Vincent, lequel, par l'intermédiaire du dessin, joue à son tour un rôle dans la gestation de ce portrait de céramique.

La forme de sa tête-verseuse rappelle certains cruchons populaires traditionnels, — les Toby-jugs — mais surtout les pots péruviens qui lui étaient familiers par les collections de sa mère et de son tuteur Arosa. On connaît aussi sa complaisance à se dire « indien » ou « inca » et cet objet l'est doublement, et par sa physionomie, et par sa forme ; il correspond par ailleurs tout à fait à ce que Gauguin cherchait très consciemment à créer, et qu'il savait exprimer sa singularité : quelque chose de « tout à fait japonais par un sauvage du Pérou »[3].

C'est d'ailleurs le caractère japonais du matériau qui frappa le plus ses contemporains ; Fénéon, fin 1889, rendant compte de *Certains,* recueils d'articles de critiques d'art de J.K. Huysmans, reproche à l'auteur de ne pas citer le « Gauguin postérieur à 1887 (...) le Gauguin des vases et des statues qui inscrit un rêve fauve et des formes innovées dans le grès des potiers Takatori du XVIe siècle et du XVIIe, aux bruns puissants et gras, rehaussés de coulures sombrement éclatantes »[4].

Les couleurs de la couverture de vernis sont soigneusement choisies et réparties sous l'apparent effet du hasard. L'ensemble est gris-vert avec des tons bruns, la poignée est bleu-noir, mais le rouge posé sur le nez, les sourcils, la moustache et le cou veut produire l'effet du sang coulant sur le visage d'un supplicié, ou le col d'un décapité.

Le romantisme — avec Géricault, Goya, Baudelaire — puis le symbolisme — avec Mallarmé, Gustave Moreau, Puvis, Redon — ont eu une prédilection pour « cette sanglante rêverie des têtes coupées »[5], qu'il s'agisse de celle de saint Jean-Baptiste, ou de celle d'Orphée. Être supplicié pour sa foi ou pour son état de poète symbolisait bien en effet l'artiste incompris, « martyrisé » par l'indifférence et l'hostilité de ses contemporains. L'image même venait d'ailleurs de prendre une terrible réalité pour Gauguin, qu'une curiosité macabre venait de pousser à assister le 28 décembre 1888, à l'exécution par la guillotine d'un assassin[6], quelques semaines à peine avant la fabrication de son pot.

Autre supplice, autre analogie possible déjà suggérée[7] par l'absence d'oreilles sur le pot : l'emplacement sanglant ferait référence à l'auto-mutilation de van Gogh, qui avait conclu leurs relations orageuses à Arles par cette fameuse scène de délire. On se souvient de l'horreur et de la pitié de Gauguin lorsqu'il découvre au matin du 24 décembre, dans sa chambre, Vincent inanimé la tête ensanglantée[8]. Notons que quelques jours seulement séparent ces deux scènes tragiques. De plus, il est fort probable que Gauguin vit peu après à Paris chez Theo van Gogh l'un des fameux autoportraits de *Vincent à l'oreille coupée,* avec son bandage et que la tête-pot poursuit et conclut peut-être cette sorte d'émulation artistique entre Vincent et Gauguin si riche à Arles : Gauguin veut peut-être dire : « moi aussi, je suis un martyr, un homme blessé ».

Autre analogie possible : Gauguin a-t-il délibérément, comme à Pont-Aven quelques mois plus tard, (voir cat. 90) associé son image à celle du Christ, ensanglanté par la couronne d'épines ? Plusieurs historiens d'art l'affirment[9], et cette possible identification ne fait qu'enrichir les différents sens que Gauguin a certainement voulu plus ou moins clairement entremêler dans son autoportrait. Le thème d'Orphée est plus conforme au répertoire symbolique des poètes de l'époque ; quelques mois plus tard paraît d'ailleurs l'ouvrage d'Edouard Schuré, *Les grands initiés,* très populaire dans l'entourage des nouveaux amis de Gauguin[10], où le Christ et Orphée sont associés dans une même parenté héroïque et initiatique.

Si le sang et la tête coupée ont un sens symbolique, le fait de se représenter les yeux clos n'est pas non plus un hasard. Dans ce cas il faut sans doute penser à Redon, qui prend cette même année 1889 dans les admirations de Gauguin, le pas sur Cézanne et Degas. Déjà l'année précédente, il avait peint ses bretonnes imaginant les yeux fermés la scène décrite au sermon, (voir cat. 50) et avait été lui-même représenté en effigie dans l'autoportrait d'Emile Bernard (Amsterdam, Musée Fondation Vincent van Gogh), les paupières baissées. Cette image forte exprime les nouvelles conceptions de Gauguin, qui se détourne délibérément de la nature pour s'intéresser à une vision intérieure : « l'art est une abstraction, tirez-là de la nature en rêvant devant elle, et pensez plus à la création qui résultera (...) ».[11]

A la fin de l'été Gauguin s'étant fait envoyer par Schuffenecker le pot en Bretagne, et l'ayant trouvé « très réussi »[12] (ce qui indiquerait qu'il le découvre alors terminé pour la première fois, et confirmerait que c'est Chaplet qui l'a cuit en son absence), il le place dans une de ses plus célèbres natures mortes, dite à *l'estampe japonaise* (musée de Téhéran). L'objet montré de profil, est utilisé comme vase de fleurs. Ce jaillissement de marguerites hors de la cervelle du peintre est d'un effet cocasse et naïf certainement voulu : Gauguin nous dit par là, avec ces « coups de freins » constants chez lui vis-à-vis du symbolisme et de toutes les interprétations littéraires de son art, qu'il s'agit, certes, de l'artiste en martyr, mais aussi, tout simplement, d'un pot, d'un objet utilitaire.

Il reprendra quelques années plus tard à Tahiti, sur le mode légendaire ce thème d'une tête coupée posée sur un table. *Arii matamoe (la fin royale)*, représente, tournée

1. Bodelsen 1964, 111, a magistralement analysé cet objet.
2. Merlhès 1984, nº 168, 249. Malingue 1946, nº LXXI, 141.
3. Lettre à Schuffenecker, 8 juillet 1888, Merhlès 1984, nº 156, 198.
4. Fénéon 1889b, 172, cité par Bodelsen 1964, 111. Aucune céramique n'étant exposée chez Volpini, Fénéon avait vu les céramiques récentes soit chez Schuffenecker, soit chez Theo van Gogh.
5. Nerval, cité par Reverseau 1972.
6. *Avant et après*, 1923, 179-181.
7. Bodelsen 1964, 216, n. 61, et Roskill 1970, 197.
8. Gauguin, *Avant et après,* 1923, 21 à 23.
9. Gray 1963, 31, voit déjà dans le rouge, l'image du sang sur le visage dans la couronne d'épines du Christ ; Amishai-Maisels 1985, 76, voit la source de la tête dans la tête d'un *Christ de douleur,* gothique de Beauvais, qui aurait été exposé au Trocadéro en 1889.

64

10. Voir Jirat Wasiuntynski 1978.
11. Lettre à Schuffenecker, 14 août 1888, Malingue 1946, n° LXVII, 134.
12. Lettre à Schuffenecker, 1 septembre 1889, Malingue 1946, n° LXXXVI, 164.
13. Lettre à Monfreid. Juin 92, Joly-Segalen 1950, n° V, 57.
14. *Cf.* lettre de Mette Gauguin à Schuffenecker du 1er avril 1893, publiée par M. Bodelsen 1984, 76.

dans l'autre sens, une « tête de canaque coupée, bien arrangée sur un coussin blanc »[13], image d'un Orphée sauvage, dont la tête « royale » posée sur une table a été traitée comme un ustensile, métaphore du caractère dérisoire de tout vie, fut-elle d'un roi — ou d'un artiste —, si comme on peut aisément le supposer derrière cette image, se superposait celle de sa propre tête de céramique.

Cet autoportrait est, de loin, la première œuvre de Gauguin qui soit entrée dans une collection publique. Pietro Kronn, futur directeur du musée des arts décoratifs de sa ville, l'avait achetée à Schuffenecker à l'exposition de 1893 de Copenhague[14] ; il en fit don à son musée en 1897, du vivant même de Gauguin F.C.

Tête de Christ,
moulage d'après une sculpture
de la cathédrale de Beauvais
(Paris, Musée des Monuments Français)

Gauguin, *Arii matamoe (la fin royale)*
1892, huile sur toile
(Photographie Archives Durand-Ruel)

Gauguin, *Nature morte à l'estampe japonaise,*
1889, huile sur toile
(Téhéran, Musée d'Art Moderne)

65

Portrait de Gauguin en forme de tête de grotesque

Hiver 1889
H. 28
Grès émaillé.
Inscription au fond à l'intérieur sur une étiquette, *La sincérité d'un songe à l'idéaliste Schuffenecker. Souvenir Paul Gauguin.*

Paris, Musée d'Orsay
Don Jean Schmidt au Musée du Louvre, 1938

Expositions
Paris 1891 (?);
Paris 1923, nº 66;
Paris 1928, nº 34;
Paris, Orangerie 1949, nº 86.

Catalogues
G 66, B 53.

« Demandez à Emile de prendre chez Schuffenecker un grand pot qu'il m'a vu faire représentant vaguement une tête de Gauguin le sauvage, et acceptez-le de ma part » écrit Gauguin à Madeleine Benard fin novembre 1889[1]. Curieux hommage que cet *Autoportrait* tragique et grotesque à la fois où la matière violentée devient le support symbolique d'un message autobiographique particulièrement poignant.

Exécuté pendant les premiers mois de 1889, ce pot avait d'abord été dédicacé à Schuffenecker comme l'atteste l'inscription sur l'étiquette collée au fond à l'intérieur: « La sincérité d'un songe à l'idéaliste Schuffenecker, Souvenir Paul Gauguin ».

Quelques temps plus tard, sans doute en novembre 1889, Gauguin s'explique sur la signification de cette étrange céramique dans une lettre à Emile Bernard: « J'ai souri à la vue de votre sœur devant mon pot. Entre nous je l'ai fait un peu exprès de tâter ainsi les forces de son admiration en pareille matière, je voulais ensuite lui donner une de mes meilleures choses quoique pas très réussie (comme cuisson). Vous savez depuis longtemps et, je l'ai écrit dans le *Moderniste,* je cherche le caractère dans chaque matière. Or le caractère de la céramique de grès est le sentiment du grand feu, et cette figure calcinée dans cet enfer, en exprime je crois assez fortement le caractère. Tel un artiste entrevu par Dante dans sa visite dans l'enfer. Pauvre diable ramassé sur lui-même, pour supporter la souffrance »[2]. Ainsi Gauguin se représente-t-il lui-même comme l'artiste maudit en proie aux tourments infernaux de la création. Ceux-ci s'expriment dans la matière même du grès dont les craquelures et la rusticité essentielle trahissent le supplice du grand feu.

Grotesque et pathétique, cette figure difforme exprime aussi la solitude désespérée de l'homme à cette époque, comme l'explique Gauguin dans une autre lettre à Emile Bernard de novembre 1889, époque à laquelle il se trouvait au Pouldu: « A la fin, cet isolement, cette concentration en moi-même, alors surtout que toutes les joies principales de la vie sont dehors, et que la satisfaction intime fait défaut, crée la faim en quelque sorte, comme un estomac vide, à la fin cet isolement est un leurre, en tant que bonheur, à moins d'être de glace, absolument insensible. Malgré tous mes efforts pour le devenir, je ne le suis point, la nature première revient sans cesse, tel le Gauguin du pot, la main étouffant dans la fournaise, le cri qui veut s'échapper. »[3]

On retrouve ce masque désespéré, le pouce à moitié enfoui dans la bouche dans le bas-relief *Soyez amoureuses et vous serez heureuses* qui date aussi de 1889. Gauguin reprendra cette curieuse attitude foetale dans un de ses ultimes autoportraits dessinés (cat. 226), d'un dépouillement pathétique.

Cette céramique dans laquelle Gauguin a tant mis de lui-même figure dans l'*Autoportrait au Christ jaune*, (cat. 99) où elle fut peinte d'après une photographie que l'artiste avait demandé à Emile Bernard de lui envoyer.

Elle semble avoir été exécutée en deux parties soudées l'une à l'autre. Le masque proprement dit ayant son propre fond et reposant sur une base irrégulièrement craquelée et émaillée. La jointure entre les deux pièces reste visible en surface. C.F.T.

1. Malingue 1946, [fin novembre 1889], nº XCVI, 180.
2. Malingue 1946, [fin 1889 et non pas juin 1890], nº CVI, 194.
3. Malingue 1946, [novembre 1889], nº XCI, 172.
4. Malingue 1946, nº CVI, 194. Les lettres nºs XCI et CVI dont les originaux ont disparu comportaient chacun un dessin du pot (Lettre d'Emile Bernard à M. Jean Schmidt du 5 septembre [19]37, Paris, Musée du Louvre, Département des Arts Graphiques, Orsay. RF 28895).

Gauguin, *Soyez amoureuses vous serez heureuses,* détail, 1889, bois polychrome (Boston, Museum of Fine Arts, Arthur Tracy Cabot Fund)

66

Vase en forme de double tête de garçons

1889
H. 20,7
Grès émaillé.

Paris,
Fondation Dina Vierny

Catalogues
G 68, B 51.

Exposé à Paris

Durant son séjour parisien de janvier à mars 1889, ainsi que courant mai lors de la préparation de l'exposition Volpini, Gauguin retourne à ses activités de céramiste. Les pièces façonnées pendant cette période (cat. 64, 65) se caractérisent par une liberté d'inspiration croissante qui va de pair avec l'expression d'un symbolisme de plus en plus personnel, suivant en cela l'évolution générale de sa peinture. Le vase à double tête de garçons en témoigne, dont la symbolique reste mystérieuse. Le modèle anthropomorphe péruvien est ici totalement réinterprété pour donner naissance à une forme originale. Gauguin reprend ici en trois dimensions le thème des deux têtes jumelles de ses *Enfants luttant* (cat. 48). Loin de s'affronter les deux têtes sont unies par une anse qui se révèle être un col de cygne, les ailes étant sommairement suggérées à la base du vase. On retrouve ce motif dans une céramique en forme de portrait de jeune fille illustrant le thème de Léda (G 63), thème qui apparaît également dans une des zincographies de l'Album Volpini (cat. 77).

Deux croquis du carnet de Bretagne et d'Arles représentant une tête de jeune garçon peuvent être considérés comme des études en relation avec ce vase ainsi qu'un pastel appartenant à une collection américaine[2].

Reste à élucider la signification de ces deux mystérieux visages aux expressions antagonistes : l'un méditatif aux yeux clos, l'autre au regard fixe presque mauvais : on a vu dans cette opposition « l'expression de la double nature du modèle à l'image des antagonismes intérieurs de l'artiste »[4]. Cette céramique qui a appartenu à Gustave Fayet est également remarquable par la subtilité de son traitement coloré. C.F.T.

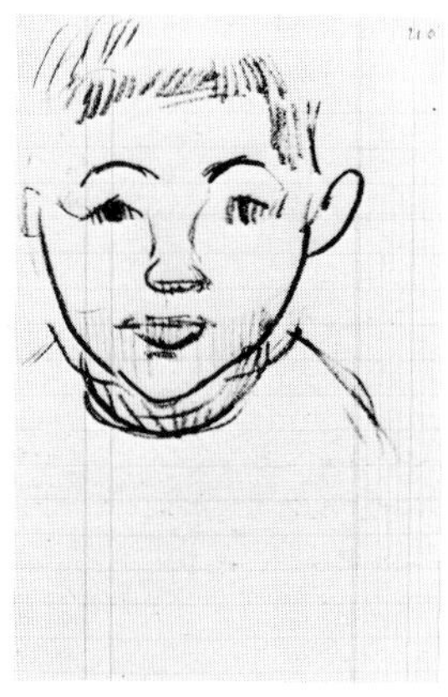

Gauguin, *Feuille du carnet de Bretagne et d'Arles,* 210 (Jérusalem, Musée d'Israël)

1. Huyghe 1952, 208-210.
2. Pickvance 1970, n° 17.
3. Bodelsen 1964, 128.

67 à 77

Suite Volpini, album de zincographies

La série de dix dessins zincographiques réunis en album que Gauguin exécuta en 1889 représentait le plus important projet de ce genre réalisé par un grand artiste français depuis les illustrations de Manet pour *Le Corbeau* d'Egard Allan Poe (1875). Les estampes présentent une unité qui n'exclut pas la diversité, et elles se maintiennent à un niveau de qualité remarquable pour un artiste qui n'avait jusque-là jamais utilisé cette technique. Gauguin est passé maître dans l'art de l'estampe du jour au lendemain ou presque. Rien n'indique qu'il ait fait des gravures avant 1888, et une lettre que lui adressa van Gogh le 10 octobre 1888 montre bien qu'avant de commencer à travailler sur ce projet, il considérait la zincographie comme un moyen commode de réaliser des images bon marché plutôt qu'un support pour une expression artistique originale[1]. Le 20 janvier 1889, il écrivait à van Gogh : « J'ai commencé une série de lithographies pour être publiées afin de me faire connaître. C'est du reste d'après le conseil et sous les auspices de votre frère[2]. » Dès le 20 février, il annonçait qu'il avait terminé[3]. Ancourt tira l'ensemble à une cinquantaine d'exemplaires[4]. Plusieurs furent insérés dans un cartonnage orné d'une épreuve colorée à la main et rognée du *Projet d'assiette* (cat. 77). La série fut présentée au Café Volpini dans le cadre de l'Exposition Universelle de 1889[5]. Elle a fini par prendre le nom de *suite Volpini*, mais peu de visiteurs de l'exposition purent la voir car elle n'était montrée que sur demande, et elle était regroupée dans un album avec une autre suite d'estampes due à Emile Bernard[8]. Celui-ci avait déjà une certaine expérience de la lithographie et a certainement assisté Gauguin à cette occasion. Les questions de préséance entre les deux artistes sont malheureusement passées au premier plan des écrits consacrés à ces estampes. Le fait que Gauguin a sans doute appris les rudiments de la zincographie auprès de Bernard ne saurait amoindrir la qualité des résultats obtenus.

Les estampes de Gauguin stimulent puissamment le regard. Il a associé le noir de jais du trait lithographique à des lavis d'un gris délicat dans des configurations élégantes placées sur d'immenses feuilles de papier jaune vif. Les marges des quelques épreuves qui n'ont pas subi de rognage sont beaucoup plus larges que l'image même et forment un halo de couleur pure qui vibre au contact du noir. Cet effet de jaune et noir rappelle davantage les affiches conçues par Emile Levy et d'autres dans les années 1870 et 1880 que le jaune canari bien plus doux des estampes japonaises auxquelles on a si souvent comparé les zincographies de Gauguin[7]. Ces gravures semblent presque criardes en regard des lithographies sur papier bleu clair, au modelé subtil, qui composent un album d'Edgar Degas et George William Thornley réalisé à la même époque, également sous l'égide de Theo van Gogh[8]. C'est la première des trois séries de gravures où Gauguin a récapitulé chaque fois son œuvre récente après la dernière exposition impressionniste de 1886 ((cat. 167-176, 232-245). Contrairement à la deuxième série, dite *suite Noa Noa* (cat. 167-176), qui a fait l'objet d'une analyse exhaustive, la suite Volpini n'a guère jusqu'à présent retenu l'attention.

Gauguin a exécuté trois de ces dix estampes en janvier et février 1889, et elles se rattachent à ses récentes peintures d'Arles. Deux seulement constituent de véritables reprises : *Les vieilles filles (Arles)* et *Les laveuses*, qui furent probablement les toutes premières de la série. Ces gravures donnent une transcription fidèle, quoique inversée, des principaux aspects des compositions picturales (cat. 58 et W 303) dans la technique zincographique. La troisième investit déjà un nouveau territoire imaginaire. On l'a traditionnellement intitulée *Misères humaines*, comme la seule des trois peintures d'Arles (W 304) en rapport avec les lithographies qui ait également figuré à l'exposition du Café Volpini. Mais tandis que *Les vieilles filles* et *Les laveuses* restent au plus près des compositions picturales, cette estampe transpose l'original peint dans un tout autre langage. La peinture horizontale devient une gravure verticale où la jeune fille boudeuse se retrouve dans un environnement différent. A côté d'elle, un jeune garçon semble s'immiscer dans la composition[9]. Ces deux personnages occupent l'angle inférieur gauche d'un espace dominé par la courbe d'un arbre fruitier et fermé en haut à gauche par une barrière. La peinture ne nous aide guère à expliquer sa variante gravée et le choix d'une encre de couleur sanguine au lieu du noir habituel contribue encore à isoler cette estampe du reste de la série.

Si l'on estime que *Misères humaines* occupe une position charnière en cessant de respecter les règles de ce qui était à l'origine un projet commercial, les transformations constatées dans les autres estampes deviennent plus facile à interpréter. Pour Gauguin, la reproduction est devenue transposition, et en transposant il a décidé de modifier toutes les variables possibles, pour donner du mystère à son nouveau moyen d'expression. Dans certaines images comme *Bretonnes à la barrière*, il a même préfiguré des conventions picturales qu'il allait utiliser plus tard dans ses tableaux. Hormis le jaune éblouissant du papier, il a renoncé à la couleur dont il tirait d'ordinaire ses plus grands effets expressifs. En se limitant au noir et au gris du crayon lithographique et du lavis d'encre, il a pu réduire l'image à son essence, et, de ce fait, trouver plus de profit dans cette technique qu'il ne l'avait imaginé dans sa lettre d'octobre 1888 à Vincent van Gogh[10].

Parmi les sept autres estampes, deux seulement se rattachent à des peintures précises : *Baigneuses bretonnes* qui emprunte ses principaux personnages à une peinture de 1887 (cat. 34) mais transforme leur environnement, et *Joies de Bretagne*, où deux personnages de *La ronde des petites Bretonnes* (cat. 44) sont réinterprétés et placés dans un nouveau décor. Cette transformation des images allait continuer à préoccuper Gauguin jusqu'à la fin de sa vie.

Aucune des cinq estampes restantes ne se rapporte clairement à une peinture précise. Plusieurs prennent leur origine dans des dessins de Gauguin. Ainsi, les personnages de *Bretonnes à la barrière* proviennent de dessins de figures à la craie. D'autres furent manifestement inventées directement sur la plaque de zinc. L'exemple le plus intéressant est fourni par les deux gravures intitulées *Les drames de la mer*, où Gauguin a fait un usage fécond des procédés du lavis et aussi des formats insolites inspirés des projets d'éventails[11]. Ce format semble contenir les forces gigantesques de la mer et provoque une double instabilité du motif et de son traitement graphique.

Bernard, *Bretonnes*, 1889, zincographie
(The Art Institute of Chicago,
Albert H. Wollfund)

Couverture du Catalogue de l'exposition dite Volpini, 1889

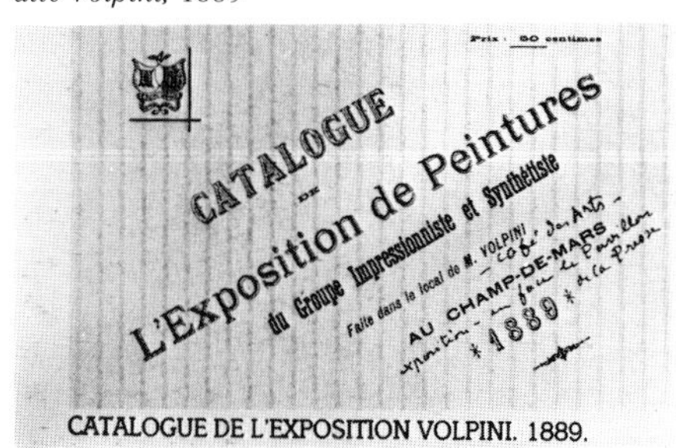

1. Van Gogh 1960, 73.
2. Cooper 1983, nº 35.3.
3. Van Gogh 1960, nº 578 à Theo van Gogh, 137.
4. Tokyo 1987, 167-168.
5. L'exposition de peintures du groupe impressionniste et synthétiste au café des Arts (café Volpini), sur le Champ-de-Mars, Paris 1889.
6. « Visible sur demande : album de lithographies. Par Paul Gauguin et Emile Bernard ». *Cf.* Paris 1889, n. p.
7. Boyle-Turner in Amsterdam 1986, 37.
8. Druick et Zegers in Boston 1984, LVII-LVIII.
9. C'est probablement Clovis Gauguin, qui vint voir son père en France à cette époque. *Cf.* également W 187.
10. *Cf.* note 1 *supra.*
11. *Cf.* cat. 15.
12. Les estampes et leur relation avec les œuvres martiniquaises de Gauguin sont plus amplement examinées in Pope 1981.

Alors que *Bretonnes à la barrière* et *Les drames de la mer* accordent une place prépondérante aux noirs et aux courbes, les deux dernières estampes sont des images martiniquaises où des lavis gris délicats et des formats rectangulaires font régner une sérénité pastorale. Là encore, les gravures s'éloignent sensiblement des peintures et dessins que Gauguin a effectivement exécutés à la Martinique[12]. *Pastorales Martinique* suggère fortement la dimension nourricière d'un paradis tropical, tandis que *Les cigales et les fourmis* utilise le titre d'une fable célèbre pour évoquer l'univers d'un enfant et son éducation. Or, l'introduction même de la fable atténue l'aspect serein et paradisiaque des estampes martiniquaises, en faisant intervenir des notions de travail et de paresse, et par extension de bien et de mal, d'innocence et de culpabilité que Gauguin a également évoquées sur la couverture de l'album.

Le *Projet d'assiette* collé sur la couverture de plusieurs exemplaires de la suite zincographique compte parmi les œuvres de Gauguin les plus mystérieuses. Le sujet principal est une jeune fille aux épaules nues qui tourne le dos au spectateur. Même si ses traits sont inspirés de ceux de la baigneuse adolescente représentée dans une autre estampe de la série (cat. 71), le cygne placé devant elle indique qu'il s'agit de Léda, mère de Castor et Pollux, eux-mêmes figurés sous la forme de deux oisons dans le lointain. Au-dessus d'elle, il y a un serpent qui semble porter un rameau d'olivier et, un peu plus bas, deux fleurs rouges. On voit aussi une pomme à côté des deux oisons. Ces trois symboles sont surmontés d'une inscription à l'envers : « Homis [*sic*] soit qui mal y pense », la devise de l'ordre britannique de la Jarretière.

Gauguin a laissé cette phrase et le titre de l'estampe à l'envers, alors que sur les autres zincographies les inscriptions sont toutes à l'endroit (sauf la signature du cat. 69). Cette inversion nous fait peut-être toucher du doigt le message fondamental de l'estampe. Cette image rassemble plusieurs niveaux de civilisation (classique, chrétienne et contemporaine), et son message revêt des connotations morales étrangement ambivalentes. Gauguin semble avoir associé la devise britannique à diverses images pour faire naître un doute moral. Le spectateur se trompe-t-il s'il se fait une mauvaise opinion de Gauguin ? Un système mythologique annule-t-il les autres ?

L'image de couverture peut s'interpréter comme un anti-emblème. Le fait qu'il s'agit d'un projet d'assiette, objet à la fois pratique et fragile, accroît encore sa portée. Sous cette couverture se trouvent des images de la transgression, la croissance, la nudité, l'adolescence, la vieillesse, la prière, de la propreté méticuleuse et du paradis souillé. A tous les niveaux, la réalité représentée est menacée par le doute, et la couverture de Gauguin manifeste ce doute de manière étudiée. R.B.

67

Les vieilles filles (Arles)

1889
18 × 20
Zincographie sur papier vélin jaune.

The Art Institute of Chicago, The William McCallin McKee Memorial Collection, 1943.1021

Catalogues
Gu 11, K 9.

Épreuve exposée à Chicago

67a

1889
18 × 20
Zincographie sur papier vélin jaune.

Boston, Museum of Fine Arts, legs de W.G. Russell Allen, 60.316

Catalogues
Gu 11, K 9.

Épreuve exposée à Washington

67b

1889
18 × 20
Zincographie sur papier vélin jaune.

Paris, Bibliothèque d'art et d'archéologie (Fondation Jacques Doucet)

Catalogues
Gu 11, K 9.

Épreuve exposée à Paris

68
Les laveuses

1889
21,3 × 26,3
Zincographie sur papier vélin jaune.

The Art Insitute of Chicago, The William McCallin McKee Memorial Collection, 1943.1023

Catalogues
Gu 6, K 10.

Épreuve exposée à Chicago

68a

1889
21,3 × 26,3
Zincographie sur papier vélin jaune.

Boston, Museum of Fine Arts, legs de W.G. Russell Allen, 60.311

Catalogues
Gu 6, K 10.

Épreuve exposée à Washington

68b

1889
21,3 × 26,3
Zincographie sur papier vélin jaune.

Paris, Bibliothèque d'art et d'archéologie (Fondation Jacques Doucet)

Catalogues
Gu 6, K 10.

Épreuve exposée à Paris

69
Misères humaines

1889
28,5 × 23
Zincographie sur papier vélin jaune.

The Art Institute of Chicago, The William McCallin Mckee Memorial Collection, 1943.1028

Catalogues
Gu 5, K 11.

Épreuve exposée à Chicago

69a

1889
28,5 × 23
Zincographie sur papier vélin jaune.

Boston, Museum of Fine Arts, legs de W.G. Russell Allen, 60.309

Catalogues
Gu 5, K 11.

Épreuve exposée à Washington

69b

1889
28,5 × 23
Zincographie sur papier vélin jaune.

Paris, Bibliothèque d'art et d'archéologie (Fondation Jacques Doucet)

Catalogues
Gu 5, K 11.

Épreuve exposée à Paris

70
Bretonnes à la barrière

1889
16,2 × 21,6
Zincographie sur papier vélin jaune.

The Art Institute of Chicago, The William McCallin McKee Memorial Collection, 1943.1029

Catalogues
Gu 4, K 8.

Épreuve exposée à Chicago

70a

1889
16,2 × 21,6
Zincographie sur papier vélin jaune.

Boston, Museum of Fine Arts, legs de W.G. Russell Allen, 60.308

Catalogues
Gu 4, K 8.

Épreuve exposée à Washington

70b

1889
16,2 × 21,6
Zincographie sur papier vélin jaune.

Paris, Bibliothèque d'art et d'archéologie (Fondation Jacques Doucet)

Catalogues
Gu 4, K 8.

Épreuve exposée à Paris

71

Baigneuses bretonnes

1889
23,5 × 20
Zincographie sur papier vélin jaune.

The Art Institute of Chicago, The William McCallin McKee Memorial Collection, 1943.1030

Catalogues
Gu 3, K 4.

Épreuve exposée à Chicago

71a

1889
23,5 × 20
Zincographie sur papier vélin jaune.

Boston, Museum of Fine Arts, legs de W.G. Russell Allen, 60.307

Catalogues
Gu 3, K 4.

Épreuve exposée à Washington

71b

1889
23,5 × 20
Zincographie sur papier vélin jaune.

Paris, Bibliothèque d'art et d'archéologie (Fondation Jacques Doucet)

Catalogues
Gu 3, K 4.

Épreuve exposée à Paris

72

Joies de Bretagne

1889
20 × 22,2
Zincographie sur papier vélin jaune.

The Art Institute of Chicago, The William McCallin McKee Memorial Collection, 1943.1027

Catalogues
Gu 2, K 7.

Épreuve exposée à Chicago

72a

1889
20 × 22,2
Zincographie sur papier vélin jaune.

Boston, Museum of Fine Arts, legs de W.G. Russell Allen, 60.305

Catalogues
Gu 2, K 7.

Épreuve exposée à Washington

72b

1889
20 × 22,2
Zincographie sur papier vélin jaune.

Paris, Bibliothèque d'art et d'archéologie (Fondation Jacques Doucet)

Catalogues
Gu 2, K 7.

Épreuve exposée à Paris

73

Les drames de la mer, Bretagne

1889
16,9 × 22,7
Zincographie sur papier vélin jaune.

The Art Institute of Chicago, The William McCallin McKee Memorial Collection, 1943.1026

Catalogues
Gu 7, K 2.

Épreuve exposée à Chicago

73a

1889
16,9 × 22,7
Zincographie sur papier vélin jaune.

Boston, Museum of Fine Arts, legs de W.G. Russell Allen, 60.312

Catalogues
Gu 7, K 2.

Épreuve exposée à Washington

73b

1889
16,9 × 22,7
Zincographie sur papier vélin jaune.

Paris, Bibliothèque d'art et d'archéologie (Fondation Jacques Doucet)

Catalogues
Gu 7, K 2.

Épreuve exposée à Paris

74

Les drames de la mer

1889
17,5 × 27,6
Zincographie sur papier vélin jaune.

The Art Institute of Chicago, The William McCallin McKee Memorial Collection, 1943.1024

Catalogues
Gu 8, K 3.

Épreuve exposée à Chicago

74a

1889
17,5 × 27,6
Zincographie sur papier vélin jaune.

Boston, Museum of Fine Arts, legs de W.G. Russell Allen, 60.313

Catalogues
Gu 8, K 3.

Épreuve exposée à Washington

74b

1889
17,5 × 27,6
Zincographie sur papier vélin jaune.

Paris, Bibliothèque d'art et d'archéologie (Fondation Jacques Doucet)

Catalogues
Gu 8, K 3.

Épreuve exposée à Paris

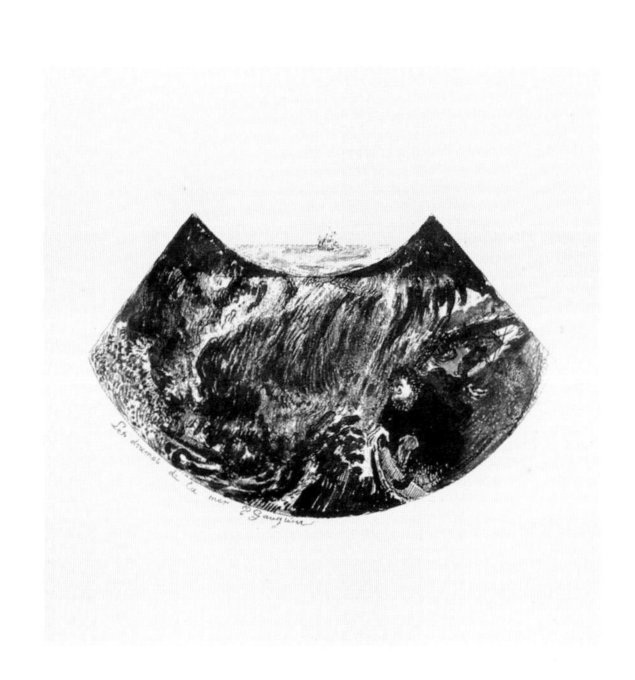

75

Pastorales Martinique

1889
21,3 × 26,3
Zincographie sur papier vélin jaune.

The Art Institute of Chicago, The William McCallin McKee Memorial Collection, 1943.1025

Catalogues
Gu 9, K 6.

Épreuve exposée à Chicago

75a

1889
21,3 × 26,3
Zincographie sur papier vélin jaune.

Boston, Museum of Fine Arts, legs de W.G. Russell Allen, 60.314

Catalogues
Gu 9, K 6.

Épreuve exposée à Washington

75b

1889
21,3 × 26,3
Zincographie sur papier vélin jaune.

Paris, Bibliothèque d'art et d'archéologie (Fondation Jacques Doucet)

Catalogues
Gu 9, K 6.

Épreuve exposée à Paris

76

Les cigales et les fourmis

1889
20 × 26,2
Zincographie sur papier vélin jaune.

The Art Institute of Chicago, The William McCallin McKee Memorial Collection, 1943.1022

Catalogues
Gu 10, K 5.

Épreuve exposée à Chicago

76a

1889
20 × 26,2
Zincographie sur papier vélin jaune.

Boston, Museum of Fine Arts, legs de W.G. Russell Allen, 60.315

Catalogues
Gu 10, K 5.

Épreuve exposée à Washington

76b

1889
20 × 26,2
Zincographie sur papier vélin jaune.

Paris, Bibliothèque d'art et d'archéologie (Fondation Jacques Doucet)

Catalogues
Gu 10, K 5.

Épreuve exposée à Paris

77

Projet d'assiette

1889
Diamètre : 20,5
Zincographie rehaussée de couleurs à l'eau sur papier vélin jaune collé sur un carton à dessins.

Collection Josefowitz

Catalogues
Gu 1, K 1.

Épreuve exposée à Washington

77a

1889
Diamètre : 20,5
Zincographie rehaussée de couleurs à l'eau sur papier vélin jaune.

Collection Josefowitz

Catalogues
Gu 1, K 1.

Épreuve exposée à Chicago

77b

1889
Diamètre : 20,5
Zincographie rehaussée de couleurs à l'eau sur papier vélin jaune.

Bâle, Oeffentliche Kunstsammlung, cabinet des Estampes

Catalogues
Gu 1, K 1.

Épreuve exposée à Paris

78
Misères humaines

Hiver 1889
20,5 × 38,5
Plume, encre et aquarelle sur calque marouflé sur un support récent.
Signé et daté en bas à droite, *P. Gauguin 89.*

Paris, Fondation Dina Vierny

Exposition
Tokyo 1987, nº 31.

Exposé à Paris

Dans ce dessin, Gauguin a repris en l'isolant de son contexte original le personnage principal de la toile intitulée *Vendanges à Arles ou Misères humaines* peinte à Arles en novembre 1888 (W 304). Il s'agissait d'une peinture exécutée « absolument de tête » comme le précise van Gogh dans une lettre à Theo aux alentours du 6 novembre 1888[1]. De son côté Gauguin décrivait cette toile à Emile Bernard dans une lettre illustrée d'un croquis du tableau : « C'est un effet de vignes que j'ai vu à Arles. J'y ai mis des Bretonnes — Tant pis pour l'exactitude. C'est ma meilleure toile de cette année (...) ».[2] C'est dire l'importance que l'artiste assignait à cette œuvre qui invite à une lecture symbolique. La pauvresse figée dans cette attitude de prostration dérive d'une momie péruvienne (voir fig. cat. 80) que Gauguin avait pu observer au Musée de l'Homme. Elle incarne toute la « misère humaine » au féminin, symbole complexe de fatale déréliction et d'irrémédiable culpabilité. Cette figure apparaissait pour la première fois dans la *Nature morte aux fruits* de 1888 du Musée Pouchkine (cat. 55). Elle revient ensuite comme un leitmotiv dans l'œuvre de Gauguin qui la réinsère, comme c'est le cas dans cette aquarelle, dans son contexte breton d'origine.

Parmi les deux zincographies de l'album Volpini reprenant ses tableaux de l'époque arlésienne (cat. 67, 69) figure une version de *Misères humaines* (cat. 69) dans un style très japonisant dont se rapproche ce dessin notamment par le recours au même fond jaune. Sans doute faut-il dater cette aquarelle de la même époque que la zincographie, c'est-à-dire janvier-février 1889. La puissance expressive du dessin est renforcée par le décentrement de la figure principale contrebalancée par la masse de la meule à droite. Une reproduction ancienne[3] montre que ses proportions originelles ont été altérées par une restauration il y a une quarantaine d'années, la partie inférieure détériorée a en effet disparu.

La figure désolée de l'Eve bretonne réapparait dans une peinture du séjour à Pont-Aven de 1894, intitulée *Drame au Village* (W 523) ainsi que dans un bois gravé exécuté lors du second voyage à Tahiti *Misères humaines, souvenir de Bretagne* (cat. 244) où le thème est nettement édulcoré.

Cette aquarelle a appartenu au sculpteur A. Maillol qui l'aurait reçue de Gauguin en cadeau de mariage en 1896. Gauguin aurait enveloppé *Misères humaines* dans un autre dessin représentant des cornes, ce qui ne fut pas du goût de Maillol...[4].

C.F.T.

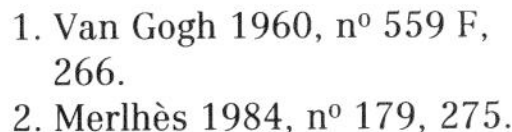

1. Van Gogh 1960, nº 559 F, 266.
2. Merlhès 1984, nº 179, 275.
3. Andersen 1971, 295, fig. 54.
4. Renseignements donnés par Mme D. Vierny, septembre 1987.

Gauguin, *Misères humaines,*
1888, huile sur toile
(Copenhague, Musée Ordrupgaard)

Gauguin, *Misères humaines,*
avant restauration.

79

La vie et la mort

Printemps 1889
92×73
Huile sur toile.
Signé et daté en bas et à gauche, *P. Gauguin 89.*

Le Caire, Musée Mahmoud Khalil Bey

Expositions
Copenhague Udstilling 1893, n° 147 ;
Londres 1966, n° 18a *Femmes se baignant.*

Catalogue
W 335 (*Femmes se baignant*).

Non exposé

Le titre de la baigneuse de dos (cat. 80) a varié du vivant même de Gauguin. De *Dans les vagues* en 1889 à l'exposition Volpini, il devient *Ondine* dans le compte rendu de la vente de 1891 ; mais ce titre placé entre parenthèses après « un tableau » a été certainement mis par le commissaire-priseur, car peu de temps auparavant, Gauguin lui-même, dans l'inventaire de Boussod et Valadon de 1891 où le tableau était en consignation, l'avait tout simplement nommé *Femme nue dans la vague*[1]. Aussi faut-il prendre avec quelque réserve toutes les ingénieuses interprétations qui découlent de ce titre d'*Ondine*.

En effet, certains voient sous ce mythe cher au romantisme, un symbole par lequel Gauguin transcrirait les idées de Wagner sur la femme « qui n'atteint sa pleine individualité qu'au moment où elle se donne ; c'est l'Ondine qui passe murmurante à travers les vagues de son élément », texte dont Gauguin avait en effet copié une

80
Dans les vagues (Ondine I)

Printemps 1889
92 × 72
Huile sur toile.
Signé et daté en rouge, en bas au niveau, *P. Gauguin 89.*

Cleveland, The Cleveland Museum of Art (don de M. et Mrs William Powell Jones)

Expositions
Paris 1889, nº 44, *Dans les Vagues ;* Paris 1906, nº 25, *L'Ondine, Bretagne ;* Bâle 1928, nº 59 ;
Cambridge 1936, nº 11 ;
Houston 1954, nº 14 ;
Chicago 1959, nº 19.

Catalogue
W 336.

partie dans le livre d'or de l'auberge Gloanec[2]. D'autres en font au contraire un thème de destruction, l'*Ondine* étant une allégorie de femme fatale entrainant les hommes dans la mort[3]. Mais s'il ne faut pas chercher des clés dans le titre même d'*Ondine*, il n'en est pas moins certain que ce tableau était chargé de significations diverses pour Gauguin. Il marque même un tourment capital dans son évolution.

Depuis une quinzaine d'années qu'il faisait de la peinture, Gauguin n'avait représenté que très peu de nus, la *Suzanne* de 1880 (cat. 4) puis *La baignade*, en 1887 (cat. 34). Il s'agissait chaque fois de scènes très réalistes, montrant des nudités un peu embarrassées de l'être, comme encore tout récemment *La paysanne d'Arles* au dos dénudé, appuyée sur une meule (W 301) et dont la position est une des sources possibles de celle de cette *femme dans la vague*[4].

Dès son arrivée à Pont-Aven en avril 1889, il peint

EXPOSANTS

Paul Gauguin	E. Schuffenecker	Emile Bernard
Charles Laval	Louis Anquetin	Louis Roy
Léon Fauché	Georges Daniel	Ludovic Nemo

Gauguin, *Aux Roches-Noires,* dessin reproduit dans le catalogue de l'exposition Volpini, 1889

Gauguin, *Dans les foins,* 1888, huile sur toile (collection particulière)

Gauguin, *Baigneuses à Dieppe,* 1885, huile sur toile (Tōkyō, Musée d'Art Occidental, collection Matsukata)

deux tableaux de mêmes dimensions qui peuvent tout à fait avoir été conçus en pendants : *La femme dans la vague* et *La vie et la mort* (cat. 79) du musée Khalil Bey au Caire, réunis ici pour la première fois depuis longtemps[5].

Les trois nus féminins de ces deux tableaux sont, pour la première fois dans l'œuvre de Gauguin, saisis en « plans rapprochés » et plaqués sur des fonds en à-plats découpés et très colorés. On reconnaît la même femme rousse à la peau très claire, au visage court, un peu trapue, penchée en avant et de face dans le tableau du Caire, de dos, dans celui de Cleveland, se jetant dans une vague vert vif ourlée d'écume blanche. Il est difficile de savoir si Gauguin a fait poser un modèle sur place, ce qu'un dessin préparatoire, assez classique, pour le nu de droite du tableau du Caire, qui est certainement le même modèle, pourrait évoquer[6]. En tout cas si le dos est probablement fait d'après nature ou du souvenir d'un nu réel, et encore peint à touches tissées et modelées, la chevelure est simplifiée et le visage complètement déformé, en une sorte de museau enfantin. Le modèle semble avoir été à demi allongé, les bras appuyés sur ce qu'on imagine être un coussin.

A vrai dire ce nu paraît être une combinaison d'éléments divers. On a évoqué — pour le haut du corps c'est assez convaincant — un modèle photographique : un nu de O.G. Rejlander de 1860 environ, qu'aurait eu en leur possession soit Gauguin, soit un de ses camarades peintres[7].

Mais plus que toute autre source, il est clair que Degas est ici le grand modèle. Gauguin avait certainement été extrêmement frappé par l'étonnant tableau de celui-ci *Petites paysannes se baignant à la mer, le soir,* (coll. part., Lemoisne 377) exposé à la seconde exposition impressionniste en 1876[8].

En tout cas suffisamment, et par le sujet, et par l'audace technique pour avoir subi en 1885 son influence dans ses premières *Baigneuses à Dieppe* (W 167, Tokyo, Musée d'art occidental). Approchons-nous tout près de la baigneuse de gauche les bras écartés, déshabillons-là : voici notre *Ondine* bretonne. De surcroît, l'admiration de Gauguin pour Degas avait du être vivifiée quelques mois plus tôt par l'exposition personnelle de l'artiste chez Boussod et Valadon fin 1888, qui, précisément, était consacrée à des nus. Les croquis de nus à leur toilette pris par Gauguin à cette exposition, conservés dans l'album Briant du Louvre, en portent témoignage.

La vague vient d'ailleurs à vrai dire tout droit du Japon, comme celles d'autres marines (*cf.* cat. 97 et W 286). La juxtaposition du nu et d'une nature traitée de façon décorative annonce évidemment tous les célèbres nus tahitiens (ex : W 449, W 462, W 465) mais la mise en page, la simplicité et la force de l'image ont ici une saveur particulièrement forte, neuve dans l'art de Gauguin, et qui hausse ce nu breton d'origine composite à la hauteur d'un mythe d'ingénuité, de « sauvagerie » innocente, celle qu'il cherchait précisément à exprimer.

Les deux tableaux de Cleveland et du Caire sont composés comme un dyptique symboliste ; notons que quelques mois plus tard, quand il grave « aux roches

1. Rewald 1973, 49.
2. Dorra 1984, 281.
3. Andersen 1971, 117-188 ; Jirat-Wasintynski 1978, 171-176.
4. Roskill 1970, 243.
5. Ils étaient dans la même exposition à Londres en 1966, mais non identifiés comme pendants.
6. Dessin pour le nu du Caire connu par une photographie Vizzavona nº 7980 non localisé. Le modèle était peut-être celui de la baignade (cat. 34).
7. Hypothèse de M.S. Gerstein, Gerstein 1978, 325.
8. Nº 56 du catalogue ; exposé in Washington et San Francisco 1986, nº 27.

Momie péruvienne (Paris, Musée de l'Homme)

Gauguin, *Ève,* pastel (The Marion Koogler McNay Art Museum)

Matisse, *Dos I,* 1908-9, bronze (Paris, Musée National d'Art Moderne, CNAC-GP)

noires » pour la page de titre du catalogue de l'exposition Volpini, Gauguin associe le nu de gauche du premier tableau du Caire à la baigneuse du deuxième[9]. *Dans les vagues* était sans doute une allégorie de la vie, et la femme accroupie du tableau du Caire, la mort, ou en tout cas les forces de vie et de mort incarnées par les nus féminins. Le titre de ce dernier tableau était clair dès 1893, puisque Gauguin avait expressément donné à ces deux nus pour l'exposition de Copenhague à cette date le titre de « la vie et la mort »[10]. On a d'ailleurs déjà prouvé de façon convaincante depuis longtemps que dans ce tableau, l'image de gauche, toute bleue, était empruntée à une momie péruvienne que Gauguin avait vue au Musée de l'Homme à Paris[11]. En revanche, cette bretonne rousse au nez camus qui se jette dans une vague verte, représente dans l'univers de Gauguin sa première icone de l'animalité joyeuse et primitive : le mythe de Tahiti naît bien ici dans la vieille Europe.

On comprend que Gauguin ait été véritablement hanté par ce motif, au point qu'on le retrouve dans le bois, la céramique, sur le papier et en détails dans d'autres compositions, presque jusqu'à la fin de sa vie (voir notices suivantes). Il est frappant que la même année, il ait peint deux fois son visage sur fond de ce qu'on imagine être ses œuvres préférées du moment : *Le Christ jaune* dans l'*autoportrait* du même nom (cat. 99) et dans celui du musée Pouchkine, qu'on a généralement daté du séjour à Arles en 1888, mais qui est évidemment postérieur à notre tableau, puisqu'on voit celui-ci à l'envers dans un miroir derrière sa tête (voir planche dans essai FC).

Dans le tableau du Caire, moderne allégorie de « la jeune fille et la mort » chère aux « primitifs » allemands qu'admirait Gauguin, le squelette traditionnel est remplacé par cette saisissante nouvelle image de la mort, une « baigneuse » qui a la position d'une momie et la couleur d'une noyée. On la retrouve aussi à partir de ce moment tout au long de l'œuvre de Gauguin. Elle est aussi l'*Eve bretonne* du pastel de l'Art Institute de San Antonio, où les roches noires du Pouldu contre lesquelles elle s'appuie ici deviennent un tronc d'arbre où s'enroule le serpent. On la retrouve dans le portrait de Meyer de Haan du Wadsworth athenum de Hartford, et enfin en 1897 à l'extrême gauche de la grande frise du musée de Boston *D'où venons-nous, que sommes-nous, où allons-nous,* où elle incarne la vieillesse et la fin de la vie. F.C.

9. Ils semblent même un même tableau dans le fond du portrait de Meyer de Haan, de Hartford : voir fig. de référence du cat. 93, 169.
10. Identification faite pour la première fois par la regrettée Merete Bodelsen, dans son compte-rendu du catalogue Wildenstein, Bodelsen 1966, 37.
11. Andersen 1967, 238-246.

81

Femme à la vague (Ondine II)

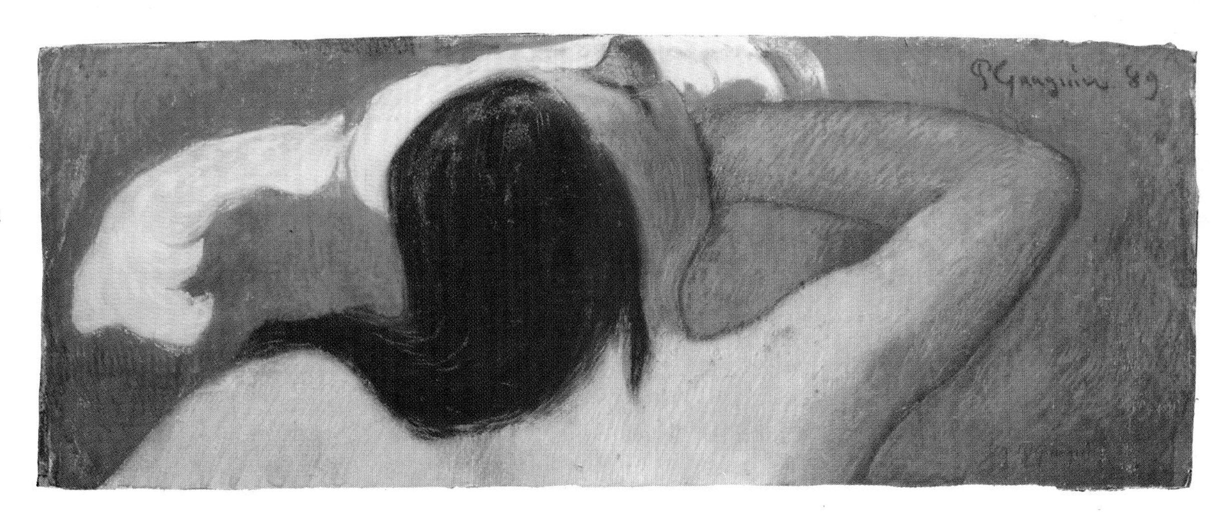

17,5 × 47,7
Pastel en partie travaillé au pinceau et à l'eau sur papier vélin ; sur un support en bois à la dimension.
Daté et signé en haut et à droite au pastel, *P. Gauguin 89,* et en bas et à droite au crayon, *P. Gauguin.*

Collection Josefowitz

Catalogue
W 337.

Exposé à Paris

Certainement exécuté après le tableau précédent et probablement fait à partir d'un dessin plus grand, coupé et retravaillé, ce pastel gouaché[1] reprend la partie haute de la composition à l'huile (cat. 80), en supprimant le bras gauche. Mais on note plusieurs différences : les cheveux sont noirs, et le modelé des bras et de la joue, rehaussés de touches bleues comme le creux des épaules, est plus accentué. *La femme à la vague* revient à l'époque de façon obsédante dans les productions les plus diverses de Gauguin, puisqu'on la retrouve dans la zincographie *Aux roches noires,* reproduite sur la première page de l'exposition du Café Volpini. Cette gravure associe un lieu réel du Pouldu, *Les roches noires,* le personnage funèbre du tableau du Caire, et « l'Ondine » emblématique de Gauguin. F.C.

1. *Cf.* étude technique de ce pastel rehaussé de gouache et retravaillé au pastel, par V. Jirat Wasiutynski, aimablement communiquée par M.S. Josefowitz.

82

Monstre marin et baigneuse

Vers 1889
H. 26,5
Grès émaillé.

Ex-collection Gustave Fayet, Igny

Exposition
Paris 1906, n° 58 ?.

Catalogues
G 69 ; B 52.

Exposé à Paris

Une baigneuse qui s'offre aux vagues la tête rejetée en arrière, un monstre marin dont la bouche béante s'ouvre à la mer, à la base un poisson bleu ; avec cette céramique d'inspiration purement occidentale, Gauguin reprend en ronde-bosse le thème de l'ondine déjà traité en peinture (cat. 80) et en bas-relief (G 87). L'association des trois éléments fait de ce vase une pièce d'inspiration maniériste unique dans l'œuvre de Gauguin. Sans pouvoir préciser la source iconographique de ce vase fantastique, on peut penser aux monstres marins qui animent les fontaines du XVIe siècle ou à certains bronzes maniéristes où des naïades cotoient de monstrueux tritons. C'est là un des objets les plus curieux façonnés par Gauguin où le vase n'est que prétexte à modeler des formes expressives. C.F.T.

83

Femme à la vague (Ondine III) éventail

1889-1890
12 × 38,1
Crayon, pinceau et gouache, partiellement rehaussé de pastel, travaillé au pinceau et à l'eau sur carton bristol vert.
Dédicacé et signé en bas et à droite à la gouache verte, *Au Docteur Paulin, P. Go.*

San Francisco,
Mrs Francisca Santos

Expositions
Paris 1960, n° 44 ;
Munich 1960, n° 81 ;
Vienne 1960, n° 11.

Catalogue
W 338.

1. Gerstein 1978, 324.
2. Huyghe 1952, 223.
3. Renseignement aimablement communiqué par Peter Zegers.

Gauguin a utilisé la composition particulière à l'éventail pour décentrer encore la baigneuse, aux bras plus grêles que sur le tableau, et développer le motif de l'écume des vagues qui suit la courbe de l'éventail, accentuant ainsi l'effet japonisant de l'objet.

Le Docteur Paulin, un dentiste parisien et sculpteur amateur, possédait plusieurs autres éventails, de Degas, de Pissarro[1], et il n'est pas exclu que Gauguin ait fait celui-ci tout exprès pour lui. En tout cas il lui en fit cadeau, comme en témoigne le carnet de Gauguin qui porte note de ce don et le nom du bénéficiaire[2].

L'éventail exécuté d'après un tableau était souvent pour lui le moyen de remercier pour un service, ou pour une admiration témoignée (voir W 147, donné à Pietro Kroh, W 216, à Schuffenecker, W 223, à Paco Durrio, W 228, à Bracquemond, etc.).

Au verso de l'éventail se trouve une étude au pastel et à la gouache pour *Joies de Bretagne* (voir cat. 73)[3]. F.C.

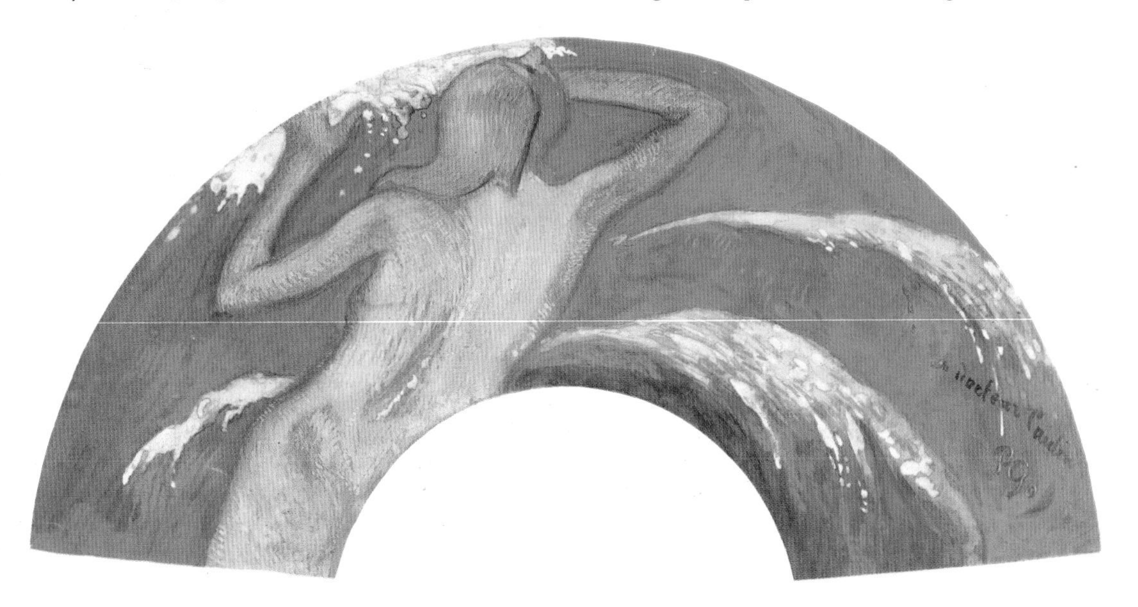

84

Petit breton nu

1889
93 × 73,5
Huile sur toile.
Signé et daté en bas et à droite, *89 P. Gauguin.*

Cologne, Wallraf-Richartz Museum

Exposition
Bâle 1928, n° 41 ou 46.

Catalogue
W 339.

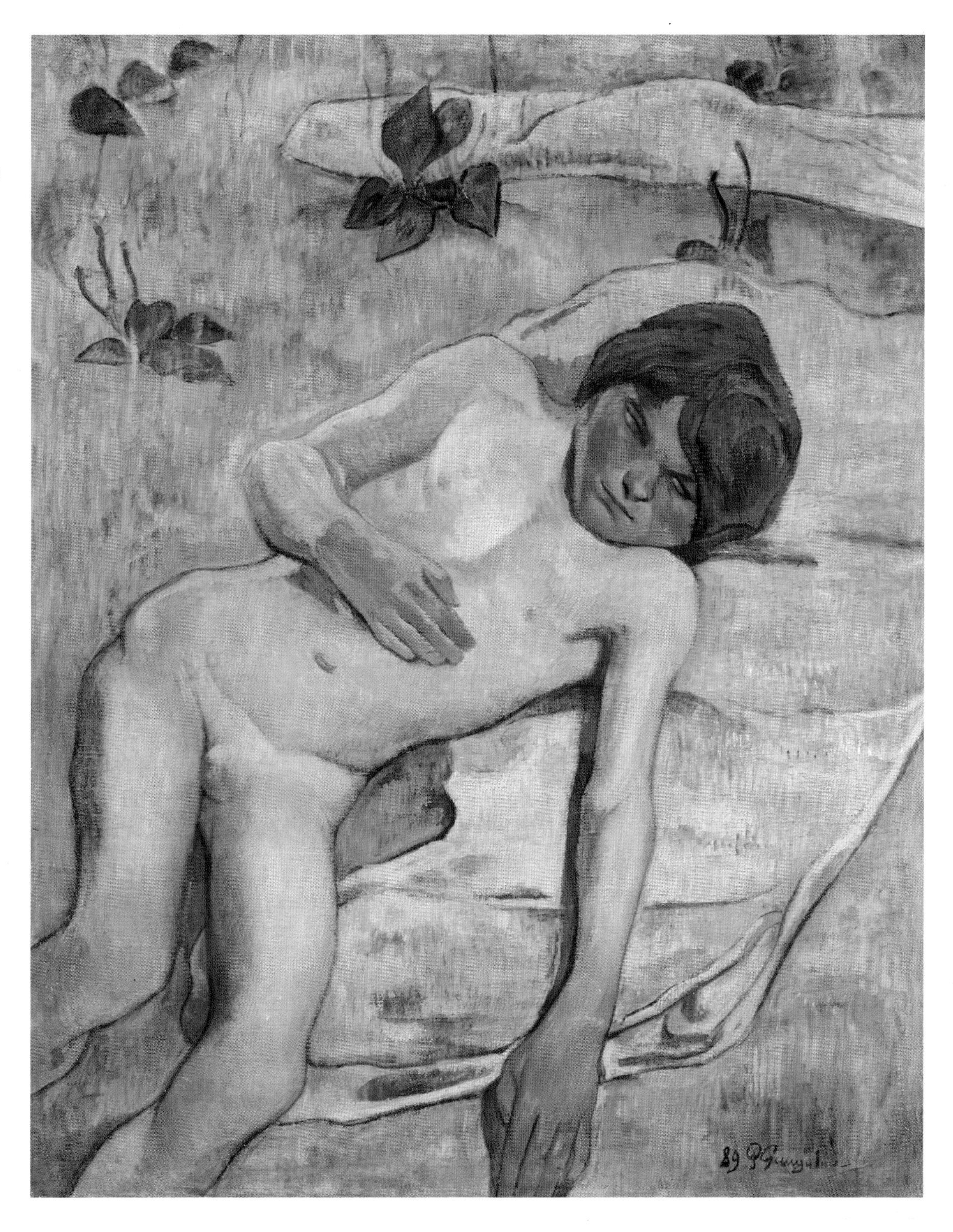

Ce garçon souffreteux est le dernier de la série des nus masculins faits par Gauguin en Bretagne ((cat. 47 et 48). Les autres étaient montrés dans des scènes de baignade ou de lutte et peints d'après des dessins, puis très simplifiés et synthétisés (en particulier cat. 48) ; mais celui-ci, couché dans une position apparemment inconfortable, pose pour le peintre, visiblement de mauvaise grâce. Le fait que Gauguin ait sans doute travaillé plus longtemps d'après l'observation d'un modèle explique que ce nu soit beaucoup plus réaliste que les précédents. Un détail en particulier accentue cette impression de « prise sur le vif » : les mains et le visage sont beaucoup plus rouges que le corps, jamais exposé à la lumière ou au soleil. Cette sensation crue de « déshabillage » est un des éléments qui confère à ce tableau une atmosphère de malaise. Gauguin a sans doute accentué le caractère fermé, brutal du visage, et ingrat du corps, pour exprimer une vérité « primitive » qu'il lui plaisait de trouvez chez ses modèles bretons. Il en résulte ici une image assez trouble, et on ne peut pas ne pas penser aux photos de petits paysans italiens nus prises à peu près à la même époque par le Baron van Gloeden (1856-1931).

Peut-être pour corriger le naturalisme de son nu, Gauguin a curieusement supprimé toute image précise du sexe et l'a représenté sur un fonds de prairie semée de fleurs de façon un peu naïve et décorative : le visage n'en parait que plus hargneux et pervers.

Le tableau a du être exécuté à la fin de l'été 1889, au Pouldu, et devait faire partie du deuxième envoi de toiles à Theo van Gogh dont il lui parle dans une lettre d'octobre[1].

Il n'est pas indifférent que ce tableau, un des rares de Gauguin teinté d'expressionnisme, ait très tôt intéressé les collectionneurs allemands, puisqu'il passa chez A. Fleishteim à Düsseldorf dès 1917[2] pour venir définitivement à un musée allemand particulièrement riche en peinture expressionniste. F.C.

1. Cooper 1983, nº 21.1, 147.
2. Bodelsen 1966, 37.

85

Vénus noire

1889
H. 50
Grès émaillé.
Signé derrière la main droite sur la base, *P. Gauguin.*

New York, Nassau County Museum

Expositions
Paris, Durand-Ruel 1893, nº 45 *Femme noire ;*
Paris 1906, nº 227 *Vénus noire ;*
Paris, Orangerie 1949, nº 89 ;
Chicago 1959, nº 119.

Catalogues
G 91 ; B 49.

Beaucoup plus élaborée que la petite statuette martiniquaise (cat. 86), la *Vénus noire* frappe par son extraordinaire monumentalité en dépit de ses dimensions modestes. Réalisée en 1889, elle atteste comme les vases-portraits (cat. 39, 62, 64) que la céramique est, avec la sculpture, un des moyens d'expression privilégiés pour l'artiste sur la voie du symbolisme. Massive et dépourvue de toute joliesse, cette figure accroupie qui mime le bronze se rapproche par son primitivisme du personnage principal du bas-relief *Soyez amoureuses vous serez heureuses* (fig. cat. 110). A cette époque, en effet, céramiques et sculptures trahissent la même inspiration.

Complexe, l'iconographie de la *Vénus noire* mêle les images de la fertilité et de la mort, thème qui ne cessera de se développer dans les œuvres tahitiennes et s'exprimera de façon particulièrement saisissante dans *Oviri* (cat. 211). On reconnaît dans la tête abandonnée dans le giron de la *Vénus noire* le masque de Gauguin lui-même, celui de l'*Autoportrait* du Kunstindustrimuseet de Copenhague (cat. 64). Quand on sait que celui-ci s'identifiait volontiers au Christ souffrant, il n'y a qu'un pas pour voir dans la *Vénus noire* une Pietà symbolique où la Vierge noire se confond avec Salomé l'amante meurtrière, thème mis à la mode par la littérature récente de Flaubert à Mallarmé[1]. Cette tête dont les cheveux semblent s'enraciner à la base de la statuette est reliée à une puissante tige de lotus dressée qui n'est autre qu'un symbole indien de la fertilité. Sans doute les fréquentes visites de Gauguin à l'Exposition Universelle de 1889 où il fut à la fois fasciné par les Indiens de Buffalo Bill, les danses javanaises et fit la connaissance d'une mulâtresse ne sont-elles pas étrangères à la conception de cette céramique[2]. Celle-ci trahit en effet la fascination croissante de l'artiste pour l'exotisme à une époque où il rêve de partir pour le Tonkin puis Madagascar.

C'est probablement à la *Vénus noire* que Gauguin fait allusion dans plusieurs lettres envoyées à Theo van Gogh au cours de l'été 1889 : « Pour la statue il est presqu'impossible de la faire sans cassure mais cela n'a *aucune importance*. L'important c'est la cuisson, plus le côté statuaire. Je désire que vous demandiez 1 000 F ; c'est excessivement peu pour une pièce non moulée, par conséquent unique. Je crois que je n'en ferai pas une pareille de sitôt qui réussisse. »[3]

La *Vénus noire* figura peut-être à la mémorable exposition des œuvres de l'artiste chez Durand-Ruel en novembre 1893 sous le titre *La femme noire.* Mais elle ne semble avoir appelé aucun commentaire. Le titre traditionnel de *Vénus noire* apparaît en 1906 lors de la rétrospective posthume des œuvres de l'artiste et n'est probablement pas de Gauguin. C.F.T.

1. Jirat-Wasiutynski 1978, 367-368.
2. Bodelsen 1964, 120.
3. Cooper 1983, 20.2, 20.3, [vers le 21 septembre 1889] ; voir aussi Cooper 1983, 14.4 et 15.3.

86

Statuette de martiniquaise

Vers 1889
H. 20
Cire peinte, base en bois.

New York, The Henry and Rose Pearlman Foundation, Inc.

Exposition
Paris 1919, nº 28 ;
Paris 1928, nº 54 ;
Paris 1942, nº 109 ;
Toronto 1981, nº 4.

Catalogue
G 61.

Cette petite statuette de martiniquaise faisait partie de la décoration de la salle à manger de l'auberge de Marie Henry au Pouldu. Elle resta ensuite dans la collection que celle-ci se constitua des œuvres que Gauguin avait laissées chez elle après son départ du Pouldu en 1890. Le procès qui opposa l'aubergiste au peintre en 1894 devait en effet donner raison à celle-ci aux dépens de Gauguin qui dut lui abandonner ses œuvres en compensation des dettes qu'il avait contractées chez elle.

Charles Chassé à qui l'on doit la plus sûre description du décor de l'auberge précise l'emplacement de la *Martiniquaise :* « Sur des étagères fixées au mur, de chaque côté de la cheminée [où trônait le buste de Meyer de Haan (cat. 94)], la négresse en plâtre et la statuette javanaise »[1].

Exécutée en cire et montée sur une base en bois, c'est la seule sculpture en ronde-bosse connue de sujet martiniquais. Son voyage aux Caraïbes avait en effet inspiré à Gauguin à son retour plusieurs reliefs en bois (*Martinique, les cigales et les fourmis, les Martiniquaises*) (G 60, G 72, G 73) ainsi qu'une très belle *Tête de Martiniquaise* en céramique (G 52) datée de l'hiver 1887-1888.

En fait, la morphologie de cette statuette semble à bien des égards composite. La position générale du corps rappelle celle de la Martiniquaise accroupie dans le bas-relief *Les cigales et les fourmis* (G 72) également reprise dans la gravure du même titre exécutée au début de l'hiver 1889 et qui figura à l'exposition Volpini (cat. 76). La tête recouverte d'un foulard drapé évoque le madras dont est revêtue la *Tête de Martiniquaise* en céramique. Pourtant les épaules larges et rondes, un certain hiératisme de l'attitude et surtout la posture conventionnelle du bras et de la main gauches rappellent les figures de Borobudur dont Gauguin possédait des photographies qui l'influencèrent dès sa période bretonne (fig. cat. 87). Le geste de la main est d'ailleurs caractéristique des danseuses javanaises qui l'avaient ébloui à l'Exposition Universelle en juin 1889 et reviendra comme un leitmotiv dans ses peintures tahitiennes. La vivacité du modelé, particulièrement celui du dos au gracieux déhanchement n'exclut pas pourtant l'hypothèse d'une exécution d'après un modèle vivant, peut-être cette mulâtresse, rencontrée à l'Exposition Universelle, avec laquelle Gauguin avait rendez-vous[2]... En quête d'un primitivisme toujours plus authentique Gauguin puise donc à plusieurs sources qui renforcent le caractère étrange de cette pièce. Cependant, en l'absence de document, la datation précise de cette statuette au cours de l'année 1889 reste hasardeuse.

Ses dimensions modestes, l'aspect d'ébauche que l'artiste lui a volontairement conservé incitent à un rapprochement avec les statuettes que Degas avait commencé de modeler à cette époque. Si la datation de ces dernières reste encore problématique et si — à l'exception de la *Petite danseuse de quatorze ans* — elles ne quittèrent pas l'atelier de l'artiste avant sa mort en 1917, on est tenté de penser que Gauguin n'ignorait rien des essais à la cire de ce confrère qu'il ne pouvait se défendre d'admirer. Une lettre de Camille Pissarro à son fils Lucien nous apprend d'ailleurs que Gauguin allait souvent chez Degas : « Gauguin est redevenu très intime avec Degas et va le voir souvent. »[3]

L'artiste choisit de faire figurer cette statuette de dos — sans doute l'angle qu'il préférait — dans la *Nature morte* aujourd'hui au Musée de Reims (cat. 108).C.F.T.

Gauguin, *Pot en forme de tête de Martiniquaise*, grès (Paris, ex. collection Ulmann)

1. Chassé 1921, 48 ; Wilkinson in Toronto 1981, 26, interprète cette statuette de javanaise comme un fragment de danseuse provenant du pavillon javanais à l'Exposition Universelle de 1889.
2. Lettre de Gauguin à Emile Bernard, [sans doute fin avril 1889], Malingue 1946 (datée mars 1889), nº LXXXI, 157.
3. Camille Pissarro à son fils Lucien [30 novembre ? 1886], Bailly-Herzberg 1986, nº 360, 77.

87

Pot décoré d'une baigneuse entre des arbres

1889-1890
H. : 13,5
Grès.
Signé, *P Go.*

Paris, Musée d'Orsay
Don Lucien Vollard au Musée de la France d'Outre-Mer, 1943 ; affecté au Musée d'Orsay, 1986

Catalogues
G 15 ; B 39.

Tous les auteurs qui se sont intéressés aux céramiques de Gauguin ont situé ce pot assez tôt dans son œuvre de céramiste, en le datant de l'hiver 1886-1887[1] ou de l'hiver 1887-1888[2]. La forme trapue, l'utilisation parcimonieuse des engobes de couleur et la décoration simple appliquée sur le pot semblent autant d'indices à l'appui de cette datation. C'est l'iconographie, et non le style, qui oblige à s'interroger au vu d'une date apparemment aussi ancienne. La femme nue debout près du petit arbre présente en réalité des affinités indéniables avec les bas-reliefs de Borobudur auxquels Gauguin a fait de larges emprunts par la suite, et dont il s'est plus précisément inspiré pour un important ensemble d'œuvres de la première moitié des années 1890. On trouve le prototype de cette femme nue dans une frise de Borobudur, représentant le personnage efféminé Maitrakanyaka, dont Gauguin possédait une photographie[3]. Or, on a toujours supposé que Gauguin s'était procuré cette photographie de Borobudur, en même temps qu'une autre, à l'Exposition Universelle de 1889 où étaient présentés des moulages en plâtre des bas-reliefs.

Comment résoudre cette contradiction apparente dans les dates ? On ne peut guère contester que les céramiques de 1889-1890 parvenues jusqu'à nous aient des formes nettement plus complexes, associées à un usage abondant des engobes et vernis. C'est pourquoi les pures considérations de style semblent s'opposer à une datation postérieure, et Merete Bodelsen a fait valoir cet argument de manière convaincante. Pourtant, on ne peut douter que le personnage soit inspiré précisément de cette frise de Borobudur. Si Gauguin a modifé l'arbre ainsi que le costume du personnage, il a conservé non seulement l'aspect général de la pose, mais aussi des détails aussi particuliers que le collier et le bracelet. Il ne reste que deux solutions. La première est que Gauguin possédait la photographie de Borobudur avant l'Exposition Universelle. C'est l'hypothèse proposée par Gray et adoptée avec enthousiasme par Merete Bodelsen comme par Ziva Amishai-Maisels[4]. La deuxième est que le pot fut réalisé à une date ultérieure, malgré son style. Cette hypothèse qui n'a jamais été examinée comme il convient semble la plus plausible.

Il n'existe à ma connaissance aucun exemple attesté d'un quelconque emprunt de Gauguin aux bas-reliefs de Borobudur antérieur à 1889. Cette constatation, jointe au fait que l'artiste s'est inspiré du même bas-relief pour une petite gouache de 1890 intitulée *Eve exotique* (W 389), (voir fig. cat. 106), donne à penser que le pot dut être exécuté en 1889 ou 1890, peut-être même en relation avec la gouache. Pour écarter cette hypothèse, il faudrait accepter la façon dont Merete Bodelsen interprète une lettre à Emile Bernard, que Gauguin écrivit après avoir vu des danses javanaises à l'Exposition Universelle. L'artiste y faisait un rapprochement avec des photographies du Cambodge qu'il possédait déjà[5]. Merete Bodelsen présume qu'il s'agit des photographies de Borobudur, alors même que ce temple ne se trouve pas au Cambodge[6], et c'est en invoquant ce lien ténu qu'elle retient la date antérieure, fondée par ailleurs sur les seules considérations de style. Si l'on opte pour une date postérieure, cela voudrait dire que Gauguin s'est moins intéressé à la forme du pot, vaguement inspirée de certains bronzes chinois, qu'au personnage lui-même, exécuté en relief comme son prototype sculpté. Gauguin a transformé Maitrakanyaka, dont il ignorait peut-être l'identité, en une baigneuse qui dévoile sa nudité au spectateur. Elle est placée dans un paysage paradisiaque que complète sur l'autre face du pot un soleil levant ou couchant portant des traces d'or. Les arbres qui l'entourent revêtent une couleur rouge énigmatique, et celui de droite affecte une forme nettement phallique. Il est probable que ce modeste récipient de céramique fut le premier objet où Gauguin transposa un personnage bouddhique en une icône de la tentatrice d'un modernisme ambigu. R.B.

1. Gray 1963, 128.
2. Bodelsen 1964, 79 ; Amishai-Maisels 1985, 177.
3. Bodelsen 1964, 79.
4. Gray 1963, 128 ; Bodelsen 1964, 79 ; Amishai-Maisels 1985, 177.
5. « Vous avez eu tort de ne pas venir l'autre jour. Dans le village de Java il y a des danses hindoues. Tout l'art de l'Inde se trouve là et les photographies que j'ai du Cambodge se retrouvent là textuellement. » Malingue 1946, nº LXXXI, 157.
6. Bodelsen 1964, 79.

L'Arrivée de Maitrakanyaka à Nadana,
détail d'un bas-relief
d'un temple de Borobudur, Java

88

Le Christ jaune

Automne 1889
92 × 73
Huile sur toile.
Signé et daté en bas à droite, *P. Gauguin 89.*

New York, Buffalo, Albright-Knox Art Gallery;
General Purchase Funds, 1946

Expositions
Paris, avant 1891, Boussod et Valadon ? ;
Paris 1906, nº 156 ;
Paris, Orangerie 1949, nº 14 ;
Edimbourg 1955, nº 32 ;
Chicago 1959, nº 16 ;
Londres 1966, nº 26 ;
Toronto 1981, nº 61.

Catalogue
W 327.

On ne possède pratiquement aucun document sur cette toile qui est cependant une des plus marquantes de l'année 1889. *Le Christ jaune* constitue en effet par son sujet et son style un des exemples les plus significatifs du synthétisme et du primitivisme bretons de l'artiste. L'on n'en trouve cependant pas trace dans la correspondance connue de Gauguin ; la toile ne figurait pas à la grande vente organisée avant son départ pour Tahiti en février 1891, car elle était déjà entrée, à une date difficile à préciser, dans la collection de son ami le peintre E. Schuffenecker[1]. Après quelques hésitations[2], le grand collectionneur de Béziers, Gustave Fayet, dont on connaît l'audace des choix en matière de peinture, s'en rendra acquéreur en 1903.

Un examen attentif du tableau montre dans tout le tiers supérieur l'empreinte — indéchiffrable — laissée par des pages de journal, comme si la toile y avait été roulée avant un séchage complet.

Si *Le Christ jaune* fut présenté au public du vivant de l'artiste, ce ne peut être qu'à une date indéterminée chez Boussod et Valadon où, après le départ de Theo van Gogh malade et bientôt mourant, son successeur, le condisciple de Toulouse-Lautrec, Maurice Joyant, le récupère dans le fond de la galerie à la fin de 1890[3].

On date généralement le *Le Christ jaune* du séjour de Gauguin à Pont-Aven en septembre 1889, avant son installation au Pouldu (voir Welsh 1988, n. 18) avec Meyer de Maan en octobre où la toile fut peut-être terminée. On reconnaît dans le paysage à l'arrière-plan atteint par les couleurs de l'automne, la colline Sainte-Marguerite qui surplombe le village de Pont-Aven et que Gauguin pouvait voir de l'atelier qu'il avait alors loué à Lezaven[4]. Ce site sert également de cadre au *Gardien de porcs* (cat. 43).

Le Christ jaune a été inspiré à Gauguin par le Christ en bois polychrome du XVIIe siècle de facture populaire qui se trouve encore de nos jours sur le côté gauche de la nef de la petite chapelle de Trémalo aux alentours immédiats de Pont-Aven. De couleur ivoire, il se détachait sur un mur bleuâtre et s'accordait par sa rusticité primitive au décor de l'église dont la voûte est peuplée de monstres et d'animaux fantastiques. On reconnaît d'ailleurs sur un dessin préparatoire[5] au crayon pour *Le Christ jaune* un des animaux sculptés de la voûte. On trouve dans le carnet de croquis de Bretagne et d'Arles[6] une étude de coiffe très schématique du même type que celle portée par la femme de profil au premier plan.

Enfin, il existe dans une collection privée new-yorkaise une autre image — plus énigmatique — du tableau ; il s'agit d'une photographie ancienne presque totalement pâlie et rehaussée et qui jusqu'à ce jour a passé pour un dessin de Gauguin (Pickvance 1970, nº 39) ; l'aspect très schématique de cette aquarelle sur photographie incite plutôt à y voir le témoignage de l'admiration d'un des élèves qui gravitaient autour du maître. Indépendamment du sujet religieux, la filiation entre *Le Christ jaune* et *La vision du sermon* (cat. 50) de l'années précédente est très nette. On a justement remarqué que Gauguin reprend pour le premier plan de son *Christ jaune* une silhouette tronquée de bretonne réduite à une coiffe décorative comme c'était le cas dans *La vision.* Les deux bretonnes agenouillées à gauche dans *Le Christ jaune* sont également des variantes des figures disposées à l'arrière-plan gauche de *La vision.* Mais on remarquera surtout que la même ambiguité règne dans les deux tableaux entre le monde réel et le monde imaginaire, unis par la croix qui se dresse, sur un Golgotha symbolisé par une simple masse grise au premier plan tandis qu'un paysage réel sert de toile de fond à la scène. De même, les trois bretonnes en méditation peuvent être assimilées aux trois Marie au Calvaire[7]. Comme celles qui figurent sur le *Christ vert*

Christ en bois polychrome,
XVIIe
(Photographie Jos le Doare)

Gauguin, *Le Christ vert,*
1889, huile sur toile
(Bruxelles, Musées Royaux des Beaux-Arts de Belgique)

88

1. Rewald 1978, 442 ; Rotonchamp 1925, 76.
2. Lettre de Daniel de Monfreid à Gauguin du 9 juin 1903, Joly-Segalen 1950, 237.
3. Rewald 1979, 427.
4. Welsh-Ovcharov, in Toronto 1981, nº 61.
5. Pickvance 1970, nº 38.
6. Huyghe 1952, 154.
7. Buffalo 1942, 224.
8. Mirbeau 1891, 1.
9. Aurier 1891, 165.
10. Saint-Germain-en-Laye, 1985, 94-95.

(W 328), toile exécutée sensiblement à la même date d'après le calvaire en grès de l'église de Nizon.

Si le synthétisme mis en œuvre dans cette toile aux formes sommairement découpées et cernées de bleu de Prusse trahit l'influence persistante d'E. Bernard, l'accord entre la naïveté de cette sculpture populaire, la foi superstitieuse des personnages et le style volontairement primitif témoigne de la pleine maturité artistique de Gauguin.

Le Christ jaune devait enthousiasmer l'écrivain et critique Octave Mirbeau qui, non sans emphase, le célèbre dans un long article[8] qui devait aussi servir de préface à la vente des toiles de l'artiste en février 1891 : « un mélange inquiétant et savoureux de splendeur barbare, de lithurgie [sic] catholique, de rêverie hindoue, d'imagerie gothique, de symbolisme obscur et subtil... » L'auteur se montre particulièrement sensible au climat désenchanté du tableau dont le ciel reflète bien l'état d'esprit de Gauguin en cette période difficile, tant au point de vue affectif que pécunier. A la même époque, l'artiste se représente volontiers lui-même en nouveau Christ de la peinture (cat. 90) et fait figurer *Le Christ jaune* à l'arrière-plan d'un de ses autoportraits (cat. 99) où il apparaît également sous la forme d'une céramique grotesque (cat. 82).

Salué par les critiques Mirbeau et Aurier[9], *Le Christ jaune* exerça une influence profonde sur les peintres de l'Ecole de Pont-Aven et sur les Nabis comme en témoignent plusieurs Christ de Filiger, Ranson et Maurice Denis[10]. C.F.T.

89

La Belle Angèle

Été 1889
92 × 73
Huile sur toile.
Signé et daté en bas à gauche, *P. Gauguin 89.*
Inscription en bas à gauche,
LA BELLE ANGÈLE.

Paris, Musée d'Orsay
Don Ambroise Vollard, 1927

Expositions
Paris, Orangerie 1949, nº 16 ;
Londres 1966, nº 23 ;
Zurich 1966, nº 19 ;
Paris 1988, nº 257 (P).

Catalogue
W 315.

Exposé à Paris

Les parents de Marie-Angélique Satre (1868-1932), née Cannévet à Pont-Aven d'un père marin et d'une mère aubergiste, tenaient un bistrot non loin de la pension Gloanec ; leur fille passait pour une des plus belles femmes du pays. Elle était mariée à Frédéric-Joseph Satre, entrepreneur de maçonnerie[1] qui devait devenir plus tard maire de Pont-Aven.

Les circonstances dans lesquelles Gauguin exécuta ce portrait nous sont bien connues grâce au récit qu'en fit le modèle lui-même à Charles Chassé quelques trente ans plus tard, vers 1920 : « Mme Satre, sans pouvoir me fixer de date exacte, m'a dit que ce portrait d'elle avait été fait avant le départ de Gauguin pour le Pouldu. »[2] On peut raisonnablement penser que le départ auquel Mme Satre fait allusion est celui de l'automne 1889 (2 octobre) qui inaugure un séjour prolongé de Gauguin et Meyer de Haan chez Marie Henry (du 2 octobre 1889 au 7 février 1890 en ce qui concerne Gauguin). Theo van Gogh accusant réception du tableau dans une lettre à Vincent datée du 5 septembre 1889[3], les séances de pose ont probablement dû avoir lieu en juillet[4]. « Gauguin était bien doux et bien misérable, me dit-elle, et nous l'aimions bien. Seulement, à cette époque-là, sa peinture effrayait un peu. Il disait toujours à mon mari qu'il voulait faire mon portrait, si bien qu'un jour, il l'a commencé. Mais, pendant qu'il travaillait, il ne voulait jamais me laisser regarder sa toile parce qu'il disait qu'on ne peut se rendre compte de rien pendant que le tableau est en cours ; et toujours, il le recouvrait après chaque séance. Quand il eut fini, il le montra d'abord à d'autres peintres qui s'en sont bien moqués et je l'ai su ; si bien que quant il est venu me l'apporter, j'étais déjà mal disposée ; et ma mère m'avait dit : « il paraît que des peintres se sont battus, hier soir, à propos de votre portrait. En voilà des histoires à votre sujet ! » Gauguin, lui, est venu, bien content, et il se promenait à travers la maison, cherchant le meilleur endroit où l'accrocher. Mais quand il me l'a montré, je lui ai dit : « Quelle horreur ! » et qu'il pouvait bien le remporter, car je ne voudrais jamais de ça chez moi. Pensez ! à l'époque, et dans un petit endroit comme celui-ci ! Surtout que je ne m'y connaissais guère alors en peinture ! Gauguin était très triste et il disait, tout désappointé, qu'il n'avait jamais réussi un portrait aussi bien que celui-là. »[5]

S'ajoutant au refus de *La Vision du sermon* (cat. 50) et à l'échec financier de l'exposition Volpini, le refus de *La Belle Angèle* illustre bien l'incompréhension dans laquelle œuvrait Gauguin à cette époque. Plus éclairé se révèle Theo van Gogh auquel Gauguin envoie son tableau avec quelques autres toiles à la fin de l'été 1889. « Gauguin m'a envoyé quelques nouvelles toiles. Il dit qu'il hésitait à les envoyer comme ce qu'il cherche n'y est pas comme il le voudrait. Il dit l'avoir trouvé dans d'autres toiles qui ne sont pas encore sèches. Toujours est-il que son envoi ne m'a pas paru aussi bien que celui de l'année dernière, mais il y a une toile qui est de nouveau un bien beau Gauguin. Il l'appelle « La belle Angèle ». C'est un portrait disposé sur la toile comme les grosses têtes dans les crépons japonais, il y a un portrait en buste et puis le fond. C'est une bretonne assise, les mains jointes, costume noir, tablier lilas et collerette blanche, le cadre est gris et le fond d'un beau bleu lilas avec fleurs roses et rouges. L'expression de la tête et

Angélique Satre et sa famille, photographie, dans les années 1890 (Musée de Pont-Aven)

Hokusaï, *Hannya riant,*
gravure sur bois
tirée des *cents contes,* vers 1830
(Boston Museum of Fine Arts)

Radiographie de la *Belle Angèle*
(Laboratoire des Musées de France)

A. Robida, *Struggle for High life*
(L'illustration, nº 2395, 19 janvier 1889)

l'attitude sont très trouvées. La femme ressemble un peu à une jeune vache, mais il y a quelque chose de si frais et encore une fois si campagne, que c'est bien agréable à voir. »[6] Il faut savoir gré à Theo d'avoir compris l'originalité de ce portrait par-delà son étrangeté caricaturale qui explique aisément le refus de la toile par le modèle. *La Belle Angèle* marque, en effet, une étape importante dans l'élaboration du cloisonnisme et de la synthèse, préoccupation majeure de Gauguin à cette époque.

Selon un procédé cher aux japonais — on en trouve de nombreux exemples dans les estampes d'Hiroshigé ou d'Hokusai[7] — Gauguin découpe le portrait d'Angélique Satre au moyen d'un cercle sur un fond à caractère essentiellement décoratif. La pose rigide du modèle, son expression figée et son costume d'apparat — il s'agit du costume de fête de Pont-Aven — renforcent le caractère emblématique de cette évocation que vient souligner l'inscription en capitales *LA BELLE ANGÈLE.* Si les portraits antérieurs accusaient une nette tendance décorative, jamais encore ne s'était affirmée une telle dissociation entre la figure et le fond, ici matérialisé par un arc de cercle d'abord laissé en réserve, rehaussé ensuite d'une ligne ocre. L'examen radiographique du tableau fait apparaître tout un réseau de lignes laissées en réserve — pour ainsi dire un cloisonnisme inversé — qui servit de base à l'artiste dans l'élaboration de sa toile.

Aux sources japonaises, V. Merlhès pense pouvoir ajouter l'influence des illustrations du roman de Loti *Mme Chrysanthème,* paru en 1888 et que van Gogh et Gauguin eurent entre les mains[8]. Le procédé qui consiste à insérer dans un encart circulaire un détail ou un sujet juxtaposé à l'image principale était d'ailleurs d'usage courant chez les illustrateurs de revues de l'époque et l'on en trouve de nombreux exemples dans les volumes de l'*Illustration* de 1889. Une autre source d'inspiration, celle-là encore plus proche, pourrait bien être le papier à en-tête de la villa Julia, l'hôtel voisin de la pension Gloanec, où se découpe sur une enseigne circulaire l'effigie d'une bretonne en coiffe[9].

Comme c'est le cas dans plusieurs portraits ou natures mortes, (cat. 30, 99, W 280, W 375) l'introduction d'une céramique, celle-ci anthropomorphe d'inspiration péruvienne, vient renforcer le caractère symbolique de la composition du tableau. On retrouve cette étrange idole dans *La jeune bretonne* de la collection Ascoli à New York (W 316).

« Refusée comme cadeau »[10] par son modèle, *La Belle Angèle* devait être acquise par Degas par l'intermédiaire de Durand-Ruel pour 450 F lors de la vente des œuvres de Gauguin à l'Hôtel Drouot le 22 février 1891[11]. Cette enchère venait au troisième rang des prix réalisés lors de cette vente mémorable où *La Vision après le sermon* remporta l'enchère maximale de 900 F[12]. Grand amateur de Gauguin, Degas conserva *La Belle Angèle* jusqu'à sa mort. Vollard acheta alors cette toile pour 3 200 F lors de la vente de la collection de Degas les 26 et 27 mars 1918 où l'on ne compte pas moins de 10 Gauguin. Robert Rey, conservateur-adjoint au musée du Luxembourg a raconté depuis comment Vollard lui ayant prêté la toile pour un de ses cours à l'École du Louvre lui « fit savoir que puisque *La Belle Angèle* était venue jusqu'au Louvre, il offrait qu'elle y restât. Joli geste et fait avec esprit »[13] « Sans chaleur mais aussi sans dégoût trop marqué, le comité voulut bien accepter. Et c'est ainsi que *La Belle Angèle* entra au Louvre »[14], plus exactement au Musée du Luxembourg en 1927. C.F.T.

1. Rewald 1961, 181.
2. Chassé 1921, 24.
3. Lettre citée par Rewald 1961, 181.
4. Communication écrite de R.P. Welsh, juin 1988.
5. Chassé 1921, 24.
6. Lettre de Theo à Vincent citée n. 3.
7. Roskill [1970], 9 et pl. 55 ; voir aussi Wichmann 1982, 224.
8. Merlhès 1984, 491 n. 3.
9. Communication écrite de C. Puget, conservateur du Musée de Pont-Aven.
10. Chassé 1921, 24.
11. Journal Durand-Ruel Archives, 18 octobre 1889 à 31 mai 1889, 142, 177 ; Rotonchamp 1906, 77, nº 3.
12. Rewald 1973, 78.
13. Rey 1927, 106.
14. Rey 1950, 42.

En-tête du papier à lettres
de l'auberge *Villa Julia,* Pont-Aven,
dans les années 1880
(Musée de Pont-Aven)

Figure assise,
Culture Mochica, Pérou,
céramique rose moulée
(Paris, Musée de l'Homme)

89

90

Christ au jardin des Oliviers

Été-automne 1889
73 × 92
Huile sur toile.
Signé et daté en bas et à droite, *P. Gauguin 89.*

West Palm Beach, Norton Gallery of Art

Exposition
Chicago 1959, n° 17.

Catalogue
W 326.

A la fin de l'été 1889, un an après son portrait envoyé à van Gogh, *Les misérables,* Gauguin reprend le même parti de bloquer son image dans le tiers gauche du tableau. Mais de son effigie en « paria », en Jean Valjean, le forçat au grand cœur, Gauguin franchit un pas supplémentaire dans son identification en artiste maudit et en martyr : il se représente sous la forme du Christ au jardin des Oliviers, accablé et solitaire après avoir été trahi. Il s'en est clairement expliqué plus tard au journaliste Jules Huret dans l'interview qu'il lui accorde pour *L'Echo de Paris,* destiné à faire de la publicité pour la vente de ses tableaux à Drouot, dont le fruit devait lui permettre de partir pour Tahiti. « Un ami commun me présenta à lui » écrit Huret, « Nous étions devant un tableau de la dernière manière de l'artiste, un de ceux devant lesquels je revenais constamment, dont je cherchais, avec une angoisse attentive, la signification. C'était un personnage coiffé d'un capulet rouge, à la barbe rouge, assis au pied d'un arbre dans une attitude d'abattement, derrière lui, des arbres sous un ciel d'azur ; dans un ravin deux vagues formes humaines fuyant, on m'avait dit : c'est le Christ sur la montagne des Oliviers. Je voyais bien en effet que la tête souffrait horriblement, mais elle me paraissait inadmissiblement laide pour un Jésus, et la barbe me semblait trop rouge, et pourquoi ces verts, ces rouges, ces bleus crus, et pourquoi ces arbres bizarres ? Et que signifiaient ces gens qui fuyaient ? Mais aussi pourquoi cette sensation opprimante d'horreur qui me prenait aux moelles ?
Gauguin me répondit de ce ton simple, modeste et caressant qui se marie si bien au rêve de ses yeux, à l'évangélique, à l'ineffable douceur de sa physionomie :
— C'est mon portrait que j'ai fait là... Mais cela veut représenter aussi l'écrasement d'un idéal, une douleur aussi divine qu'humaine, Jésus abandonné de tout, ses disciples le quittant, un cadre aussi triste que son âme...
Oui, c'était cela ! la figure plébéienne du Christ, illuminée de grandeur, (oui pourquoi un Christ bellâtre ?) une tête noyée de désolation, abîmée dans une incommensurable

tristesse, la douleur elle-même ! Et les bras maigres comme des bâtons sortant des larges manches, et le paysage lamentable, les arbres attristants sous le poignant azur du ciel : et les ombres lâches des disciples s'esquivant dans le noir...
Je ne voyais plus le vermillon du capulet et de la barbe, les lourds traits sombres accentuant les lignes comme les plombs sur les vitraux. J'étais troublé et ravi à la compréhension de cette puissante synthèse de la Douleur, et je ressentis que jamais je n'avais palpité d'une pareille émotion qu'au Louvre, devant quelques rares toiles... »[1]

Il faut revenir un an et demi en arrière pour voir pourquoi Gauguin avait ainsi aidé le hasard, en se plaçant avec défi précisément devant cette toile pour l'interview. En effet, Gauguin estimait alors que le tableau était un des plus importants qu'il ait peint. « Je crois que je viens de faire ma meilleure chose. Un Christ dans le jardin des Oliviers » écrit-il, probablement fin août 1889, à Schuffenecker[2]. Et il en parle longuement à Vincent ; « j'ai fait cette année des efforts inouïs de travail et de réflexion (...). J'ai à la maison une chose que je n'ai pas envoyée et qui vous irait je crois. C'est le Christ au jardin des Oliviers. Ciel bleu vert crépuscule, des arbres tous penchés en masse pourpre, terrain violet et le Christ enveloppé d'un vêtement ocre sombre, les cheveux vermillon. Cette toile n'est pas destinée à être comprise, je la garde pour longtemps. Ci-inclus le dessin qui vous donnera vaguement l'idée de cela »[3]. Van Gogh ne fut pas convaincu ; loin de là, trouvant qu'en se coupant de l'observation et de la réalité, il était, comme Emile Bernard à la même époque, sur un terrain dangereux. En effet, le jeune peintre avait fait lui aussi en même temps de son côté à Paris un *Christ au jardin des Oliviers*, dont il envoie en novembre une photo à Gauguin ; celui-ci lui répond : « rencontre assez curieuse j'ai fait ce même motif, mais d'une autre façon. Je garde cette toile, inutile de la montrer à (Theo) van Gogh, elle serait moins comprise que le reste (...) »[4].

Il est très vraisemblable que le sujet avait été évoqué au cours de discussions à Paris l'hiver précédent, entre les deux artistes et le poète et critique Albert Aurier, et il

verdâtres - Car malgré l'inscription les personnes ont l'air triste en contradiction avec le titre. Sur ce bois ciré il y a des reflets que donne la lumière sur les parties bosses qui donne de la richesse -
Je vais l'envoyer à Paris dans quelques jours. Peut être celà plaira plus que une peinture. de Haann vous dit bien des choses.
Cordialement à vous
P. Gauguin
P.S. je sais que vous fatiguez quand vous écrivez, aussi je ne demande pas de lettre (malgré tout le plaisir que j'ai à vous lire -
Le service militaire de Bernard a été remis à un an pour (Santé) -

au Pouldu près Quimper (finistère)

Gauguin, croquis aquarellé pour
Le Christ au jardin des oliviers,
lettre à Vincent van Gogh (novembre 1889)
(Amsterdam, Rijksmuseum Vincent van Gogh,
Fondation Vincent van Gogh)

n'est pas exclu que l'idée même d'un Christ aux cheveux rouges — car celui de Bernard les avait également de cette couleur — ait été à l'origine celle du cadet. Il n'est pas exclu que, dans le tableau de Bernard, l'évidente ressemblance de Judas à Gauguin — qui n'avait pas échappé à ce dernier : « on aperçoit une tête de Judas qui me ressemble vaguement sur la photographie »[5] — ait été intentionnelle, exprimant l'agacement de Bernard devant la façon dont l'aîné reprenait au vol ses propres inventions. Même éloigné, et à Paris, il avait certainement entendu parler du tableau de Gauguin qui avait fait sensation à Pont-Aven.

Gauguin lui-même en était très satisfait, et dans les listes de ses tableaux laissés en consignation chez Boussod et Valadon, il en demandera le prix le plus élevé : 600 F[6], autant que *La vision du sermon* (cat. 50). Plusieurs raisons expliquent son attachement à ce tableau. Il est alors à un moment très particulier de l'évolution de sa propre peinture, moment-clé du mouvement dont il veut manifestement prendre la direction — qu'on l'appelle cloisonnisme, synthétisme ou symbolisme — tel que son programme esthétique est en train de se cristalliser à Pont-Aven et au Pouldu. C'est sans doute, à la fin de l'été, un de ses premiers tableaux véritablement détachés de la réalité. Son paysage même n'a plus rien de breton, et ses oliviers sont plus emblématiques que réels ; il n'est pas impossible d'ailleurs que les trois arbres de droite dérivent de la fameuse gravure de Rembrandt « les trois arbres », qui symbolisent les trois croix, celle du Christ et des deux larrons. Les cheveux et la barbe rouge ont peut-être aussi un sens symbolique : Bogomila Welsh-Ovcharov voit dans cette couleur sanglante la transposition de la souffrance du Christ[7]. Mais bien évidemment, c'est surtout le fait d'avoir donné son propre masque au Christ qui a le plus de signification.

Bernard,
Le Christ au jardin des oliviers,
1889, huile sur toile,
localisation actuelle inconnue

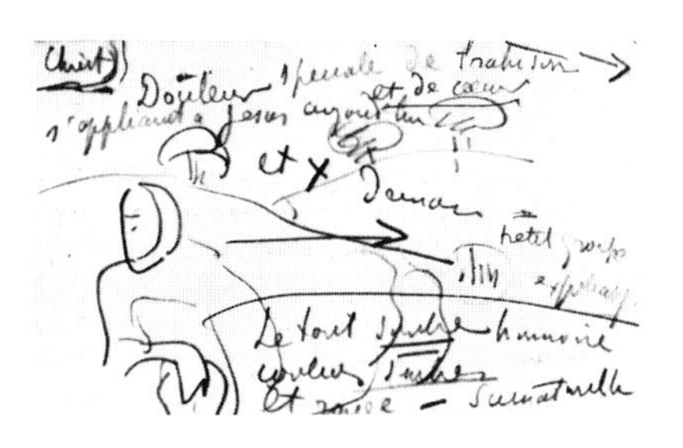
Carte de visite de Gauguin
à Albert Aurier
avec notes et croquis
(Amsterdam, Stedelijk Museum)

1. Huret 1891.
2. Lettre à Schuffencker [fin août 89], vente Drouot 18 décembre 1985, nº 161 (maintenant aux arhives Getty).
3. Cooper 1983, nº 37.2.
4. Malingue 1949, nº XCV, 178.
5. *Id.*
6. Inventaire de Gauguin de ses œuvres laissées chez Boussod et Valadon publié in Rewald 1973.
7. Voir Welsh-Ovcharov, in Toronto 1981, nº 66.
8. Voir l'analyse intéressante de Philippe Junod, in Lausanne 1985.
9. 14 août 1888, voir Merlhès 1984, nº 159, 210.
10. A E. Bernard, [août 90 ?], Malingue 1949, nº CX, 199-200.
11. Poèmes d'Albert Aurier de 1888 et 1889, parus dans Aurier, 1893.
12. Voir M. Andersen 1971, 110, repris in Amishai-Maisels 1985, chap. 2.
13. A Bernard, [novembre 89], Malingue 1949, nº XCII, 173-175.
14. Van Gogh 1960, t. III, 407.
15. *Id.* 1890, 474.
16. Mirbeau 1891.
17. Acheté à Gauguin par l'intermédiaire de Boussod et Valadon le 14 mars 1891 pour 500 F, et fait surprenant dans l'histoire du marché de l'art, et significatif du relatif oubli où était alors Gauguin, Mirbeau le revendit, le même prix, au même marchand le 6 novembre 1903, 12 ans plus tard, après la mort de Gauguin (voir Rewald 1973, 78).

Gauguin s'inscrivait bien sûr en cela dans une tradition qui remonte à Albert Dürer, surtout liée au romantisme allemand du début du siècle, dont le thème, au temps du symbolisme en France et en Belgique, est une résurgence[8] : l'art est une nouvelle religion dont l'artiste est le rédempteur. Gauguin n'avait-il pas lui-même, un an avant son tableau, écrit à Schuffenecker « l'art est une abstraction, tirez le de la nature en rêvant et pensez plus à la création qui en résultera. C'est le seul moyen de monter vers Dieu, en faisant comme notre divin maître : créer »[9].

Pourtant le portrait n'incarne pas ici celui d'un créateur triomphal, d'un Jésus parmi ses disciples tel qu'on imaginait de Paris, non sans ironie, Gauguin au Pouldu au milieu de ses « élèves » : il répond alors à une lettre d'Emile Bernard « je ne sais qui a pu vous raconter que je me promène sur la plage avec mes disciples. En fait de disciples, il y a de Haan qui va travailler de son côté, Filiger qui travaille à la maison. Moi je me promène en sauvage en cheveux longs et je ne fais rien »[10]. L'image est celle de l'artiste incompris en Christ aux outrages, telle que venait de la fixer le poète et critique Albert Aurier, ami et défenseur de Gauguin dans un poème que le peintre connaissait : *L'œuvre maudit.* Il y écrit en particulier : « nous sommes les maudits, les excommuniés/ traînant comme un boulet nos chefs-d'œuvre inconnus » et s'adresse à l'artiste en général : « de la tribu des Christs et des Homères/ tu connais les crachats et les crucifiements »[11]. C'est bien en effet en Christ trahi et abattu que Gauguin se peint, avec une volonté misérabiliste, dans la main maigre qui étreint un linge, et dans son attitude humble, comme marquée de résignation masochiste[12]. Les judas sont évidemment les critiques et marchands parisiens qui n'ont pas compris ses tableaux exposés au café Volpini, témoignant de son éloignement de l'impressionnisme. « De tous mes efforts de cette année, il ne reste que des hurlements de Paris qui viennent ici me décourager, au point que je n'ose plus faire de peinture, et que je promène mon vieux corps par la bise du Nord sur les rives du Pouldu ! (...) qu'ils regardent attentivement mes tableaux derniers (...) et ils verront ce qu'il y a de souffrance résignée »[13].

Parmi les « Judas », se comptent pour lui les frères van Gogh, dont il sent parfaitement qu'ils n'aiment ni l'un ni l'autre la nouvelle direction de sa peinture. Il en veut particulièrement à Theo qui désapprouvait la stragégie de l'exposition Volpini et avait refusé que son frère y participât. Mais Vincent lui-même était plus sévère encore, quand il écrivait à Theo à propos des deux tableaux de Gauguin et de Bernard : « j'ai travaillé ce mois-ci dans des vergers d'oliviers car ils m'avaient fait enrager avec leurs Christs au jardin, où rien n'est observé. Bien entendu chez moi il n'est pas question de faire quelque chose de la Bible — et j'ai écrit à Bernard et aussi à Gauguin, que je croyais que la pensée et non le rêve était notre devoir, que j'étais donc étonné devant leur travail, de ce que ce qu'ils se laissent aller à cela (...) mais franchement les préraphaëlistes anglais faisaient cela mieux »[14]. Il est pourtant touchant de savoir que dans la dernière lettre que van Gogh écrira à Gauguin, inachevée, non envoyée, et retrouvée à sa mort dans ses papiers, il parle de son propre portrait du docteur Gachet « à l'expression navrée de notre temps. *Si vous* voulez, quelque chose comme vous disiez de votre *Christ au jardin des Oliviers,* pas destinée à être comprise (...) »[15].

Il était approprié que ce portrait fit partie de la collection Octave Mirbeau (1848-1917) écrivain, polémiste et critique d'art, auteur de ces lignes en 1891 sur Gauguin : « moi, devant ces toiles, je sens un cerveau qui pense et un cœur qui souffre et cela m'émeut »[16]. Mirbeau avait rencontré Gauguin sans doute l'hiver 1890-1891. Sur les instances de Charles Morice, Mallarmé avait demandé à Mirbeau d'écrire un article pour « lancer » la vente d'œuvres de Gauguin destinée au financement du départ à Tahiti. Mirbeau écrit un article retentissant dans *L'écho de Paris* (16 février 1891) qui servit de préface à la vente du 23. Après les enchères où ce tableau reste invendu, il l'achète directement à Gauguin pour ne s'en séparer que douze ans plus tard, après la mort de celui-ci[17].

F.C.

91

Petites bretonnes devant la mer

1889 [automne ?]
92 × 73
Huile sur toile.
Signé et daté en bas à droite, *P. Gauguin 89.*

Tokyo, Musée national d'art occidental, collection Matsukata

Expositions
Paris, Orangerie 1949, nº 20 ;
Quimper 1950, nº 9 ;
Tokyo 1987, nº 32.

« Moi ce que je fait surtout cette année ce sont des simples enfants de paysans, se promenant indifférents sur le bord de la mer avec leurs vaches. Seulement comme le trompe-l'œil du plein air et de quoi que ce soit ne me plaît pas je cherche à mettre dans ces figures désolées, le sauvage que j'y vois et qui est en moi aussi. Ici en Bretagne les paysans ont un air du moyen âge et n'ont pas l'air de penser un instant que Paris existe et qu'on soit en 1889 » écrit Gauguin à Vincent van Gogh à la fin de cette année[1]. Ce tableau semble illutrer sa description et fait en effet partie d'une série où peuvent s'inscrire *La gardeuse de vache* (W 344, Copenhague, Ny Carlsberg Glyptotek) *Fillettes au Pouldu* (W 345) ou *Au dessus de la mer* (W 360), etc. Mais ici, il s'est approché tout près des petites filles, conférant à leur groupe timide et serré, une dignité monumentale. Il a évidemment accentué la gaucherie de leur pause, et a fait de leurs pieds nus démesurés au premier plan une image volontairement primitive, procédé qu'il utilisera bientôt à Tahiti.

Le traitement du paysage décrit de bas en haut par grandes tranches de couleurs — jaune, blanc, rouge, vert clair, vert foncé — jusqu'à la mer « japonisante » comme dans *La plage au Pouldu* (cat. 97) est très différent de celui des fillettes. A celles-ci, malgré la volonté de faire fruste, sont réservées toutes les nuances du modelé par couleur : dans les visages, dans le tablier rayé où il fait chatoyer avec une grande délicatesse le bleu clair et le jaune. Il s'attarde à détailler le costume du Pouldu, qu'il trouve « symbolique, influencé par les superstitions du catholicisme. Voyez le dos corsage une croix[2] la tête enveloppée d'une marmotte noire comme les religieuses »[3]. Quant aux visages, ils rappellent ce que Gauguin disait à Vincent des bretons : « les figures sont presque asiatiques, jaunes et triangulaires, sévères »[4].

Leur air apeuré et misérable les aurait fait inscrire par Gauguin sous le nom de « les deux pauvresses » dans sa nomenclature d'œuvres laissées chez Boussod[5] et décrire ainsi par le critique Arsène Alexandre : « Deux fillettes

Catalogue
W 340.

Exposé à Paris

bretonnes, nabotes, presque naines, dans des vêtements trop grands, ayant déjà comme des airs de veuves... »[6].

Il existe un pastel, sans doute préparatoire, où le tablier rayé est sur la fillette de gauche, et dont le fond est uniformément jaune[7].

Ce tableau a été acquis dans les années trente, sans doute à Vollard, par le prince Matsukata (voir cat. 41).

F.C.

1. Lettre à van Gogh, in Cooper 1983, nº 36.2, 36.3 (sans doute à dater plus tard que Cooper).
2. Cooper 1983, nº 36.2.
3. *Id.*
4. *Id.*
5. Rewald 1973, 49.
6. Alexandre 1930, 250.
7. Vente Sotheby's, 2 décembre 1970, nº 20.

92

Portrait de Gauguin par lui-même

Fin 1889
79,6 × 51,7
Huile sur bois (chêne).
Daté et signé en bas à gauche, *1889/P. Go.*

Washington, National Gallery, collection Chester Dale

Expositions
Paris 1919, nº 1 α ω Portrait de Gauguin par lui-même ;
Paris 1923, nº 11 *Son portrait par lui-même.*

Catalogue
W 323.

Exposé à Washington

Ce portrait était peint en pendant de celui de Meyer de Haan (cat. 93) dans la salle à manger de l'auberge de Marie Henry au Pouldu, « sur les panneaux supérieurs des portes des armoires, le portrait de l'auteur à droite, celui de Meyer de Haan à gauche, peints à même le bois »[1]. L'étude attentive du programme décoratif de cette salle à manger — qui eût pu être un petit sanctuaire de l'art moderne du tournant du siècle si Marie Henry n'avait quasiment tout emporté en 1893 et ne se fut mise bientôt à tout vendre peu à peu[2] — a été faite récemment[3] et montre que Meyer de Haan et Gauguin travaillèrent très vite : l'essentiel aurait été fait entre la mi-novembre et la mi-décembre 1889. On ne s'étonne donc pas que l'analyse technique de ce portrait conclut à un « faire » rapide[4].

Avant d'essayer de savoir ce que Gauguin voulait dire sur lui-même dans le plus provocant de ses portraits, il ne faut pas oublier que, tout chargé d'allusions et de sens qu'il soit, Gauguin l'a conçu ainsi que celui de son compère, comme une caricature, un « portrait-charge », et c'est surtout amusé de sa propre image. Autant dans les autoportaits *Au jardin des Oliviers*, ou *Près du Golgotha* (cat. 90, 218) il se montre avec conviction sous l'apparence de ce nouveau Christ que serait devenu l'artiste incompris — martyr et rédempteur — autant ici, son portrait participe d'une certaine façon des plaisanteries de rapin qui faisaient sa popularité à Pont-Aven et au Pouldu, lui qui lançait « en riant cette phrase : Nous seront les *synthétistes*, mot qu'il convertit le lendemain en celui de *symbolistes*. (...) Il causait toujours en « blaguant » d'où multiples erreurs et fables sur son compte (...) » comme le rapporte un témoin contemporain de son séjour breton[5]. Rappelons aussi son dessin « Vive la sintaize » ou la décoration du plafond du Pouldu où il était écrit « Oni soie qui mâle y panse »[6], orthographe pleine de sous entendus grivois, pieusement corrigée dans les descriptions ultérieures de ses biographies. Sa gouaille, d'un goût inégal, que l'on retrouvera dans les *Racontars de Rapin* posthumes, lui faisait d'un même mouvement prendre une idée au sérieux et s'en moquer, ce qui était aussi sa façon d'affirmer sa supériorité auprès des peintres de son entourage, plus intellectuels, plus habitués à formuler des concepts comme de Haan, Sérusier ou Filiger, mais plus médiocres artistes. Il est frappant que ce soit précisément ceux qui l'ont connu personnellement, Marie Henry et Mothéré, qui aient donné au tableau ce titre de « portrait charge de l'auteur »[7], alors qu'au fur et à mesure que se construit la légende posthume, il devenait « alpha et omega »[8], puis avec l'histoire de l'art iconologique depuis les années 50 et l'attention privilégiant les « clés » de l'œuvre à ses formes, il ait pris le titre de « portrait à l'auréole et au serpent ».

Mais ces diverses façons de percevoir ce portrait correspondent à une véritable ambivalence du tableau lui-même, que nous résumerons en disant que Gauguin a peint de lui-même ici une icône — mais une icône iconoclaste.

Comme l'indiquent l'évolution des différents titres, le *sacré* a très vite pris le pas sur la *charge* dans les interprétations. Dès 1919, quand le tableau est montré à Paris pour la première fois avec l'ensemble de la décoration du Pouldu, pour y être vendu, galerie Barbazanges, la préface donne le ton et drape la figure de Gauguin de dignité ésotérique : le peintre est un « aigle », un « goëland », un « dignitaire », une « ombre immense » un « moine d'art laïque »[9]. *L'alpha et l'oméga* donné alors comme titre veut dire le tout, le savoir : Gauguin possède la connaissance totale, il est « le maître ». Cela, certes, Gauguin ne l'aurait pas renié.

Les livres *Sartor Resartus* de Carlyle et surtout *Le paradis perdu* de Milton qui sont sur le portrait-jumeau de Meyer de Haan (cat. 93), donnent la clé de l'auréole, des pommes et du serpent. On a, surtout depuis une quinzaine d'années, proposé toute une série d'interprétations possibles aux hiéroglyphes symboliques du portrait[10]. En quelques mots : Gauguin se serait peint en initié et en mage, dans une tradition ésotérique qui se veut héritière de celle de l'ange déchu : Satan. Le rouge du fond symboliserait l'enfer et l'esprit démoniaque de Gauguin, alors que le jaune, où s'enfonce la tête d'une façon anormale, indiquerait des ailes d'ange stylisées. Les pommes et le serpent sont une allusion au paradis perdu, les pommes symbolisant la tentation à divers degrés — au début, la verte, et au moment de la chute, la mûre.

Tout cela n'est pas faux, on pourrait même parfois en dire plus : en s'associant au serpent, Gauguin se présente aussi en tentateur, les deux pommes sont sans doute une allusion sexuelle facile à des plaisanteries internes dans

1. Chassé 1921, 48, citant Motheré ; en fait, les portraits n'étaient pas peints *directement* sans préparation : l'analyse de C. Christensen, restaurateur des peintures de la National Gallery, montre que Gauguin a peint ces panneaux, comme il le faisait à l'époque pour ses toiles, après les avoir enduit de blanc, sans doute de la caseïne.

la maisonnée, provocation liée à la jalousie attestée de Gauguin pour les amours de l'Eve domestique, Marie Henry, et de l'ami disgracié, Meyer de Haan (voir cat. 93). Les plantes papyriformes stylisées du premier plan sont les mêmes que sur le tableau qui était sur le mur d'en face, *La fileuse* — peut-être abusivement appelée *Jeanne d'Arc* (W 329) — à laquelle un ange vient faire des révélations ; ce motif veut peut-être indiquer une association de héros légendaires et rédempteurs. Quant au rouge du fond, il signifie peut-être, plutôt que l'enfer, l'espace de l'imaginaire, ainsi que Gauguin l'avait noté lui-même à propos de cette couleur dans *La Vision* (cat. 50), et Gauguin se serait représenté sur un fond symbolique du nouveau programme esthétique dont il se pose évidemment en *Héros*.

Quoi qu'il en soit, saint, prophète ou magicien de la nouvelle peinture, il le témoigne avec toute la distance et l'ironie nécessaires. L'effigie un peu japonisante n'est pas sans rappeler les portraits d'acteurs populaires dans les estampes de l'Ukiyo-é, et la main est presque une main de marionnette. La désinvolture se manifeste aussi par la petite feuille placée au-dessus de l'auréole, comme un point d'exclamation — le « point d'ironie » que réclamait Jules Renard dans la ponctuation — et par le fait que ces portraits soient peints sur les deux battants d'une porte, comme celles d'un meuble liturgique : ce tabernacle n'étant qu'un prosaïque placard de salle à manger de restaurant campagnard.

Et puis, sans chercher avec trop de sérieux les clés initiatiques qui feraient de Gauguin un théosophe, un « rose croix », et connaissant la rapidité avec laquelle dans les années 1888-1889 il absorbe toute idée qui passe, toute suggestion, on peut en effet imaginer qu'il n'a pas eu besoin de lire Edouard Shuré, la Kabbale ou Taine (introducteur en France des idées de Carlyle) pour comprendre comment faire profit des idées de l'air du temps du symbolisme, ou se situer dans le petit phalanstère : il est évidemment *Le maître,* celui qui détient le savoir inné, le serpent étant depuis des temps immémoriaux, il le sait bien, l'emblème de la divination et de la connaissance. Mais ce savoir n'est pas celui d'une révélation transmise aux initiés. Il est celui de la peinture. Rappellons la lettre sarcastique écrite plus tard de Tahiti à Maurice Denis, pour refuser de participer à l'exposition de ses jeunes amis : « mon art de papou n'aurait pas de raison d'être à côté des (...) symbolistes, idéistes (...) ; je redoute un peu pour vous le ridicule des Rose-Croix, bien que ce soit une merveilleuse réclame, pensant que l'art n'a rien à voir dans cette maison de Péladan »[11].

Il le sait bien déjà au Pouldu, qu'il n'est pas le « Sâr Peladan » des artistes, et qu'il détient ce vrai pouvoir magique : le talent, le génie, alors que Meyer de Haan, à côté, sur le placard, peine sur ses lectures. Un des « disciples » témoigne : « Gauguin était la tête. Il avait une suite qu'il remuait brutalement, qu'il encourageait, et à laquelle il indiquait la voie, en ami (...) ; des envieux ont dit qu'il pontifiait »[12].

Ce portrait, même ironique, témoigne en effet d'un « culte du moi » sans faille, encouragé moralement par son identification à l'artiste-héros, tel que Carlyle l'avait défini. Il peint ici une sorte d'emblème de l'assurance formidable — et justifiée — de ce qu'il est devenu en peu de temps ; il avait toujours pressenti ce qu'il *devait faire,* il sait désormais ce qu'il *peut* faire. Voilà sans doute tout ce que nous dit ce portrait, avec férocité, avec orgueil, avec humour. F.C.

2. En particulier ce portrait, en 1919, à la galerie Barbazanges.
3. Voir Welsh in St-Germain-en-Laye 1985, 124 et ss., Sur l'ensemble de la pièce, voir même auteur, article à paraître in *Revue de l'art* 1988.
4. Christensen, voir note 1.
5. Anonyme 1893a, 167.
6. Photo publiée dans Welsh, Saint-Germain-en-Laye 1985, 125.
7. Dans la liste de photo annotées en 1895, voir Malingue 1959.
8. Titre du tableau in cat. Paris 1919, nº 1.
9. Francis Norgelet, in préface cat. Paris 1919.
10. K. Van Hook 1942, décrypte la première les thèmes iconographiques ; voir aussi Andersen 1971, 11, 13, 107, Amishai-Maisels 1972, Jirat-Wasiutynsky.
11. A Maurice Denis s.d. [juin 1899 ?] ; Malingue 1946, nº CLXXI, 291.
12. Anonyme 1893a, 166.

93

Meyer de Haan

Fin 1889
80 × 52
Huile sur bois.
Signé et daté en bas et à droite, *P. Go 89.*

New York, collection particulière

Expositions
Paris 1919, nº 3, *Le soir à la lampe, portrait de Meyer de Haan ;*
Paris 1923, nº 14 ;
Cambridge 1936, nº 14 ;
San Francisco 1936, nº 8 ;
Vienne 1960, nº 20.

Catalogue
W 317.

Jacob Meyer de Haan (1852-1895) connut Gauguin début 1889 par l'intermédiaire de Pissarro et de son compatriote Theo van Gogh qui l'hébergeait à Paris ; il le suivit dès l'été suivant en Bretagne. Il n'est pas exagéré de dire que le mini-phalanstère d'artistes qu'ils créèrent au Pouldu en 1889-1890 fut pour chacun d'eux un moment clé de leur carrière. Dans leur étroite association, si Meyer de Haan était bien entendu l'élève du peintre, et le mécène de la communauté, il eut certainement une influence intellectuelle déterminante sur Gauguin, lequel était moins cultivé, ou en tout cas moins formé à la spéculation abstraite.

Après avoir logé en divers endroits de Pont-Aven et du Pouldu, ils s'installent tous deux le 2 octobre 1889 dans l'auberge de Marie Henry, jeune femme de trente ans, si belle qu'elle avait été surnommée « Marie Poupée » et qui ne tarda pas à avoir une liaison avec Meyer de Haan dont elle eut une fille[1].

Le compagnon de son âge mûr, Henri Mothéré, qui a d'ailleurs connu lui-même le « café de la plage » en l'état où Gauguin et ses amis l'avaient laissé, a transcrit sous le contrôle de Marie les souvenirs de cette époque, texte qui est une source irremplaçable sur cette thébaïde de l'art moderne : « Meyer de Haan (...) ayant fondé une biscuiterie très prospère (...) l'avait cédée à ses frères en échange d'une rente de trois cents francs par mois afin de pouvoir se livrer à la peinture (...). Il commença par faire de la peinture académique et classique (...) mais ayant visité une exposition de peintres impressionnistes avait été conquis par cet idéal nouveau ; il s'était rendu aussitôt à Londres pour solliciter les conseils de Pissarro qui l'adresse à Gauguin, dont il devint l'élève enthousiaste et le mécène généreux »[2]. Les deux hommes, à l'étroit pour travailler chez Marie Henry, louent un atelier dont Gauguin écrit qu'il a « vue sur la mer juste au dessous. Avec les orages c'est superbe, et je travaille là avec un hollandais qui est mon élève et très bon garçon »[3]. Très vite après leur arrivée, ils décident de décorer la salle à manger de l'auberge. Gauguin parle à Vincent van Gogh à la fin de l'automne ou au début de l'hiver d'un « assez grand travail que nous avons entrepris en commun de Haan et moi : une décoration de l'auberge où nous mangeons. On commence par un mur, puis on finit par les quatre, même le vitrail. De Haan a fait sur le plâtre même un grand panneau de 2 m sur 1,5 m de haut (...). Je trouve cela très bien et très complet, fait aussi sérieusement qu'un tableau »[4].

De fil en aiguille, en effet, les murs se couvrent (voir cat. 92, 95, 101), et les places d'honneur vont revenir au mur sud, d'abord à la cheminée où sera un peu plus tard posé le buste de Meyer de Haan par Gauguin (cat. 94) entouré de divers objets dont une sculpture (cat. 86).

92

93

Meyer de Haan, *Autoportrait,*
vers 1889-1891 ?, huile sur toile
(New York, Collection Mr. and Mrs. Arthur C. Altschul)

Gauguin, *Nirvana, portrait de Meyer de Haan,*
vers 1890, peinture à l'essence sur soie
(Hartford, Wadsworth Atheneum,
Ella Gallup Sumner and Mary Catlin Sumner Collection)

Gauguin peignit bientôt sur les deux panneaux supérieurs des portes de l'armoire, à gauche de cette cheminée, deux portraits en pendant : le sien, à droite (cat. 92) et « celui de Meyer de Haan à gauche, peints à même le bois »[5]. Les deux effigies sont peintes de la même façon, en grandes plages de couleurs vives, et le même rouge unit le vêtement de Meyer de Haan et le fond de l'autoportrait, le même jaune, le livre au centre du premier et le buste de Gauguin ; on trouve les mêmes pommes de chaque côté et les deux visages sont également caricaturaux, traités « à la charge » comme on disait alors.

Il est évident que les deux tableaux ont été peints en même temps, rapidement, sans doute à la suite d'une conversation entre les deux hommes — qu'on imagine animée mais difficile car Meyer de Haan parlait mal le français. Ce double portrait est fait en tout cas pour sceller une complicité : chaque tableau est plein d'allusions à des échanges intellectuels et sans doute à des plaisanteries communes.
Marie Henry a décrit le déroulement de leur vie quotidienne, leurs journées de travail qui se terminaient par des soirées dont elle nous a dit qu'ils jouaient parfois au loto ou aux dames et que « souvent (...) ils dessinaient à la lueur de la lampe »[6].

Le portrait de Meyer de Haan commémore ces moments : et d'ailleurs le titre que sans doute Marie Henry lui donna quand l'ensemble des œuvres laissées chez elle fut exposé galerie Barbazanges en 1919, *Le soir à la lampe,* l'indique bien. Son souvenir de Meyer de Haan en fait « un être menu, rachitique, contrefait, souffreteux, presque infirme »[7]. C'est ainsi en tout cas que Gauguin le montre dans son chandail de marin rouge avec, appuyé sur une main difforme, un visage au gros nez, aux yeux d'alcoolique tourmenté, sous des mèches rousses aussi hérissées que la barbiche.

Mais bien évidemment, à la « charge » et à l'amusement est associé tout un symbolisme, explicité par la présence des deux livres, dont on peut lire clairement les titres. Van Gogh avait déjà récemment usé du même procédé, dans des tableaux comme *Romans parisiens* (cat. La Faille n° 359) que Gauguin avait sans doute vus à Paris chez Theo. Les lectures de Meyer de Haan indiquent ses préoccupations métaphysiques : ce sont *Sartor Resartus* de Carlyle, qui n'était pas alors traduit, et *Le paradis perdu* de Milton (en français)[8]. Le premier est une réflexion sur les contradictions entre culture et nature (exprimées par le vêtement) et le deuxième un poème religieux sur la connaissance qui valut aux hommes de perdre le paradis, et sur la révolte de Satan et de ses anges contre Dieu.

La connaissance est ici représentée par la lampe et par les pommes qui veulent aussi dire tentation. Le serpent est de l'autre côté, en compagnie de Gauguin (cat. 92) : si Gauguin est là une sorte de Christ, l'effigie de Meyer de Haan est ici assez satanique : c'est l'ange déchu, perdu par sa volonté de savoir, mais aussi, plus biographiquement, le traditionnel rabbin, le savant Juif, l'homme qui connait « le livre » et qui le transmet.

Gauguin s'amuse évidemment en peignant ces portraits-hiéroglyphiques. Pourtant le masque tourmenté de son ami devait toujours le hanter. Il le reprend d'abord dans une petite peinture sur soie, la même année, intitulée *Nirvana* (W 320) où le peintre hollandais, cette fois aux yeux plus bridés, est placé devant l'image composite de deux tableaux récents de Gauguin (voir cat. 79 et 80). Après la mort prématurée de Meyer de Haan à quarante trois ans en 1895, il le représentera dans une gravure sur bois faite à Tahiti (Guérin 53) — dont il collera une épreuve dans Noa-Noa — et surtout dans un de ses derniers tableaux, *Contes barbares* (1902) (cat. 280), près de deux marquisiennes, une belle rousse canaque et l'autre dans la position de Bouddha comme s'il était réapparu, fantôme songeur et un peu pathétique, incarnant la métaphysique judéo-chrétienne dans le panthéon syncrétique des mythologies et des religions de Gauguin.

F.C.

1. Pour plus de détails, lire Guyot et Lefay, in St-Germain-en-Laye 1985, 114-115.
2. Publié par Chassé 1955, 66 et ss.
3. A Schuffenecker, s.d. [automne 89], Malingue 1949, n° XC, 170.
4. Cooper 1983, n° 36. Daté arbitrairement du 20 octobre, cette lettre serait postérieure ; voir Robert Welsch, *La salle à manger du Pouldu* qui a reconstitué la disposition de l'ensemble, et identifié son contenu (article à paraître en 1988 dans la *Revue de l'art*).
5. Motheré in Chassé 1955, 71.
6. *Id.*
7. Rapporté par Motheré, in Chassé 1955, 71.
8. Le livre de Carlyle était sorti à Londres en 1885 et traduit en néerlandais en 1886 ; alors que Milton avait été traduit en français chez Hachette en 1875, réédité à plusieurs reprises en 1877 et 1881. Il est probable que Meyer de Haan avait lu Carlyle en anglais ou en néerlandais et que Gauguin s'en était peut-être fait résumer le contenu.
9. *Noa-Noa,* Louvre, m.s., 174.

94

Buste de Meyer de Haan

Fin 1889
H. 57
Chêne sculpté et peint.

Ottawa, National Gallery of Canada

Expositions
Paris 1919, nº 27 ;
Paris 1928, nº 8.

Catalogue
G 86.

Exposé à Chicago

Ce buste saisissant, plus grand que nature, occupait la place d'honneur de la pièce principale de l'auberge de Marie Henry au Pouldu, au-dessus de la cheminée (voir cat. 92). Gauguin l'aurait exécuté entre octobre et décembre 1889[1].

Depuis longtemps (cat. 5) amateur de sculpture sur bois, Gauguin ne l'avait jusqu'à présent pas attaqué avec cette franchise, en lui gardant son caractère de puissance et de rudesse. Tout le bas de la sculpture est encore une grosse bûche à peine dégrossie. Il a certainement voulu montrer son ami, qu'il représente ailleurs (cat. 93) comme obsédé de spiritualité, émergeant, avec une expression concentrée et les yeux mi-clos, de la nature dans ce qu'elle a d'élémentaire et de fruste, comme s'il s'agissait d'un portrait allégorique de la pensée et de la réflexion humaines, difficilement arrachées à la matière. Gauguin a repris la position de la tête appuyée sur la main, du portrait peint.

Mais sa tête est ici enveloppée d'une étrange coiffure de feuillages stylisés, en partie couverte de peinture verte, et sur sa calotte est posé un coq. Gray décrit l'animal en train de rôtir, et W. Andersen de copuler[2], ce qui serait une allusion aux amours de Haan avec leur belle hôtesse, mais Wilkinson y voit un symbole d'immortalité[3]. En tout cas, il s'agit aussi et surtout d'une plaisanterie, puisque le mot hollandais Haan signifie « coq ».

Marie Henry conserva très longtemps ce buste, qui paraît encore faire partie de sa collection longtemps après avoir été exposé à Paris chez Barbazanges en 1919 puisqu'il est publié en 1928 dans l'exposition *Gauguin sculpteur et graveur* au Musée du Luxembourg comme toujours en sa possession.

Ce portrait nous rappelle ce que la sculpture moderne des vingt-cinq premières années du siècle doit au travail simplificateur et expressif de Gauguin, parallèlement au rôle de la sculpture primitive qu'il avait contribué à faire aimer aux artistes dès la fin du siècle. Pensons par exemple aux premières pièces de bois sculptées par Matisse ou par certains expressionnistes allemands comme Schmidt-Rothluff. Une pièce comme celle-ci exposée en 1919 n'a pu qu'impressionner toute une génération de sculpteurs, dans ce foyer international de l'avant-garde qu'était Paris à l'époque. On sait également le rôle essentiel du sculpteur Paco Durrio, ami de Gauguin puis de Picasso, dans la diffusion de l'œuvre du héros mythique du Pouldu et de Tahiti, dans le milieu du « bateau-lavoir », en particulier auprès de l'auteur des *Demoiselles d'Avignon*. F.C.

1. Welch in St-Germain-en-Laye 1985, 124.
2. Gray 1963, 206 ; Andersen 1964, 583.
3. Alan G. Wilkinson, Toronto 1981, nº 6.

95

Bonjour M. Gauguin

Automne 1889
113×92
Huile sur toile.
Daté et annoté en bas et à droite, *89/Bonjour M. Gauguin.*

Prague, Narodni galerie

« Vincent m'appelle quelquefois l'homme qui vient de loin et qui ira loin » écrit Gauguin à Schuffenecker[1] et c'est bien au fameux séjour de Gauguin près de van Gogh à Arles, moins d'un an auparavant, qu'il faut revenir pour trouver les sources de ce portrait d'artiste « en voyageur ». Le rôle de Vincent est en effet primordial dans le déclenchement d'une série d'autoportraits de Gauguin, et puis le titre même du tableau évoque la visite que les deux peintres avaient faite ensemble au musée de Montpellier longuement relatée par Vincent à Theo[2], occasion de discussions « d'une électricité excessive »[3], trois jours seulement avant la fameuse crise délirante de Vincent — la scène de « l'oreille coupée » — qui entraina le départ de Gauguin d'Arles et l'internement de van Gogh.

Les discussions, dans le musée même et ensuite, semblaient particulièrement porter sur les portraits qu'ils y avaient vus — tous ceux de Bruyas, par Delacroix,

Expositions
Paris, Durand-Ruel 1893, nº 42 ;
Paris, Orangerie 1949, nº 21 ;
Edimbourg 1955, nº 19 ;
Munich 1960, nº 42.

Catalogue
W 322.

Courbet, Ricard, Couture, etc. — et sur les souvenirs du Louvre en particulier celui d'un tableau alors attribué à Rembrandt : « tu connais l'étrange et superbe portrait d'homme par Rembrandt de la galerie de Lacaze ; j'ai dit à Gauguin que pour moi je voyais là-dedans un certain trait de famille ou de race avec Delacroix ou avec lui Gauguin. Moi je ne sais pourquoi, appelle toujours ce portrait 'le voyageur' ou 'l'homme venant de loin' » rapporte Vincent à Theo[4].

Bien que celui-ci n'en parle pas précisément à son frère, on peut imaginer que le fameux « Bonjour M. Courbet » du Musée de Montpellier dut être au cœur d'échanges sur le thème de l'artiste errant et sur la façon dont un peintre peut ou doit se représenter. Courbet montre une rencontre somme toute triomphale d'un artiste, « être qui va », la barbe pointée en avant, avec un amateur et son serviteur, qui l'accueillent avec chaleur et respect.

Le « Bonjour » adressé à Gauguin est le contraire de ce cérémonial : c'est celui d'une paysanne fruste qui croise au Pouldu le chemin du peintre, un tout petit bonjour en passant. Une barrière les sépare, qui a arrêté un instant le pas de l'impressionniste en promenade ou en quête de motif. Le ciel sombre, la lumière d'orage, sur la maison en haut et à gauche, indiquent que sous sommes juste avant ou peu après la pluie Gauguin est emmitouflé dans sa houppelande et son cache-nez bleu, et sous le béret qu'il porte à l'époque, comme en témoigne un croquis de Sérusier (P 46). Le chien du tableau de Courbet est là aussi, tout petit, et du côté de l'artiste cette fois, trottinant contre les fameux sabots du peintre, sans doute ceux qu'il avait lui-même décorés (G 81, 83).

Notons en passant que cet autoportrait est le seul où Gauguin, entraîné par l'exemple de Courbet, se soit peint « en pied ». La façon dont il traite le visage simplifié, fermé, est curieuse. L'œil visible est à demi clos, l'autre caché, comme dans le portrait de Vincent peignant qu'il avait fait l'année précédente. C'est un visage solitaire plongé dans de sombres pensées.

Il existe une autre version du tableau (W 321, coll. Hammer), de dimension plus modeste, dite « réplique ou première version » du tableau de Prague ; elle décorait le panneau supérieur d'une porte de l'auberge de Marie Henry au Pouldu[5]. Plusieurs éléments font penser qu'il s'agissait là plutôt d'une « première pensée », et que celui de Prague a été fait ensuite. D'abord, dans l'exposition d'*œuvres inconnues* de Gauguin à la galerie Barbazanges en 1919, presque tout venait de la « collection » de Marie Henry, dont le « Bonjour Monsieur Gauguin », qui était indiqué comme « première pensée ». Or Marie Henry, ancienne propriétaire de l'auberge et témoin de première main, avait donné des indications pour les titres. Mais surtout, la version exposée ici est plus réfléchie, plus intense. Chaque élément — couleurs plus contrastées, ciel plus orageux, lumière plus inquiétante, proportion plus grande du personnage lui-même plus farouche, paysanne qui s'éloigne au lieu de se diriger vers le peintre[6] — contribue à dramatiser le sujet plus familier du tableau Hammer. Ce n'est plus une simple promenade au Pouldu, c'est « le portrait de l'artiste en pèlerin » ; le titre « à la Courbet » ne fait qu'ajouter une touche d'amère dérision à l'image.

Gauguin attachait beaucoup d'importance à ce tableau, puisque dans son exposition de 41 œuvres de Tahiti, chez Durand-Ruel en 1893, il tint à ajouter 3 tableaux de Bretagne, dont celui-ci. « Il voulut, pour qu'on pût vérifier la suite logique de son développement, que cette œuvre figurât dans son exposition tahitienne : « il pouvait cela aussi » ; et d'ailleurs, entre ce système de Bretagne et celui de Tahiti, la distance était moins longue qu'il n'eut pu sembler (...) »[7] nous dit Charles Morice avec qui Gauguin organisa l'exposition, et qui rapporte certainement là le fruit de conversations avec l'artiste. A la vente de 1895, le tableau, invendu[8], fut racheté par Gauguin, puis acquis à une date ultérieure indéterminée, par Schuffenecker[9]. Il lui appartennait peut-être encore quand Charles Morice en fait une description détaillée dans son ouvrage sur Gauguin paru en 1920, écrite avec le lyrisme dont Morice avait le secret, et qui devait malheureusement marquer la version publiée de Noa Noa : « comment ne pas comprendre la pensée de l'artiste ? N'est-ce pas son âme irritée elle aussi, qui frémit dans les profondeurs de ce paysage troublé d'où il vient à nous ? Et la paysanne n'a-t-elle pas raison de s'inquiéter ? »[10]. F.C.

1. A Schuffenecker, [décembre 1888] cité in A. Alexandre 1930, 94.
2. Lettre de Vincent van Gogh à Theo, in Van Gogh 1960, tomme III, nº 564 F, 278, 279.
3. *Ibid.*
4. *Id.* 279 — voir à ce sujet Jirat-Wasiutynski 1976, 66, 67.
5. Voir Welsch in St-Germain-en-Laye 1985, 124.
6. On a pu voir dans la paysanne encapuchonnée de noir, l'image de la mort, comme dans un poème de Christina Rossetti que van Gogh aimait beaucoup, où le poète voyageur rencontre la mort (voir Dorra 1978, et Maurer 1985, 342.
7. Morice 1920, 215.
8. Vente du 18/2/95, nº 39 ; racheté à 410 F.
9. Rotonchamp 1925, 155. Le tableau était longtemps resté en consignation chez Boussod et Valadon, Rewald 1973, 49.
10. Morice 1920, 215, 216.

Courbet, *Bonjour Monsieur Courbet,*
1854, huile sur toile
(Montpellier, Musée Fabre)

Gauguin, *Bonjour M. Gauguin,*
1889, huile sur toile
(collection Armand Hammer)

95

96

Tonnelet décoré

1889-1890
L. 37, diamètre 31
Bois sculpté et peint.

Baltimore, collection
Joshua I. Latner

Expositions
Munich 1960, nº 144;
Toronto 1981-1982, nº 1.

Catalogue
G 84.

Parmi d'autres objets de la salle à manger de Marie Henry au Pouldu (voir cat. 86, 92, 94, 100-103), Gauguin a décoré entièrement un tonnelet à vin : il en a doré le cerclage de fer — quelques traces de dorures subsistent — et repris au couteau en relief plat, puis rehaussé de peinture divers motifs de son iconographie familière du Pouldu : une gardeuse d'oies avec quelques-uns de ses volatiles, une bretonne en costume, un coq, un cochon à la queue en tire-bouchon, des fleurs et enfin, une femme nue aux longs cheveux, assise de profil. Elle est tout-à-fait dans la veine de ses évocations féminines exotiques d'avant Tahiti — comme les baigneuses de *Soyez mystérieuses* (cat. 110) ou la *Femme caraïbe* (W 330) peinte pour cette même salle à manger. En dehors de ces figures et animaux emblématiques, le petit tonneau est couvert de motifs floraux et végétaux.

Une poètesse amie de Colette, Renée Hamon, voyageant à Tahiti dans les années 1920, avait interrogé des survivants ayant connu Gauguin. Lenore, le gardien du cimetière, avait été frappé par la débordante activité de décorateur du peintre : « il sculptait tout, des troncs d'arbres, des boîtes de conserve, et même des tonneaux »[2]. Le tonneau tahitien n'a pas été retrouvé. Dans sa volonté de s'entourer d'un environnement à la fois primitif et artistique, Gauguin avait « détourné » ainsi de nombreux objets populaires : une fontaine en grès (G 78, Musée d'Orsay) dont le montage en bois est orné par l'artiste, des sabots (cat. 105), un banc breton où il a ajouté deux têtes (G 85). Il faut évidemment inscrire ces objets « bretonnants » dans l'activité décoratrice de toute sa vie. Il raconte lui-même que dès l'enfance « je taillais avec un couteau et sculptais des manches de poignard sans le poignard »[3]. Il orne de reliefs la bibliothèque vitrée familiale (G 5) bien avant le séjour breton ; enfin à Tahiti et aux Marquises, il marquera de sa main tout son environnement : cuillères, cadres, bois et linteaux de portes (voir cat. 137, 257). F.C.

1. Anonyme 1893a, 66a.
2. Cité par Gray 1963, 68.
3. *Avant et après* 1923, 234.

97

La plage du Pouldu

Automne 1889
73 × 92
Huile sur toile.
Signé et daté en bas à gauche, *P. Gauguin 89.*

Buenos Aires, collection particulière

Expositions
Bâle 1928, nº 51 ou 58 selon l'édition ;
Londres 1979, nº 87.

Catalogue
W 362.

Exposé à Washington et Chicago

Pour avoir effectué de nombreux séjours en Bretagne, Gauguin n'a cependant peint qu'un nombre restreint de véritables marines, de même que les paysages purs sont relativement rares dans son œuvre. En 1888-1889, ces marines se caractérisent soit par leur dette encore sensible envers l'impressionnisme — c'est le cas de *La crique I, La crique II* ou de *La côte de Bellangenay* (W 284, W 285, W 363) — soit par leurs audacieuses recherches spatiales — *Au-dessus du gouffre* (cat. 53), *Au-dessus de la mer, Le joueur de flageolet au-dessus de la falaise* (W 360, W 361), soit enfin par leur japonisme très marqué. C'est le cas de *La vague* (W 286) de 1888 et de cette *Plage au Pouldu,* une des rares marines pures de l'artiste.

Les estampes célèbres d'Hokusai et d'Hiroshigé, représentant la mer mais aussi des planches moins connues illustrant des manuels japonais à l'usage des artistes, devaient inspirer dans les années 1880-1890 des personnalités aussi diverses que Monet — notamment la série de marines à Belle-Île-en-Mer de 1886 — van Gogh, G. Lacombe, les graveurs H. Rivière, A. Lepère ou encore le céramiste Chaplet[1].

Un des effets du séjour de Gauguin en Arles avait été de le confirmer dans son admiration pour les Japonais dont van Gogh possédait de nombreuses planches que lui envoyait régulièrement Theo. *La plage au Pouldu* trahit surtout l'influence d'Hiroshigé dans le traitement décoratif des sinuosités des vagues appliqué à un schéma spatial sans horizon. Cette toile est également remarquable pas ses audacieux contrastes de couleurs qui préfigurent bien des harmonies tahitiennes. Elle a appartenu au sculpteur Maillol qui entretenait d'excellentes relations avec Gauguin et reçut de celui-ci l'aquarelle *Misères humaines* (cat. 78). C.F.T.

1. Wichmann 1982, 131, 133, 147.

Monet, *Belle-Ile, effet de pluie,*
1886, huile sur toile
Tōkyō, Bridgestone Museum of Art)

Hiroshige, *Le tourbillon à Narubo dans la province d'Awa,*
extrait des *Sites célèbres de plus de soixante provinces,*
1853-56, gravure sur bois
(Vienne, Österreichisches Museum
für Angewandte Kunst, collection Exner)

98

Les ramasseuses de varech

1889
87 × 122,5
Huile sur toile.
Signé et daté en bas et à droite, *P. Gauguin 89.*

Essen, Folkwang Museum

Exposition
Bâle 1949, n° 36.

Catalogue
W 349.

Exposé à Paris

Gauguin a écrit à Vincent van Gogh une de ses lettres sur sa peinture les plus belles et les plus éclairantes, à propos de ce superbe tableau, peint en décembre 1889 au Pouldu : « En ce moment je fais une toile de 50, des femmes ramassant du goëmon sur le bord de la mer. Ce sont comme des boîtes étagées de distance en distance, vêtements bleus et coiffes noires et cela malgré l'âpreté du froid. Fumier qu'ils ramassent pour fumer leurs terres couleur ocre (...) avec des reflets fauves. Sables *roses* et non jaunes à cause de l'humidité probablement — mer sombre. En voyant cela tous les jours il me vient comme une bouffée de lutte pour la vie, de tristesse et d'obéissance aux lois malheureuses. Cette bouffée je cherche à la mettre sur la toile, non par hasard, mais par raisonnement en exagérant peut-être certaines rigidités de pose, certaines couleurs sombres etc. Tout cela est peut-être *maniéré* mais dans le tableau où est le naturel. *Tout* depuis les âges les plus reculés est dans les tableaux tout à fait conventionnel, voulu »[1]. Il s'agit là en effet d'une composition très élaborée, dont on connaît au moins deux études préparatoires, une petite huile sur carton (W 348) et un dessin pour la femme du premier plan et le

Gauguin, *Les faneuses,* 1889,
huile sur toile (Bâle, collection particulière)

chien[2]. En dehors des bergères ou gardiens de troupeaux divers, Gauguin a peu représenté de paysans ou de pêcheurs au travail ; c'est un thème qui semble subitement l'intéresser dans la deuxième partie de l'année 1889, au Pouldu. Il peint deux scènes de *Moissons,* l'une au Musée d'Orsay (W 351) l'autre à l'Institut Courtauld (W 352) et des *Faneuses* (Bâle, W 350) thèmes représentés depuis toujours dans la peinture occidentale. En revanche, l'activité de cette « moisson de la mer » qui consiste à prendre à l'océan des plantes aquatiques pour nourrir les végétaux terrestres, dut le frapper par son étrangeté, son caractère véritablement « immémorial » et la beauté presque rituelle du spectacle devant la mer ; celle des gestes comme dans *Les pêcheuses de varech* (cat. 101), ou ici, de la procession des quatre porteuses de palans chargés de goëmon, à gauche, dont il décrit très bien lui-même l'aspect de « poupées-gigogne », en décrochement que donne la perspective des silhouettes en costume. Le petit couple central qui ramasse le varech à la fourche semble être arrêté dans une songerie que l'attitude rêveuse de la bretonne au visage asiatique du premier plan ne fait que confirmer. A droite, on entrevoit, dans une audace de mise en page à la Manet ou à la Degas, un détail du poitrail et une patte seule du cheval attelé à la charette qui doit remonter le goëmon dans les champs. On retrouve le costume des *Petites bretonnes devant la mer* (cat. 91) avec la « marmotte » coupe-vent et les tabliers clairs et rayés.

Douglas Cooper émet l'hypothèse vraisemblable que Gauguin a peint cette toile de son atelier, dans la maison qu'il avait louée au Pouldu et dont la vue plongeait sur la plage dite des « grands sables »[3]. Mais le plus frappant de ce tableau, ressort explicitement de la lettre citée plus haut : du mélange d'observation naturaliste — sa remarque sur le sable nous montre que le choix de la couleur n'est pas arbitraire — et de son pouvoir singulier de mythification, d'émotion. Il n'est pas excessif de dire que Gauguin a élaboré là, pour l'univers breton, une composition qui, toute proportion gardée, n'est pas sans évoquer le futur *D'où venons-nous, que sommes-nous, où allons-nous* tahitien (cat. 225) : une frise symbolique où il exprime une énergie vitale et une mélancolie qui sont à la fois celles du pays, de ses habitants, et, bien évidemment, les siennes propres.

F.C.

1. Cooper 1983, nº 36.2-36.3, 276-277.
2. Coll. part. Paris ; Pickvance 1970, pl. 44.
3. Cooper 1983, nº 36.2, 275.

99

Autoportrait du Christ jaune

1889-1890
38 × 46
Huile sur toile.

Collection particulière

Expositions
Paris 1923, nº 21 ;
Cambridge 1936, nº 23 ;
Baltimore 1936, nº 14 ;
Paris, Orangerie 1949, nº 23 ;
Lausanne 1950, nº 14 ;
Munich 1960, nº 56 ;
Saint-Germain-en-Laye 1985, nº 172 ;
Tokyo 1987, nº 30.

Catalogue
W 324.

Par sa volonté de se montrer tel qu'il est, sans pathos ni ironie, au cours des mois qui sont, par leurs exceptionnelles invention et productivité, une période clé de sa maturation artistique, Gauguin a peint ici la plus grave et véritablement émouvante de ses « effigies ». L'expression de son visage est tendue, réservée, presque fermée, dépourvue de l'émotion qu'il charge derrière lui ses œuvres de transmettre. Ce n'est pas le personnage qu'il met en scène, mais de façon très classique, le peintre devant son œuvre, comme dans l'autoportrait de Poussin du Louvre.

En effet, sa tête se découpe sur un fond entièrement occupé par deux œuvres récentes (la toile, peinte au cours des semaines précédentes, et la céramique, faite au début de l'année) dont il est particulièrement satisfait : *Le Christ jaune* (cat. 88) (à l'envers, puisque vu dans un miroir) et *Le pot à tabac* (cat. 65) modelé à son image, cette fois représenté dans le bon sens. Celui-ci, en effet, est peint d'après une photographie car l'original était resté à Paris chez Schuffenecker[2].

Il est tentant d'essayer de dater précisément le tableau. La présence du *Christ jaune* pourrait permettre de le situer en septembre 1889, puisque le *Christ* faisait semble-t-il[3] partie du deuxième paquet de toiles envoyé à Theo van Gogh avant de quitter Pont-Aven pour le Pouldu, le 2 octobre. Le portrait étant demeuré à Pont-Aven chez Mme Gloanec jusqu'en 1903, suggère que Gauguin l'avait laissé, en gage ou en don, en partant au Pouldu. Pourtant, la photo du pot n'aurait été envoyée à Gauguin par E. Bernard, qu'en janvier 1890, ainsi qu'en témoigne une lettre de Gauguin à sa femme[4]. Ainsi deux hypothèses possibles : ou le tableau a été entièrement fait en janvier 1890, et le *Christ jaune* n'avait pas été envoyé à Theo, ou Gauguin a rajouté le pot après coup[5], au cours d'un séjour ultérieur chez Marie Jeanne Gloanec. La demande de photographie à Emile Bernard indique bien l'usage qu'il voulait en faire : « si vous pouviez me faire un photographie du pot, bien en lumière, avec des reflets qui colorent la face, se détachant sur un fond clair »[6].

L'hypothèse d'un tableau peint en deux temps paraît la plus plausible, et la composition était très vraisemblable et équilibrée, avant l'adjonction du pot à tabac, plus sereine et proche de l'état d'esprit des lettres de Gauguin en septembre, moins tourmenté et déprimé que celui des lettres du début de l'hiver.

Quoi qu'il en soit, même complété à quelques mois de distance, il n'est pas abusif de voir dans le choix précis de ces deux œuvres un développement psychologique du portrait central. L'image centrée du *Christ jaune* en croix en gros plan à côté du visage, représente pour la première fois un thème que Gauguin va développer à loisir dans des autoportraits ultérieurs, celui de l'identification christique et sacrificielle de l'artiste. En même temps, le mouvement du corps et du bras du Christ cernant la tête semble vouloir placer Gauguin sous sa protection et sanctifier son destin d'artiste.

En revanche, le pot de céramique fait par Gauguin « représentant vaguement une tête de Gauguin le sauvage »[7] symbolise son « moi » grimaçant et primitif, l'expansion de ses besoins élémentaires — c'est un pot contenant du tabac, dont il ne pouvait comme l'alcool, se passer[8]. Et puis, si le Christ représente son sacrifice, le pot représente aussi son sentiment d'isolement et d'abandon, comme il le livre lui-même dans une lettre à

99

E. Bernard, où l'image du pot lui vient par association d'idées quand il veut parler de sa solitude[9] (voir cat. 65).

Il s'agit donc bien là d'un portrait symbolique à multiples sens, où il se montre entre « l'ange et la bête », l'idéal et la matière, les deux sources de son art, tel qu'il était en train de le « théoriser » au cours de ses discussions au Pouldu avec Meyer de Haan. Le visage du portrait reflète le contrôle, la victoire sur soi — l'accent de lumière sur le front insiste sur cette domination de l'esprit — et les deux objets représentent tout ce que refoule cette conquête : le sentiment de solitude, d'abandon, de sacrifice.

Le destin fit bien les choses en attribuant cet autoportrait à un artiste capable de l'aimer et de le comprendre. C'est en effet le jeune peintre et théoricien nabi, Maurice Denis, qui acheta le tableau directement à Marie-Jeanne Gloanec à Pont-Aven en 1903, et le conserva toute sa vie. Un tableau de Vuillard le montre « in situ » peu après son achat, au mur de la salle à manger de Denis au Prieuré à

Van Gogh, *Autoportrait,*
1887, huile sur toile
(Bâle, Öffentliche Kunstsammlung)

Poussin, *Autoportrait,*
1650, huile sur toile
(Paris, Musée du Louvre)

Vuillard, *La salle à manger de Maurice Denis,*
avec à droite l'*Autoportrait* de Gauguin au mur
(collection particulière)

Saint-Germain-en-Laye. Trois ans plus tard, Denis achetait un autoportrait de Vincent aujourd'hui au musée de Bâle. Il est fort intéressant de voir le peintre se servir du contraste entre ces deux autoportraits pour prouver que Gauguin est un maître et un classique. Alors que van Gogh, à son regret, a « déterminé chez les jeunes une rechute de romantisme... J'ai devant moi un beau portrait de Vincent par lui-même. Les yeux verts, la barbe et les cheveux rouges dans une face blême fièrement construite. (...) C'est une étude : mais une étude réfléchie, préméditée. J'y vois les tares que je viens de signaler mais aussi une expression de vie et de vérité intense. Le tragique de ce visage synthétisé avec un rare bonheur par quelques traits énergiques et quelques tons plaqués, l'indication sommaire mais définitive de l'essentiel du sujet, l'émotion qui vibre dans cette ébauche d'un vrai peintre, tout cela fait de cette esquisse une œuvre du plus grand style. Le portrait de Gauguin (au Christ jaune) que j'en rapproche n'a pas tant d'allure : mais il a davantage d'intérêt didactique, — et d'ailleurs il est fort inspiré de la technique de Cézanne, c'est d'abord une composition balancée : la distribution des ombres et des couleurs, le clair-obscur m'assurent que le peintre a pensé faire non une étude fragmentaire mais un tableau. Au lieu des angles durs qui soulignent les volontés de Van Gogh, il y a un nez, une oreille, des traits qui se courbent pour obéir aux nécessités de la composition et qui sont stylisés à la façon des décorateurs italiens (...). Comme Cézanne et à travers Cézanne, il cherchait le style (...). Gauguin, qui a mis tant de désordre et d'incohérence dans sa vie, n'en tolérait pas dans sa peinture. Il aimait la clarté, signe d'intelligence »[10].

F.C.

1. Bodelsen 1964, 135.
2. Voir lettre de Gauguin à Madeleine Bernard de novembre 89, citée notice 65.
3. Voir lettre de Gauguin à Théo du 20 octobre 89 in Cooper 1983, 147, n° 21.1.
4. Malingue 1946, n° XCI, 172.
5. C'est également l'hypothèse de Ziva Amishai-Maisels 1985, 132.
6. Malingue 1946, n° CVI, 194.
7. Malingue 1946, n° XCI, 172.
8. Mothéré, cité par Chassé 1921, 30.
9. Lettre à E. Bernard, in Malingue 1946, n° XVI, 194.
10. Denis 1909, 194, 195.

100

Vaches et paysannes dans un chemin creux

1889-1890
26,4 × 31,9
Aquarelle et gouache sur carton enduit de gesso.
Signé en bas et à gauche, *P. Go.*

Collection particulière

Catalogue
W 343 bis.

Cette gouache est certainement l'objet n° 18 de la liste des photographies faites en 1895 des œuvres de Gauguin conservées par Marie Henry[1]. On sait que Gauguin et Meyer de Haan, puis Filiger et Sérusier à partir de l'automne 1889 et jusqu'à l'été 1890, couvrirent peu à peu de décorations diverses la salle à manger de Marie Henry au Pouldu. L'emplacement de chaque pièce et leur identification va faire l'objet d'une soigneuse publication[2] mais les témoignages d'Henri Mothéré, l'époux de Marie Henry, attestent déjà la présence de ces gouaches et leur emplacement par rapport à l'entrée : « à gauche (...) disséminés sur le mur, des cartons peints, deux lithographies sur papier jaune, une petite toile (...) »[3].

Parmi ces « cartons peints » certains, (comme celui-ci) était certainement de Gauguin ; l'attribution de quelques autres est plus incertaine, et peuvent passer aujourd'hui pour avoir été exécutés par le plus célèbre et le plus « coté » des habitués de la salle à manger.

Ici aucun doute — sans parler de la signature — n'est permis. La fantaisie et l'allégresse rythmique sont bien de lui — ainsi que le rapport des couleurs, le rose du muret contre l'ocre jaune du sol, ou encore les verts variés du talus piqué de fleurs à gauche. On touvait déjà le motif des saules « cornus » dans des tableaux de l'année précédente, comme *La femme à la cruche* (W 254) et *Les saules* du musée d'Oslo (W 357), ou, à l'époque même de cette gouache, dans *Le saule* de l'ancienne collection May (W 347).

Le « chemin creux » est une des particularités de la campagne bretonne, sans doute de tradition préhistori-

1. Malingue 1959, 38.
2. Welsh 1888.
3. Motheré cité par Chassé 1955, 73 ; voir cat. 67 à 77 pour les « lithographies sur papier jaune ».

que ; les chemins sont véritablement creusés entre les champs, les côtés consolidés souvent par des pierres et par des arbres plantés au rebord. Ils permettent aux humains comme aux bêtes des passages relativement abrités des pluies et du vent si violent sur ces côtes bretonnes.

Gauguin a tiré des formes anguleuses ou courbes, celles des vaches têtues, arrêtées rigoureusement de travers par rapport au sens du chemin, celles des saules nus et un peu comiques, celle du motif compliqué du costume de la vachère, un maximum d'effets rythmiques et humoristiques. Sans parler véritablement de style pré art-nouveau, notons chez Gauguin, ici comme dans la gouache des *Pêcheuses de goëmon* (cat. 101) voisine de celle-ci sur le mur du Pouldu, un goût pour le jeu dansant des courbes qui lui est alors tout à fait particulier. F.C.

101

Pêcheuses de goémon

Automne 1889
28 × 32
Gouache et crayon sur papier marouflé sur carton.

Japon, Galerie Fujikawa

Expositions
Paris 1919, nº 22 ;
Tokyo 1987, nº 51.

Catalogue
W 392.

Le style « synthétiste » et décoratif de cette gouache avait été clairement défini dans un dessin préparatoire[1]. Gauguin a joué sur les amples mouvements dansants des femmes et le motif onduleux des vagues déferlantes derrière elles, en réalité beaucoup plus éloignées et plus petites et que l'artiste a rapprochées et utilisées presque comme encadrement des deux bustes. Avec un goût pictural très sûr, il a opposé le bleu vif du corselet de la pêcheuse de gauche, aux gris et verts qui l'environnent. Les capuchons, les vêtements chauds, et les vagues évoquent un temps de septembre-octobre.

Ce carton faisait certainement partie, sous le titre « les pêcheuses de goëmon » des œuvres de Gauguin qui décoraient l'auberge de Marie Henry au Pouldu et qui furent exposées dans leur ensemble galerie Barbazanges en 1919, avant d'être dispersées et vendues. On sait, d'après les descriptions qu'une série de cartons peints ornaient le mur gauche de la grande salle (cat. 92 et 96), M. Malingue a publié[2] la liste des photographies des œuvres de Gauguin conservées chez les héritiers de Marie Henry : cet objet figurait sous le nº 17.

Gauguin a toujours porté une attention particulière aux détails des costumes spécifiques de Pont-Aven et du Pouldu, et on retrouve des études pour le même corselet très échancré et les gros bonnets coupe-vent dans le carnet de Gauguin de 1888[3]. F.C.

1. Reproduit in Pickvance 1970, nº 45.
2. Malingue 1959, 38.
3. Huyghe 1952, 89, 91.

102

En Bretagne

1889
37,9 × 27
Aquarelle, peinture dorée métallique, encre, partiellement rehaussée de gomme arabique, sur papier vélin marouflé sur carton.
Intitulé, daté et signé en bas et à gauche, *En Bretagne 89, P. Go.*

Manchester, The Whitworth Art Gallery

Cette aquarelle n'est pas sans poser quelques problèmes[1]. Sa technique de hachures est en effet très rare chez Gauguin en 1889, mais pas invraisemblable, et l'effet surprenant des touches de peinture dorée plaiderait plutôt en faveur d'une attribution à l'artiste, alors en pleine période d'expérimentation. Le bonnet des petites filles — appelé marmotte — est le même que dans plusieurs toiles (cat. 92, W 345) et il l'a soigneusement étudié dans un beau dessin du Fogg Museum[2].

L'ensemble du motif est celui du centre du tableau du musée d'Oslo, *Les saules* (W 357) ; il est difficile de déterminer s'il s'agit d'une étude préparatoire, ou si l'aquarelle a été faite peu après le tableau, (les deux sont datés 1889). Sur le tableau, les deux petites filles du premier plan sont placées l'une contre l'autre, mais le sentier montant sinueux est bien le même. On retrouve dans le tableau comme dans l'aquarelle la même vache de face en haut du sentier, comme dans le *Chemin creux* (cat. 100), le saule en haut à droite de l'aquarelle est dans le tableau, mais de l'autre côté. F.C.

1. L'attribution à Gauguin, acceptée par la plupart des spécialistes (Ronald Pickvance 1970, pl. VIII, et Peter Zegers, qui en a fait l'analyse technique) a parfois été contestée (en particulier par Douglas Cooper).
3. Pickvance 1970, nº 43.

Gauguin, *les Saules,*
1889, huile sur toile
(Oslo, National Gallery)

103

Les folies de l'amour

1890
Diamètre 27,3
Crayon et gouache sur papier enduit de gesso marouflé sur carton.
Inscription : les Folies/ de l'[Amour] ; signé et daté en bas à gauche, *P GO 1890.*

Collection particulière

Exposition
Paris 1919, nº 20.

Gauguin avait exécuté l'hiver 1889-1890 chez Marie Henry une série de gouaches rondes collées sur carton, parfois désignées comme des dessous de plat[1] mais qui sont plutôt des projets d'assiette. On en connaît quatre : l'une avec un vase de fleurs, des fruits et une tête de vache[2], les trois autres sont plus connues et ont déjà été publiées ensemble par J. Rewald[3] : *Vive les joies d'amour* 1889-1890, (sic), comme celle-ci autrefois dans la collection Thannhauser ; l'autre, « Homis (sic) soit qui mal y pense », dont on ne connaît que la zincographie qui en a été tirée (voir cat. 77) ; enfin la quatrième, qui est celle-ci. La maquette d'assiette *Les joies d'amour* montrait une bretonne en costume sous une grande coupe pleine de fruits et de fleurs.

L'iconographie des *Folies de l'amour* est plus complexe et plus amusante. On a remarqué à juste titre[4] que Gauguin avait produit là une version humoristique et légère de ses méditations sur l'amour, en intermède entre la fabrication de ses reliefs sculptés, *Soyez amoureuses* (automne de 1889, fig. cat. 110) et *Soyez mystérieuses* (1890, cat. 110). Sous des couleurs vives et dans un graphisme volontairement naïf, Gauguin accumule sur un fond blanc des objets dont la relation avec le titre est plus ou moins claire : pourquoi ces deux vases ornés de fleurs de lys — emblème royal, mais aussi celui de la Bretagne depuis la Reine Anne — contiennent-ils des fleurs qui tombent tout en étant épanouies ? En revanche, le petit paon doit vouloir montrer la vanité de l'amour, ou le besoin de paraître à son avantage. Les deux têtes féminines exotiques (celle de gauche de type plus « inca », celle de droite, asiatico-bretonne) se chuchotent sans doute des confidences amoureuses ; quant au cochon qui est au centre même de la composition, c'est alors, un des animaux préférés du bestiaire de Gauguin (voir cat. 43), comme plus tard lorsqu'il retrouvera à Tahiti ces « adorables petits cochons noirs reniflant du groin les bonnes choses qu'on mangera, signalant leur envie par des rires de la queue »[5].

Nous n'aurions garde d'omettre la gauloiserie du dicton populaire français, auquel Gauguin pense certainement ici, selon lequel en tout homme il y a « un cochon qui sommeille » que réveille la compagnie des dames.

Gauguin s'est amusé à entourer son petit cochon d'un ruban, comme un paquet-cadeau, accentuant son air de joujou ou de tirelire. Les yeux écarquillés dans les boucles du ruban signifient-elles l'étonnement renouvelé de leur auteur devant les folies de l'amour ? F.C.

1. Malingue 1959, 38.
2. Vente Drouot, 16 mars 1959, nº 106 repr. N'ayant pas vu personnellement l'objet, retenons le comme une attribution probable.
3. Rewald 1978, 276.
4. Pickvance 1970, 28.
5. Dans *Diverses choses*, publié par Guérin 1974, 166.

104
Eve

Premier semestre 1890
H. 60 ; L. 28 ; P. 27
Grès émaillé.
Signé en relief sur la base, *P. Gauguin.*

Washington, National Gallery of Art, Alisa Mellon Bruce Fund

Expositions
Bruxelles 1891, n° 3 ;
Paris 1928, n° 32.

Catalogues
G 92, B 55.

Exposé à Washington

Botticelli,
La naissance de Vénus,
détail
(Forence, Musée des Offices)

D'abord publiée en 1929[1] comme une statuette de femme maorie exécutée lors du retour de l'artiste en France après un premier séjour à Tahiti cette céramique, représentant Eve dans toute sa splendeur originelle, a été depuis justement datée de l'hiver parisien de 1890 par C. Gray et M. Bodelsen[2]. Quoique les divers documents relatifs à cette œuvre soient d'une interprétation délicate, il semble que l'on puisse ajouter foi au témoignage de Rotonchamp visitant l'atelier de Schuffenecker rue Durand-Claye où Gauguin avait trouvé refuge en février 1890 et où il demeura probablement jusqu'à son départ en Bretagne début juin. C'est là que parmi des estampes japonaises déployées sur les murs et des toiles de l'artiste entreposées dans l'atelier il vit cette statuette qu'il décrit en ces termes : « sur une selle à modeler émergeait des langes humides, en face d'un drap blanc jeté sur un paravent, une maquette de terre rouge à laquelle l'artiste donnait la vie, une Eve debout, drapée dans une opulente chevelure dénouée »[3].

La morphologie du modèle comme sa conception sont d'ailleurs très éloignées des deux céramiques (cat. 211, G 115) datées du retour de l'artiste après son premier séjour à Tahiti et répondent à des critères plus européens qu'exotiques.

La preuve a depuis été apportée[4] que la « statue émaillée (grès) » figurant sous le n° 3 à l'exposition des XX à Bruxelles en 1891, en compagnie de « trois vases (poterie) » et des bois *Soyez amoureuses* (G 76) et *Soyez mystérieuses* (cat. 110), n'était autre que *l'Eve* donnée comme appartenant alors à Schuffenecker. Si les bois déchaînèrent à l'époque les sarcasmes de la critique — on parle à leur propos de « Gauguinisme »[5] — il faut sans doute compter l'*Eve* au nombre des « quelques merveilles de poterie émaillée [qui] complètent l'exposition de Paul Gauguin »[6]. Le critique A.J. Wauters est également plus indulgent à son égard : « je préfère cette statuette de femme habillée d'émail (...) que Gauguin expose dans la première salle des XX » et de s'y référer ensuite comme à la « statuette manchotte »[7]. Ce qualificatif vient confirmer qu'il s'agit bien de l'*Eve* dont le bras droit semble n'avoir jamais été rattaché au torse, C. Gray[8] remarque d'ailleurs que le bras gauche, cuit séparément comme c'est souvent le cas pour des pièces délicates, a fait l'objet d'un collage après coup.

Cette céramique faisait partie des nombreuses œuvres laissées par l'artiste en dépôt chez Boussod et Valadon à la fin de 1890, évaluée à 700 F sur lesquels il fallait déduire les 300 F déjà avancés pour son acquisition par Manzi, le collaborateur de M. Joyant à la galerie après le départ de Theo van Gogh[9]. Cette mention coïncide avec cette autre de Gauguin dans son carnet de croquis de Bretagne et d'Arles où il note « Manzy avance (sur statue) 300 »[10].

Contrairement à ce que suppose M. Bodelsen[11], ce n'est pas à l'*Eve* mais à la *Vénus noire* que Gauguin fait probablement allusion dans une lettre à Mette[12] datée par erreur d'avril 1890 — qu'il faut resituer en avril de l'année précédente — où l'artiste dit devoir rentrer impérativement à Paris le 20 avril « pour une cuisson de statues » (voir cat. 85).

Son abondante chevelure rejetée en arrière et revêtue d'un émail ivoire tirant par endroits sur le bleu-gris, Eve dont le corps est légèrement incliné en avant dans une pose dynamique s'appuie de la main gauche sur un arbuste jaillissant de la base sur laquelle reposent ses pieds. Celle-ci a reçu un décor incisé de feuillages et de sinuosités qui évoquent l'eau.

Dans cette figure d'une harmonie de modelé tout à fait exceptionnelle chez Gauguin, M. Bodelsen voit l'un des nombreux développements du thème de la femme debout tirée de la frise du temple de Borobudur dont l'artiste possédait la photographie (fig. cat. 87), la *Vénus noire* étant l'un des avatars des figures accroupies de ce même bas-relief. Mais il faut sans doute voir également dans ce corps juvénile emprunt d'une grâce si inhabituelle dans la céramique et la sculpture de Gauguin, un souvenir de la *Naissance de Vénus* de Botticelli dont on sait que le peintre possédait aussi une photographie qui ornera sa chambre au Pouldu en 1890[13]. Antithèse de la *Vénus noire* réalisée l'année précédente, *Eve* apparaît, si l'on accepte cette filiation, comme un des exemples les plus significatifs de l'aptitude de Gauguin à transcrire en termes d'exotisme les grandes figures mythiques occidentales, ici l'Eve-Vénus version « de couleur ». C.F.T.

1. Barth 1929, 182-183.
2. Gray 1963, 214 ; Bodelsen 1964, 138.
3. Rotonchamp 1925, 77.
4. Alhadeff 1979, 177-188.
5. Anonyme, *La Chronique,* 23 février 1891, cité par Alhadeff 1979.
6. Olin 1891, 237.
7. Wauters 1891.
8. Gray 1963, 215.
9. Rewald 1973, 49 et 72.
10. Huyghe 1952, 222.
11. Bodelsen 1964, 138.
12. Malingue 1946, n° CI, 185. Pour la datation de cette lettre voir Cooper 1983, 14.4, n. 9, 107.
13. Chassé 1955, 72, d'après Bidou 1903.

105
Les sabots de Gauguin

13 × 33
Bois sculpté et peint.

Washington, National Gallery, collection Chester Dale

Expositions
Paris 1919, n° 29 ;
Chicago 1959, n° 117.

Catalogue
G 81.

Non exposé

« J'aime la Bretagne : j'y retrouve le sauvage, le primitif. Quand mes sabots résonnent sur ce sol de granit, j'entends le son sourd, mat et puissant que je cherche en peinture »[1]. Pour Gauguin, les sabots du paysan breton étaient, on le voit, largement chargés de symboles. En effet, les porter en Bretagne avait peut-être des raisons utilitaires — c'est une chaussure économique, adaptée aux sentiers boueux comme on le voit dans *Bonjour M. Gauguin* (cat. 95). Mais portés à Paris, avec le gilet breton brodé et les cheveux longs, c'était une affectation provocante, l'uniforme d'un « artiste total ». Un témoin, son futur biographe, a parfaitement éclairé la signification de ce déguisement : « Ce fut au Pouldu que Gauguin sculpta [...] de rustiques sabots de bois clair qu'il porta à Paris les hivers suivants et dont il avait rehaussé les arabesques d'or, d'azur et de vermillon. Il est étrange de constater chez Victor Hugo, à Guernesey, la même prédilection pour l'objet décoré dans un goût brutal et formidable, la recherche de meubles étranges et capricieux au dessin lourd et puissant, aux couleurs violentes, l'éclosion spontanée de ce style barbare qu'un chroniqueur qualifiait d'art canaque et qui était surtout une explosion de haine contre la ligne correcte et cossue des meubles fabriqués sur un type immuable par les manœuvres du faubourg Saint-Antoine »[2].

Ces sabots ont été achetés « tout-faits » par Gauguin, puis sculptés et peints. Le sabot droit est décoré de deux figures de bretonnes en costume, de dos, bras écartés, motif repris sur plusieurs pots (G 32, G 33, G 34, G 36) et noté dans le carnet de croquis dit *Album Briant* du louvre (page 25 recto). Sur le pied gauche, un motif avec une oie, et un fruit (voir G 43 et album Gauguin, même page). Il a rehaussé les motifs gravés de peintures dorée, bleue et rouge. Il existe deux autres paires de sabots ornés par Gauguin ayant appartenu à ses amis Schuffenecker et Chaplet (G 82 et G 83). F.C.

1. A Schuffenecker, février-mars 1888, Merlhès 1984, 172.
2. Rotonchamp 1906, 71.
3. *Avant et après*, 234.

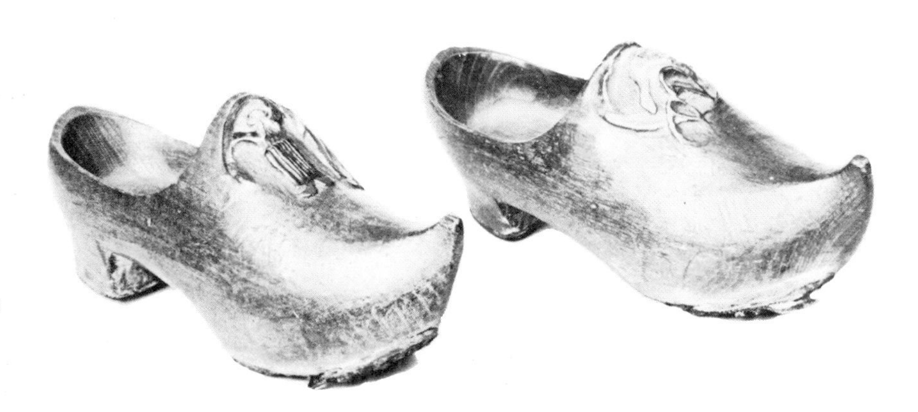

106
La mère de l'artiste

1890
41 × 33
Huile sur toile.

Stuttgart, Staatsgalerie

Expositions
Paris 1906, n° 94 *Portrait de la mère ;*
Paris 1923, n° 23, (daté 1895) ;
Bâle 1928, n° 78 ;
Londres 1931, n° 71 ;
Paris 1936, n° 1 ;
Paris, Orangerie 1949, n° 4 (daté vers 1893) ;
Bâle 1949, n° 52.

Aline Chazal, née en 1825, avait épousé Guillaume Clovis Gauguin en 1846 ; Paul, né en 1848, était leur deuxième enfant.

Elle était la fille de deux personnalités fortes, voire violentes : son père André Chazal, graveur et lithographe fut célèbre surtout pour le procès qui suivit sa tentative d'assassiner sa femme[1] — celle-ci était la belle et célèbre militante socialiste proudhonienne, Flora Tristan, auteur de *Pérégrination d'une paria,* dont Gauguin, qui n'était pas particulièrement féministe, parlait avec un mélange de fierté et de raillerie : « Proudhon disait qu'elle avait du génie, n'en sachant rien je me fie à Proudhon. Il est probable qu'elle ne sut pas faire la cuisine. Un bas-bleu socialiste, anarchiste (...) ce que je peux vous assurer c'est que Flora Tristan était une fort jolie et noble dame »[2].

Aline avait eu une enfance agitée[3], mais était dans le souvenir de son fils, et d'après la photographie qu'il possédait, une jeune femme apparemment douce et timide, quoique « en qualité de très noble dame espagnole, ma mère était violente et je reçus quelques gifles d'une petite main souple comme du caoutchouc, il est vrai que quelques minutes après, ma mère, en pleurant, m'embrassait et me couvait »[4]. Veuve à vingt-quatre ans, elle vécut de 1849 à 1854 au Pérou, à Lima, dans sa famille maternelle : « ce que sa mère était gracieuse et jolie quand elle mettait son costume de liméenne, la mantille de soie couvrant le visage et ne laissant voir qu'un seul œil : cet œil si doux et si impératif, si pur et caressant »[5].

George Sand fait une description d'Aline à dix-neuf ans en 1845, qui corrobore le souvenir de Gauguin, évoquant la « jeune fille (...) qui paraît aussi tendre et bonne que sa mère était impérieuse et coléreuse. Cette enfant a l'air d'un ange ; sa tristesse, son deuil, et ses beaux yeux, son isolement, son air modeste et affectueux m'ont été au cœur »[6].

Il est difficile de déterminer quand précisément Gauguin peignit le petit tableau, d'après une photogra-

Aline Gauguin, la mère de l'artiste,
photographie
(collection particulière)

Gauguin, *Ève exotique,*
1890, gouache ? sur carton
(Paris, collection particulière)

Catalogue
W 385.

1. Marks-Vandenbroucke 1956, 9 et ss.
2. *Avant et après* 1923, 132.
3. Marks-Vandenbroucke 1956, 12-13.
4. *Avant et après* 1923, 135-136.
5. *Ibid.* 138.
6. Lettre à Pompéry, janvier 1845, in correspondance de G. Sand, citée par Marks-Vandenbroucke, 1956, 26.
7. Dorra 1967, 109-111.

phie. Sa mère était morte en 1867 ; Gauguin l'avait appris au cours d'une escale en Inde du bateau de la marine marchande où il était second lieutenant ; les souvenirs les plus charmants ou les plus tristes concernant sa mère furent donc toujours liés à un pays exotique, et la ressemblance troublante entre le visage de son *Eve exotique* et celui de sa mère a justifié les interprétations de Henri Dorra[7], et une possible datation en 1890.

En effet, Gauguin semble avoir opéré à partir de la photographie de sa mère une sorte de « chassé-croisé » affectif. Son Eve exotique, prémonitoire de ses Eves tahitiennes, est un morceau composite : nu venant des reliefs de Borobudur vus à l'Exposition Universelle, paysage issu de ses souvenirs martiniquais, et visage emprunté à celui de sa mère par le truchement d'une ancienne photographie. Celui-ci lui donna sans doute l'idée de faire ensuite le portrait de sa mère ; mais cette fois c'est elle qu'il transforme un peu en « fille des îles » : le col de dentelle blanche est remplacé par un simple ruban, la peau est moins claire que sur la photo, et la bouche plus épaisse ; la pensionnaire romantique est devenue une jeune beauté exotique, qui doit se rapprocher des souvenirs que Gauguin avait de sa mère au Pérou, et de l'association que sa mémoire opérait entre elle et les autres « nounous » indiennes qui s'occupaient de lui, enfant.

Alors que la tradition veut que les artistes — de Rembrandt à Whistler ou à Vuillard — peignent leur mère en vieille femme, quand eux-mêmes sont dans leur maturité, Gauguin quadragénaire, avec beaucoup de tendresse et de discrétion (le tableau, non signé, non daté n'était pas destiné à la vente) a représenté sa mère sous la forme de son propre idéal féminin exotique, tout en l'éternisant telle qu'elle était, jeune fille. F.C.

107

Les meules, ou Le champ de pommes de terre

1890
73 × 92
Huile sur toile.
Signé et daté en bas à droite, *P. Gauguin 90.*

Washington, National Gallery of Art, don de la Fondation W. Averell Harriman en souvenir de Marie N. Harriman

Expositions
Paris 1906, n° 16 ;
New York 1936, n° 15 ;
San Francisco 1936, n° 10 ;
New York 1946, n° 11 ;
New York 1956, n° 19.

Catalogue
W 397.

Les meules ou *Le champ de pommes de terre* fait partie ainsi que *Les champs au Pouldu* d'une série de paysages[1] exécutés par Gauguin lors de son séjour au Pouldu à l'auberge de Marie Henry en 1890. Les sites représentés sont soit ceux de la campagne de l'arrière-pays aux doux vallonnements de collines, soit la côte particulièrement pittoresque comme dans *La maison du Pan du* ou *La moisson au bord de la mer*[2].

Tous ces paysages se caractérisent par une conception rythmique de l'espace puissamment organisé selon un étagement concerté des plans successifs. C'est particulièrement le cas dans *Les meules* où du premier plan traité en frise décorative jusqu'au ciel à l'horizon très remonté alternent des bandes horizontales de factures très différenciées. La paysanne et ses vaches qui traversent la composition au premier plan sont réduites à des silhouettes aplaties nettement cernées dont les puissants contrastes de valeurs sombres et claires mettent en relief la variété du second plan.

Au centre de la toile se dresse la silhouette massive de la meule qui n'est pas sans rappeler la solidité de la *Ferme à Arles* (cat. 59). Le souvenir des vastes espaces peints par van Gogh en 1888 est d'ailleurs sensible dans cette œuvre où l'étagement des couleurs joue également un rôle de premier plan dans la composition.

Ce paysage au synthétisme très maîtrisé a appartenu au grand collectionneur Gustave Fayet. Ce type de composition tout à fait caractéristique du style de l'Ecole de Pont-Aven a fortement marqué les peintres qui gravitaient autour de Gauguin et l'on en retrouve la formule dans de nombreuses toiles d'E. Bernard, Meyer de Haan, Séguin, Filiger et Verkade. C.F.T.

1. Cat. 108 et W 394 à W 400.
2. W 395 et W 396.

108

Roses et statuettes

Vers 1890
73 × 54
Huile sur toile.
Signé en bas à droite, *P. Go.*

Reims, Musée Saint-Denis

Expositions
Paris 1906, n° 217 ;
Paris, Orangerie 1949, n° 19 ;
Tokyo 1987, n° 52.

Dans cette nature morte d'une grande simplicité de construction, Gauguin a fait figurer de dos — sans doute sous l'angle qu'il préférait — sa statuette de Martiniquaise (cat. 86). Ainsi aima-t-il représenter certaines de ses céramiques ((cat. 30, 99, W 375) ou de ses toiles (cat. 164) dans plusieurs de ses œuvres. A la différence d'autres natures mortes exécutées la même année en 1890 de conception assez traditionnelle, celle-ci frappe par l'importance accordé au plateau de la table qui occupe presque la moitié de la composition. Nettement cernée, cette masse rose contraste avec l'arrière-plan où l'on distingue deux espaces bien différents, le mur beige et ce qui semble être un tableau au fond bleu. Le motif, très stylisé, de fleurs jaunes aux longues tiges entrecroisées, en est le même que celui du *Portrait-charge de Gauguin* (cat. 92) que l'on retrouve également dans une autre décoration de la salle à manger du Pouldu, *Jeanne d'Arc* ou *La bergère* (W 329). Ces rapprochements joints à la présence de la statuette de Martiniquaise qui faisait également partie du décor du Pouldu permettraient de supposer que cette nature morte a été peinte chez Marie Henry, sans doute en 1890.

La cruche vue partiellement en surplomb au premier plan évoque les mises en page de certaines natures mortes plus tard exécutées par Bonnard. Cette toile préfigure en outre certaines compositions de Matisse

107

108

Catalogue
W 407.

Exposé à Washington

comme par exemple celle des *Poissons rouges* de 1912 où l'on retrouve l'association du bouquet, de la statuette et du pot. Ces rapprochements sont d'autant plus plausibles que *Roses et Statuettes* figurait à la grande rétrospective *Gauguin* au Salon d'Automne de 1906 où de nombreux artistes modernes puisèrent une nouvelle inspiration.

Cette *Nature morte* a appartenu au peintre Jean Brouillon, ami de Gauguin, qui sous le nom de Jean de Rotonchamp consacra une importante monographie à l'artiste en 1906. Il légua cette toile ainsi qu'un important ensemble d'estampes de Gauguin au musée de Reims en 1945. C.F.T.

Matisse, *Les poissons rouges,* 1912 (Copenhague, Staten Museum for Kunst)

109

Les champs au Pouldu

Été 1890
73×92
Huile sur toile.
Signé et daté en bas à droite, *P. Gauguin 90.*

Washington, National Gallery of Art, collection Mr and Mrs Paul Mellon

Expositions
Bruxelles 1904, nº 49 ;
Bâle 1928, nº 59 ou 69 selon édition ;
Paris, Orangerie 1949, nº 22.

Catalogue
W 398.

Contemporain des *Meules* (cat. 107) *Les champs au Pouldu* est un bon exemple du style synthétiste appliqué par Gauguin au paysage en 1890. Le site représenté est le vallon de Kerzellec que l'on découvre derrière le hameau du même nom aux abords immédiats du Pouldu aux champs entrecoupés de petits bosquets. Les bâtiments qui se détachent sur le ciel au centre sont ceux de la ferme de Porsguern qui existe encore aujourd'hui[1]. Gauguin, le maître et Meyer de Haan, l'élève ont parfois peint les mêmes motifs et l'on retrouve les éléments essentiels de ce paysage dans une toile du hollandais de la collection Altschul de New York. Les deux artistes peignirent également la ferme de Kerzellec[2] dont le bâtiment et la cour subsistent encore intacts de nos jours.

Les champs au Pouldu a appartenu à l'organisateur belge des expositions des XX à Bruxelles, Octave Maus. Ce tableau aurait été choisi en 1890 à son intention par le peintre belge Eugène Boch, ami de Vincent et Theo van Gogh et dont la sœur Anna exposait aux XX[3].

C.F.T.

1. Communication écrite de M. J.S. Fontaine, 28 juin 1987.
2. W 394, Dallas Museum of Art ; Meyer de Haan, *La ferme au Pouldu,* Otterlo, Rijksmuseum Kröller Müller.
3. Rewald 1973, 69.

Meyer de Haan, *Paysage du Pouldu,* vers 1889-90 (New York, collection Mr. et Mrs. Arthur G. Altschul)

110

Maillol, *La vague,*
1898, huile sur toile
(Paris, Musée du Petit Palais)

Bois japonais reproduit dans
Le Japon artistique, avril 1889

Gauguin, *Soyez amoureuses*
vous serez heureuses,
1889, bois polychrome
(Boston, Museum of Fine Arts,
Arthur Tracy Cabot Fund)

Soyez mystérieuses

Septembre 1890
73 × 95 × 0,5
Bois (tilleul) polychrome.
Signé en creux en bas et à droite, *Paul Gauguin 90.*
Inscription en creux sur une banderole en haut et à gauche, *Soyez mystérieuses.*

Paris, Musée d'Orsay

Expositions
Bruxelles 1891, n° 2 ;
Paris 1906, n° 53.

Catalogue
G 37.

Exposé à Paris

Au Pouldu, en septembre 1890, alors qu'il rêve déjà à Tahiti, Gauguin écrit à Bernard : « Je me suis mis au travail ces temps-ci, et j'ai accouché d'un bois sculpté, le pendant du premier, « Soyez mystérieuses », dont je suis content, je crois même que je n'ai encore *rien* fait d'approchant »[1]. Il précise même dans une lettre à Theo : « Je suis en train de terminer un bois sculpté que je crois plus beau que le premier »[2].

Le premier bois auquel Gauguin fait allusion est le fameux *Soyez amoureuses vous serez heureuses* du musée de Boston, d'à peu près la même dimension que celui-ci, mais en hauteur. Le principe et la technique sont analogues : le corps de la femme (et dans *Soyez amoureuses,* le masque de Gauguin) est sculpté, gardé en réserve, en bois naturel et patiné, le reste du relief étant peint sur un enduit[3]. Pourtant, le style des deux objets est assez différent. Le relief de 1889 était chargé d'un symbolisme qu'il est permis de trouver un peu insistant — comme ce renard, symbole de perversité, etc. — où se mêlaient désir et dérision[4]. Le critique symboliste Albert Aurier oppose les deux bois dans une interprétation certainement inspirée par l'artiste lui-même : « Comment dire la philosophie sculptée dans ce bas-relief ironiquement libellé : *Soyez amoureuses et vous serez heureuses,* où toute la luxure, toute la lutte de la chair et de la pensée, toute la douleur des voluptés sexuelles se tordent, et, pour ainsi dire grincent des dents ? Comment évoquer cet autre bois sculpté : *Soyez mystérieuses* qui célèbre les pures joies de l'ésotérisme. Les troublants caressements de l'énigme, les fantastiques ombrages des forêts du problème ? »[5]. On peut penser ce que l'on veut de cette pompeuse littérature, mais il est certain qu'à l'époque tel était, en partie, le « message » que Gauguin voulait faire passer.

Ce bois visiblement le satisfait plus. Pourquoi ? Peut-être parce que, directement inspiré par la *Femme dans les vagues* (cat. 80), Gauguin sent qu'il atteint à plus de simplicité et de force expressive, après les fièvreuses recherches de l'année précédente.

Son modèle tahitien est en train d'apparaître avant la lettre. Le corps de l'Ondine bretonne s'est ambré par la patine du bois, raffermi, le visage et la main sont ceux des « natives » de Java ou d'autres îles récemment rencontrées à l'Exposition Universelle, et qui l'on fait rêver. On sait qu'à cette époque il se prépare à partir pour Tahiti, et qu'il est très probablement en train de lire des ouvrages de vulgarisation récemment publiés sur l'Océanie[6]. Les deux visages de chaque côté du bois incarneraient, sans doute, celui de droite, la lune — ici avec les cheveux rouges de l'Ondine — astre qui régirait tous les liens mystérieux entre la nature et les femmes, entre les marées et le flux menstruel. Le visage situé à gauche, avec son air de petite bretonne maladive et malveillante, dont le geste ressemble autant à une mise en garde qu'à une prière, reste plus énigmatique.

On a remarqué que le décor sculpté et peint en vert qui entoure le nu, et qui symbolise les vagues et l'écume, avait pour source celui d'un bois polychromé japonais représentant un héros légendaire au milieu des flots, que Gauguin avait certainement vu reproduit dans le *Japon artistique,* la revue de Bing, en avril 1889[7]. Le texte que cette image illustrait avait de quoi le passionner : « Les bois polychromés tels que celui-ci sont une des premières manifestations artistiques, que l'on trouve non seulement au Japon mais aussi dans nos pays d'occident, avant que le perfectionnement de la technique eussent permis d'aborder avec succès la pierre ou le métal, le bois se prêtait mieux aux outils imparfaits et la polychromie venait satisfaire le goût encore primitif des contemporains »[8]. Ainsi, l'art japonais — tel qu'il était présenté ici par Bing — était non seulement un modèle plastique, mais intellectuel, propre à sa quête continue vers un primitif plus authentique.

Il n'est pas exclu que ce bois ait été à l'origine double-face[9], et que l'autre côté ait été sculpté, ainsi qu'en témoigne la liste des œuvres en dépôt chez Goupil que Joyant rend à Monfreid, et où sont cités ainsi les deux bois : « Un bois sculpé à double-face ; un bois sculpté, *Soyez amoureuses* »[10], les deux reliefs auraient été séparés à une date ultérieure.

Une chose est sûre : dans la lettre de 1891 à Theo van Gogh, Gauguin fait la liste avec prix des œuvres qu'il lui laisse en dépôt[11], la plupart des tableaux sont évalués entre 300 et 500 F de très rares de 500 ou 600 F, tandis que les deux *Bois sculptés, (Soyez amoureuses* et *Soyez mystérieuses)* sont évalués à 1 500 F *chacun.*

Gauguin a repris le motif de *Soyez mystérieuses* à la fin de sa vie, sur le panneau horizontal de gauche de *La maison du jouir* fait pour la porte de sa dernière case, à Hiva Hoa (cat. 257), le panneau de droite étant repris de *Soyez amoureuses.*

Ce relief a fait longtemps partie des nombreux chefs-d'œuvres de Gauguin de la collection de Gustave Fayet. Il y est expédié de Paris où il était resté en dépôt depuis 10 ans, en mai 1901, sur ordre de Gauguin, ainsi qu'en témoigne une lettre de l'artiste au collectionneur[12].

Comme beaucoup d'autres œuvres de Gauguin exposées au Salon d'automne en 1906, cette sculpture dut frapper les artistes qui l'y découvraient ; Maillol familier de Fayet devait déjà l'avoir admirée. Comment en effet ne pas évoquer par exemple la série des dos sculptés en relief par Henri Matisse, en particulier le premier (voir fig. cat. 80), dont le modelé et le geste du bras semblent un véritable hommage à Gauguin ? F.C.

1. Malingue 1946, CXII.
2. Cooper 1983, n° 27.1.
3. A base de craie et de colle animale ; renseignement communiqué par le laboratoire des Musées nationaux, voir F. Cachin 1979, 215.
4. Voir Gray 1963, 42-47.
5. Aurier 1891, 165.
6. En particulier *Le chantier, Tahiti et les colonies françaises de la Polynésie,* 1887, qui donne un résumé du contenu du livre de Moerenhout sur la religion polynésienne, qui sera plus tard à l'origine de *Noa-Noa.* Voir Gray 1963, 49.
7. Gray 1963, 51.
8. *Le Japon artistique,* avril 1889, 156.
9. Gray 1963, 207.
10. Loize, 1951, 94.
11. Archives du Louvre, publié par Rewald 1973, 49.
12. Cachin 1979, 215, n. 1.

111

Portrait de femme à la Nature morte de Cézanne

Fin 1890 (?)
65,3 × 54,9
Huile sur toile.
Signé et daté en bas à droite, *P. Go. 90/*

The Art Institute of Chicago, collection Joseph Winterbotham

Il est difficile de situer précisément la rencontre de Gauguin avec Cézanne. Pissarro qui joua auprès de chacun d'eux le rôle d'un initiateur écouté en matière d'impressionnisme les présenta l'un à l'autre probablement à la fin des années 1870. Si l'on ne possède pas de témoignage direct de Gauguin sur ses contacts avec Cézanne, il demeure incontestable que le Maître d'Aix constitua pour lui un pôle de référence majeur pendant de nombreuses années. Alors qu'il était encore employé de banque, Gauguin s'était constitué une collection relativement importante d'œuvres impressionnistes, au nombre desquelles figuraient cinq ou six toiles de Cézanne[1]. Parmi celles-ci se trouvait la nature morte intitulée *Compotier verre et pommes*[2], aujourd'hui dans une collection américaine, qui sert de toile de fond au portrait de femme de l'Art Institute. Gauguin l'avait emportée avec lui au Danemark en 1884 avec le reste de sa collection, comme l'atteste la mention *10 [toile de dix] Nature morte* portée sur l'Album Briant du Louvre où figure la liste des œuvres qui l'avaient suivi là-bas. Il y

Expositions
Londres 1924, n° 45
l'Arlésienne ;
Houston 1954, n° 18
Marie Henry ;
Edimbourg 1955, n° 35
Marie Henry ;
Chicago 1959, n° 24
Marie Derrien ;
Londres 1966, n° 33
Marie Derrien.

Catalogue
W 387.

tenait, semble-t-il, plus qu'à toutes les autres toiles de sa collection, vouées à être vendues les unes après les autres pour renflouer des finances toujours désastreuses. En effet, c'est sans doute à cette toile que Gauguin fait allusion dans une lettre à Schuffenecker au début de juin 1888 : « Le Cézanne que vous me demandez est une perle exceptionnelle et j'en ai déjà refusé 300 F ; j'y tiens comme à la prunelle de mes yeux et à moins de nécessité absolue je m'en déferai après ma dernière chemise — du reste quel est donc le fou qui se paierait cela — »[3].

L'inclusion de cette *Nature morte* dans le portrait de l'Art Institute constitue donc le témoignage tangible de la profonde admiration de Gauguin pour le Maître d'Aix. Celle-ci n'exclut d'ailleurs pas que les rapports entre les deux artistes aient souvent été conflictuels comme ce fut par exemple le cas lors de l'organisation de l'exposition impressionniste en 1882. Cézanne pour sa part n'aurait guère apprécié l'art de Gauguin dont il devait dire qu'il n'avait peint que des « images chinoises » et auquel il devait reprocher de lui avoir chipé « sa petite sensation »[4].

On aimerait en savoir plus sur l'histoire de cette nature morte et tout particulièrement avoir la preuve que Gauguin l'avait emportée avec lui en Bretagne en 1890 comme on l'affirme généralement[5]. C'est ici qu'intervient le problème de l'identité du modèle qui pour avoir intrigué la curiosité de nombreux critiques n'en a pas moins semble-t-il, considérablement brouillé les pistes. On a cru y voir, sans preuve aucune, un portrait de Mette Gauguin[6]. D'autres ont vu une ressemblance entre le mystérieux modèle et la belle Marie Henry[7], propriétaire de l'auberge du Pouldu où Gauguin et Meyer de Haan s'étaient installés à l'automne 1889. Enfin Marie Derrien, surnommée Marie Lagadu, une jeune servante de Marie-Jeanne Gloannec à Pont-Aven, fut présumée avoir posé pour ce portrait[8]. En fait l'identité du modèle reste problématique et au premier chef sa qualité de bretonne. Il n'y a rien de commun en effet entre cette jeune femme aux traits racés, aux mains fines et en bourgeoise tenue de ville et les bretonnes rustaudes auxquelles nous a habitués Gauguin. De là à penser que ce portrait aurait été fait au retour de Gauguin à Paris en novembre 1890 avec un modèle parisien et avec pour toile de fond la *Nature morte de Cézanne* — encadrée de surcroît — qui n'aurait pas quitté la capitale... l'hypothèse mérite d'être avancée.

Selon A. Vollard[9], cette *Nature morte* figurait en bonne place dans l'atelier de Gauguin rue Vercingétorix en 1893. De retour à Tahiti, pressé par les ennuis d'argent, Gauguin fut cependant réduit à se séparer de son cher tableau. Il en chargea le peintre et marchand Chaudet comme l'attestent plusieurs de ses lettres à Daniel de Monfreid[10]. La transaction est chose faite en 1898 pour 600 F que Gauguin ne touchera pas intégralement, la mort de Chaudet intervenant en 1900 alors qu'il lui devait encore 200 F sur ce tableau...[11].

À l'époque où Gauguin possédait encore son Cézanne, celui-ci avait acquis dans les milieux artistes la stature d'un Maître, farouche certes, mais infiniment digne d'admiration. Le peintre polonais Maszkonoski raconte dans ses mémoires de 1894[2] comment Gauguin montrait son tableau aux jeunes peintres qui fréquentaient le restaurant voisin *Chez Madame Charlotte* et comment il leur « expliquait » Cézanne. L'impact de cette œuvre sur la nouvelle génération de peintres est manifeste puisque c'est elle que Maurice Denis choisira de faire figurer dans son fameux *Hommage à Cézanne*[13] où se trouvent réunis les artistes nabis.

L'hommage de Gauguin à Cézanne ne s'arrête pas à l'inclusion spectaculaire de la *Nature morte, compotier verre et pommes* rendue dans une touche particulièrement cézannienne. La pose du modèle, son regard pensif et emprunt de noblesse rappellent plus d'un portrait de *Mme Cézanne* par le Maître d'Aix. L'examen radiographique du tableau[14] a révélé que Gauguin avait hésité avant de fixer la pose du modèle et avait d'abord représenté la jeune femme les mains croisées dans une attitude semblable à celle de Mme Cézanne dans plusieurs portraits. Un ou deux ans avant les portraits de tahitiennes aux si riches accords de couleur, ce portrait témoigne d'une admiration nullement réductrice parfaitement compatible avec l'affirmation par Gauguin de ses propres tendances décoratives. C.F.T.

Cézanne, *Compotier, verre et pommes,* 1885-87, huile sur toile (collection particulière)

Cézanne, *Portrait de Madame Cézanne,* 1881-82, huile sur toile (Zürich, E.G. Bührle)

1. Sur les cinq ou six Cézanne que comportait la collection de Gauguin, voir Bodelsen 1962, 204-211, complété par les remarques de Merlhès 1984, 386-387 n. 115.
2. Venturi 1936, n° 341.
3. Merlhès 1984, n° 147, 182.
4. Mirbeau 1914, préface et Geffroy 1924, 68.
5. Bodelsen 1970, 606, Rewald 1961, 182 ; Cooper, communication écrite qui date le *Portrait de femme à la nature morte de Cézanne* du Pouldu en 1889 (documentation de l'Art Institute of Chicago).
6. Acheté comme tel par l'Art Institute of Chicago en 1925, *Bulletin of the Art Institute of Chicago,* vol. XX, n° 1, janvier 1926, 2.
7. Alexandre 1930, 29. Cette identification a été formellement contredite par la fille de Marie Henry et de Meyer de Haan, Mme Cochennec (documentation de l'Art Institute of Chicago).
8. Rewald 1961, 183 ; cette identification a été refusée par le père Pierre Twarze qui avait connu Marie Derrien enfant (communication écrite à l'Art Institute of Chicago) ; cette identification a également été refusée par D. Cooper (communication écrite à l'Art Institute [1980]).
9. Vollard 1937, 184.
10. Lettres de Gauguin à Daniel de Monfreid, [août 1897], Joly-Ségalen 1950, [août 1897], n° XXXV, 111 ; [octobre 1898], n° XLVII, 130 ; 12 mars 1899, n° LIII, 139.
11. Lettre de Gauguin à Daniel de Monfreid, Joly-Ségalen, 1950, [mars 1900], n° LXII, 156.
12. Maszkonoski, Sztuki Piekne II, Varsovie [1925-26], 24, cité par Bodelsen 1970, 606.
13. Paris, Musée d'Orsay.
14. Bretell 1987, 30.

112

Buste de jeune fille et renard, étude pour «La perte du pucelage»

Vers 1890-1891
31,6 × 33,2 environ, forme irrégulière
Fusain rehaussé de craie blanche sur papier vélin jaune.
Signé en haut à gauche, *P. Gauguin.*

New York, Marcia Riklis Hirschfeld

Exposé à Washington

D'une simplification de lignes impressionnantes, ce pastel, étude pour *La perte du pucelage,* a appartenu à Octave Mirbeau. Ecrivain, pamphlétaire et critique d'art, celui-ci fut aussi un fin collectionneur. C'est ainsi qu'il avait rassemblé, au fil de ses rencontres avec les artistes qu'il défendait dans ses écrits, des œuvres de Cézanne, Monet, Pissarro, van Gogh, mais aussi de Signac, Vuillard, Bonnard et Valloton. Le sujet de ce dessin n'était d'ailleurs pas pour déplaire au futur auteur du *Journal d'une femme de chambre* (paru en 1900).

Dans un article paru dans le *Figaro* du 18 février 1891, Mirbeau écrivait à propos des œuvres de Gauguin : «je vois (...) une main domptée à tous les secrets du dessin, à toutes les synthèses de la ligne, et cela me charme».

Après la mort de Mirbeau, ce pastel fut vendu, lors de la vente de la collection de l'écrivain à la galerie Durand-Ruel le 24 février 1919 sous le titre *La fille au chien.* Il faut rappeler que le tableau pour lequel c'est une étude passait alors pour disparu. Par ailleurs, Mirbeau avait eu un temps en sa possession le célèbre autoportrait, *Le Christ au jardin des Oliviers* (cat. 90). C.F.T.

113

La perte du pucelage, ou L'éveil du printemps

Fin 1890-début 1891
90 × 130
Huile sur toile.
Ni signé ni daté.

Norfolk, The Chrysler Museum, don de Walter P. Chrysler Jr.

Expositions
Paris, Orangerie 1949, nº 24 *L'éveil du printemps ;*
Bâle 1949, nº 41 ;
Lausanne 1950, nº 40 ;

Jean de Rotonchamp qui donne une longue description de cette toile dans son importante monographie sur Gauguin[1], ignorait pourtant dès 1906 sa localisation. Longtemps passée pour disparue, échouée «dans un grenier», l'œuvre avait en fait été acquise par le Comte Antoine de la Rochefoucauld, lui-même peintre, ami des néo-impressionnistes Seurat et Signac ; il était par ailleurs le protecteur de Charles Filiger, peintre de l'Ecole de Pont-Aven dont il ne faut pas s'étonner de trouver un écho presque littéral du paysage de l'arrière plan de ce tableau dans plusieurs de ses gouaches.

«Autant qu'il m'en souvienne, je me suis rendu acquéreur de la toile *La perte du pucelage* vers 1896 à une vente des toiles de ce maître qui eut lieu avant son dernier départ pour Tahiti»[2]. Il s'agit en réalité de la vente du 18 février 1895 où, si aucun tableau de ce titre n'apparaît, le nº 42, un *Nu* qui ne figure pourtant pas dans le procès-verbal de la vente, fut probablement racheté par Gauguin qui le céda ensuite à la Rochefoucauld[3]. Lors de la précédente vente des œuvres de Gauguin en février 1891, celui-ci avait acquis une autre toile de l'artiste, *La Couture* (W 358). *La perte du pucelage* ne devait réapparaître sur le marché parisien qu'en 1947[4] avant de figurer à la rétrospective *Gauguin* de 1949 à l'Orangerie, intitulée cette fois *L'éveil du printemps.* Il est difficile de préciser quand eut lieu le glissement d'un titre — sans doute jugé trop cru — à l'autre pudiquement métaphorique. Rotonchamp[5] nous dit qu'«Au commencement de l'année 1891, Gauguin (...), entreprit une grande composition qu'il crut symbo-

Houston 1954, n° 23 ;
Edimbourg 1955, n° 37 ;
Chicago 1959, n° 26.

Catalogue
W 412.

Exposé à Washington et Chicago

lique et que l'ancien timonier du Desaix[6] avait provisoirement dénommée la *Perte du pucelage.* Gauguin ne se privait pas de jouer avec les titres de ses tableaux. Ainsi le portrait d'*Annah la Javanaise* (cat. 160) de 1893-1894 porte-t-il en exergue une inscription en tahitien qui, une fois décryptée, se lit de la façon suivante : « la femme-enfant Judith n'est pas encore dépucelée », allusion à Judith Mollard, fille du musicien qui avait accueilli Gauguin lors de son retour à Paris en 1893-1894 et qui troublait profondément Gauguin[7].

Exécuté lors du retour de Gauguin à Paris après son séjour au Pouldu, entre novembre 1890 et son départ pour Tahiti le 1er avril 1891 — probablement au début de l'hiver 1891 selon Rotonchamp — la scène a pour cadre un paysage du Pouldu dont la synthétisation est d'autant plus forte qu'il a été peint de mémoire. On retrouve ce site dans plusieurs toiles du Pouldu de 1889-1890 : *La gardeuse de vaches,* (W 344) *La maison isolée,* (W 364) *La moisson au bord de la mer* (W 396) et *La maison du Pan Du* (W 395).

« Une difficulté pour l'artiste, qui à Paris ne fit guère de nu que dans les académies, avait été la découverte d'un modèle joli et sans caractère, le peintre jeta son dévolu sur une brune et maigre fille, qui avait dû être peu courtisée et qui, sans doute, eût été capable de jouer au naturel le rôle fictif qu'on voulait lui confier. Ce ne fut pas sans peine que l'artiste obtint de la faire poser. Et alors quel désenchantement ! »[8].

Ce modèle, aux dires de Charles Chassé à qui l'on doit le second témoignage important sur cette œuvre[9], était une jeune couturière de vingt ans environ nommée Juliette Huet que Gauguin aurait connue par l'intermédiaire de son ami Daniel de Monfreid et dont il parle à plusieurs reprises dans sa correspondance[10]. Il la laissa enceinte lors de son départ pour Tahiti et celle-ci devait par la suite brûler toutes les lettres et souvenirs de Gauguin, mourant vers 1935, âgée de quatre-vingt-neuf ans[11].

Ambitieuse par ses dimensions, *La perte du pucelage* vigoureusement et sommairement brossée en larges aplats de couleurs aux contrastes stridents se ressent de l'étroite fréquentation que Gauguin entretint durant l'hiver 1890-1891 avec les milieux littéraires symbolistes ; Charles Morice, les poètes Jean Moréas et Mallarmé, le critique Albert Aurier, les écrivains Jean Dolent, Julien Leclerq, Jean Brouillon, alias Rotonchamp, et Alfred Valette, le directeur du *Mercure de France* faisaient alors partie de ses habituelles relations.

D'un symbolisme plus primaire que la *Vision du Sermon* et le *Christ jaune* (cat. 88) *La perte du pucelage* représente un condensé des conceptions « idéalistes et synthétistes » de l'artiste à l'issue de son expérience bretonne et à la veille de son départ pour Tahiti.

Étendue au premier plan devant un paysage d'automne abstraitement résumé en bandes horizontales, la jeune fille aux traits rudes, au corps grossièrement découpé est immobilisée dans la même attitude que *Madeleine au Bois d'Amour* que son frère, E. Bernard,

Filiger, *La maison du Pan-Du*, gouache
(Collection particulière)

Bernard, *Madeleine au Bois d'Amour*,
1888, huile sur toile
(Paris, Musée d'Orsay)

Gauguin, *Soyez amoureuses vous serez heureuses*.
détail du renard en bas à droite, 1889, bois polychrome
(Boston, Museum of Fine Arts,
Arthur Tracy Cabot Fund)

1. Rotonchamp 1906, 71-72.
2. Lettre de La Rochefoucauld du 12 mars 1944 citée par D. Sutton qui publia ce tableau, 1949, 104.
3. Sutton 1949, 104.
4. Malingue 1959, 34. L'œuvre exposée en 1923 à la galerie Dru, n° 20, sous le titre *L'éveil à la pudeur*, datée 1892 et classée dans les œuvres tahitiennes n'est sans doute pas *La perte du pucelage* dont l'exposition à cette date, n'aurait sûrement pas échappé à Rotonchamp, alors en pleine activité.
5. Rotonchamp 1906, 71.
6. Alias Gauguin qui servit pendant la guerre de 1870 sur le Desaix.
7. Danielson 1975, 157 et 300-1, n. 87.
8. Rotonchamp 1906, 72.
9. Chassé 1955, 87-88. L'auteur s'appuie sur le témoignage de la fille naturelle de Juliette Huet et de Gauguin, Mme Bizet.
10. Lettres de Gauguin à Daniel de Monfreid du 7 novembre 1891, du 4 septembre 1893, Joly-Segalen 1950, n° II, 52, n° XV, 77.
11. Chassé 1955, 88.
12. Maxime Maufra cité in Saint-Germain-en-Laye 1981, 63.
13. Sur les diverses sources possibles de *La perte du pucelage* voir Andersen 1971, 100 à 108.
14. Lettre de Gauguin à Emile Bernard, [début septembre 1889], Malingue 1946, n° LXXXVII, 167.
15. Huyghe 1952, 194, 195, 197.
16. Sur les rites agraires et le symbolisme associé à la moisson, voir Andersen 1971.

avait peinte aux côtés de Gauguin à Pont-Aven en 1888. A la chaste Madeleine s'oppose le corps nu de gisante aux relents cadavériques de Juliette, les pieds crispés l'un sur l'autre comme ceux d'un Christ cloué en croix. Gauguin s'est peut-être souvenu ici du célèbre *Christ mort* de Holbein pour lequel Charles Filiger, à Pont-Aven dès 1888, puis au Pouldu aux côtés de Gauguin en 1889-1890, nourrissait une fervente admiration[12]. Devaient également être présents à son esprit les Christ étendus des calvaires bretons[13]. Ainsi se trouveraient associés dans une même image le thème de la perte de la virginité, chute primordiale, avec celui du sacrifice du Christ.

A la même époque Gauguin qui possédait dans un de ses ateliers une statuette par lui sommairement exécutée intitulée *La luxure* (G 88), plus tard échangée avec le peintre danois Willumsen, devait copier la célèbre *Olympia* de Manet récemment entrée au Musée du Luxembourg. Il y a une sorte de défi dans la reprise — sous une forme ô combien plus provocante — d'un thème qui avait fait scandale au Salon de 1865. Le chat noir de Manet a fait place au renard dont la patte repose fièrement sur le sein de la jeune fille. Celui-ci que Gauguin définissait dans une lettre à Emile Bernard[14] comme le « symbole indien de la perversité » était déjà lié au thème de la luxure dans le bois sculpté de 1889 *Soyez amoureuses* (fig. cat. 110). Gauguin en avait d'ailleurs fait plusieurs croquis dans son carnet de Bretagne et d'Arles[15]. Couramment associé aux rites de la moisson dans le folklore breton[16], celui-ci était par ailleurs symbole de puissance sexuelle et de renouveau.

La fleur coupée émergeant de la main du modèle — ce n'est plus le lys blanc traditionnel — mais un iris (?) taché de rouge — et à l'arrière-plan à droite une procession de paysans que Rotonchamp interprète comme une noce de campagne venant à la rencontre de la jeune fille, viennent compléter le symbolisme déjà chargé du tableau.

Dernière Eve bretonne de Gauguin, le modèle de *La perte du pucelage* sera bientôt relayé par des figures tahitiennes dans des toiles au contenu symbolique aussi riche et divers que *Manao Tupapaù* (cat. 154) *Te tamari no atua* (cat. 221) ou *Nevermore* (cat. 222). C.F.T.

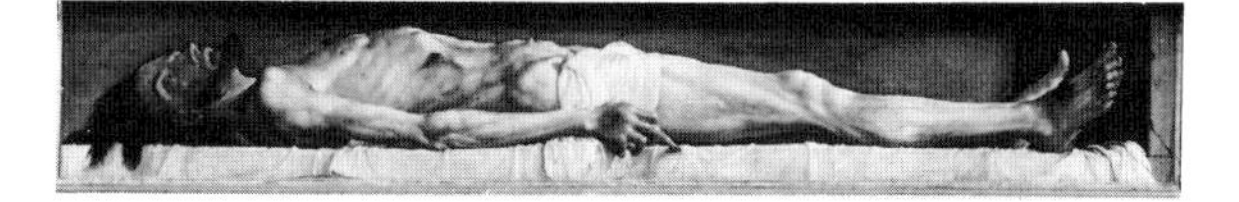

Holbein, *Le Christ mort*,
1521, peinture sur bois
(Bâle, Öffentliche Kunstsammlung)

114

Madame la mort

Février 1891
23,5 × 29,3
Fusain mouillé sur papier vergé
Signé en bas à gauche, *P. Gauguin*.
Numéroté en bas à gauche, — 7401 —

Ce dessin où Gauguin opte franchement pour une iconographie et une facture symboliste à la mode est une œuvre de commande. Il parut en frontispice de l'édition du *Théâtre* de Rachilde publié par l'éditeur Savin en 1891, comme une illustration de la pièce intitulée *Mme la Mort*[1]. Marguerite Eymery dite Rachilde (1860-1953) auteur dramatique, avait épousé Alfred Vallette, fondateur du *Mercure de France*. C'est par l'intermédiaire de l'écrivain Jean Dolent que Gauguin, alors très lancé dans les milieux symbolistes, fut choisi pour illustrer cette pièce[2]. «*Madame la Mort*, drame cérébral», trois tableaux en prose de Mme Rachilde, avait été représentée pour la première fois à la salle Duprez le 18 novembre 1890; elle devait être reprise par le Théâtre d'Art au Théâtre Montparnasse le 27 février 1891, en même temps que plusieurs autres courtes pièces dont *l'Après-midi d'un faune* de Mallarmé. Quelques temps plus tard, les 19 et 20 mars 1891, la pièce de Rachilde devait faire l'objet d'une récitation au Théâtre Moderne par Georgette Camée. Cette œuvre, aujourd'hui bien oubliée, était

Paris, Louvre, (Orsay)
Département des Arts Graphiques

Exposition
Paris, Le Barc de Boutteville, juin 1893.

Exposé à Paris

un excellent exemple de l'esthétique symboliste, une femme voilée y tenait le rôle de la Mort... Elle devait plaire notamment à A. Jarry qui écrivit de Pont-Aven à A. Vallette en 1894 pour lui faire part de son enthousiasme à la lecture de la pièce[3].

Gauguin semble avoir fait avec ce dessin, proche des fantomatiques évocations de Carrière, toutes les concessions possibles au microcosme symboliste et il faut reconnaître que ce n'est pas sa meilleure réussite. Il avait été assez impressionné par la pièce pour écrire à l'auteur le 5 février 1891 : « A la lecture de votre drame, *Made la Mort* j'ai été vraiment perplexe. Comment exprimer votre pensée avec un simple crayon, tandis que vous l'avez conçue possible pour la scène avec des moyens autrement puissants — l'actrice, la parole et les gestes. Je vous prie de m'excuser si je suis loin de vos désirs dans la faible traduction que je vous envoie — et si je vous en envoie deux au lieu d'une c'est que peut-être en les mettant ensemble (ce qui est possible n'est-ce-pas) ? l'une expliquera l'autre »[4]. Le dessin *Madame la Mort* fut également publié dans la revue la *Plume* de septembre 1891[5]. Le second dessin n'a pas été retrouvé.

Dix ans plus tard, la figure squelettique de *Madame la Mort,* le bras levé et la main au front, revient hanter de son funeste présage un monotype de 1902 représentant une *Nativité* (cat. 262).

Ce dessin fut acquis directement de Madame A. Vallette par le Louvre en 1946. En confiant au Musée le « si curieux et si génial dessin du peintre Paul Gauguin », l'écrivain, alors âgée de quatre-vingt-cinq ans, devait remettre un exemplaire de son *Théâtre* « où se trouve reproduite Madame la Mort, la belle réalisation d'un rêve macabre qui serait affreux sans le génie de Paul Gauguin »[6]. C.F.T.

1. Rachilde 1891.
2. Lettre de Gauguin à Jean Dolent, [janvier 1891], Malingue 1946, n° CXVI, 207.
3. Lettre de Jarry à A. Vallette du 18 juin 1894. Jarry 1972, 1038.
4. Lettre de Gauguin à Rachilde, 5 février 1891, Malingue 1946, n° CXVIII, 209.
5. 292.
6. Lettre de Rachilde Vallette à Yvonne Manceron, 20 décembre 1945, Paris, Musée du Louvre, Département des Arts graphiques (Orsay).

114

115

Portrait de Stéphane Mallarmé

Janvier 1891
14,7 × 11,5
Eau-forte sur cuivre et pointe sèche avec rehauts de plume et encre et lavis gris sur papier vergé.
Épreuve découpée en haut.
Premier état avant les initiales *P.G.* et la date *91* au-dessus de la tête.

Collection du Dr. et de Mme Martin Gecht

Catalogues
Gu 13, K 12 I.

On ne connaît que deux épreuves de ce premier état. Celle de la collection Gecht a auparavant appartenu au compositeur Suédois William Molard, ami et voisin de Gauguin à Paris à son retour de Tahiti en 1893 (voir cat. 164). L'autre épreuve a fait partie de l'importante collection H.M. Petiet. C.F.T.

116

Portrait de Stéphane Mallarmé

Janvier 1891
18,3 × 14,3
Eau forte sur cuivre et pointe-sèche, sur vélin.
Deuxième état, avec signature *P. Gau[...]* et la date *91* (le 9 à l'envers) ; ce deuxième état diffère du premier par les nombreuses reprises : accentuation des rides sur le front et des arrêtes du nez, reprises dans la barbe, la moustache, les cheveux et surtout le fond et le corbeau.
Épreuve dédicacée : *au poète Mallarmé. Témoignage d'une très grande admiration. Paul Gauguin. Jer 1891.*

Collection Annick et Pierre Bérès

Catalogues
Gu 14, K 12 II A.

Exposé à Paris

On connaît de cet état une dizaine d'épreuves tirées sur différents papiers et, pour la plupart, offertes par Gauguin à des amis, Charles Morice (Paris, Bibliothèque d'Art et d'Archéologie, Fondation Jacques Doucet), Charles Filiger, Daniel de Monfreid. L'exemplaire ici exposé est particulièrement précieux puisqu'il est dédicacé au modèle lui-même.

Cette eau-forte a fait l'objet de plusieurs éditions posthumes dont l'une a servi à illustrer les soixante exemplaires de luxe du livre de Charles Morice sur *Gauguin* (H. Floury, Paris, 1919).

Entre les zincographies de l'Album Volpini (cat. 67 à 77) et les premiers bois gravés destinés à illustrer la publication de *Noa Noa* (cat. 167 à 176) le portrait de Stéphane Mallarmé, réalisé au début de l'année 1891, est l'unique tentative connue de Gauguin dans la technique de l'eau-forte. Un dessin préparatoire à la mine de plomb repris à la plume où l'artiste explore son motif servit de base à la confection de l'estampe. On y voit que Gauguin avait fait un premier essai de représentation du poète de face — raturé — lui associant les petits croquis d'une tête de corbeau et d'une tête de faune, allusion à deux œuvres-maîtresses de Mallarmé. Dès l'origine c'est donc le traducteur du fameux poème d'Edgar Poe *Le Corbeau* (*The Raven*) et l'auteur de *L'Après-midi d'un faune,* poème paru en 1876, que Gauguin voulut honorer. Plus tard, Gauguin devait offrir à Mallarmé une statuette avec un profil de Maori intitulée *L'Après-midi d'un faune* (G 100). Du faune, Mallarmé ne gardera, dans les deux états successifs de l'estampe, que les oreilles ironiquement pointues, tandis que le corbeau se rapprochera du chef du poète jusqu'à faire presque reposer son bec sur celui-ci. Cette intime association de la figure et de l'oiseau consacre donc Mallarmé comme l'introducteur en France de la poésie pré-symboliste du grand américain (1809-1849) dans lequel il se plaisait à reconnaître son initiateur, à l'égal de Charles Baudelaire. La publication de *The Raven* en 1845 avait valu à Poe, alors encore à peu près inconnu, une célébrité soudaine que ses œuvres antérieures n'avaient pu lui apporter. La traduction du *Corbeau* par Mallarmé revêtait donc une importance toute particulière. Elle parut à Paris en 1875, illustrée d'autographies[1] de Manet particulièrement évocatrices de l'atmosphère sombre et fantastique du poème. Le clin d'œil de Gauguin à Manet est ici évident puisqu'il reprend la tête de Corbeau qui figurait sur l'affiche du livre illustré par Manet, et ce précisément à l'époque où il s'attachait à copier *l'Olympia* tout juste entrée au Musée du Luxembourg (cat. 117).

La mise en scène imaginée par Gauguin est aussi une allusion très précise au poème de Poe dont une strophe décrit le corbeau — qui ne sait proférer que le fatidique « jamais plus » sur lequel repose toute la symbolique et la prosodie de l'œuvre (*nevermore*) — juché sur un buste de Pallas à la porte de la chambre du poète. Manet avait pour sa part donné de ce passage une illustration aussi vertigineuse que cocasse.

Une autre édition des *Poèmes d'Edgar Poe* venait par ailleurs de paraître en 1888 dans la traduction de Mallarmé illustrée d'un portrait de Poe et d'un fleuron par Manet[2]. Cette même traduction du *Corbeau* par Mallarmé devait être mise en scène au Théâtre d'Art au cours d'une représentation donnée au bénéfice de Verlaine et Gauguin en mai 1891 ; la piètre qualité du spectacle fut d'ailleurs l'occasion pour Mallarmé de se brouiller avec Paul Fort, le directeur du Théâtre...

Rotonchamp[3] raconte dans sa biographie de Gauguin comment « Ne possédant pas le matériel nécessaire, il [Gauguin] s'adressa à un ancien exposant du local Volpini, le peintre Léon Fauché, qui mit à sa disposition tout ce dont il avait besoin. Gauguin s'aidant simplement d'un dessin attaqua le cuivre avec audace. Pointe, plume, burin, grattoir, tous les moyens lui sont bons. Dans la fièvre du travail, il renverse l'eau-forte et l'éponge avec les étoffes qui lui tombent sous la main. » Charles Chassé[4] a par ailleurs rapporté le témoignage de Sérusier selon lequel le peintre Carrière (voir cat. 29) aurait initié Gauguin à la technique de la gravure sur cuivre et aurait lui-même verni la plaque dont Gauguin se serait servi.

Outre l'exemplaire ici présenté, dédicacé à Mallarmé lui-même, Gauguin offrit quelques tirages de cette estampe à ses amis proches, Charles Morice, Filiger,

Gauguin,
Portrait de Stéphane Mallarmé,
dessin, 1891
(ex-collection Vollard)

Manet, *Le corbeau sur le buste,*
illustration pour *Le Corbeau* d'Edgar Poe,
traduction de Mallarmé, 1875, autographie
(Paris, Bibliothèque Nationale,
Fonds Moreau-Nélaton)

Manet, *Le Corbeau,* affiche pour *Le Corbeau*
d'Edgar Poe, autographie, 1875
(Paris, Bibliothèque Nationale,
Fonds Moreau-Nélaton)

115

116

Daniel de Monfreid. Ceci renforce si l'on peut dire le pédigrée de cette rare image destinée par Gauguin lui-même à un petit groupe d'initiés du milieu symboliste.

En 1891, Mallarmé qui n'allait pas tarder à abandonner en 1893 — enfin ! — ses fonctions de professeur d'anglais au Lycée Fontane à Paris avait acquis, à 49 ans, — n'en déplaise aux prétentions de Charles Morice — la stature imposante de chef de l'école symboliste en littérature. Rien ne lui échappait de la vie culturelle de l'époque. Ses célèbres mardis réunissaient chez lui, rue de Rome, tout ce qui comptait dans le Paris intellectuel d'alors. Il ne faut donc pas s'étonner que les voies de Gauguin aient croisé les siennes. C'est à Charles Morice qu'est due l'heureuse initiative d'avoir présenté Gauguin à Mallarmé au cours de l'hiver 1890-1891. C'est ici le lieu de souligner, en dépit de la brouille qui survint ultérieurement à propos de la publication de *Noa-Noa*, l'importance du rôle de Charles Morice comme soutien actif de Gauguin dans les milieux littéraires et journalistiques de l'époque. Lorsque se posa le problème d'annoncer au public la vente des œuvres de Gauguin destinée à financer son prochain départ à Tahiti, il fallait trouver une plume susceptible de faire un article retentissant dans les journaux. Charles Morice se tourna alors vers son ami Mallarmé. « J'avais, quelques jours auparavant, conduit Gauguin chez Mallarmé. Entre le grand poète et le grand artiste, qui l'un l'autre de loin s'appréciaient, s'estimaient hautement par leurs œuvres, une intimité spirituelle s'était bien vite établie. J'étais donc assuré de trouver auprès de Mallarmé l'indication nécessaire. Sans hésiter, il me dit :/ « Voyez Mirbeau ». / Je fis, de la tête, oui, puis non. / Mallarmé sourit. / Soit, conclut-il. Je le verrai »[5]. Le 5 janvier 1891, Mallarmé écrivait une lettre circonstanciée à Mirbeau pour lui demander de recevoir « cet artiste rare, à qui... peu de tortures sont épargnées à Paris... »[6] et de donner un article en sa faveur au *Figaro*. Mirbeau accepta, écrivit deux articles dont l'un servit de préface à la vente (voir cat. 90).

L'admiration mutuelle et les sentiments amicaux que se portèrent Mallarmé et Gauguin à partir de cette date ne devaient pas se démentir au fil des années, en dépit des longues éclipses dues aux départs successifs de Gauguin. Il existait une affinité profonde entre les démarches créatrices du peintre de tous les exils et de l'auteur de *Brise marine* dont les vers « Fuir ! Là-bas fuir ! » auraient, selon Charles Morice, bouleversé Gauguin[7]. L'ami commun se plaisait d'ailleurs à souligner le « conflit sympathique » des pensées de ces deux maîtres du symbolisme[8]. Au banquet d'adieu organisé le 25 mars 1891 par les symbolistes en l'honneur de Gauguin à la veille de son départ pour Tahiti, Mallarmé, qui présidait, devait porter ce toast : « Messieurs, pour aller au plus pressé, buvons au retour de Paul Gauguin ; mais non sans admirer cette conscience superbe qui, en l'éclat de son talent, l'exile, pour se retremper, vers les lointains et vers soi-même »[9].

Par la suite, lors des séjours de Gauguin à Paris en 1893-1895, entre ses deux voyages à Tahiti, Mallarmé ne devait cesser — il faut le dire, toujours stimulé par l'infatigable Charles Morice — de soutenir Gauguin par de multiples interventions. S'il se montre quelque peu réticent pour écrire un nouvel article sur le peintre dans le *Figaro* en novembre 1893[10], il interviendra auprès de

1. Technique d'estampe particulière qui consiste à exécuter sur papier report un dessin au pinceau et à l'encre autographique reporté ensuite sur une plaque de zinc.
2. A Bruxelles, chez l'éditeur Edmond Deman. Dans l'exemplaire de la Bibliothèque du Musée d'Orsay, il m'a toutefois été impossible de trouver le fleuron attribué à Manet.
3. Rotonchamp 1906, 73.
4. Chassé 1922, 246, n. 1.
5. Morice 1920, 88, 89.

6. Mondor 1981, vol. IV, 1, 176 ; voir aussi 183, lettre de Mallarmé à Octave Mirbeau du 17 janvier 1895.
7. Morice 1920, 72.
8. Morice 1920, 53.
9. Mondor 1973, vol. IV, 1, 10. Voir aussi Malingue 1946, nº CXXIII, 213.
10. Mondor 1981, vol. VI, 184.
11. Mondor 1983, vol. VIII, 10 et 158.
12. Lettre de Gauguin à Stéphane Mallarmé, 3 novembre 1893, Malingue 1946, nº CXLIV, 250.
13. Mondor 1982, vol. VII, 161, [19 février 1895].
14. Lettre de Gauguin à Stéphane Mallarmé, 23 février 1895, Malingue 1946, nº CLVI, 266.
15. Joly-Segalen 1950, nº XLIX, 12 décembre 1898, 134.
16. Fontainas 1899.
17. Lettre de Gauguin à André Fontainas, [mars 1899], Malingue 1946, nº CLXX, 288.
18. *Ibid.*, 288.

l'éditeur belge Deman en faveur de la publication de *Noa-Noa*[11]. Par la suite il réagira avec le plus grand enthousiasme aux deux publications partielles de cet ouvrage par la *Revue Blanche*.

De son côté Gauguin de retour à Paris fréquente les mardis de la rue Rome comme en témoigne cette lettre du 3 novembre 1893 : « Chez Monsieur, j'ai appris que vous étiez de retour à Paris, mais je ne savais pas si vous aviez repris vos mardis. J'avais cependant bien envie d'aller vous serrer la main. A tout hasard j'irai mardi prochain pour vous raconter un peu de mon voyage »[12].

Le 21 novembre 1894, Mallarmé assiste au dîner organisé par Charles Morice au Café des Variétés en l'honneur de Gauguin ; un peu plus tard, il est sollicité par Morice à propos d'*Oviri* (voir cat. 213). Enfin le 18 février 1895, seule la grippe l'empêche d'assister à la vente des œuvres de l'artiste avant son deuxième départ pour Tahiti et il s'en excuse dans la seule lettre connue du poète à Gauguin où il le félicite par ailleurs de son projet : « J'ai rêvé, cet hiver, souvent, à la sagacité de votre résolution »[13]. Déprimé par l'échec financier de sa vente, Gauguin exprime à Mallarmé sa reconnaissance dans un court billet daté du 23 février 1895 : « Cher Monsieur Mallarmé, / la vente a été pour moi nulle. / En ce moment chagrin, la main royale de Stéphane Mallarmé cordialement tendue donne joie et force »[14].

La mort de Mallarmé en 1898, dont la nouvelle lui parvient à Tahiti par le *Mercure de France*, devait affecter profondément Gauguin, beaucoup plus d'ailleurs que ne l'avait fait celle de son ami van Gogh en 1890. « J'ai lu dans le *Mercure* la mort de Stéphane Mallarmé et j'en ai eu beaucoup de chagrin. Encore un qui est mort martyr de l'art, sa vie est au moins aussi belle que son œuvre » confie-t-il à Daniel de Monfreid peu après[15]. En 1899, c'est encore à Mallarmé que Gauguin se réfèrera pour répondre à un article parvenu jusqu'à lui du critique André Fontainas sur l'exposition de ses dernières œuvres tahitiennes chez Vollard au nombre desquelles figurait le grand panneau *D'où venons-nous ?*[16]. Fontainas voulant à tout prix faire coïncider l'image du tableau et son titre explicatif, Gauguin s'insurge : « Mon rêve ne se laisse pas saisir, ne comporte aucune allégorie ; poème musical, il se passe de libretto » et de citer Mallarmé selon lequel dans une œuvre, l'essentiel consiste précisément dans « ce qui n'est pas exprimé »[17]. Pour Gauguin, Mallarmé était un des rares à l'avoir compris, lui qui devant ses toiles tahitiennes aurait dit « il est extraordinaire qu'on puisse mettre tant de mystère dans tant d'éclat »[17].

C.F.T.

117
Copie de l'Olympia de Manet

Février 1891
89 × 130
Huile sur toile.
Annoté et signé en bas et à gauche, *d'après Manet, P. Gauguin.*

Collection particulière

Expositions
Paris, Le Barc de Boutteville 1893, nº 188 (supplément) ;
Oslo 1926, nº 67 ;
Oslo 1955, nº 21 ;
Paris 1960, nº 20 ;
Munich 1960, nº 22.

Catalogue
W 413.

Exposé à Paris

En 1903, peu après la mort de Gauguin, Charles Morice évoque « ... Manet, le peintre que Gauguin a le plus regardé — après Corot, Ingres et Raphaël. Il existe (où est-elle ?) une copie de *La Belle Olympia* signée Paul Gauguin — un chef-d'œuvre en marge d'un chef-d'œuvre »[1]. Il aurait pu ajouter « parmi d'autres chefs-d'œuvres » ! et son ignorance est intéressante car elle montre à quel point le monde de la littérature et celui des peintres étaient généralement étanches. Car le tableau avait été acheté en vente publique en 1895[2] par Degas, et était alors accroché dans son antichambre[3] où il demeura jusqu'à sa mort en 1917 dans sa célèbre collection, parmi d'autres toiles d'Ingres, de Manet, de Corot, de Delacroix, et d'autres tableaux de Gauguin lui-même.

On sait que Gauguin n'avait pas pu voir l'exposition rétrospective Manet en janvier 1884[4] mais il avait bien évidemment vu l'*Olympia* parmi les quatorzes tableaux de Manet exposés à la centennale de l'art français, à l'Exposition Universelle de 1889, et il la cite dans le post-scriptum d'un article rendant compte des événements artistiques de cette grande manifestation « la belle Olympia qui a tant fait crier est là comme un morceau de roi et apprécié déjà par plus d'un »[5].

Un an plus tard, et sept après la mort de l'artiste, l'*Olympia* était acheté à sa veuve grâce à une souscription publique organisée par Monet, et offerte à l'Etat en février 1890[6] ; le tableau est alors exposé au musée du Luxembourg, musée d'art contemporain, ce qui était normal, dix ans devant se passer après la mort d'un artiste avant qu'il entre au Louvre. Gauguin aprend la nouvelle au Pouldu, et écrit à Emile Bernard : « je trouve très drôle cet achat de l'Olympia, maintenant que l'artiste est mort. Le prendra-t-on au Louvre ? Je ne crois pas et c'est à *souhaiter* »[7] et il récuse la suggestion que lui fait Bernard d'écrire un article à ce sujet.

S'il ne prit pas la plume, il prit son pinceau et en fit une copie, de retour à Paris, en février 1891[8] : « surmontant son horreur des formalités bureaucratiques, il fit les démarches nécessaires pour être autorisé à travailler dans les galeries du Luxembourg. (...) La copie de l'Olympia à laquelle il travailla environ une huitaine de jours d'après l'original, fut terminée chez lui de souvenir, ce qui explique pourquoi il reproduisit l'œuvre de Manet avec cette approximative fidélité (...). L'illustre auteur du *Christ jaune* posait du reste volontiers pour celui qui *ne peut pas* copier. Certain jour, ayant à prendre quelques notes d'après une photographie, il passa, accablé, son crayon à l'un des assistants »[9].

En réalité, si les copies de maîtres par des peintres confirmés sont souvent faites avec simplification ou désinvolture, celle-ci — réduite d'un bon tiers par rapport à l'original — fait preuve de respect et de fidélité de la part d'un peintre dont la réputation d'insolence n'était plus à

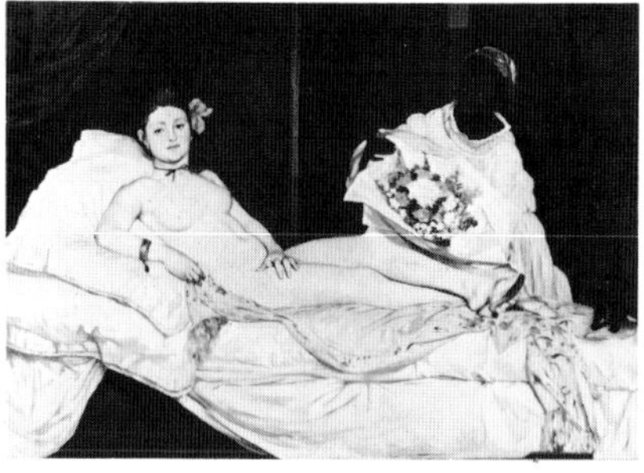
Manet, *Olympia*, 1863, huile sur toile (Paris, Musée d'Orsay)

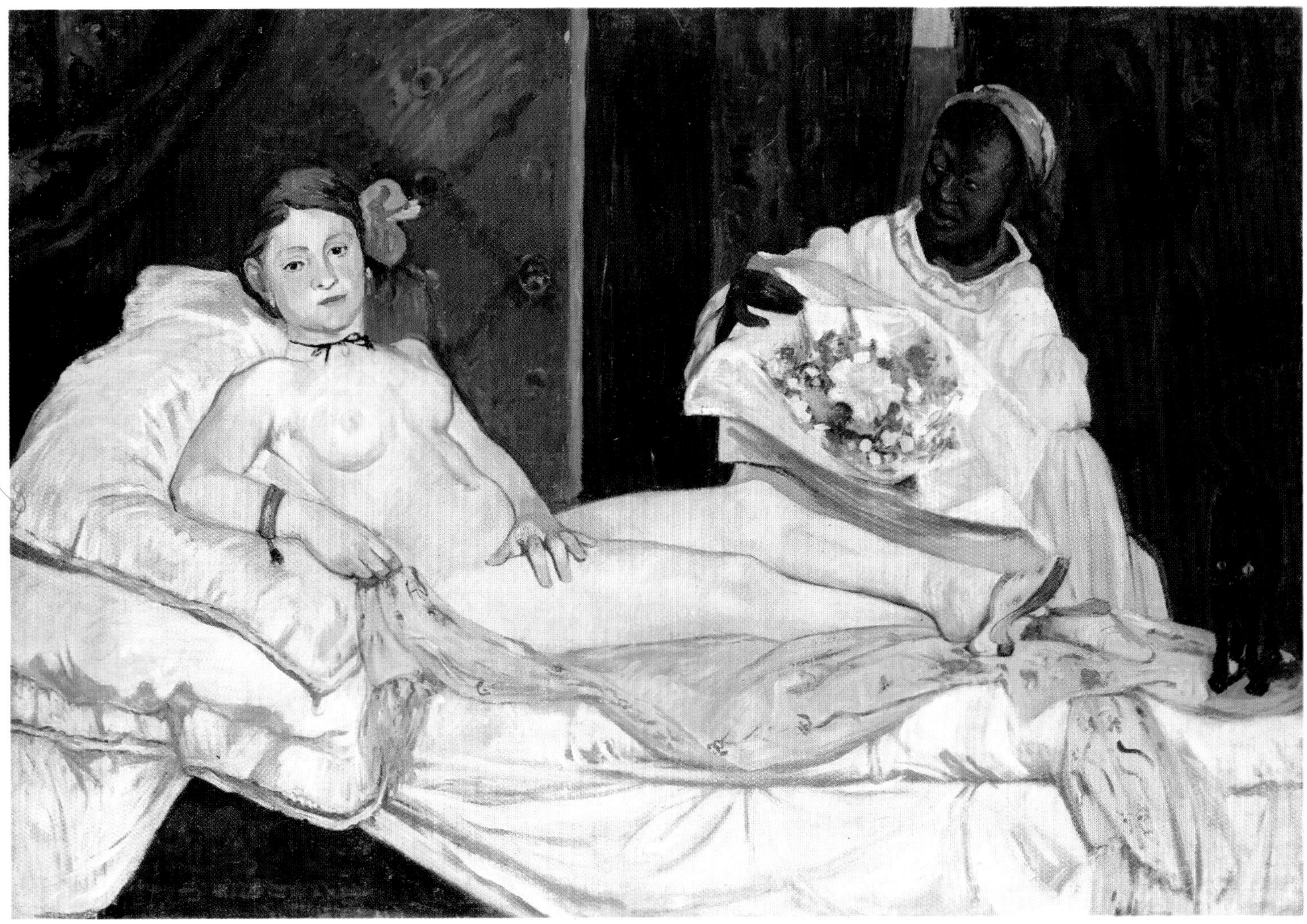

117

faire. Il est vrai que le fait de copier ce tableau encore chargé de souffre vingt-cinq ans seulement après le scandale du Salon de 1865, était en soi-même un geste de provocation, — comme celui d'en exposer la copie fidèle chez Le Barc de Boutteville en 1893, année où le tableau aurait dû normalement entrer au Louvre, ce que les autorités administratives des Beaux-Arts refusaient.

On sait que Gauguin avait au Pouldu, puis à Tahiti, une photographie de l'*Olympia* dans son atelier. Il rapporte dans *Noa Noa* que Teha'amana découvrant cette photo, parmi d'autres images de tableaux « [...] me dit que cette Olympia était bien belle : je souris à cette réflexion et j'en fus ému. Elle avait le sens du beau (Ecole des Beaux-Arts qui trouve cela horrible). Elle ajouta tout-à-coup, rompant le silence qui préside à une pensée : c'est ta femme ? — oui — Je fis ce mensonge — moi ! le tané de l'Olympia ! »[10].

La référence à *l'Olympia,* elle même transposition moderne de la Vénus d'Urbin du Titien, est d'ailleurs toujours présente dans les grands nus océaniens de Gauguin dans les années 1890 : *Manao Tupapaù* (cat. 154), *Te Arii Vahine* (cat. 215) ou même *Nevermore* (cat. 222).

F.C.

1. Morice 1903, 123.
2. Vente Gauguin 1895, nº 49, adjugé 230 F.
3. Lemoisne 1946-1949, t. 1, 177.
4. Lettre à Pissarro, [du 12 ou 13 janvier 1884], in Merlhès 1984, nº 43, 59.
5. Gauguin 1889a, 91.
6. Voir catalogue Manet, Paris 1983, liste des souscripteurs et historique de l'œuvre, 183.
7. A Bernard, in Malingue 1946, nº CVI, 193.
8. Réponse de Gauguin à un questionnaire sans doute en 1895 « pour l'Olympia, j'ai obtenu difficilement au mois de février 91 l'autorisation de copier, n'ayant pas de recommandation de professeur » — in vente d'autographes, Drouot, 16.4.1974, nº 51.
9. Rotonchamp 1925, 82-83.
10. Loize 1966, 24.

Fatata te Moua

Chronologie : avril 1891-juillet 1893

Gloria Groom

Ci-contre :
Gauguin, *Fatata te monà (La montagne est proche)*, détail
1892, huile sur toile
(Léningrad, Musée de l'Ermitage)

1891

7-11 avril
Gauguin franchit le canal de Suez et fait escale à Aden (Danielsson 1975, 55).

16-17 avril
Il débarque à Mahé dans les Seychelles (Danielsson 1975, 55).

17 avril-12 mai
Il s'arrête à Adelaïde, Melbourne et Sydney en Australie (Danielsson 1975, 56).

6 mai
Vente de la collection Achille Arosa, Paris, Hôtel Drouot.

12 mai
Gauguin arrive à Nouméa, en Nouvelle Calédonie, où il reste neuf jours avant de repartir pour Tahiti à bord du navire de guerre *La Vira* (Malingue 1946, nº CXXIV, 214 ; Danielsson 1975, 56).

Port de Papeete,
vers 1890, photographie
(Paris, Musée de la Marine)

15 mai
Inauguration à Paris du Salon de la Société Nationale des Beaux-Arts. Gauguin y expose quatre œuvres (nºs 49-52 ; voir Cooper 1983, nº 16, n. 11). Mette, en visite à Paris, fait part à Schuffenecker de ses projets de vente de toiles de Gauguin à Copenhague (Bodelsen in Copenhague 1984, 26).

21 mai
Matinée au profit de Gauguin et de Paul Verlaine au Théâtre du Vaudeville à Paris. Gauguin expose des céramiques et des tableaux dans le foyer (Fouquier 1891 ; Joly-Segalen 1950, nº 52, II). Les bénéfices atteignent à peine 100 francs (Joly-Segalen 1950, nº II, 52).

Théâtre du Vaudeville, 7-9 bd du Montparnasse où la représentation au bénéfice de Gauguin et Verlaine eut lieu,
vers 1903, carte postale

9 juin
Il arrive à Papeete (*Messager de Tahiti,* nº 361, 12 juin 1981). Les habitants de l'île, surpris par ses cheveux longs, le surnomment *taatavahine* (homme-femme). Gauguin est accueilli par le lieutenant Jénot qui l'aide à trouver une chambre (Jénot 1956, 117-118).

vers le 11 juin
Gauguin écrit à Mette qu'il espère faire « quelques portraits bien payés » (Malingue 1946, nº CXXV, 217). Il ne reçoit que 200 francs en paiement de son unique portrait de commande connu (W 423).

Gauguin, *Portrait de Suzanne Bambridge,*
huile sur toile
(Bruxelles, Musées Royaux des Beaux-Arts)

16 juin
Il fait des esquisses aux funérailles du roi Pomare V, décédé quatre jours auparavant à Papeete (Jénot 1956, 124-125).

Le gouverneur Lacascade et les membres du prestigieux Cercle militaire fréquenté par Gauguin à son arrivée à Tahiti, photographie
(Papeete, Archives Danielsson)

juin-juillet
Gauguin se fait couper les cheveux et achète un costume colonial blanc. Il fréquente les Européens de l'île et le cercle d'officiers où Jénot l'a introduit. Il sculpte des motifs stylisés sur des bols en bois indigènes (Jénot 1956, 120-121 ; voir cat. 137) et peint des portraits des enfants de ses voisins (Field 1977, n°s 59-62, 333).

13 août
Naissance à Paris de Germaine, fille de Gauguin et de Juliette Huet (Joly-Segalen 1950, n° II, 52).

août-septembre
Il essaie en vain d'apprendre le tahitien pendant son séjour chez Gaston Pia, un professeur de dessin de Paea, à quinze kilomètres au sud de Papeete (Danielsson 1975, 69, 87). Gauguin expose au Salon du Champ de Mars, des photographies de ses œuvres sont publiées (Roger-Marx 1891b).

septembre-octobre
Accompagné de Titi, une Anglo-tahitienne de Papeete, il se rend à Mataiea, un petit village à quarante-cinq kilomètres au sud de Papeete et décide de louer une maison indigène (*Noa Noa,* Louvre ms, 40-41). Il rentre chercher quelques affaires à Papeete et quitte Titi (*Noa Noa,* Louvre ms, 35 ; Danielsson 1975, 89). Surpris en train de se baigner nu à Mataiea, il se voit infliger une contravention pour attentat à la pudeur (Danielsson 1965, 89-92).

La côte de Mateaia où Gauguin s'installa à l'automne 1891, photographie
(Gillot, *Autour du Monde,* vers 1899, CCLXVII)

novembre
Gauguin écrit à Monfreid qu'il n'a pas encore peint d'œuvre importante mais qu'il accumule des « documents » qui lui serviront pour sa peinture quand il rentrera à Paris (Joly-Segalen 1950, n° II, 52). Il fait venir Titi à Mataiea qui en repart très vite (lettre inédite à Jénot, AL). Il fait sans doute la connaissance de Teha'amana qui devient sa *vahiné* et son modèle.

Gauguin, *Le grand arbre,*
Mataiea, 1891, huile sur toile
(The Art Institute of Chicago, don de Kate L. Brewater)

décembre
Un paysage d'Arles de Gauguin est présenté, sans son accord, à la *Première Exposition des Peintres Impressionnistes et Symbolistes* à la galerie Le Barc de Boutteville (Sérusier 1950, 59; Passe 1891). Vers Noël, Gauguin a peint vingt scènes tahitiennes (cat. 120, 127, 130).

1892

début 1892
Gauguin a des vomissements de sang ; il est admis à l'hôpital de Papeete qu'il quitte contre l'avis du médecin, pour des raisons financières (Malingue 1946, n^o^ CXXVII, 222). En mars il est guéri et raconte à Monfreid qu'il crachait du sang « un quart de litre par jour » (Joly-Segalen 1950, n° III, 54).

Gauguin, *Croquis pour Te fare hymenée (La maison des chants),* 1892
(collection Josefowitz)

janvier
Maurice Joyant, directeur de la galerie Boussod et Valadon, boulevard Montmartre, accepte en dépôt, à la demande de Monfreid, cinq céramiques et dix tableaux de Gauguin (Loize 1951, n° 138, 94).

février
La candidature de Gauguin à un poste administratif vacant est refusée par le gouverneur Lacascade (lettre inédite à Jénot, AL ; Danielsson 1975, 93-94).

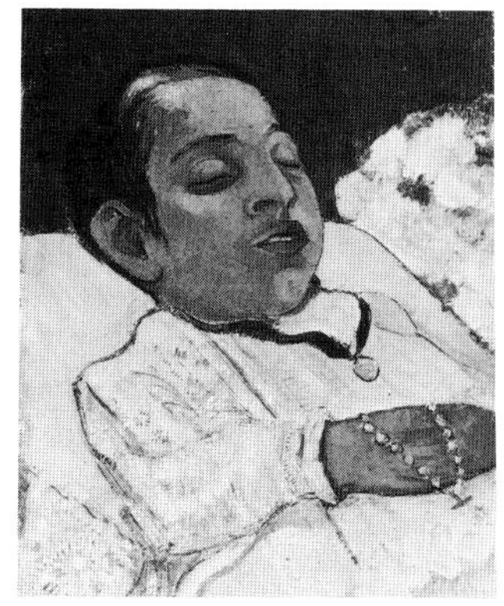

Gauguin, *Portrait de Atiti,*
huile sur toile
(Otterlo, Rijkmuseum Kröller-Müller)

5 mars
Décès, à l'âge de dix-huit mois, du fils de l'ami de Gauguin, le pharmacien Suhas. Gauguin peint le portrait de l'enfant sur son lit de mort que la mère refuse immédiatement (W 419 ; Field 1977, 336 ; Danielsson 1975, 99).

11 mars
Gauguin écrit à Monfreid qu'il travaille beaucoup, pour l'essentiel à ses études ou « documents » qui pourront lui servir plus tard, ou même à d'autres artistes (Joly-Segalen 1950, n° III, 54 ; voir cat. 118, 119).

mi-mars
Il demande à Monfreid de porter *Vahine no te tiare* (W 420), le premier tableau tahitien envoyé à Paris, à la galerie Boussod et Valadon ; il espère le vendre à cause de « sa nouveauté » (Joly-Segalen 1950, n° IV, 56).

22 mars
A Copenhague, Mette reçoit un lot de toiles pré-tahitiennes envoyées par Schuffenecker (lettre inédite, Papeari, Musée Gauguin).

25 mars
Gauguin rapporte à Sérusier qu'il est sans le sou et qu'il doit rentrer en France (Sérusier 1950, 12). Il connait, de toute évidence, le *Voyage aux îles du Grand Océan* de J.A. Moerenhout (1837), qui décrit les habitants des îles, leurs croyances, leurs coutumes, leur langue et leur organisation sociale. L'ouvrage lui avait été prêté par le notaire et propriétaire d'une plantation de cocotiers. Il servira de fondement au manuscrit illustré de

Auguste Goupil devant sa maison
à *Outumaoro près de Mataiea,* photographie
(O'Reilly et Danielsson 1966. VII)

Gauguin, *Ancien Culte Mahorie* (Paris, Musée du Louvre, Département des Arts Graphiques, Orsay).

1er avril
Un important article publié à Paris désigne Gauguin comme « L'initiateur incontestable de ce mouvement artistique (symboliste) » (Aurier 1892a, 482).

avril
Émile Bernard organise une rétrospective de seize tableaux de van Gogh à la galerie Le Barc de Boutteville. Gauguin cherche sur place une subvention pour financer son retour en France. Il écrit à Mette qu'il va peut-être faire le portrait de la femme du capitaine Arnaud pour 2 000 francs, et qu'il a terminé un total de trente-deux toiles (Malingue 1946, nº CXXX, 228-230 ; redatée par Field 1977, 361). Gauguin dresse un inventaire de ses tableaux tahitiens dans le *Carnet de Tahiti* (Dorival 1954 ; voir Field 1977, 304-306).

mai
Gauguin séjourne chez l'instituteur Gaston Pia dans le district de Paea (Danielsson 1966, 104).

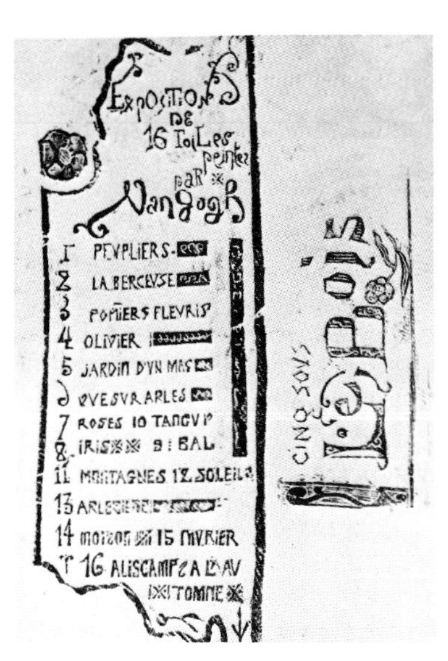

Exposition de 16 toiles peintes par Van Gogh
1 PEVPLIERS
2 LA BERCEVSE
3 POMIERS FLEVRIS
4 OLIVIER
5 JARDIN D'VN MAS
6 OVESVR APLES
7 ROSES 10 TANGVY
8 IRIS 9 BAL
11 MONTAGNES 12 SOLEILS
13 ARLESIENNE
14 MOISSON 15 HIVER
16 ALISCAMPS A L'AVTOMNE

CINQ SOVS

Sommaire du catalogue de l'exposition van Gogh organisée par Émile Bernard en avril 1892
(Rewald 1962, 536)

été
Mette se rend à Paris pour rassembler des œuvres de son mari pour une exposition à Copenhague (Loize 1951, 94-95).

1er juin ?
Gauguin cherche désespérément les fonds nécessaires à son retour en France et se rend à Papeete faire appel au gouverneur Lacascade (Malingue 1946, nº CXXIX).

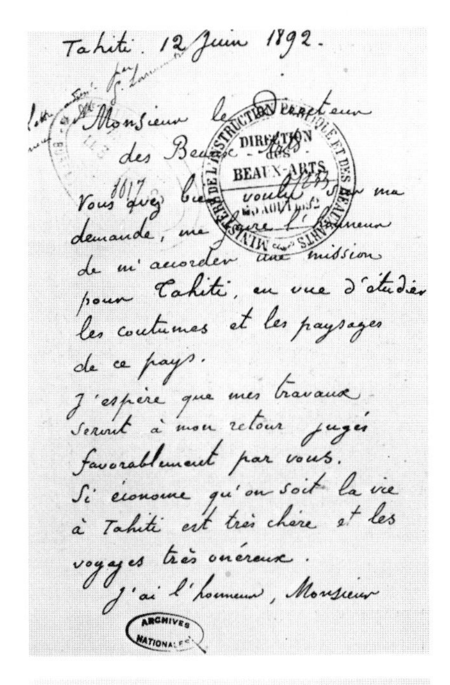

Tahiti. 12 Juin 1892.

Monsieur le Directeur des Beaux-Arts

Vous avez bien voulu sur ma demande, me faire l'honneur de m'accorder une mission pour Tahiti, en vue d'étudier les coutumes et les paysages de ce pays.

J'espère que mes travaux seront à mon retour jugés favorablement par vous.

Si économe qu'on soit la vie à Tahiti est très chère et les voyages très onéreux.

J'ai l'honneur, Monsieur

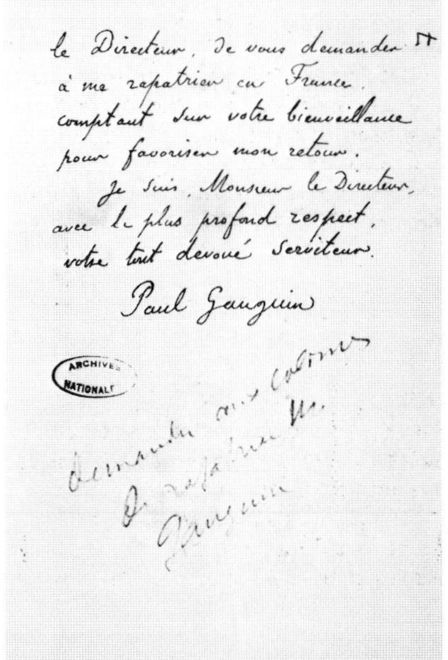

le Directeur, de vous demander de me rapatrier en France, comptant sur votre bienveillance pour favoriser mon retour.

Je suis, Monsieur le Directeur, avec le plus profond respect, votre tout dévoué serviteur.

Paul Gauguin

Lettre de Gauguin demandant son rapatriement, 12 juin 1892
(Paris, A.N.)

12 juin
Toujours préoccupé par sa situation financière, Gauguin écrit à Henri Roujon, directeur des Beaux-Arts à Paris, pour demander son rapatriement (AN, F 21 2286, dossier Gauguin).

juillet
Un éventail de Gauguin est présenté lors de la *Deuxième Exposition des Peintres Impressionnistes et Symbolistes* à la galerie Le Barc de Boutteville (Aurier 1892b, 262).

Gauguin (d'après), *Le petit paysan*
in *Livre d'Art,* juin-juillet 1892
(Paris, B.N.)

août
Gauguin est fier d'annoncer à Mette qu'en onze mois de travail, il a terminé quarante-quatre toiles « assez importantes », d'une valeur de 15 000 francs, et qu'il ira aux Marquises s'il peut payer le billet qui est de 1 000 francs (Malingue 1946, nº CXXVIII, 225 ; redatée par Field 1977, 364). Sa vahiné Teha'amana, est enceinte (Joly-Segalen 1950, nº XII, 68 ; redatée par Rewald 1978, 499, n. 44).

septembre
Le premier tableau tahitien de Gauguin, *Vahine no te tiare* (W 420), est exposé à Paris à la galerie Boussod et Valadon (Aurier 1892c, 92).

5 octobre
Albert Aurier meurt à l'âge de vingt-sept ans de la fièvre typhoïde (Leclercq 1892, 201). Gauguin ne l'apprendra que l'année suivante.

octobre
Il se plaint dans une lettre à Monfreid de ne plus avoir de toile et de ne pas avoir peint depuis un mois. A défaut, il sculpte des statuettes et des cylindres en bois ; il parvient d'ailleurs à en vendre deux (Joly-Segalen 1950, nº VI, 59 ; redatée par Field 1977, 364).

Albert Aurier vers 1890,
photographie (Rewald 1962, 367)

début novembre
Gauguin apprend que sa demande de rapatriement a été acceptée par le gouvernement français. Il abandonne son projet d'aller aux Marquises pour être en mesure de rentrer en France en janvier (Joly-Segalen 1950, nº VII, 60).

novembre-décembre
Troisième Exposition des Peintres Impressionnistes et Symbolistes à la galerie Le Barc de Boutteville avec une *Étude* (nº 40) de Gauguin.

début décembre
Gauguin envoie huit toiles en Europe, qu'il confie à Audoye, un ami de Jénot, pour une exposition qui doit avoir lieu à Copenhague en 1893 (Malingue 1946, nº CXXXIV, 236).

décembre
Portier retourne à Monfreid huit toiles de Gauguin qu'il avait en dépôt et non vendues (Loize 1951, nº 145, 94-95). Le gouverneur Lacascade refuse de payer le voyage de retour de Gauguin (Danielsson 1975, 123), l'obligeant à faire une nouvelle demande de rapatriement (Joly-Segalen 1950, nº VIII, 61). Il commence la rédaction du *Cahier pour Aline,* un carnet dédié à sa fille (Paris, Bibliothèque d'Art et d'Archéologie, Fondation Jacques Doucet). Il termine trois toiles (W 467, W 468, et cat. 155) qu'il considère comme les meilleurs de son œuvre (Joly-Segalen 1950, nº IX, 64).

Palais du gouverneur Lacascade à Papeete,
photographie
(Gleizal, Encyclopédie de la Polynésie, Papeari)

1893

21 janvier
Mette obtient 700 francs de la vente des tableaux de son mari à Copenhague (lettre inédite à Schuffenecker, AL).

février
Gauguin est furieux quand il apprend qu'à Paris, Morice a vendu en mai à Joyant, plusieurs de ses toiles sans lui en envoyer les bénéfices (Joly-Segalen 1950, nº X, 65). Il demande à Mette de l'aider à obtenir des recommandations pour obtenir un poste d'inspecteur du dessin à Paris (Malingue 1946, nº CXXXV, 229; redatée par Field 1977, 366).

13 mars
Mette reçoit dix toiles de son mari envoyées par Monfreid pour la *Frie Udstilling* (Exposition Libre) de Copenhague (lettre inédite à Schuffenecker, AL).

24 mars
Joyant renvoie vingt-six œuvres de Gauguin à l'atelier de Monfreid à Paris (Loize 1951, 94, nº 138).

26 mars
Inauguration à Copenhague de la *Frie Udstilling* avec une salle consacrée à Gauguin et van Gogh. Gauguin expose cinquante tableaux, céramiques et sculptures des périodes impressionniste, bretonne et du début de son séjour à Tahiti (Bodelsen in Copenhague 1984, 24). Le même jour, à la galerie Kleis à Copenhague ouverture de l'« Exposition de Mars » consacrée aux nabis et aux symbolistes avec sept tableaux et six céramiques de Gauguin (Rostrup 1956, 79).

vers la fin mars
Gauguin écrit à Monfreid qu'il aura terminé plusieurs sculptures et soixante-six toiles d'ici la fin de son séjour à Tahiti (Joly-Segalen 1950, nº XIII, 70; redatée par Field 1977, 367). Retourne à Papeete avec Teha'amana et loue une pièce dans la banlieue, à Paofai, près de chez ses amis Jénot, Drollet et Suhas (Danielsson 1975, 133).

début mai ?
Gauguin peint les quatre vitres de sa porte (W 509) pour empêcher sa propriétaire, Mme Charbonnier, de l'espionner quand il fait poser des modèles indigènes (O'Brien 1920, 226).

25 mai
Il reçoit une lettre du Ministre de l'Intérieur l'autorisant à rentrer en France en «dernière classe» (Loize 1966, 49-50).

juin
Plusieurs de ses œuvres sont exposées chez Le Barc de Boutteville (cat. 50, 114; Merki 1893, 147-149).

4 juin
Gauguin quitte Tahiti pour Nouméa à bord du croiseur *Duchaffault* avec soixante-six tableaux et plusieurs sculptures (Danielsson 1975, 134, n. 69).

Bâtiment de l'exposition de Copenhague,
vers 1896, photograhie
(Copenhague, Bymuseum)

21 juin
Le *Duchaffault* mouille à Nouméa où Gauguin est obligé de passer vingt-cinq jours à l'hôtel, dépensant presque la totalité des 650 francs qu'il avait emportés (Joly-Segalen 1950, nº XIV, 75).

16 juillet
Gauguin embarque pour Marseille à bord de l'*Armand Béhic* et paie un supplément pour voyager en deuxième classe (Danielsson 1975,

Ci-contre :
Gauguin, *Fatata te miti (Près de la mer),* détail
1892, huile sur toile
(Washington, National Gallery of Art)

Le premier séjour tahitien

Charles F. Stuckey

En principe, partir pour peindre à Tahiti comme le fit Gauguin n'avait rien de si extraordinaire. En effet, au dix-neuvième siècle, les Orientalistes, peintres aventureux de toutes les nationalités — parmi lesquels figuraient Horace Vernet et Eugène Delacroix — étaient allés chercher, loin de l'Occident, du Maroc à l'Équateur, le témoignage de sociétés et de paysages pré-industriels. Le voyage de Gauguin en Martinique participait de la même démarche. En voyant à l'Exposition Universelle de Paris de 1889 un grand panorama des cultures asiatiques et du Pacifique, son goût des départs lui revint aussitôt.

Avant de choisir Tahiti, Gauguin examina d'autres destinations possibles, dont Java, le Tonkin et Madagascar, pour y établir avec quelques collègues un «atelier du Tropique»[1]. Il écrivait à Émile Bernard, en juin 1890 : «Avec la somme que j'aurai, je peux acheter une case du pays, comme celles que vous avez vues à l'Exposition Universelle. En bois et terre, couverte de chaume, à proximité de la ville, mais à la campagne. Cela ne coûte presque rien, je l'agrandis en coupant du bois et j'en fais une demeure à notre commodité. »[2]

Quelques mois plus tard, influencé par le roman à la mode publié en 1880 *le Mariage de Loti,* Gauguin optait pour Tahiti[3].

«Madagascar est encore trop près du monde civilisé. Je vais partir pour Tahiti et j'espère y finir mon existence»[4]. Il rêvait d'une vie «d'extase, de calme et d'art», comme il l'écrivait à sa femme, Mette. «Entouré d'une nouvelle famille, loin de cette lutte européenne après l'argent. Là à Tahiti, je pourrai, au silence des belles nuits tropicales, écouter la douce musique murmurante des mouvements de mon cœur en harmonie amoureuse avec les êtres mystérieux de mon entourage»[5].

Plus proche de l'idée merveilleuse qu'il se faisait de ce pays que de la réalité qu'il y trouva, les peintures tahitiennes de Gauguin représentent un monde voluptueux, imaginaire. Curieusement, elles rencontrèrent tout d'abord l'indifférence des collectionneurs. Dans la décade qui suivit la mort prématurée de Gauguin, ces mêmes œuvres tahitiennes étaient devenues des images iconiques du bonheur et de la liberté, prisées de la Russie jusqu'au États-Unis, inspirant toutes sortes de peintres, de Matisse à de Kooning. Si l'image mythique que Gauguin nous a présentée de Tahiti a encore aujourd'hui une grande emprise sur les admirateurs de son art, on ne connaîtra sans doute jamais la réalité quotidienne de son premier voyage dans les Mers du Sud.

Le récit que Gauguin fit de son séjour à Tahiti de 1891 à 1893 et auquel il donna le titre de *Noa Noa,* terme signifiant en tahitien «parfum» ou «parfumé», servit de base à ses biographies. Malgré son caractère de journal, *Noa Noa* fut apparemment écrit après coup en collaboration avec Charles Morice, un étourdi qui se prétendait poète, pour aider à faire connaître ses œuvres. Par ailleurs, les événements décrits dans *Noa Noa* diffèrent, sur la plupart des points, de ceux mentionnés par Gauguin dans les lettres écrites de Tahiti. A part certaines allusions à sa santé, à ses difficultés financières et tentatives infructueuses, malgré l'aide des fonctionnaires locaux pour se faire payer son retour en France, la correspondance du peintre ne contient que très peu de renseignements sur sa vie privée à Tahiti. *Noa Noa*, en revanche, est un récit à sensations de sa liaison de bigame avec sa femme-enfant polynésienne, dont il n'est pas fait une seule fois mention dans ses lettres. Le peintre évite dans *Noa Noa* toute référence à ses soucis quotidiens, et préfère faire la chronique de sa propre évolution d'un état civilisé à un état primitif, son

Teha'amana (?), vers 1894, photographie (Loize)

contact avec les dimensions spirituelles les plus profondes de la nature. L'analyse des contradictions entre la relation officielle de *Noa Noa* et les autres sources documentaires n'aboutit pas nécessairement à une information plus exacte, mais autorise le scepticisme nécessaire à l'étude de cette période capitale.

Il semble que la meilleure manière de se livrer à cet examen soit dans un premier temps de faire la récapitulation des détails autobiographiques contenus dans *Noa Noa*, soulignant les points qui suscitent discussion. Guère impressionné par la ville européanisée de Papeete, capitale de l'île où il débarque en juin 1891, Gauguin voulut partir à la découverte de la véritable Tahiti. Il emmena dans son périple à travers l'île une métisse parlant français, du nom de Titi, et se mit en quête d'une maison décente qu'il trouva à Mataiea, à quarante-cinq kilomètres au sud de Papeete, sur la côte. Titi insista pour s'installer, mais Gauguin commença par refuser, préférant rester seul[6]. Puis, comme son ignorance de la langue tahitienne l'empêchait de nouer les relations qu'il désirait avec une indigène, il la fit revenir. Mais mal adaptée à la vie de la campagne, Titi quitta Mataiea au bout de quelques semaines[7]. Malgré la place assez importante que Gauguin lui consacre dans *Noa Noa*, il ne précise pas si elle lui servit de modèle.

Plusieurs mois après le départ de Titi, le peintre commença à souffrir de la solitude. «Depuis quelque temps je m'étais assombri. Mon travail s'en ressentait, je manquai de documents»[8]. Comme nous le verrons par la suite, Gauguin appliquait le terme de «documents» à ses dessins, et ce qu'il veut dire ici c'est qu'il n'évoluait plus dans sa peinture. Pour se changer les idées, il fit un voyage qui le mena jusqu'à Faone, sur la côte orientale de l'île. Là, il fit la connaissance d'une famille indigène qui lui offrit pour «vahine» Teha'amana, une enfant de treize ans, sous réserve de son consentement après un essai de vie commune d'une semaine avec le peintre. Selon *Noa Noa*, Teha'amana était grande, avec des cheveux épais et crépus : originaire de l'archipel de Tonga, elle n'avait pas les traits typiques d'une tahitienne[9]. Si la jeune femme figurant sur la photographie que Gauguin avait collée dans son manuscrit personnel de *Noa Noa*[10], peut être âgée de treize ans et présente des cheveux crépus du type de ceux qu'était censée avoir Teha'amana d'après la description qu'en fait le peintre dans son journal, elle ne correspond toutefois pas à la femme représentée sur la plupart de ses peintures, notamment celle sur laquelle est inscrite le nom de Teha'amana (cat. 158)[11]. Dans une toile intitulée *Manao tupapau* (cat. 154), qui serait l'illustration d'un passage de *Noa Noa* relatant la vie de Gauguin avec Teha'amana, le modèle a des cheveux assez raides[12].

Dans *Noa Noa*, le rôle de modèle de Teha'amana est indiscuté et Gauguin nous y raconte comment elle lui expliquait, au lit, les coutumes et l'histoire religieuse polynésienne[13]. Dans l'ensemble, on trouve dans ce récit beaucoup plus de détails concernant le premier mois de vie commune que sur le reste du temps de leur liaison, supposée avoir pourtant duré un an et demi. Seules trois anecdotes relatives à cette période sont rapportées dans le livre de Gauguin : comment Teha'amana avait convoité des boucles d'oreilles que lui avait montrées un colporteur[14] ; comment elle et Gauguin avaient été invités à un mariage polynésien où la fiancée était enceinte de quatre mois[15] ; comment Gauguin avait accusé Teha'amana d'infidélité[16]. Et pourtant, à la fin de *Noa Noa*, on la voit sur le quai, triste et stoïque, regardant partir Gauguin, que «des devoirs impérieux de famille» obligeaient à rentrer en France[17].

1. Danielsson 1975, 17-36; et Rewald 1978, 410-418.
2. Malingue 1946, nº CV, 191.
3. Bernard 1954, 45; Merlhès 1984, nº LVII.
4. Bacou, Paris 1960, III, 195.
5. Malingue 1949, nº C, 184.
6. *Noa Noa*, 33-35. Manuscrit du Louvre, Département des Arts Graphiques, Orsay, 33-35.
7. *Noa Noa*, Louvre ms, 46-47.
8. *Noa Noa*, Louvre ms, 97.
9. *Noa Noa*, Louvre ms, 100-101.
10. *Noa Noa*, Louvre ms, 57.
11. Loize, 1966, opp. p. 34, publia la photographie d'une femme ressemblant à celle des peintures de Gauguin, mais comme aucun document ne pouvait prouver que ce fût la même personne, Danielsson 1975, 299 n. 57 contesta la validité de cette photographie.
12. *Noa Noa*, Louvre ms, 108-110.
13. *Noa Noa*, Louvre ms, 129-130, et 151. Danielsson 1975, 160, s'interroge sur la véracité des propos de Gauguin.
14. *Noa Noa*, Louvre ms, 110-112.
15. *Noa Noa*, Louvre ms, 112-116.
16. *Noa Noa*, Louvre ms, 196-202.

Bien sûr, les obligations familiales n'avaient absolument rien à voir avec le départ de Gauguin qui s'efforçait déjà depuis plusieurs mois de quitter Tahiti. Procédé purement littéraire, la scène finale de *Noa Noa* s'inspirait d'une scène identique décrite par Julien Viaud, alias Pierre Loti, dans son roman autobiographique *Le Mariage de Loti* qui relatait une histoire d'amour entre un marin français et une polynésienne de quatorze ans du nom de Rarahu. La mention par Gauguin de l'âge de Teha'amana, d'un an plus jeune que Rarahu, fit de *Noa Noa* un livre quelque peu choquant pour les lecteurs européens. D'autres rapprochements entre *Le Mariage de Loti* et *Noa Noa* (cat. 157) ont fait dire à des érudits contemporains que ce serait pour des raisons commerciales que Gauguin aurait écrit son autobiographie[18].

De façon plus générale, le journal de Delacroix publié entre 1893 et 1895, au moment de son retour en France, servit également de modèle littéraire pour *Noa Noa.* Il est pratiquement certain que le premier jet de son autobiographie illustrée rapportée ensuite par le peintre à Tahiti, doit beaucoup au magnifique album mêlant notes et aquarelles de Delacroix, composé au cours d'un séjour en Afrique du Nord en 1832[19]. Et comme par hasard, la première fois où Gauguin exprima ses rêves de femme non occidentale, ce fut en imitant, vers 1884, l'un des portraits de Nord-africaine peint par Delacroix (W 27).

Plus probablement, la Teha'amana décrite dans *Noa Noa* serait une créature purement imaginaire que lui aurait inspirée la jeune javanaise avec laquelle il trompa ouvertement sa femme, à son retour en France, alors qu'il travaillait à son autobiographie[20]. La véritable Teha'amana était en fait le modèle favori de Gauguin, qui n'avait pas les cheveux crépus, qui n'était plus une adolescente et avait commencé à poser pour le peintre fin 1891 (voir cat. 127, 130, 135).

Bien que Gauguin ait utilisé son nom dans la première ébauche de *Noa Noa* pour on ne sait quelle raison, il le transforma en Tehura dans les versions ultérieures[21]. Peut-être est-ce simple coïncidence, mais à la fin d'une lettre inédite à son ami P. Jénot, résidant à Papeete[22], il lui demande de transmettre ses amitiés à une certaine «Tehora». Dans cette lettre, écrite un mois après l'installation de Gauguin à Mataiea, probablement vers octobre 1891, il mentionne le départ de Titi et s'en déclare soulagé, jurant qu'il se passerait fort bien de femme à l'avenir. Jénot ayant aidé Gauguin à trouver des modèles[23], il est tentant de faire le lien entre la Tehura dans les versions ultérieures de *Noa Noa* et Teha'amana le modèle, d'autant que les Polynésiens reçoivent souvent un second nom à leur naissance[24].

A part son nom et le fait qu'elle posa pour Gauguin vers la fin de 1891, tout ce qu'on sait de la véritable Teha'amana est qu'elle avait sept orteils à son pied gauche (cat. 148) et qu'elle fut enceinte du peintre. Il est toutefois difficile de dire quand exactement elle commença à poser pour lui. D'après les mémoires de Jénot, Gauguin, arrivé à Tahiti le 9 juin 1891, avait passé plusieurs mois à Papeete, puis à Paea avant de venir s'installer à Mataiea[25]. Ajoutez à la période où il resta seul à Mataiea avant la venue de Titi, les nombreuses semaines où elle habita sous le même toit que lui et il semblerait que Gauguin n'ait pu commencer à peindre Teha'amana avant octobre ou novembre. Dans une lettre à Sérusier que l'on estime avoir été écrite en novembre 1891, Gauguin déclare qu'il vit seul à Mataiea et qu'il n'a pas encore exécuté une seule peinture, bien qu'il ait accumulé de nombreux «documents» ou dessins[26]. Il est plus vraisemblable de penser que cette lettre est antérieure, si l'on considère que plus d'une vingtaine de toiles de Gauguin sont datées de 1891. Or une telle production demande, en général, beaucoup plus qu'un mois ou deux de travail.

Dans une de ses lettres non datées à Daniel de Monfreid, Gauguin lui annonce la grossesse de Teha'amana : «Je vais être père à nouveau en Océanie»[27]. Cette lettre fut probablement écrite vers août 1892 car Teha'amana semblait déjà enceinte de cinq mois lorsqu'elle posa pour le tableau *Vahine no te vi* (cat. 143), en avril[28]. L'espoir exprimé par Gauguin dans la même lettre d'aller s'installer compte-tenu des circonstances dans les Iles Marquises ne manque de surprendre. En dit également long sur son manque de sentiments paternels sa demande de rapatriement, envoyée aux autorités françaises à Paris, le 12 juin 1892[29]. Gauguin a, semble-t-il, représenté la jeune femme dans les premiers mois de sa grossesse dans les aquarelles dont il se servit pour illustrer à la fois *L'Ancien culte Mahorie* et *Noa Noa*[30]. Le nouveau modèle utilisé par Gauguin (Pickvance 1970, pl. X et cat. W 147) pour remplacer Teha'amana, désormais dans l'impossibilité de poser, ne répondit manifestement pas à ses besoins (cat. 148). Vers octobre 1892, Gauguin signalait dans ses lettres qu'il travaillait sans modèle (voir cat. 153 et 154)[31]. Et en février 1893, il se plaignit de vivre tout seul[32].

Ce qu'il advint de la femme et de l'enfant, nul ne le sait. Vu l'état avancé de sa grossesse, il est peu probable que Teha'amana se soit fait avorter[33]. Gauguin la chassa peut-être, à moins qu'elle ne l'ait quitté, en emmenant son enfant avec elle. Mais plusieurs des peintures de Gauguin évoquent la possibilité du décès de Teha'amana. Vers la fin de l'année 1892, le peintre se mit en effet à introduire des figures vêtues de blanc dans ses tableaux, or le blanc en Polynésie symbolise la mort et le deuil (W 467, 468 et 501). L'absence d'explication dans *Noa Noa* ou dans ses lettres fait penser que Gauguin était indifférent à son modèle. Il repeignit toutefois un de ses nus allégoriques, pour lesquels avait posé une autre femme, le transformant en une sorte de portrait de Teha'amana (cat. 148), et nous savons qu'il réalisa également un portrait conventionnel d'elle en 1893 (cat. 158) ; dans l'un et l'autre cas, il avait travaillé à partir de dessins (cat. 124 et 149) comme s'il ne pouvait plus l'utiliser comme modèle, suggérant par là qu'il était néanmoins obsédé par son souvenir.

Les dessins en question qui faisaient partie d'un groupe de portraits, études soignées de ses voisins tahitiens, devaient appartenir à ce que Gauguin dans ses lettres désignait comme «documents». «Pas encore un tableau (...) mais une foule de recherches qui peuvent être fructueuses, beaucoup de documents qui me serviront pour longtemps, je l'espère en France[34]» écrivait-il à Sérusier, peu de temps après son arrivée à Mataiea. En fait, Gauguin, à son retour en France, utilisa bon nombre de ses dessins tahitiens, tout comme il l'avait fait dans l'île, comme point de départ de la plupart de ses peintures.

Rien ne nous révèle mieux la méthode de travail de Gauguin, c'est-à-dire en atelier, que la réalisation de secondes versions — presque des copies à la même échelle de trois de ses premières peintures tahitiennes (W 431, W 432 ; W 433, W 466 ; W 436, W 437). Bien que les «documents», les esquisses d'après lesquelles Gauguin a réalisé ses peintures n'aient point survécu, il est fort probable qu'il s'en soit servi, à la fois pour le développement de ses idées initiales et pour la réalisation de monotypes. L'utilisation de ces esquisses

17. *Noa Noa*, Louvre ms, 203-204.
18. Danielsson 1975, 142. Il faut également souligner que la grand-mère maternelle de Gauguin et son père étaient tous deux écrivains, et que sa femme considérait la littérature comme la plus haute forme d'art (voir Merlhès 1984, nº 102, 130).
19. Le Louvre fit, en 1891, l'acquisition du carnet de Delacroix.
20. Que Gauguin ait attendu son retour à Paris pour donner une description de sa maîtresse tahitienne laisse à penser qu'il avait jusque-là craint des représailles de la part de sa femme, Mette.
21. Danielsson 1975, 160.
22. Archives, Musée Gauguin, Papeari.
23. Jénot 1956, 419.
24. *Cf.* Handy, 217-218 ; selon Menard 1981, un tenancier de bar, à Papeete, aurait dit à Somerset Maugham que la maîtresse de Gauguin s'appelait Teha'amana a Tahura. Danielsson 1975, 298, n. 57, interrogea un Tahitien qui prétendait avoir épousé Teha'amana après que Gauguin l'eût abandonnée.
25. Jénot 1956, 125.
26. Sérusier 1950, 52-55.
27. Joly-Segalen 1950, nº XII, 68 ; Field 1977, 363, nº 17, fait remonter cette lettre à septembre 1892, mais elle peut être antérieure. Une lettre non publiée de la femme de Gauguin à Schuffenecker, datée du 5 septembre 1892 (le fond Loize, au Musée Gauguin de Papeari en possède une copie), donne une semblable information, suggérant qu'elle aurait reçu une lettre faisant également allusion à cet événement. (Malingue 1946, nº CXXVIII). Le temps pour qu'une lettre postée à Tahiti arrive à destination était variable, il fallait compter en moyenne deux mois.
28. Cette date est une estimation basée sur la mention de *Vahine no te vi* dans l'inventaire constitué par Gauguin de ses premières peintures tahitiennes peu après *Vairoumati tei oa* (W 450), cité dans une lettre du 25 mars.
29. Danielsson 1975, 107.
30. *Ancien culte Mahorie*, Louvre, département des Arts graphiques, Orsay, 28 et *Noa Noa*, Louvre ms, 157. Plus tard, elle est représentée avec une boucle d'oreille, peut-être une allusion à un épisode de *Noa Noa*, Louvre ms, 110-112. Le personnage de *Ea haere ia oe* (W 501) porte aussi une boucle d'oreille.
31. Joly-Segalen 1950, nºs VI et VIII, 59 et 63. Pour dater la lettre nº VI, *cf.* Field 1977, 364, n. 19.
32. Malingue 1946, nº CXXXV; *voir* Field 1977, 336, nº 26 pour la date.
33. Danielsson 1975, 121, avance l'hypothèse de l'avortement.

comme outil de travail semble la seule explication possible au fait que, dans l'une de ces compositions, le même modèle soit employé pour deux personnages (cat. 130)[35].

Afin de ranger ses précieux travaux tahitiens du début de son séjour, Gauguin fabriqua plus tard un carton à dessins, sur lequel il inscrivit en grands caractères : *Documents Tahiti - 1891/1892/1893.*

Malheureusement, lorsqu'on découvrit ce carton à dessins, après la mort de Gauguin, il n'avait plus son usage premier, à caractère limitatif, et des dessins exécutés avant et après cette période y avaient été ajoutés[36]. De ce fait, nous n'avons aucun moyen de savoir avec certitude si Gauguin aurait appliqué le terme de « documents », comme un néologisme emprunté au vocabulaire des photographes, à des petits croquis tirés d'un carnet de dessins ou seulement à des travaux sur papier de taille plus importante[37]. La décoration élaborée de son carton à dessins laisse à penser qu'à son retour en France, Gauguin avait souvent dû montrer ses dessins à ses admirateurs. Mais dans *Avant et après,* faisant allusion à ses premiers croquis de Tahitiennes, Gauguin insiste sur le fait que ces travaux étaient de caractère intime, tout autant que ses lettres ou ses secrets[38]. Dans le même passage, Gauguin fait remarquer que les mêmes figures, passant des esquisses à la peinture, deviennent totalement différentes. Il débat également du bien-fondé d'exposer des esquisses comme l'avait fait Pierre Puvis de Chavannes, la couleur de ces dessins étant en général peu poussée. Cependant, à un moment donné, probablement à son retour de Tahiti, Gauguin envisageait la possibilité de transformer ses premiers croquis tahitiens en œuvres exposables, en les coloriant. Les plus extraordinaires sont ceux dont il déchira soigneusement les angles (cat. 35, 45, 112, 126 et 149), manifestement pour leur donner l'apparence d'objets anciens. Ces dessins semblent justifier de façon littérale l'affirmation d'Aurier selon laquelle Gauguin serait un peintre foncièrement décoratif, dont les œuvres pourraient être considérées comme des « fragments d'immenses fresques »[39].

Gauguin, *Couverture de Documents Tahiti 1891/1892/1893,*
localisation actuelle inconnue
(Malingue)

En effet, certaines des premières peintures tahitiennes de Gauguin pourraient être des fragments d'une des toiles auxquelles l'artiste s'essaya au cours des premiers mois de l'année 1892 et qui rappelaient par leur taille les peintures murales, tout comme certains de ses dessins qui ont survécu seraient susceptibles d'appartenir à un ensemble, détruit pour la plupart. L'inventaire constitué vers avril 1892 par Gauguin dans son carnet de croquis répertorie parmi ses œuvres aux dimensions importantes une toile de 100 (160 × 130) intitulée *Viens manger avec nous*[40]. Dans une lettre à sa femme écrite peu de temps après[41], Gauguin fait allusion à une peinture, encore plus grande, de 3 m sur 1,30 m. Mentionnée ni dans sa correspondance ni dans *Noa Noa,* et par conséquent ignorée de tous ses biographes, cette toile qui lui coûta sans doute beaucoup de temps et d'argent, et que, insatisfait, il détruisit probablement, était presque aussi grande que *D'où venons-nous ?* (W 561), le chef-d'œuvre de son second voyage à Tahiti.

Si les biographes de Gauguin ont jusqu'à présent tous négligé le rôle de ses croquis dans la réalisation des toiles de son premier séjour tahitien, Dorival et Field, en particulier, ont cependant souligné l'utilisation qu'il faisait de photographies d'œuvres d'art, des peintures égyptiennes inclues[42]. « J'emporte en photographie, dessins, tout un petit monde de camarades, qui me causeront tous les jours » expliquait Gauguin à Redon en 1890[43]. Jénot rappela que la collection personnelle de Gauguin comprenait des photographies des habitants des îles marquises, couverts de tatouages, et dans *Noa Noa,* Gauguin lui-même raconte avec quelle curiosité ses voisins polynésiens avaient regardé ses photographies de l'*Olympia* de Manet et de plusieurs peintures religieuses italiennes dites « primitives »[44]. Examinant ce que Victor Segalen avait sauvé de cette collection de photos, lors de la vente aux enchères des biens de Gauguin à Papeete en 1903, Dorival s'aperçut à quel point Gauguin s'en était servi, de la gestuelle boudhique du temple de Borobudur à Java à la statuaire grecque du Parthénon à Athènes. Cette découverte permit d'interpréter d'une toute autre manière les premières peintures tahitiennes de Gauguin. Maintenant que l'on pouvait y voir des emprunts spécifiques à une stylistique et une symbolique religieuse d'œuvres d'art antérieures, il était possible de comprendre ce que voulait dire Octave Mirbeau en février 1891, décelant dans l'œuvre de Gauguin: «un mélange inquiétant de splendeur barbare, de liturgie catholique, de rêverie hindoue, d'imagerie gothique, de symbolisme obscur et subtil»[45]. Mais comme on n'a trouvé jusqu'à présent des emprunts de cette sorte que dans une douzaine seulement des toiles réalisées par Gauguin lors de son premier séjour à Tahiti (cat. 132, 133, 135, 143), dont le total se montait pourtant à près de soixante-dix pièces[46], l'importance de ses sources photographiques demandent un plus ample examen.

Il peut paraître curieux que Gauguin ait entrepris un tel voyage pour se limiter à consulter des photos d'œuvres d'art d'autres cultures. Après tout, n'avait-il pas justifié son odyssée des mers du Sud par le désir de jouir de la solitude, «en vivant sur sa planète à lui», à l'instar de Beethoven dans sa surdité, comme il l'écrivait à Mette[47]. Sans doute ses références à l'art du passé étaient-elles destinées à mettre l'accent sur le fait que sa peinture moderne participait de valeurs éternelles de la même façon que la peinture de nymphes arcadiennes de ce Corot tant admiré, participait d'un esprit païen qui transcendait la réalité prosaïque des temps modernes[48]. Mais cela n'explique guère pourquoi Gauguin allait peindre Teha'amana dans le personnage de Joseph d'après le *Joseph et la femme de Putiphar* de Prudhon (cat. 143) ; ni pourquoi il allait utiliser les fantasmes auto-érotiques de l'*Allégorie* de Pierre Humbert de Superville, exécuté en 1801, pour son *Manao tupapau* (cat. 154)[49], ou pourquoi il peignit une femme d'après la photographie d'un homme debout près d'une cascade (cat. 157).

Mais la collection de photographies de Gauguin révèle surtout l'intérêt particulier que le peintre portait à la sculpture de toutes les civilisations et de toutes les époques. Récemment, on a montré que ses propres sculptures tahitiennes — premiers exemples d'un mode d'expression primitif qui allait caractériser l'art du début du XXe siècle[50] — sont des hybrides reflétant divers aspects de sa vaste culture. Mais si la sculpture de Gauguin doit beaucoup à divers prédecesseurs, c'est seulement dans les grandes lignes. En effet, les compositions décoratives qui entourent la plupart des idoles de bois de Gauguin tiennent plus des motifs conventionnels de la céramique que de l'art sacré non occidental. Prolongement de la sculpture exotique (voir cat. 85, 96, 110)[51], ces œuvres que lui inspira l'étude de l'art non occidental à laquelle il se livra à l'Exposition Universelle de 1889, à Paris, sont les pièces les plus originales et les plus audacieuses conçues par Gauguin au cours de son premier voyage à Tahiti. Conscient de leur particularité, le peintre les exclut de la vente aux enchères de ses œuvres, en 1895, et, par la suite, demanda à Monfreid de les retirer du marché et de les conserver dans leur ensemble pour la

34. Sérusier 1950, 53. Dans *Noa Noa,* Louvre ms, 44-46, Gauguin mentionne comment l'un de ces portraits fut réalisé. Selon Jénot, 1956, 124, Gauguin n'aurait fait aucune peinture de grande dimension lors de son séjour à Papeete pendant l'été 1891.
35. Gauguin a dû également utiliser un croquis, perdu par la suite, pour la peinture de la femme courbée que l'on retrouve dans W 429 et W 430.
36. Le carton à dessins de Gauguin fut exposé en 1942, à Paris, avec les dessins qu'il contenait et ceux qui leur avaient été ajoutés.
37. Un des carnets de Gauguin, du début de son séjour tahitien, a été conservé intact (Dorival 1954). Jénot 1956, 125, en mentionne un autre, rempli de croquis exécutés en 1891, à l'occasion des funérailles de Pomare V et de la cérémonie commémorative de la prise de la Bastille.
38. *Avant et après,* fac-similé, 115-117.
39. Aurier 1891, 165.
40. Field 1977, et 317-319, n° 23.
41. Malingue 1946, n° CXXX, 230 ; pour la date *voir* Field 1977, 361, n° 11. D'après Field, cette peinture serait identique à *Viens manger avec nous* (*voir* plus haut n. 39). L'utilisation de grands formats explique le déclin de la productivité de Gauguin, au début de 1892, bien que l'on puisse également l'attribuer à ses problèmes de santé (Joly-Segalen 1950, n° III) et à ses démarches pour obtenir un poste de fonctionnaire aux Marquises (Danielsson 1975, 93-94) ; et une lettre non publiée de Gauguin à Jénot, Archives, Musée Gauguin, Papeari).
42. Dorival 1951 ; Field 1960 ; Field 1977, 238-242 (n. 41-53) ; et Kane 1966.
43. Bacou 1960, III, 193.
44. Jénot 1956, 121 et 124 ; et *Noa Noa,* Louvre ms, 44. Leclercq 1895, 121-122, fait remarquer que Gauguin présenta des reproductions photographiques similaires, à l'exposition privée qu'il fit dans son atenier en 1894.
45. Mirbeau 1891, 1.
46. W 430, W 443, W 450, W 451, W 455, W 458, W 461, W 464, W 476, W 498.
47. Malingue 1946, n° CXXVII, 221.
48. Merlhès 1984, n° 193, 306 ; et *Avant et après,* fac-similé, 187.
49. Rosenblum, *Transformations in late Eighteenth Century Art* (Princeton 1967), 176.
50. Les meilleures études du «primitivisme» des sculptures de Gauguin sont celles de Varnedoe «Gauguin», à New York 1984-1985, 179-209, et de Roquebert, *La sculpture française au XIXe siècle* (Paris, 1986), 395-405.
51. G 71, G 74, G 76, G 88.

postérité[52].

Selon Jénot, malgré sa déception de ne trouver, à son arrivée à Tahiti, aucun patrimoine sculpté indigène, Gauguin se mit aussitôt à sculpter des « dieux bizarres »[53]. Ses propres idoles étaient apparemment censées combler un vide. Malheureusement, Gauguin tailla la plupart de ses premières pièces, sinon toutes, dans du bois de goyavier qui tomba rapidement en poussière[54]. Les sculptures en bois plus robustes qui subsistent sont peut-être des copies de ces premières œuvres disparues ; plus surprenante encore serait l'éventualité qu'*Oviri* (cat. 211) ait d'abord été conçue comme l'une de ces idoles[55] ; sa recherche, fructueuse, d'un bois moins fragile, relatée dans *Noa Noa*[56], se situe manifestement avant avril 1892, date à partir de laquelle il se mit à mentionner, dans certaines de ses lettres, ses « bouts de bois sculptés »[57]. A ce moment-là, Gauguin avait déjà utilisé une de ses pseudo-idoles comme élément de l'autel monumental qu'il conçut pour sa peinture de *Vairoumati tei oa* (son nom est Vairumati, W 450), toile relatant un épisode de l'ancienne mythologie tahitienne[58]. Le peintre s'intéressa vivement aux dieux tahitiens, — dont il était fait une description dans *Voyages aux îles du grand océan,* publié en 1837, de Jacques Moerenhout[59] — et sa décision d'utiliser pour son art ces divinités oubliées, de la même manière que Richard Wagner avait fait revivre dans son œuvre les légendes nordiques, constitua une sorte de retour à l'histoire académique. Mais il semble aussi avoir été parfois inspiré par une forme d'humour à la Jarry. Son parti-pris de donner des titres tahitiens à ses peintures, fournissant donc des explications, mais dans une langue incompréhensible du public occidental, n'était pas exempt d'ironie, et son utilisation de la symbolique visuelle tient peut-être de la dérision. Ainsi, dans *Vairoumati tei oa,* la beauté légendaire qui fut à l'origine de la fondation de la société des Ariois tient dans ses doigts une cigarette allumée, à la manière d'une cocotte parisienne. Étant donné le nombre de pages traitant dans *Noa Noa* de manière détaillée du polythéisme polynésien[60], on ne manque d'être surpris par le fait que, en dehors de ses idoles en bois, sur les soixante-dix peintures que Gauguin déclare avoir exécutées lors de son premier séjour tahitien, une douzaine seulement (cat. 158) ont un rapport avec l'ancienne mythologie polynésienne[61]. Plusieurs de ces toiles (cat. 155) traitent le thème d'une manière très générale, tout comme les paysages de Poussin évoquent un âge d'or révolu. Le fait que deux fois plus de peintures et d'aquarelles représentent la maison au toit de chaume (cat. 132) où vivait Gauguin à Mataiea, laisse à penser que celui-ci cherchait plus à faire de la peinture autobiographique qu'il n'était intéressé par les divinités archaïques[62].

Si l'on en croit l'inventaire de son carnet de croquis, sur les soixante-six toiles citées, trente ont été réalisées avant avril 1892. Cela signifie que de cinq peintures par mois, au début de son séjour à Tahiti, sa production était tombée au cours des douze derniers mois dans l'île, à une moyenne de deux peintures par mois seulement. Une des raisons de ce ralentissement fut la difficulté à se procurer de la toile[63], mais il faut davantage sans doute l'attribuer au doute qui le saisit. Faisant allusion à ses projets artistiques, Gauguin écrivait à Mondreid avant son départ de Tahiti « Nous verrons ! A moins que je quitte la peinture, ce qui est très probable comme je vous l'ai dit dans ma dernière lettre [perdue] »[64]. Lorsqu'il écrivit *Noa Noa,* Gauguin avait manifestement choisi d'oublier ses doutes.

Ci-contre :
Gauguin, *Vahine no te vi (Femme au mango),* détail
1892, huile sur toile
(Baltimore, Museum of Art)

52. Joly-Segalen 1950, n° LXVIII, 165, et une lettre non publiée de Monfreid à Vollard, datée du 27 décembre 1900 (une copie de cette lettre se trouve dans les archives de John Rewald).
53. Jénot 1956, 122.
54. Jénot, 1956, 122-123.
55. Un numéro manuscrit unique du *Sourire,* daté d'août 1891, conservé au Louvre, Département des Arts Graphiques, Orsay (R.F. 28.844) comporte un croquis d'Oviri. Danielsson 1975, 226 soutient qu'elle fut faite en 1899, mais sans expliquer pourquoi Gauguin lui aurait apposé une date antérieure, ni comment ce numéro serait entré en la possession de Schuffenecker, avec lequel le peintre avait rompu toutes relations vers 1895.
56. *Noa Noa,* Louvre ms, 76-83 ; Jénot 1956, 122, décrit une expédition similaire antérieure à cette date.
57. *Voir* Joly-Segalen 1950, n°s VI et XIII, 59 et 70 ; *voir* Field 1977, 361-367, pour les dates.
58. Dans une lettre du 25 mars 1892, Gauguin joint un croquis de cette peinture. *Voir* Sérusier 1950, 144.
59. Sur la façon dont Gauguin a plagié Moenrehout, *cf.* Huyghe 1951. Gauguin avait préalablement exprimé son intérêt pour le sujet, *voir* Malingue 1946, n° CIX, 198.
60. *Noa Noa,* Louvre ms, 16-21 et 129-167. La majeure partie de la documentation que Gauguin avait rassemblé sur le sujet avait sans doute d'abord servi pour *Ancien culte Mahorie.*
61. W 450, W 451, W 453, W 460, W 467, W 468, W 470, W 499, W 500.
62. Dans *Avant et après,* fac-similé 188, Gauguin qualifiait toute œuvre d'art d'auto-portrait.
63. Joly-Segalen 1950, n° VI, 59.
64. Joly-Segalen 1950, n° XIII, 70.

Vahine no te Vi
Gauguin - 92

118

Tête de Tahitienne

1891
30,6 × 24,3
Mine de plomb partiellement estompée et lavis gris sur vélin.

The Cleveland Museum of Art, collection de M. et Mme Lewis B. Williams

Expositions
Chicago 1959, nº 82; Toronto 1981-1982, nº 18.

Exposé à Washington et Chicago

Cette noble tête fait partie d'un ensemble de dessins (voir cat. 119) en rapport avec l'une des premières peintures que Gauguin réalisa à Tahiti, *Les parau parau (Les potins,* W 435)[1], qui comptait peut-être parmi les huit œuvres envoyées à Paris en décembre 1892[2]. Le motif stylisé des mèches de cheveux raides qui retombent sur l'épaule permet de reconnaître sans hésitation le personnage représenté sur la gauche d'un groupe de trois femmes assises (toutes en rapport avec *Parau parau*) dans un rapide croquis à l'aquarelle sans doute utilisé comme « document » pour le tableau définitif. Gauguin avait un faible pour ce personnage : il l'a placé au centre même des *Parau parau,* mais il l'a aussi repris plus tard dans un dessin-empreinte (F 36) et dans une autre aquarelle exécutée sur une page du manuscrit de *Noa Noa*[4].

Étant donné la traduction magistrale de l'attitude réservée du modèle, qui n'apparaît nullement dans la peinture, on peut difficilement considérer le dessin de Cleveland comme une étude préparatoire. Cette œuvre pourrait avoir inauguré en fait une série d'admirables portraits de Tahitiens exécutés sous forme de dessins lors du premier séjour de Gauguin en Polynésie (voir cat. 119, 122, 123, 124, 125). Le recto porte des traces d'un support de carton identique à ceux que Gauguin utilisa pour bon nombre de ses plus belles œuvres sur papier, selon toute apparence en vue de l'exposition personnelle organisée dans son atelier de Montparnasse à la fin de 1894[5]. Une photographie relativement ancienne[6] nous apprend que ce dessin fut à un moment entouré d'un passe-partout que Gauguin avait peut-être choisi car il ressemble beaucoup aux encadrements bien particuliers visibles sur des clichés pris dans l'atelier de l'artiste vers cette même époque.

C.F.S.

1. Voir Field 1977, 304 n. 2 et 310 n. 4.
2. A propos des questions soulevées par l'historique de cette peinture, voir Bodelsen in Copenhague 1984, nº 48, et Motoe in Tokyo 1987, nº 57.
3. Conservé actuellement au Musée Gauguin, Papeari, Tahiti.
4. Manuscrit du Louvre, 173.
5. Philadelphie 1973, 16.
6. Archives du musée de Cleveland, département des Estampes et Dessins.

119

Tête de Tahitienne

1981 ou date postérieure
31,8 × 24,2
Plume et encre noire, lavis et aquarelle sur traits à la mine de plomb sur vélin.
Signé en bas à droite, à l'encre brune *Gauguin*.
Inscription à l'encre marron (sans doute de la main d'É. Bernard) *Reconnu de Paul Gauguin. Emile Bernard. 29.*

M. et Mme Marshall Field

Catalogue
FM 64.

Gauguin, *Les parau parau (Les potins)*, 1891, huile sur toile (Leningrad, Musée de l'Ermitage)

Van Gogh, *Portrait de Patience Escalier*, 1888, encre et roseau (Suisse, collection particulière)

Ce dessin correspond à la tête d'une des femmes représentées dans l'une des toutes premières peintures tahitiennes de Gauguin, *Les parau parau (Les potins)*[1]. Mais comme il n'a pas été mis au carreau en vue d'un éventuel report, et qu'il a subi des remaniements considérables, on peut présumer que Gauguin l'a exécuté après la peinture, et l'a conçu comme une œuvre autonome. L'artiste a apporté un certain nombre de modifications à mesure qu'il avançait dans son travail, comme le révèle le tracé léger à la mine de plomb du bras gauche du personnage, comme celui sous-jacent de l'ensemble de la figure. Gauguin a renforcé les autres traits à la plume, et ombré le dessin à l'aide de petites hachures vigoureuses.

En faisant un usage décoratif des petites touches d'encre de Chine parallèles et réparties uniformément sur le fond, Gauguin semble avoir parodié le procédé prôné par ses rivaux pointillistes Seurat et Signac. Il a peut-être pris exemple sur des transformations analogues de la technique pointilliste proposées par van Gogh, notamment dans un dessin à la plume d'après son portrait de Patience Escalier, dessin que van Gogh pourrait lui avoir envoyé à Pont-Aven[2]. Quant aux cheveux du modèle, la manière inédite dont Gauguin les a représentés par une couche d'encre de Chine brillante, étalée uniformément au pinceau, les fait ressembler au chapeau à large bord visible dans une autre de ses premières peintures tahitiennes (W 419).

Mais le caractère le plus extraordinaire de ce dessin est le maniement de la couleur qui annonce l'expressionnisme : des applications d'aquarelle pistache, turquoise et vert acide qui se chevauchent et que soulignent des touches de rouge foncé complémentaire au niveau des lèvres et de l'œil. Les verts discordants, tout différents du coloris naturaliste des *Parau parau*, transforment la Tahitienne en un emblème des artifices théâtraux comparable à certaines Parisiennes modernes peintes par Degas et Toulouse-Lautrec, dont les visages sont transmués en masques inquiétants par les lueurs vacillantes de l'éclairage au gaz. A cet égard, l'œuvre la plus proche du dessin de la collection Field est peut-être *Au Moulin-Rouge* de Toulouse-Lautrec[3]. Selon toute apparence, cette peinture de Lautrec exécutée sans doute vers 1894 ou 1895, à une époque où Gauguin se trouvait à Paris, ne fut pas exposée au public. En revanche, le fait que le dessin de Gauguin fut à un moment présenté dans un passe-partout semble indiquer qu'il faisait partie des œuvres exposées dans son atelier de Montparnasse à la fin de 1894[4]. Dans ce cas, Toulouse-Lautrec pourrait l'y avoir vu.

C.F.S.

1. Danielsson 1967, 231 n. 22.
2. De la Faille 1970, n° 1461. Voir Pickvance 1984, n° 97, 167.
3. Dortu 1971, n° 427. Pour ce qui concerne la datation de *Au Moulin-Rouge*, voir Stuckey et Maurer 1979, n° 52, et Heller 1985, 129.
4. Philadelphie 1973, 16.

120

Te tiare farani (Les fleurs françaises)

1891
72×92
Huile sur grosse toile.
Signé et daté en bas à gauche, en violet *P. Gauguin 91*
Inscription en bas à droite, sur le bord de la table, en violet *TE TIARE FARANI.*

Moscou, Musée Pouchkine

On a comparé *Te tiare farani (Les fleurs françaises)* avec des œuvres de Cézanne, Degas et Manet[1], et le titre de ce tableau, qui désigne le gros bouquet de laurier-rose disposé dans un vase de style européen, lui-même placé sur une table européenne, semble bien dénoter une sorte de nostalgie sarcastique de l'artiste pour sa culture originelle. Pourtant, l'arrangement tout occidental de la nature morte constitue essentiellement une référence à l'Occident dans la série d'images de la rencontre entre l'Est et l'Ouest qui forment un groupe distinct parmi les premières peintures tahitiennes de Gauguin (voir cat. 126, 135, 147, 148).

Dans *Te tiare farani,* les éléments tahitiens paraissent quelque peu à l'écart de la nature morte européenne et même séparés les uns des autres, de sorte qu'un certain mystère émane de cette peinture de genre si simple en apparence. Ainsi, l'arrière-plan est une imbrication de zones rectangulaires à la signification incertaine. Ce qui ressemble à des nuages sur la gauche semble indiquer un site en plein air, incompatible avec l'intérieur suggéré par la partie droite du fond. Ces nuages pourraient être des vestiges d'un stade antérieur dans l'élaboration de la peinture, de même que la femme en robe noire à col montant. Ses cheveux noirs sont encore visibles sous forme de repentir sous la chemise blanche du jeune Tahitien à côté d'elle, preuve que Gauguin avait commencé sa composition par ce seul personnage féminin. Le regard de la femme, tourné apparemment vers un autre

Expositions
Paris, Durand-Ruel 1893, nº 40, *A l'écart,* ou nº 41, *Bouquet de fleurs ;*
Paris, Drouot 1895, nº 24, *Tiare farani,* ou nº 31, *Tiare Forani ;*
Paris 1906, nº 62, *Bouquet ;*
Moscou 1926, nº 4.

Catalogues
Dorival 1954, inv., nº 5, *nature morte fleurs ;*
Field 1977, nº 67 ;
W 426 ; FM 13.

personnage extérieur au tableau, paraît étrange dans le contexte de la composition définitive.

Le jeune homme, dont la tête a fait l'objet d'un croquis minuscule dans un carnet de Gauguin[2], tourne les yeux vers le spectateur, et la divergence des regards des deux personnages reste inexpliquée. La silhouette de la femme se découpe sur un rectangle bleu, semblable au fond utilisé par Cézanne pour plusieurs portraits de Mme Cézanne[3], si bien que l'on dirait un tableau à l'intérieur du tableau. Les larges bandes noires peintes au-dessus d'elle et à sa gauche font penser à un cadre. Si la signification des rectangles noirs dans *Te tiare farani* n'est guère évidente, ce détail bizarre n'en préfigure pas moins une nature morte de 1901 (cat. 253) où une femme apparaît à une fenêtre. Plus évident en revanche semble l'intérêt que Gauguin a trouvé au rapport qui s'établit entre la surface bleue derrière la femme, le pantalon bleu du personnage masculin ajouté à ses côtés, et le mur d'un jaune d'or complémentaire — couleur qui sert d'arrière-plan à la partie droite du tableau.

Le bas de ce mur est dissimulé derrière un paréo bleu foncé à fleurs jaunes qui rappelle les tissus imprimés formant des draperies dans de nombreuses natures mortes de Cézanne[4]. Les fleurs décoratives du paréo, manifestement drapé sur un meuble, se mêlent aux fleurs réelles du bouquet. On retrouve ce vêtement, jeté par terre, dans une aquarelle illustrant *L'Ancien culte Mahorie*[5] et sur l'une des jeunes femmes dans *Ia orana Maria (Je vous salue Marie* cat. 135).

Étant donné l'absence d'unité entre ses diverses composantes, on peut voir dans *Te tiare farani* l'affirmation de la primauté des rapports de couleurs et de formes sur la logique du sujet. Plusieurs natures mortes du début (voir cat. 13) comportent des incohérences analogues, et le climat de mystère qui en résulte était l'un des principaux objectifs visés par Gauguin.

Selon toute vraisemblance, *Te tiare farani* était l'une des huit peintures tahitiennes que l'artiste confia au marchand Durand-Ruel juste après la fermeture de son exposition de quarante peintures et quelques sculptures présentées dans la galerie en novembre 1893. Parmi ces huit œuvres, celle-ci avait le prix le plus bas dans les registres de la galerie : 800 F, à comparer avec les 1 500 F demandés pour la plus chère (voir cat. 145)[6].

1. Distel in Paris 1978, 30 n. 11 ; Kostenevich et Bessanova 1983, nº 60.
2. Dorival 1954, 28.
3. Par exemple Venturi 1936, nᵒˢ 521, 526 et 573.
4. Venturi 1936, nᵒˢ 499, 597, 598, 625, 734, 741, 742.
5. Huyghe 1951, 25.
6. Archives Durand-Ruel, Paris, Brouillard (juin 1893-novembre-décembre 1897). A la date du 28 novembre 1893 : œuvre reçue en dépôt et enregistrée sous le numéro d'inventaire 8324. A la date du 29 janvier 1895 : œuvre rendue à Gauguin par l'intermédiaire de M. Bernheim.

Degas, *Femme accoudée près d'un vase de fleurs,* 1865, huile sur toile
(New York, The Metropolitan Museum of Art, legs de Mrs. H.O. Havemeyer, 1929)

121
Upaupa (Fête)

1891
73 × 92
Huile sur grosse toile.
Signé et daté en bas à gauche, en bleu clair
Gauguin 91

Jérusalem, Musée d'Israël, don de la fondation « Hanadiv », Londres

Gauguin a inscrit cette scène nocturne d'aspect quasi infernal sous le titre *Upaupa (Fête)* vers le début de son inventaire de ses œuvres tahitiennes rédigé en 1892[2]. Le fait qu'il ait décidé de ne pas la faire figurer dans l'exposition organisée à Paris en 1893 pourrait indiquer qu'il n'était pas totalement satisfait par cette peinture, censée représenter une danse indigène qui se caractérisait par des mouvements frénétiques et lascifs et se déroulait au son du tambour. Mais Gauguin a repris la composition tout entière dans une gravure sur bois (cat. 175) vers 1894, en l'accompagnant de la légende mal orthographiée *Mahna no varua ino. (Le jour du mauvais esprit).* Pour une autre gravure sur bois (cat. 171 et 207), il a agrandi les deux amants assis enlacés dans la partie inférieure droite d'*Upaupa,* en faisant planer une présence spectrale au-dessus d'eux. Là, Gauguin a inscrit la légende *Te faruru,* mal orthographiée elle aussi, qui signifie littéralement « trembler », ou, par métaphore, « faire l'amour »[2]. Ces deux gravures, comme beaucoup d'autres, furent imprimées avec des encres rougeoyantes, afin d'évoquer les lueurs mystérieuses des flammes, que l'artiste avait cherché à restituer dans sa peinture *Upaupa.*

Comme Gauguin ne s'est pas soucié de décrire une seule séance d'*Upaupa* dans *Noa Noa,* il est impossible de savoir s'il avait assisté à cette sorte de réjouissance nocturne, ou s'il a imaginé la scène d'après de petits croquis de personnages assis ou en train de danser

121

Expositions
Paris, Drouot 1895, nº 36, *Feux de joie;*
Tokyo 1987, nº 56.

Catalogues
Dorival 1954, inv. nº 6, *Upa Upa;*
FM 129n; Field 1970, nº 9;
W 433.

Exposé à Washington et Chicago

1. Field 1977, nº 6, 304.
2. Danielsson 1967, nº 26, 231 et nº 68, 233.
3. Dorival 1954, inv. 1892, 15, 16v et 22v; et peut-être une étude à l'encre isolée (*voir* Saint-Germain-en-Laye 1985, nº 383, et Tokyo 1987, nº 150). Plusieurs spectateurs de la danse se retrouvent dans une aquarelle en forme de demi-éventail que Gauguin exécuta pour illustrer son exemplaire de Noa Noa (manuscrit du Louvre, 173).
4. Field 1977, nº 9, 312.
5. O'Reilly (S.d.), 11-18).
6. Loti 1879, chapitre 13.
7. Roskill 1969, 204.
8. Voir également W 467, W 468.
9. Rewald 1958, nº 41; Teilhet-Fisk 1985, 65.

griffonnés dans ses carnets[3]. Field a supposé que l'artiste avait peut-être travaillé d'après une photographie, mais on n'a jamais pu confirmer cette hypothèse[4]. Les missionnaires européens venus à Tahiti avaient condamné les danses païennes. Cependant, les indigènes préservèrent leur tradition en dansant l'*upaupa* dans des maisons clandestines durant tout le début du XIXe siècle[5]. Dans *Le Mariage de Loti* où il a romancé les souvenirs de son voyage de 1872 à Tahiti, Pierre Loti fournit un témoignage rare sur ces danses, car à cette époque la Reine Pomaré présidait chaque nuit à des rituels devant son palais, et dans un esprit d'émulation les femmes des villages écartés organisaient des danses encore plus sauvages[6]. Cependant, la danse évoquée par Gauguin, avec son énorme feu de joie, diffère considérablement de celles que décrit Loti.

Pour la composition d'*Upaupa,* Gauguin s'est inspiré de son chef-d'œuvre de 1888, *La vision du sermon* (cat. 50), dont le fond rouge vif est traversé de même par un tronc d'arbre incliné[7]. La décision de reprendre une composition antérieure ne semble pas différente quand on songe que la danse tahitienne constitue en fin de compte une forme cathartique de dévotion païenne : c'est comme si l'artiste avait voulu faire un rapprochement entre les deux personnages que l'on voit danser sur la gauche d'*Upaupa* et les figures de Jacob et de l'ange, représentées au combat dans *La vision du sermon.* En outre, les titres allégoriques que Gauguin a inscrits sur les gravures sur bois en rapport avec *Upaupa* laissent supposer qu'il a peut-être conçu la peinture dans une optique visionnaire, et non réaliste. Les femmes visibles dans le fond à droite préfigurent les minuscules officiantes des sanctuaires en plein air introduites dans des peintures d'histoire imaginaires, comme *Arearea* (W 469)[8] que Gauguin entreprit à la fin de 1892. Un dessin au crayon très travaillé, non daté, reconstitue de même un passé imaginaire en montrant des danseurs indigènes autour d'une idole[9]. C.F.S.

122

Tête de Tahitien et profil d'une deuxième tête à sa droite (recto) Deux figures en rapport avec le Paysage de Tahiti et tête (verso)

1891 ou 1892 (?)
35,2 × 36,9
Pierre noire et sanguine partiellement estompées et fixées (recto), pierre noire et taches d'aquarelle (verso), sur papier vélin.
Inscription très légère au crayon, en bas à gauche au recto, HAUTEUR.

The Art Institute of Chicago, don de Mme Emily Crane Chadbourne

Expositions
New York 1913, nº 177, *Tête d'homme;*
Chicago 1913, nº 140;
Boston 1913, nº 57, *Head of a Tahitian Man;*
Chicago 1959, nº 98;
Munich 1960, nº 108.

Exposé à Washington et Chicago

Un ensemble de vigoureux portraits de Tahitiens et Tahitiennes (cat. 118, 119, 123, 124, 125), le plus souvent au fusain, constitue une part importante de la production artistique de Gauguin au cours de son premier séjour à Tahiti. Il les rangeait peut-être parmi les « documents » dont il parlait dans de nombreuses lettres envoyées en France, et pourtant les dimensions et l'exécution soignée de ces portraits pleins de noblesse les distinguent des autres dessins de la première période tahitienne. De plus, comme beaucoup de ces portraits n'ont jamais servi de dessins préparatoires pour des peintures, il se pourrait bien que Gauguin les ait conçus comme des œuvres autonomes destinées à être exposées. Mais il est impossible d'en identifier un seul avec l'une des œuvres présentées dans son atelier de Montparnasse à la fin de 1894, ou avec l'un des dessins vendus aux enchères en février 1895.

Le dessin de l'Art Institute est le seul de la série à représenter un homme. Il fut probablement exécuté assez tôt, à en juger par les figures qui occupent le verso de la feuille (des études préparatoires pour une peinture datée de 1891), et par la ressemblance de l'homme avec le modèle d'un portrait à l'huile (W 422) non daté qui semble relativement ancien du fait de son style[1]. Ces

recto

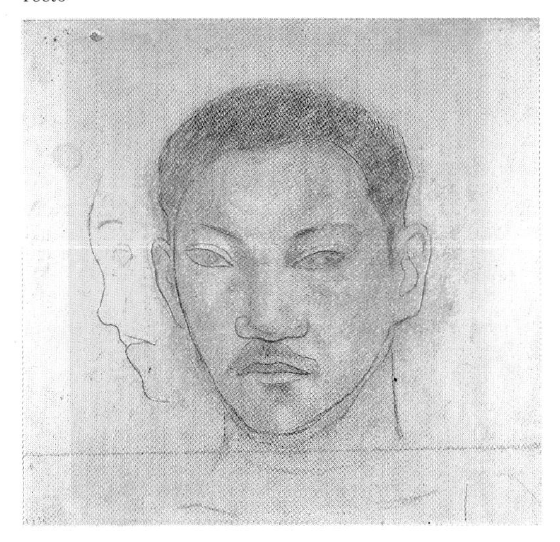

verso

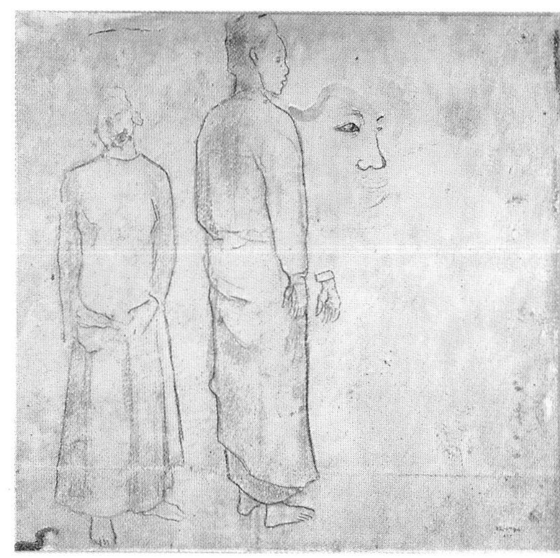

1. W 442.
2. Danielsson 1975, 88-89 ; Anani est cité nommément dans *Noa Noa*, manuscrit du Louvre, 97.
3. *Noa Noa*, manuscrit du Louvre, 74-83.

œuvres représentent peut-être Anani, le propriétaire et voisin de Gauguin à Mataiea[2], ou Jotépha qui le conduisit dans la montagne et lui montra où trouver du bois pour ses sculptures[3]. Le modèle tourne la tête vers la gauche dans le portrait à l'huile, de sorte qu'il n'y manifeste pas la même fermeté résolue que dans le dessin de l'Art Institute. Gauguin a rectifié les contours, notamment du côté du menton, pour donner au visage de l'homme la régularité d'un masque. Il a encore accentué cet aspect en laissant les yeux à l'état d'ébauche, comme il l'a fait pour la plupart des portraits dessinés durant son premier séjour à Tahiti.

Détail curieux, le profil visible à gauche de la tête de l'homme dans le dessin de l'Art Institute correspond exactement au profil, tourné de l'autre côté, d'une femme assise dans *Te rerioa* (*Le rêve*, cat. 223), une peinture à l'huile de toute première importance réalisée en 1897. Cette correspondance donne à penser que Gauguin avait gardé le dessin de l'Art Institute à portée de la main lorsqu'il retourna à Tahiti en 1895. Mais il est impossible de savoir précisément si le profil de la femme faisait partie du dessin original utilisé quelque six ans après, ou si Gauguin l'a ajouté sur la feuille à ce moment-là, C.F.S.

123

Têtes de Tahitiennes, de face et de profil (recto) Portrait de Teha'amana (verso)

1891 ou 1892 (?)
41,4 × 32,6
Fusain partiellement estompé et mouillé, fixé, sur papier vélin.

The Art Institute of Chicago, don de David Adler et ses amis, 1956. 1215

Exposé à Washington et Chicago

Même si l'on a déterminé un recto et un verso pour cette feuille, elle porte des deux côtés des portraits tout aussi travaillés qui font partie du remarquable ensemble de têtes ressemblant à des masques (voir cat. 118, 119, 122, 124, 125) que Gauguin exécuta lors de son premier séjour à Tahiti.

Le portrait de Teha'amana, ou « verso » de la feuille, semble avoir servi pour l'élaboration d'une peinture à l'huile datée de 1893 (cat. 158). Cela ne veut pas dire forcément qu'il est postérieur au portrait d'un autre modèle dessiné au recto de la feuille. Ce deuxième dessin, qui ne se rattache à aucune peinture à l'huile de Gauguin, comporte comme beaucoup d'autres l'esquisse supplémentaire d'un profil dans le fond (voir cat. 130).

Ces profils imprécis paraissent évoquer un dialogue, un peu dans le même esprit que celui que l'on observe dans plusieurs des peintures les plus ambitieuses de la première période tahitienne (voir cat. 136, 145, 147). Dans tous ces dessins, le contraste entre le portrait principal sculptural et le profil moins affirmé, sans modelé, laisse supposer que ce dernier devait représenter un esprit immatériel, ou un état psychologique projeté sous forme d'alter ego. Le même genre de dialogue entre une femme et un esprit est représenté dans l'un des dessins-empreintes de la dernière période (cat. 260). Dans beaucoup de peintures datant de son premier séjour à Tahiti, Gauguin a étudié diverses façons de traduire en images la rencontre entre ses modèles polynésiens et le monde des esprits (voir cat. 147, 148, 154). Du reste, dans la peinture élaborée à partir du verso de cette feuille, les deux têtes de *tupapaus* désincarnés qui apparaissent au-dessus des épaules de Teha'amana semblent exprimer de manière plus complexe l'idée que Gauguin cherchait déjà à suggérer dans le dessin du recto. C.F.S.

recto

verso

124

Tête d'une jeune Tahitienne avec un deuxième personnage de profil sur sa droite

1891 ou 1892 (?)
59 × 44
Fusain sur papier vélin.
Signé en bas à gauche
PGo

Collection particulière

Ce dessin au fusain fait partie lui aussi de l'ensemble de portraits de Tahitiens et Tahitiennes (cat. 118, 119, 122, 123, 125) que Gauguin rangeait peut-être parmi les « documents » qu'il rassembla à Tahiti avant de se sentir en mesure de commencer à peindre pour de bon. C'est visiblement un portrait du modèle préféré de l'artiste, Teha'amana. Gauguin n'a dessiné les prunelles des yeux dans aucun de ces portraits, ce qui donne au visage de la jeune femme l'apparence d'un masque. Alors même que chaque dessin de cet ensemble constitue une œuvre autonome destinée à être exposée, c'est l'un des deux seuls (avec cat. 119) que Gauguin ait signés, ce qui pourrait indiquer qu'il les a vendus à son retour en France.

Comme cat. 122 et 123, la tête représentée ici s'accompagne sur la gauche du profil à peine suggéré d'un deuxième visage.

Ce profil, qui donne peut-être encore une autre interprétation des traits de Teha'amana, correspond à la téte du personnage debout à droite dans une peinture à l'huile inachevée (W 456). Quant au portrait principal de cette feuille, sans correspondre exactement à aucune peinture de Gauguin, il présente des ressemblances frappantes avec la tête, tournée dans l'autre sens, d'un personnage situé à gauche de la même peinture inachevée, préparée selon toute apparence par une étude à l'huile (W 448). C.F.S.

125

Tête de Tahitienne

1891 ou 1892 (?)
31 × 24
Fusain et pierre noire partiellement estompés et mouillés sur papier vergé.

M. et Mme Bernard Lande

Exposé à Washington et Chicago

Ce dessin fait partie d'un ensemble distinct de portraits (cat. 118, 119, 122, 123, 124) qui se caractérisent tous par leur aspect de masque, car Gauguin n'a pas dessiné les prunelles des yeux et il a épuré les traits dans un esprit classicisant qui renoue avec Raphaël. De fait, lorsque l'artiste relate dans *Noa Noa* comment il convainquit une de ses voisines tahitiennes à Mataiea de poser pour lui, il note : « Tous ses traits avaient une harmonie raphaélique dans la rencontre des courbes (...) »[1]. Il dit aussi dans *Noa Noa* que ce qu'il voulait surtout restituer dans ses esquisses, c'était « ce sourire (...) si énigmatique »[2]. Même si ce type de portrait n'a aucun précédent direct dans l'art du XIXe siècle, la tête de la collection Lande rappelle de manière générale des études à l'huile que Delacroix réalisa d'après un modèle exotique répondant au nom d'Aspasie. Et Gauguin a copié une de ces études quand il est allé visiter le musée Fabre à Montpellier en 1884[3].

Dans le dessin de la collection Lande, l'utilisation judicieuse des nuances de noir accroît encore le climat de mystère. En n'employant que deux pigments noirs, Gauguin a fait varier la touche en promenant la pierre noire sur le papier de manière à suggérer les jeux d'ombres, tandis qu'il a estompé et humecté certaines

1. *Noa Noa,* manuscrit du Louvre, 45.
2. *Ibid.*
3. W 27. Ce voyage à Montpellier ainsi qu'un autre effectué en 1888 avec van Gogh sont évoqués dans *Avant et après,* édition de 1923, 220-222, et dans Roskill 1970, 262.
4. Malingue 1946, n° CLXXII, 294.
5. Voir W 391, W 424 bis et Pickvance 1970, pl. X.

parties pour obtenir des effets de matière chatoyants. Il admirait cette sorte de raffinement technique, comme en témoigne une lettre qu'il écrivit au critique André Fontainas en 1899 où il comparait la maîtrise du pastel chez Maurice Quentin de La Tour avec la dextérité d'un escrimeur[4].

Le portrait emplit preque toute la feuille, mais Gauguin a laissé les angles supérieurs vides. D'où un effet de vignette cintrée qui est peut-être à comparer avec les contours aux courbes irrégulières d'un ensemble de dessins préparatoires (cat. 112, 149)[5] que Gauguin a remaniés, sans doute dans l'intention de les exposer ou de les vendre. C.F.S.

126

Faaturuma (Boudeuse)

1891
94,6 × 68,6
Huile sur toile.
Signé et daté en bas à droite, en orangé *P Gauguin 91*
Inscription rouge orangé sur l'angle inférieur droit du cadre de la peinture représentée au fond *Faaturuma*

Kansas City, Nelson-Atkins Art Museum of Art (fonds Nelson)

Expositions
Paris, Durand-Ruel 1893, n° 27, *Faturuma (Boudeuse),* ou n° 28, *Mélancolique;*
Paris, Drouot 1895, n° 30, *Faturuma;*
Paris, Vollard 1896 (?);
Béziers 1901, n° 52, *Tahitienne au rocking-chair;*
Paris, 1903, n° 31, *Rêverie;*
Paris, 1906, n° 72, *Rêveuse;*
Londres 1910, n° 45, *Rêverie;*
Paris, Orangerie 1949, n° 26;
Chicago 1959, n° 29.

Catalogues
Dorival 1954, inv. n° 7, *Faturuma;*
Field 1977, n° 64;
W 424;
FM 11.

Le titre inscrit sur cette toile ressemble tellement au titre *Te faaturuma* noté sur une autre peinture de la même année (cat. 127) que pendant un certain temps les auteurs ont peut-être mélangé les données historiques concernant ces deux œuvres. Compte tenu de la probabilité que Degas ait acquis la deuxième à l'occasion de l'exposition de 1893 à la galerie Durand-Ruel, il semblerait que la peinture de Kansas City soit celle que Gauguin racheta à la vente aux enchères de 1895. En outre, il s'agit probablement de l'œuvre répertoriée sous le titre *Faturama* au début de l'inventaire de ses trente premières peintures de Tahiti que Gauguin avait dressé dans un de ses carnets[1].

Faaturuma (*Mélancolique* ou *Rêverie*) fait sans doute partie de la vingtaine de tableaux que Gauguin réalisa dans les trois derniers mois de 1891, après s'être installé à Mataiea. La petite peinture entourée d'un cadre de bois sobre que l'on voit dans le fond de *Faaturuma,* apparemment une œuvre perdue de Gauguin, nous montre peut-être la case de bambou que l'artiste y louait (voir cat. 132, W 348)[2]. Gauguin avait dû rapporter le rocking-chair de Papeete car il apparaît aussi dans une peinture réalisée peu après son débarquement (W 423).

Le style de *Faaturuma* incite à situer cette œuvre assez tôt dans la période considérée. La couleur semble discrète par rapport à la plupart des autres peintures datées de 1891, et la composition est moins complexe. Filed suppose que pour cette composition Gauguin s'est peut-être inspiré d'une peinture de Corot qui appartenait à Arosa[3]. De fait, cette Tahitienne pensive vêtue d'une « robe de mission » est à mi-chemin entre le portrait européen traditionnel et le style décoratif que Gauguin allait élaborer en Polynésie. C'est à la fois une reprise de sa première évocation d'une femme perdue dans ses pensées, réalisée en 1889 (cat. 61) et le prélude à un ensemble extraordinaire de neuf tableaux sur le même thème (dont cat. 127, 130, 145, 147, 148, 153 et 154) qui le préoccupa constamment pendant son premier séjour à Tahiti[4].

Corot, *Rêverie,*
1878, huile sur bois
(New York, The Metropolitan Museum of Art, legs de Mrs. H.O. Havemeyer, 1929)

Il existe un grand dessin (voir cat. 146), où Gauguin a peut-être consigné sa première pensée pour la composition, ainsi que des croquis dans un petit carnet[5], mais pour l'essentiel, il a réalisé le dessin préliminaire au fusain directement sur la toile. Des traces du contour initial de la robe sont encore visibles sous forme de repentirs. La facture imprécise du pied du modèle mérite une mention particulière, étant donné le soin avec lequel Gauguin a représenté les pieds dans ses autres peintures tahitiennes. L'artiste a utilisé la couleur pour terminer une grande partie du dessin, notamment le corps de la femme, sensible sous sa robe, qu'il a modelé à grands coups de pinceau blancs[6]. De manière générale, il a appliqué la peinture en couche épaisse, avec un pinceau ou un couteau à palette, et multiplié les nuances pour animer les larges surfaces monochromes comme la robe. C'est le maniement de la couleur dans *Faaturuma,* tout autant que l'attitude et l'expression du modèle, qui communique aussi sûrement une impression de tristesse calme[7].

L'identité du modèle reste incertaine. On retrouve la même femme, portant la même robe mais pas de bague, dans *Femmes de Tahiti* (cat. 130), et elle a déjà été identifiée à Teha'amana[8]. C.F.S.

1. Dorival 1954, 2; Field 1977, n° 7, 304.
2. Danielsson 1975, 89.
3. Filed 1977, 334.
4. Maurer 1985, 967-969.
5. Dorival 1954, 31 et 73.
6. Jénot (1956, 120 et 124) parle du « blanc d'Espagne » utilisé par Gauguin.
7. A propos des idées de Gauguin sur le symbolisme de la couleur, voir par exemple Merlhès 1984, n° 163, ou Joly-Segalen 1950, n° XXVIII.
8. Rewald 1978, 466.

127

Te faaturuma[1] (La boudeuse)

1891
91 × 68
Huile sur toile fine.
Signé et daté en bas à gauche sur le bord du chapeau, en bleu, *P Gauguin 91*
Inscription rouge orangé en haut à gauche, sans doute de la main de Daniel de Monfreid[2], *Te Faaturuma*

Worcester Art Museum

Expositions
Copenhague, Udstilling 1893, nº 162, *Te Faaturuma;*
Paris, Durand-Ruel 1893, nº 27, *Faturuma (Boudeuse),* ou nº 28, *Mélancolique;*
Paris, Drouot 1895, nº 30, *Faturuma;*
Paris 1918, vente Degas, nº 41;
Chicago 1959, nº 30;
Copenhague 1984, nº 43.

Catalogues
Dorival 1954, inv. 1892, nº 7, *faturuma,* ou nº 8, *idole du foyer,* ou nº 16, *femme faisant chapeau;*
Field 1977, nº 13;
W 440;
FM 119.

C'est l'une des huit toiles sans châssis ni cadre que Gauguin fit parvenir à Paris à Daniel de Monfreid vers le début 1892[3]. Ce dernier devait les envoyer à Copenhague pour une exposition inaugurée vers le 25 mars 1893. Gauguin signala à Monfreid qu'il n'avait pas inscrit sur quatre de ces toiles les titres tahitiens imaginés pour elles, et il lui demanda de les ajouter en précisant que la « femme en chemise » (la peinture de Worcester) devait s'intituler *Te faaturuma.* Par ailleurs, il expliqua à sa femme qu'il voulait que ses œuvres figurent dans les catalogues uniquement sous leur titre tahitien, et il fournissait des traductions au cas où elle devrait répondre aux questions d'un éventuel acheteur. Pour *Te faaturuma,* il donnait comme équivalents « Le silence » ou « Être morne » et la laissait libre d'en fixer le prix[4].

En novembre 1893, dans le catalogue de l'exposition de Gauguin chez Durand-Ruel, cette œuvre fut intitulée *Mélancolique,* apparemment pour éviter la confusion avec une autre peinture tahitienne de la même période, *Faaturuma* (cat. 126). Degas acheta *Te faaturuma* après l'exposition[5], c'est pourquoi cette toile ne figure pas sur la liste des œuvres que Gauguin fut contraint de vendre aux enchères en 1895.

Cet achat dut revêtir d'autant plus d'importance aux yeux de Gauguin qu'il pouvait prendre valeur d'un exemple à suivre car Degas était l'un des collectionneurs parisiens à qui l'on reconnaissait la plus grande sûreté de jugement. Gauguin se fit même photographier de profil à côté de ce tableau pour soigner sa publicité[6]. En outre, et ce n'était pas l'aspect le moins important, cet achat dut apporter une sorte de légitimité à Gauguin, dont l'art développait souvent des idées formulées à l'origine par Degas. *Te faaturuma* est l'une des trois peintures tahitiennes de cette période (voir cat. 144 et 158) qui trouvent des correspondances dans l'œuvre de Degas, en l'occurence dans ses nombreuses images de danseuses fatiguées, assises dans un studio désert, le menton dans la main[7]. La pose du personnage et la façon dont Gauguin a organisé l'espace en adoptant un point de vue élevé doivent s'interpréter comme un hommage respectueux à son aîné.

Beaucoup de questions restent en suspens à propos de *Te faaturuma,* à commencer par celle de l'identité du modèle. Il s'agit vraisemblablement de Teha'amana. L'environnement, avec sa terrasse dans le fond, ne correspond pas à la case que Gauguin louait à Mataiea. S'il n'est pas complètement imaginaire, il pourrait représenter l'intérieur de la maison coloniale de son propriétaire[9]. Le titre de Gauguin indique clairement que la femme boude (peut-être à cause de l'homme à cheval qui l'attend dehors), mais on ne sait pas très bien si elle fait autre chose. Personne n'a réussi à déterminer la nature ou la fonction de ce qui ressemble à un cigare fumant placé dans un récipient en bois devant elle. Ce pourrait être un insecticide ou de l'encens. Dans cette dernière hypothèse, *Te faaturuma* serait peut-être l'œuvre que Gauguin désigna par « idole du foyer » dans son inventaire de 1892, « idole » renvoyant par métaphore à la femme assise dans la même position qu'un bouddha. Les autres accessoires, aussi peu accordés au contexte global de la scène, semblent des accents de couleur dénués de toute fonction narrative précise. Aucun n'est représenté dans le pastel préparatoire en dimensions réelles exécuté par Gauguin[10].

On a supposé que le personnage symbolisait l'impression durable éprouvée par l'artiste lorsqu'il découvrit le silence écrasant de l'île et de ses habitants[11], évoqué dans une lettre à sa femme peu après son arrivée à Tahiti : « Toujours ce silence. Je comprends pourquoi ces individus peuvent rester des heures, des journées assis sans dire un mot et regarder le ciel avec mélancolie »[12].

Gauguin a également introduit ce personnage dans un grand paysage (cat. 131). C.F.S.

1. Voir Danielsson 1967, nº 63, 232-233.
2. Joly-Segalen 1950, nº VIII, 62, et Field 1977, 279 n. 24.
3. Danielsson 1975, 125; Joly-Segalen 1950, nº VIII.
4. Malingue 1946, nº CXXXIV, 237.
5. Dans Copenhague 1984, nº 43, Merete Bodelsen laisse entendre à tort que *Te faaturuma* n'était pas l'une des deux œuvres achetées par Degas à la suite de l'exposition de 1893.

Degas, *Danseuses au repos,* 1881-1885, pastel (Boston, Museum of Fine Arts, collection Juliana Cheney Edwards)

Gauguin, *Femme assise,* pastel (?) (localisation actuelle inconnue)

129

128

La sieste

Probablement 1891-1892
87 × 116
Huile sur toile.

M. Walter H. Annenberg

Expositions
Zurich 1917, nº 103;
New York 1956, nº 38;
Chicago 1959, nº 50.

Catalogue
W 515.

Exposé à Washington et Chicago

L'absence de signature, de date et de titre sur cette superbe toile a longtemps dérouté les spécialistes. Certains ont situé cette peinture dans la première période tahitienne de Gauguin, d'autres ont estimé qu'elle faisait partie des œuvres exécutées après son retour en France[1]. Cette dernière hypothèse a été retenue dans le plus récent catalogue raisonné des peintures de Gauguin (W 515). Comme rien n'indique que la toile fut exposée du vivant de l'artiste, il faut se fonder sur des données stylistiques et techniques pour essayer d'en déterminer la date et le degré d'achèvement.

La sieste représente des femmes assises sur une terrasse couverte aux heures les plus chaudes de la journée, et d'autres personnages sur la partie ombragée de la pelouse. La terrasse elle-même est assez curieuse. Comme elle n'est pas fermée par un panneau ajouré, elle n'appartient certainement pas à une maison coloniale du type de celle qui est visible dans *Te faaturuma* (cat. 127). On dirait plutôt une des terrasses qui prolongeaient les maisons indigènes basses construites sur le modèle des demeures coloniales. D'autres peintures de Gauguin donnent à voir des espaces analogues, notamment deux paysages de 1891, *Rue de Tahiti* (cat. 131) et *Les pourceaux noirs* (W 446)[2].

La sieste est une peinture de genre illustrant le thème des travaux et loisirs domestiques dans les colonies. Le personnage qui repasse nous indique d'emblée que l'artiste n'avait pas d'ambition ethnographique. Les femmes portent soit des robes de mission de type occidental, soit des paréos confectionnés non pas avec l'étoffe d'écorce traditionnelle (tapa), mais dans des tissus imprimés européens. Ces robes et ces paréos se lavent et se repassent, tout comme le linge de maison représenté ici. Mais si les vêtements sont coloniaux, il n'y a aucun personnage européen.

Le spectateur est à la fois introduit dans la peinture par l'organisation clairement lisible de l'espace pictural, et éloigné par l'attitude des personnages ainsi que la distance psychologique qui les sépare. Gauguin a observé les motifs et la coupe du vêtement du magnifique personnage principal avec toute la minutie d'un dessinateur de mode à Paris. Telle la Parisienne élégante, cette femme n'existe que par ses vêtements. Nous voyons sa main, son pied et ses cheveux, mais nous ne pouvons deviner ni son âge, ni son état d'esprit, ni ce qu'elle fait là.

Malgré tous ces mystères, *La sieste* est l'une des scènes de genre tahitiennes les plus convaincantes que Gauguin ait réalisées. Il a pris une toile de 50, le plus grand format utilisé pendant son premier séjour à Tahiti, qu'il ne devait plus employer après son retour en Polynésie en 1895. C'est le format qu'il a choisi également pour des chefs-d'œuvre comme *Ia orana Maria* (cat. 135), *Rue de Tahiti, Pastorales tahitiennes* (cat. 195), *Matamoe* (cat. 132) et le somptueux *Aita tamari vahine Judith te parari* (cat. 160), échelonnés entre 1891 et 1894. Il est impossible de dater précisément cette peinture d'après la palette parce qu'on trouve des œuvres comparables d'un bout à l'autre de la période considérée. Selon toute vraisemblance, Gauguin l'a commencée en 1891-1892, au moment où il s'intéressait le plus aux scènes de genre et aux divers types de vêtements coloniaux tahitiens. R.B.

1. Huyghe (1967, 64) la date de 1894. Van Dovski (1950, nº 302) la situe en 1893, sans expliquer pourquoi il a modifié la date de 1894 proposée dans Wildenstein (1964).
2. Voir par exemple les photographies de maisons coloniales prises à cette époque par Charles Spitz, un ami de Gauguin qui fit des photos en amateur à Tahiti.

129

Le repas ou Les bananes

1891
73 × 92
Huile sur papier marouflé sur toile.
Signé et daté en bas à droite, en bleu foncé,
P Gauguin 91

Paris, Musée d'Orsay
Donation de
M. et Mme André Meyer, sous réserve d'usufruit, 1954; abandon de l'usufruit, 1975

Expositions
Paris 1894, vente Mme Vve Tanguy, nº 27;
Paris 1906, nº 219, *Les bananes;*
Paris, Orangerie 1949, nº 27;
Chicago 1959, nº 27.

Cette peinture étonnante, mi-nature morte mi-scène de genre, n'a aucun précédent dans l'œuvre de Gauguin ni dans celle de ses confrères. Elle figure avec les premières peintures tahitiennes dans l'inventaire que l'artiste établit en 1892, mais ne semble pas avoir été exposée de son vivant, peut-être à cause de son support de papier. La seule autre peinture tahitienne sur papier datant de cette période (W 526) est restée inachevée. *Le repas* fut marouflé sur toile à une date assez ancienne, mais on ne sait pas exactement quand, ni par qui[1]. Alors qu'il existe de grands dessins préparatoires pour plusieurs autres peintures tahitiennes de cette période (cat. 127, 145, 147, 148), ici, le dessin préparatoire s'est proprement confondu avec la composition définitive à l'huile. Une photographie en infrarouge a révélé certains détails du dessin sous-jacent, que Gauguin a modifiés au cours de son travail. Ainsi, le garçon vêtu d'une chemise à encolure montante, sur la gauche, était à l'origine une fillette aux cheveux longs, et dans un premier temps l'oreille de la fillette assise au centre était visible.

Comme l'a signalé Merete Bodelsen, Gauguin semble avoir offert ce tableau pour la vente aux enchères du 2 juin 1894, organisée à Paris en faveur de la veuve du père Tanguy, le marchand de couleurs qui avait si bien soutenu plusieurs générations d'artistes d'avant-garde[2]. On ignore s'il trouva acquéreur à cette vente, mais on sait qu'Alexis Rouart, l'ami de Degas, l'acquit peu après.

Dans cette peinture, presque tout semble contribuer à créer une ambiance de mystère, surtout le personnage adulte assis, qui projette une ombre immense dans le fond[3]. Naomi Maurer, qui voit dans ce personnage une image du pressentiment, suppose que les regards des deux garçons tournés vers la fillette, ajoutés à la forme phallique des bananes et à celle utérine du plat creux, témoignent d'un éveil à la vie sexuelle[4]. Même si l'on ne peut écarter tout à fait ce genre d'interprétation, on peut penser aussi bien que l'expression assez inquiète des garçons est due à la présence de l'artiste français qui leur a demandé de poser, ou aux éléments étranges de la nature morte placée devant eux. Gauguin semble avoir choisi tous ces éléments pour leurs formes et couleurs décoratives plutôt que pour représenter un repas tahitien typique. D'abord, la table de Gauguin, utilisée comme accessoire dans une seule autre peinture de son premier séjour à Tahiti (cat. 120), n'est pas à sa place dans une case indigène. Aucun des enfants ne pose les mains sur la

129

Catalogues
Dorival 1954, inv. 1892, nº 12, *nature morte fei;*
Field 1977, nº 65;
W 427;
FM 18.

nappe, qui ne doit pas leur paraître moins bizarre que la table elle-même. Apparemment, l'artiste l'avait confectionnée en faisant chevaucher de grands morceaux de papier épais ou de toile. Les *fei* (bananes rouges) posées sur la table constituent une friandise recherchée qui ne pousse que dans les montagnes de Tahiti, mais elles ne sont comestibles qu'une fois cuites, et non crues comme ici. Le plat creux en bois empli d'eau de mer est utilisé normalement pour un ragoût de poisson. Tous ces objets, ainsi que la goyave entamée placée de l'autre côté de la table, le couteau et les citrons sauvages encore attachés à leur branche, semblent purement décoratifs. Ils sont vivement éclairés et ils projettent de longues ombres, tandis que les enfants aux vêtements ternes sont épargnés par ces jeux de lumière, comme si Gauguin les avait ajoutés à sa nature morte à un stade ultérieur de l'élaboration du tableau.

La frise de fruits stylisés visible derrière les enfants est probablement née de l'imagination de Gauguin. Elle reflète son intérêt persistant pour les arts décoratifs, et préfigure les frises et peintures murales inventées pour deux de ses peintures tahitiennes les plus ambitieuses de la dernière période (cat. 222, 223). C.F.S.

1. Distel in Paris 1978, nº 12.
2. Bodelsen 1957, 346-348.
3. Ce personnage se retrouve dans *Les parau parau* (W 435).
4. Maurer 1985, 960-962.

130

Femmes de Tahiti ou Sur la plage

1891
69 × 91
Huile sur toile fine.
Signé et daté en bas à droite, en brun,
P Gauguin 91

Paris Musée d'Orsay
Legs du vicomte Guy de Cholet au Musée du Luxembourg, 1923 ; transféré au Louvre, 1929

Exposition
Paris, Orangerie 1949, n° 31.

Catalogues
Dorival 1954, inv. 1892, n° 16, *femme faisant chapeau;*

Au printemps 1892, Gauguin avait besoin d'argent pour payer son voyage de retour en France, et il redoubla d'efforts pour trouver des clients sur place. Vers le début juin selon toute apparence, il réussit à vendre *Femmes de Tahiti* à Charles Arnaud qui était venu faire son service militaire à Tahiti et s'y était établi comme négociant[1]. Cette œuvre singulière, manifestement exécutée avant que Gauguin n'ait commencé à inscrire des titres tahitiens sur ses peintures, resta inconnue en France jusqu'en 1920. Pourtant, le fait que Gauguin ait exécuté tout de suite après une variante (W 465) de cette composition donne une idée de l'importance qu'il lui accordait. Même si la correspondance entre Gauguin et Daniel de Monfreid ne permet pas d'établir la date de son envoi en France, on sait en outre que cette deuxième version, sur laquelle est inscrit le titre *Parau api (Les nouvelles du jour)*[2], comptait parmi les dix peintures qui arrivèrent à Copenhague le 13 mars 1893 pour y être exposées. Edvard Brandes l'acheta aussitôt[3]. Cet achat contraria Gauguin qui comptait présenter l'œuvre à son exposition à Paris en novembre de la même année[4].

Parau api ne diffère sensiblement de *Femmes de Tahiti* que par quelques aspects : tandis que le sol est d'une couleur ocre relativement assourdie dans la première version, il est d'un jaune de chrome vif dans la seconde ; et la femme assise à droite porte un paréo rayé

Gauguin, *Parau api (Nouvelles)*, 1892, huile sur toile (Dresde, Staatliche Kunstsammlungen)

Adhémar 1958, nº 135;
Field 1977, nº 14;
W 434;
FM 135.

1. Danielsson 1975, 99-100 et 106.
2. Danielsson 1967, nº 45, 232.
3. Bodelsen in Copenhague 1984, nº 46.
4. Malingue 1946, nº CXLIII, 249.
5. C'est la robe que porte le même modèle dans une autre peinture de 1891 (cat. 126).
6. Ce personnage figure également, en dimensions réduites, dans W 437 et W 477.
7. Dorival 1954, inv. 1892, 19. Le Pichon (1986, 154) compare le personnage de droite avec la *Petite moissonneuse endormie* de Charles Chaplin (collection Gustave Arosa) dont Gauguin possédait une photographie.
8. Dorival 1954, inv. 1892, 2.
9. Rouart et Wildenstein 1975, nº 188.

dans la deuxième version, au lieu de la robe de mission qu'elle avait dans la première[5]. Mais la différence la plus curieuse est sans doute l'ajout d'un pilier de balustrade semblable à ceux que l'on installait couramment autour des terrasses des maisons coloniales à Tahiti. Ce pilier, joint aux lignes obliques visibles dans la partie ocre ou jaune de chacune des deux versions, laisse supposer qu'aucun de ces tableaux ne représente une plage, malgré le titre traditionnellement donné à la peinture du musée d'Orsay. Gauguin a sans doute voulu cette ambiguïté dans l'arrangement de la scène. Les lignes blanches sur le fond noir évoquent des vagues dans le lointain, mais les contours réguliers des zones de couleur adjacentes font plutôt penser à une architecture.

Comme c'est de toute évidence le même modèle qui a posé pour les deux personnages, le mot « femmes » au pluriel dans le titre est aussi sujet à caution que la « plage ». Le personnage nonchalant de gauche porte le même paréo que la Vierge Marie dans *Ia orana Maria* (cat. 135), et une fleur de tiaré sur l'oreille droite[6]. Les lignes fort peu élégantes de son dos et de son profil (que l'on retrouve tourné de l'autre côté dans un dessin, cat. 124) rappellent un peu celles du grand nu (cat. 4) que Gauguin avait présenté à l'exposition impressionniste de 1881. L'attitude impassible du personnage de droite est très proche de celle que Gauguin a croquée à l'aquarelle dans un de ses carnets de Tahiti[7]. Cependant, l'artiste a cherché ici à suggérer un semblant d'émotion, en indiquant un mouvement des yeux de Teha'amana, provoqué par quelque événement extérieur au tableau (peut-être les « nouvelles » évoquées dans le titre de la seconde version).

Le personnage assis en tailleur est occupé à tresser des fibres de palmier, ce qui permet peut-être de rapprocher ce tableau de l'œuvre apparemment impossible à identifier que Gauguin a désignée par « femme faisant chapeau » dans son inventaire de 1892[8]. Mais ici, il s'agit plus d'indolence que de travail, et le propos artistique de Gauguin était avant tout d'orchestrer une harmonie de couleurs décorative, striée de rehauts blancs, où les fibres de palmier, la boîte d'allumettes et les rubans dans les cheveux introduisent des tons de jaune et de rouge qui se répondent.

Le plus remarquable dans *Femmes de Tahiti,* c'est encore la composition. Au regard des conventions picturales du XIXe siècle, les deux personnages qui se chevauchent légèrement paraissent entassés, comme si l'artiste les avait observés en gros plan sans se soucier vraiment de les situer dans l'espace. Alors que chez d'autres peintres, deux personnages aussi serrés auraient pu devenir un détail dans une composition comportant davantage de figures, Gauguin a donné un aspect monumental à leur activité insignifiante en les isolant de cette façon, selon un procédé pour lequel il n'existe pas de précédent direct. A cet égard, la peinture qui préfigure le mieux *Femmes de Tahiti* est sans doute *Sur la plage* de Manet[9], que Gauguin avait peut-être vue exposée à Paris au début de 1884. C.F.S.

131

Chemin à Papeete (?) dit Rue de Tahiti

1891
115,5 × 88,5
Huile sur toile.
Signé et daté en bas à droite, en noir, *PGo 91*

Toledo, Musuem of Art, don d'Edward Drummond Libbey

Expositions
Paris, Durand-Ruel 1893, nº 34, *Paysage;*
Francfort 1913, nº 25;
Edimbourg 1955, nº 27;
Chicago 1959, nº 31.

Catalogues
Dorival 1954, inv. 1892, nº 26, *Paysage papeete;*
Field 1977, nº 19;
W 441;
FM 111.

1. Field 1977, nº 26, 306.
2. Field 1977, nº 99, 251.
3. Field 1977, 70-71.

Ce paysage majestueux doit correspondre à la toile de 50 que Gauguin a appelée « Paysage Papeete » dans son inventaire fait au début de l'année 1892[1]. C'est donc le seul témoignage d'une visite à la capitale que Gauguin effectua, peut-être pour des raisons médicales, après s'être installé en automne 1891 à Mataiea, afin de se mettre à peindre sérieusement[2]. La petite route de terre bordée d'une murette est caractéristique des environs de Papeete, et cependant la touche mœlleuse et les multiples nuances de vert rappellent le paysage le plus ambitieux que Gauguin ait peint à la Martinique (cat. 31). De fait, comme l'a souligné Field, le traitement de l'espace, avec ces lignes de fuite qui s'enfoncent vers un buisson rouge dans un jardin, est complètement atypique de l'œuvre de maturité de Gauguin[3], même si l'artiste avait agencé de manière analogue plusieurs compositions du début (W 70, W 84, W 88, W 127).

Pour le cheval, la case de bambou à toit de chaume et les deux personnages sur la route, Gauguin s'est servi de petits croquis exécutés dans ses carnets[4], encore que la robe rose dans un croquis soit devenue bleue dans la peinture pour en rehausser l'harmonie de couleurs. Le personnage assis à l'ombre, dans l'entrée de la case, reprend la pose adoptée par Teha'amana dans *Te faaturuma* (cat. 127), et son humeur songeuse s'accorde bien avec la cime penchée du cocotier, le cheval qui broute et l'étonnant nuage bas.

Étant donné que Gauguin a incorporé un personnage d'une autre peinture de genre dans un deuxième paysage (cat. 132) de mêmes proportions que *Rue de Tahiti,* il semble probable qu'il ait conçu les deux tableaux comme des pendants. Le deuxième paysage, qui représente aussi les montagnes de l'intérieur surplombant un chemin qui s'enfonce au loin, nous montre le domicile de l'artiste à Mataiea. Il se pourrait donc que *Rue de Tahiti* représente la maison qu'il avait louée à la sortie de Papeete[5]. Ou alors, la petite silhouette de Teha'amana dans *Rue de Tahiti* pourrait indiquer que la maison est celle que la jeune femme habitait dans la capitale.

Gauguin,
Carnet de Tahiti,
18.

4. Dorival 1954, inv. 1892, 9, 12, 13v; la case de bambou est dessinée sur une feuille d'études (77) dont Gauguin a repris des éléments dans un monotype (F 78).
5. Jénot (1956, 119) précise que la maison de Gauguin à Papeete se trouvait près de la base des montagnes.

On ignore ce qu'il est advenu de cette toile dans les années qui ont suivi son exécution. Elle correspond peut-être à l'œuvre simplement intitulée *Paysage* à l'exposition parisienne de Gauguin en 1893, mais elle n'est identifiable à aucune des peintures vendues aux enchères en février 1895. Cela pourrait signifier qu'elle fut vendue relativement tôt, peut-être par l'intermédiaire de la femme de Gauguin. C.F.S.

132

Matamoe[1] (le paysage aux paons)

1892
115 × 86
Huile sur toile fine.
Signé et daté en bas à droite, en violet, *P. Gauguin 92*
Inscription en bas à droite, en violet, *MATAMOE*

Moscou, Musée Pouchkine

Expositions
Paris, Durand-Ruel 1893, nº 2, *Matamoe (Mort)*;
Paris, Drouot 1895, nº 4, *Matamoe*;
Paris 1906, nº 76, *Les Paons*;
Moscou 1926, nº 8.

Catalogues
Dorival 1954, inv. 1892, nº 23, *Le bûcheron de Pia*;
Field 1977, nº 27;
W 484;
FM 181.

Ce paysage est l'une des peintures les plus somptueusement colorées de toute la première période tahitienne de Gauguin. Il représente apparemment la case en bois d'hibiscus que l'artiste loua en automne 1891 à Mataiea. Gauguin nous a laissé une évocation poétique de son nouvel environnement dans *Noa Noa*, où il décrit la vue sur la mer d'un côté, et sur les montagnes de l'autre. Sur le rivage, il observa un bûcheron dont il allait peindre le portrait dans *L'homme à la hache* (W 430), et il songea à la façon dont l'arbre mort allait reprendre vie, en quelque sorte, quand il servirait à faire du feu[2]. Dans *Matamoe (Mort)*, l'artiste donne une illustration littérale de cette transformation. Il a même introduit une version réduite du personnage du bûcheron dans cette vue orientée vers l'est, dans la direction du bosquet d'arbres qui dissimule une grotte au pied des montagnes (voir également cat. 136).

Matamoe est l'une des trois toiles de 50 que Gauguin a consignées vers la fin de son inventaire des peintures tahitiennes, établi au printemps 1892 dans un de ses carnets[3]. Cette peinture fait peut-être pendant à *Rue de Tahiti* (cat. 131), une autre œuvre répertoriée vers la fin de l'inventaire, à laquelle elle s'apparente par le format et le sujet. Comme *Rue de Tahiti* représente la région où habitait Gauguin à la sortie de Papeete, du côté des montagnes[4], c'est peut-être une image de la case qu'il y louait, tandis que *Matamoe* nous montrerait son autre habitation dans l'arrière-pays.

Matamoe est désigné par « Le bûcheron de Pia » dans l'inventaire de Gauguin, de sorte que la situation exacte de ce paysage reste incertaine. Gaston Pia, un instituteur français qui pratiquait la peinture en amateur, invita Gauguin à habiter chez lui dans le village de Paea à la fin de l'été 1891, avant son installation à Mataiea. Danielsson a supposé que l'artiste avait exécuté *Matamoe* durant son séjour chez Pia, ainsi qu'un autre paysage, plus petit, désigné par « Paysage Paia Soir » au début de l'inventaire[5]. Or, Gauguin ne s'est remis sérieusement à la peinture à l'huile qu'après son arrivée à Mataiea, et l'on a du mal à croire qu'il ait pu exécuter avant cette date un paysage aussi grand et aussi abouti que *Matamoe*. Étant donné qu'il a inscrit la date de 1892 sur cette œuvre, la mention de Pia dans l'inventaire pourrait indiquer qu'il avait donné le tableau à son ami après la visite de 1891, mais qu'il l'a récupéré par la suite.

On reconnaît la maison, observée sous le même angle que dans *Matamoe*, dans le fond d'une peinture d'inspiration mythologique (W 450) à laquelle Gauguin travaillait en mars 1892[6]. Cette peinture est également répertoriée vers la fin de l'inventaire, un peu après *Matamoe*. Plusieurs aquarelles collées dans le manuscrit de *Noa Noa* semblent représenter la même maison, observée sous des angles divers[7], et la multiplicité même de ces images laisse supposer qu'il s'agissait de la case que louait l'artiste (voir cat. 126, 136, 203)[8].

Field a bien montré que l'importance de *Matamoe* réside dans la luxuriance sans précédent du coloris et des arabesques[9]. Gauguin nous dit dans *Noa Noa* que les couleurs du paysage de Mataiea « aveuglaient » ses yeux d'Européen au début[10]. Le titre tahitien de *Matamoe*, qui signifie « les yeux endormis », pourrait renvoyer à l'effet de choc produit par le paysage tahitien sur un regard européen. Il pourrait aussi faire allusion aux plumes ocellées des paons.

La plupart des auteurs qui ont décrit cette peinture, notamment Field, ont souligné la valeur symbolique du bûcheron[11] : dans *Noa Noa*, Gauguin écrit qu'il s'est dégagé de son mode de pensée européen pour parvenir à pénétrer la mentalité sauvage après avoir aidé à abattre un arbre[12]. Le rapprochement entre ce passage de *Noa Noa* et *Matamoe* est apparemment le seul moyen d'expliquer pourquoi Gauguin a traduit son titre tahitien par *Mort* dans le catalogue de l'exposition de 1893 à la galerie Durand-Ruel. C.F.S.

1. Danielsson 1967, nºˢ 6 et 29, 230-231. Moerenhout (1837, 97-98) propose une autre explication du mot « pia » dans le titre, et présente l'arrowroot comme un arbre dans sa description détaillée de la préparation de la plante.
2. *Noa Noa*, manuscrit du Louvre, 38.
3. Field (1977, 300-308) donne une analyse de cet inventaire.
4. Jénot 1956, 119.
5. Danielsson 1975, 85-87 et nº 37, 297 (où le grand tableau inscrit dans l'inventaire est identifié par erreur avec W 430).
6. Sérusier 1950, 60, et illustration en regard de la 144.
7. *Noa Noa*, manuscrit du Louvre, 65, 71, 181.
8. W 436, W 437, W 467, W 471, W 472, W 473, W 474, W 478, W 491, W 500, W 501.
9. Field 1977, 97-107.
10. *Noa Noa*, manuscrit du Louvre, 43 (voir cat. 136).
11. Voir par exemple Field 1977, 101-102, et Danielsson 1967, nº 29, 231.
12. *Noa Noa*, manuscrit du Louvre, 82-83.

MATAMOE
P. Gauguin 92

133
Éventail décoré de motifs de « Ta matete »

1892
14,5 × 46
Encre et aquarelle sur traits à la mine de plomb sur papier vélin.
Dédicacé, signé et daté en bas à gauche, *à Mde Goupil/hommage respectueux - P. Gauguin 1892*

John C. Whitehead

L'inscription portée sur cette aquarelle atteste que Gauguin l'offrit à Madame Goupil, épouse de l'avocat Auguste Goupil qui avait fait fortune dans l'exploitation des cocotiers. Le lieutenant Jénot présenta Gauguin à ce client éventuel peu après l'arrivée de l'artiste à Papeete[1]. Goupil n'acheta aucune œuvre de Gauguin avant 1896 (voir cat. 216). Mais quand l'artiste faisait le trajet de Punaauia à Papeete, il l'employait à de petits travaux[2] et, surtout, il lui prêta un exemplaire du *Voyage aux îles du grand océan* (1837) de Jacques-Antoine Moerenhout où est présentée une étude ethnologique des anciennes religions polynésiennes[3]. Gauguin puisa dans ce texte les sujets de nombreux tableaux exécutés en 1892 et 1893. Pendant cette même période, il en recopia aussi de longs passages dans son manuscrit illustré sur le même thème, qu'il intitula *Ancien culte Mahorie*[4].

En dépit des commentaires ultérieurs de Gauguin sur le caractère sacré de la prostitution dans les anciens rites religieux tahitiens, et l'incapacité pour un Tahitien moderne d'en comprendre la conception européenne[5], Danielsson estime que *Ta matete* (*Le marché*, W 476) représente des prostituées attendant le client[6]. Cette interprétation est difficilement conciliable avec la ressemblance qu'il relève par ailleurs entre *Ta matete* et une photographie de Charles Gustave Spitz montrant des Tahitiennes qui exécutent une danse mimée appelée *aparima*[7]. Si dans *Ta matete*, les femmes vêtues de robes de mission fort pudiques étaient effectivement des prostituées, le sujet de cet éventail semblerait assez incongru pour un cadeau à Madeleine Goupil !

Quel que soit le sujet réel abordé par Gauguin dans cette scène de la vie courante, il est certain que l'artiste a ostensiblement stylisé chaque détail de *Ta matete*, comme pour transcender le réalisme conventionnel. En fait, il a modelé les cinq femmes assises sur les personnages d'une fresque égyptienne de la XVIIIe dynastie, qu'il connaissait par une photographie achetée en France[8]. Les attitudes des Tahitiennes (qui tiennent toutes quelque chose, un mouchoir, un éventail, une lettre, ou peut-être une cigarette) paraissent même encore plus hiératiques que celles de leurs modèles égyptiens. Elles pourraient refléter la connaissance que Gauguin avait de l'art bouddhique[9].

Les détails de la scène représentée sur l'éventail sont encore plus épurés que dans la peinture. La scène elle-même est simplifiée, peut-être en raison du format semi-circulaire. Pour compenser la disparition de trois femmes assises et des deux hommes portant des poissons suspendus à un bâton, qui figurent tous dans la peinture à l'huile, Gauguin a ajouté une branche d'arbre à pain garnie d'une grande feuille au contour décoratif et la tête d'une fillette en bas à droite. Contrairement à la femme qui l'accompagne (et qui est partiellement visible dans *Ta matete*), la fillette se désintéresse totalement du groupe de femmes assises. Gauguin a encore ajouté, derrière les deux personnages de droite, les vestiges d'un petit feu utilisé pour la cuisson des aliments. C.F.S.

Gauguin, *Ta matete (Le marché)*, 1892, huile sur toile
(Bâle, Öffentliche Kunstsammlung)

1. Jénot 1956, 120. Renseignements sur Madeleine Goupil communiqués par Mme D. Touze, dans une lettre du 4 juillet 1987.
2. Danielsson 1975, 69, 101 et 104.
3. *Noa Noa*, manuscrit du Louvre, 131 ; Rotonchamp 1925, 114.
4. Voir Huyghe 1951.
5. *Noa Noa*, manuscrit du Louvre, 163 ; *Avant et après*, manuscrit, 117 ; *Diverses choses*, manuscrit, 323.
6. Danielsson 1975, 73.
7. Danielsson 1975, 73 et ill. 9 en regard de la 81.
8. Dorival 1951, 118, 121-122.
9. Maurer 1985, 967.

134

Tahitienne torse nu tenant un fruit de l'arbre à pain

Probablement début 1892
100 × 54
Huile sur panneaux de verre doublés de papier blanc et insérés dans un châssis de fenêtre en bois.
Signé en bas à droite, en noir et bleu clair, *P GO*

M. et Mme Philip Berman

Catalogue
W 552.

Exposé à Washington et Chicago

Gauguin a peint ce vitrail sur le mode synthétiste, en se limitant à des contours simplifiés et des plages de couleur uniformes, afin d'imiter les vitraux des églises médiévales et leurs morceaux de verre coloré aux formes irrégulières, sertis dans une résille de plomb. Même si Matisse n'a pas eu l'occasion de la voir, c'est peut-être l'œuvre de Gauguin qui annonce de la manière la plus singulière les stylisations du XXe siècle.

Somerset Maugham se rendit à Tahiti en 1916, car il voulait se documenter pour son roman, *The Moon and Sixpence (L'Envoûté)*, inspiré de la vie de Gauguin. Par la suite, il a affirmé avoir vu le vitrail à son emplacement d'origine, chez Anani, le propriétaire de Gauguin à Mataiea. Un témoin de passage à Tahiti avait déjà fait mention d'un ensemble décoratif complexe conçu par Gauguin pour l'une des pièces de cette maison[1], mais la courte description de Maugham est la seule à fournir quelques détails : « Dans une des deux pièces qui composaient le bungalow, il y avait trois portes dont la partie supérieure était en verre et divisée en panneaux, et sur chacune d'elles il avait exécuté une peinture. Les enfants en avaient effacé deux. Sur l'une, il ne restait guère qu'une vague tête dans un angle, tandis que sur l'autre on voyait encore les traces d'un torse de femme rejeté en arrière dans une attitude fervente. »[2]

Si Maugham a sauvé ce vitrail d'une destruction certaine en décidant de l'acheter sans tarder, il n'a malheureusement pas laissé de document sur la composition décorative dans son ensemble. En l'absence de photographies ou de croquis de la pièce telle que

Gauguin, *Te faruru (Faire l'amour)*, 1892, gouache
(Springfield, Museum of Fine Arts, The James Philip Gray Collection)

1. L'officier de gendarmerie Charpillet, cité dans Chassé 1938, 7.
2. Maugham 1949, 130.
3. Voir Tokyo 1987, nº 69. Ce personnage est à comparer également avec celui de W 464.
4. Maugham 1949, 130. Mais dans Menard 1981, 116, Maugham brouille les pistes en parlant de la maison d'Anani à propos de la convalescence de Gauguin en 1898, après sa tentative de suicide. Voir aussi Danielsson 1975, 105.
5. Joly-Segalen (1950, nº VI, 59) date cette lettre d'août 1892, tandis que Field (1977, nº 19, 365) la situe en octobre de cette même année.
6. Danielsson 1975, 133, et W 509. Voir également la chronologie. O'Brien (1920, 227) confond les deux projets de vitraux.

Maugham la découvrit, on ne pourra jamais connaître la situation et la signification exactes du vitrail conservé, dans son environnement d'origine. Pour faciliter le transport, Maugham a fait couper le bas de la porte-fenêtre où les panneaux de verre étaient installés à l'origine. Apparemment, c'est Gauguin qui a choisi le vert glauque de l'encadrement afin de créer une harmonie avec les tons de bleu et de vert tendre qui prédominent dans les panneaux.

Alors que le monogramme de l'artiste incite à considérer le vitrail comme une composition autonome, la situation du personnage sur la gauche et le fait qu'il est tourné vers la droite autorisent à supposer que ces panneaux constituaient la partie gauche d'une composition décorative en trois volets. Dans ce cas, on peut imaginer que le personnage n'avait qu'un rôle secondaire, comparable à celui des fidèles dans *Ia orana Maria* (cat. 135). Du reste, on relève une forte similitude de style entre le vitrail et une aquarelle portant l'inscription *Te faruru* (« Faire l'amour »)[3], qui représente une des fidèles de *Ia orana Maria* sur laquelle Gauguin travaillait encore au début de 1892. Cela semble indiquer que l'artiste a réalisé les deux autres œuvres vers la même date. Maugham affirme que Gauguin avait commencé le vitrail après s'être remis d'une maladie, ce qui concorde avec cette datation[4]. Toutefois, dans une lettre écrite plus tard en 1892, Gauguin se plaignait à Monfreid de n'avoir plus de toile, vantait la simplicité des vitraux, pour ajouter qu'il avait peut-être une vocation d'artiste spécialisé dans ce type d'œuvre décorative[5]. En outre, il n'est pas exclu que le vitrail ait été exécuté encore plus tard, car le personnage représenté avec un fruit de l'arbre à pain correspond très étroitement à un personnage féminin qui tient le même fruit dans une peinture datée de 1893 (W 501). Gauguin a peut-être réalisé l'ensemble décoratif juste avant de rentrer en France, dans l'intention de laisser un souvenir à son voisin Anani. Il a manifestement exécuté un autre ensemble de vitraux à Papeete juste avant son départ en mai[6].

Indépendamment des questions de date, plusieurs détails particuliers de la composition méritent un plus ample examen : les voiliers dans le fond, le petit arbre (sans doute un frangipanier ou tiaré) et le lapin, d'ordinaire emblème de fécondité. Tous ces détails sont blancs, et pourraient avoir quelque signification funèbre. Curieusement, il n'y a rien sur la banderole blanche qui flotte autour des épaules du personnage et qui rappelle l'art médiéval, où l'on trouve cette sorte de bannière portant des inscriptions.

C.F.S.

135

Ia orana Maria (Je vous salue Marie)

Vers 1891-1892
113,7 × 87,7
Huile sur toile.
Signé et daté en bas à droite, en noir ou bleu foncé, *P. Gauguin 91.*
Inscription en bas à gauche, en noir ou bleu foncé, *Ia orana Maria.*

New York, Metropolitan Museum of Art, legs de Sam A. Lewisohn, 1951

Expositions
Paris, Durand-Ruel 1893, nº 1, *Ia orana Maria (Ave Maria)* ;
Paris, Orangerie 1949, nº 25 ;
Chicago 1959, nº 28 ;
New York 1984-1985, nº 28.

Catalogues
Dorival 1954, inv. 1892, nº 24 ;
Field 1977, nº 17 ;
W 428 ;
FM 136.

Gauguin n'avait encore jamais parlé de ses peintures tahitiennes dans ses lettres envoyées en France quand il écrivit à Daniel de Monfreid, le 11 mars 1892 : « Je travaille de plus en plus, mais jusqu'à présent des études seulement ou plutôt des documents qui s'accumulent. S'ils ne me servent pas plus tard, ils serviront aux autres. J'ai fait pourtant un tableau, une toile de 50. Un ange aux ailes jaunes indique à deux femmes tahitiennes Marie et Jésus tahitiens aussi — du nu vêtu du paréo, espèce de cotonnade à fleurs qui s'attache comme on veut à la ceinture. Fond de montagne très sombre et arbres à fleurs. Chemin violet foncé et premier plan vert émeraude ; à gauche des bananes. J'en suis assez content. »[1] Gauguin a noté la date « [18] 91 » sur cette toile qui est la plus ambitieuse de ses peintures tahitiennes. Quoique dans sa lettre de mars 1892 Gauguin suggère qu'il ne s'est mis à peindre que récemment, on compte, en fait, une vingtaine de peintures, dont *Ia orana Maria,* datées de 1891. Quant à la date de *Ia orana Maria (Je vous salue Marie),* les choses se compliquent encore au vu du croquis de la composition qui illustre la lettre de Gauguin. Il diffère sensiblement de la peinture définitive : il est horizontal, alors que la « toile de 50 » (116 × 89 cm) est verticale. Cette incohérence semble indiquer que Gauguin a entièrement repeint le tableau par la suite. D'où un retard dans son achèvement, qui permet peut-être d'expliquer pourquoi *Ia orana Maria* n'était pas au nombre des peintures que l'artiste envoya en France avant son retour en 1893, et pourquoi aucun des personnages ne ressemble à son modèle habituel, Teha'amana. (Comme le visage de la Vierge n'a pas cette charge d'émotion qui caractérise les images de Teha'amana peintes par Gauguin, *Ia orana Maria* semble une œuvre moins puissante par comparaison.)

Un examen technique corrobore cette genèse hypothétique du tableau. De petits éclats dans la couche de peinture superficielle laissent apparaître un fond blanc appliqué sur une composition précédente, et les couleurs correspondent à un tableau de format horizontal. Plus particulièrement, la peinture verte en haut à droite correspond à la zone d'herbe dans la version originale. Apparemment, Gauguin a entièrement recouvert la composition précédente avec un fond blanc et a fait basculer la toile de 90° avant de tout recommencer.

On ignore la raison de cette transformation radicale, encore que le format vertical soit plus en accord avec les formes traditionnelles de l'imagerie pieuse, comme les retables. Dès lors que la composition définitive reprend tous les détails du dessin de mars 1892[2], c'était sans doute la qualité d'exécution de la peinture, et non la conception des attitudes et du décor, qui laissait Gauguin insatisfait. Son croquis minuscule comporte même le cartouche en forme de plaque rectangulaire où il a inscrit le titre tahitien, en bas à gauche.

Le paysage aux couleurs luxuriantes est digne des

Relief de Borobudur
photographie, vers 1880-1889
(collection particulière)

IA ORANA MARIA

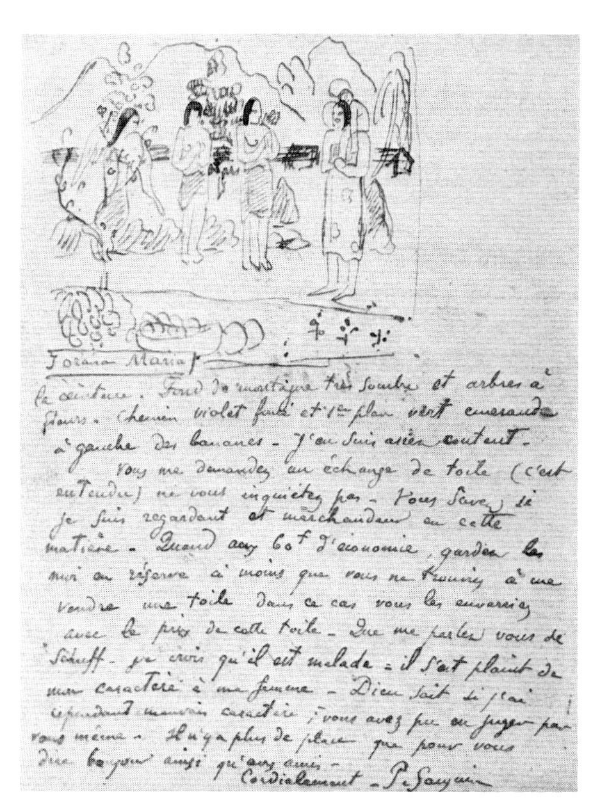
Ia orana Maria
la ceinture. Fond de montagne très sombre et arbres à fleurs. Chemin violet foncé et 1er plan vert émeraude à gauche des bananes. J'en suis assez content.
Vous me demandez un échange de toile (c'est entendu) ne vous inquiétez pas. Vous savez si je suis regardant et marchandeur en cette matière. Quand aux 60f d'économie, gardez les moi en réserve à moins que vous ne trouviez à me vendre une toile dans ce cas vous les enverriez avec le prix de cette toile. Que me parlez vous de Schuff. Je crois qu'il est malade : il s'est plaint de mon caractère à ma femme. Dieu sait si j'ai cependant mauvais caractère ; vous avez pu en juger par vous même. Il n'y a plus de place que pour vous dire bonjour ainsi qu'aux amis.
Cordialement. P. Gauguin

Lettre de Gauguin à Daniel de Monfreid,
11 mars 1892
(collection particulière)

Gauguin, *Noa Noa*, ms. 125
(Paris, Musée du Louvre (Orsay),
Département des Arts Graphiques)

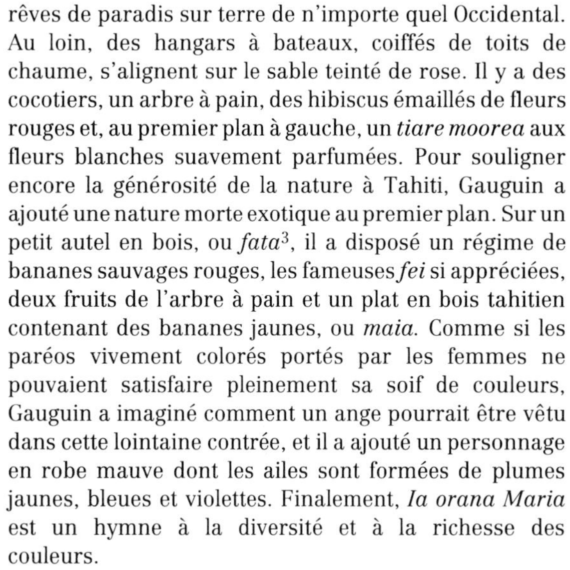

rêves de paradis sur terre de n'importe quel Occidental. Au loin, des hangars à bateaux, coiffés de toits de chaume, s'alignent sur le sable teinté de rose. Il y a des cocotiers, un arbre à pain, des hibiscus émaillés de fleurs rouges et, au premier plan à gauche, un *tiare moorea* aux fleurs blanches suavement parfumées. Pour souligner encore la générosité de la nature à Tahiti, Gauguin a ajouté une nature morte exotique au premier plan. Sur un petit autel en bois, ou *fata*[3], il a disposé un régime de bananes sauvages rouges, les fameuses *fei* si appréciées, deux fruits de l'arbre à pain et un plat en bois tahitien contenant des bananes jaunes, ou *maia*. Comme si les paréos vivement colorés portés par les femmes ne pouvaient satisfaire pleinement sa soif de couleurs, Gauguin a imaginé comment un ange pourrait être vêtu dans cette lointaine contrée, et il a ajouté un personnage en robe mauve dont les ailes sont formées de plumes jaunes, bleues et violettes. Finalement, *Ia orana Maria* est un hymne à la diversité et à la richesse des couleurs.

On ne saurait dire pourquoi Gauguin a choisi un thème chrétien à cette époque. Le 25 mars 1892, soit deux semaines seulement après avoir envoyé à Monfreid la lettre illustrée d'un croquis, Gauguin confiait dans une lettre à Sérusier qu'il envisageait avec curiosité de peindre des tableaux suggérés par les anciennes croyances religieuses polynésiennes[4]. Il ne tarda pas à exécuter des œuvres sur ce thème[5] (voir cat. 138, 139, 140, 151, 204 et 205). S'il s'est intéressé de près aux questions de théologie catholique pendant son deuxième séjour en Polynésie, et s'il a peint plusieurs tableaux aux connotations chrétiennes évidentes, d'abord en 1896 (voir cat. 221) puis en 1902 (voir cat. 260-263 et 266), *Ia orana Maria* est la seule peinture de sa première période tahitienne à avoir une dimension chrétienne explicite. Selon une théorie absurde forgée par son fils Pola[6], Gauguin aurait créé *Ia orana Maria* en apprenant que sa maîtresse à Paris avait donné naissance à sa fille adultérine. Hypothèse plus vraisemblable, l'artiste a peut-être célébré avec cette peinture sa guérison d'une maladie qui faillit l'emporter et nécessita une hospitalisation[7]. Sachant qu'en 1888 Gauguin avait souhaité offrir au curé de Nizon son image ultramoderne de la foi visionnaire, *La lutte de Jacob avec l'ange* (cat. 50), il n'est pas impossible non plus qu'il ait voulu donner *Ia orana Maria* à l'église de la mission catholique proche de son domicile à Mataiea[8]. Or, il a fallu attendre 1951 pour qu'une encyclique admette le recours à une iconographie non occidentale dans un contexte sacré[9]. Il semble tout à fait probable que Gauguin ait songé au caractère provocateur de cet équivalent non occidental de la Sainte Famille[10]. Quand il a exposé la peinture à Paris en 1893, il lui a donné la première place sur la liste du catalogue.

Gauguin s'est indéniablement inspiré d'une photographie d'un bas-relief de Borobudur pour la pose des deux fidèles dans *Ia orana Maria*, et peut-être pour l'arbre stylisé visible derrière elles[11]. Pendant son premier séjour en Polynésie, Gauguin a croqué, sur le vif semble-t-il, un personnage analogue dans un de ses carnets[12]. Avant son départ pour Tahiti, ce bas-relief le hantait[13], d'où la supposition que l'artiste a conçu *Ia orana Maria* pour exprimer une attitude syncrétiste, en associant des symboles religieux orientaux et occidentaux[14]. Cette peinture justifie la réflexion d'Octave Mirbeau sur l'œuvre de Gauguin, consignée au début de 1891 : « Il y a (...) un mélange inquiétant et savoureux de splendeur barbare, de liturgie catholique, de rêverie hindoue, d'imagerie gothique, de symbolisme obscur et subtil. »[5] Pour les personnages de l'ange et de la Vierge à l'Enfant dans *Ia orana Maria*, les auteurs modernes ont proposé diverses sources possibles dans l'art médiéval, dans l'art japonais et dans les bas-reliefs javanais[16]. Le fait qu'une mère tahitienne ne porterait probablement pas son enfant sur l'épaule, comme la Vierge le fait ici, a

1. Joly-Segalen 1950, nº III, 54.
2. Amishai-Maisels (1985, 294) fait observer que l'ange ne tient pas de branche de palmier dans le croquis.
3. Un autel analogue figure dans W 450 et W 451, ainsi que dans Huyghe 1951, 24 (copié dans *Noa Noa*, manuscrit du Louvre, 77).
4. Sérusier 1950, 60.
5. W 450, W 451, W 453, W 459, W 460, W 467, W 468, W 499, W 500, W 512.
6. Pola Gauguin 1937, 171, et Amishai-Maisels 1985, 288-289. Gauguin a parlé de la naissance de l'enfant : voir Joly-Segalen 1950, nº II, 52.
7. Field (1977, 74) situe cette maladie à la fin 1891 ou au début 1892, tandis que Danielsson (1975, 84) la fait remonter à l'été 1891.
8. Danielsson 1975, 88-89 et 91.
9. Amishai-Maisels 1985, 289. Maurer (1985, 983) soutient l'interprétation antimissionnaire d'Andersen (1971, 192). Peu après son arrivée à Tahiti, Gauguin écrivit à sa femme que les missionnaires protestants avaient eu une influence néfaste sur les indigènes (voir Malingue 1946, nº CXXVI, 219).
10. Gauguin imaginait la surprise des Parisiens devant ses dernières œuvres : voir Sérusier 1950, 60. Amishai-Maisels (1985, 357) date le *Cylindre de la Crucifixion* (G 125) en 1891, ce qui devrait en rattacher la conception à celle de *Ia orana Maria*.
11. Dorival 1951, 118-119. Voir les illustrations XXX, *infra*.
12. Dorival 1954, inv. 1892. 72v.
13. Dorra 1953, 196.
14. Le syncrétisme de Gauguin est examiné dans Amishai-Maisels 1985, chapitre VIII.
15. Mirbeau 1891a.
16. Voir Dorival 1951, 118 ; Field 1977, 64 ; Amishai-Maisels 1985, 293-294.
17. Voir Field 1977, 248, nº 87 ; Amishai-Maisels 1985, 293 ; Thomson 1987, 145.
18. Sterling et Salinger 1967, 172.
19. Maurer 1985, 962.
20. Voir Field 1977, 65 ; Amishai-Maisels 1985, 294-296 ; et Andersen 1971, 193.
21. Voir Motoe dans Tokyo 1987, 172, cat. 69.
22. Anonyme 1893b.
23. Gauguin mentionne le prix dans une lettre écrite à Vollard en septembre 1900, publiée dans Rewald 1943, 39. D'après Perruchot 1961, Gauguin aurait essayé en vain d'offrir *Ia orana Maria* au musée du

Luxembourg. Voir aussi Vollard 1937, 191.

24. Dayot 1894, 111. Dans une lettre inédite écrite en février 1895, Gauguin propose d'utiliser des photographies différentes pour une autre publication (voir Roger-Marx 1894); vente Tausky, été 1952, et aussi Paris, Orangerie 1949, nº 110. Gauguin a collé la photographie colorée sur la page 125 du manuscrit de *Noa Noa* conservé au Louvre. Par ailleurs, l'artiste a exécuté une zincographie (Gu 51) du détail de la Vierge à l'Enfant pour la publier dans *Épreuve* en février 1895. Deux dessins-empreintes de Gauguin, dont l'un (F 1) très antérieur à l'autre (F 65), reprennent ce détail, tandis qu'un autre des premiers dessins-empreintes (F 2) et un fusain (Rewald 1958, nº 54) reprennent la totalité de la composition avec des modifications minimes. Le *Bulletin of the Art Institute of Chicago* 1925, 85, a publié, semble-t-il, un exemplaire de cette zincographie rehaussée à l'aquarelle.

25. Joly-Segalen 1950, nº LV, 145.

stimulé la recherche d'exemples antérieurs[17].

On a aussi examiné les divergences entre des détails de *Ia orana Maria* et les images chrétiennes conventionnelles, pour tenter de cerner la signification profonde de la peinture. Elle a été interprétée comme une représentation de l'Annonciation[18], malgré la présence de l'Enfant Jésus, et comme une évocation de l'Adoration des bergers[19], malgré l'absence d'agneau. Surtout, on a vu dans la branche de palmier tenue par l'ange, symbole traditionnel du martyre et de la mort, une notation ironique ajoutée pour atténuer l'innocence joyeuse de cette image du paradis sur terre[20].

Un détail curieux apparenté à celui-ci, la pointe d'une branche de palmier jaunissante qui pénètre dans le haut de la composition au-dessus de l'ange, est resté inexpliqué. Tout aussi inexpliquées sont les ressemblances entre *Ia orana Maria* et une aquarelle offerte au lieutement Jénot[21], qui porte l'inscription *Te faruru* (« Faire l'amour »), peut-être par allusion à la maternité virginale. Cette aquarelle, où toutes les formes sont simplifiées comme dans un vitrail (voir cat. 134), représente une des fidèles de *Ia orana Maria* devant un nuage de fumée au-dessus duquel plane l'ange.

Si la majorité des journalistes qui commentèrent l'exposition parisienne de Gauguin en 1893 saluèrent en *Ia orana Maria* un chef-d'œuvre moderne, un chroniqueur anonyme parla tout de même d'un « Bastien-Lepage tahitien »[22]. Il songeait sans doute à la *Jeanne d'Arc* de ce peintre populaire, représentée avec un archange (Salon de 1880). Malgré tout, *Ia orana Maria* fut l'une des rares peintures que Gauguin réussit à vendre grâce à cette exposition, et ce, à un prix (2 000 F) largement supérieur à celui de toutes ses autres œuvres vendues. L'acheteur était Michel Manzi, un grand collectionneur ami intime de Degas, qui innova notablement dans les techniques de reproduction d'art[23]. Peu après la fin de l'exposition, le *Figaro illustré* publia une photographie de *Ia orana Maria*. Gauguin allait colorer plus tard un exemplaire de cette reproduction pour l'insérer dans le manuscrit de *Noa Noa* qu'il orna durant son deuxième séjour en Polynésie[24].

Le sentiment de grande fierté que *Ia orana Maria* procurait à Gauguin est encore attesté par une lettre écrite à Monfreid en 1899, où l'artiste exprimait son espoir que Manzi accepterait de prêter la peinture pour une exposition envisagée chez Vollard l'année suivante[25]. Ce projet resta sans suite. C.F.S.

136

Fatata te mouà[1] (La montagne est proche)

1892
68 × 92
Huile sur toile fine.
Signé en bas à droite, en violet, *P. Gauguin 92*
Inscription en bas à droite, en violet, *Fatata te Mouà.*

Leningrad,
Musée de l'Ermitage

Expositions
Paris, Durand-Ruel 1893, nº 26, *Fatata te mouà (Adossé à la montagne)*;
Paris, Drouot 1895, nº 29, *Fatata te mouà*;
Moscou 1926, nº 10;
Tokyo 1987, nº 66.

Catalogues
Dorival 1954, inv. 1892, nº 10, *Paysage Matia*;
Field 1977, nº 49;
W 481;
FM 273.

Le titre français que Gauguin a utilisé pour *Fatata te mouà* dans le catalogue de son exposition parisienne en 1893, *Adossé à la montagne*, correspond exactement à un passage de *Noa Noa* où il décrit l'environnement de sa nouvelle habitation à Mataiea. Il y fait peut-être allusion à deux des premières peintures réalisées là-bas, à savoir *Fatata te mouà* et *L'homme à la hache* (W 430): « Description de paysage. Côté de la mer. Tableau du bûcheron. De l'autre côté. Le mango adossé à la montagne, bouchant l'antre formidable. »[2] « Entre la montagne et la mer s'élevait ma case en bois de bourao. Et près de ma case il y en avait une autre petite — *Fare amu* (maison pour manger). »[3] Des éléments de ce même paysage fermé à l'est par les montagnes de l'arrière-pays se retrouvent dans plusieurs autres tableaux de cette période, et dans une série de peintures d'histoire imaginaires (W 512) que Gauguin entreprit à la fin de 1892[4]. Comme l'artiste a ajouté une représentation sacrée de Hina, déesse de la Lune (voir cat. 139), dans les œuvres de cette série, il avait peut-être commencé à attribuer quelque valeur symbolique particulière à ce site, ou du moins au grand arbre qui pourrait aisément passer pour un emblème de la douce et plantureuse munificence de la nature à Tahiti[5].

Dans *Fatata te mouà*, le ciel visible derrière le sommet des cocotiers sur la gauche, est bleu-noir foncé. L'ambiance mystérieuse est renforcée par deux personnages minuscules — dont l'un à cheval — qui s'éloignent l'un de l'autre. Ils suivent la route côtière, indiquée par une bordure verte interrompue, qui traverse toute la largeur de la toile. Impossible de savoir où ils vont. Le premier plan vermillon semble rougeoyer dans la lumière du soleil couchant, qui éclaire également les feuilles du gros manguier. Peut-être que Gauguin se préoccupait surtout de l'harmonie décorative de ces rouges et jaunes soutenus, parsemés de verts sombres, mais on peut aussi donner une interprétation symbolique à son utilisation de la couleur. Le manguier aux feuilles bariolées renvoie par synecdoque à ses gros fruits à peau orangée, rouge et verte. Ces fruits servent d'accessoires emblématiques dans certains tableaux de figures peints pendant le premier séjour à Tahiti (voir cat. 143 et 158).

Pourtant, Gauguin ne cherchait apparemment pas à amplifier l'intensité des couleurs réelles dans *Fatata te mouà*. Il a expliqué dans *Noa Noa* qu'il avait dû reconsidérer ses idées sur la couleur dès son arrivée à Mataiea : « Je commençais à travailler, notes, croquis de toutes sortes. Tout m'aveuglait, m'éblouissait dans le paysage. Venant de l'Europe j'étais toujours incertain d'une couleur, cherchant midi à quatorze heures... Cela était cependant si simple de mettre naturellement sur ma toile un rouge et un bleu. Dans les ruisseaux des formes en or m'enchantaient. Pourquoi hésitais-je à faire couler sur ma toile tout cet or et toute cette réjouissance de soleil? Probablement de vieilles habitudes d'Europe, toute cette timidité d'expression de nos races abâtardies. »[6] Aucune

36

autre peinture n'illustre mieux que *Fatata te mouà* ce changement d'attitude à l'égard de la couleur.

Dans une lettre écrite à un acheteur éventuel peu après la vente aux enchères qu'il avait organisée en février 1895, Gauguin proposait *Fatata te mouà* ainsi que cinq autres peintures restées invendues[7]. S'il demandait un peu moins cher pour ce paysage lumineux que pour les peintures de personnages tahitiens incluses dans ce lot (seulement 400 F, contre 500 F pour la plus chère, cat. 156), le fait même qu'il ait repris les éléments essentiels de *Fatata te mouà,* dont les minuscules personnages dans des dessins-empreintes à l'aquarelle (cat. 200, 201) donne à penser qu'il attachait une importance exceptionnelle à cette image. C.F.S.

1. Danielsson 1967, n°s 14 et 15, 230.
2. *Noa Noa,* manuscrit du Getty, 7.
3. *Noa Noa,* manuscrit Louvre, 38. Le texte est légèrement différent dans le manuscrit du Louvre (après la première page numérotée 39). Bouge (1956, 163, n° 49), explique que Gauguin avait mal orthographié le mot tahitien signifiant « hibiscus » *(purau)* dans son manuscrit.
4. Voir W 482, W 504, W 467, W 500. Field (1975, 165-167) situe l'exécution de *Fatata te mouà* dans la deuxième moitié de l'année 1892, époque où Gauguin travaillait à cette série.
5. Bessanova et al. 1985, n° 123, 361.
6. *Noa Noa,* manuscrit du Louvre, 43.
7. Paris, Orangerie 1949, n° 109. Lettre transcrite, 100.

Gauguin, *Femmes à la rivière,* 1892, huile sur toile (Amsterdam, Rijksmuseum Vincent van Gogh, Fondation Vincent van Gogh)

137

Umete (plat à popoi décoré de reliefs sculptés polychromes)

Probablement 1892
90 × 36
Bois de tamanu polychrome.
Incision à gauche, *POG*
Inscription sur l'envers, *P. Gauguin, 55 rue du Château, Paris* (adresse de Monfreid).

Collection particulière, en dépôt au Musée Gauguin, Papeari, Tahiti

Expositions
Paris 1960, nº 119 ;
Saint-Germain-en-Laye 1985, nº 318.

Catalogues
G 103, FM 27.

Pendant ses premiers mois à Papeete, Gauguin ne put se procurer du bois adapté à la fabrication de plats semblables à ceux que façonnaient les indigènes. D'après le lieutenant Jénot[1], il dut se contenter de sculpter des décorations sur des plats qui appartenaient à des amis, ou qu'il achetait au marché. Les superbes motifs qu'il a sculptés sur ce plat allongé rappellent les décors japonisants des porcelaines françaises dont le fabricant Eugène Rousseau avait assuré la vogue à partir de la fin des années 1860, époque où il avait commandé un service de table à Bracquemond. N'oublions pas que Gauguin préférait souvent se considérer avant tout comme un artiste décorateur. Ainsi, il confiait dans une lettre à Monfreid, écrite vers le mois d'octobre 1892 : « Dire que j'étais né pour faire une industrie d'art et que je ne puis aboutir. Soit le vitrail, soit l'ameublement, la faïence, etc., voilà au fond mes aptitudes beaucoup plus que la peinture proprement dite. »[2]

Dans la vie courante, cette sorte d'*umete* servait à la préparation du popoi, une pâte obtenue avec le fruit de l'arbre à pain[3]. La simplicité des reliefs sculptés et les applications de peinture épaisse semblent indiquer que Gauguin a exécuté ces décorations relativement tôt. En outre, le motif des deux poissons exotiques tête-bêche, qui mangent le même ver ou la même plante par ses deux bouts, ressemble beaucoup à une aquarelle que l'artiste a collée en guise de frontispice dans son *Cahier pour Aline* (1893). L'un de ces poissons en train de manger se retrouve dans une aquarelle illustrant le manuscrit de *L'Ancien culte Mahorie,* où il recouvre partiellement une figure masculine hiéroglyphique[4]. Ce même motif, inversé cette fois, revient encore dans le contexte visionnaire d'une gravure sur bois (cat. 174) sur laquelle Gauguin a inscrit le titre *L'Univers est créé.*

Ce plat a fait l'objet, à une date inconnue, d'un tirage en bronze unique exécuté d'après un moulage en plâtre (détruit) que Gauguin avait réalisé sur l'original. C.F.S.

1. Jénot 1956, 120-121.
2. Joly-Segalen 1950, nº VI, 59.
3. Gray (1963, 234) confond la profonde encoche visible à une extrémité du plat avec le trou d'égouttage caractéristique des *umete* d'usage courant.
4. Huyghe 1951, 18.

Gauguin, *Cahier pour Aline*
(Paris, Bibliothèque d'Art et d'Archéologie, Fondation Jacques Doucet)

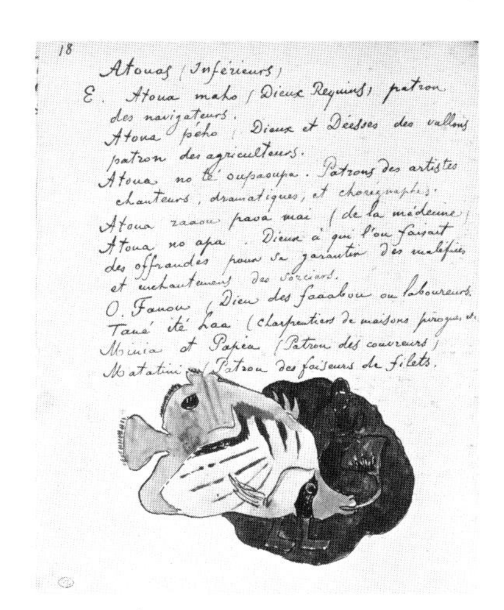

18
Atouas (Inférieurs)
E. Atoua maho (Dieux Requins) patron des navigateurs.
Atoua peho (Dieux et Déesses des vallons patron des agriculteurs.
Atoua no te oupaoupa. Patrons des artistes chanteurs, dramatiques, et chorégraphes.
Atoua raaou pava mai (de la médecine)
Atoua no apa. Dieux à qui l'on faisait des offrandes pour se garantir des maléfices et enchantements des sorciers.
O. Fanou (Dieu des faaahou ou laboureurs.
Tane ite Haa (charpentiers de maisons pirogues et
Minia et Papia (Patron des couvreurs)
Matatini (Patron des faiseurs de filets.

Gauguin, *Ancien culte Mahorie,* ms. 18
(Paris, Musée du Louvre (Orsay), Département des Arts Graphiques)

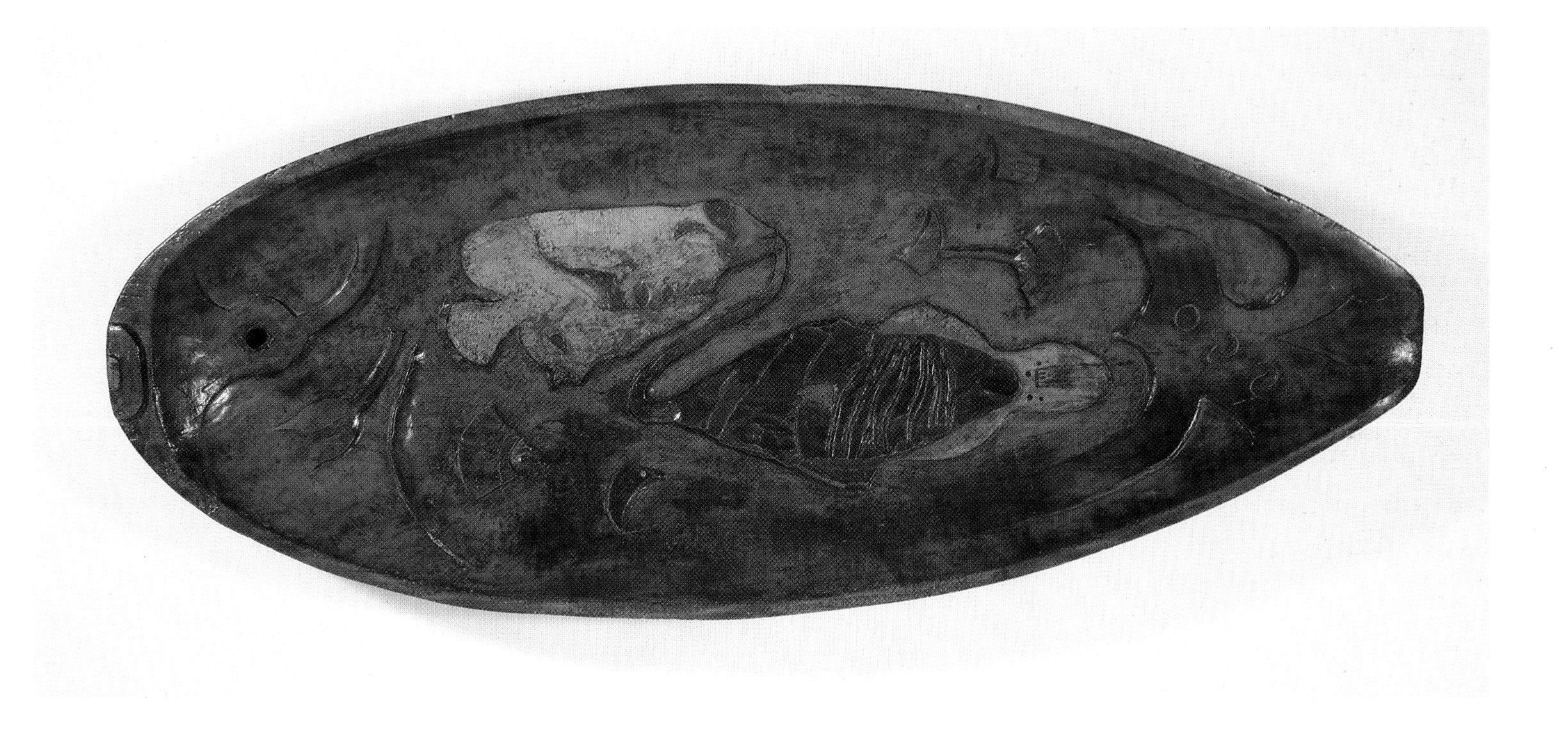

138

Idole à la perle

Probablement 1892
H. 25
D. 12
Bois de tamanu polychrome et doré ; personnage assis dans la position du semi-lotus décoré d'une perle et d'un collier en or à pendentif en étoile[1].
Incision en haut, *P Go.*

Paris, Musée d'Orsay
Don de Mme Huc de Monfreid, 1951 ; entré au Louvre, 1968

Expositions
Paris, Durand-Ruel 1893, probablement dans la série d'œuvres portant le nº 46, *les Tiis ;*
Paris 1906, répertorié après le nº 191, mais sans numéro de catalogue, *Six bois sculptés ;*
Edimbourg 1955, nº 76 ;
Paris 1960, nº 111 ;
Munich 1960, nº 149 ;
Saint-Germain-en-Laye 1985, nº 293.

Catalogues
G 94, FM 182.

L'*Idole à la perle* fut l'une des quelques œuvres choisies par Gauguin pour être photographiées à des fins publicitaires[2], et pourtant des incertitudes subsistent quant à sa date, et donc à la place qu'elle occupe dans l'évolution de l'artiste. Il se pourrait bien que ce soit l'une des sculptures sur tronc d'arbre dont il parle dans une lettre à Monfreid écrite vers le mois d'août 1892[3], à moins qu'il ne s'agisse d'une œuvre antérieure. De toute évidence, Gauguin était décidé à faire de la sculpture dès son arrivée à Tahiti, et il avait apporté ses outils de sculpteur dans ce but. Les premières allusions à ses sculptures apparaissent dans sa correspondance vers le mois d'avril 1892[4]. Elles concernent peut-être de nouvelles versions plus résistantes destinées à remplacer des œuvres conçues dans les années précédentes et déjà détériorées[5].

Avant son départ, Gauguin espérait trouver à Tahiti des exemples d'art sacré indigène, comparables aux sculptures d'Extrême-Orient rassemblées par le musée du Trocadéro, ou à celles qui étaient présentées à l'Exposition Universelle de 1889 à Paris. Apprenant peu après son arrivée que les objets de cette sorte étaient plutôt rares en Polynésie, et persuadé qu'un art autochtone avait prospéré à une époque antérieure, il chercha à recréer de manière personnelle cet art disparu. En mars 1892[6], Gauguin avait déjà commencé à se renseigner sur les anciennes croyances polynésiennes afin d'entreprendre cette reconstitution. Sa perception du sujet, fondée sur le *Voyage aux îles du grand océan* (1837) de Moerenhout et sur des conversations avec des habitants de la région, est exposée pour l'essentiel dans ses manuscrits illustrés, notamment *L'Ancien culte Mahorie* et *Noa Noa*. Comme Gauguin a décidé de laisser inachevée la partie inférieure de ses blocs de bois (voir également cat. 6), il a attribué un caractère fondamentalement animiste à ces divinités, dont l'esprit est censé loger dans la branche d'arbre qu'il a sculptée en leur honneur.

Gray observe que l'*Idole à la perle* est le seul objet tahitien de Gauguin à comporter une partie distincte (le personnage principal assis) fixée sur le bloc de bois, et il situe relativement tôt l'exécution de cette œuvre, en la rapprochant d'une sculpture réalisée selon le même principe en 1890[7]. L'auteur étaye sa démonstration en

soulignant que Gauguin a précisé l'identité de ce personnage assis, et de celui qui est sculpté en relief sur l'arrière, avec des détails légèrement différents de ceux qu'il a utilisés pour les figures de ses autres sculptures tahitiennes, sans doute postérieures. Or, ces mêmes différences conduisent Amishai-Maisels à proposer l'ordre chronologique inverse. Comme elle le fait remarquer, le personnage principal de l'*Idole à la coquille* (cat. 151) est de sexe masculin, et le coquillage désigne Taaroa, dieu suprême du panthéon polynésien, tandis que dans l'*Idole à la perle,* le personnage analogue a des cheveux longs et des seins. Ces attributs féminins constituent probablement un raffinement de la conception que se faisait Gauguin de cette déité aux pouvoirs créateurs androgynes[8]. La divinité (vraisemblablement Taaroa) placée au centre de la gravure sur bois ultérieure intitulée *Te atua* (cat. 169) a des cheveux longs et des seins, de même que l'idole tardive de Gauguin, aujourd'hui perdue, qui figure dans deux natures mortes (W 629 et W 630)[9]. Par conséquent, il semble bien que l'*Idole à la perle* soit venue après l'*Idole à la coquille.*

Abstraction faite de son visage qui est polynésien, le personnage principal de l'*Idole à la perle* est inspiré de sculptures extrême-orientales de Siddharta Gautama[10], le Bouddha, ou de Çiva[11]. Des exemples de ces sculptures étaient présentées à l'Exposition Universelle, et Gauguin avait manifestement étudié la symbolique inhérente à ces œuvres. Il a parlé de symbole indien de la perversité à propos d'un renard qu'il a représenté dans un relief de la seconde moitié de 1889 (G 76)[12], et il a inscrit le mot « nirvana » sur une peinture de la même année (W 320)[13]. De plus, il avait emporté à Tahiti au moins deux photographies de statues de Bouddha dans la position du semi-lotus, afin de pouvoir les consulter[14].

La niche dorée bordée de formes végétales stylisées correspond à la mandorle de Bouddha, souvent entourée d'une guirlande analogue destinée à évoquer l'arbre sous lequel il reçut l'Éveil. Dans les représentations de Bouddha, les yeux clos symbolisent la méditation, tandis que le geste de la main baissée, adopté ici par Gauguin, signifie l'Éveil[15]. La perle incrustée sur le front de l'idole pourrait correspondre à la touffe de cheveux visible sur certaines images de Bouddha, et renvoyer à la vision intérieure associée à un troisième œil[16]. Si l'on a pu proposer d'interpréter cette perle comme le coquillage de Taaroa, le pendentif d'or en forme d'étoile dont Gauguin a paré son idole n'a aucune relation symbolique apparente avec ce dieu, ni avec Bouddha.

L'identité du personnage incomplet, dont la tête dépasse au-dessus de la niche, pose une véritable énigme. Gray croit reconnaître dans ce personnage aux cheveux longs et à l'œil fermé l'adversaire de Bouddha, Mara, seigneur de la mort et du désir[17], mais Jehanne Teilhet-Fisk suppose qu'il représente plutôt quelque aspect de l'union de Taaroa avec Hina, la déesse de la Lune (cat. 139)[18].

Les trois figures apparemment féminines sculptées en bas-relief au dos de l'*Idole à la perle* n'ont aucun lien avec l'art bouddhique. Des auteurs ont assimilé le personnage debout à une danseuse rituelle, tandis que les deux personnages assis, inspirés des tikis des îles Marquises, pourraient représenter quelque incarnation de Taaroa, Hina et/ou Fatou[19]. Le fait que Gauguin ait décidé d'opposer ces trois figures au personnage principal évoquant Bouddha, lequel est très travaillé par rapport aux figures sommairement sculptées de l'autre côté, a peut-être autant d'importance que l'identité présumée de chacun de ces dieux imaginaires.

Vers 1900, Monfreid a fait un moulage de cette idole et de l'*Idole à la coquille,* et en 1959, l'un de ses héritiers a autorisé un tirage de six exemplaires en bronze[20].

C.F.S.

1. Le pendentif est perdu, mais il est visible sur une photographie publiée pour la première fois dans Roger-Marx 1894, 33.
2. Roger-Marx 1894, 33.
3. Joly-Segalen 1950, n° XII, 67 ; Field 1977, 363 n. 17. Voir cat. 151 n. 3.
4. Malingue 1946, n° CXXX, 230.
5. Jénot 1956, 120.
6. Sérusier 1950, 60.
7. G 88. Gray 1963, 56.
8. Amishai-Maisels 1985, 361 ; Teilhet-Fisk 1985, 54-55.
9. Amishai-Maisels 1985, 363.
10. Grau 1963, 57-58 ; Ziva Amishai-Maisels (1985, 393, n. 55) conteste cette interprétation.
11. Amishai-Maisels 1985, 360-361.
12. Malingue 1946, n° LXXXVII, 167, et Cooper 1983, n°s 22, 35.
13. Gray 1963, 57 n. 15. Gauguin a dessiné un personnage dans la position du semi-lotus dans l'un de ses carnets ; voir Huyghe 1952, 12.
14. Gray 1963, 57 n. 15 ; Amishai-Maisels 1985, 360-361.
15. Teilhet-Fisk 1985, 49-51.
16. Teilhet-Fisk 1985, 186 n. 52.
17. Gray 1963, 57-58.
18. Teilhet-Fisk 1985, 53.
19. Amishai-Maisels 1985, 352 ; Teilhet-Fisk 1985, 53.
20. Gray 1963, 218.

139
Cylindre décoré d'une représentation de Hina

Probablement 1892
H. 37,1 ; L. 10,8 ; D. 13,4
Bois de tamanu
polychrome et doré.
Incision en haut, *PGO.*

Washington, Hirshhorn
Museum and Sculpture
Garden, Smithsonian
Institution ; achat du
musée 1981

Gauguin entreprit une étude systématique des anciennes croyances polynésiennes en faisant appel à Teha'amana et, plus encore, au livre de Moerenhout que lui avait prêté l'avocat Auguste Goupil (voir cat. 134)[1]. D'après cet auteur, l'univers polynésien était issu de l'union du principe spirituel masculin Taaroa avec le principe matériel féminin Hina[2]. En recopiant et paraphrasant des passages du livre dans *L'Ancien culte Mahorie* et dans *Noa Noa,* Gauguin a attribué à Hina une importance démesurée si l'on en croit l'état récent de la recherche sur ce sujet[3].

Trois ou quatre des idoles sculptées par Gauguin (cat. 140) incarnent Hina et sa suite, de même que la grande idole assise figurant dans une peinture de la première période tahitienne (G 97, G 102, W 500). Étant donné que l'artiste a repris la pose du personnage principal du cylindre reproduit ici dans un dessin[4] et dans plusieurs peintures allégoriques (cat. 158 et 205)[5], il devait accorder une valeur particulière à cette image précise. Pour le visage-masque, il s'est apparemment inspiré de l'art maori[6], mais pour le collier, les bracelets, la ceinture et le geste dispensateur de vie, il a manifestement pris exemple sur des sculptures hindoues représentant Parvati, l'épouse de Çiva[7]. La pose du personnage secondaire qui porte une fleur à l'oreille, à gauche de Hina, est apparemment inspirée d'une figure du temple bouddhique de Borobudur[8]. On retrouve ce personnage, portant une offrande sur un plateau à hauteur de la poitrine, au dos d'une autre représentation de Hina (G 97) et dans une peinture (cat. 230) exécutée pendant le deuxième séjour à Tahiti. Un troisième personnage, à genoux, lève la main pour indiquer qu'il parle, dans un geste repris pour une peinture de 1892, *Parau hanohano (Paroles terrifiantes,* W 460). Dans l'esprit de Gauguin, le personnage agenouillé représentait peut-être une autre manifestation de Hina, car il ressemble beaucoup à son évocation de Hina parlant avec Fatou (cat. 140)[9].

Alors que Gauguin a décoré de motifs complémentai-

Expositions
Paris, Durand-Ruel 1893, probablement dans la série d'œuvres portant le n° 46, *Les Tiis ;*
Paris 1906, répertorié après le n° 191, mais sans numéro de catalogue, *Six bois sculptés ;*
Paris 1960, n° 112 ;
Toronto 1981, n° 14.

Catalogues
G 95, FM 250.

res l'avant et l'arrière de toutes ses sculptures tahitiennes de cette période, le cylindre conservé au Hirshhorn Museum est sa composition en ronde-bosse la plus élaborée. Il a privilégié le format cylindrique qui respectait l'intégrité du matériau utilisé pour ses idoles, à savoir un tronc ou une branche d'arbre (voir cat. 6 et 94). Chaque fois, il a laissé inachevée l'extrémité qui sert de socle afin de suggérer le caractère animiste des anciennes divinités polynésiennes. La forme phallique des blocs de bois sculptés par Gauguin dans cette période pourrait être encore plus significative que les images qui les décorent. Si Gauguin connaissait les linga, objets du culte de la fécondité dans l'hindouisme, il se pourrait que ses cylindres à l'effigie de Hina expriment l'interdépendance fondamentale des principes masculin et féminin dans l'ancien système religieux polynésien. C.F.S.

1. *Noa Noa,* manuscrit du Louvre, 130-131. Gauguin évoque son intérêt pour cette question dans sa correspondance avec Sérusier. Voir Sérusier 1950, 60.
2. Moerenhout 1837, vol. I, 563-567 ; ce passage correspond à Huyghe 1951, *L'Ancien culte Mahorie,* 32-35.
3. Field 1977, 284, n. 12. Voir aussi *Noa Noa,* manuscrit du Louvre, 146-148.
4. Reproduit dans Guérin 1927, XV.
5. Et aussi W 460, W 514, W 561.
6. Teilhet-Fisk 1985, 78.
7. Amishai-Maisels 1985, 374.
8. Gray 1963, 220 n. 95.
9. Amishai-Maisels 1985, 374 ; Teilhet-Fisk 1985, 78.

140

Hina et Fatou[1]

Probablement 1892
H. 32,7 ; D. 14,2
Bois de tamanu.
Incision en haut, *PGO.*

Toronto, Art Gallery of Ontario, don du Volonteer Commitee Fund

Expositions
Paris, Durand-Ruel 1893, probablement dans la série d'œuvres portant le n° 46, *Les Tiis ;*
Paris 1906, répertorié après le n° 191 mais sans numéro de catalogue, *Six bois sculptés ;*
Paris 1960, n° 120 ;
Toronto 1981-1982, n° 12 ;
New York 1984-1985, n° 32.

Catalogues
G 96, FM 200.

Exposé à Washington et Chicago

Ces figures stylisées dans l'esprit des tikis des îles Marquises, avec leurs grosses têtes et leurs mains pareilles à des griffes, comptèrent parmi les représentations les plus sauvages que Gauguin exposa à Paris en novembre 1893. Cette idole devait revêtir une importance particulière aux yeux de l'artiste, car il exécuta un dessin de la partie supérieure d'un de ses côtés, y ajouta la légende *Parau Hina Tefatou* (« Hina parle à Fatou ») et la reproduisit en frontispice du catalogue de l'exposition[2]. Selon le mythe polynésien de la création, Hina (cat. 149), déesse de l'air et de la lune (voir cat. 326), s'unit à Taaroa (cat. 138, 151), dieu suprême de l'univers, pour engendrer Fatou, le génie qui anima la terre. Dans *L'Ancien culte Mahorie,* Gauguin relate ainsi le dialogue entre Hina et son fils :

« Hina disait à Fatou : Faites revivre, ou ressusciter, l'homme après sa mort.

Fatou répond : Non, je ne le ferai point revivre. La terre mourra ; la végétation mourra ; elle mourra ainsi que les hommes qui s'en nourrissent ; le sol qui les produit mourra. La terre mourra, la terre finira ; elle finira pour ne plus renaître.

Hina répond : Faites comme vous voudrez ; moi je ferai revivre la lune. Et ce que possédait Hina continua d'être, ce que possédait Fatou périt, et l'homme dut mourir. »[3]

L'aquarelle qui illustre ce passage dans le manuscrit de *L'Ancien culte Mahorie* nous montre deux personnages à cheveux longs ressemblant à des tikis, assis en vis-à-vis et la main levée en signe de conversation. Mais on ne sait pas exactement si cette aquarelle est antérieure ou non au cylindre de Toronto. Dans un dessin au crayon dont on a perdu la trace[4], ces deux personnages sont assis plus près l'un de l'autre, genou contre genou, et seule Hina lève la main en signe de conversation. Dans le relief sculpté sur le cylindre de Toronto, Gauguin a encore rapproché les deux personnages au point que leurs fronts se touchent. Il a représenté le sein de Hina par une arabesque en forme de gourde, et lui a ajouté des scarifications autour des yeux ainsi qu'un tatouage sur la fesse. Ces deux mêmes personnages, à peine modifiés, réapparaissent dans la niche située sur la gauche d'une gravure sur bois intitulée *Te atua* (*Les dieux,* cat. 169), où les deux autres niches sont occupées respectivement par Taaroa et Hina, le tout faisant une sorte de trinité des puissances surnaturelles polynésiennes. Gauguin a découpé la niche de gauche dans une épreuve en couleurs de *Te atua* pour la coller dans son manuscrit de *Noa Noa*[5]. On retrouve les deux personnages en vignette dans une aquarelle exécutée d'après *Pape moe* (*Eau mystérieuse,* cat. 157) et datée de 1894[6], mais la relation entre les deux thèmes est difficile à préciser. Enfin, Gauguin a encore adopté ce motif pour décorer un vase carré en terre cuite (G 115) dont trois versions sont parvenues jusqu'à nous.

1. Voir Danielsson 1967, 231 n. 19.
2. A la date du 9 novembre 1893 dans le *Brouillard* de la galerie Durand-Ruel, Paris ; Amishai-Maisels (1985, 368) commente ce dessin. Un dessin très proche (Rewald 1958, n° 95) fut peut-être exécuté à cette époque.

L'une de ces versions tardives, voire le cylindre de Toronto lui-même lorsqu'il fut exposé en 1906, a peut-être contribué à inspirer le motif du baiser sur lequel Brancusi a commencé à travailler vers 1907[7]. Gauguin a évoqué ce même dialogue entre Hina et Fatou dans une peinture à l'huile de 1893 (W 499), mais sur un mode différent, moins emblématique.

Sur l'autre face du cylindre de Toronto, Gauguin a sculpté deux personnages dans une semblable situation de dialogue. Jehanne Teilhet-Fisk les identifie avec Hina et Taaroa, et suppose que la tige de plante située entre eux, en arrière-plan, pourrait renvoyer au fruit de leur union, Fatou[8]. Si cette interprétation est correcte, les deux faces du cylindre mettent en opposition les deux dialogues fondamentaux d'où découlent la vie et la mort.

Les formes analogues utilisées par Gauguin pour figurer les yeux de ces personnages ainsi que les feuilles de la plante suggèrent qu'il s'agit d'esprits animistes, de la même façon que l'inachèvement voulu de la partie qui sert de socle. Comme plusieurs autres sculptures de la première période tahitienne comportant un socle rustique (cat. 139)[9], le cylindre de Toronto pourrait s'apparenter aux linga hindous.

Le tiers inférieur est décoré d'une frise de personnages et d'au moins deux étranges figures zoomorphes comparables aux motifs décoratifs des manches d'éventails marquisiens, dont l'une représente un lapin[10].

Vers 1900, Monfreid fit un moulage en plâtre de cette idole, qui fut tiré en bronze en 1959[11]. C.F.S.

3. Huyghe 1951, 13 ; d'après Moerenhout 1837, vol. I, 428-429. Une autre version de ce dialogue se trouve dans *Noa Noa*, manuscrit du Louvre, 88-89.
4. Guérin 1927, XVII.
5. *Noa Noa*, manuscrit du Louvre, 57.
6. Collection particulière, France.
7. Wilkinson in Toronto 1981-1982, 48.
8. Teilhet-Fisk 1985, 80-81.
9. G 97, G 100, G 102, notamment.
10. Gray 1963, 222, et Teilhet-Fisk 1985, 80.
11. Gray 1963, 218 et 222.

141

Deux Tahitiennes et dessin d'un ornement d'oreille

Probablement 1892
24 × 31,7
Mine de plomb, plume et encre brune sur vélin.

The Art Institute of Chicago, collection David Adler 1950.1413

Expositions
Chicago 1959, nº 97 ;
Toronto 1981-1982, nº 19.

Exposé à Paris

L'aspect général du modèle et les hachures grossières utilisées pour les ombres rattachent cette feuille à un ensemble d'études dont certaines allaient être classées dans un carton portant la mention : « Documents Tahiti - 1891/1892/1893 »[1]. C'est sans doute Teha'amana que l'on reconnaît ici. Gauguin n'a pas souhaité se servir de l'un ou l'autre de ces deux croquis de Teha'amana pour réaliser une œuvre aboutie, mais celui qui la représente endormie constitue probablement un premier indice de sa volonté d'évoquer le monde onirique des Tahitiens. Cette ambition a trouvé son accomplissement dans *Manao tupapaú* (*L'esprit des morts veille*, cat. 154), une peinture réalisée à la fin de 1892. Il est toutefois difficile de considérer cette feuille d'études comme de simples croquis jetés sur une page au gré des circonstances. Gauguin a dû préméditer la juxtaposition poétique d'une image de Teha'amana observée à son insu avec une deuxième image qui la montre très attentive à son rôle de modèle.

Comme le dessin de l'ornement d'oreille, en haut à droite de la feuille, est exécuté au crayon, on peut penser que Gauguin l'a ajouté plus tard pour garder la trace d'un exemple rare de cet art indigène qui semble l'avoir captivé avant même son arrivée en Polynésie. Le lieutenant Jénot nous dit combien Gauguin était curieux de connaître l'art polynésien, et combien il fut déçu d'apprendre qu'il n'y avait pas grand-chose à Tahiti dans ce domaine[2]. Dès le mois de janvier 1892, Gauguin exprimait son désir de quitter Tahiti pour aller s'installer aux îles Marquises. C'était une région moins civilisée, où la vie était moins chère, et où il espérait trouver de meilleures sources d'informations sur l'art polynésien[3]. Une autre feuille de croquis de Teha'amana, particulièrement belle (cat. 142), que Gauguin a datée de 1892 et offerte à un certain M. de Marolles, porte une inscription dont on pourrait déduire que les deux hommes avaient examiné ensemble des spécimens d'art maori : « Comme un bon souvenir de notre entrevue chez les Maories. »

1. Le contenu de ce carton fut exposé à la galerie Marcel Guiot, Paris, 1942 ; voir plus particulièrement les nºs 26, 38, 39 (F 43), ce dernier ayant servi de point de départ pour le monotype imprimé sur la page 179 d'*Avant et après* (F 119).
2. Jénot 1956, 121.
3. Danielsson 1975, 93-94 ; Malingue 1946, nº CXXVIII, 225 et nº CXXX, 229 ; Joly-Segalen 1950, nº XII, 67.
4. Louvre. Département des Arts graphiques, Orsay. Voir Wilkinson in Toronto 1981-1982, 60.
5. Teilhet-Fisk, 62.
6. Le fait fut signalé par Virch et Wagstaff dans Chicago 1959, nºs 44 et 97. Un dessin qui semble comporter le même motif est reproduit par Amishai-Maisels (1985, 353, 364, fig. 183) ; cet auteur pense que les deux

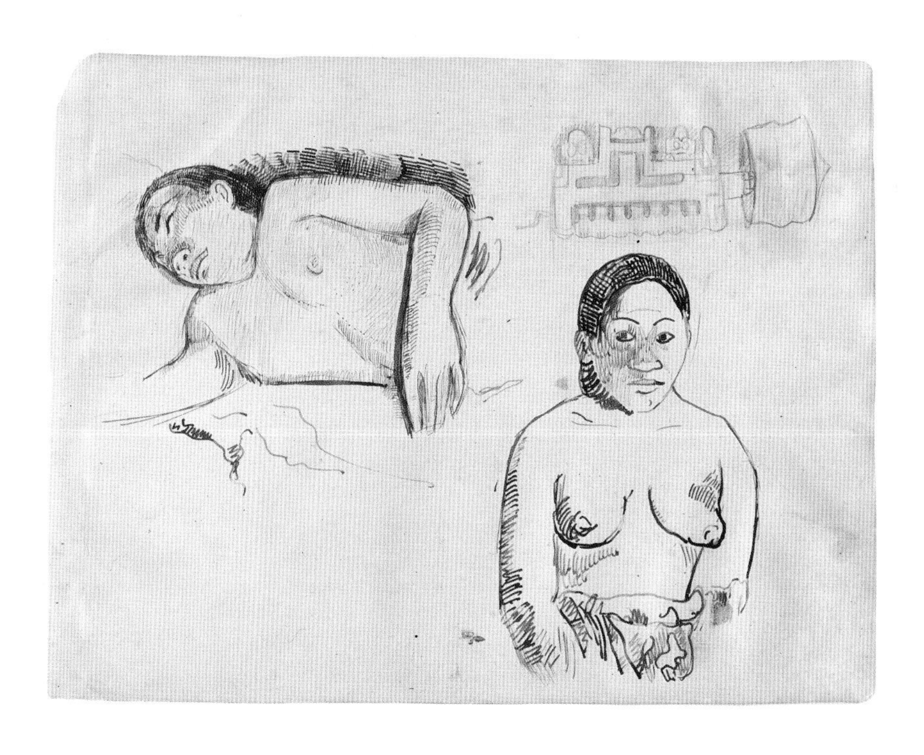

têtes figurant sur l'ornement d'oreille sont une interprétation par Gauguin des *tiis* qui, d'après Moerenhout (1837, 461), gardaient les temples.

On ignore où se trouve l'ornement d'oreille représenté ici et sur un autre dessin[4] où il est observé dans l'autre sens. Ces objets appelés *taiana* étaient des bijoux de famille taillés dans l'os de la jambe ou du bras d'un ancêtre, et portés exclusivement par des femmes[5]. Gauguin a adopté le motif géométrique surmonté de têtes de mort pour la clôture qui marque l'enceinte d'un sanctuaire dans sa peinture de 1892 intitulée *Parahi te marae (Là est le temple)* (W 483)[6]. C.F.S.

142

Petites babioles tahitiennes

44 × 32,5 environ (1er support) et 17,5 × 30 (2e support).
Encre appliquée à la plume et au pinceau, rehaussée d'aquarelle et de pastel partiellement mouillé, sur un dessin préalable à la mine de plomb ; support constitué par deux feuilles de papier vélin de qualité différente.
Dédicacé, signé et daté sur le bord supérieur, à la mine de plomb, *Petites Babioles Tahitiennes ; à Monsieur de Marolles/Comme un bon souvenir de notre entrevue/chez les Maories/Paul Gauguin 1892*
Inscriptions dans la composition, *Taoto* (au milieu à droite) et *Opu Opu* (en bas à droite).

John and Paul Herring and Co

Exposition
San Diego 1973, no XII, 24.

On ignore tout de l'homme à qui Gauguin a dédicacé cette magnifique feuille de dessins. Cependant, les mémoires du lieutenant Jénot révèlent que Gauguin désirait vivement examiner des spécimens d'art maori dès son arrivée à Tahiti[1], et ce fut sans doute le motif de l'« entrevue » mentionnée dans la dédicace.

Le mot « babioles », dans le titre facétieux de cette feuille, ne semble pas vraiment assimiler les femmes représentées à des jouets, mais souligner plutôt l'insignifiance des petits dessins, encore qu'il soit difficile de ne pas voir ce double sens.

Les petits croquis disparates se présentent à première vue comme des notations rassemblées sans façon dans un carnet d'artiste, mais le soin avec lequel Gauguin les a colorés et disposés sur la page distingue nettement les *Petites babioles tahitiennes* d'un travail de documentation routinier. Cette façon de simuler la spontanéité du carnet de croquis préfigure en quelque sorte les manuscrits illustrés de Gauguin, notamment *Noa Noa*. Le petit dessin collé sur la feuille plus grande annonce même les nombreux collages qui ornent ses « livres ».

Ce petit dessin, qui se présente comme une page de carnet à l'intérieur d'une autre, nous montre une femme assise torse nu, les yeux baissés, dont le ventre fait des plis sur la ceinture de sa jupe. C'est l'un des portraits les plus finement observés et les plus délicatement exécutés parmi tous les dessins de la période tahitienne, dont le style se rapproche davantage, en règle générale, des croquis plus petits, plus schématiques et même légèrement caricaturaux, qui occupent la partie droite des *Petites babioles tahitiennes.*

Le croquis du haut représente une feuille d'arbre à pain dont la forme découpée retient les jeux d'ombre et de lumière, et décore le haut de la page à la manière d'un emblème. Juste en dessous, il y a une image fort singulière d'un modèle étendu sur le dos et observé dans une perspective verticale.

On ne voit que l'avant-bras, le sommet de la tête et des épaules, le bout du nez et les seins dressés de cette femme, mais elle est visiblement nue, et couchée apparemment sur un matelas garni d'un drap blanc européen. Le mot tahitien *Taoto* inscrit sur le drap signifie « dormir » ou « coucher avec ». Au-dessous de ce mot, il y a une image insolite d'un visage de femme observé par en haut, sous un angle intime quoique peu flatteur. Sa tête repose sur le côté et elle a les lèvres entrouvertes comme si elle haletait. Enfin, le croquis situé tout en bas, qui est le plus conventionnel, nous montre le dos d'une femme portant un paréo. On retrouve exactement la même figure dans la peinture à l'huile *Tahitiennes sur la plage* exécutée en 1892, sans doute après le mois de mai. Sur la feuille de dessins, Gauguin a écrit *Opu Opu* (*ventre*) à côté de ce personnage. Ce pourrait être une allusion à la grossesse de sa vahiné, qu'il évoque dans sa correspondance avec Monfreid vers le mois d'août 1892. C.F.S.

Gauguin, *Tahitienne sur la plage,* 1892, huile sur toile (New York, The Metropolitan Museum of Art, collection Robert Lehman)

1. Jénot 1956, 120-121.
2. Joly-Segalen 1950, no XII, 68 ; Field (1977, 363, no 17) date cette lettre de septembre 1892. Nous l'avons située vers le mois d'août parce que la femme de l'artiste avait reçu une lettre contenant la même information avant le mois de septembre, où elle en avisa Schuffenecker dans une lettre inédite (une copie est conservée au fonds Loize, Musée Gauguin, Papeari, Tahiti).

Taoto
OpuOpu

143
Vahine no te vi (Femme au mango)

1892
72,7 × 44,5
Huile sur toile
Signé et daté en haut à gauche, en violet (en fait, du bleu sur du vert), *P. Gauguin 92.*
Inscription en haut à gauche, en noir sur bleu, *Vahine no te vi.*

Baltimore, Museum of Art, collection Cone constituée par Claribel Cone et Etta Cone

Expositions
Paris, Durand-Ruel 1893 ; nº 32, *Vahine no te vi (Femme au mango)* ;
Paris, Drouot 1895, nº 2, *Vahine no te vi* ;
Chicago 1959, nº 40.

Catalogues
Dorival 1954, inv. 1892, nº 27, *Vahine no te vi* ;
Field 1977, nº 69 ;
W 449 ;
FM 171.

Ce portrait de Teha'amana (voir cat. 126, 127, 130) en robe européenne du dimanche, intitulé *Vahine no te vi (Femme au mango*[1]), est répertorié vers la fin de l'inventaire de ses trente premières peintures tahitiennes que Gauguin établit au printemps 1892. Étant donné les similitudes frappantes avec un portrait antérieur de Teha'amana (W 420) de format identique, que l'artiste avait envoyé en France avant le 25 mars de cette même année[2], il se pourrait que Gauguin ait conçu *Vahine no te vi* comme une sorte d'œuvre de remplacement. Quand Monfreid lui apprit que la première version était bien arrivée en France, il expliqua dans sa réponse : « Cette étude est un acheminement à d'autres travaux meilleurs. »[3]

Comme le portrait précédent, *Vahine no te vi* est une harmonie de couleurs soigneusement orchestrée autour du jaune de chrome intense du mur à l'arrière-plan. Ce jaune fut probablement la couleur que Gauguin choisit après son retour à Paris pour peindre les murs de l'atelier qu'il loua rue Vercingétorix, où il organisa une exposition de ses œuvres à la fin de l'année 1894[4]. Alors que dans la peinture précédente, ce jaune participait à un accord des trois couleurs primaires, avec le bleu de la robe et le rouge du fauteuil, il devient ici la couleur complémentaire que fait vibrer le superbe violet de la robe.

Un examen du tableau au microscope révèle que Gauguin a obtenu ce ton violet en appliquant un frottis bleu sur diverses nuances de vert. De même, il a créé un chatoiement particulier dans les cheveux de son modèle en étalant du bleu et du noir sur une sous-couche verte. Il a même apposé sa signature en accordant une attention égale à son système de couleurs, car il a soigneusement repassé en bleu les lettres vertes afin d'obtenir un violet fané.

Gauguin a commencé à élaborer ce maniement très étudié de la couleur dans une étude à l'aquarelle pour *Vahine no te vi* (R 84), qu'il a recopiée dans son manuscrit de *Noa Noa* quelque six ans plus tard[5]. Dans ces aquarelles, l'arrière-plan est d'un rose corail lumineux, tandis que la robe de Teha'amana est bleue. Gauguin semble donc avoir décidé de les transformer dans sa version à l'huile afin de réaliser une résonance abstraite bien précise.

Le profil de l'artiste, grossièrement exécuté au trait dans l'angle supérieur gauche de l'étude à l'aquarelle, fut manifestement ajouté par la suite. Quand Gauguin a recopié ce profil dans son manuscrit de *Diverses choses*[6], il lui a joint l'inscription « Mon portrait par ma vahiné Pahura »[4]. Ainsi, la femme que Gauguin avait prise pour maîtresse durant son deuxième séjour à Tahiti[7] a griffonné un dessin sur le portrait de celle qui l'avait précédée.

Dans les aquarelles, Teha'amana, représentée en buste, semble tenir une mangue dans sa main droite levée. Pour la version à l'huile devenue presque un portrait en pied, Gauguin a modifié ce geste et s'est inspiré du personnage de Joseph dans un dessin de Prudhon intitulé *Joseph et la femme de Putiphar*, dont son tuteur Arosa avait publié une reproduction dans une monographie en 1872[8]. On a dit que le choix d'un détail d'une scène biblique comme source d'inspiration pour *Vahine no te vi* dénotait chez Gauguin la volonté de réaliser une œuvre plus facile à vendre que ses autres peintures de la première période tahitienne, plus primitives et déroutantes[9]. Pourtant, elle ne put trouver acquéreur avant la vente aux enchères organisée par l'artiste en février 1895, où Degas l'acheta.

Prud'hon,
Joseph et la femme de Putiphar
(Paris, B.N.)

1. La traduction littérale du titre tahitien est « femme de la mangue » ; Danielsson 1967, nº 82, 233. A rapprocher également de W 455 et W 457.
2. Sérusier 1950, 60.
3. Joly-Segalen 1950, nº XII, 67 ; lettre redatée des environs du mois d'août (voir cat. 142, n. 2).
4. Leclercq 1895, 121.
5. *Noa Noa*, manuscrit du Louvre, 63.
6. *Diverses choses*, manuscrit, 228. Ce portrait se retrouve dans un dessin (Rewald 1958, nº 45) qui a peut-être servi de matrice pour un monotype de 1894 (F 19-20).
7. Danielsson 1975, 190.
8. Field 1977, nº 69, 336.
9. Thomson 1987, 149-150.

Gauguin, *Tahitienne en buste*, 1891-1893, aquarelle (localisation actuelle inconnue)

Gauguin, *Noa Noa*, ms. 62
(Paris, Musée du Louvre (Orsay), Département des Arts Graphiques)

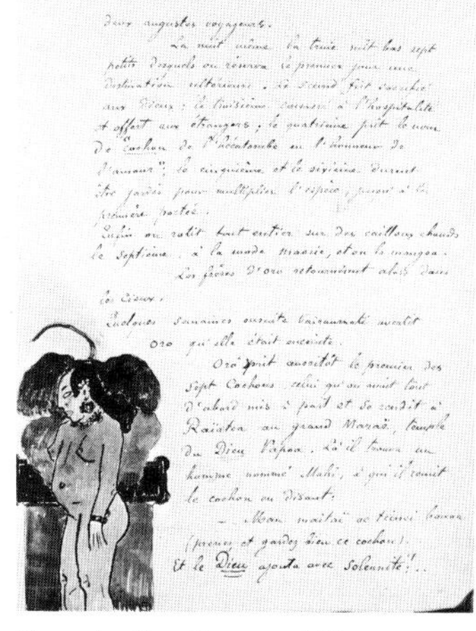
157

deux augustes voyageurs.
La nuit même la truie mit bas sept petits desquels on réserva le premier pour une destination ultérieure ; le second fut sacrifié aux Dieux ; le troisième consacré à l'hospitalité et offert aux étrangers ; le quatrième prit le nom de Cochon de l'hécatombe en l'honneur de l'amour ; le cinquième et le sixième durent être gardés pour multiplier l'espèce, pareil à la première portée.
Enfin on rôtit tout entier sur des cailloux chauds le septième à la mode maorie, et on le mangea.
Les frères d'Oro retournèrent alors dans les Cieux.
Quelques semaines ensuite Vaïraumati avertit Oro qu'elle était enceinte.
Oro prit aussitôt le premier des sept Cochons celui qu'on avait tout d'abord mis à part et se rendit à Raïatea au grand Maraë, temple du Dieu Vapua. Là il trouva un homme nommé Mahi, à qui il remit le cochon en disant :
– Mau maitai oe teinei buaa (prenez et gardez bien ce cochon).
Et le Dieu ajouta avec solennité : ..

Gauguin, *Noa Noa*, ms. 157
(Paris, Musée du Louvre (Orsay), Département des Arts Graphiques)

Vahine no te Vi
P Gauguin - 92

10. La signification de ces couleurs a peut-être un rapport avec le masque dans cat. 147, ou avec les pommes dans cat. 92.
11. Joly-Segalen 1950, nº XII, 68 (voir cat. 142, n. 2).
12. Huyghe 1951, 28; *Noa Noa*, manuscrit du Louvre, 157.

La portée profonde de *Vahine no te vi* va peut-être bien au-delà de la virtuosité de Gauguin dans le maniement de la couleur et de l'arabesque. Si Teha'amana semble se tenir debout dans un intérieur, devant un meuble couvert d'un paréo bleu foncé à fleurs blanches, le décor est ambigu. L'amas de fleurs blanches visible dans l'angle supérieur gauche, près de deux objets en forme de fruits, l'un vert et l'autre rouge[10], donne l'impression que Teha'amana a cueilli la mangue sur un arbre. Les cheveux, dénoués et parés de fleurs de tiaré blanches, confèrent un caractère particulièrement sensuel à ce portrait d'une femme tenant un fruit mûr, qui appelle la comparaison avec *Te nave nave fenua* (*Terre délicieuse*, cat. 148), l'interprétation ouvertement symbolique de la tentation d'Eve peinte plus tard dans la même année. Teha'amana a un expression inquiète dans *Te nave nave fenua*, alors que dans *Vahine no te vi* elle est sereine, mais dans ces deux œuvres elle détourne les yeux de ce qu'elle vient de saisir dans la main. Si *Vahine no te vi* comportait une allusion à la tentation sexuelle, cela permettrait d'expliquer pourquoi Gauguin a accusé les rondeurs du corps de la jeune femme sous sa robe, comme pour montrer qu'elle est enceinte. Dans une lettre adressée vers le mois d'août 1892 à Daniel de Monfreid, l'artiste annonçait: « Je vais bientôt être père à nouveau en Océanie »[11]. Une aquarelle représentant une femme enceinte de plusieurs mois, que Gauguin a incorporée dans son manuscrit de *L'Ancien culte Mahorie* et recopiée ensuite dans *Noa Noa*, constitue peut-être un autre souvenir de cette grossesse[12]. C.F.S.

144

Vahine no te miti (Femme de la mer)

1892
93 × 74,5
Huile sur grosse toile.
Signé en bas à droite, en orange, *P Gauguin 92*.
Inscription en bas à gauche, en bleu foncé sur la feuille jaunie, *Vahine no te/Miti*

Buenos Aires, Museo nacional de bellas artes

Expositions
Paris, Durand-Ruel 1893, nº 30, *Vahine no te miti (Femme de la mer)*; Bruxelles 1894, nº 190; Paris, Drouot 1895, nº 25, *Vahine' no te' miti (Femme de la mer)*; Tokyo 1987, nº 63.

Catalogues
Dorival 1954, inv. 1892, nº 30, *Étude de dos nu*; Field 1977, nº 21; W 465; FM 228.

Cette œuvre est la dernière de l'inventaire que Gauguin a dressé dans son *Carnet de Tahiti* vers le mois d'avril 1892[1]. C'est en revanche la première d'une série de peintures de baigneuses (voir cat. 152) que l'artiste a réalisée à Mataiea, revenant ainsi sur un thème idyllique qui l'avait hanté depuis 1887 (voir cat. 34, 80). Il a élaboré *Vahine no te miti (Femme de la mer)* à partir d'un de ses « documents », un dessin coloré exécuté avec beaucoup de soin dans le même carnet[2], peut-être d'après un modèle. Cette étude, mise au carreau pour être considérablement agrandie sur la toile, indique qu'à l'origine Gauguin accordait la priorité au fort contraste d'ombre et de lumière et à la curieuse silhouette. L'ombre épaisse qui s'étend sur tout le dos du personnage sauf le bord gauche n'a rien d'extraordinaire dans le dessin, mais une fois transposée dans un environnement de plage sur la toile, elle semble en désaccord avec la luminosité et avec l'ambiance suggérée par le sable inondé de soleil. La silhouette, qui se découpe avec autant de vigueur dans la peinture que dans le dessin, paraît volontairement inélégante, le modèle tenant ses bras et ses jambes ramassés contre son buste. Les cheveux courts, les bras représentés seulement de l'épaule au coude et la jambe droite dont on ne voit que la cuisse mettent en valeur le torse du modèle, qui rappelle un fragment de statue antique tel le célèbre torse du Belvédère aux membres coupés. Dans la peinture, le personnage semble à la fois audacieusement aplati et éminement sculptural[3]. En outre, la diversité chatoyante des nuances brunes de la peau, traitées en glacis, évoque les applications irrégulières de vernis lumineux utilisées par Gauguin pour ses céramiques, ou la patine d'une statue de bois ou de bronze.

Dans *La Nouvelle Peinture* (1876), Edmond Duranty conseillait aux peintres modernes d'oublier les conventions de la peinture de genre et du portrait, notamment la tradition de la représentation de face, pour trouver un nouveau moyen d'exprimer l'état psychologique, l'âge et la condition sociale de personnages vus de dos[4]. Duranty admirait beaucoup Degas. Le nu de Gauguin, à l'instar de multiples variations de Degas sur ce thème[5], tourne le dos au spectateur, comme dans un tête à tête avec ses propres pensées. L'oreille visible du modèle attire l'attention sur sa solitude, rompue seulement par le bruit doux des vagues sur le récif de corail. Bien évidemment, les crêtes des vagues sont aussi des accents décoratifs dans la composition de Gauguin, qui s'harmonisent avec le motif floral du paréo drapé sur le genou droit du modèle, et avec

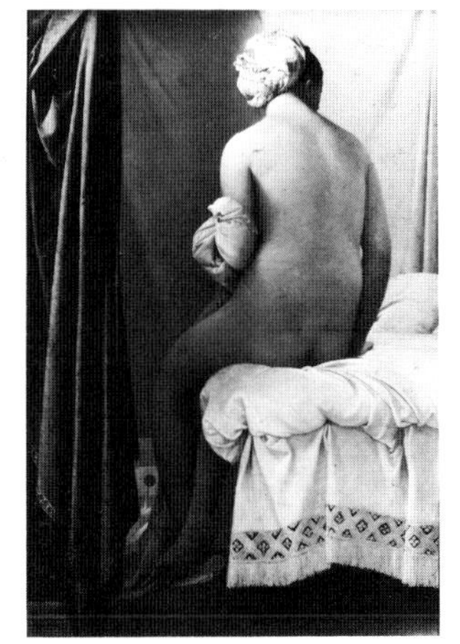

Ingres, *La baigneuse Valpinçon*, 1808, huile sur toile (Paris, Musée du Louvre)

Gauguin, *Carnet de Tahiti*, p. 81

Vahine no te
Miti
P. Gauguin

1. Field 1977, 306.
2. Dorival 1954, 1892, 81 recto.
3. Field 1977, 85-86.
4. Louis Edmond Duranty, *La nouvelle peinture*, rééd., Paris, Floury, 1946.
5. Voir, par exemple Lemoisne 1946-1949, n°s 642, 848, 849.
6. Paris, Orangerie 1949, n° 109, lettre transcrite dans l'appendice III, n° 100; Motoe (dans Tokyo 1987, 102 et 170) identifie l'œuvre citée dans cette lettre avec *Vahine no te miti.*
7. Ribault-Menetière 1947.

les fleurs et feuilles déposées par la mer sur la plage. Aucun de ces détails ne se trouvait dans le dessin du carnet.

La petite nature morte de formes organiques frémissantes et le recours à de larges aplats jaunes ou jaune-orangé de part et d'autre du personnage rappellent certaines œuvres de van Gogh, pour qui le jaune avait une valeur spirituelle particulière. Bien sûr, dans *Vahine no te miti,* Gauguin a associé les tons jaunes avec les tons bleus complémentaires de l'eau et des cheveux du modèle, et ces deux couleurs réunies semblent vibrer encore plus.

Dans une lettre adressée à un acheteur éventuel après sa vente aux enchères de 1895, Gauguin énumérait six œuvres encore disponibles, dont l'une était désignée par le titre « Dos de femme sur sable jaune ». Il s'agissait peut-être de *Vahine no te miti,* ou de *Otahi (Seule),* (cat. 156). C'était pour ce tableau qu'il demandait le prix le plus élevé, et il expliquait: « J'y ajoute ce dernier numéro parce que je crois que c'est un morceau exceptionnel. »[6] En 1902, répondant aux questions d'un collectionneur, Gauguin regrettait de ne pas savoir où se trouvait désormais *Vahine no te miti*[7]. C.F.S.

145

Nafea Faaipoipo (Quand te maries-tu?)

1892
105 × 77,5
Huile sur grosse toile.
Signé et daté en bas à gauche, en noir, *P Gauguin 92.*
Inscription en bas à droite, en noir, *Nafea Faaipoipo.*

Fondation Rudolf Staechelin

Expositions
Paris, Durand-Ruel 1893, n° 19, *Nafea faaipoipo? (Quand te maries-tu?);*
Paris, Drouot 1895, n° 20, *Nafea faaipoipo;*
Paris 1906 (?), n° 159, *Deux Tahitiennes accroupies;*
Paris, Orangerie 1949, n° 32;
Londres 1979, n° 90;
Washington 1980, n° 53.

Catalogues
Field 1977, n° 35;
W 454; FM 172.

Nafea Faaipoipo (Quand te maries-tu?)[1] est avant tout une composition décorative qui joue sur les rappels et oppositions de couleurs complémentaires, et dont l'atmosphère évoque le mystère de l'adolescence. On l'a souvent rapprochée d'une lettre de Gauguin à sa femme, écrite sans doute vers la fin avril 1892, où il expliquait: « Je suis en plein travail, maintenant je connais le sol, son odeur et les Tahitiens que je fais d'une façon très énigmatique n'en sont pas moins des Maoris et non des Orientaux des Batignolles. »[2] Pour la question de la date de ce tableau, il ne faut peut-être pas négliger la comparaison avec *Aha oe feii?* (cat. 153), à la palette relativement restreinte, et *Où vas-tu?* (W 458 et W 501), toiles exécutées dans la seconde moitié de l'année. De fait, un petit croquis des personnages de *Nafea Faaipoipo* se trouve au dos d'une feuille d'études pour *Aha oe feii?*[3].

Gauguin devait être obsédé par le personnage accroupi et bien décidé à l'utiliser dans une composition, car on le retrouve dans de petites esquisses préparatoires pour des peintures qui n'ont pas vu le jour[4]. L'artiste a également introduit ce personnage dans une petite esquisse à l'huile (W 455), et il l'a encore représenté sur une feuille de carnet, dans deux aquarelles[5] et dans un dessin préparatoire en grandeur réelle (cat. 146).

Field propose un précédent japonais[6] pour ce personnage, mais il semblerait que Gauguin ait pris pour point de départ la femme située à l'extrême droite dans les *Femmes d'Alger* de Delacroix (Musée du Louvre)[7]. Cette allusion aurait une signification évidente, étant donné l'immense admiration de Gauguin pour Delacroix, dont témoigne indéniablement le parallèle entre le pèlerinage artistique de Delacroix en Afrique du Nord, en 1832, et celui de Gauguin à Tahiti, presque soixante ans après. Gauguin avait une prédilection pour le personnage accroupi de *Nafea Faaipoipo,* qui revient dans trois autres tableaux de la première période tahitienne (W 447, W 478 et W 501). Même la forme de la pierre (portant la signature de l'artiste) au premier plan paraît répondre au mouvement sinueux massif des jambes et des hanches de ce personnage.

Dans leurs analyses de cette peinture, à peu près tous les spécialistes ont attiré l'attention sur le titre choisi par Gauguin, qu'il faut peut-être rapprocher de sa longue description du mariage tahitien dans *Noa Noa,* ou même du roman à succès où Loti a conté l'idylle d'un Européen et d'une Tahitienne, *Le Mariage de Loti* (1879). Cependant, il est impossible de savoir qui pose la question « Quand te maries-tu ?[7] Field suppose que la fleur portée par la femme du premier plan indique qu'elle cherche un mari, et il interprète le second personnage comme son alter ego[8]. Pour lui, le geste de ce deuxième personnage serait inspiré de l'art bouddhique. Naomi Maurer voit dans ce geste un *mudra* bouddhique, signifiant l'enseignement, et elle pense que les deux personnages représentent deux étapes de la sensibilisation à l'expérience universelle de l'amour[9].

Alors même que Teha'amana a peut-être posé pour les deux personnages, il semble évident que Gauguin voulait opposer ces deux femmes placées l'une devant l'autre, la première tournant le dos à la seconde. Leurs regards sont orientés dans deux directions contraires et leurs vêtements sont différents. La première porte un paréo rouge vif (et non mauve pâle comme dans le dessin préparatoire), tandis que sa compagne est vêtue d'une robe de mission d'un rose corail très doux. Ces tons soigneusement orchestrés semblent désigner deux tempéraments distincts, au même titre que les poses différentes. Ainsi réunies, les deux protagonistes pourraient avoir un rapport avec les deux autres personnages minuscules debout dans le fond. Mais on ne sait s'il faut donner un sens à ce détail, ou au paysage et à sa mare limpide. Les deux branches feuillues qui pendent dans l'angle supérieur gauche de la composition, tels des accents décoratifs, sont peut-être à interpréter comme un faire-valoir métamorphique pour l'arbre apparemment

NAFEA

mort dont les deux troncs se dressent à un bout de la mare.

Gauguin confia six peintures, dont celle-ci, au marchand Durand-Ruel après son exposition personnelle de novembre 1893. C'était l'une des deux œuvres pour lesquelles il demandait le prix le plus élevé, 1 500 F, preuve de l'importance qu'il lui accordait[10]. C.F.S.

1. Voir Bouge 1956, n° 26, 162 et Danielsson 1967, n° 24, 231.
2. Malingue 1946, n° CXXX, 229-230; lettre redatée par Field (1977, 361).
3. Chicago, collection Blair.
4. Dorival 1954, inv. 1892, 71-72.
5. Rewald 1958, n° 46 pour la feuille de carnet. L'une des aquarelles est conservée à l'Art Institute of Chicago (1922.4795), et l'autre à la galerie Thielska, Stockholm.
6. Field 1977, 136.
7. Johnson 1986, n° 356.
8. Field 1977, 132-141. Les traits de la femme dans une attitude apparemment bouddhique sont fixés dans un dessin de Gauguin conservé au Philadelphia Museum of Art.
9. Maurer 1985, 987.
10. Archives Durand-Ruel. Paris, *Brouillard* (juin 1893-novembre/décembre 1897) à la date du 28 novembre 1893 : œuvre reçue en dépôt et enregistrée sous le numéro d'inventaire 8319.

146

Tahitienne accroupie, étude pour « Nafea Faaipoipo » (recto) Tahitienne, étude pour « Faaturuma » (verso)

1892
55,5 × 48
Pastel et fusain sur dessin préalable au fusain, partiellement estompés, avec mise au carreau à la pierre noire (recto) sur papier vélin ; fusain (verso).

The Art Institute of Chicago, don de Tiffany et Margaret Blake, 1944.578

Exposition
Chicago 1959, n° 105.

Catalogue
FM 173 (recto);
FM 174 (verso).

Exposé à Washington et Chicago

Quatre peintures seulement de la première période tahitienne (voir cat. 147 et 149) sont assorties de dessins préparatoires en grandeur réelle parvenus jusqu'à nous. Gauguin a mis cette feuille au carreau afin de se guider dans le report de l'image à main levée. En deux autres occasions, il a perforé le dessin selon la méthode du poncif, qu'il semble avoir adoptée après le procédé plus classique du carreau, illustré par cette feuille et par une œuvre apparentée (cat. 127). Comme le dessin reproduit ici ne représente qu'une des deux figures imbriquées de *Nafea Faaipoipo,* c'est un témoin précieux de la façon dont Gauguin élaborait ses compositions en étudiant séparément chacun des éléments. La trace encore visible d'une autre position du bras droit de la Tahitienne incite à penser que ce fut peut-être la toute première version du personnage qui obsédait Gauguin, reprise jusqu'à la fin, à une échelle réduite, parfois sans bras droit, mais jamais avec le bras dans cette position.

Après avoir ébauché la pose du personnage à la mine de plomb, Gauguin a renforcé la plupart des contours avec des pastels bleu et brun, puis il a travaillé le visage, les vêtements et le fond directement en couleurs. Ces couleurs sont différentes de celles de la version à l'huile. Dans le dessin, les cheveux de la femme sont bleu de Prusse et non noirs, son paréo est mauve pâle à motifs jaunes et non rouge vif, et elle est accroupie sur de l'herbe vert émeraude et non sur du sable ocre jaune.

Gauguin a exécuté ce dessin préparatoire au dos d'une feuille dont il s'était déjà servi pour esquisser une Tahitienne assise vêtue d'une robe de mission. Dans l'état actuel de la feuille, la tête de cette femme est coupée en haut. Il semble donc que Gauguin ait retaillé la feuille avant d'exécuter sur le côté propre le dessin préparatoire pour *Nafea Faaipoipo*. A en juger par les traits du modèle et son vêtement, le dessin précédent était une première pensée pour *Faaturuma* (cat. 126), même si la jeune femme est assise sur un rocking-chair un mouchoir à la main, dans la peinture, alors que dans le dessin elle n'a pas de siège et semble tenir un petit animal familier[1].

C.F.S.

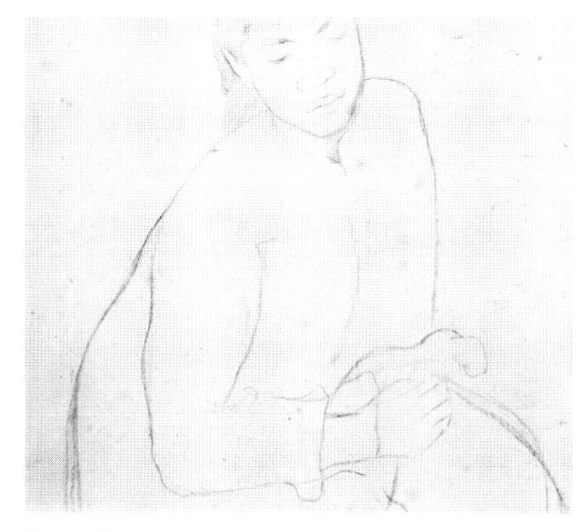

Gauguin, *Tahitienne*, verso

1. Un modèle semblable tient un animal familier dans un dessin conservé à l'Art Institute de Chicago (n° d'inv. 43.521) qui pourrait se rattacher à celui-ci.

147

Parau na te varua ino[1] (Paroles du Diable)

1892
91,7 × 68,5
Huile sur grosse toile.
Signé et daté en bas à gauche, en noir, *P Gauguin 92.*
Inscription en bas à gauche, en orange, *Parau na te Varua ino.*

Washington, National Gallery of Art, don de la fondation W. Averell Harriman en souvenir de Marie N. Harriman

Expositions
Paris, Durand-Ruel 1893, n° 10, *Parau no Varua Ino (Paroles du Diable)*;
Bruxelles 1894, n° 192, *Paroles du Diable. Parau nate Vanua ino*;
Paris, Drouot 1895, n° 10, *Parau no Varua Ino*;
Londres 1910, n° 43, *L'Esprit du Mal*;
New York 1913, n° 175;
Chicago 1913, n° 138;
Boston 1913, n° 55;
Bâle 1949, n° 47;
Lausanne 1950, n° 21;
Houston 1954, n° 24;
Chicago 1959, n° 42.

Gauguin a placé ce nu d'une extrême simplicité sur un fond de paysage richement composé de verts et de mauves ponctués de fleurs tropicales. Comme le personnage de *Te nave nave fenua* (cat. 148), ce nu, dont la pose s'inspire apparemment de quelque sculpture médiévale d'Ève[2], a été dessiné sur la toile à l'aide d'un poncif, que Gauguin a ensuite coloré au pastel et découpé pour le transformer en une œuvre aboutie autonome[3]. Dans le dessin, les yeux du personnage sont situés un peu plus bas sur le visage, mais un examen radiographique de *Parau na te varua ino* révèle deux yeux supplémentaires, dessinés un peu plus bas et recouverts de peinture. Un petit croquis du même personnage, exécuté à la plume sur une page de carnet, a peut-être servi d'étude pour le grand poncif[4]. Plus tard, Gauguin a adapté le personnage pour d'autres œuvres, dont un dessin à la plume[5], une gravure sur bois (cat. 235) et un dessin-empreinte (cat. 251).

Les dimensions de *Parau na te varua ino (Paroles du Diable)*, la façon dont Gauguin l'a élaboré à partir d'une esquisse en grandeur réelle, et son thème apparent — le péché originel évoqué dans l'Ancien Testament — semblent rattacher ce tableau à *Te nave nave fenua* (cat. 148). Cependant, d'autres détails strictement narratifs ou symboliques rattachent *Parau na te varua ino* à un ensemble de peintures-fables sur le thème de la peur, dont *Manao tupapau (L'esprit des morts veille*, cat. 154), *Parau hanohano (Paroles terrifiantes*, W 460) et *Contes barbares* (W 459), toutes exécutées vers la même époque[6]. Le *varau ino* dont il est question dans le titre est un esprit malin qui peut apparaître aux Tahitiens, et Gauguin a inventé des figures grotesques pour incarner ce genre de superstition[7]. Pour *Parau na te varua ino, Parau hanohano, Contes barbares* et *Te po* (*La nuit*, cat. 168), il a utilisé le même personnage féminin agenouillé, vu de face, dont le visage ressemble à un masque. Tandis que pour d'autres œuvres de la série, y compris le poncif de *Parau na te varua ino*, il a imaginé un personnage à capuchon, vu de profil et parfois à cheval (cat. 256), qu'il assimilait aux *tupapaus*, une autre variété de fantômes tahitiens. A propos d'une de ces peintures (peut-être *Parau hanohano*[8]) présentées en 1893 à l'exposition personnelle de Gauguin sous le titre *Faire peur*, son ami Charles Morice écrivait dans le catalogue : « Quelqu'un conte une dangereuse histoire et dans la naïveté d'un des écoutants, la légende a pris corps, elle déforme terriblement la nature aux yeux agrandis, phosphorescents, du crédule, et la nuit douce de Tahiti s'est peuplée d'êtres redoutables, inconnus, innommés, anciennes divinités déchues ou vieux morts qui veillent (...) »[9]

Le geste pudique du nu debout dans *Parau na te varua ino* rappelle des images occidentales d'Ève chassée du paradis. Alors, l'esprit malin, plutôt cocasse dans sa robe violette au décolleté profond, pourrait bien être une interprétation de Satan par Gauguin, rôle masculin par tradition[10]. Le rouge vermillon exagérément vif des feuilles mortes échouées sur le sable rose, autour de ses genoux, a un éclat maléfique[11], encore exalté par les fleurs de *hutu* blanches et les troncs d'arbres noueux tachetés de lichen[12]. Les longues formes sinueuses des feuilles de pandanus, autour des pieds du personnage debout, apparaissent dans plusieurs des premières peintures tahitiennes de Gauguin (W 430, W 431 et W 432), et dans *Noa Noa* l'artiste compare ces feuilles à des lettres d'un alphabet disparu (voir cat. 183)[13]. Comme aucun des personnages de *Parau na te varua ino* n'a l'air de parler, ces feuilles pourraient symboliser les « paroles » (*parau*) mentionnées dans le titre. La baigneuse

147

Catalogues
Field 1977, nº 29;
W 458; FM 240.

debout[14], qui tourne un regard soupçonneux vers le *varua ino*, doit voir les plantes exotiques, tandis que l'esprit malin doit lui rester invisible.

Des auteurs, estimant que le *varua ino* incarnait le « mal » ou la « mort », ont proposé des interprétations diverses pour cette peinture, depuis l'éveil à la sexualité jusqu'à des méditations sur les notions indissociables de péché, de naissance et de mort. Pourtant, la symbolique de *Parau na te varua ino* résiste à toutes les tentatives d'interprétation[15]. L'indication la plus éclairante sur le sens que voulait lui donner Gauguin est peut-être un petit dessin préparatoire au crayon (R 40) où les deux personnages sont séparés par un tronc d'arbre incliné, tout comme dans *La vision du sermon* (cat. 50) les personnages réels étaient séparés des êtres matérialisés dans leur imagination, que Gauguin avait représentés au fond[16]. Dans cette petite esquisse, le *varua ino* porte un masque allongé au sourire stylisé. Même si l'on n'a pu identifier le modèle exact de ce masque primitif (que Gauguin a redessiné dans la marge de la même feuille[17]), le contraste entre son sourire et l'expression lugubre du *varua ino* permet de supposer que, peut-être, cet esprit avait revêtu le masque pour enjôler la baigneuse et l'a ôté pour révéler quelque horrible vérité cachée[18].

Le plus curieux de tous les détails étranges de la peinture définitive est également un indice éclairant. C'est le masque, pour moitié vermillon et pour moitié vert, visible dans l'angle supérieur droit, avec son œil blanc et son œil jaune. En dessous de ce semi-visage, on discerne à peine une main, dont le pouce tendu vers l'endroit où devrait se trouver la bouche du masque rappelle le geste du pouce porté à la bouche dans de nombreuses œuvres de Gauguin, et plus particulièrement celui de l'autoportrait introduit, également en haut à droite, dans son bas-relief polychrome *Soyez amoureuses, vous serez heureuses* (G 76) qui évoque sur le mode ironique les souffrances du remords après l'amour[19]. Le renard assis au regard fixe sculpté dans ce même relief que Gauguin présentait comme le symbole indien de la perversité[20], fut le prototype évident du *varua ino* qui figure dans ses premières peintures tahitiennes. C.F.S.

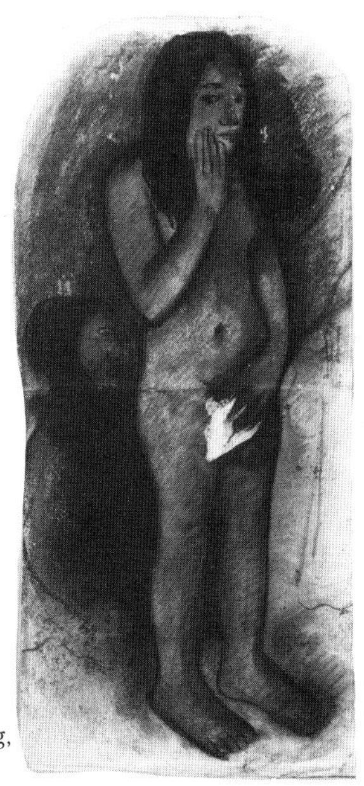

Gauguin, *Les paroles du diable*, 1892, pastel
(Bâle, Öffentliche Kunstsammlung, Kupferstichkabinett)

1. Voir Danielsson 1967, nº 47, 232 et Amishai-Maisels 1985, 209, 50.
2. Field 1977, 125 et fig. 47; Amishai-Maisels 1985, 192.
3. Oeffentliche Kunstsammlung, Bâle. Gauguin a collé une photographie de ce dessin dans son exemplaire de *Noa Noa*, manuscrit du Louvre, 51.
4. The Art Institute of Chicago, inv. nº 49.649.
5. Collection Armand Hammer.
6. Field 1977, 122-126; Amishai-Maisels 1985, 195-198; Teilhet-Fisk 1985, 76-77.
7. Teilhet-Fisk 1985, 74-75. Dorra (1970, 370) les range au nombre de ce qu'il appelle les personnages « observateurs » chez Gauguin.
8. Field 1977, 325, nº 30; Amishai-Maisels 1985, 196.
9. Morice 1893b, 10-11.
10. Amishai-Maisels 1985, 183.
11. Teilhet-Fisk (1985, 75) pense que ce rouge pourrait symboliser le « sang des premiers rapports sexuels ».
12. Andersen (1971, 185-186), assimile ces arbres à des symboles phalliques.
13. *Noa Noa*, manuscrit du Louvre, 38-39.
14. Naomi Maurer (1985, 1003), examine la symbolique du bain à propos de ce tableau.
15. Dorra 1953, 200-202; Dorra 1954, 13; Field 1977, 124-125; Amishai-Maisels 1985, 191-193 et 198-201; Andersen 1971, 185-186; Teilhet-Fisk 1985, 75-77; Jirat-Wasiutynski 1978, 270-271; Maurer 1985, 999-1003.
16. Teilhet-Fisk 1985, 74.
17. Teilhet-Fisk 1985, 74; Amishai-Maisels (1985, 190-191) a cru par erreur que ce masque dans la marge représentait un autel.
18. Amishai-Maisels 1985, 192.
19. Amishai-Maisels 1985, 199-200; Jirat-Wasiutynski 1978, 271.
20. Malingue 1946, nº LXXXVII, 167; et Cooper, 1983, nºs 22, 35.

148

Te nave nave fenua[1] (Terre délicieuse)

1892
91 × 72
Huile sur grosse toile.
Signé et daté en bas à gauche, en violet, *P Gauguin 92.*
Inscription en bas à gauche, en rouge, *Te nave nave fenua.*

Kurashiki, Ohara Museum of Art

Te nave nave fenua (Terre délicieuse) est peut-être la peinture la plus résolument provocante de Gauguin, avec son nu en pied représenté de face qui expose ses poils pubiens aux regards. La genèse de ce tableau remonte aux environs de 1889, date où Gauguin se procura des photographies de bas-reliefs du temple bouddhique de Borobudur, qu'il ajouta à sa collection d'images destinées à fournir des éléments pour des œuvres ultérieures[2]. Vers le début de l'année, il avait vu à la *Centennale de l'art français La femme au perroquet* de Courbet (1866)[3], dont le souvenir semble avoir inspiré trois ans plus tard l'association d'une femme nue et d'un lézard-oiseau pour obtenir un effet érotique semblable.

La première idée de ce tableau représentant une Ève tahitienne, fut une gouache sur carton exécutée en 1890, avant même le départ de Gauguin pour Tahiti. On y voit un nu, dans une attitude empruntée à une figure de Borobudur, qui cueille des pommes sur les indications d'un serpent enroulé autour d'un petit arbre, au milieu d'un paysage luxuriant où se dressent des cocotiers (W 389)[4]. Peut-être Gauguin trouvait-il piquant de représenter la chute spirituelle d'Ève par une attitude censée traduire l'élévation dans l'art bouddhique[5]. Mais le plus curieux, c'est que ce petit nu a les traits de la mère de l'artiste, peints d'après une photographie (voir cat. 106).

Gauguin devait attacher une importance personnelle considérable à la tête du personnage de *Te nave nave fenua*. Elle est différente dans le poncif (cat. 149) utilisé pour cette peinture.

Un examen radiographique de la peinture a révélé récemment la présence d'une autre tête, correspondant à celle du poncif, sous le visage actuel du personnage[6]. Gauguin a finalement reproduit les traits de sa maîtresse Teha'amana dans *Te nave nave fenua*, en prenant pour guide un de ses remarquables portraits au fusain[8].

Expositions
Paris, Durand-Ruel 1893, nº 16, *Nave nave fenua (Terre délicieuse)*;
Paris, Drouot 1895, nº 18, *Nave Nave fenua*;
Tokyo 1987, nº 60.

Catalogues
Field 1977, nº 33;
W 455; FM 232.

Présentée comme un nu puissant, un peu trop grand pour la toile, dans *Te nave nave fenua,* Teha'amana incarne l'Ève tahitienne selon Gauguin, telle qu'il l'a décrite en détail dans *Diverses choses*[9].

Te nave nave fenua semble faire pendant à *Parau na te varua ino* (cat. 147), de format identique, où Gauguin propose une transposition tahitienne du thème occidental de la honte d'Ève après la faute. Selon l'interprétation habituelle, *Te nave nave fenua* est une transposition libre du thème de la tentation d'Ève dans un cadre tropical[10].

Comme l'ont signalé certains auteurs, dans *Le Mariage de Loti* (1879), l'héroïne tahitienne Rarahu explique que les missionnaires présentaient le serpent qui avait tenté Eve comme un « long lézard sans pattes », parce qu'il n'y avait pas de serpent à Tahiti[11]. Cependant, il n'y a pas à Tahiti, ni nulle part ailleurs, de lézards ailés semblables à celui qui figure dans *Te nave nave fenua.* De même, ne pouvant trouver de pommier en Polynésie pour illustrer ce thème biblique, Gauguin a préféré inventer une fleur totalement imaginaire au lieu de le remplacer par un arbre fruitier local. Les fleurs et le lézard fabuleux, dans le paysage par ailleurs réaliste de *Te nave nave fenua,* distinguent cette œuvre de toutes les autres peintures tahitiennes de Gauguin, qui donnent à voir la flore et la faune locales, fût-ce parfois sous des formes stylisées.

Gauguin, *Tête de tahitienne,*
1892, fusain
(Dallas, collection particulière)

Par conséquent, August Strindberg faisait probablement allusion à *Te nave nave fenua* quand il déplorait, dans une lettre à l'artiste : « J'ai vu des arbres que ne retrouverait aucun botaniste, des animaux que Cuvier n'a jamais soupçonnés et des hommes que vous seul avez pu créer. »[12] En 1893, deux critiques parisiens soulignèrent ce même aspect visionnaire de *Te nave nave fenua.* Achille Delaroche[13] écrivit : « (...) un irréel verger offre ses flores insidieuses au désir d'une Ève édénique dont le bras se tend peureusement pour cueillir la fleur du mal, tandis que susurre sur ses tempes le battement des ailes rouges de la chimère. »[14] Charles Morice, qui avait sans doute consulté Gauguin avant de rédiger une description étonnamment similaire de cette peinture, parla de « fleurs telles que les yeux éblouissants des plumes des paons, des fleurs d'orgueil »[15].

La plupart des auteurs, reprenant le parallèle de Morice, ont comparé les fleurs de la tentation dans *Te nave nave fenua* à la plante fantastique, mi-plume de paon mi-globe oculaire, visible dans une lithographie de Redon exécutée en 1883[16]. Certains ont associé ce rappel de la plume de paon à des idées de vanité, de séduction amoureuse, de vision et de savoir[17]. Les paons occupent une place de choix dans un des paysages les plus ambitieux de la première période tahitienne de Gauguin (cat. 132), et dans une gravure sur bois (cat. 232)[18]. On ne sait si l'analogie entre les fleurs de *Te nave nave fenua* et le plumage saisissant de l'oiseau était voulue, mais cette plante étrange revient dans d'autres œuvres du premier séjour à Tahiti, dont des illustrations pour *L'Ancien culte Mahorie*[19].

Un dessin dans un carnet de Gauguin nous apprend comment le lézard ailé a pris forme dans son imagination[20], peut-être bien grâce au souvenir d'une des lithographies hallucinantes de Redon, tout comme les fleurs. Le détail isolé de la tête de la femme à côté du lézard, que Gauguin a travaillé dans un dessin au pastel[21] et dans une petite aquarelle sur la couverture de son manuscrit illustré de *Noa Noa,* présente des similitudes frappantes avec une gravure de Redon pour *La tentation de saint Antoine* de Flaubert : « Et un grand oiseau qui descend du ciel vient s'abattre sur le sommet de sa chevelure. »[22]

Les ailes rouges du lézard, qui semblent répondre aux couleurs fruitées du lit de rivière asséché dans le décor de *Te nave nave fenua,* font miroiter des reflets dans les cheveux noirs de Teha'amana, retenus par un ruban

Gauguin, *Tête de femme,*
en rapport avec *Te nave nave fenua,*
crayon, pastel en gouache
(localisation inconnue)

Gauguin, *Noa Noa,* couverture
(Paris, Musée du Louvre (Orsay),
Département des Arts Graphiques)

Redon, *Illustration pour « La tentation de St Antoine » de* Flaubert,
lithographie
(The Art Institute of Chicago)

1. Voir Danielsson 1967, nºs 35, 36, 231, et nº 69, 233. Teilhet-Fisk 1985, 30.
2. Dorival 1951, 118-122, et Dorra 1967, 109-112.
3. Fernier 1978, nº 526.
4. Dorra 1953, 193-202. Parmi les autres images d'Ève dans les premières périodes de Gauguin, citons également W 333 et G 71.
5. Field 1977, 132.
6. Nous remercions Mitsuhiko Kuroe de nous avoir communiqué les résultats de son analyse radiographique.
7. Amishai-Maisels (1985, 188-189) et Jirat-Wasuitynski (1978, 271) ont cru à tort qu'il s'agissait de Titi. Le personnage de *Te nave nave fenua* figure au dos d'une sculpture de la tête de Teha'amana (cat. 150).
8. Pickvance 1970, nº 73.
9. *Diverses choses,* manuscrit du Louvre, 256. Maurer (1985, 986-987) fait le rapprochement entre ce texte et la peinture.
10. Field 1977, 131, et Amishai-Maisels 1985, 200.
11. Loti 1879, chapitre 37 ; voir Amishai-Maisels 1985, 185-186,
12. Strindberg 1895.
13. Voir Malingue 1946, nº CLXXII, 293.
14. Delaroche 1894, 37.
15. Morice 1893a, 296.
16. Mellerio 1913, nº 46.
17. Amishai-Maisels 1985, 185 ; et Andersen 1971, 176-178.
18. Une de leurs plumes a fait l'objet d'un dessin dans un carnet de Gauguin (*Album Briant,* 21 Louvre, Département des Arts Graphiques, Orsay) ; voir Amishai-Maisels 1985, 181.
19. Huyghe 1951, *Ancien culte Mahorie,* 13 et dos de la couverture.
20. Musée Saint-Denis, Reims. Dans un dessin antérieur, dont il n'existe plus qu'une photographie (archives Schniewind), mais qui se rapporte à une zincographie de 1889 (Gu 1), Gauguin a introduit un lézard, sans ailes celui-là.

48

21. Voir le catalogue de la vente de «tableaux modernes», 7 juin 1973, Palais Galliera, Paris, nº 5.
22. Mellerio 1913, nº 86.
23. Une autre aquarelle se trouve dans *Noa Noa*, manuscrit du Louvre, 69. Amishai-Maisels 1985, 182-184.
24. Nous remercions Peter Zegers d'avoir attiré notre attention sur ce détail.

rougeâtre derrière l'oreille gauche (voir également cat. 130). Cette oreille, détournée du monstre ainsi que le regard, évoque le dialogue compliqué et gêné qui constitue l'énigme suprême de *Te nave nave fenua*. Pour une raison inconnue, dans toutes les autres versions de ce personnage qui devait obséder Gauguin pendant six ans, parmi lesquelles l'étude pour *Te nave nave fenua* (cat. 149), des dessins-empreintes (cat. 178, 179, 180), des gravures sur bois (cat. 172, 177) et des aquarelles (cat. 182), ses yeux sont tournés vers le monstre[23].

Ce tableau, que l'artiste irlandais Roderic O'Conor acheta à la vente aux enchères de Gauguin en 1895, se distingue par un autre détail encore : le pied gauche d'Ève est polydactyle[24]. Les autres portraits de Teha'amana ne permettent pas de savoir si la jeune femme avait réellement deux orteils supplémentaires, mais on ne voit pas comment expliquer autrement la difformité de la géante dans cette vision onirique du paradis. C.F.S.

149

Étude pour «Te nave nave fenua», remaniée (recto) Personnage assis en tailleur et tête de femme (verso)

L'œuvre tahitienne pour laquelle Gauguin a utilisé l'étude du verso n'est pas parvenue jusqu'à nous, si tant est que l'artiste l'ait jamais menée à bien. Mais le nu debout au recto a servi pour le personnage de *Te nave nave fenua* (cat. 148) avant de subir des remaniements qui l'ont transformé en une œuvre indépendante. Le contour irrégulier de la feuille est vraisemblablement un dernier raffinement de cette composition, qui appartient à un petit ensemble de dessins préparatoires importants (voir cat. 35, 45, 112, 153), pareillement remaniés à une date inconnue[1]. En dépit du fond coloré rajouté par Gauguin, des études de détail de la main droite et du coude gauche sont encore visibles sur la partie droite de la feuille. On distingue aussi des piqûres sur le contour de la figure.

1892, remaniée vers 1894
94 × 47,5 (bords irréguliers)
Fusain et pastel partiellement estompés et retravaillés au pinceau et à l'eau (ou solvant) sur un dessin préalable à la pierre noire, sur papier vélin perforé en vue d'un report.
Signé et daté en bas à droite, à la pierre noire, *P Go 92.*

Des Moines, Art Center, don de M. et Mme John Cowles

Exposition
Chicago 1959, nº 104.

Catalogue
FM 253.

Exposé à Washington et Chicago

recto

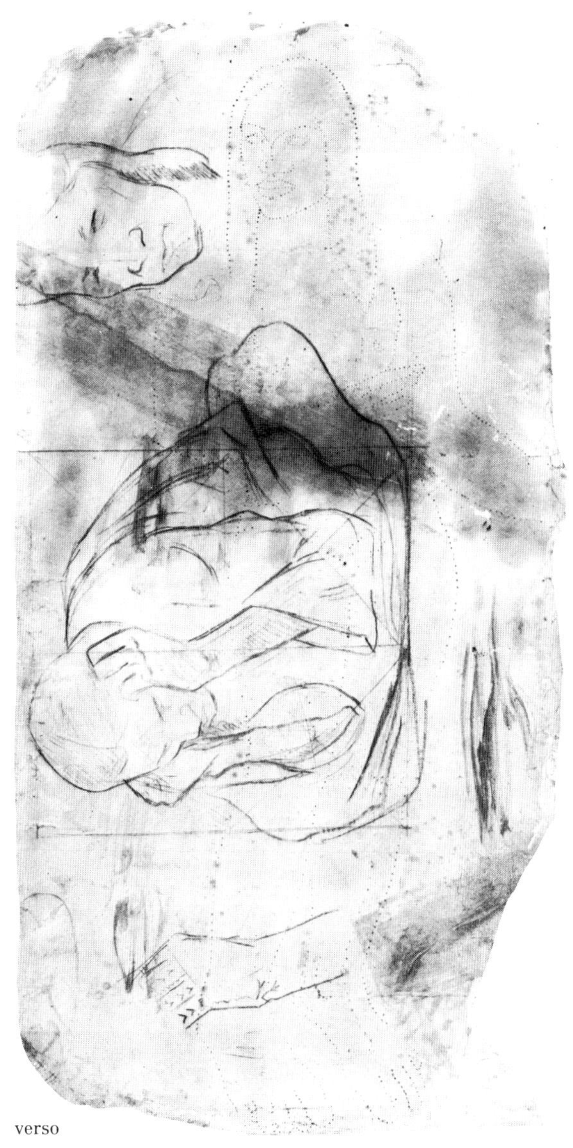
verso

1. W 391 et Pickvance 1970, planche X, sont d'autres exemples.
2. Voir également Rewald 1950, n°s 58 et 59. Amishai-Maisels (1985, 181-183) propose une reconstitution de cette succession complexe, à notre avis incorrecte.

L'équivalence d'échelle entre cette figure et le personnage correspondant dans la peinture à l'huile ne laisse aucun doute sur la méthode employée par Gauguin. Il a placé le dessin sur la toile et fait passer du fusain à travers les trous d'épingle pour reporter les contours, avant de commencer à travailler à l'huile. Curieusement, le recours à ce procédé ne semble guère justifié. Gauguin ne se trouvait certes pas devant les difficultés qui avaient conduit les peintres de fresques médiévales à inventer la technique du poncif, pour faciliter l'exécution de décorations murales auxquelles collaboraient des assistants montés sur des échafaudages.

Certaines des différences entre l'étude de Des Moines et sa transposition sur la toile témoignent d'une suite de modifications complexe que Gauguin a jugé indispensable d'effectuer en passant du dessin à la peinture, puis à nouveau au dessin et enfin à d'autres œuvres en rapport (voir cat. 178, 179, 180, 181)[2]. Étant donné que la tête du personnage et le nombre normal des orteils du pied gauche dans le dessin ne concordent pas avec la peinture, il semble évident que l'artiste a commencé la composition d'après un autre modèle que Teha'amana. Dans un dessin ultérieur (cat. 178), on voit encore la trace de la tête de Teha'amana que Gauguin, faisant marche arrière, a effacée pour la remplacer par la tête du modèle représenté au début dans l'étude de Des Moines. Dans ces deux dessins, le personnage tourne les yeux vers sa gauche, tandis que dans la peinture il les tourne de l'autre côté.

Les différences les plus marquantes entre la version à l'huile et l'étude de Des Moines sont liées à leurs techniques respectives. Sur le dessin retravaillé au pastel, les touches partiellement superposées donnent de riches effets de matière. La rivière est un détail que Gauguin a inventé lorsqu'il est revenu sur le dessin pour le travailler avec des couleurs, et cet ajout a été conservé pour toutes les autres variantes de ce sujet (cat. 177), y compris la gravure sur bois (cat. 172). Mais l'étude de Des Moines, avec son contour irrégulier, est la version la plus singulière, où sont réunies toutes les étapes de la méditation de Gauguin sur un thème qui l'obséda pendant des années.

C.F.S.

150

Tête de Tahitienne et Nu féminin debout (au dos)

Probablement 1892
H. 25 ; D. 20
Bois de pua peint et doré.

Paris, Musée d'Orsay
Don de Mme Huc de Monfreid, sous réserve d'usufruit, 1951 ; entré au Louvre, 1968

Expositions
Paris 1906, répertorié après le n° 191 mais sans numéro de catalogue, *Six bois sculptés ;*
Munich 1960, n° 147 ;
Paris 1960, n° 109 ;
Saint-Germain-en-Laye 1985-1986, n° 299 ;
Paris 1986, n° 24.

Catalogues
G 98, FM 236.

Cette sculpture à deux faces fait figure de curiosité dans l'œuvre de la première période tahitienne de Gauguin, même à côté de ses autres têtes de Polynésiennes en bois (G 101, G 129). L'exécution soignée du visage rappelle les premiers portraits sculptés par l'artiste (cat. 5, G 1, G 2), et cette tête constitue en fait un prolongement de son œuvre de céramiste. Ses vases anthropomorphes (cat. 39, 62, G 39, G 52), souvent chargés d'éléments symboliques (cat. 64, 65) ou travaillés sur deux faces (comme celui qui nous montre d'un côté Ève ou Léda, et de l'autre une tête de serpent ou de cygne, G 63), sont particulièrement proches de cette tête en bois par leur conception. La série des vases dont la décoration se développe sur tout le pourtour a servi de point de départ pour cette tête comme pour toutes les sculptures cylindriques (cat. 138, 139, 140, 151) que Gauguin a exécutées lors de son premier séjour en Polynésie. Toutefois, le contraste dans la facture des deux faces, lisse et élégante pour le visage, rugueuse et fruste pour le relief exécuté au dos, donne un caractère unique à la sculpture conservée au musée d'Orsay, et ce contraste nous éclaire peut-être sur la signification que Gauguin donnait à cet objet.

1. Malingue 1946, nº CXXX, 230.
2. Joly-Segalen 1950, nºs XII et VI, 67, 59. Nous avons resitué la lettre XII vers le mois d'août. Voir cat. 142 n. 2.
3. *Noa Noa,* manuscrit du Louvre, 107.
4. Joly-Segalen 1950, nº V, 57.
5. Rewald 1958, nº 69.
6. Field 1977, 128. Teilhet-Fisk (1985, 62-65) examine en détail l'image de la tête coupée.
7. De Haan a également posé pour une des têtes en bois sculptées par Gauguin (cat. 94).
8. *Noa Noa,* manuscrit du Louvre, 194-201.
9. Paris 1960, nº 109.

On possède beaucoup moins d'informations sur les sculptures que sur les peintures de la première période tahitienne. Une lettre de Gauguin à sa femme, écrite sans doute vers le mois d'avril 1892[1], contient une allusion à quelques bibelots sculptés, et deux lettres à Monfreid, dont l'une dut être écrite vers le mois d'août 1892 et l'autre vers le mois d'octobre[2], évoquent également des sculptures. La lettre d'août est peut-être celle qui nous intéresse le plus ici, car elle nous apprend que Gauguin est sur le point d'avoir un enfant. Cet événement a peut-être incité l'artiste à sculpter la tête reproduite ici. La tête de Polynésienne portant des fleurs à l'oreille conservée au musée d'Orsay, est généralement identifiée comme Teha'amana (voir cat. 126, 127, 130, 143, 148, 158). Gauguin a peut-être transformé son tableau *Te nave nave Fenua* (cat. 148) pour représenter la même femme. En outre, la représentation d'Ève tirée de *Te nave nave Fenua* et sculptée sur l'autre face, illustre certains propos de Gauguin, qui affirmait dans *Noa Noa* que Tahiti était devenu un vrai paradis depuis sa rencontre avec la jeune femme[3].

Dans une autre lettre à Monfreid, vraisemblablement écrite vers le mois de juin 1892, Gauguin décrit une étrange peinture d'une tête coupée « bien arrangée sur un coussin blanc » (W 453), et ajoute : « Il n'est pas tout à fait de moi car je l'ai volé dans une planche de sapin. »[4] Cela peut vouloir dire que Gauguin a vu la composition future de son tableau dans le motif dessiné par le grain du bois, mais il se pourrait aussi, comme le suggère Field, que Gauguin ait vraiment sculpté une tête coupée, aujourd'hui perdue mais représentée dans un dessin[5] qui aurait servi de point de départ pour la peinture[6]. Les traits simplifiés de la tête dans le dessin et dans la peinture en question sont plus proches de la tête sculptée de Teha'amana qu'aucune autre œuvre de Gauguin.

La façon dont l'artiste a taillé l'arrière de son bloc de bois pour y incorporer la figure en bas-relief donne à penser qu'il ne voulait pas se contenter d'un banal portrait. Si l'on interprète l'image d'Ève comme une vue en coupe, à l'intérieur de la tête de Teha'amana, elle nous présente bel et bien ses pensées comme des fantasmes d'une tentatrice. Dans son portrait à l'huile de Meyer de Haan[7] (W 320), en 1889, Gauguin avait représenté de même des pensées érotiques en peignant des femmes nues qui surgissaient derrière la tête du modèle. Ici, les coupables pensées ne sont peut-être pas sans rapport avec les doutes de Gauguin sur la fidélité de Teha'amana, évoqués tout à la fin de *Noa Noa*[8]. Les yeux verts de la jeune femme sembleraient signifier la jalousie.

Gauguin offrit cette sculpture à deux faces de son ancienne compagne à Annette Belfis, la maîtresse de Monfreid, après l'avoir fait poser pour une de ses peintures de 1894 (voir cat. 190)[9]. C.F.S.

151

Idole à la coquille

1892
H. 27 ; D. 14
Toa (bois de fer) ; personnage assis dans la position du lotus décoré de nacre (auréole et pectoral) et d'os (dents). Incision en haut, *PGO.*

Paris, Musée d'Orsay
Acquis de Mme Huc de Monfreid, sous réserve d'usufruit, 1951 ; entré au Louvre, 1968

Expositions
Paris, Durand-Ruel 1893, probablement dans la série d'œuvres portant le nº 46, *Les Tiis ;*
Paris 1906, répertoriée après le nº 191, mais sans numéro de catalogue, *Six bois sculptés ;*
Edimbourg 1955, nº 76 ;
Paris 1960, nº 110 ;
New York 1984, nº 35 ;
Paris 1986, nº 247.

Catalogues
G 99, FM 201.

Cette idole est la plus sauvage des sculptures que Gauguin qualifiait d'« ultra-sauvages » dans une lettre à Daniel de Monfreid[1]. Elle réunit des éléments issus de sources disparates pour illustrer les épisodes que l'artiste jugeait fondamentaux dans l'ancien mythe polynésien de la création de l'univers. C'est l'une de ses deux œuvres connues[2] qui pourraient correspondre aux sculptures sur bois de fer dont Gauguin parlait dans une autre lettre à Monfreid, écrite sans doute vers le mois d'août 1892 : « En ce moment, je sculpte sur troncs d'arbres genre bibelots sauvages. J'ai à rapporter un morceau de bois de fer qui m'a usé les doigts, mais j'en suis content. »[3]

Le personnage principal, assis jambes croisées, est identifiable grâce à la coquille qui lui fait une auréole. D'après Moerenhout, qui laissait entendre que les indigènes adoraient des idoles comparables à celles de l'île de Pâques, « Taaroa est la clarté, il est le germe, il est la base, il est l'incorruptible, le fort qui créa l'univers grand et sacré qui n'est que la coquille de Taaroa »[4]. N'ayant pas de modèle polynésien sur lequel prendre exemple pour sa représentation personnelle de Taaroa, Gauguin lui a fait adopter la pose de Bouddha ou de Çiva, en s'inspirant probablement d'une des photographies de l'art extrême-oriental qu'il avait rassemblées, où l'on retrouve les bijoux, la ceinture et l'auréole de l'*Idole à la coquille*[5].

En ornant son modèle bouddhique de détails caractéristiques de l'art marquisien, Gauguin a transformé Çiva en une farouche divinité polynésienne. Il lui a noirci la peau et lui a incrusté des os pour représenter les dents, peut-être afin d'évoquer le cannibalisme[6]. Il lui a mis un pendentif marquisien sur la poitrine et a gravé des tatouages sur ses jambes[7] qui se terminent par des pieds curieusement stylisés, caractéristiques de l'art marquisien. Quant aux motifs, marquisiens eux aussi, incisés dans l'arrière-plan de la tête de Taaroa, on les a interprétés comme un halo cruciforme à connotations chrétiennes[8]. Gauguin a utilisé un mode de figuration tout aussi hybride pour représenter Taaroa dans une autre sculpture (cat. 138) et un bois gravé (cat. 169)[9].

Ici, Taaroa est flanqué de deux couples de personnages assis, aux jambes tatouées. Ces personnages de profil, dont l'un pose la main sur l'épaule de l'autre, s'inspirent des couples de tikis qui décorent les manches des objets marquisiens[10].

Pierre Loti comparait cette sorte de personnage à des embryons humains et précisait : « On trouve entre les mains des indigènes plusieurs images de leur Dieu [...] La reine a quatre de ces horreurs sculptées sur le manche de son éventail. »[11] Gauguin a utilisé un couple identique pour une aquarelle[12] illustrant la légende de Hina (cat. 139), épouse de Taaora, et son fils Fatou (cat. 140)[13]. Pour cette raison, on a supposé que l'un des couples de l'*Idole à la coquille* représentait Hina et Fatou, et l'autre Hina et Taaroa, dont l'union symbolise celle de la matière et de l'esprit dans l'univers[14]. Ces trois mêmes éléments (Taaroa seul, Hina avec Fatou, et Hina avec Taaora) se retrouvent dans la gravure sur bois *Te atua* (*Le Dieu,* cat. 169).

Amishai-Maisels, partant de l'hypothèse qu'une illustration de *L'Ancien culte Mahorie* étroitement apparentée à l'*Idole à la coquille* fut exécutée avant mars 1892, pense pouvoir faire remonter cette œuvre au début du premier séjour de Gauguin en Polynésie[15]. Comme elle le remarque, l'idole de Gauguin (sans le coquillage) semble avoir servi de modèle pour la grande statue qui figure

dans une peinture sur laquelle il travaillait à cette date (W 450)[16]. Cependant, l'allusion à une sculpture sur bois de fer achevée depuis peu, qui se trouve dans une lettre écrite à Monfreid plusieurs mois après, autorise à penser que l'*Idole à la coquille* est peut-être une réplique d'une sculpture réalisée auparavant par Gauguin, qui s'était détériorée peu après son achèvement[17]. L'artiste était manifestement déterminé à exécuter une version plus solide de sa sculpture perdue avant de rentrer en France.

Vers 1900, Monfreid a fait des moulages de cette idole, et en 1959 un de ses héritiers a autorisé un tirage de six exemplaires en bronze[18].

C.F.S.

1. Joly-Segalen 1950, n° XIII, 70.
2. L'autre est G 125.
3. Joly-Segalen 1950, n° XII, 67 ; lettre resituée vers le mois d'août, voir cat. 142, n. 3.
4. Moerenhout 1837, vol. I, 421 ; recopié dans Huyghe 1951, 9.
5. Gray 1963, 57 n. 15, et Amishai-Maisels 1985, 360-361. Gauguin a dessiné un personnage assis assez semblable dans un de ses carnets : voir Juyghe 1952, 12.
6. Amishai-Maisels 1985, 360 ; Teilhet-Fisk 1985, 54.
7. Teilhet-Fisk 1985, 54. Jénot (1956, 121) nous dit que Gauguin avait apporté de France des photographies des Marquisiens tatoués.
8. Amishai-Maisels 1985, 360.
9. Une autre idole réalisée plus tard et perdue depuis est citée dans Segalen 1904, 680-681, et dans Amishai-Maisels 1985, 363.
10. Amishai-Maisels 1985, 349.
11. Loti 1879, IIe partie, 104.
12. Huyghe 1951, 7.
13. Voir également W 499. Bodelsen 1961, 167.
14. Teilhet-Fisk 1985, 55-56.
15. Amishai-Maisels 1985, 349-351.
16. Sérusier 1950, 59-60, illustration reproduite en regard de la p. 144.
17. Jénot 1956, 120.
18. Gray 1963, 218.

152

Fatata te miti (Près de la mer)

1892
68 × 92
Huile sur toile.
Signé et daté en bas à droite, en bleu violet
P Gauguin 92.
Inscription en bas à gauche, en brun roux
Fatata te Miti.

Washington, National Gallery of Art, collection Chester Dale

Expositions
Paris, Durand-Ruel 1893, n° 24, *Gatata te miti (Près de la mer)*; Bruxelles 1897, n° 277, *Fatata te miti*;

Fatata te miti (Près de la mer) fut acquis par Ernest Rouart, l'ami de Degas, sans doute peu après sa présentation à Bruxelles en 1897. C'est l'une des scènes de genre les plus simples et les plus exclusivement décoratives que Gauguin ait peintes durant son premier séjour en Polynésie. Elle illustre à merveille le mode de vie tahitien qui fascinait tant les Occidentaux. A en croire Pierre Loti, les occupations de son épouse tahitienne «étaient fort simples: la rêverie, le bain, le bain surtout»[1]. Les nymphes nues qui batifolent dans l'eau en toute innocence caractérisent l'âge d'or maintes fois évoqué par Titien, Fragonard, Corot, Courbet et même Degas.

Cette tradition commença à captiver Gauguin dès 1885 (W 167). Vers 1888-1889, l'artiste avait l'esprit tellement occupé par sa peinture d'une femme nue vue de dos au moment où elle se jette dans la mer (cat. 80) qu'il l'a réintroduite dans le fond d'un de ses autoportraits (W 297) et dans un dessin[2]. La baigneuse aux bras levés dans *Fatata te miti* est une reprise de ces images antérieures[3]. Plus tard, Gauguin a encore représenté la même femme dans une de ses gravures sur bois (cat. 167).

Si les hommes sont absents de tous les tableaux de baigneuses européennes de Gauguin, un pêcheur armé

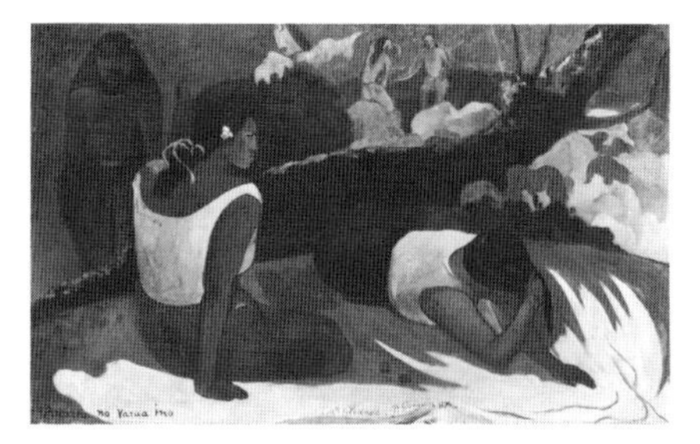

Gauguin, *Areareano varua ino (L'amusement de mauvais esprit)*, 1894, huile sur toile (Copenhague, Ny Carlsberg Glyptotek)

Paris 1906, nº 203, *Fatate te miti.*

Catalogues
Fiels 1977, nº 38 ;
W 463 ; FM 292.

Exposé à Washington

1. Loti 1879, chap. VIII.
2. Reproduit en frontispice dans Paris 1889. Une version peinte, non répertoriée et apparemment perdue, de cette composition est représentée dans le fond d'une nature morte exécutée par Gauguin vers 1888-1889 (non répertoriée).
3. Maurer 1985, 1004-1005.
4. Malingue 1946, nº CXXXIV, 237 ; Joly-Segalen 1950, nº VIII, 63, et Damiron 1963.
5. Joly-Segalen 1950, nº VIII, 62.

d'un harpon apparaît ici, dans la lagune du fond, comme pour souligner combien le sentiment de pudeur était inconnu à Tahiti. La présence de ce petit personnage ne semble pas déranger les femmes, encore que ce soit difficile à affirmer dans la mesure où l'on ne voit pas l'expression de leur visage.

Gauguin a exécuté un pendant de format identique truffé de détails symboliques indéchiffrables (W 514), en total contraste avec le sujet tout simple de cette peinture de genre. Le pendant s'intitule *Arearea no varua ino (L'amusement du mauvais esprit)* et représente peut-être les mêmes femmes, habillées, qui musardent sur une plage près de quelque chose qui ressemble beaucoup au tronc d'arbre couché visible dans *Fatata te miti.*

Le décor, que ce tronc d'arbre partage dans *Fatata te miti* en deux zones de couleurs appliquées en glacis, semble avoir servi de modèle au paysage inquiétant qui sert d'arrière-plan à *Parau na te varua ino* (cat. 147). Dans les deux peintures, des tas de feuilles mortes échouées sur le sable introduisent des accents lumineux. Dans *Fatata te miti,* leurs formes décoratives évoquent les motifs végétaux vivement colorés des paréos portés par les Tahitiennes. L'attachement de Gauguin à la valeur artistique des motifs décoratifs était un prolongement de son goût pour les tissus japonais, qu'il avait utilisés dans plusieurs peintures du début des années 1880 (cat. 13).

Aucun dessin préparatoire pour *Fatata te miti* n'est parvenu jusqu'à nous. Les contours bleu foncé qui cernent toutes les formes indiquent que Gauguin a commencé par agencer une arabesque de lignes sur la toile, avant de colorer les surfaces ainsi délimitées. En décembre 1892, l'artiste expliquait à propos de *Manao tupapaù* (cat. 154) qu'avec ce procédé il privilégiait l'« harmonie générale » ou l'« accord musical » dans son art, au détriment des « moyens littéraires »[4]. Pour donner la plus grande luminosité possible aux couleurs de pierres précieuses qu'il a utilisées dans *Fatata te miti* et dans d'autres peintures tahitiennes de cette période, il les a recouvertes d'une couche de cire transparente[5].

C.F.S.

153

Aha oe feii ?[1] (Eh quoi ! tu es jalouse)

1892
68 × 92
Huile sur grosse toile
Signé en bas au milieu, le long du motif circulaire gris imprimé sur le paréo, en noir, *P Gauguin 92*[2].
Inscription en bas à gauche, en violet ou noir, *Aha oe feii?*

Moscou, Musée Pouchkine

Expositions
Copenhague, Udstilling 1893, nº 163, *Eaha oe Feii* ;
Paris, Durand-Ruel 1893, nº 18, *Aha oe feii (Eh quoi! tu est jalouse)* ;
Paris, Drouot 1895, nº 19, *Aha oe feii* ;
Moscou 1926, nº 7.

Catalogues
Field 1977, nº 40 ;
W 461 ; FM 239.

Vers le mois de septembre ou d'octobre 1892, Gauguin annonça à Daniel de Monfreid : « J'ai fait dernièrement un nu de chic, deux femmes au bord de l'eau, je crois que c'est encore la meilleure chose jusqu'à ce jour. »[3]. En bonne logique, *Aha oe feii? (Eh quoi! tu es jalouse)* fut l'une des huit peintures (voir cat. 127, 154) qu'il décida d'envoyer en France à la fin 1892 pour l'exposition de Copenhague[4]. Gauguin expliqua à sa femme qu'il ne voulait voir figurer que les titres tahitiens dans le catalogue, mais il l'informa que *Aha oe feii?* se traduisait par « Eh quoi! tu es jalouse/envieuse »[5]. Dans cette même lettre, il précisait que c'était une des trois toiles qu'il tenait à vendre plus cher que ses peintures réalisées en France. Le prix minimum de 800 F fixé pour *Aha oe feii ?* n'était dépassé que par les 1 500 F minimum exigés pour *Manao tupapaù* (cat. 154). Pourtant, à la vente de ses œuvres en février 1895, il ne reçut que 500 F pour cette peinture.

Aha oe feii ? est l'un des cinq tableaux de baigneuses (cat. 144 et 152, W 462, W 464) que Gauguin aurait entrepris pendant l'été 1892, élaborant ainsi une série de nus comparable à celle qu'il avait réalisée en 1889 (cat. 79, 80, 84). Pour la pose du personnage assis dans *Aha oe feii ?,* il s'est inspiré d'une photographie de la frise du théâtre de Dionysos à Athènes[6]. Plusieurs dessins, exécutés sur une page de carnet que Gauguin a collée ensuite dans son manuscrit de *Noa Noa,* reprennent des détails de la même photographie, et sur la droite de cette page, le croquis à l'aquarelle d'une femme agenouillée sur un paréo préfigure nettement la baigneuse assise de *Aha oe feii ?* qui porte une couronne de fleurs blanches identique[7]. Un deuxième dessin de Gauguin, inclus dans son album de *Documents Tahiti 1891/1892/1893,* reflète apparemment la transformation de la position agenouillée du personnage grec, devenue la position assise, plus chaste, reportée sur la toile[8]. Dans un troisième dessin, Gauguin a étudié les mains et le pied droit de cette femme. Ce personnage lui plaisait tellement qu'il l'a introduit, en le tournant parfois de l'autre côté, dans quatre peintures ultérieures (W 512, W 574, W 579 et W 596) et dans une gravure sur bois (cat. 167).

Il n'existe aucun dessin préparatoire pour le personnage étendu dans *Aha oe feii ?,* mais l'un des dessins exécutés sur la feuille que Gauguin offrit à M. de Marolles (cat. 142) représente une femme lascive observée sous la même perspective plongeante. Étant donné la maladresse des proportions du personnage et de son insertion

Gauguin, *Croquis de mains et de pieds* en rapport avec *Aha oe fei?* (Chicago, collection Edward Mc Cormick Blair)

153

dans son environnement, il semblerait que Gauguin l'ait fait entrer dans la composition à un stade relativement avancé. Cela ne devait pas l'inquiéter, car il a repris ces deux personnages partiellement superposés, sans les modifier, dans un dessin-empreinte à l'aquarelle (cat. 208) de *Aha oe feii ?* exécuté à son retour en France. Le même site apparaît au second plan d'une autre peinture de 1892, *Haere pape* (*Toilette matinale*, W 464).

Malgré le titre interrogatif choisi par Gauguin pour cette toile, comme pour plusieurs autres peintures de sa première période tahitienne (cat. 145, W 466, W 478, W 501), il ne semble pas y avoir de dialogue entre les deux femmes, dont l'indolence n'évoque guère la rivalité. En outre, s'il est vraiment question de jalousie, on comprend mal pourquoi la femme assise tourne les yeux vers l'extérieur du tableau, comme si elle avait senti la présence d'un intrus[9]. De fait, on dirait que la question s'adresse aux futures spectatrices du tableau, qui pourraient envier le mode de vie tropical de Gauguin. Achille Delaroche, le critique dont Gauguin devait approuver plus tard la justesse des commentaires[10], estima en 1893 que la tension psychologique sous-jacente à *Aha oe feii ?* naissait de la façon dont Gauguin maniait le langage abstrait de la couleur : « S'il nous représente la jalousie, c'est par un incendie de roses et de violets où la nature entière semble participer comme être conscient et tacite. »[11].

Que Gauguin ait employé ou non la couleur dans cette optique précise, c'est bien la luxuriance décorative du paysage qui distingue *Aha oe feii ?* de ses autres peintures tahitiennes de la même période. Le tableau est une harmonie de tons rouges orchestrés au mépris du réalisme. Chaque forme, depuis le contour de la grève jusqu'au tronc d'arbre dans le fond, ondule tel un ruban. Le réel se désagrège dans les formes ondoyantes des ombres et reflets à la surface de l'eau, emblème de la rêverie entretenue par le paradis tahitien. C.F.S.

1. Danielsson 1976, n° 1, 230.
2. Cooper (1983a, n° 19, 576) fait observer que la date est recouverte de peinture.
3. Joly-Segalen 1950, n° VI, 59 ; au sujet de la date de cette lettre, voir Field 1977, n° 19, 364.
4. Joly-Segalen 1950, n° VIII, 62.
5. Malingue 1946, n° CXXXIV, 236.
6. Field 1960, 142, 148, 161.
7. Sur ces dessins dans *Noa Noa*, manuscrit du Louvre, 185, voir Field 1960, 161, Loti (1879, chap. IX) décrit ces couronnes de fleurs, que sa vahiné Rarahu portait elle aussi.
8. Paris 1942, n° 49. Le dessin correspond au n° 39 dans Rewald 1958, et fut exposé à Paris (1960, n° 164). Gauguin l'a manifestement utilisé comme point de départ pour un dessin-empreinte ultérieur (F 42).
9. *Noa Noa* (manuscrit du Louvre, 196-199) contient un passage sur la jalousie chez les Tahitiens.
10. Malingue 1946, n° CLXXII, 293.
11. Delaroche 1894, 37.

154

Manaò Tupapaú (L'esprit des morts veille)

Fin 1892
73 × 92
Huile sur toile.
Signé et daté en bas à gauche, *P. Gauguin 92.*
Titre en haut à gauche, *Manaò tupapaú.*

Buffalo, Albright-Knox Art Gallery, collection A. Conger Goodyear

Expositions
Copenhague, Udstilling 1893, n° 159 ;
Paris, Durand-Ruel 1893, n° 9 ;
Bruxelles 1894, n° 191 ;
Paris 1903, n° 32 ;
Londres 1924, n° 47 ;
Chicago 1959, n° 41

Catalogues
Field 1977, n° 28 ; W 457.

En décembre 1892, Gauguin devait expédier en France par l'entremise d'un convoyeur de fortune, le garde d'artillerie Audoye, un des subordonnés du lieutenant Jénot[1], un lot de neuf toiles[2] choisies dans sa dernière production tahitienne. Celles-ci étaient destinées à l'exposition de ses œuvres à la Frie Udstilling à Copenhague qui devait ouvrir en mars 1893. Daniel de Monfreid était chargé de les réceptionner et de prendre toutes dispositions relatives à l'exposition. « Naturellement beaucoup de tableaux seront incompréhensibles et tu auras de quoi t'amuser »[3], écrit Gauguin à sa femme le 8 décembre 1892 dans une lettre où il lui donne ses instructions concernant le prix de ces toiles. Il poursuivait ainsi : « Afin que toi tu comprennes et puisse faire comme on dit (le malin), je vais de donner l'explication du plus raide et du reste celui que je tiens à garder ou vendre cher. Le Manao Tupapaù »[4]. Alors que les prix des autres toiles restaient à l'appréciation de Mette, Gauguin fixait pour deux de ses tableaux les prix de 700 et 800 F tandis qu'il assignait à *Manaò Tupapaú* la valeur de 1 500 F. Dans une lettre à Daniel de Monfreid également datée du même jour, il précisait « Quant à celui Manao Tupapaù, celui-là je désire le garder pour plus tard — ou bien 2 000 F »[5]. Il est clair que Gauguin attachait une valeur exceptionnelle à cette toile que l'on considère à juste titre comme un des chefs d'œuvre du premier séjour tahitien. En elle se trouvent en effet résumés de façon particulièrement éclatante les acquis tant formels que théoriques du premier voyage océanien.

Il est peu d'œuvres sur lesquelles Gauguin ait tenu à donner tant d'explications : il en expose en effet la « genèse » dans une lettre à sa femme écrite au moment d'expédier le tableau en France, ainsi que dans une lettre à Daniel de Monfreid au contenu très proche mais plus concis[6]. L'année suivante, en 1893, il étoffe son exposé théorique dans un chapitre du cahier qu'il rédige à l'intention de sa fille Aline, accompagné d'un dessin aquarellé représentant le tableau[7]. Enfin de retour à Paris, il donne de nouvelles clés pour l'interprétation de son tableau dans le manuscrit de *Noa Noa* aujourd'hui conservé au Louvre, manuscrit destiné à expliquer ses peintures de Tahiti.

Le récit contenu dans *Noa Noa* propose la lecture la plus simple du tableau puisqu'il en expose le point de départ anecdotique : « Je fus obligé d'aller un jour à Papeete. J'avais promis de revenir le soir même, mais la voiture que je pris me laissais à moitié route, je dus faire le reste à pied et il était une heure du matin quand je rentrai.
Nous n'avions pour le moment que très peu de luminaire, ma provision allant être renouvelée.
Quant j'ouvris la porte, la lampe éteinte, la chambre était dans l'obscurité. J'eus un sentiment brusque d'appréhension, de défiance : sûrement l'oiseau s'était envolé. Vite, j'allumai des allumettes et je vis...
Immobile, nue, couchée à plat ventre sur le lit, les yeux démesurément agrandis par la peur, Tehura me regardait et semblait ne pas me reconnaître. Moi-même, je restai quelques instants dans une étrange incertitude. Une contagion émanait des terreurs de Tehura, il me semblait qu'une lueur phosporescente coulât de ses yeux au regard fixe. Jamais je ne l'avais vue si belle, jamais surtout d'une beauté si émouvante. Et puis, dans ces demi-ténèbres à coup sûr peuplées d'apparitions dangereuses, de suggestions équivoques, je craignais de faire un geste qui portât au paroxysme l'épouvante de l'enfant. Savais-je ce qu'à ce moment là j'étais pour elle ? Si elle ne me prenait pas, avec mon visage inquiet, pour quelqu'un des démons ou des spectres, des *tupapaus* dont les légendes de sa race emplissent les nuits sans sommeil ? Savais-je même qui elle était en vérité ? L'intensité du sentiment qui la possédait, sous l'empire physique et

moral de ses supersititions, faisait d'elle un être si étranger à moi, si différent de tout ce que j'avais pu voir jusque là.
Enfin elle revint à elle et je m'évertuai à la rassurer, à lui redonner confiance (...) »[8].
Il est intéressant de remarquer, que dans le premier manuscrit de *Noa Noa*, Gauguin avait ébauché le même récit mais avait noté à la place de la description de Tehura : « et je vis sur le lit (description du tableau Manao Tupapaù) »[9]. A ce stade, le souvenir — à supposer qu'il soit réel — se confond déjà avec sa transcription picturale. Réalité ou fiction, la mémoire de l'homme est déjà celle du peintre.
Si l'on en croit Gauguin, *Manaò Tupapaú* traduit peut-être le souvenir de Tehura surprise transie de peur au cœur de la nuit mais c'est aussi sûrement une transposition tahitienne de l'*Olympia* de Manet dont l'artiste avait fait une copie au Musée du Luxembourg l'année précédente (cat. 117).

C'est ainsi que l'avait déjà perçue Alfred Jarry pour l'avoir vue exposée chez Durand-Ruel au cours de l'hiver

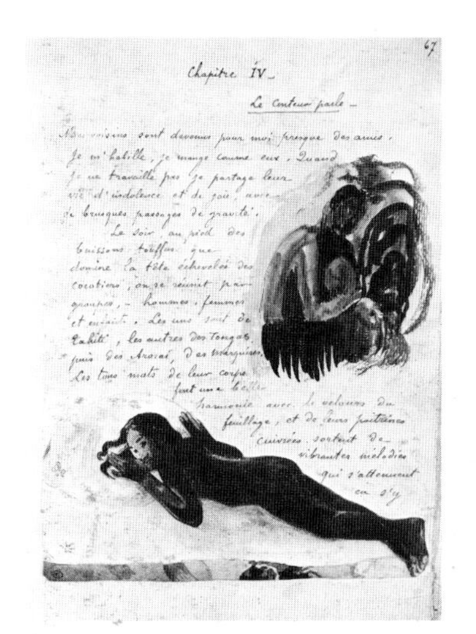
67
Chapitre IV.
Le Conteur parle.
Mes voisins sont devenus pour moi presque des amis.
Je m'habille, je mange comme eux. Quand
je ne travaille pas je partage leur
vie d'indolence et de joie, avec
de brusques passages de gravité.
Le soir, au pied des
buissons touffus que
domine la tête échevelée des
cocotiers, on se réunit par
groupes, — hommes, femmes
et enfants. Les uns sont de
Tahiti, les autres des Tongas,
puis des Arorai, des Marquises.
Les tons mats de leur corps
font une belle
harmonie avec le velours du
feuillage, et de leurs poitrines
cuivrées sortent de
vibrantes mélodies
qui s'atténuent
en s'y

Gauguin, *Noa Noa*, p. 67
(Paris, Musée du Louvre (Orsay),
Département des Arts Graphiques)

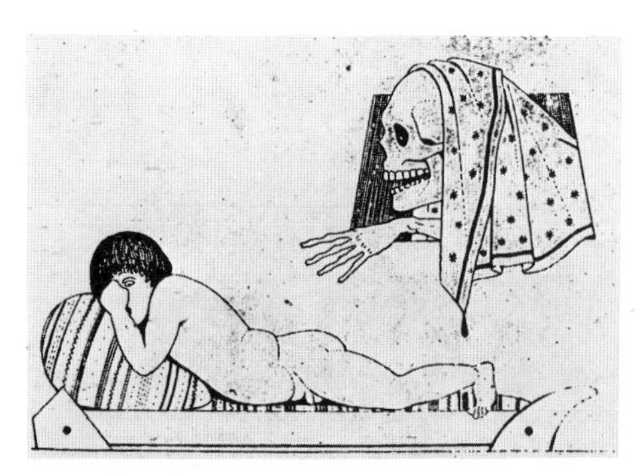

Superville, *Allégorie*,
1801, gravure
(Cabinet des Estampes de l'Université de Leyde)

1893. Il devait lui consacrer le poème suivant transcrit sur le livre d'or de la pension Gloanec en date du 1er juillet 1894 :

« Manao Tupapau
le mur déjà s'endort
l'Olympia couchée
brune sur la jonchée
des arabesques d'or
et qui fane et profane
de son corps diaphane
soleil enseveli
l'or pâli de son lit
rêve à de vieux mystères :
pour les nuits solitaires
l'âme des morts dormant
ressuscitait amants... »[10].

Les critiques, dont Gauguin prévoyait déjà qu'ils seraient nombreux à bombarder Mette « de leurs malicieuses questions »[11] ont suggéré deux autres sources possibles à la genèse du tableau : une gravure du peintre néo-classique hollandais Humbert de Superville représentant un jeune garçon étendu, hanté par un spectre à tête de mort[12]. L'autre source, littéraire celle-là, pourraît être un passage du roman de Pierre Loti *Mme Chrysanthème* que Gauguin avait lu, où l'héroïne est également décrite en proie à des frayeurs nocturnes...[13].
Mais « pour ceux qui veulent toujours savoir les pourquoi, les parce que »[14], Gauguin leur a, non sans raillerie, consacré un chapitre de son *Cahier pour Aline* intitulé *La genèse d'un tableau*. Celui-ci reprend en la développant l'explication qu'il en donnait à sa femme dans sa lettre de décembre 1892 et propose une lecture de l'œuvre à deux niveaux : l'un purement plastique, ce qu'il appelle « la partie musicale », l'autre symbolique « la partie littéraire ».
« Une jeune fille Canaque est couchée sur le ventre montrant une partie du visage effrayé. Elle repose sur un lit garni d'un pareo bleu et d'un drap jaune de chrome clair. Un fond violet pourpre semé de fleurs semblables à des étincelles électriques ; une figure un peu étrange se tient à côté du lit.

Séduit par une forme en mouvement je les peins sans aucune autre préoccupation que de faire un morceau de nu — Tel quel c'est une étude un peu indécente — Et cependant j'en veux faire un tableau chaste et donnant l'esprit canaque, son caractère, sa tradition — Le pareo étant lié intensément à l'existence d'une canaque je m'en sers comme dessous du lit. Le drap d'une étoffe écorce d'arbre doit être jaune — Parce que — de cette couleur il suscite pour le spectateur quelque chose d'inattendu. Parce qu'il suggère l'éclairage d'une lampe ce qui m'évite de faire un effet de lampe. Il me faut un fond un peu terrible ; le violet est tout indiqué. Voilà la partie musicale du tableau toute échafaudée — Dans cette position un peu hardie que peut faire une jeune fille canaque toute nue sur un lit. Se préparer à l'amour ! Celà (sic) est bien dans son caractère mais c'est indécent et je ne le veux pas. Dormir ! l'action amoureuse serait terminée : ce qui est encore indécent. Je ne vois que la peur. Quel genre de peur. Certainement pas la peur d'une Suzanne surprise par des vieillards celà (sic) n'existe pas en Océanie — Le Tupapaù — (Esprit des Morts) est tout indiqué. Pour les Canaques c'est la peur constante — La nuit une lampe est toujours allumée. Personne ne circule sur la route quand il n'y a pas de lune à moins d'avoir un fanal et encore ils vont plusieurs ensemble — Une fois mon Tupapaù trouvé je m'y attache complètement et j'en fais le motif de mon tableau. Le nu passe au 2e plan.

Quel peut bien être pour une Canaque un revenant. Elle ne connaît pas le théâtre, la lecture des romans et lorsqu'elle pense à un mort elle pense nécessairement à quelqu'un déjà vu — Mon revenant ne peut être qu'une petite bonne femme quelconque. Sa main s'allonge comme pour saisir une proie. Le sens décoratif m'amène à parsemer le fond de fleurs. Ces fleurs sont des fleurs de Tupapaù, des phosphorescences, signe que le revenant s'occupe de vous. Croyances tahitiennes — Le titre Manao Tupapaù a deux sens — pensée — Revenant — croyance
ou elle pense au revenant
ou le revenant pense à elle.
Récapitulons — Partie musicale — Lignes horizontales ondulantes — accords d'orangé et de bleu reliés par des jaunes et des violets leurs dérivés. Éclairés par étincelles verdâtres — Partie littéraire — L'esprit d'une vivante lié à l'esprit des Morts.
La nuit et le jour.

Cette genèse est écrite pour ceux qui veulent toujours savoir les pourquoi, les parce que.
Sinon c'est tout simplement une étude de nu océanien »[15].

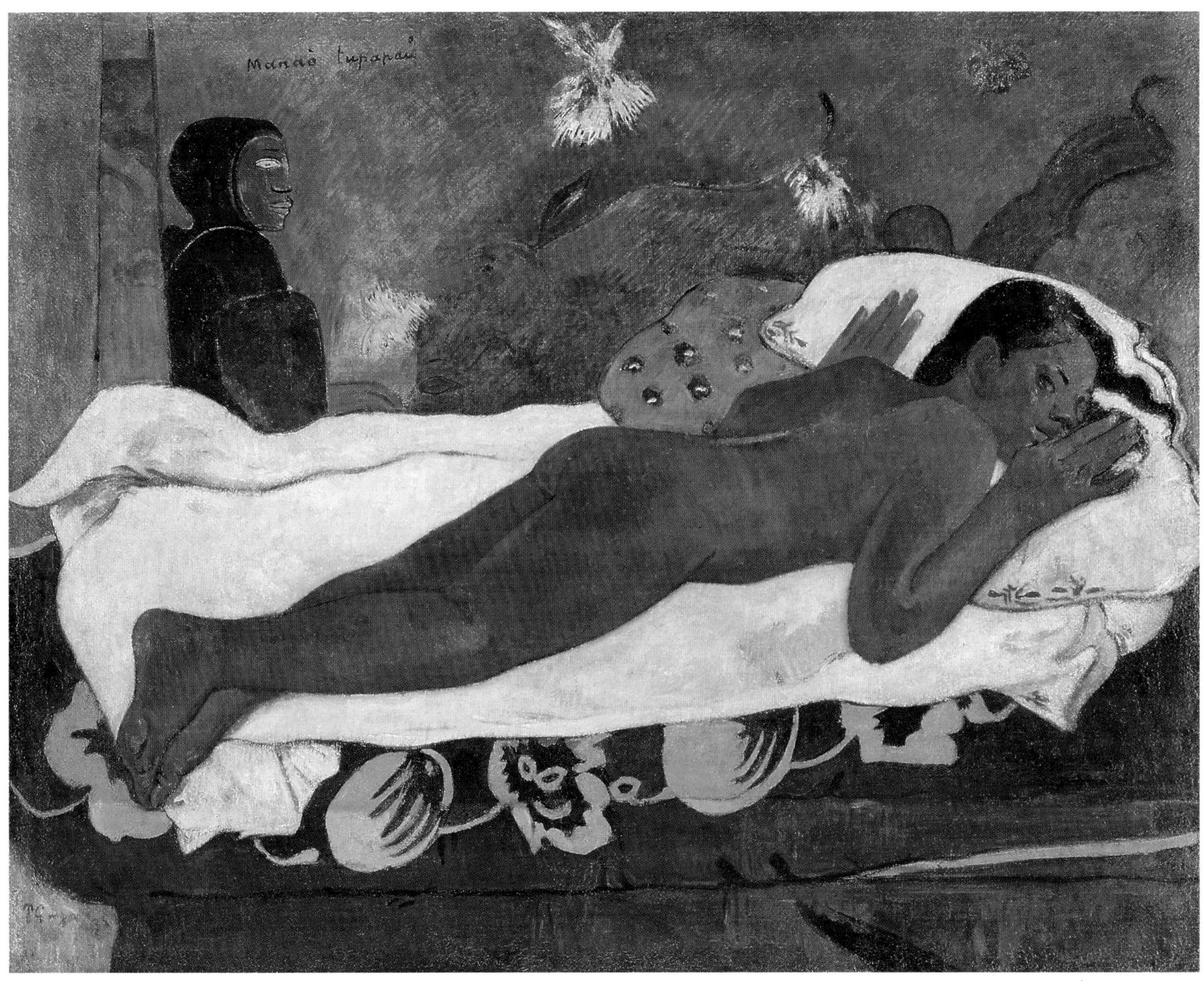

154

Si Gauguin prend soin de distinguer a postériori deux modes de lecture de son tableau, la réussite exceptionnelle de celui-ci réside précisément dans la fusion intime dans une image unique du souvenir d'une expérience vécue — Tehura ou toute autre surprise la nuit — d'une vision de peintre — « un morceau de nu » — et d'une intention symbolique : « L'esprit d'une vivante lié à l'esprit des morts ». Si la vision plastique est indéniablement première — Gauguin a d'abord vu un nu étendu et des masses de couleurs l'ont frappé, le drap jaune, le pareo bleu, le fond violet — les couleurs sont immédiatement assorties de valeurs symboliques. « Harmonie générale sombre, triste, effrayante sonnant dans l'œil comme un glas funèbre »[16] écrit-il à Mette en décrivant son tableau. Cette harmonie est toute indiquée pour rendre la partie littéraire du tableau, la peur du revenant, et donne l'occasion à l'artiste de plonger au cœur de la mythologie tahitienne, celle qu'il s'efforce de cerner à la même époque dans son manuscrit de *L'Ancien culte Maorie*.

La croyance aux revenants, aux tupapaus, est probablement une des rares survivances de la mentalité tahitienne primitive que Gauguin ait pu expérimenter lors de son séjour en Océanie. *Manao Tupapau* apparaît ainsi comme la façon la plus sûre de s'approprier cette étrangeté primordiale, ce caractère essentiellement sauvage. « Pour terminer il faut de la peinture faite très simplement le motif étant sauvage, enfant »[17] conclut-il dans sa lettre à Mette.

A plusieurs reprises Gauguin s'est expliqué dans *Noa Noa* sur les tupapaus qui hantent l'imagination des natifs de l'île.

« Avec la nuit lourde pourtant du vol des démons, des mauvais génies, des esprits des morts, des tupapaus qui tout à l'heure se dresseront, les lèvres blêmes et les yeux phosphorescents, près de la couche où les cauchemars ne laissent pas seules les fillettes tôt nubiles »[18].

Si les « fleurs de Tupapaus », étoiles filantes ou émanations phosphorescentes des esprits dont Gauguin a émaillé le fond de son tableau correspondent à des fleurs bien réelles — les fleurs de hotu qui brillent effectivement la nuit à Tahiti — en revanche il n'est guère possible de trouver le modèle de son tupapau dans l'art primitif maori. Celui auquel Gauguin donne les traits d'« une petite bonne femme » de profil, l'œil frontal, est revêtu d'un capuchon noir qui n'est pas très différent de la coiffe

1. Danielson 1975, 125.
2. Il s'agissait de cat. 127, 153, 154, W 420, W 431, W 432, W 435 ou W 472, W 436, W 437 ou W 439, W 483.
3. Lettre de Gauguin à Mette, Malingue 1946, n° CXXXIV, 236-237.
4. *Ibid.*, 237.
5. Lettre de Gauguin à Daniel de Monfreid, 8 décembre 1892, Joly-Segalen 1950, n° VIII, 63.
6. Voir n. 3 et 5.
7. Rewald 1958, n° 67.
8. *Noa-Noa*, manuscrit, Louvre, Département des

Arts Graphiques, Orsay, 109-110.
9. *Noa-Noa* manuscrit, The Getty Museum, 20.
10. Jarry 1972, 254-255.
11. Lettre de Gauguin à Mette citée n. 3, 238.
12. Giry 1970, 181-187.
13. Amishai-Maisels 1973, 377, n. 15 situe l'épisode dans *Mme Chrystanthème,* Paris [1888], 257-258.
14. *Cahier pour Aline,* Paris, Bibliothèque d'Art et d'Archéologie, Fondation Jacques Doucet. Fac-similé, Damiron 1963.
15. *Ibid.*
16. Lettre citée n. 3, 237.
17. *Ibid.,* 238.
18. *Noa Noa,* manuscrit, Louvre, Département des Arts Graphiques, Orsay, 15.
19. Cachin 1968, 247.
20. Lettre de Gauguin à Octave Maus [1894], Bruxelles, Musées Royaux des Beaux-Arts de Belgique. Archives de l'Art Contemporain. Fonds Octave Maus ; Donation van der Linden, Inv. 6854.
21. Lettre de Camille Pissarro à son fils Lucien du 23 novembre 1893, citée par Danielsson 1975, 144.
22. Morice 1893a, 296.
23. Roger Marx 1894, 34.
24. Natanson 1893, 421.
25. Rotonchamp 1906, 134 ; procès verbal de la vente no 3.
26. Lettre de Gauguin à Daniel de Monfreid, [décembre 1896], Joly-Segalen 1950, no XXVII, 96.
27. Cité par Danielsson 1975, 304-305, n. 125.
28. Lettre de Vollard à D. de Monfreid, 16 septembre 1901, Joly-Segalen 1950, 225.

de travail des paysannes de Pouldu (voir cat. 91 et W 304). Le tupapau, esprit des morts, réapparaît de face avec les mêmes fleurs phosphorescentes derrière l'Eve tahitienne de *Parau na te varu ino* (cat. 147). Il hante désormais l'univers du peintre et on le retrouve lié aux thèmes diaboliques et nocturnes, dans de très nombreuses toiles (W 459, W 460, W 494), gravures (cat. 176, 187, 235), dessins (Pickvance 1970, X) et monotypes (Le *Cauchemar, La fuite,* cat. 251, 274) ainsi que dans un bois sculpté (G 107).
Si l'on opte pour la lecture symboliste du tableau, la « partie littéraire », « le nu passe au 2e plan » et le tupapau est le motif principal du tableau ; si l'on choisit la « partie musicale » ou lecture purement plastique, — et c'est à cette dernière que Gauguin semble inviter son lecteur — le tupapau n'est qu'« un accessoire décoratif »[19].

Cette ambivalence n'est pas le moindre charme de cette toile que Gauguin fera figurer aux trois grandes expositions de ses œuvres qui se succédèrent entre le printemps 1893 à Copenhague et l'hiver 1894 à la *Libre Esthétique* à Bruxelles. Pour cette exposition, Gauguin n'hésite pas à fixer à 3 000 F[20] la valeur de son tableau. Entre ces deux importantes manifestations à l'étranger, se situe la grande exposition de ses œuvres chez Durand-Ruel en novembre 1893. Celle-ci est un échec financier et déchaîne l'acrimonie de nombreux critiques. Camille Pissarro lui-même accuse Gauguin de « braconner sur les terrains d'autrui » et de « pille[r] les sauvages de l'Océanie »[21] ! Mais Degas est admiratif et Charles Morice à qui l'on doit aussi la préface du catalogue de l'exposition est particulièrement prolixe sur *Manao Tupapau* dans le *Mercure de France*: « L'esprit des morts veille — Ce qu'est techniquement, ce tableau, combien il s'impose par sa splendeur de lignes et de couleurs autant que par la singulière beauté du poème qu'il recèle, les yeux en sont avertis dès le premier regard. C'est peut-être la merveille de cette exposition. Le peintre a mis dans ce corps de femme nue toute la chaleur lumineuse de la forêt incendiée de fleurs, et toute la lubricité langoureuse, innocente, de cette race enfantine et sage, pour laquelle le plaisir est la seule sérieuse affaire de la vie, — et encore l'effroi de quelque terrible secret que la songeuse voulait conjurer avec des caresses »[22]. Octave Mirbeau donne également un compte-rendu enthousiaste de l'exposition tandis que Roger Marx choisit de reproduire *Manao Tupapau* en compagnie de *Vahine no te tiare* (W 420) dans la « Revue Artistique » de la *Revue Encyclopédique*[23].

« Sans doute il importe assez peu qu'un souvenir ait ou non préoccupé M. Gauguin quand il a fait cette femme qui d'elle-même s'intitule l'Olympia de Tahiti » écrit fort justement Thadée Natanson dans la *Revue blanche*[24], faisant écho à Gauguin lui-même dans son *Cahier pour Aline*: « Sinon c'est tout simplement une étude de nu océanien ».

C'est pourtant l'incompréhension du public qui l'emporta et l'histoire du tableau est une suite affligeante d'échecs commerciaux, l'acquisition de la toile étant sans cesse remise à plus tard... Lors de la vente des œuvres de l'artiste avant son départ définitif pour Tahiti, le 18 février 1895, Gauguin dut racheter *Manao Tupapau* comme la plupart de ses tableaux pour la somme de 900 F[25]. Il la confia ensuite au marchand Lévy auquel un autre marchand, Chaudet, la réclame en vain en 1896[26]. La même année, un jeune fonctionnaire, Edmond Gérard qui n'est autre que le futur époux de Judith Molard (voir cat. 160) projette de faire une pétition adressée à l'inspecteur général des Beaux-Arts dans le but de faire acheter *Manao Tupapau* par le Musée du Luxembourg : « Nous pouvons aujourd'hui offrir à l'Etat un paysage de van Gogh et une toile de Gauguin que d'aucuns considèrent comme sa meilleure œuvre : *La petite négresse couchée sur le ventre* à 1 050 F »[27]. Ce projet avorta et nous retrouvons la toile chez Vollard en 1901 qui l'évalue froidement entre quatre et cinq cent francs[28]. Pour finir, après un passage à la galerie Druet, la toile fut acquise par le comte Kessler de Weimar, grand amateur d'art, fin collectionneur et mécène, entre autres, des sculpteurs Rodin et Maillol. Fondateur de la Cranach Press à Weimar, c'est à lui que l'on devra l'édition de la première monographie consacrée à Gauguin, celle de Jean de Rotonchamp en 1906. Outre un très beau pastel qui a donné lieu à deux contre-épreuves (cat. 162 et F 12), le motif de *Manao Tupapau* est repris dans une lithographie de 1894 (cat. 189 bis) et plusieurs gravures sur bois dont certaines ont été insérées par Gauguin dans le manuscrit de *Noa Noa* conservé au Louvre (cat. 176). Enfin, c'est devant ce tableau, prélude à cette autre version du spleen océanien qu'est la toile intitulée *Nevermore* (cat. 222) que Gauguin a choisi de se représenter dans son *Autoportrait* de 1893-1894, du Musée d'Orsay (cat. 164). C.F.T.

155
Pastorales tahitiennes

1892
87,5 × 113,7
Huile sur toile.
Signé en bas à gauche, en noir, *Paul Gauguin.*
Inscription en bas à gauche, *Pastorales Tahitiennes 1893.*

Leningrad, Musée de l'Ermitage

Le 8 décembre 1892, Gauguin écrivit à Daniel de Monfreid pour lui annoncer l'envoi de huit peintures (dont cat. 127, 153, 154), qu'il lui demandait de faire parvenir à Copenhague pour une exposition. Il exprimait par ailleurs son espoir de rentrer en France le mois suivant[4]. Mais à la fin décembre, lorsque Gauguin écrivit à nouveau à Monfreid, il avait déjà dû repousser son projet de voyage au mois de mars, sinon plus tard. Dans cette lettre, Gauguin parlait de trois nouvelles peintures (cat. 155, W 467, W 468) qu'il considérait manifestement comme le point d'orgue de sa période tahitienne : « Je viens de faire trois toiles dont deux de 30 et une de 50. Je crois que ce sont mes meilleures et comme dans quelques jours ce sera le 1er janvier, j'en ai daté une, la meilleure, 1893. Par extraordinaire je lui ai mis un titre français : *Pastorales tahitiennes,* ne trouvant pas en canaque un titre correspondant. Je ne sais pourquoi — tout en mettant du vert Véronèse pur et du vermillon dito ; — mais il me semble que c'est un vieux tableau hollandais — ou une vieille tapisserie. A quoi attribuer cela ? Du reste toutes mes toiles paraissent fades de couleur : je crois que cela tient à ce que je n'ai plus la vue d'une de mes anciennes toiles ou d'un tableau de l'école des Beaux-Arts comme point de repère, de comparaison. Quelle mémoire, j'oublie tout. »[2]. Ce passage n'est pas sans rappeler l'ambition que Gauguin caressait vers 1883 de réaliser des tapisseries impressionnistes[3].

Les deux toiles de 30 mentionnées dans la lettre de Gauguin comportent des personnages analogues vêtus de blanc, placés dans un décor similaire. Une statue de Hina,

Expositions
Paris, Durand-Ruel 1893, nº 3, *Pastorales tahitiennes ;*
Paris, Drouot 1895, nº 5, Pastorales, Moscou 1926, nº 10.

Catalogues
Field 1977, nº 52 ;
W 470 ;FM 308.

la déesse de la Lune, visible dans le fond de chacun de ces tableaux indique qu'il s'agit de représentations imaginaires de la civilisation polynésienne avant l'arrivée des Européens. Le titre tahitien que Gauguin a inscrit sur l'un d'eux, *Matamua,* habituellement traduit par *Autrefois,* est l'équivalent de « il était une fois ». Le titre de *Pastorales tahitiennes* choisi pour la plus grande des trois peintures évoque la musique et la poésie bucolique. Par là même, il attire l'attention sur le personnage assis à droite qui joue de la flûte de roseau maorie appelée *vivo.* Dans *Noa Noa,* Gauguin associe cet instrument à la nuit tahitienne : « Les roseaux alignés et distancés de ma case s'apercevaient de mon lit avec les filtrations de la lune tel un instrument de musique. Pipo chez nos anciens, *vivo* chez eux il se nomme — mais silencieux (par souvenirs il

Gauguin, *Arearea (Amusement),*
1892, huile sur toile (Paris, Musée d'Orsay)

parle la nuit). Je m'endormis à cette musique. »[4]. De même que *Arearea (Joyeusetés)*, la troisième peinture de la série, *Pastorales tahitiennes* doit peut-être s'interpréter comme une scène nocturne éclairée par la pleine lune sous l'influence de Hina. Sur un rocher qui émerge de la rivière, deux points jaunes brillent comme des yeux, tandis qu'une amaryllis s'épanouit sur la rive. Curieusement, elle n'a que des feuilles dans les deux autres tableaux. En outre, le frangipanier (probablement originaire de l'Inde) qui figure dans les trois peintures ne déploie ses fleurs rose vif que dans *Pastorales tahitiennes*, et leur parfum pourrait inciter le chien rouge orangé à humer l'air. Ce chien fut peut-être celui qui suscita des railleries à l'exposition de 1893 où Gauguin présenta les trois toiles[5]. En 1895, un journaliste demanda à l'artiste de s'expliquer sur ses chiens rouges et il répondit : « Sont voulus absolument ! Ils sont nécessaires et tout dans mon œuvre est calculé, médité longuement. C'est de la musique, si vous voulez ! J'obtiens par des arrangements de lignes et de couleurs, avec le prétexte d'un sujet quelconque emprunté à la vie ou à la nature, des symphonies, des harmonies ne représentant rien d'absolument réel au sens vulgaire du mot, n'exprimant directement aucune idée, mais qui doivent faire penser comme la musique fait penser, sans le secours des idées ou des images, simplement par des affinités mystérieuses qui sont entre nos cerveaux et tels arrangements de couleurs et de lignes. »[6].

Dans *Pastorales tahitiennes*, le chien a l'arrière-train appuyé contre un objet en forme de vase[7], que Teilhet-Fisk identifie comme une gourde marquisienne décorée[8]. Gauguin avait déjà introduit ce détail du chien gardant un vase dans l'angle inférieur gauche de l'une de ses plus ambitieuses scènes de la vie en Bretagne, *Les ramasseuses de varech* (cat. 98), et il l'a encore repris dans une de ses gravures sur bois les plus élaborées (cat. 185, 186). La signification de ce détail reste inexpliquée, mais le critique Achille Delaroche, dont Gauguin apprécia beaucoup le compte rendu de son exposition de 1893[9], assimilait le chien de *Pastorales tahitiennes* à un génie du mal héraldique[10].

Tout comme le chien qui dresse la tête, la femme debout dans *Pastorales tahitiennes* semble avoir aperçu quelque chose à l'extérieur du tableau. La corbeille qu'elle tient sur la hanche, à demi cachée derrière l'arbre, pourrait contenir des gardénias identiques aux fleurs blanches tombées près du chien[11]. Comme le blanc est la couleur du deuil chez les Tahitiens, la robe de cette femme a peut-être une signification funèbre[12].

Une aquarelle exceptionnellement grande, mise au carreau comme pour un report, représente de toute évidence un stade antérieur dans l'élaboration de *Pastorales tahitiennes*[13]. Dans cette superbe aquarelle, l'arbre ne cache pas la femme à la corbeille, et il ne porte pas de fleurs (tandis que l'amaryllis est fleurie). Le chien est là, mais pas la gourde. A la place, il y a un personnage supplémentaire qui a été supprimé dans la version définitive à l'huile. C'est une des nombreuses reprises de la femme du premier plan dans *Nafea Faaipoipo* (cat. 145). L'artiste l'a peut-être introduite en souvenir de son modèle Teha'amana qui l'avait apparemment quitté en décembre 1892, date où il a commencé à travailler sur cette série d'œuvres[14].

Pastorales tahitiennes est l'une des peintures que l'on voit accrochées au mur, dans des cadres à baguette décorative identique, derrière un groupe d'amis jouant de la musique dans l'atelier de Gauguin rue Vercingétorix, photographiés en 1894. C.F.S.

1. Joly-Segalen 1950, nº VIII, 61.
2. Joly-Segalen 1950, nº IX, 64.
3. Bailly-Hertzberg 1980, nº 161, 221.
4. *Noa Noa*, manuscrit du Louvre, 40-41.
5. Gerstein 1981, 11-12.
6. Tardieu 1895, 2.
7. Le personnage primitif visible sur ce vase est à comparer avec des illustrations dans Huyghe 1951, 10 et 12.
8. Teilhet-Fisk 1985, 193 n. 11. Une de ces gourdes, provenant de Nouvelle-Zélande, est présentée dans le livre de T. Barrow, *An Illustrated Guide to Maori Art*, Auckland, 1984, 7. Cet objet serait un récipient utilisé pour des mets bien particuliers, tels que des oiseaux et des rats cuits dans leur graisse.
9. Malingue 1946, nº CLXXII, 293.
10. Delaroche 1894, 38. Gray (1963, 81) présente ces chiens comme des substituts possibles de l'artiste.
11. Teilhet-Fisk (1985, 96) suppose que la femme porte du linge.
12. Il est à noter que l'on voit souvent des frangipaniers dans les cimetières tahitiens. Voir Hermann et Celhay 1974, 121.
13. Galerie Thielska, Stockholm.
14. Le seul autre dessin qui se rapporte à cette série comporte les deux femmes de *Arearea*. Voir Tokyo 1987, nº 102. C'est probablement une étude ultérieure pour une lithographie (Gu 87).

156

Otahi (Seule)

1893
50 × 73
Huile sur grosse toile.
Signé et daté en bas à gauche, en gris clair
P. Gauguin 93.
Inscription en bas à gauche, en gris foncé
Otahi.

Collection particulière

Expositions
Paris, Durand-Ruel 1893, nº 17, *Otahi (Seule)* ;
Paris, Drouot 1895, nº 17, *Otahi* ;
Bruxelles 1904, nº 52, *Otahi* ;
Paris 1906, nº 192, *Femme de Tahiti* ;
Paris, Orangerie 1949,

Pour exécuter *Otahi (Seule)*, Gauguin est parti d'une petite « note » à l'aquarelle (P 78) prise d'après un modèle, l'année précédente[1]. Dans ces deux œuvres, la femme porte le même paréo rouge à fleurs blanches qui était déjà présent dans des peintures antérieures (cat. 130, 135) ; mais dans le croquis, elle est agenouillée pour jouer avec un petit cochon ou un petit chien qui a disparu dans la version à l'huile. La composition d'*Otahi*, où un paysage réduit à sa plus simple expression sert de faire-valoir décoratif à un personnage observé en gros plan, s'apparente à celle d'œuvres précédentes (voir cat. 130), où des personnages sans justification ni contexte précis ressemblent à des détails extraits de quelque peinture narrative traditionnelle du XIXe siècle.

Le titre choisi par Gauguin est assez incompréhensible, car l'attitude du modèle n'est pas spécialement caractéristique de la solitude, et son expression n'est pas plus éloquente. Le traitement de la couleur n'exprime pas non plus un climat psychologique particulier. Les bandes ondoyantes de couleurs uniformes qui composent le paysage semblent purement décoratives, destinées à intervenir dans un jeu de primaires voisines et de complémentaires avec le rouge du paréo de la femme. Cette peinture de caractère exclusivement décoratif est l'une des plus modernes que Gauguin ait réalisées durant son premier séjour à Tahiti. Elle préfigurait le culte de l'art pour l'art qui allait prévaloir à l'aube de notre siècle.

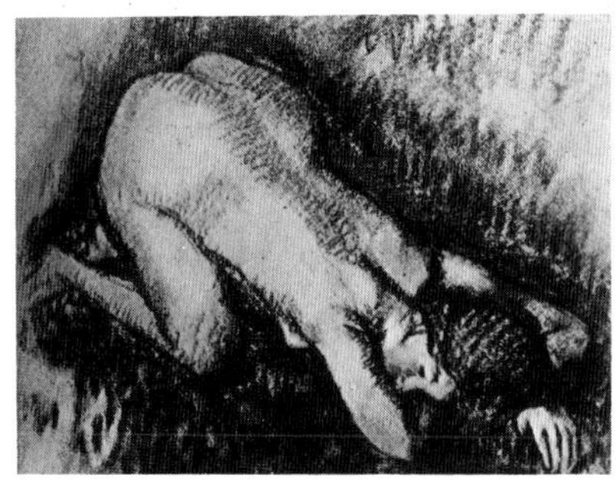

Degas, *Nu agenouillé*, fusain et pastel (collection particulière)

nº 36 ;
Paris 1960, nº 177.

Catalogues
Field 1977, nº 58 ;
W 502.

Comme *Otahi* est avant tout la peinture du dos d'un modèle, elle est à rapprocher de plusieurs autres œuvres (voir cat. 144)[2] où Gauguin a tenté de relever le défi qui obsédait des peintres réalistes français comme Degas. Selon Duranty[3], qui avait formulé cette idée importante, l'observation attentive du dos d'un personnage pouvait en dire aussi long qu'une vue de face traditionnelle, sur sa personnalité, sa condition sociale et son milieu. De fait, *Otahi* est l'une des œuvres de Gauguin (voir cat. 127, 144) que l'on peut interpréter comme un témoignage d'admiration pour Degas[4]. Tandis que le croquis à l'aquarelle utilisé comme point de départ pour *Otahi,* rappelle la confrontation amusante d'un modèle et d'un chien dans un des monotypes remaniés de Degas[5], le personnage isolé dans la version à l'huile est en fin de compte une variation sur un pastel de Degas que Gauguin avait croqué rapidement dans un carnet vers 1888[6]. Pour son pastel, Degas a choisi arbitrairement de faire poser son modèle à genoux, le buste tendu vers l'avant, touchant le sol avec les bras et la tête, de telle sorte que les coudes, la poitrine et les fesses dessinent un motif décoratif d'arabesques entrecroisées, dénué de toute signification[7]. Le drap blanc sur lequel repose la femme dans la peinture semble indiquer que Gauguin voulait souligner son rôle de modèle, car aucune Tahitienne n'utiliserait ainsi un drap sur la plage.

Cette pose décorative a également séduit Toulouse-Lautrec dont la variante personnelle, exécutée vers 1897[8], fut peut-être influencée à son tour par *Otahi,* présentée au public parisien en 1893, puis en 1895 au moment de la vente aux enchères des œuvres de Gauguin.
C.F.S.

1. Cette aquarelle fut peut-être exécutée à partir d'un croquis d'une femme accroupie qui se tient la tête (cat. 149). Elle servit de point de départ pour un monotype (F 13), et le même personnage revient dans une gravure sur bois (cat. 232) et dans un relief tardif (G 122).
2. Voir également W 499 et W 462.
3. Duranty 1946, 42. Parmi les autres images de dos dans l'œuvre de Gauguin, citons W 215, W 241, W 336, F 133 ; voir également Cachin 1968, 245-246.
4. Gauguin a rendu hommage à Degas dans un long passage de *Avant et après,* 1923, 118.
5. Lemoisne 1946-1949, nº 746.
6. Lemoisne 1946-1949, nº 1008 ; Roskill (1970, 144) examine cette page d'études d'après des nus de Degas, qui se trouve dans l'*Album Briant* de Gauguin (Louvre) Département des Arts graphiques, Orsay.
7. La pose de ce personnage a des précédents japonais ; voir Wichmann 1980, 45, et Le Pichon 1986, 176.
8. Dortu 1971, nº P 649.

157
Pape Moe (Eau mystérieuse)

1893
99×75
Huile sur toile.
Signé et daté en bas à droite, en bleu foncé
P. Gauguin 93.
Inscription en bas à droite, en bleu foncé
PAPE MOE

Collection particulière

Expositions
Paris, Durand-Ruel 1893, nº 4, *Pape moe (Eau mystérieuse)*;
Paris, Drouot 1895, nº 9, *Pape moe.*

Catalogues
Field 1977, nº 54 ;
W 498 ; FM 309.

Exposé à Paris

Pape moe (Eau mystérieuse) se distingue par ses somptueuses couleurs de tapisserie qui évoquent un monde féérique. C'est l'une des plus belles peintures de la première période tahitienne de Gauguin, et l'une des plus saugrenues aussi. Dans *Noa Noa,* l'artiste raconte que lors d'une excursion dans les forêts intérieures de Tahiti, il aperçut soudain une femme nue qui buvait et se lavait dans une cascade[1]. Il essaya de ne pas faire de bruit, mais la femme sentit sa présence et plongea dans le cours d'eau pour disparaître... à moins qu'elle ne se soit transformée en anguille. Charles Morice s'étant vu confier le manuscrit, prépara une autre version de l'épisode pour *Noa Noa,* avec plusieurs modifications : la femme, vêtue de pourpre, est venue boire dans la forêt pour un retour rituel à l'état sauvage. Ainsi, elle représente l'aboutissement des efforts de Gauguin pour atteindre à la pureté de la mentalité primitive[2].

Mais dans la peinture, la femme n'est pas nue, ni vêtue de pourpre. Elle porte une jupe blanche à motif jaune. Comme Gauguin ne fait allusion dans aucune de ses lettres à cette randonnée en solitaire dans les montagnes du centre de l'île, on ne sait pas quand elle eut lieu, ni même si elle eut vraiment lieu. Gauguin a exécuté la peinture en 1893, alors qu'il se préparait à rentrer en France. La composition est étroitement inspirée d'une photographie montrant un Tahitien qui boit à une source dans une grotte[3]. L'auteur de ce cliché, Charles Spitz, avait collaboré à la préparation de la section tahitienne pour l'Exposition Universelle de 1889 à Paris[4]. Étant donné que le récit du pèlerinage au cœur de l'île dans *Noa Noa* est très proche d'un chapitre du *Mariage de Loti* paru en 1880, on a supposé que Gauguin aurait fort bien pu le plagier[5].

L'eau qualifiée de « mystérieuse » dans le titre du tableau jaillit d'une roche qui semble habitée par un esprit. Comme le fait remarquer Field, la Tahitienne qui s'apprête à boire lève les yeux vers une apparition d'une tête de poisson, parmi les pierres humides et sombres[6]. Gauguin « voyait » souvent des images surréelles dans les objets inanimés, notamment dans les nœuds du bois[7]. Une tête analogue apparaît ainsi dans un tableau de la première période tahitienne (voir cat. 147).

Field suppose que le poisson pourrait symboliser la migration mythique de l'île de Tahiti, ou le Christ[8], tandis que pour Danielsson, l'épithète « mystérieuse » dans le titre renvoie au flot de lumière qui ranime Hina, déesse de la Lune, dans la légende polynésienne[9]. Cette hypothèse ne peut être négligée, étant donné les similitudes entre *Pape moe* et une autre toile de 1893, *Hina tefatou (La lune et la terre)*[10].

Par plusieurs détails, *Hina tefatou* correspond davantage que *Pape moe* au récit de *Noa Noa.* On y voit une femme nue face à une apparition d'une tête d'homme dans la paroi de la grotte. Il s'agit du génie Fatou, qui refuse ici d'accorder l'immortalité à l'humanité comme le lui demande sa mère Hina (voir cat. 140). Une aquarelle très abîmée (coll. part.), datée de 1894, prouve que Gauguin faisait lui-même un lien entre les deux peintures, car le personnage de *Pape moe* y est associé à une vision du dialogue de Hina et Fatou, dont les silhouettes se découpent sur un disque blanc. Sachant que dans *Noa Noa,* Gauguin décrit une vision de Hina et Fatou sur le disque lunaire juste après l'épisode de *Pape moe*[11], on peut penser que cette aquarelle était destinée à illustrer son texte. L'artiste aurait réalisé ensuite une illustration différente pour ce même passage (R 52), en y introduisant l'image d'une anguille. En tout cas, l'illustration que Gauguin a incorporée dans son manuscrit de *Noa Noa* comporte un personnage assis près d'une cascade[12]. Reste à examiner la relation entre *Pape moe* et un bas-relief (G 107) en bois non daté qui présente le même motif.

C.F.S.

Gauguin, *Pape Moe,*
bois sculpté polychrome
(localisation inconnue)

Végétation aux Iles-sous-le-vent,
photographie (Charles Spitz,
Autour du monde, vers 1899, p. CCXLI)

1. *Noa Noa,* manuscrit du Louvre, 87-88.
2. *Noa Noa,* manuscrit du Louvre, 15-16.
3. Field 1960, 165 ; Field 1977, 291 n. 49 et 51.
4. Danielsson 1975, 127.
5. Loti 1879, chap. XIX ; voir Maurer 1985, 1005-1006.
6. Field 1977, 190.
7. Joly-Segalen 1950, nº V, 57.
8. Field 1977, 192 et 291 n. 53.
9. Danielsson 1975, 127.
10. W 499. Ces similitudes sont examinées dans Field 1977, 189, Andersen 1971, 215, et Maurer 1985, 1008-1009.
11. *Noa Noa,* manuscrit du Louvre, 88.
12. *Noa Noa,* manuscrit du Louvre, 92. Voir Field 1960, 166.

P. Gauguin 93
PAPE MOE

158

Merahi metua no Tehamana[1] (Teha'amana a de nombreux parents)

1893
76 × 52
Huile sur grosse toile.
Signé et daté en bas au milieu, en bleu foncé *P. Gauguin - 93.*
Inscription en bas à gauche, en bleu, *MERAHI METUA NO / TEHAMANA.*

The Art Institute of Chicago, don de Mr et Mme Charles Deering McCormick

Expositions
Paris, Durand-Ruel 1893, nº 33, *Metua rahi no Tehamana (Les Aïeux de Teha'amana)* ;
Paris, Drouot 1895, nº 32, *Metua rahi no Tehamana,* retiré de la vente ;
Béziers 1901, nº 53 ;
Chicago 1959, nº 51 ;
New York 1984-1985, nº 33.

Catalogues
Field 1970, nº 56 ;
W 497 ; FM 307.

Le portrait solennel intitulé *Merahi metua no Tehamana (Teha'amana a de nombreux parents)*[1] a été considéré comme une sorte d'adieu car Gauguin l'a manifestement exécuté dans le dernier mois précédant son retour en France[2]. Le tableau ne fut pas mis aux enchères lors de la vente de 1895, alors même qu'il était inscrit dans le catalogue, ce qui semble indiquer que Gauguin y attachait une valeur sentimentale particulière[3]. Teha'amana, vêtue de sa plus belle robe européenne, les cheveux parés avec beaucoup de recherche, tient un éventail de palme tressée comme si c'était un sceptre royal. De fait, les reines exotiques représentées dans d'autres œuvres de Gauguin (cat. 215 et 248, G 74) tiennent le même genre d'éventail, qui a été interprété comme un symbole de la beauté[4]. En utilisant ces accessoires, Gauguin a voulu signifier que l'Orient et l'Occident, le passé et le présent se rejoignent en Teha'amana. Les deux mangues mûres posées à côté d'elle, apparemment sur une table basse ou *fata,* symbolisent sans doute la luxuriance de Tahiti, sinon la fécondité du ventre maternel.

Un portrait au fusain (R 95 verso) a servi pour l'exécution du visage, voilé d'ombres vertes comme si Gauguin avait voulu évoquer la patine d'une statue sur la peau bronzée. Ce dessin préalable, joint à l'aspect trop court des bras dans la peinture, laisse supposer que Gauguin n'a pas peint *Merahi metua no Tehamana* directement d'après le modèle.

Le titre fait allusion à la coutume tahitienne qui consiste à se partager les enfants au sein de la famille étendue, et à la croyance que tous les Tahitiens sont issus de l'union entre les anciennes divinités Hina et Taaroa[5]. Dans *Noa Noa,* Gauguin raconte qu'il éprouva un certain désarroi pendant ses fiançailles avec Teha'amana, car deux femmes se présentèrent comme la mère de la jeune femme[6]. Une effigie en bois polychrome de la déesse Hina (voir cat. 139, 205, 227, 246) figure dans la frise à l'arrière-plan du portrait. L'objet rouge qui ressemble à une fleur dans les cheveux de cette idole pourrait souligner sa relation avec Teha'amana, à qui Gauguin devait une bonne partie de ses connaissances de la mythologie tahitienne[8].

Cette idole imaginaire, probablement inspirée d'une sculpture hindoue représentant le geste dispensateur de vie[9], apparaît pour la première fois dans l'art de Gauguin en 1892, à la faveur d'un ensemble d'œuvres évoquant les esprits malins des superstitions tahitiennes (cat. 147). Dans l'une de ces peintures, intitulée *Parau hanohano* (*Paroles terrifiantes,* W 460), une tête ailée plane près de la main droite levée de l'idole. Deux têtes identiques, visibles derrière les épaules de Teha'amana, planent près de l'idole dans *Merahi metua no Tehamana*[10]. Le titre de la peinture de 1892 donne à penser que ce détail signifie un dialogue entre le bien et le mal, ou entre la vie et la mort.

Dans la partie supérieure de *Merahi metua no Tehamana,* Gauguin a transcrit deux lignes de grands glyphes décoratifs comme on peut en voir sur les tablettes en bois, découvertes sur l'île de Pâques. Ces signes indéchiffrables, la seule forme d'écriture qui subsiste de l'ancienne culture polynésienne suscitèrent un grand intérêt après leur mise au jour en 1864, et des exemples furent présentés à l'Exposition Universelle de 1889 à Paris[11]. Monseigneur Jausson, affecté à la mission catholique de Papeete durant le premier séjour de Gauguin à Tahiti, s'était vu confier plusieurs spécimens de ces « bois parlants », et il a écrit un livre où il expose ses efforts pour les décrypter[12]. L'artiste devait connaître les tablettes de Jausson. Pourtant, les caractères qu'il a introduits dans *Merahi metua no Tehamana* et sur une de ses sculptures cylindriques (G 125) ne correspondent à aucun spécimen connu de ce langage disparu. Gauguin s'intéressait beaucoup à l'étude des langues, et il avait même vu dans des feuilles mortes de pandanus les lettres d'un alphabet disparu (cat. 183). Il a manifestement introduit des glyphes dans ce portrait pour suggérer que la mentalité tahitienne, enracinée dans un lointain passé, reste inaccessible aux Européens. Cette aura de mystère, qui confère à Teha'amana une expression semblable à celle de la Joconde, était pour Gauguin la source profonde de sa beauté.

C.F.S.

Gauguin,
Portrait de Teha'amana,
voir cat. 124

1. Voir Danielsson 1967, nº 32, 231.
2. Danielsson 1975, 126.
3. Field 1977, nº 56, 331.
4. Danielsson 1965, 135 ; Amishai-Maisels 1985, 216. Deux femmes indigènes tiennent la même sorte d'éventail sur une photographie que Gauguin a collée dans *Noa Noa,* manuscrit du Louvre, 55.
5. Teilhet-Fisk 1985, 88.
6. *Noa Noa,* manuscrit du Louvre, 103-104-
7. Voir aussi W 561, Gu 42-43, Pickrance 1970, 83.
8. *Noa Noa,* manuscrit du Louvre, 129-131. Au sujet du mythe de Hina, voir pp. 137, 145 et 147 du manuscrit du Louvre, et aussi Huyghe 1951, *L'Ancien culte Mahorie,* 9-11, 32-33, ainsi que la présentation de Huyghe en fin de volume.
9. Amishai-Maisels 1985, 374.
10. Amishai-Maisels 1985, 373.
11. Gray 1963, 68-69.
12. Gray 1963, 69 n. 20 ; Teilhet Fisk 1985, 88 ; Danielsson 1975, 127.

METUA NO

Chronologie: août 1893-juin 1895

Gloria Groom

1893

30 août
Gauguin arrive à Marseille avec quatre francs en poche (Danielsson 1975, 136).

31 août
Il reçoit 250 francs de Paul Sérusier, télégraphiés par Monfreid (Sérusier 1950, 204) et prend le train pour Paris.

septembre
Gauguin loue à Mme Caron, propriétaire de la crèmerie-restaurant «Chez Charlotte», une chambre, 8, rue de la Grande Chaumière. Alphonse Mucha lui propose d'utiliser son atelier qui est dans le même immeuble (Danielsson 1975, 139; Mucha 1967, 53-57).

3-4 septembre
Gauguin assiste aux funérailles de son oncle Isidore (Zizi) (Joly-Segalen 1950, n° XV, 76).

10 septembre
Il demande avec insistance à Mette de venir à Paris avec leur fils Pola (Malingue 1946, n° CXLI, 247).

12-15 septembre
Gauguin retourne à Orléans pour la lecture du testament de son oncle (Chassé 1921, 60). Il hérite de la moitié de ses biens; l'autre moitié va à sa sœur (Danielsson 1975, 300, n. 72).

mi-septembre?
Il persuade le marchand Paul Durand-Ruel d'organiser une exposition de ses œuvres (Malingue 1946, n° CXXXVIII, 244; Joly-Segalen 1950, n° XVI, 77) et demande à Mette de lui envoyer, le plus vite possible, les toiles tahitiennes qu'elle a à Copenhague (Malingue 1946, n° CXLII, 248).

septembre-octobre
Gauguin monte sur châssis les quarante à cinquante tableaux de l'exposition Durand-Ruel, apporte des retouches et leur met de simples cadres blancs (Rippl-Rónai 1957, 55). Un des autoportraits de Gauguin et son portrait de Louis Roy (W 317 bis) figurent à l'exposition *Portraits du prochain siècle* à la galerie Le Barc de Boutteville (Mauclair 1893, 119).

mi-octobre
Il entreprend d'écrire un livre «pour faire comprendre» sa peinture tahitienne (Malingue 1946, n° CXLIII, 249).

La crèmerie de Madame Charlotte décorée par Mucha à gauche et par Slevinski à droite, vers 1900 (Stockholm. Bibliothèque Royale, Archives Karlheim-Gyllensköld)

Carrière, *Portrait de Charles Morice,* vers 1892-1893 (localisation actuelle inconnue, Rewald 1962, 486)

octobre-novembre
La Cinquième Exposition des Peintres Impressionnistes et Symbolistes à la galerie Le Barc de Boutteville présente la *Copie de l'Olympia de Manet* (cat. 117) de Gauguin. Il remet deux textes à Morice, *Ancien Culte Mahorie* et le premier manuscrit de *Noa Noa* (voir Wadley 1985, 85-87). Gauguin accepte de payer invitations, affiches et catalogue de la future exposition chez Durand-Ruel, soit 237,25 francs (DR, *Journal,* 1893-1898, 41).

8 novembre?
Il propose de faire don de son tableau *Ia Orana Maria* (cat. 135) au Musée du Luxembourg qui le refuse (Vollard 1937, 197).

10 novembre
Le lendemain du vernissage privé, inauguration publique chez Durand-Ruel. L'exposition com-

Ci-contre:
Gauguin, *Autoportrait au chapeau,* détail 1893-94, huile sur toile (Paris, Musée d'Orsay)

Trois sculptures sur bois (voir cat. 140)
probablement parmi les « Tiis »
exposés chez Durand-Ruel en novembre 1893
(photographie Georges Chaudet vers 1894,
Archives Musée Gauguin, Papeari)

prend quarante et une toiles de Tahiti, trois de Bretagne et des *tiis,* ou sculptures sur bois. Les prix vont de 1 000 à 4 000 francs (voir le catalogue avec les prix, *Vente de tableaux de Paul Gauguin,* New York, Metropolitan Museum of Art Library).

11 novembre
Les « Têtes de bois », un groupe de peintres et d'écrivains symbolistes, organisent un dîner en l'honneur de Gauguin (*Journal des Arts,* 19 novembre 1893, 370).

25 novembre
Clôture de l'exposition Gauguin, onze toiles seulement ont été vendues. Degas, qui avait contribué à l'organisation de l'exposition, achète *Hina Tefatou* (W 499) et *Te Faaturuma* (cat. 127). Reconnaissant, Gauguin lui donne une canne sculptée qui était exposée (Morice 1919, 27). Les critiques dans la presse, pendant et après cette manifestation, font des commentaires enthousiastes de Thadée Natanson dans *La Revue Blanche* (Natanson 1893) aux propos caustiques d'Olivier Merson dans *Le Monde Illustré* (Merson 1893). Bien que déçu par les résultats financiers de l'exposition, Gauguin considère la publicité comme positive : « Le plus important est que mon exposition a eu un très grand succès artistique, a même éveillé la fureur et la jalousie. La presse m'a traité comme elle n'a encore jamais traité personne, c'est dire, raisonnablement et avec éloge. » (Malingue 1946, n° CXLV, 251). Gauguin colla quelques-uns de ces articles dans le *Cahier pour Aline.*

décembre
Ambroise Vollard ouvre une nouvelle galerie, 6, rue Laffitte, avec des toiles impressionnistes parmi lesquelles des œuvres de Gauguin à ses débuts (Pissarro 1950, 325). Gauguin écrit à Mette qu'il est trop occupé par son livre *Noa Noa* pour se rendre au Danemark (Malingue 1946, n° CXLV, 251).

14 décembre
Première de la pièce d'Ibsen *Un ennemi du peuple* au Théâtre de l'Œuvre. Morice déclare que le drame d'Ibsen et l'exposition de novembre de Gauguin sont les deux événements culturels les plus importants de l'année (Morice 1893a).

fin décembre
Pour la première fois, les enfants de Gauguin qui sont au Danemark écrivent à leur père. Il répond immédiatement (Malingue 1946, n° CXLVI, 252).

1894

début janvier ?
Gauguin loue deux pièces au dernier étage du 6 rue Vercingétorix et peint les murs en jaune de chrome. Il décore les murs de ses propres tableaux mais aussi de toiles de Cézanne et van Gogh dans sa collection (Vollard 1937, 196). Il fait la connaissance de ses voisins, William Molard, un compositeur, sa femme, Ida Ericson qui est sculpteur et leur fille, Judith Molard (trad. inédite 3 ; voir Gérard 1951). Il vit avec Annah la Javanaise, âgée de treize ans et originaire de Malaisie, qu'il a rencontrée par l'entremise de Vollard (Vollard 1937, 195-196).

Atelier du 6 rue Vercingétorix,
photographie
(Carley 1975, 96)

William Molard, vers 1894
photographie
(Papeete, Archives Danielsson)

janvier
Achille Delaroche publie, dans la revue symboliste *L'Ermitage,* un article élogieux sur Gauguin qui enthousiasme l'artiste (Delaroche 1894). L'article de Gauguin sur van Gogh, « Natures mortes », est publié dans *Essais d'art libre* (Gauguin, 1894a).

11 janvier
Premier des « Jeudis » de Gauguin ; au cours de ces soirées il réunit chez lui un cercle de peintres, écrivains et musiciens auxquels il lit parfois des passages de *Noa Noa* (Loize 1951, 19, et Rotonchamp 1906, 129). Lui-même se rend quelquefois, au cours de cette année, aux « Mardis » de Mallarmé (Chassé 1947, 69).

Dans l'atelier de Gauguin rue Vercingétorix,
assis au centre, Schnecklud
et le musicien Larrivel à droite
Derrière Sérusier, Annah la Javanaise, Lacombe,
photographie
(Archives Musée Gauguin, Papeari)

5 février
Il demande à Mette de convaincre son beau-frère Edvard Brandès de lui céder le tableau de Cézanne, auparavant dans ses collections, *Le Château de Médan* (Venturi 1936, 325) en échange de plusieurs de ses propres toiles (Malingue 1946, n° CXLVIII, 255). Au cours du mois, Jénot, venant de Tahiti, est de passage en métropole et rend visite à Gauguin (Jénot 1956, 125).

15 février
Le compte-rendu illustré de Roger-Marx sur l'exposition Durand-Ruel paraît dans la *Revue Encyclopédique* (Roger-Marx 1894).

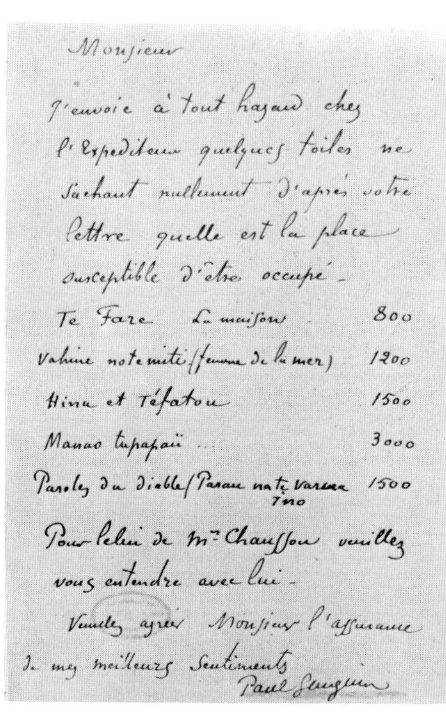

Monsieur

J'envoie à tout hasard chez l'Expéditeur quelques toiles ne sachant nullement d'après votre lettre quelle est la place susceptible d'être occupé.

Te Faré (La maison) 800
Vahine no te miti (femme de la mer) 1200
Hina et Tefatou 1500
Manao tupapau ... 3000
Paroles du diable (Parau hati Varua ino) 1500

Pour celui de Mr Chausson veuillez vous entendre avec lui.

Veuillez agréer Monsieur l'assurance de mes meilleurs sentiments
Paul Gauguin

Lettre de Gauguin à Octave Maus,
Président de la Libre-Esthétique
avec les titres et les prix des cinq tableaux exposés
(Bruxelles, Musée Royal des Beaux-Arts,
Archives Maus)

17 février
Gauguin assiste au vernissage de la première exposition de *La Libre Esthétique* à Bruxelles où il montre cinq toiles (W 436, W 499, et cat. 144, 147, 154). Il écrit à Brandès dans l'espoir de lui racheter tous les Pissarro et les Cézanne que Mette lui avait vendu (Bodelsen 1968, 55-57). Brandès refuse (Malingue 1946, n° CIL, 256).

18-22 février
Il visite les musées de Bruxelles, Anvers et Bruges avec Julien Leclercq. Le compte-rendu de Gauguin sur l'exposition de Bruxelles est publié dans *Essais d'art libre* (Gauguin 1894b, 30). Il envoie à Mette 1 500 des 13000 francs de son héritage (Loize 1951, n° 69, 19).

février-mars
Gauguin sculpte, dans du buis, dix bois pour les gravures destinées à illustrer *Noa Noa*. Il les imprime dans sa chambre avec l'aide de Flouquet, un de ses voisins graveur (Danielsson 1965, 156).

2 mars
Inauguration de la *Sixième Exposition des Peintres Impressionnistes et Symbolistes* à la galerie Le Barc de Boutteville. Gauguin y participe avec *Nave Nave Moe* (W 512) et *Taurna (Étude de nu)* qui n'a pas été identifiée.

29 mars
Il écrit à la veuve de Theo van Gogh pour lui demander de lui envoyer les tableaux de Vincent lui appartenant (Cooper 1983, 331-333).

mars-avril?
Juliette Huet, qui fut le modèle et la maîtresse de Gauguin, injurie Annah et quitte définitivement Gauguin (Rotonchamp 1906, 125-126). Il travaille

Gauguin, *Noa Noa*,
cat. 170

avec l'artiste-graveur Louis Roy à l'impression de vingt-cinq des trente gravures sur bois de *Noa Noa* (Field 1968, 507; Kornfeld 1988, 14.C.).

7 avril
Gauguin assiste au dîner d'artistes des «Têtes de bois» *(Journal des Artistes*, 15 avril 1894, 543).

26 avril
Il est présent à l'inauguration du Salon de la Société Nationale des Beaux-Arts avec, entre autres, Morice, Leclerq, Annah et Judith (trad. inédite, 9; voir Gérard 1951).

27 avril
Mort de Charles Laval, l'ami peintre de Gauguin qui l'avait accompagné à Panama et à la Martinique en 1887 (Walter 1978, n° 18, 290).

fin avril?
Gauguin quitte Paris pour la Bretagne avec Annah et son singe (Danielsson 1975, 162-163). Julien Leclercq emménage dans l'appartement de Gauguin (Malingue 1946, CL, 257).

début mai
Il loge quelque temps chez le peintre Wladyslaw Slewinski et sa femme dans leur villa du Pouldu, puis part pour Pont-Aven où il descend à l'Hôtel des Ajoncs d'Or que tient alors Marie Jeanne Gloanec (Chassé 1921, 60-61). Gauguin apprend que Marie Henry, aubergiste du Pouldu et maîtresse de Meyer de Haan, refuse de lui rendre les tableaux et sculptures qu'il lui avait laissés pendant son séjour à Tahiti (Chassé 1955, 89-90). Son article, «Sous deux latitudes», est publié dans *Essais d'art libre* (Gauguin 1894c).

25 mai
Une visite (?) à Concarneau (près du Pouldu), avec les peintres Armand Séguin, Émile Jourdan et Roderic O'Connor et leurs amies, se termine de façon désastreuse; le groupe est attaqué par des marins du pays et Gauguin, la jambe fracturée juste au-dessus de la cheville, reste immobilisé pendant deux mois (Malingue 1946, n° CL). Pendant tout l'été, il prend de la morphine et boit beaucoup pour lutter contre la douleur; il est

Gauguin, *Aquarelle-monotype collée à l'intérieur de la couverture de «Noa Noa»*
(Paris, Musée du Louvre (Orsay), Département des Arts Graphiques)

incapable de peindre et exécute des monotypes aquarellés et des gravures sur bois (Loize 1966, 270-271).

2 juin
Vente à l'Hôtel Drouot organisée par Octave Mirbeau au profit de la veuve du «Père» Tanguy. Les six tableaux donnés par Gauguin sont vendus à des prix très bas (voir le catalogue avec les prix, *Catalogue des tableaux... au profit de Mme Vve Tanguy*, Paris, Bibliothèque d'art et d'archéologie).

11 juin
Publication du premier volume des *Portraits du prochain siècle* (voir rééd. Paris, L'Arche du livre, 1970). Le nom de Gauguin est répertorié comme «portraiteur» de van Gogh. C'est l'écrivain Jean Dolent qui était censé faire le «portrait» de Gauguin pour le deuxième volume qui ne parut jamais (*Essais d'art livre*, vol. 5, 1894, 71-72).

fin juin
L'écrivain Alfred Jarry loge avec Gauguin à la pension Le Gloanec à Pont-Aven. Jarry écrit trois poèmes dédiés à Gauguin et inspirés de trois des tableaux exposés en novembre de l'année précédente chez Durand-Ruel (Jarry 1972, 2).

août-septembre
Annah quitte la Bretagne pour Paris où elle pille l'appartement de Gauguin, ne laissant que les tableaux (trad. inédite, 21; voir Gérard 1951).

Annah la Javanaise, vers 1898
(Photographie d'Alphonse Mucha, Archives Jiri Mucha, Danielsson 1965, 125)

23 août
Il parcourt trente kilomètres pour assister, à Quimper, au procès de ses agresseurs de Concarneau. Ils sont condamnés à verser à Gauguin une petite somme de 600 francs (Malingue 1946, n° CLII, 261).

septembre
Gauguin écrit à Molard et à Monfreid son intention de retourner s'installer définitivement dans les Mers du Sud (Malingue 1946, n° CLII, 260; Joly-Segalen 1950, n° XIX, 79, redatée par Loize 1951, 20).

14 novembre
Gauguin perd son procès contre Marie Henry et rentre immédiatement à Paris (Malingue 1959, 34-35).

18 novembre
La lettre de Gauguin au directeur du *Journal des Artistes*, racontant une visite imaginaire à l'atelier d'un artiste, certainement le sien, est publiée (Gauguin 1894d).

22 novembre
Morice, Roger-Marx, Gustave Geffroy et Arsène Alexandre organisent un banquet en l'honneur de

Gauguin au Café des Variétés (Le Pichon 1986, 185).

2 décembre
Premier jour d'une exposition d'une semaine présentant des gravures sur bois, monotypes aquarellés, sculptures sur bois et peintures tahitiennes de Gauguin dans son atelier (Morice 1894 et Leclercq 1895).

7 décembre
A un dîner des «Têtes de bois» au Café Escoffier, Gauguin annonce son intention de retourner à Tahiti (*Journal des Artistes,* 16 décembre 1894, 862).

13 décembre
Coiffé de son chapeau d'astrakan et vêtu d'une robe longue, Gauguin assiste à la première de la pièce de Strindberg *Père* au Nouveau Théâtre (Sprinchorn 1968, 50).

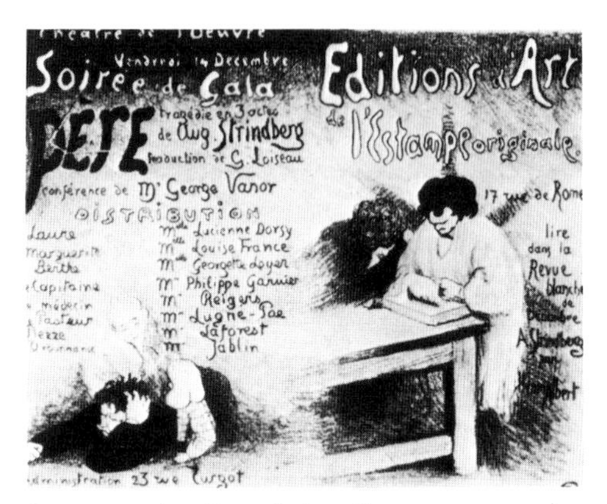

Programme de «Père» de Strindberg
dessiné par Valloton
(Mauner 1978, 35)

Deuxième quinzaine de décembre? Travaille à sa grande sculpture en grès *Oviri* (cat. 211) dans l'atelier de Chaplet (Danielsson 1975, 174) et au *Masque de Sauvage,* en plâtre (cat. 210; Bodelsen 1967, 221).

Gauguin, *Vase avec dieux tahitiens,*
grès, 1893-1895
(Paris, Musée d'Orsay)

Strindberg, vers 1893
(Strindberg 1981, 101)

1895

début janvier
Il se rend à Copenhague pour voir ses enfants. Il donne à Émil son portrait par Carrière (*Avant et après,* éd. anglaise avec préface d'Émil Gauguin, 1921, 9-10).

16 janvier
Il propose à Paul Durand-Ruel trente-cinq toiles pour 600 francs pièce (transcription dactylographiée d'une lettre de Gauguin, datée du 16 janvier 1895, DR).

31 janvier
Gauguin invite Strindberg à l'une de ses soirées du Jeudi et lui demande d'écrire une préface pour le catalogue de sa future vente (Sprinchorn 1968, 62).

février
Strindberg, qui a emménagé en face de la crèmerie de Mme Caron, se joint au cercle des écrivains, peintres et musiciens qui fréquentent le 6 rue Vercingétorix (Sprinchorn 1968, 131-132). Inauguration de l'exposition Armand Séguin à la galerie Le Barc de Boutteville avec au catalogue une préface de Gauguin qui est aussi publiée dans le *Mercure de France* (Gauguin 1895a). Son dessin *Ia Orana Maria* est reproduit, avec des gravures d'autres artistes, dans *L'Épreuve-Album d'Art* (4 mars 1895, nº 62).

Gauguin, *Dessin d'après «L'Espérance» de Puvis de Chavannes accompagnant un poème de Charles Morice,* 1894
(*Le Mercure de France,* février 1895, Rewald 1962, 459)

15 février
Gauguin envoie la lettre de refus de Strindberg avec sa lettre ouverte en réponse pour être publiées dans *L'Éclair* et faire ainsi de la publicité pour sa vente à venir (Strindberg 1895).

16 février
Exposition sur invitation à l'Hôtel Drouot avant la vente Gauguin (Loize 1951, 24).

17 février
Exposition publique avant la vente du 18 février (Paris, Hôtel Drouot).

18 février
La vente de l'après-midi à Drouot attire peu d'amateurs. Neuf tableaux seulement, sur quarante-sept œuvres présentées, sont vendus. Degas achète deux tableaux, *Vahine no te vi* (cat. 143), *Copie de l'Olympia* (cat. 117) et six dessins (voir le *procès-verbal* reproduit in Paris, Orangerie 1949). Le produit de la vente est de 2 200 francs (*Journal des artistes,* 24 février 1895, 940), mais

Gauguin, *Fatata te miti* (cat. 152),
un des tableaux rachetés par Gauguin
à la vente de février
(Washington, National Gallery of Art,
collection Chester Dale)

il faut déduire 830 francs correspondant aux œuvres rachetées par Gauguin sous des noms divers (Loize 1951, 24); après les frais, il ne reste que 464,80 francs pour Gauguin (Malingue 1946, nº CLVIII, 268). Il décide de reculer son voyage à Tahiti et écrit à Monfreid qu'il a attrapé «une triste infirmité» (Loize 1951, 25).

mars
Exposition à la galerie Vollard de plusieurs paysages et d'une céramique de la période bretonne de Gauguin (Mauclair 1895, 358).

23 avril
La lettre ouverte de Gauguin s'élevant contre l'inauguration d'un nouveau four à Sèvres est publiée dans *Le Soir* (Gauguin, 1985c).

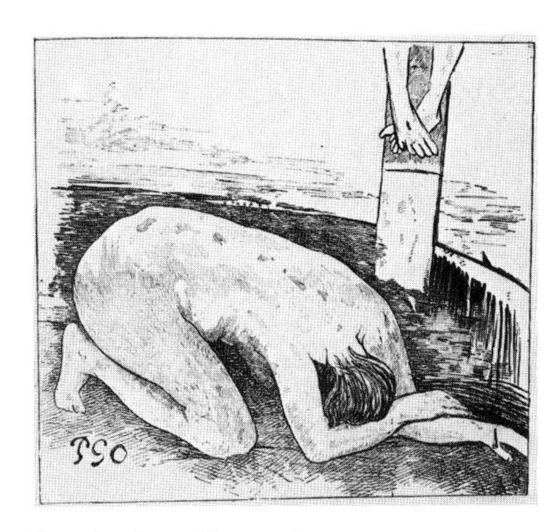

Gauguin, *Aquarelle-monotype*
«La Madeleine pénitente»
repris dans un bois
paru dans «L'Ymagier», nº 3, avril 1895, 142

25 avril
Ouverture du Salon de la Société Nationale des Beaux-Arts. Gauguin présente sa statue en grès *Oviri* (cat. 211), d'abord refusée (Morice 1896a, 9) puis remise en place après que le céramiste Chaplet, indigné, ait menacé de retirer ses propres œuvres (Vollard 1936, 201).

1er mai
Le Soir publie un éditorial de Gauguin protestant contre le choix des artistes devant représenter la France à l'*Exposition Internationale de Peinture* de Berlin (Gauguin 1895d).

13 mai
L'Écho de Paris publie une interview de Gauguin (Tardieu 1895) à la suite de laquelle Camille Mauclair, critique d'art au *Mercure de France*, écrit un article satirique (Mauclair 1895, 359).

fin juin
Gauguin remet à Morice son manuscrit *Ancien Culte Mahorie* (Loize 1966, 74-75, 80 et 126) et donne à Molard une procuration spéciale pour l'édition de *Noa Noa* (Malingue 1946, nº CLXVII, 282). Il laisse des toiles non vendues à un jeune artiste, Georges Chaudet, et à Lévy, un marchand qui accepte de lui servir d'agent pendant son absence (lettre de Gauguin à Bauchy, *Les Arts*, 28 mars 1947, 1).

26 juin
Dernière réception en l'honneur de Gauguin organisée dans son appartement par les Molard et le sculpteur Paco Durrio (trad. inédite, 26; voir Gérard 1951).

28 juin
Le Soir publie un article de Morice commentant la décision de Gauguin de retourner à Tahiti (Morice 1895). Les Molard et Paco Durrio accompagnent Gauguin à la gare où il prend le train pour Marseille (trad. inédite, 30; voir Gérard 1951).

Judith Gérard,
Portrait de Gauguin, gravure
(Carley 1975, 46)

Le retour en France

Richard Brettell

Aucune exposition majeure de l'œuvre de Gauguin n'a vraiment rendu compte de sa production en tant qu'artiste et écrivain, pour la période 1893-1895. La première grande rétrospective de 1906[1] présenta la meilleure sélection comprenant un bon nombre de bois, d'aquarelles et de monotypes en couleurs, ainsi qu'au moins deux peintures de cette époque ; mais il manquait les plus grands tableaux, et les œuvres sur papier étaient si éparpillées que l'importance de leur ensemble semble n'avoir pas été reconnue par les critiques. Les peintures de Gauguin avaient presque toutes été enlevées des cadres blancs, jaunes ou bleu foncé qu'il avait choisis en 1893 et 1894 quand il supervisa la sélection et l'installation de ses deux dernières expositions. On n'y présentait que trois petits carnets de croquis et aucun manuscrit. Aucune des importantes rétrospectives qui suivirent ne réussit pourtant à couvrir plus que celle de 1906 cette courte période, si riche. La raison en est sans doute l'incompréhension persistante dont fut victime l'œuvre de Gauguin en ces années 1893-1895.

Pendant sa première période tahitienne, Gauguin fut essentiellement peintre. Sa production fut abondante, même au regard des prolifiques impressionnistes auprès desquels il fit son apprentissage. Il semble aussi avoir travaillé dur pour réaliser une série de tableaux de chevalet susceptibles de lui procurer renom et sécurité financière à son retour en Europe. Cependant, à son arrivée à Marseille, le 30 août 1893, il était presque sans argent[2] et n'avait gardé contact qu'avec très peu de ses anciens amis ; c'est l'énergie qu'il déploya pour réussir par ses propres moyens qui l'éleva à la célébrité dont il allait jouir lors de son retour à Tahiti vingt-deux mois plus tard. Gauguin se fit marchand plutôt que peintre durant cette courte et intense période en France.

Du fait qu'il passa la plus grande partie de ces vingt-deux mois à Paris, alors capitale mondiale de la presse et des revues, nous connaissons beaucoup mieux sa vie pendant ce laps de temps que pendant ses longues années dans les mers du Sud. On peut tracer l'itinéraire exact de ses déplacements entre Marseille et Paris, préciser ses différentes adresses, suivre sur la carte ses voyages à Orléans et en Belgique, dresser la liste de ses amis, disséquer ses affaires financières, reconstituer ses invitations à dîner. Nous connaissons le nom de sa maîtresse et ses traits physiques. Nous connaissons mieux son provisoire atelier exotique de la rue Vercingétorix que ses maisons tahitiennes. Nous savons souvent le menu de son dîner, ses interlocuteurs, et dans certains cas, ses propres paroles[3].

Toutes les anecdotes de sa vie — et la liste pourrait encore s'allonger de cent pages — ont jeté beaucoup d'ombre sur les réalisations de Gauguin durant cette période. La plupart des biographes admettent qu'elles n'eurent pas sur lui de réelle influence pendant ces années, occupé qu'il était à organiser expositions et ventes, à parcourir les revues et y découper des articles ainsi qu'à préparer la publication de ses mémoires en un ou même plusieurs volumes.

Cependant, si l'art ne se réduit pas aux seuls tableaux de chevalet, il y a de quoi admirer la plénitude et l'éclat incontestables de la création de Gauguin pendant cette période. A part neuf peintures datées de 1894 et sept ou huit qui pourraient avoir été exécutées durant ces vingt-deux mois, Gauguin se consacra à cette époque à la littérature et aux arts graphiques. Il passa une bonne partie de son temps dans les derniers mois de 1893 à écrire le premier jet de son livre *Noa Noa* et, l'année qui suivit, à l'élaboration de cette version initiale. Il réalisa pour ce texte au moins trois groupes distincts d'illustrations

Ci-contre :
Gauguin, *Nave nave fenua*, détail, 1893-94, gravure sur bois (The Art Institut of Chicago)

1. Salon d'Automne, Paris, oct.-nov. 1906.
2. Voir chronologie, 1893.
3. Voir à titre d'exemple le film de Henning Carlsen, *The Wolf at the Door*, relatant cette période parisienne, et basé sur les mémoires de Judith Gérard (voir Gérard 1951).

dans des dimensions variées. Il est probable, également, qu'il travailla à constituer, à partir de notes antérieures, le superbe manuscrit intitulé *Ancien Culte Mahorie,* et que, pendant cette période parisienne, il termina la rédaction et l'illustration des textes intentionnellement disparates d'un autre manuscrit, le *Cahier pour Aline.*

Ces derniers livres ont presque toujours été datés de 1892 ou 1893 avant son retour en France. Cependant, il n'est pas évident que Gauguin ait pensé à faire des livres illustrés ou des manuscrits avant sa période parisienne. Le caractère presque exclusivement littéraire de son cercle d'amis dans ces années parisiennes nous incline à penser que les textes furent composés avec et pour ces amis. Cette période où il rédigea et illustra des livres en compagnie d'autres écrivains marqua le début de l'intérêt de Gauguin pour l'écriture, qui ne cessa que peu de temps avant sa mort en 1903. Pendant cette décennie, il produisit une série de manuscrits dont certains subsistent et d'autres sont perdus. Ils constituent le plus grand et le plus important ensemble de textes — qu'ils soient avec ou sans illustration — réalisés par un grand artiste depuis Delacroix, que Gauguin considérait comme un héros et dont il dévora le *Journal*[4]. Seules les lettres de van Gogh, dont l'immense majorité n'était pas publiée du vivant de Gauguin, peuvent rivaliser avec la production littéraire de celui-ci pour leur abondance et leur valeur purement intellectuelle. En un certain sens, les ambitions de Gauguin dépassèrent celles de son ami van Gogh, car il écrivit un bon nombre de textes expressément pour la publication.

Malheureusement, ils n'ont pas été totalement intégrés à la littérature sur Gauguin. La grande majorité des études d'histoire de l'art sur son œuvre soit ignore ces textes, soit les utilise pour la commodité des commentaires d'images. Les nombreux biographes de Gauguin les ont contournés à cause de leur densité, de leur construction décousue et leur forme apparemment confuse. Le pire, pour l'étude de Gauguin, c'est que même les historiens de la littérature ont ignoré ces textes. On lit rarement *Noa Noa* dans l'une ou l'autre de ses diverses versions, et le *Cahier pour Aline* aussi bien que l'*Ancien culte mahorie* ont été publiés sous forme de luxueux fac-similé et non dans des éditions critiques et plus populaires.

Cet état de fait est évidemment injuste pour Gauguin. Le peintre était aussi écrivain et, dans un certain sens journaliste. Seule la synthèse de toutes ces vocations constitue un portrait authentique de Gauguin. Ce qui montre à quel point sa production littéraire a été sous-estimée, c'est qu'on a toujours considéré Gauguin comme un homme d'affaires devenu artiste plutôt que comme un peintre devenu écrivain. D'une certaine façon, la faute n'en incombe qu'à lui-même. Il n'avait pas l'expérience du monde de l'édition, et sa décision de confier ses intérêts littéraires à Charles Morice n'était pas des plus avisées. Ce dernier avait déjà à faire pour vivre de sa plume et tout en tâchant sincèrement d'aider Gauguin à réaliser son rêve d'être un écrivain publié, il ne parvint sans doute qu'à entraver ses projets plutôt qu'à les faciliter. Gauguin pour sa part, en ne produisant que des manuscrits impossibles à reproduire, avec toutes sortes d'illustrations intégrées au texte, ne facilita pas la tâche aux futurs historiens de la littérature. Le seul point positif, dans la malheureuse histoire des textes de Gauguin, c'est que son écriture était et reste clairement lisible.

Dans l'analyse de l'œuvre de la période parisienne, plusieurs problèmes fondamentaux se posent concernant les peintures. La plus célèbre d'entre

4. Le *Journal* de Delacroix fut publié en 1893-1895 à Paris.
5. W 512, *Nave nave moe,* musée de l'Hermitage, Léningrad ; W 514, *Arearea no varua ino,* Ny Carlsberg Glyptotek, Copenhague.
6. Paris, Le Barc de Bouteville 1894, n° 66.
7. L'*Autoportrait à la palette* pourrait être une autre adjonction (cat. 159).
8. Danielsson 1967, 233.
9. Voir Gérard 1951, traduction française non publiée, 26.
10. Voir cat. 150.
11. Hoog 1987, 231.
12. W 525, *Village dans la neige,* Musée d'Orsay, Paris.
13. Alexandre 1930, 251-252 ; voir aussi Jénot 1956, 123, qui fait un inventaire partiel des objets emportés par Gauguin, lors de son second voyage à Tahiti.

elles, *Aita tamari vahine Judith te parari* (cat. 160) est dépourvue de signature et de date, et n'a, semble-t-il, jamais été exposée du vivant de Gauguin. Trois autres peintures de sujets tahitiens conservées à Léningrad, Copenhague[5] et Chicago (cat. 205) sont datées de 1894, mais une seule, *Nave nave moe,* fut exposée à Paris. Gauguin n'a jamais fourni de véritables explications à ce sujet : les a-t-il simplement terminées en France longtemps après les avoir mises en chantier à Tahiti, ou appartiennent-elles à la période où il a, en France, réinterprété Tahiti ? La seule de ces peintures figurant dans l'exposition, *Mahana no atua* (cat. 205), peut facilement se ranger dans la dernière catégorie, mais les deux autres pourraient bien avoir été commencées à Tahiti et finies en France.

Parmi les œuvres de sujet incontestablement français, trois seulement ont trouvé place dans le catalogue raisonné, ce sont les portraits de *William Molard* (cat. 164 *verso*), d'*Annah la Javanaise* (cat. 160) et du *Violoncelliste Schneklud* (cat. 165). Il convient d'ajouter un quatrième tableau, sans titre ni date, généralement catalogué comme une toile de 1901 et intitulé *Le Joueur de guitare* (W 611, collection privée). C'est peut-être un portrait d'un ami de Gauguin, le sculpteur Francisco (Paco) Durrio qui apparaît également sur un dessin en costume de Tahitien. A l'exception du portrait de Molard, ces toiles prétendent jeter un pont esthétique entre l'Europe et la Polynésie. L'Espagnol Durrio est habillé en Tahitien ; une jeune fille de couleur est assise dans un fauteuil chinois aux bras sculptés ; un violoncelliste suédois a comme premier nom *Upa Upa* — visible dans l'inscription de Gauguin sur le tableau — mot qui en tahitien signifie danser ou jouer[8] et qui évoque une danse de femmes, érotique et provocante[9].

Gauguin a également réalisé plusieurs peintures à Pont-Aven pendant cette période. La raison de son retour à son ancien port d'attache n'a jamais été expliquée. Son séjour dans la même auberge de Pont-Aven laisse supposer qu'il avait envie de retrouver sa vie et ses expériences passées. Cependant, ses toiles de Bretagne manquent de l'enthousiasme qui éclate dans les œuvres tahitiennes et même dans le petit nombre d'œuvres réalisées à Paris. Une seule de celles qu'on présume exécutées en Bretagne figure dans cette exposition (cat. 190), surtout parce qu'elle dépasse en qualité et en complexité les paysages datés sans conteste de 1894, année où il revisita ce lieu sacré[10].

Les peintures qui posent le plus de problèmes sont les trois évocations de l'hiver en Bretagne, traditionnellement datées de 1894 (W 519, 524 et 525). Le plus récent analyste de l'œuvre de Gauguin se refuse à les considérer comme peinture d'après nature, la Bretagne n'étant pas enneigée pendant les mois d'été et d'automne, époque du séjour de l'artiste en Bretagne[11]. L'alternative est donc la suivante : ou il les a peintes en Bretagne, en imaginant la neige, ou il les a faites bien plus tard. L'une d'entre elles a été trouvée, à la mort de Gauguin, dans son atelier, des îles Marquises et fut achetée par Victor Ségalen. Selon Arsène Alexandre, biographe de Gauguin, celui-ci aurait ramené à Tahiti deux scènes d'hiver de Bretagne[13]. Malheureusement, il n'est absolument pas évident que les trois peintures aient été exécutées en France, et Rotonchamp, le premier biographe de Gauguin, n'avance aucune preuve que celui-ci en ait emporté une avec lui. Reste l'éventualité que ces toiles se situent beaucoup plus tard, au moins en 1900, année où Gauguin en envoya une à Vollard de Tahiti ; elles ont, en effet, beaucoup plus de liens avec les peintures et gravures tardives, et les souvenirs de Gauguin, qu'avec les productions de sa période française.

Outre la toile *Aita tamari vahine Judith te parari* (cat. 160), les plus belles gravures de Gauguin et son chef-d'œuvre en sculpture datent de cette période de retour et de renouveau. Les gravures sont la série de grands bois conçus pour *Noa Noa* et imprimés par Gauguin lui-même au cours de l'hiver et du printemps 1893-1894. Il réalisa certains autres bois gravés de qualité comparable un peu plus tard à Pont-Aven. Ces derniers ne figurent pas dans l'exposition, non qu'ils soient moins beaux, mais pour souligner que la série des bois de *Noa Noa* constitue dans son ensemble une œuvre d'art plus forte qu'une quelconque gravure isolée. Gauguin se livra à partir de la céramique-sculpture *Oviri* (cat. 211) à des travaux hautement expérimentaux de gravure : il en réussit deux tirages sur le même montage pour les offrir au poète symboliste Mallarmé (cat. 213). On ne sera donc pas surpris d'apprendre que Mallarmé lança une souscription pour l'achat de cette œuvre par la France, entreprise qui n'atteignit son but que récemment[14].

Les réalisations les plus importantes de Gauguin à son retour en France sont peut-être les deux expositions de ses œuvres qu'il organisa, la première à la galerie Durand-Ruel en novembre 1893 et la seconde semi-privée dans son propre atelier en décembre 1894. Il travailla avec une égale ardeur à faire de chacune un succès, mais l'échec relatif de la première, en galerie, l'amena sûrement à préférer l'exposition en atelier, dont il était seul maître.

Malheureusement, il eut peu de temps pour organiser l'exposition de sa récente production tahitienne à la galerie Durand-Ruel. En deux mois au plus, il dut retoucher, terminer, et peut-être même signer, dater et intituler cinquante tableaux, faire des projets pour un ambitieux catalogue avec une préface de Charles Morice, encadrer toutes les toiles et s'occuper de la publicité. En octobre, il s'aperçut que la majeure partie du public trouvait son œuvre incompréhensible. La difficulté était d'autant plus grande que Gauguin refusait de traduire ses titres tahitiens[15]. Il se mit donc à déployer toute l'énergie nécessaire à la préparation d'un livre ou d'une brochure pouvant aider ceux qui cherchaient à interpréter ses toiles exotiques. Le temps manqua — cela va sans dire — pour mener conjointement à bien le livre et l'exposition, et c'est peut-être pour cette raison que Gauguin fut déçu de l'accueil réservé à son exposition.

Il ne faudrait pourtant pas parler d'échec proprement dit. Le récent tableau comparatif des réactions critiques dressé par Michel Hoog est peut-être l'aperçu le plus nuancé qu'on ait publié sur le sujet[16]. Gauguin lui-même tint une sorte de « press-book » dans le *Cahier pour Aline*, et celui-ci suffit à prouver que les choses allaient plutôt bien pour lui. Ses fidèles rédigèrent de chaleureuses critiques[17] et un journaliste qui usait du pseudonyme de Fabien Vieillard écrivit un article particulièrement élogieux, à la manière de Mallarmé[18]. S'il est vrai que les ventes couvrirent à peine les dépenses, un très grand nombre de personnalités virent l'exposition et la prirent au sérieux. Parmi les impressionnistes, Monet, Renoir et Pissarro rejetèrent les dernières productions de Gauguin, mais Degas y adhéra totalement. Non seulement il acheta plusieurs peintures importantes de la période parisienne du peintre, mais encore il fit beaucoup pour la réussite personnelle de son jeune collègue.

Sur le plan littéraire, les choses allaient encore mieux pour l'artiste, grâce au soutien d'un autre cercle de jeunes poètes et écrivains, parmi lesquels Jean Dolent et l'homme qui allait devenir, selon la formule de Danielsson, « l'ombre de Gauguin», Julien Leclercq[19]. Aux yeux de ces deux éminents avant-gardistes et de leurs amis, l'exposition était sensationnelle. Le catalogue compte quarante-quatre peintures, toutes, sauf trois, exécutées à Tahiti. La plupart étaient encadrées de blanc, procédé habituel dans les expositions de peinture d'avant-garde dès la fin des années 1880[20]. Son également catalo-guées deux sculptures, et il est probable que d'autres peintures s'ajoutèrent à l'exposition au cours de son installation. Malheureusement, Gauguin ne pouvait décider de la couleur du mur, point sur lequel il était assez exigeant. La plupart des critiques considérèrent les tableaux comme décoratifs bien que *La Revue Anarchiste*[21] les eût qualifiés «d'un caractère barbare, opulent et taciturne». Comme toujours, l'œuvre de Gauguin inspira des descriptions littéraires qui abondent en contradictions apparentes. Gauguin les traita avec une douce ironie quand il fit son propre compte rendu des critiques dans le manuscrit inédit *Diverses Choses*. Dans ce texte, il se délecta de l'ignorance des critiques, soulignant leur condamnation de sa perspective soi-disant fausse et de l'intensité presque irréelle de ses couleurs[22]. Cependant, comme cela lui arrivait fréquemment, il exagéra à la fois l'importance et la stupidité de ses détracteurs et sous-estima la critique élogieuse des nombreux admirateurs lettrés qui tentaient d'interpréter son œuvre difficile.

Peu après l'exposition chez Durand-Ruel, Gauguin commença à décorer un fabuleux atelier dans une grande pièce de la rue Vercingétorix. Les tableaux invendus de l'exposition ainsi que sa sculpture en cours d'exécution et la collection à caractère ethnographique de son oncle Zizi furent installés dans un espace extraordinaire, peint en vert olive et jaune de chrome éclatant, éclairé d'innombrables fenêtres dont l'une, peinte par le maître, portait cette devise : *Te faruru*[23]. Dans ce cadre garni de meubles exotiques trouvés au marché aux puces, il organisait tous les jeudis des soirées ; il y tenait des conférences sur sa méthode, racontait des histoires sur ses voyages et jouait de divers instruments de musique. En fait, cet «atelier des mers du Sud», comme on pourrait l'appeler, compte parmi les plus grands décors jamais conçus par Gauguin[24]. Nous en avons quelque idée par les descriptions de Vollard, Rippl-Ronai, Mucha, Monfreid, Gérard et bien d'autres, et il en reste plusieurs photogra-phies, probablement prises par Gauguin lui-même. Malheureusement, aucun de ces témoignages visuels n'est aussi évocateur que les descriptions verbales. Des fragments de tableaux sur les photographies montrent qu'il avait remplacé ses cadres blancs par une simple bande de couleur variée, peut-être bleue et blanche, et les photographies, comme les témoignages, suggèrent un mur garni au hasard d'œuvres d'art plutôt qu'un accrochage soigneusement calculé et symétrique[25]. Il y avait aussi plusieurs sculptures sur bois et des meubles sculptés dont peu échappèrent au pillage d'Annah la Javanaise, la maîtresse de Gauguin pendant son séjour à Paris[26].

En décembre 1894, Gauguin avait créé un environnement assez élaboré pour annoncer, dans deux périodiques au moins, son ouverture privée. Ses deux amis, Julien Leclercq et Charles Morice[27], firent un bref compte rendu et il vint sans doute beaucoup de visiteurs appartenant au cercle de Mallarmé, Alfred Vallette, Vollard et Degas. Gauguin écrivit lui-même un article démontrant que les Parisiens pouvaient apprendre davantage sur la peinture par la visite d'ateliers d'artistes que par la fréquentation des galeries d'art[28]. L'atelier précis qu'il citait appartenait à un jeune peintre qu'il ne nommait pas, mais sa description correspond bien à celle de son propre atelier ; il semble

14. Voir cat. 211. Lettre de Morice à Mallarmé, 1895, citée dans Mondor 1982, vol. 7, 161-162.
15. Malingue 1946, nº CXXXIV, 236.
16. Hoog 1987, 209-213.
17. Mirbeau 1893 ; Cardon 1893 ; Natanson 1893 ; Geffroy 1893a et b ; Fénéon 1893 ; Morice 1893a.
18. Vieillard 1893.
19. Danielsson 1975, 152. Leclercq n'est pas seulement l'auteur d'un article sur l'exposition dans l'atelier de Gauguin en 1894 (voir Leclercq 1895). Il l'avait défendu contre une attaque du jeune artiste et critique d'art du *Mercure*, Camille Mauclair (voir Leclercq 1894b).
20. Rippl-Ronai 1957, 55, et aussi Genthon 1958, 21. Selon Ronai, après l'exposition chez Durand-Ruel, Gauguin peignit les cadres en jaune, car il attribua l'échec de l'exposition aux cadres blancs.
21. Fénéon 1893.
22. *Diverses Choses* dans *Noa Noa*, Louvre ms. 155-156. Département des Arts graphiques, Orsay.
23. Rotonchamp 1906, 123.
24. Sa première tentative en matière de décoration, l'auberge de Marie Henri au Pouldu, ne pouvait être considérée que comme une œuvre collective, et de toute manière elle était loin d'égaler l'environnement qu'il avait créé rue Vercingétorix.
25. Voir note 20.
26. Voir Gérard, traduction française non publiée, 21.
27. Morice 1984, 2 ; Leclercq 1895.
28. Gauguin 1894d.

bien qu'il voulait utiliser celui-ci comme un lieu de travail où l'on pouvait non seulement voir ses œuvres sous leur meilleur jour, mais aussi se les faire expliquer par leur auteur et ses amis.

Nous connaissons mal le contenu de l'atelier de Gauguin au moment de son exposition. Il y avait, bien sûr, les invendus de l'exposition Durand-Ruel, mais Leclercq et Morice mettaient l'accent, dans leurs brefs comptes rendus, sur ses derniers bois et monotypes à l'aquarelle. Ceux-ci étaient montés sur du papier bleu marbré semblable à celui qu'on emploie souvent pour les cartons à dessins, et Gauguin pouvait les tenir en main, les faire circuler, les disposer sur une table ou un canapé, les fixer au mur ou même aux cadres de ses tableaux. La présence de l'artiste au milieu de toutes ces œuvres créait de toutes autres conditions de visite qu'une exposition dans une galerie. Malheureusement pour les finances du peintre, ce procédé ne donna pas de meilleurs résultats que le système des galeries et il fut aussi abandonné en tant que stratégie de vente.

Si cet «atelier des mers du Sud» constitua la plus grande création artistique de la période parisienne de Gauguin, ceux qui le fréquentèrent étaient presque aussi intéressants que les œuvres d'art répandues sur les murs, le sol et les tables. Quelle que fût sa faveur auprès des deux éminents avant-gardistes, Degas et Mallarmé, ce fut, essentiellement, avec un groupe plus jeune que Gauguin fit alliance. C'est un fait que tout le reste de sa vie, il s'entoura de jeunes admirateurs aussi bien que de maîtresses adolescentes, et ses meilleurs amis à Paris, avant qu'il ne reparte pour Tahiti, avaient en général une génération de moins que lui[29]. Il faisait profession d'adorer la jeunesse et essaya — y parvenant presque — de se maintenir au rythme des jeunes fous, hommes et femmes, qui formaient les cercles d'avant-garde parisiens. Une lecture même négligente de l'emploi du temps de Gauguin en cette période fera découvrir des listes et des listes de noms — soutiens financiers de causes à défendre, participants à des dîners, compagnons de voyages et amis. Cela va, pour la nationalité, d'un Suédois à un Roumain, pour la célébrité, de Durrio à Strindberg. Ces gens l'avaient finalement épuisé et abandonné tout à la fois[30]. Il retourna dans les mers du Sud aussi bien pour échapper au bouillonnement parisien que pour avoir le temps de créer les œuvres majeures de ce qui devait être la dernière décade de sa vie. Grâce à elle, il ne sera jamais oublié. S'il était resté à Paris, essayant jusqu'à sa mort de publier et de promouvoir ses œuvres, l'histoire de l'art occidental eût été moins riche.

29. Par exemple, Francesco « Paco » Durrio, Julien Leclercq, P. Napoléon Roinard, Charles Morice, Paul Ranson, Stadilas Slewinski, Armand Séguin, Fritz Schneklud, et selon Le Pichon 1987, les peintres bretons Maxime Maufra et Paul Sérusier, ainsi que le sculpteur Georges Lacombe.
30. A l'exception d'un petit nombre, certes. Ces contacts précoces avec un groupe multinational accrut sa notoriété ; le compositeur Frederick Delius, un ami de Molard, acheta *Nevermore*, et Paco Durrio voulut acheter « D'où venons-nous ? » (W 561). Notons que les membres de ce même groupe (Morice, Delius, Durrio, Maufra, Leclercq) ont tous écrit leurs comptes rendus de ces mois importants dans l'atelier de Gauguin ou à la crémerie de Mme Charlotte.

Ci-contre :
Gauguin, *Mahana no atua*, détail, 1894, huile sur toile
(The Art Institute of Chicago)

159

Autoportrait à la palette

Vers 1894
92 × 73
Huile sur toile
Signé et dédicacé en haut et à droite,
A. Ch. Morice de son/ ami P. Go.

Collection particulière

Expositions
Paris 1906, n° 2 ;
Paris, Orangerie 1949, n° 41 ;
Chicago 1959, n° 56.

Catalogue
W 410 (dates et dimensions erronées).

Gauguin ne s'est représenté que deux fois en train de peindre, avec les attributs professionnels traditionnels, pinceau et palette. Dans le premier, le plus touchant et un peu maladroit, le Gauguin de 1885, au regard fuyant, a l'air un peu coincé par sa soupente de Copenhague, entre son chevalet, sa chaise et sa palette (voir essai F.C.). On voit ici le chemin parcouru : il a éliminé tous les accessoires, sauf la palette qui lui permet d'afficher ses couleurs « fétiches » de Tahiti, jaune, rose et rouge. Ce détail, plus la dédicace à Charles Morice, avec qui il était en contact étroit surtout au cours de son dernier séjour parisien, font penser plutôt à l'attribution à l'hiver 1893-1894 ou même 1894-1895, passés à Paris, plutôt qu'à celle de 1891 généralement donnée — en tous cas l'un de ces deux hivers — quand les ateliers parisiens difficiles à chauffer expliquent cette tenue de l'artiste en vêtements apparemment plutôt « d'extérieur ».

Armand Seguin a décrit Gauguin à cette époque, avec « ce bonnet d'astrakan, cette énorme houppelande bleu foncé que maintenaient des ciselures précieuses, et sous lequel il paraissait aux Parisiens un Magyar somptueux et gigantesque, un Rembrandt de 1635 (...) »[1]. Une caricature de Manzana-Pissarro — fils de camille — faite a posteriori d'après des croquis sur le vif du peintre dans son exposition de ses œuvres tahitiennes chez Durand-Ruel en 1893, corrobore bien cette description.

Depuis la publication par Maurice Malingue en 1943[2] d'une photo des archives Schuffenecker, donnée pour une image de Gauguin en 1888, on décrit généralement ce portrait comme peint d'après ce document. En effet, la pose, le cadrage, le vêtement sont identiques. On retrouve sur la photo le fameux bonnet d'astrakan, qui, plus réduit sur le tableau, ressemble plutôt à du feutre et la toque « magyare » devient un chapeau de magicien. Mais comme le visage semble différent ! plus lourd, plus mou, plus vieux. Est-ce le fait que sur la photo l'homme ait les cheveux courts, pas de moustache ? Le regard ne ressemble pas en tout cas à celui que peint Gauguin. Le déguisement est plus discret sur le tableau — ainsi les grosses agrafes sont supprimées — et toute l'importance est donnée, comme il se doit pour un peintre qui affirme son identité, au regard et à la main. Celle-ci est surprenante, jaune, sans modelé : comme enveloppée d'un gant. A-t-il pensé au Titien ? C'est en tout cas le portrait traditionnel d'un moderne Rigaud ou Largillière qu'il a voulu faire, imprégné de toute l'autorité que lui conférait son rôle de « maître » et de « mage » à l'époque dans un certain milieu[3]. Le regard en biais, le blanc-bleu des yeux, le fond rouge, le pinceau parfaitement vertical, qui souligne le visage et la grande simplicité technique, apportent une singularité et une puissance nouvelle à une composition somme toute assez conventionnelle.

Le fond agressivement plat et rouge derrière la silhouette n'a certainement pas été choisi au hasard et rappelle celui du portrait-charge (cat. 92). On ne peut s'empêcher d'y voir une allusion intentionnelle à *La vision du sermon* (cat. 50) qui était devenu, depuis l'article d'Aurier sur le *Symbolisme en peinture*[4], le tableau — manifeste du mouvement. Gauguin, de retour à Paris après une longue absence, rappelait sans doute par là qu'il en était le maître.

La signature et la dédicace étant peintes en même temps, on peut penser que le tableau a été fait à l'intention de Charles Morice (et non donné après coup) pour le remercier de mettre souvent sa plume à contribution pour le soutenir. Jeune poète et critique d'art, disciple de Mallarmé, Charles Morice (1860-1919) joua dans la critique d'art symboliste un rôle non négligeable que la mort d'Albert Aurier — à vrai dire meilleur théoricien et écrivain — en 1892 lui permit d'occuper au moment du retour de Gauguin. Celui-ci lui confia la préface de son catalogue de l'exposition chez Durand-Ruel en 1893, puis le soin de rendre publiable et « littéraire » son *Noa Noa*[5]. Ils y travaillèrent ensemble entre 1893 et 1895. Après le deuxième départ de Gauguin pour Tahiti, Morice remanie encore le texte et le publie dans la *Revue Blanche* en 1897, avec des poèmes de lui[6]. Il devait écrire plusieurs articles avant et après la mort de Gauguin, puis une des premières biographies de l'artiste, parue en 1919[7].

Morice ayant une vie matérielle fort difficile, dut se séparer assez tôt de son portrait, puisqu'au moment de la rétrospective Gauguin au Salon d'automne en 1906, il faisait déjà partie de la collection Fayet. F.C.

L'artiste à la palette, photographie
(Musée d'Orsay, Service de Documentation)

Manzana-Pissarro,
Gauguin dans son exposition, caricature
(collection particulière)

1. Seguin 1903a, 160. Notons que Seguin ne rencontre pas Gauguin avant 1894.
2. Malingue 1943, 17.
3. Voir Jirat Wasiutynski 1978, 356-357.
4. Aurier 1891.
5. Voir l'excellente analyse de la collaboration de Gauguin et Morice par Wadley 1985, 100-107.
6. Gauguin et Morice, *Noa Noa*, 1897.
7. Morice 1919.

160

Aita tamari vahine Judith te parari

1893-1894
116×81
Huile sur toile.
Inscription en haut à droite, *Aita Tamari vahine judith te Parari.*

Collection particulière

Expositions
Paris 1903, nº 15, *Femme dans un fauteuil* (?); Bâle 1928, nº 96 ou 97 suivant l'édition; Berlin 1928, nº 68; Paris, Orangerie 1949, nº 39; Bâle 1949, nº 51; Londres 1979, nº 91; Washington 1980, nº 54.

Catalogue
W 508.

Ni signé ni daté, ce tableau au titre curieux (*La femme-enfant Judith n'est pas encore dépucelée*) est incontestablement le chef-d'oeuvre de la période parisienne de Gauguin. La palette vibrante, le traitement pictural concis et la clarté de la composition le rangent parmi les plus extraordinaires de ses œuvres. Cependant, comme souvent dans l'œuvre de Gauguin à cette époque, les sources et la signification première nous échappent. Il ne faisait pas partie de la vente Gauguin de 1895 à l'Hôtel Drouot, mais il pourrait s'agir de la toile au titre laconique *Femme dans un fauteuil* exposée chez Vollard en 1903[1]. Morice n'en fait pas mention dans son long compte-rendu de l'exposition et du vivant de Gauguin personne n'y fit jamais allusion que ce soit dans une critique ou une lettre. Elle n'a jamais appartenu à Molard, Monfreid, Chaudet, Lévy ou Vollard chez lesquels on peut localiser, pendant les années qui précèdent la mort de l'artiste en 1903, la plupart de ses œuvres tardives.

De l'avis général, le tableau représente un modèle de Gauguin, une métisse connue sous le nom d'Annah la Javanaise, qui fut sa compagne de décembre 1893 à l'automne 1894. Annah et son singe apprivoisé Taoa sont des personnages pittoresques dans les écrits sur Gauguin. Dans ses mémoires, Vollard rapporte l'histoire, peut-être fantaisiste, d'une rencontre avec cette femme de chambre devenue modèle[2]. Mais le titre tahitien complexe et en partie illisible de Gauguin nous parle d'une autre femme, Judith. Il s'agit certainement de Judith Molard, la fille des amis de Gauguin, William et Ida Molard, auteur d'un affectueux récit du séjour du peintre à Paris[3]. Judith avait treize ans en 1893, presque le même âge qu'Annah mais tout les différenciait. Alors qu'Annah était une femme expérimentée, Judith était une enfant; Annah était brune, Judith blonde. Gauguin peint l'une dans une représentation nue d'une certaine brutalité et évoque l'autre dans le titre[4]. Si l'on en croit les mémoires de Judith, la relation sexuelle à laquelle Gauguin fait peut-être allusion dans le titre tahitien, d'ailleurs incompréhensible pour Judith ou ses parents, ne fut jamais consommée.

Gauguin fait poser Annah dans un fauteuil dont les dimensions relativement imposantes accentuent encore sa petite taille. Ce procédé a un antécédent proche dans la peinture française, mais qui n'est pas un nu; il s'agit du portrait d'un nain, celui par Cézanne de son ami Achille Emperaire. Le compagnon d'Annah, le singe Taoa assis à ses pieds, regarde ailleurs, indifférent[5]. L'impression qui domine dans ce tableau est celle d'une attitude composée; Annah est bien consciente que nous sommes en train de l'étudier.

Le décor est ici à la fois sobre et exotique. Il n'a aucun rapport avec l'atelier parisien de Gauguin aux murs jaune de chrome tapissés d'œuvres d'art. On ne voit aucun tableau sur ce mur rose, espace d'une couleur vibrante d'où surgissent les fruits et le ruban formant cartouche pour le titre dans l'angle supérieur droit. On a plus souvent établi un rapprochement entre la moulure de la plinthe et les créations postérieures des Wiener Werkstätte[6] que des bois ajourés polynésiens ou des motifs de l'avant-garde en France. Par la suite, Gauguin devait en reprendre le dessin dans un tableau de 1896 *Te tamari no atua* (cat. 221) où il décore les longerons du lit d'une vierge Marie polynésienne.

Le splendide fauteuil, dans lequel Annah est assise, est probablement une importation chinoise. Malgré l'exotisme des pieds chinois et des bras sculptés, il est indéniablement européen et c'est sans doute le tableau qui dans l'œuvre de Gauguin correspond le mieux au *fauteuil* auquel fait référence le titre de l'exposition chez Vollard en 1903[7].

Nous savons que, de Pont-Aven, Annah était rentrée à Paris à la fin de l'été 1894 où elle dévalisa complètement l'atelier n'y laissant que les tableaux[8]. Peut-être en a-t-elle pris juste un, ce portrait d'elle? Si c'est le cas, on ne peut le prouver qu'à contrario par le fait que personne ne mentionna jamais le tableau du vivant de l'artiste. En 1922, il fut acquis par le grand collectionneur bernois, Emile Hahnloser chez qui Félix Vallotton l'a sans doute admiré, ses propres nus en pied ou en buste devant beaucoup au tableau de Gauguin. R.B.

1. Paris 1903, nº 15.
2. Vollard 1936, 173; éd. 1937, 195-196.
3. Gérard 1951, 53-74.
4. Pour une traduction du titre voir Danielsson 1967, nº 2, 230.
5. Voir Dorival 1954, 7, pour un dessin préparatoire du singe. La physionomie du singe n'a pas été, comme le personnage d'Annah, peint d'après nature, mais plutôt d'après une série d'esquisses au crayon.
6. Hoog 1987, 214.
7. Voir n. 1.
8. Le départ d'Annah est vraisemblablement la conséquence de l'état de Gauguin, invalide à la suite de l'accident du 25 mai à Concarneau qui le rendit presqu'infirme et l'empêcha de peindre les deux mois suivants.

Cézanne, *Achille Emperaire*, 1868, huile sur toile (Paris, Musée d'Orsay)

AITA

161

Nu couché (recto)
Etude pour Aita tamari vahine Judith te parari (verso)

1894-1895
30 × 62
Fusain, craie noire et pastel sur papier vergé ; verso retravaillé au pinceau et à l'eau.

Mme Robert B. Eichholz

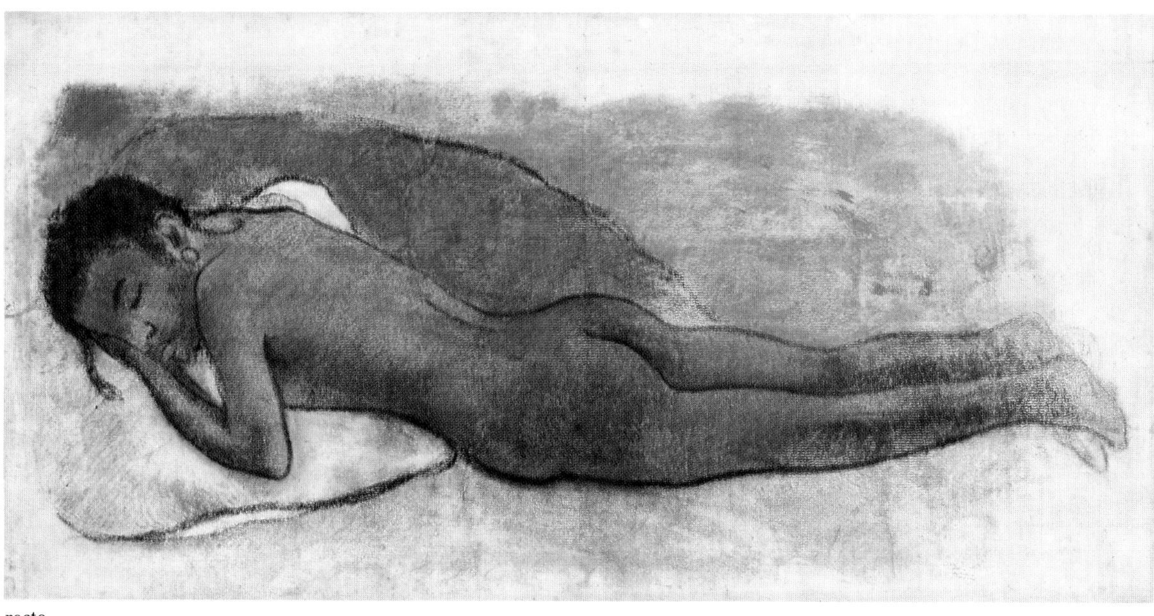

recto

Le superbe pastel au recto de la feuille de la collection Eichholz pourrait être une étude préparatoire au célèbre tableau de 1892, *Manao tupapaù* (cat. 154). Mais le fait qu'il ait été exécuté sur l'autre côté d'une étude très poussée pour *Aita tamari vahine Judith te parari* (cat. 160) peint en 1894, nous amène à le dater, ainsi que ses contre-épreuves, de 1894-1895. Il montre bien, tout comme l'esquisse du *Cahier pour Aline*, la fascination constante de Gauguin pour cette pose. Par le style et la technique, ce pastel est sans équivalent dans son œuvre des années 1893-1895. Pour trouver des œuvres comparables, il faut remonter aux pastels (cat. 35, 46) que Gauguin avait faits en rapport avec son premier tableau important de baigneurs, peint en 1886-1887.

La tête brutalement coupée d'*Annah la Javanaise* au verso nous amène à penser que ce côté de la feuille a précédé le recto. Cette représentation date certainement de l'hiver ou du début du printemps 1894, à l'époque où Gauguin et Annah vivaient à Paris. Il semble curieux, compte-tenu de ce que nous savons des habitudes de travail de Gauguin, qu'il ait relégué son étude sur la moitié gauche d'une feuille de grand format, à une époque où il ne manquait pas d'argent. Les différences entre le dessin et le tableau auquel il se rattache, sont des

verso

162
Nu couché

1895
24,5 × 40
Contre-épreuve d'un dessin au pastel, en partie retravaillé, sur papier japon.
Dédicacé, signé et daté en bas au centre, à l'encre et à la plume, *à Amedée Schuffenecker/ Paul Gauguin — 1895 -*

Collection particulière

Exposition
Philadelphie 1973, nº 11.

Catalogue
F 11.

Exposé à Paris

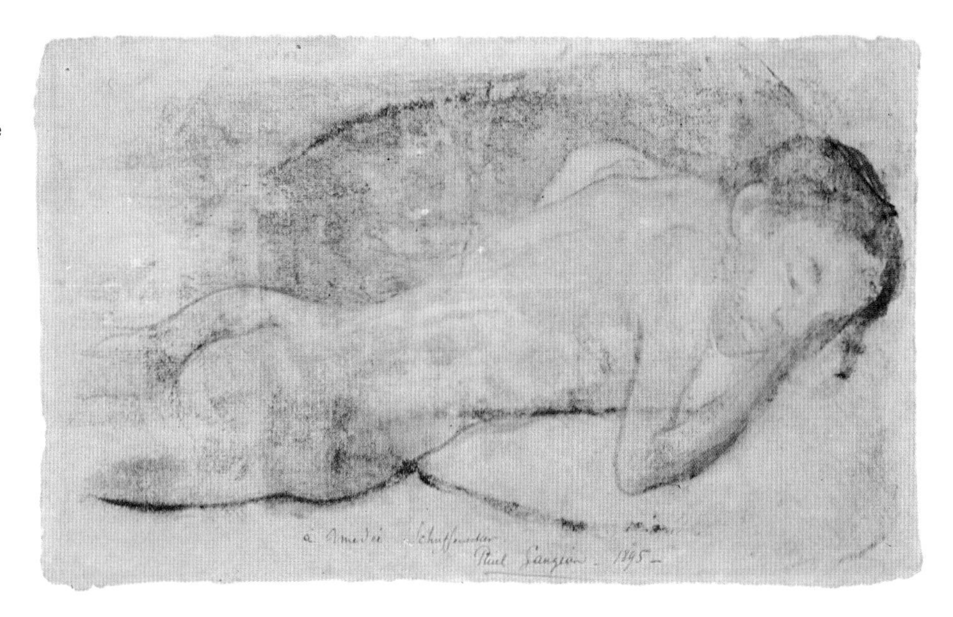

plus intéressantes. Le fabuleux fauteuil bleu et le singe sont absents, et Annah, dans une pose d'un étrange raideur sur le tableau, est ici à demi-étendue. Cependant, la singularité la plus frappante du dessin est la nature indéterminée des accessoires ; le tabouret sur lequel elle est assise, ainsi que la partie supérieure de son corps, apparemment soutenue par un coussin blanc, n'ont pas une place bien définie dans un espace recréé.

On peut être tenté d'avancer l'hypothèse selon laquelle Gauguin aurait lui-même décapité Annah en découpant la feuille quand il rentra de Bretagne pour découvrir qu'elle avait tout volé dans son appartement parisien à l'exception des œuvres d'art. Cependant, ce scénario n'explique pas la ressemblance étroite dans la couleur de la peau et le type de corps avec le nu couché plus tardif au recto de la feuille. Plus vraisemblablement, Gauguin avait terminé le recto à Paris et l'emporta avec lui, ainsi que plusieurs de ses œuvres sur papier, quand il partit en Bretagne. Là-bas, il fit le pastel d'Annah au verso avant qu'elle ne le quitte pour rentrer à Paris.

Ici encore, les différences entre le pastel d'Annah au recto et le tableau avec Teha'amana couchée sont manifestes. Dans ce dernier, le modèle vient juste de se réveiller et regarde, effrayé, le spectateur ; dans le pastel, il a les yeux fermés et nous le regardons dormir. La Tahitienne est plus trapue, avec de grosses jambes et des bras puissants; Annah est mince, le bras visible est presque atrophié et de toute évidence, ses jambes n'ont pas l'habitude de marcher. Même les pieds et les mains diffèrent ; ceux de la Tahitienne ont presque plus d'importance que le corps, alors que ceux d'Annah sont en partie cachés ou rendus de façon sommaire. La représentation d'Annah dans la pose de Teha'amana n'évoque pas les esprits des morts ; c'est au contraire une douce évocation du sommeil, rappelant un peu le tableau de l'enfant endormi peint par Gauguin au début de sa carrière (cat. 13).

Il est peut-être intéressant de s'arrêter sur l'aspect androgyne de la figure au recto ; sans la fine mèche de cheveux, la boucle d'oreille presque imperceptible et le léger renflement de la poitrine, on pourrait presque penser que le modèle est masculin. Même Teha'amana, qui n'a rien d'un archétype féminin, projette son identité sexuelle avec plus de force dans le tableau *Manao Tupapaù.* L'inaccessibilité même d'Annah fait partie du mystère de ce dessin obsédant. Elle est totalement vulnérable et à la différence de Teha'amana, elle n'est pas consciente de la présence du spectateur. Elle est seule avec ses pensées enfermées dans des rêves.

Gauguin lui-même fut touché par ce pastel, au point qu'il en fit au moins deux contre-épreuves dont une nous est parvenue à l'état de fragment[1], et l'autre, sur une feuille de petites dimensions, est dédicacée à son ami Schuffenecker et datée de 1895 (cat. 162). La date coïncide avec le cadeau de la contre-épreuve juste avant le départ de Gauguin pour Tahiti plutôt qu'avec sa création, sans doute en 1894, quand Gauguin réalisa, comme on le sait, la majorité de ses dessins-empreintes colorés et de ses contre-épreuves.

Cependant, la véritable date n'a que peu d'importance quand on considère la valeur de la contre-épreuve. L'impression produite par la femme endormie ou rêvant est encore plus intense que dans le pastel d'origine. La pâleur même de l'image et son caractère indirect accentuent l'atmosphère de rêve que Gauguin cherchait à rendre, et si on se souvient de *Madame la Mort* (cat. 114), semblable à une apparition, ou de la figure du nu blotti de la *Madeleine* repentante publiée dans l'*Ymagier* d'avril 1895[2], on peut alors, sans hésitation, replacer cette représentation de nu dans le contexte du symbolisme, mouvement avec lequel Gauguin avait été en contact pendant les années qu'il passa à Paris. Quand on considère ce pastel et sa contre-épreuve, sur une feuille de plus petites dimensions, on pense à Redon plus encore qu'à Manet, et plus loin dans le temps, à Munch plus qu'à Picasso ou Matisse. R.B.

1. F. 12, au verso se trouve une impression d'*Oviri.*
2. nº 3, 142 « Madeleine. — D'après un bois original de Paul Gauguin ».

163

Tahitienne

1894 (?)
Premier support 57 × 49,5, forme irrégulière ; deuxième support 60,5 × 50,5
Fusain et pastel, en partie estompé et travaillé au pinceau et à l'eau sur papier vélin « pastel », collé sur un deuxième support de papier vélin jaune monté sur carton gris.
Signé en haut à gauche au fusain, *P G O*

New York, The Brooklyn Museum, Museum Collection Fund 21.125

Catalogue
W 424 bis.

Ce pastel iridescent a été daté de la première période tahitienne[1] de Gauguin par analogie avec un dessin d'une Eve tahitienne, conservé à Bâle[2], en rapport avec un tableau de 1892 (cat. 147). On l'a également daté des dernières années de la vie de Gauguin[3]. Cependant, il est plus probable qu'il a été exécuté en 1894, à l'époque où Gauguin travaillait presque exclusivement en utilisant des procédés graphiques divers, où il conçut le pastel Eichholz (cat. 161) et termina peut-être les monotypes d'études préparatoires pour *Nave nave fenua* (cat. 179, 180, 181). La confrontation avec un dessin-empreinte à l'aquarelle signé et daté de 1894, représentant la même tête, avec la même coiffure[4], vient renforcer cette présomption. Il est même possible que le modèle soit Annah la Javanaise et non une Tahitienne, comme on l'a d'abord pensé. Si on se réfère au pastel Eichholz, on constate qu'Annah avait également des cheveux noirs, coiffés en fines tresses, très différents des luxuriantes coiffures de tous les modèles tahitiens de Gauguin, à une exception près (cat. 251).

Ni la pose, ni le visage de la femme ne trouvent d'équivalents dans aucun tableau ou dessin de Tahiti, et le fait que le décor dans lequel pose cette figure soit indéterminé et même presqu'abstrait nous amène à penser qu'il a été exécuté en France. Le jaune pourrait fort bien être celui des murs de l'atelier de Gauguin à Paris, où Annah posa tant de fois, et la feuille de l'arbre à pain est si stylisée qu'elle devient, elle aussi, un symbole de Tahiti plutôt qu'une forme attentivement observée.

Le papier a été humidifié à plusieurs endroits et peut-être retravaillé au pinceau. Cela pourrait prouver qu'il a été utilisé comme matrice, ou source, pour un dessin-empreinte, non retrouvé, sur une autre feuille de papier humidifiée, comme pour le pastel Eichholz et plusieurs œuvres antérieures. Mais, en l'absence d'une contre-épreuve, il est peut-être plus sage de supposer que le but de Gauguin était d'obtenir au moyen du pastel, les effets d'épaisseur et de masse colorée qu'il avait observés dans les pastels de Degas et peut-être de Redon.

Cependant, alors que tout, dans un pastel de Redon, est raffiné et d'une technique traditionnelle, Gauguin bouleverse le procédé. Il refuse la subtilité friable de la surface du pastel et il lui fallut beaucoup de temps et d'efforts pour parvenir, dans ce dessin, à cet aspect brut et primitif. La figure semble être le sujet du pastel, mais le pur éclat optique du fond jaune la rend presqu'invisible. Elle semble moins réelle que la feuille de l'arbre à pain et ces deux éléments ne sont, en quelque sorte, que des masses colorées définies par la luminosité théâtrale que projette le jaune du fond.

Gauguin a arrondi l'angle supérieur droit et monté le pastel ainsi découpé sur une grande feuille de papier jaune vif, semblable à celui qu'il avait utilisé pour la suite Volpini (cat. 67-77). Il a ensuite collé le tout sur un carton doublé de papier journal que l'on peut dater de 1894. Le découpage délibéré d'un dessin achevé est un trait caractéristique des conventions graphiques chez Gauguin. Le fait de poser par couches successives des éléments d'un collage, conçus individuellement avec des formes spécifiques, préfigure de façon déterminante le développement du collage au début du vingtième siècle.

R.B.

1. 1891 in W 424 bis ; Pickvance 1970, pl. XI.
2. Pickvance 1970, pl. X, *The Devil's Words (Eve)*, pastel, Bâle, Kupferstichkabinett.
3. Circa 1900 in Rewald 1958, nº 118.
4. F 23. Localisation inconnue.

164

Autoportrait au chapeau (recto)
Portrait de William Molard (verso)

Hiver 1893-1894
46 × 38
Huile sur toile.

Paris, Musée d'Orsay

Expositions
Paris 1906, n° 223 (exposé côté verso W 507) ;
Bâle 1928, n° 84 ;
Oslo 1955, n° 30.

Catalogue
W 506 et W 507.

En décembre 1893, un mois environ après son exposition chez Durand-Ruel, Gauguin quitte la rue de la Grande Chaumière et s'installe 6 rue Vercingétorix, dans deux pièces d'une maison de bois construite à partir de la démolition des pavillons de l'Exposition Universelle de 1889. Il peint les murs en jaune de chrome et vert olive « et ça et là pour renforcer l'aspect exotique, il suspend des lances tahitiennes et des boomerangs australiens qu'il a rapportés. Il cloue aussi des reproductions d'œuvres de ses peintres préférés, Cranach, Holbein, Botticelli, Puvis de Chavannes. Manet et Degas (...) et des œuvres originales qu'il estime entre tous, van Gogh, Cézanne et Redon que Schuffenecker et Daniel de Monfreid ont sans doute conservées pour lui pendant son absence »[1]. C'est dans ce décor qu'il reçoit ses amis, travaille sur son manuscrit de *Noa Noa* avec Charles Morice, noue une nouvelle liaison (avec Anna dite la javanaise) (voir cat. 160) et cultive son image de paria des tropiques.

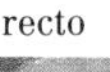

Il se peint devant *Manau tupapaù*, (cat. 154) qu'il a encadré de jaune vif, exposé récemment chez Durand-Ruel, et qu'il estime non seulement un de ses meilleurs tableaux de Tahiti, mais le plus significatif et le plus riche en résonnances exotiques « sauvage enfant »[2]. Comme dans l'*Autoportrait au Christ Jaune* (cat. 99), il organise scrupuleusement la scène devant un miroir, puisque son tableau est à l'envers. Une œuvre seulement symbolise cette fois son travail récent, et seul le tissu de pareo jaune et bleu sur un siège, sous le tableau, rappelle le décor de l'atelier si souvent décrit. La charpente en biais et la soupente qui souligne de son jaune de chrome la découpe de son chapeau est bien celle de l'atelier de la rue Vercingétorix. Mais la comparaison de ces deux autoportraits montre à quel point sa technique picturale a bien changé en trois ans, le plus ancien est encore très cézannien de facture. Ici, la toile est du type de celle qu'il utilisait à Tahiti, grossière, laissant voir son grain. La touche est moins fondue, et compose une sorte d'écriture par la couleur. Le costume est moins théâtral que dans les autres portraits — on reconnaît la blouse brodée bretonne, à demi-effacée — mais tout l'accent est mis sur la rudesse du visage et l'éclair vert vif de son œil gauche. Les deux points forts du tableau sont le tableau fétiche et son regard, dont la relation semble affirmer : voilà ce que j'ai su voir, et peindre.

Au verso du tableau, en sens inverse et sans que l'on sache très bien quel côté a été peint en premier, Gauguin a exécuté un portrait frontal de William Molard (1862-1936). Celui-ci était un jeune musicien vivant rue Vercingétorix au-dessus de Gauguin, marié à une femme sculpteur, Ida Ericson, (voir cat. 214) mère d'une adolescente de treize ans, Judith. Celle-ci venait faire « la jeune fille de la maison » chez Gauguin quand il recevait ses amis de la bohème littéraire et artistique, et a laissé d'intéressants souvenirs[3]. Les Molard vont être de précieux nouveaux amis pour Gauguin cette année où les

recto

verso

1. Danielsson 1975, 149-150.
2. Lettre à sa femme, *Malingue* 1946, nº CXXXIV, 238.
3. Découverts et exploités par Danielsson 1975, 149 et ss.
4. Lettre à Molard de mars 1898, *Malingue* 1946, nº CLXVII, 282.
5. Voir Danielsson 1975, 209.

anciens sont absents, parce que leurs relations se sont relâchées — c'est le cas de Pissarro, Degas, Bernard — ou parce qu'ils sont morts — les deux frères van Gogh, Aurier — ou mourants — Laval, de Haan.

William Molard était un wagnérien fanatique et avait la réputation de composer des morceaux injouables. C'est par lui que Gauguin fréquenta à cette époque plusieurs musiciens — dont le violoncelliste Schneklud (cat. 165). Quand Gauguin repartit pour Tahiti, Molard resta un de ses correspondants privilégiés, et avait toute sa confiance puisqu'il était chargé de défendre ses intérêts — récupérer l'argent qu'on lui devait, ou intervenir auprès de Morice dans sa contestation de la publication de *Noa Noa*[4]. C'est à Molard que Morice pensa pour exécuter la musique de la « pantomime lyrique » tirée de *Noa Noa* qu'il voulait faire en 1897[5]. Le portrait montre la façon dont Gauguin le percevait : un homme de trente et un ans, doux et droit, loyal, peut-être un peu naïf. En tout cas, il lui donna cette double effigie qui scellait matériellement et, si l'on peut dire, « recto-verso » leur amitié et la reconnaissance de Gauguin.

En 1906, Molard le possédait encore, et c'est sans doute lui qui choisit d'exposer son propre portrait au lieu de la face qui représentait Gauguin, à la rétrospective du Salon d'automne. Il n'est pas indifférent de savoir que ce double portrait appartint un moment au collectionneur et historien d'art du cubisme, Douglas Cooper, auteur de la publication des lettres de Gauguin à van Gogh en 1983 et qui a travaillé longtemps à la révision du catalogue raisonné.

F.C.

165

Upaupa Schneklud

1894
92,5 × 73,5
Huile sur toile.
Signé et daté à droite, *P Gauguin 94*.
Inscription en haut à gauche, *Upaupa SCHNEKLUD*.

Baltimore, The Baltimore Museum of Art, don Hilda K. Blaustein, en souvenir de son mari, Jacob Blaustein

Expositions
Zurich 1917, nº 100 ;
New York 1946, nº 28 ;
Chicago 1959, nº 58 ;
Stuttgart 1985, 52, nº 44.

Catalogue
W 517

Upaupa Schneklud représente Fritz Schneklud, un musicien suédois qui fréquentait le cercle de William et Ida Molard. On ne sait malheureusement pas grand chose de sa carrière de musicien[1], et le portrait, à première vue précis, est celui d'un homme qui ressemble plutôt à Gauguin, d'ailleurs lui aussi musicien amateur. Le personnage que l'on voit jouant du violoncelle au centre d'une photographie prise dans l'atelier de l'artiste en 1894, est probablement Schneklud, en dépit du fait que des auteurs s'obstinent à l'identifier à Gauguin. Une autre photographie dans les archives Malingue complique encore davantage le problème de l'identification du violoncelliste dans le portrait. La confusion entre la représentation de Schneklud et celle de Gauguin était peut-être intentionnelle.

Comme souvent dans les tableaux de Gauguin, celui-ci a un équivalent mystérieux dans le passé : Gustave Arosa avait un merveilleux portrait de violoncelliste par Courbet, maintenant au Nationalmuseet de Stockholm[2]. Gauguin possédait soit un exemplaire illustré du catalogue de la vente Arosa de 1878, soit des photographies d'œuvres de cette collection[3]. Philippe Burty, dans l'introduction du catalogue de la vente, avait constaté que le violoncelliste n'était autre que Courbet lui-même. Il écrivait « Ce grand jeune homme au visage romantique, dont les mains élégantes errent sur les cordes et les attaquent c'est d'ailleurs le peintre lui-même »[4].

L'existence de ce texte que Gauguin a certainement lu, s'ajoute aux problèmes que pose l'interprétation du portrait. Nous savons que Gauguin connaissait Schneklud car, dans une lettre non datée à Molard envoyée de Tahiti en 1898, il en parle de façon spécifique comme étant un violoncelliste. « Si j'étais à Paris je crois que j'aurais pu l'aider pour son orchestre, grâce à Schneklud le joueur de violoncelle, puis avec la société de chant dont il fait partie, société composée d'amateurs. Mais comme vous le dites avec un piano et un harmonium on peut s'en tirer »[5]. Mais nous savons aussi que la principale source historique de ce portrait est un autoportrait de Courbet. Pourquoi, Gauguin s'il avait eu l'intention de se représenter lui-même, aurait-il inscrit le nom d'un autre violoncelliste sur le tableau ?

Il est encore plus difficile de répondre si l'on compare la photographie de Schneklud, que Gauguin a probablement utilisée pour le geste et la position des mains, avec le portrait lui-même. Le Schneklud de la photographie

Fritz Schneklud, photographie (Archives Malingue)

Courbet, *Autoportrait au violoncelle*, 1847-1848, huile sur toile (Stockholm, Musée national)

Gauguin, *Le guitariste*, 1902, huile sur toile (collection particulière)

porte la barbe et il est plus mince que l'homme représenté sur le tableau, ce qui nous amène à penser que Gauguin a repris l'attitude du violoncelliste d'une photographie ancienne. Ou peut-être a-t-il mis beaucoup de ses propres traits dans sa représentation de Schneklud pour parvenir à un portrait plus ou moins en accord avec son modèle, c'est-à-dire Courbet. Quelle que soit la façon d'interpréter *Upaupa Schneklud*, il y a bien un élément d'autoportrait dans sa conception et sa création.

Ce portrait compte parmi les représentations de musiciens les plus réussies et, en un sens, les plus musicales du dix-neuvième siècle. La caisse orangé du violoncelle trouve une rime colorée dans le rouge-orangé des cheveux de celui qui en joue et du point de vue de la forme, une grande courbe vient l'envelopper en une arabesque brune, comme en réponse à son propre geste. Schneklud est environné par le doux frémissement d'une zone de couleur brune, surmontée d'un monde végétal, plutôt qu'il n'est assis sur une chaise. Les fleurs dans cette partie du tableau ne sont pas identifiables, mais plusieurs d'entre elles sont semblables aux fleurs carrées autour de Gauguin dans le célèbre autoportrait de 1889 (cat. 92).

Pourquoi *Upaupa*? L'*upaupa* est la danse la plus célèbre, la plus typique et la plus érotique de Tahiti. Son rythme est moins musical que sensuel[6]. Gauguin lui-même l'évoqua à son dîner d'adieu qui fut donné avant son départ définitif pour les mers du Sud et à n'en pas douter, il régala ses amis à Paris de récits de ces spectacles[7] auxquels il n'a peut-être jamais lui-même pris part (cat. 121). Cette dédicace sur le portrait d'un ami-musicien crée un lien entre Gauguin lui-même, ses rêves des mers du Sud, et sa vie à Paris.

Il existe cependant, dans l'œuvre peint de Gauguin, un autre tableau représentant un musicien assis qui a un rapport manifeste avec *Upaupa Schneklud*. Il s'agit du mystérieux *Joueur de guitare* (W 611) que l'on date de 1902 et qui aurait été peint à Atuona. Ce tableau a les mêmes dimensions que *Upaupa Schneklud* et à maints égards lui est analogue[8]. Les deux tableaux ont en commun la même courbe descendante du fond, et chacune représente un musicien dans un format vertical. De ce point de vue, le *Joueur de guitare* est un pendant au tableau de Schneklud.

R.B.

1. Parmi les compositions de Fritz Schneklud, on trouve Girod : Airs espagnols ; Dans la serre ; Gavotte Louison ; Landler, Valse lente ; Simple romance ; Souvenir d'Etretat ; Tziganes et Bohémiens. F. Pazdireck *Universal Handbuch der Musikliteratur aller Zeiten und Völker* vol. 20, Hilversum, 1967, 568. A une époque, Schneklud joua du violoncelle dans le *Quatuor Capet* avec Pierre Monteux, Humbert 1954, 71.
2. Voir Paris 1978, n. 20, *Le violoncelliste*.
3. Marks-Vandenbroucke 1956, 35.
4. Paris 1878, 6.
5. Malingue 1946, n° CLXVII, 282.
6. Danielsson 1967, 233 n. 79.
7. Judith Gérard, « La Petite fille et le Tupapau », trad. inédite de Gérard 1951, 26.
8. Peter Zegers, à la suite de recherches récentes, pense que le *Joueur de guitare*, et un grand dessin au fusain non répertorié représentant un homme assis (collection particulière) sont peut-être des portraits de l'ami de Gauguin, le sculpteur espagnol Paco Durrio.

166

Paris sous la neige

1894
71,5 × 88
Huile sur toile.
Signé et daté en bas au centre, *P. Gauguin 94*.

Amsterdam, Rijksmuseum Vincent van Gogh (Fondation Vincent van Gogh)

Expositions
Paris, Orangerie 1949, n° 45 ;
Bâle 1949, n° 55 ;
Edimbourg 1955, n° 52 ;
New York 1956, n° 41.

Catalogue
W 529.

Ce paysage hivernal complexe est unique dans la peinture de Gauguin des années 1890. Le tableau est impressionniste par la banalité du sujet, la simplicité de la composition, le point de vue et la structure temporelle, qui le rattachent aux nombreux paysages urbains de Pissarro, Renoir, Monet et Caillebotte. Gauguin l'a exécuté depuis les fenêtres de son atelier au cours de la dernière semaine de février 1894, peut après son retour de Belgique[1].

Paris sous la neige[2] a sans doute été peint en hommage à Gustave Caillebotte dont la mort, le 21 février de cette année-là, avait profondément affecté les peintres du groupe impressionniste qui vivaient encore. Il avait fait don de ses collections au Louvre, provoquant une controverse publique entre les artistes de l'avant-garde et les officiels. Après des mois de transactions, un certain nombre de tableaux impressionnistes de la collection de Caillebotte furent exposés à la galerie Durand-Ruel. Parmi eux, deux Caillebotte dont *Vue de toits, effets de neige* qui a certainement inspiré le tableau de Gauguin[3].

Comme il le faisait toujours avec ses sources, Gauguin intègre le tableau de Caillebotte en le transformant. Il retient le point de vue, le format, le sujet citadin et l'époque de l'année choisis par Caillebotte, mais là s'arrêtent les ressemblances. Alors que la toile de Caillebotte est une symphonie de gris, de bleus, de violet-rougeâtres, et de bruns, celle de Gauguin est animée par des orangés, des jaunes et des verts éclatants. L'architecture structure la composition de Caillebotte, alors que celle de Gauguin s'organise autour des rythmes

Caillebotte, *Toits sous la neige*, 1878, huile sur toile (Paris, Musée d'Orsay)

1. D'après les *Annales du Bureau Central de Météorologie de France*, en 1894, il neigea à Paris les 1er, 6, 8, 29 janvier, le 24 février, et les 30 et 31 décembre.
2. Bodelsen 1966 lui donne le titre *Village sous la neige*.

3. Galerie Durand-Ruel, *Exposition rétrospective d'œuvres de G. Caillebotte,* juin 1894, n. 17 *Vue de Toits, effets de neige,* 1878. A cette époque Gauguin voulait racheter au beau-frère de Mette, Edvard Brandes, *Les toits rouges* de Cézanne qui lui avait appartenu. Malingue 1946, n° CXLVIII, 255 [5 février 1894].
4. Gauguin avait du envoyer ce tableau et *Femmes à la rivière* (W 482, 1892) à Johanna Bonger-van Gogh, la veuve de Theo. Voir Rewald 1986, 85-86.

naturels d'un grand arbre qui descend sur les toits pentus de Montparnasse. Le panorama sur des toits d'immeubles résidentiels de Caillebotte est transformé par Gauguin qui inclut un bâtiment commercial avec une enseigne à peine lisible. On ne voit personne dans le tableau de Caillebotte, mais Gauguin, lui, dépeint avec humour deux personnages dont la présence, dans un angle, évoque les estampes japonaises ainsi que les toiles de van Gogh, que Gauguin avaient vues, pour la plupart, à Arles, où les deux artistes travaillèrent ensemble les derniers mois de l'année 1888.

Gauguin envoya cette toile à la veuve de Theo van Gogh à la fin du printemps[4], en remerciement pour les tableaux de Vincent van Gogh qu'elle lui avait envoyés. Vincent et Theo van Gogh, tous deux amis et admirateurs de Gauguin, étaient morts quand Gauguin peignit cette composition. Gauguin, qui était seul présent quand van Gogh s'était tragiquement mutilé, six ans auparavant à la même époque de l'année, et que cet événement mémorable obsédait toujours, a-t-il peint ce tableau, au moins en partie, en sa mémoire ? R.B.

167-176

1893-1894 - Suite de gravures sur bois destinées à illustrer «Noa Noa»

En décembre 1894, Gauguin ouvrit son atelier à un petit groupe d'amis, d'admirateurs et d'amis d'amis. Artistes, écrivains, collectionneurs et amateurs, ils furent les premiers à voir les gravures sur bois réalisées pour illustrer son livre *Noa Noa (Odorant).* Alfred Jarry et Rémy de Gourmont mentionnèrent l'exposition dans *L'Ymagier,* revue consacrée presque exclusivement à la renaissance de la gravure sur bois, dans les années 1895-1896[1]. De leur côté, Julien Leclercq et Charles Morice furent dithyrambiques[2]. Morice, dont la collaboration avec Gauguin est bien connue et qui écrivit la préface du catalogue de sa première exposition « tahitienne »[4], considéra, à juste titre, les gravures sur bois comme « une révolution dans l'art de la gravure »[4]. Leclercq était fasciné par ce qu'il appela leur qualité « intermédiaire ». « Ses gravures sur bois, d'un dessin que sa sculpture nous avait déjà révélé, établissent l'harmonie bien personnelle de celle-ci avec sa peinture... Entre la sculpture et la peinture, c'est une œuvre intermédiaire qui tient autant de l'une que de l'autre. Imaginez de très bas reliefs, aux formes pleines, imprimés grassement, avec, pour rompre la monotonie des noirs et des blancs, une note sobre de rouge ou de jaune. Il s'en dégage des effets de puissance qui sont le secret du tempérament de l'artiste. »[5]

Ces gravures sur bois dégagent une telle puissance et une telle vitalité qu'il est dépourvu de sens de les comparer aux essais dans le même domaine de contemporains tels que Lucien Pissarro, Armand Séguin ou Henri Rivière. Elles sont sans précédent. Il faut attendre les grandes gravures sur bois d'Edvard Munch, de la fin des années 1890, pour trouver une qualité comparable[6]. La meilleure et plus récente étude sur la gravure sur bois en France au XIXe siècle replace les gravures de *Noa Noa* dans un contexte qui, en fait, ne les explique pas[7]. Et même les superbes bois gravés de Félix Vallotton ne peuvent offrir un équivalent.

Le choix de cette technique par Gauguin était certainement lié au fait qu'elle semblait bien convenir au livre illustré, surtout associée à la composition à la main. Il n'y eut cependant jamais de texte imprimé avec les gravures de Gauguin. Il y eut, certes, d'autres raisons que ce rapport au texte pour amener Gauguin et d'autres artistes à la gravure sur bois. En réalité, dans *L'Ymagier,* on associait cette technique aux tous débuts de la gravure européenne, ainsi qu'à l'art primitif et populaire d'Europe et d'Extrême-Orient.

On ne sait pas exactement quand Gauguin commença les gravures de *Noa Noa.* En octobre 1893, avant même l'exposition de ses peintures et sculptures récentes à la galerie Durand-Ruel, il avait écrit à sa femme qu'il travaillait avec acharnement à un livre qui aiderait ceux qui regardaient sa peinture[8]. Une remarque qu'il fit à Mette[9] permet de penser qu'il craignait d'être interrompu. En avril 1894, il écrivit à Charles Morice qu'il avait achevé les gravures pour le livre. C'est certainement la première trace écrite de son intention d'illustrer son texte[10].

Ces dates concernant la conception de l'ouvrage et l'achèvement des bois montrent que de décembre à mars l'artiste ne travailla pour ainsi dire qu'à *Noa Noa.* Pour ce projet, son travail graphique dépassa largement en intensité sa contribution littéraire. Il acheta des planches de buis composite qui portent la même estampille. Il en tira trois gravures verticales et sept horizontales qui plus que des reproductions sont de véritables versions nouvelles de ses peintures, sculptures ou dessins faits à Tahiti.

Par leur composition, leur atmosphère et leur qualité, ces planches s'écartent souvent nettement des œuvres réalisées sur place à Tahiti. Ce qui commençait comme un livre pour guider les spectateurs perplexes à travers les jungles du Tahiti de Gauguin, devint une œuvre d'art plus dense, plus difficile, et finalement plus mythique que ce qu'il avait pu élaborer dans les mers du Sud. Ce qui est étonnant à propos des gravures de *Noa Noa* réalisées en 1893-1895, c'est qu'elles n'ont aucun lien évident avec les divers textes écrits par Gauguin, seul ou en collaboration avec Morice. Bien plus, Gauguin n'introduisit dans son intégralité qu'une seule des dix gravures dans le manuscrit final assemblé à Tahiti à la fin des années 1890. En vérité, alors que le texte et les illustrations semblent avoir suivi des voies autonomes, le commentateur actuel est contraint d'expliquer l'un par l'autre.

Le premier manuscrit du texte de *Noa Noa* par Gauguin lui-même n'a pratiquement pas d'illustrations. Il fut probablement écrit à la fin de 1893 ou au début de 1894, quand Gauguin travaillait aux planches. Celui-ci le donna alors à Charles Morice pour corrections et retouches. Ce premier manuscrit récemment republié dans une édition bilingue franco-anglaise[11] s'apparente librement au genre des mémoires ou du journal de voyage. On y découvre l'arrivée de Gauguin à Tahiti, sa déception devant le paysage (comparé à celui de Rio de Janeiro), ses aventures amoureuses, le malaise de son attirance pour un jeune tahitien, sa recherche d'une femme, sa première partie de pêche et sa quête — qui finira par aboutir — pour devenir un « sauvage ».

A la différence du texte manuscrit, les gravures ne présentent pas ce caractère de verve tout personnel, cette absence de distance ; beaucoup oscillent à la limite de l'incompréhensible. Elles incorporent des mondes ténébreux, impénétrables, peuplés de poissons préhistoriques, de figures à peine palpables, d'amants désespérés, de femmes encapuchonnées et d'idoles sans nom, d'origine culturelle indécise. Ces formes ne sont pas éclairées par le soleil, mais par des lampes à huile, des feux et des lumières phosphorescentes. Rien de commun avec la nuit des peintures tahitiennes de Gauguin, avivée de vert, de violet, de rose et de bleu foncé. Gauguin y inclut , cela va sans dire, de beaux nus de femmes, mais ils n'ont pas cette sensualité tranquille des peintures. Le monde des gravures surgit moins du rêve que du cauchemar.

Gauguin commença à tailler les planches en traçant à la surface d'innombrables traits à l'aide de fines pointes ou d'aiguilles, faisant ainsi surgir une image du réseau de lignes ; il creusait ensuite ces images à la gouge commune ou à la gouge plus petite des graveurs. Ainsi, les planches associent une sorte de rudesse puissante à une technique délicate et raffinée ; et comme pour renforcer cette double esthétique, Gauguin les tira selon des procédés expérimentaux qui ont dû égarer les premiers spectateurs. Dans certains cas, il tirait la planche deux fois sur la même feuille de papier, la décalant avec soin pour produire à dessein une gravure hors registre. Il choisissait pour chaque tirage des couleurs différentes, si

1. *L'Ymagier,* janvier 1895, 138.
2. Leclercq 1895, 121-122 ; Morice 1895.
3. Morice à Paris, Durand-Ruel 1893.
4. Morice 1895, 2.
5. Leclercq 1895, 122.
6. Dorra 1976, 175-179. D'après Dorra, Munch aurait pu être influencé par les gravures (zincographies) de Gauguin qu'il avait vues à l'exposition Volpini en 1889 ; voir aussi Bente Torjusen, « The Mirror », in *Edvard Munch ; Symbols and Images* (cat. expo., National Gallery of Art, Washington, 1978, 198.
7. Baas and Field 1984, 108-118.
8. Malingue 1946, nº CXLIII, 249. Il pourrait s'agir soit d'un premier brouillon de *Noa Noa,* soit du manuscrit daté de *L'Ancien Culte Mahorie.*
9. « Merci de ta proposition de venir au Danemark, mais je suis attaché ici tout l'hiver à un très grand travail... Un livre sur mon voyage qui me donne beaucoup de travail. » Malingue 1946, nº CXLV, 251.
10. Lettre, Hôtel Drouot, *Catalogue vente de la Bibliothèque de Lucien Graux,* 8e partie, 11-12 décembre 1958. La parution annoncée du second volume de la correspondance, édition établie par Victor Merlhès, permettra de préciser les dates de nombreuses lettres de Gauguin.
11. Wadley 1985, avec trois histoires ajoutées par Gauguin, 11-57 ; Wadley le nomme *Draft* (brouillon) *MS,* 1893 ; voir également Arthur 1987 et Petit 1988.
12. Au revers d'une épreuve de *Nave Nave fenua* portant l'inscription : *Budapest 22 février 1907 ; par Paul Gauguin ; un seul exemplaire, très rare (gravure sur bois).*
13. P.-Napoléon Roinard, directeur des *Essais d'art,* 1894.
14. Peut-être William Molard.
15. Au verso de *Nave nave fenua* (G 27, Washington, National Gallery of Art, collection Rosenwald, 1947.12.53). Le texte original est en hongrois.
16. Bien que Gauguin considérât son livre comme un moyen d'expliquer son travail au public, ce « public » était en fait une petite clique de symbolistes sympathisants, issus

subtilement liées les unes aux autres que l'image semble vibrer. Ce procédé devait à ses yeux renforcer l'effet d'imprécision qu'il recherchait. Sa technique la plus avancée intégrait les vides. Regardons par exemple la plage dans *Auti te pape (L'eau douce est en mouvement* ou *Jouant dans l'eau)* ou la couverture dans *Te po (La nuit)*. Gauguin creusait à la gouge ces zones qui devaient apparaître en blanc ou de la couleur du papier, une fois le tirage achevé. Mais quand il encrait et imprimait ces zones, il transgressait toutes les règles de la gravure sur bois. Il encrait les vides creusés à la gouge, au lieu de les éviter soigneusement en encrant la planche, puis il forçait le papier dans ces creux de sorte qu'ils s'imprimaient en positif. Chaque zone « blanche » apparaît alors comme travaillée à la gouge et ne peut être simplement un blanc, ni la couverture une couverture ; elles apparaissent nécessairement travaillées à la gouge, ciselées et donc mises en forme par l'artiste. De cette manière, Gauguin accentuait l'effet d'immédiateté matérielle, ou, selon Leclercq, de relief.

Ces techniques grossières étaient toujours contrebalancées dans les gravures de *Noa Noa* par d'autres procédés d'un grand raffinement. A chaque creux de la gouge correspond une ligne fine, délicate ; à chaque double tirage d'une planche, un autre subtilement coloré à la main. Certaines épreuves furent tirées sur vélin ou sur papier japon extrêmement fin, d'autres semblent avoir été tirées sur des feuilles semi-transparentes qui donnent une impression de voile. Gauguin fut le graveur le plus original du XIXe siècle français et la série des dix gravures de *Noa Noa* est à coup sûr son œuvre la plus accomplie dans le domaine graphique.

Gauguin variait chaque tirage de sorte qu'il n'en est pas deux semblables. Les précédents de Degas et Pissarro n'expliquent cependant pas cette diversité d'impressions. Gauguin s'intéressait moins que ses maîtres à retravailler ses planches, préférant l'expérimentation au moment du tirage. Le fait que celui-ci pouvait s'effectuer sans presse ni autres accessoires explique peut-être que Gauguin modifiait ses impressions plus aisément que Degas ou Pissarro. Il changeait les encres, les papiers, les couleurs, la pression sur la feuille et même les genres de tirage avec une sorte de délicieux abandon (voir *Te nave nave fenua*, cat. 177-182). L'artiste hongrois Rippl-Rónai fut témoin de la façon dont Gauguin tirait ses gravures[12] : « Je [l'] ai personnellement reçue de lui [Gauguin]. Il la tira en ma présence de la façon la plus primitive, en pesant de tout son poids sur son lit... Il m'invita pour le thé dans son atelier, rue Vercingétorix, où Noa Noa, sa femme, Vistiti, un singe qui montait et descendait une corde suspendue au plafond, Ruinard[13], quelqu'un qui jouait du piano[14], lui et moi restâmes depuis environ neuf heures jusqu'à minuit. Pendant ce temps il continuait à tirer très sérieusement le bois, et il me donna une autre gravure sur papier jaune, représentant une vache, qui datait de son ancienne période bretonne. Mais sur l'autre côté il y avait une silhouette à peine reconnaissable d'une femme nue de la période tahitienne. »[15].

Cette inscription et le fait que plusieurs des gravures tirées par Gauguin lui-même étaient dédicacées à des amis indiquent que celui-ci ne réussit pas à établir une édition standard de la suite *Noa Noa ;* en cela, le projet différait de la suite Volpini (cat. 67-77). Cependant Gauguin dut se sentir inquiet de son incapacité à réaliser une édition commerciale, car au printemps 1894 il commença à collaborer avec le graveur Louis Roy. Certaines des gravures tirées par Roy sont uniques, ce qui laisserait supposer que Gauguin ait travaillé avec lui afin d'arriver à une technique standard pour l'édition.

On a émis l'hypothèse que Roy réalisa des éditions de vingt-cinq à trente exemplaires de chaque gravure, mais aucune ne fut numérotée ou montée de façon systématique. Cela explique qu'il n'existe aucune série complète de *Noa Noa* tirée par Roy, alors qu'il en existe pour la suite Volpini (cat. 67-77). L'absence de telles séries accrédite l'idée que Gauguin avait eu l'intention d'utiliser ces gravures pour illustrer un texte, s'abstenant, pour cette raison, de les monter pour les distribuer ou les vendre séparément. De ces nombreuses impressions destinées au livre, seule une petite partie fut utilisée à la préparation du manuscrit définitif[16].

Un grand nombre des gravures de l'édition Roy sont à la fois belles et fortes. Elles se caractérisent par des zones au pochoir de couleur intense, souvent des rouges orangés brillants, des jaunes acides et des ocres, avec la planche elle-même tirée en noir, mais elles ne peuvent soutenir la comparaison avec la pure beauté et la subtilité des tirages de Gauguin lui-même. Heureusement, il reste un assez grand nombre de gravures entièrement de la main de Gauguin dans les collections publiques et privées, et l'on peut espérer de nouvelles recherches et de nouvelles conclusions sur l'aventure de Gauguin et de la suite des dix gravures de *Noa Noa*[17].

Le montage des tirages originaux de Gauguin demeure inconnu. Il se peut que certains tirages aient été montés par Gauguin lui-même de la même façon que ses monotypes à l'aquarelle de la même période (cat. 191-202). On pourrait en déduire que ces gravures, collées sur un carton recouvert de papier blanc ou nuagé bleu, sont celles que Gauguin exposa dans son atelier en décembre 1894, avec les monotypes à l'aquarelle de la même époque[18]. Un si petit nombre de ces montages originaux est parvenu jusqu'à nous qu'il est impossible de conclure s'il monta toutes ses gravures de la même manière.

La plupart des tirages de la main de Gauguin qui soient parvenus jusqu'à nous, ont été découpés par lui quasiment aux dimensions de la planche. Il est possible qu'il se soit souvenu des gravures de la Renaissance, produits d'une époque où le papier était cher et où les imprimeurs ne pouvaient s'offrir le luxe de grandes marges. Cette stratégie le conduisit apparemment à découper ses gravures encore davantage, et à créer ainsi de petites œuvres à partir des grandes. Ces réductions, véritables ancêtres des collages, sont abondantes dans le manuscrit de *Noa Noa* conservé par Gauguin, maintenant au Louvre.

Certains indices matériels montrent que Gauguin demeura inconséquent dans cette entreprise. Il créa très peu de séries de gravures pour la vente ; il ne réussit pas à les monter de façon cohérente pour une exposition ; et il incorpora moins de dix gravures sur des pages de manuscrits ou dans des livres. Ce n'était pourtant pas les occasions qui manquaient. Gauguin aurait pu persuader Alfred Vallette, directeur du *Mercure de France,* ou Alfred Jarry et Rémy de Gourmont, co-fondateurs de *L'Ymagier,* de publier ses gravures avec ou sans texte. Il aurait également pu travailler avec Antoine de La Rochefoucault qui venait de créer une publication éphémère et ésotérique, *Le Cœur,* où avait été reproduite en 1893 *Ia orana Maria* (cat. 135)[19].

La chronologie des bois de *Noa Noa* et de leurs différents tirages a été l'objet de controverses. On considère que les dix bois de 1893-1894 sont les premières illustrations de *Noa Noa.* Il existe neuf tirages, tous dans la collection de l'Art Institute of Chicago (provenant de la collection Durrio) qui sont datés de la main de Gauguin, du *15 mars.* Si l'on considère que deux exemplaires de *Oviri* (cat. 213b et 213f), qui furent probablement tirés en 1895, sont aussi datés du *15 mars* au verso, on peut penser que ces dates furent rajoutées quand Gauguin les

principalement du groupe des « Têtes de Bois ». Le tirage du luxueux ouvrage produit par Gauguin et Morice ne devait pas être facile à vendre aux éditeurs. Même *La Revue Blanche* ne voulut rien publier d'autre que le texte fourni par Morice. Ce dernier écrivit à Mallarmé à la fin de décembre 1897, peu après la parution du texte seul dans *La Revue Blanche :* « Mais je reviens à *Noa Noa.* Les Natansons ne l'éditent pas : ils « n'osent », leur librairie étant trop jeune et l'œuvre trop à part. Je comprends mal leur timidité et trouve, du reste, sans intérêt d'en rechercher les causes plus ou moins mystérieuses » (Delsemme 1958, 76). Quelques semaines après, il se plaignait encore à Mallarmé de l'inutilité de ses efforts pour trouver un éditeur : « Je suis ennuyé. Je ne puis obtenir de décision chez Monsieur Fasquelle au sujet de *Noa Noa* » (Lettre du 30 janvier 1898, Delsemme 1958, 76). En mai, Morice sollicitant toujours de l'aide dans sa recherche d'un éditeur écrit dans son journal au jeudi 11 mai : « Dolent a porté le manuscrit de *Noa Noa* à l'éditeur Perrin » (Journal inédit, Paley Library, Temple University, Philadelphie). Finalement Morice fit publier l'ouvrage à compte d'auteur à Louvain. Il parut en février 1900. Ses efforts pour faire intégrer les gravures au texte restèrent infructueux car les éditeurs n'acceptaient d'imprimer les dessins de Gauguin que sur papier lisse et Gauguin refusa (Malingue 1946, 229).

17. On n'a la preuve de l'existence que d'une seule série de gravures montées par Gauguin, dans le catalogue de la vente Degas (Paris 1918). Elle était décrite comme suit : « Série de dix gravures sur bois. Très belles épreuves, la plupart *tirées en plusieurs tons,* et remontées sur papier bleu. » Malheureusement on ne connaît pas d'œuvre provenant de cette vente. On ne peut donc pas savoir si la série appartenant à Degas était constituée de gravures tirées par Gauguin lui-même ou par Louis Roy. *Catalogue des estampes anciennes et modernes composant la collection Edgar Degas,* Hôtel Drouot, 1918, n° 128.
18. Selon Field qui s'appuie sur Leclercq 1895, il semble que quelques-uns des tirages de Roy qui rencontrèrent le plus de

succès étaient accrochés à l'exposition. Field soutient que beaucoup de ceux-ci ainsi que quelques épreuves plus anciennes de Gauguin et plusieurs monotypes, étaient montés sur carton gris (Field 1968, 511).

19. Illustration de Gauguin de la Madeleine dans *L'Ymagier*, avril 1895, 142 (Thomson 1987, 167, et Rewald 1956, 548). *Le Cœur* fut une revue éphémère dirigée par le comte Antoine de La Rochefoucault, qui faisait aussi l'éditorial.
20. Field 1968, 509.
21. Guérin : 1) *Te po*, 2) *Noa Noa*, 3) *Manao tupapau*, 4) *Te faruru*, 5) *Maruru*, 6) *L'Univers est créé*, 7) *Nave nave fenua*, 8) *Te atua*, 9) *Mahna no varua ino*, 10) *Auti te pape*; Kornfeld/Schniewind : 1) *Noa Noa*, 2) *Nave nave fenua*, 3) *Te faruru*, 4) *Auti te pape*, 5) *Te atua*, 6) *L'Univers est créé*, 7) *Mahna no varua ino*, 8) *Manao tupapau*, 9) *Te po*, 10) *Maruru*; Field 1968, 509 : 1) *Manao tupapau*, 2) *Nave Nave fenua*, 3) *Te faruru*, 4) *Noa Noa*, 5) *Auti te pape*, 6) *Mahna no varua ino*, 7) *Te po*, 8) *Maruru*, 9) *Te atua*, 10) *L'Univers est créé*.
22. Selon une découverte récente de Peter Zegers.
23. *Noa Noa*, manuscrit du Louvre 75 et 125. Les poèmes *Ia orana Maria*, *L'homme à la hache*, *Manao tupapau* furent inscrits dans le livre d'or de la Pension Gloanec en juillet 1894, dédicacés : « Trois poèmes d'après et pour Gauguin » (in Jarry 1972, 251-255). Publiés dans *La Revanche de la nuit*, Mercure de France 1949, 598-600.
24. Jarry 1972, 2.
25. Il y a des parallèles étonnants entre *Noa Noa* (et la vie de Gauguin) et le plus grand et le plus étrange roman de Jarry, *Gestes et opinions du Dr Faustroll, pataphysicien*, commencé en 1894 et publié en 1898-1899. Un chapitre de l'ouvrage, « De l'isle fragrante », est dédicacé à Gauguin.

assembla pour un cadeau ou pour une vente. A partir de ce faible indice, on pense que Gauguin acheta les bois et les grava au cours de l'hiver et au début du printemps 1893-1894 ; en mai 1894, il avait déjà commencé à collaborer avec Louis Roy, lui laissant les bois quand il partit en Bretagne en juin. Là, il travailla sur d'autres bois ainsi qu'à des monotypes en couleurs dont il monta certains.

Considérant le projet de *Noa Noa*, nous ne devrions pas aujourd'hui nous préoccuper outre mesure de donner un sens à cette tentative volontairement inaboutie. Non seulement Gauguin n'avait aucune expérience du monde complexe de l'édition, mais encore il travaillait à une époque où le monde littéraire et artistique avait le culte du fragment et de l'obscur. Il est parfaitement possible que *Noa Noa* soit apparu à Gauguin aussi bien comme un prétexte pour étendre le champ de sa création, que comme un projet avec un but défini. Le processus intellectuel et technique d'élaboration était aussi intéressant et important pour Gauguin que le résultat.

Cela présent à l'esprit, on peut affronter la question de l'ordre des gravures dans la suite *Noa Noa*, Chacun des éditeurs de catalogue ou des commentateurs a proposé un ordre différent mais aucun n'a apporté la preuve de la solution qu'il présente. Même le début de la suite, apparemment simple, puisqu'une gravure s'intitule *Noa Noa*, n'a pas fait l'unanimité. Ni Guérin, ni Field ne commencent la suite par *Noa Noa*. Guérin choisit *Te po*, probablement à cause du grand cartouche avec la signature dans le coin supérieur gauche, et Field suggère que *Te Atua* débute ce qu'il appelle « un cycle de vie mûrement réfléchi »[20]. Mais il est le seul à soutenir la thèse d'un ordre spécifique voulu par Gauguin. Aucun des autres éditeurs de catalogue n'a rien avancé de semblable, bien que contraints pour la présentation de leur catalogue d'adopter un ordre défini[21].

Il y a cependant une série de numéros inscrits à la mine de plomb au verso des gravures de Chicago, qui sont peut-être de la main de Gauguin. Si l'on suit cette numérotation, la série commence par *Te atua (Le Dieu)*, suivie de *Auti te pape (L'eau douce est en mouvement* ou *Jouant dans l'eau douce)*. Ce contraste entre deux scènes horizontales, l'une du monde religieux, l'autre de la vie quotidienne, est suivi de trois gravures horizontales, *Noa Noa (Odorant)*, *Te faruru (Faire l'amour)* et de *Nave nave fenua (Terre délicieuse)*. De là, on plonge dans la nuit avec *Te po (La nuit)*, suivie d'une scène d'adoration, *Maruru (Satisfaite)*. Enfin, la création du monde, *L'Univers est créé*, se juxtapose à la dernière gravure, *Mahna no varua ino (Le jour du mauvais esprit)* où l'on voit des Tahitiens se rassembler autour d'un grand feu, dehors, la nuit.

Cet ordre, s'il est vraiment celui du Gauguin, est bien différent du cycle proposé par Field. Celui-ci présente ce que l'on pourrait appeler un récit complet, allant de la création (de Dieu, de l'homme, de la femme et de la religion) à la vie quotidienne (la cueillette, le bain, la veillée), et à une image trinitaire qui inclut l'amour, la peur et la mort. Les deux premières articulations de la suite sont immédiatement unifiées et logiques, mais la troisième n'a pas de principe organisateur évident. En fait, on pourrait décrire plusieurs gravures comme ayant trait à la peur, la mort et l'amour, de manière équivalente, rendant difficile l'attribution d'un sens ou d'un autre à l'intérieur d'un ordre séquentiel plus vaste.

Il est plus que vraisemblable que Gauguin n'a pas décidé d'un ordre défini du récit. On pourrait même interpréter les numéros relevés au dos des gravures de l'Art Institute comme de simples numéros d'inventaires attribués au hasard, étant donné que la série se poursuit au dos d'autres gravures sans rapport avec la suite *Noa Noa*[22]. De fait, les habitudes mentales de Gauguin étaient tout sauf méthodiques et il avait tendance à éviter tout ordre clos, même pour la seule œuvre maîtresse à programme, *D'où venons-nous ?* de 1897-1898 (W 561). Le texte même de *Noa Noa* fut conçu comme une série ouverte de scènes ou d'histoires. Plusieurs d'entre elles pouvaient prendre une place différente à mesure de la progression du manuscrit. Dès le départ, Gauguin laissa des blancs dans le récit pour y mettre, par la suite, des illustrations, des poèmes ou des textes écrits par des personnes différentes ou à des moments différents.

Gauguin commença probablement à concevoir seul un texte avec des illustrations. En travaillant il se rendit compte de ses lacunes littéraires et demanda conseil à d'autres. La collaboration avec Charles Morice est bien connue et souvent analysée, mais il existe aussi des preuves de son travail avec Alfred Jarry. Fin 1894 ou début 1895, Jarry écrivit trois poèmes sur des peintures de Gauguin, dont deux en rapport avec des illustrations du premier manuscrit de *Noa Noa : Ia orana Maria* et *Manao tupapau*[24]. Le jeune poète reste à Pont-Aven avec Gauguin en juin 1894, au moment où l'artiste était obligé de garder la chambre[24]. Mais malheureusement pour la postérité, la collaboration de Gauguin et de Jarry ne se concrétisa jamais, même s'il restèrent en contact après l'été 1894[25].

C'est peut-être vers Jarry qu'il faut se tourner pour trouver une explication à la relation antithétique ou dialectique du texte et de l'illustration dans *Noa Noa*, ainsi qu'à la nature profonde, polyvalente des gravures. Le récit est à la fois timidement et habilement autobiographique et prosaïque, tandis que les gravures sont diaboliques et issues de l'imaginaire. Le texte se situe dans un temps humain et principalement de jour, les bois gravés sont placés dans une nuit éternelle. L'ordre des scènes dans le texte et l'ordre des gravures peuvent être changés à volonté par l'auteur et par l'artiste, la nouvelle combinaison révélera des sens nouveaux au lecteur et à celui qui regarde. Gauguin était un conteur et il utilisait ses œuvres d'art comme support ou comme répliques dans les errances de son imagination. Le récit de Rippl-Rónai, d'une soirée passée avec Gauguin, est le seul qui témoigne du jeu entre la parole et le faire chez l'artiste, jeu qui se tient au cœur de son art dans les dernières années. A nous de savourer ce qui reste des pensées de Gauguin dans les nombreux fragments de textes et d'images qu'il laissa inachevés à sa mort.

R.B.

167

Auti te pape (L'eau douce est en mouvement ou Jouant dans l'eau douce)

20,3 × 35,4
Gravure sur bois tirée en noir sur papier japon préparé au pinceau en jaune, rose, orange, bleu et vert.
Signé et daté au verso, à la plume et encre brune *PG 15 mars;* à la mine de plomb en partie effacé *n^2/nº G160;* marque du collectionneur à l'encre noire *W.G./B* dans un cercle (non répertoriée par Lugt).

The Art Institute of Chicago,
collection Clarence Buckingham, 1948.264

Exposition
Londres 1931, nº 14.

Catalogues
Gu 35, 16 IIB.

Exposé à Washington et Chicago

168

Te po (La nuit)

20,6 × 35,6
Gravure sur bois à partir de deux tirages de la même planche en brun et noir, sur papier japon, rehauts de couleurs à l'eau, orange, bleue, rose et grise, daté et signé au verso, à la plume et encre brune *15 mars PG;* à la mine de plomb *nº G160/-6-;* marque du collectionneur à l'encre noire *W.G./B* dans un cercle (non répertoriée par Lugt).

The Art Institute of Chicago,
collection Clarence Buckingham, 1948.253

Exposition
Londres 1931, nº 4.

Catalogues
Gu 15, K 21 III.

Exposé à Washington et Chicago

169

Te atua (Le Dieu)

20,3 × 35,2
Gravure sur bois réalisée à partir de deux tirages de la même planche, en ocre et noir, sur papier japon préparé en vert, jaune et rouge.
Signé et daté au verso, à la plume et encre brune, *PG 15 mars;* à la mine de plomb, *n° G160/n-1;* marque du collectionneur à l'encre noire, *W.G./B* dans un cercle (non répertoriée par Lugt).

The Art Institute of Chicago,
collection Clarence Buckingham, 1948.262

Exposition
Londres 1931, n° 10.

Catalogues
Gu 31, K 17 IIIB.

Exposé à Washington et Chicago

170

Noa Noa (Odorant)

35,7 × 20,4
Gravure sur bois en noir sur papier japon préparé en jaune, ocre, rouge-orangé et vert, monté, découpé.
Daté et signé au verso du montage, à la plume et encre brune, *15 mars PG;* à la mine de plomb, *-3-; n° G160 ;* marque du collectionneur à l'encre, *W.G./B* dans un cercle (non répertoriée par Lugt).

The Art Institute of Chicago,
collection Clarence Buckingham, 1948.255

Exposition
Londres 1931, n° 1.

Catalogues
Gu 17, K 13 III.

Exposé à Washington et à Chicago

171

Te faruru (Faire l'amour)

35,6 × 20,3
Gravure sur bois réalisée à partir de deux tirages de la même planche en ocre foncé et noir, sur papier japon préparé en jaune et rouge, rehauts de rouge.

The Art Institute of Chicago,
collection Clarence Buckingham, 1950.158

Catalogues
Gu 22, K 15 III.

Exposé à Washington et Chicago

172

Nave nave fenua (Terre délicieuse)

35,4 × 20,1
Gravure sur bois tirée en noir sur papier vélin avec rehauts de couleurs à l'eau rouges, bleus, oranges, noirs et verts.
Daté et signé au verso à la plume et encre brune, *15 mars/PG;* à la mine de plomb, *n° G160/-5;* marque du collectionneur à l'encre noire, W.G./B dans un cercle (non répertoriée par Lugt).

The Art Institute of Chicago,
collection Clarence Buckingham, 1948.261

Exposition
Londres 1931, n° 2.

Catalogues
Gu 28, K 14 II.

Exposé à Washington et à Chicago

173

Maruru (Satisfait)

20,5 × 35,5
Gravure sur bois réalisée à partir de deux tirages de la même planche en ocre et noir, sur papier vélin préparé en rouge, jaune et vert, marque du collectionneur au recto, en bas à gauche, monogramme à l'encre violette, *H.S.* (Lugt 1376, Dr. Heirich Stinnes).

The Art Institute of Chicago,
don de Frank B. Hubachek, 1950, 1444

Catalogues
Gu 24, K 22 IIIB

Exposé à Washington et à Chicago

174

L'Univers est créé

20,3 × 35,1
Gravure sur bois réalisée à partir de deux tirages de la même planche en ocre et noir, sur papier japon préparé en orange, bleu vert et jaune. Inscription au verso à la mine de plomb, *n° G160/-8-;* signé et daté au crayon et à l'encre brune, *PG 15 mars;* marque du collectionneur à l'encre noire, *W.G./B* dans un cercle (non répertoriée par Lugt).

The Art Institute of Chicago,
collection Clarence Buckingham, 1948.259

Exposition
Londres 1931, n° 5 ou 15.

Catalogues
Gu 26, K 18 IIB.

Exposé à Washington et Paris

175
Mahna no varua ino (Le jour du mauvais esprit)

20,2 × 35,6
Gravure sur bois réalisée à partir de deux tirages de la même planche, en vert-olive et noir, sur papier japon préparé au pinceau en jaune, vert, rouge, brun et gris, monté.
Inscription au verso du carton à la mine de plomb, *nº G161/-10-;* marque du collectionneur à l'encre noire, *W.G./B* dans un cercle (non cataloguée par Lugt).

The Art Institute of Chicago, collection Clarence Buckingham, 1948.263

Exposition
Londres 1931, nº 9.

Catalogues
Gu 34, K 19 IVB.

Exposé à Washington et Chicago

176
Manao tupapau (Elle pense au revenant)

20,3 × 35,6
Gravure sur bois tirée en brun et noir, sur papier vélin brun.

The Art Institute of Chicago,
collection Clarence Buckingham, 1948.256

Exposition
Londres 1931, nº 20.

Catalogues
Gu 19, K 20 III.

Exposé à Washington et à Chicago

167a
Auti te pape

20,3 × 35,4
Gravure sur bois tirée en brun-orangé et noir sur papier vélin.

The Art Institute of Chicago. Collection Frank B. Hubachek, 1954.1191

Catalogues
Gu 35, K 16 I.

Exposé à Paris

167b
Auti te pape

20,3 × 35,4
Gravure sur bois tirée en noir sur papier japon préparé en jaune, ocre et rose.

Londres, the British Museum, (1949-4-11-3674)

Catalogues
Gu 35, K 16 IIA.

Exposé à Paris

167c
Auti te pape

20,3 × 35,4
Gravure sur bois réalisée à partir de deux tirages de la même planche en ocre et noir sur papier vélin havanne préparé en jaune, rose et bleu.

New York, Metropolitan Museum of Art, Harris Brisbanne Dick Fund, 1936 (36.6.2)

Catalogues
Gu 35, K 16 IIB.

Exposé à Paris

167d
Auti te pape

20,3 × 35,4

Gravure sur bois réalisée à partir de deux tirages de la même planche en brun et noir, sur papier.

Vienne, Graphische Sammlung Albertina

Catalogues
Gu 35, K 16 IIB.

Exposé à Paris

168a
Te po

20,6 × 35,6
Gravure sur bois tirée en brun et noir sur papier vélin havanne.

Washington, National Gallery of Art, collection Rosenwald, 1947.12.55

Catalogues
Gu 15, K 21 III.

Exposé à Washington

168b
Te po

20,6 × 35,6
Gravure sur bois réalisée à partir de deux tirages de la même planche en brun et noir sur papier japon.

Paris, Musée des Arts Africains et Océaniens (AF 14431 [1])

Catalogues
Gu 15, K 21 III.

Exposé à Paris

169a
Te atua

20,4 × 35,5
Gravure sur bois réalisée à partir de deux tirages de la même planche en ocre et noir sur papier japon préparé au pinceau en vert, jaune et rouge; monté.

Williamstown (Massachusetts), Sterling and Francine Clark Institute

Catalogues
Gu 31, K 17 IIIB.

Exposé à Paris

170a
Noa Noa

35,8 × 20,4
Gravure sur bois réalisée à partir de deux tirages de la même planche en ocre et noir sur papier vélin préparé en jaune et rouge.

Paris, Musée des Arts Africains et Océaniens

Catalogues
Gu 16, K 13 IIIB.

Exposé à Paris

171a
Te faruru

35,6 × 20,3
Gravure sur bois tirée en brun et noir sur papier vélin.

New York, The Metropolitan Museum of Art, Harris Brisbanne Dick Fund, 1936 (36.6.9)

Catalogues:
Gu 21, K 15 II.

Exposé à Washington

171b
Te faruru

35,6 × 20,3
Gravure sur bois réalisée à partir de deux tirages de la même planche, premier tirage en gris verdâtre et brun, deuxième tirage en noir, sur papier japon, rehauts de lavis rose (passé).

The Art Institute of Chicago, collection Joseph Brooks Fair, 1940.1073

Catalogues
Gu 21, K 15 II.

Exposé à Washington

171c
Te faruru

35,6 × 20,3
Gravure sur bois tirée en noir et brun sur papier vélin havanne.

Washington, National Gallery of Art, collection Rosenwald, 1947.12.54

Catalogues
Gu 21, K 15 II.

Exposé à Washington

171d
Te faruru

35,6 × 20,3
Gravure sur bois réalisée à partir de la même planche en brun et noir sur papier vélin brun partiellement préparé en ocre, rehauts de couleurs à l'eau rouges, bleus et bruns, et d'encre de Chine.
Inscription au verso, de gauche à droite, à la mine de plomb *n° G160;* signé et daté à la plume et à l'encre brune, *PG/15 mars;* à la mine de plomb *-4-;* marque du collectionneur à l'encre noire *W.G./B* dans un cercle (non répertoriée par Lugt).

The Art Institute of Chicago, collection

Clarence Buckingham, 1948.257

Catalogues
Gu 21, K 15 II.

Exposé à Washington

171e
Te faruru

35,6 × 20,3
Gravure sur bois réalisée à partir de deux tirages de la même planche en noir sur papier vélin havanne préparé en ocre, jaune et rouge, rehauts de couleur noire à l'eau.

New York, The Metropolitan Museum of Art, Harris Brisbane Dick Fund, 1936 (36.6.8)

Catalogues
Gu 22, K 15 III

Exposé à Washington

171f
Te faruru

35,6 × 20,3
Gravure sur bois tirée en noir sur papier vélin.

Boston, Museum of Fine Arts, Legs W.G. Russel Allen, 60.325

Catalogues
Gu 22, K 15 IVA.

Exposé à Washington

171g
Te faruru

35,6 × 20,3
Gravure sur bois réalisée à partir de deux tirages de la même planche en ocre et noir, sur papier japon préparé en jaune et rouge ; monté.

Williamstown (Massachussetts), Sterling and Francine Clark Art Institute

Catalogues
Gu 22, K 15 IVB.

Exposé à Washington

171h
Te faruru

35,6 × 20,3
Bois tiré en noir sur une première planche de ton orange, sur papier japon, rehauts de rouge.

Washington, National Gallery of Art, collection Rosenwald, 1952.8.236

Catalogues
Gu 22, K 15 V.

Exposé à Washington

171i
Te faruru

35,6 × 20,3 (le coin inférieur gauche manque)
Gravure sur bois tirée en noir sur papier rose

Paris, Bibliothèque Nationale, don Marcel Guérin

Catalogues
Gu 21 ; K 15 I.

Exposé à Paris

173a
Maruru

20,5 × 35,5
Gravure sur bois réalisée à partir de deux tirages de la même planche en ocre et noir, sur papier japon préparé en jaune et rouge, monté.

Williamstown (Massachussets), Sterling and Francine Clark Art Institute

Catalogues
Gu 24, K 22 IIIB.

Exposé à Paris

174a
L'Univers est créé

20,5 × 35,5
Gravure sur bois réalisée à partir de deux tirages de la même planche en ocre et noir, sur papier japon préparé en orangé, jaune et vert ; monté.

Washington, National Gallery of Art, collection Rosenwald, 1947.12.56

Catalogues
Gu 26, K 18 IIB.

Exposé à Paris

175a
Mahna no varua ino

20,2 × 35,6
Gravure sur bois réalisée à partir de deux tirages de la même planche en ocre et noir, sur papier japon.

Paris, Musée des Arts Africains et Océaniens (AF 14431 [4bis])

Catalogues
Gu 33, K 19 III.

Exposé à Washington

175b
Mahna no varua ino

20,2 × 35,6
Gravure sur bois tirée en brun sur papier japon garance (altéré).

Paris, Musée des Arts Africains et Océaniens (AF 14431 [4]).

Catalogues
Gu 33, K 19 III.

Exposé à Paris

175c
Mahna no varua ino

20,2 × 35,6
Gravure sur bois tirée en noir sur papier vélin.

Collection Josefowitz

Catalogues
Gu 34, K 19 IVA.

Exposé à Washington

175d
Mahna no varua ino

20,2 × 35,6
Gravure sur bois réalisée à partir de deux tirages de la même planche en vert-olive et noir sur jaune et ocre, sur papier vélin préparé en vert et rouge.

New York, The Metropolitan Museum of Art, Harris Brisbanne Dick Fund, 1936 (36.6.3)

Catalogues
Gu 34, K 19 IVB.

Exposé à Washington

175e
Mahna no varua ino

20,2 × 35,6
Gravure sur bois tirée en noir sur jaune, rouge, brun, sur papier japon, rehauts d'aquarelle orangés au pinceau.

Boston, Museum of Fine Arts, Legs W.G. Russell Allen, 60.12

Catalogues
Gu 34, K 19.

Exposé à Washington

175f
Mahna no varua ino

20,2 × 35,6
Gravure sur bois tirée en noir sur papier japon préparé à l'aquarelle orangée, jaune et bleue.

Washington, National Gallery of Art, collection Rosenwald, 1950.17.81

Catalogues
Gu 34, K 19D.

Exposé à Washington

175g
Mahna no varua ino

20,2 × 35,6
Gravure sur bois tirée en noir sur papier de Chine.
Numéroté et signé au crayon à l'aniline en haut à gauche *no 55;* en dessous de la composition de gauche à droite *Paul Gauguin fait; Pola Gauguin imp.*

Washington, National Gallery of Art, collection Rosenwald, 1944.2.34

Catalogues
Gu 95, K 19 E.

Exposé à Washington

176a
Manao tupapau

20,5 × 35,5
Gravure sur bois tirée en noir sur papier vélin.

Paris, Musée des Arts Africains et Océaniens (AF 14465)

Catalogues
Gu 20, K 20 IVA.

Exposé à Paris

172a-n

Variations sur «Nave nave fenua»

177-182

Six dessins en rapport avec «Te nave nave fenua»

La principale activité de Gauguin durant ses années parisiennes consista à expliquer et à diffuser ses images tahitiennes énigmatiques pour les amateurs parisiens d'œuvres graphiques. On peut approximativement définir ses efforts les plus productifs de « variations à partir d'une image ». A partir d'une peinture donnée, il produisit diverses représentations graphiques que l'on ne peut en aucune manière qualifier de reproductions. Dans beaucoup de cas, la ressemblance est si lointaine qu'elle évoque à peine l'original, ce qui indique bien que la transformation était plus importante à ses yeux que la reproduction de l'original. L'exposition comprend un certain nombre de ces variations dans des techniques différentes. Nous analysons ici en détail les variations et la propagation d'une peinture particulièrement importante, *Te nave nave fenua* (*Terre délicieuse*, cat. 148).

Te nave nave fenua figurait parmi les peintures les plus fortes et les plus remarquées de l'exposition Gauguin de 1893. Son Eve tahitienne monumentale était conçue pour choquer et titiller le public parisien ainsi que pour amorcer une confrontation de la croyance religieuse de l'Occident avec les cultures extrême-orientales et polynésiennes. Gauguin fit d'abord une gravure d'après la peinture, puis une série de dessins et de monotypes, peut-être avec l'intention d'en publier quelques-uns.

Bien qu'il soit difficile d'établir un ordre chronologique sûr dans cette série d'œuvres, les gravures liées à la suite *Noa Noa* sont parmi les premières réalisées. Gauguin grava la planche pendant l'hiver 1893-1894[1], et la plupart des exemplaires qu'il tira lui-même le furent avant qu'il ne se rendit en Bretagne l'été et l'automne suivants. Dans cette exposition, on peut voir : le bois (cat. 172a), onze des dix-neuf gravures, encore existantes, tirées par Gauguin, deux exemplaires tirés par Louis Roy, peut-être en collaboration avec Gauguin (cat. 172l,m), et un exemplaire du tirage posthume réalisé par son fils Pola Gauguin (cat. 172n). Des tirages réalisés par Gauguin, il en reste un seul du premier état et trois du second, ce qui indique qu'il s'agissait probablement d'épreuves d'essai qui permettaient à Gauguin d'évaluer le travail de la planche ; deux épreuves du deuxième état sont également présentées dans l'exposition. On y trouve encore cinq épreuves du troisième état (cat. 172b, d-g) et quatre du quatrième état tirées par Gauguin seul. Cela permet d'étudier en détail la manière dont Gauguin encrait, imprimait et ensuite colorait à la main certaines gravures. Il fait un usage si varié de la planche que ses qualités de graveur rivalisent avec son talent de sculpteur. Il est clair qu'il n'avait aucune espèce d'intérêt à produire quoique ce fût qui ressemblât à une édition traditionnelle de gravures.

Parmi les gravures qui composent la suite *Noa Noa*, *Nave nave fenua* est celle qui s'approche le plus de son modèle peint. Gauguin en retint la composition, la pose et les principaux éléments iconographiques. Il commença à transformer la peinture en étayant le bord droit de la planche (gauche de la gravure) avec ce qui pourrait être un pilier sculpté de case. Les divers éléments de ce cadre ont l'apparence de signifiants qu'il faut décoder, comme s'il s'agissait de mots, de lettres, de sons ou même d'idées. Gauguin renforce cette impression en plaçant à la base son fameux sigle « PGO », abréviation codée de son nom. Le titre, *Nave nave fenua*, est sculpté en lettres majuscules grossières le long du bord supérieur. Le motif de signes sculptés qui court de haut en bas sur le côté gauche de la gravure, pourrait très bien figurer les paroles de l'Eve tahitienne qui, dans l'imagination de Gauguin, parlait maorie ou turanien[2].

Mais pour s'en tenir au motif seul, Gauguin modifia aussi la composition reprise de la peinture. L'Eve peinte est une géante boudhique, avec des orteils en surnombre et dont le corps remplit toute la hauteur de la peinture. L'Eve des gravures a un corps plus élégant, moins grand. Elle se tient dans un grand paysage, les palmiers et des feuillages exotiques se balancent au vent, au dessus de sa tête. Dans la gravure, l'Eve dominante d'autrefois devient une Eve dominée par un paradis trouble. Le point de mire de cette composition agrandie est le grand lézard ailé, qui s'efforçait d'attirer l'attention dans la tapisserie d'arbres, de fleurs et de collines de la peinture. Dans la gravure, il est au centre même du paysage ; l'effervescence qui règne dans la composition suggère que l'Eve, plus petite, est sur le point de se faire attaquer par le reptile volant dont les griffes tendues sont prêtes à se refermer sur son cou.

Les deux premières épreuves sont tirées en noir, sans coloration à la main ni double tirage. Les formes sont presque illisibles ; Gauguin a cependant gardé ces exemplaires comme pour indiquer que ces caprices de formes lui plaisaient. Le deuxième état révèle mieux les éléments principaux de la composition (cat. 172, 172c). La femme nue est tout à fait nette, le grand lézard fait son apparition dramatique, et au premier plan, les formes des fleurs luisent et se détachent d'un paysage noir comme l'encre.

Le reste des gravures est d'une beauté et d'une variété fabuleuses. Eve elle-même est pratiquement invisible, son corps se perd dans l'obscurité du cadre, comme si la nuit était tombée sur le paradis et que le monstre était le fruit de ses rêves. Dans d'autres épreuves, le monstre existe à peine, son corps et ses ailes se mêlent à une masse d'encre surmontée d'une ligne tremblante. Certaines épreuves sont délibérément hors registre, tirées d'abord en brun, gris ou beige, puis en noir. Gauguin décalait le papier de sorte que l'image finale paraisse trembler ou vibrer. Cet effet d'instabilité renforce la frénésie émotionnelle de la gravure.

Quand on examine ensemble les diverses épreuves d'une même planche — qui sont comme des monotypes —, elles manifestent une force expressive indéniable. On pourrait même défendre qu'une épreuve ne peut se lire sans les autres. Ce qui est clair sur l'une est indistinct sur

Gauguin, *Nave nave fenua*, gravure sur bois, 1er état (Paris, B.N.)

l'autre, et l'aspect délibéré des transformations n'apparaît qu'en voyant l'ensemble des gravures. Il faut naturellement se rappeler qu'à l'exposition des impressionnistes de 1880[3], Gauguin vit les différentes épreuves que Pissarro avait réalisées à partir d'une même plaque mordue à l'eau-forte. Les variations de Gauguin vont beaucoup plus loin que celles de Pissarro. Voir ensemble les gravures de Gauguin, c'est être témoin du combat mythique entre Eve et le monstre, entre le paradis et la damnation, entre l'homme et la bête.

Quand Gauguin prêta la planche à son ami Louis Roy, il en tira une édition qui souligne de façon égale tous les éléments du combat mythique. Eve est toujours fortement présente, la chimère a ses deux ailes et toutes ses griffes. Le paysage est bien lisible, les « fleurs de paon » semblent là pour distraire l'infortunée Eve de sa situation critique. C'est peut-être à cause de cette clarté formelle que les spécialistes de l'œuvre gravé de Gauguin ont toujours dénigré les tirages de Roy. Il faut quand même se souvenir que tout indique que Gauguin collabora au tirage de cette édition[4], du moins au début, et que les tirages de Roy ont infiniment plus de puissance et de clarté que les retirages délicats des planches de Gauguin par son fils Pola. Ces gravures posthumes sont encrées soigneusement, de manière égale, de sorte que chaque petite rayure faite par Gauguin sur la planche est reproduite. On est loin des nuances de couleurs, des doubles tirages, des passages trop encrés et grumeleux, et du mystère des épreuves de Gauguin ou Gauguin-Roy.

La fascination de Gauguin pour *Te nave nave fenua* ne s'arrêta pas à la préparation et au tirage du bois gravé. En fait l'image d'Eve et de sa chimère l'obséda presque constamment vers la fin de l'année 1894-1895. Le sujet apparut encore en 1898-1899 dans une aquarelle insérée dans la version finale manuscrite de *Noa Noa* et dans l'un des bois gravés de la dernière série envoyée à Vollard au début de 1900 (cat. 235). La première variation du thème

1. Field 1968, 500.
2. Strindberg avait refusé d'écrire la préface du catalogue de la vente Gauguin de 1895 à l'Hôtel Drouot, parce que, pour lui, Eve ne pouvait parler qu'une langue européenne et non le maori ou le turanien. Voir vente Gauguin, Paris, Hôtel Drouot, 18 février 1895, 3-8. Paru également dans *L'Eclair* 1895, 2.
3. *5e Exposition de Peinture*, Paris, 1-30 avril 1880, cat. 139-143.
4. Kornfeld 1988, nº 14.

est un dessin conservé à la National Gallery of Art de Washington, très proche de la gravure (cat. 177). L'inscription en créole « Pas écouter li li menteur » se rapporte certainement à une discussion avec August Strindberg[5], mais elle a aussi une longue histoire dans l'œuvre de Gauguin. Il avait placé la même inscription sur une aquarelle intitulée *Eve bretonne*[6], avant l'exposition Volpini en 1889, et semble l'avoir effacée après avoir été critiqué par Jules Antoine pour avoir prétendu savoir qu'Eve parlait ce jargon là ! Dans une lettre, Gauguin admettait : « Il paraît qu'Eve ne parlait pas nègre mon Dieu qu'elle Langue [sic] parlait-elle, elle et le Serpent »[7] Gauguin utilisa encore le créole sur une petite nature morte qui porte une date d'avril 1894[8].

L'inscription créole introduit une note d'humour bienvennue dans ce dessin troublant. Comme les gravures de la série *Noa Noa*, le dessin est l'antithèse de l'Eve à la peau dorée, dans un paysage opulent et richement coloré... Il s'agit d'une figure qui tient davantage de la « Vénus noire » de Baudelaire qui cherche la lumière dans les ténèbres. Rayonnants de blanc, le petit ruisseau et les fleurs fantastiques suggèrent un inquiétant clair de lune, alors que l'encre de chine noire et glacée miroite, agravant le climat d'angoisse. La lumière surnaturelle parait en outre se colorer des émanations du lézard aux ailes rouges, agrandi ici, comme dans les bois gravés, mais rendu avec plus de clarté. Le dessin de la National Gallery rayonne d'une énergie plus forte que les gravures sur bois car on n'y trouve pas la présence distrayante du cadre sculpté de la gravure. Mais ce n'est que le premier pas sur le chemin d'une plus grande clarté, que Gauguin devait suivre d'abord dans un dessin qui fait partie du British Rail Pension Fund, ensuite dans trois monotypes en couleur réalisés à partir de ce dessin.

Ces quatre œuvres ne sont pas basées sur la peinture, mais sur un dessin préparatoire à celle-ci (cat. 149) qui se trouve maintenant à Des Moines (U.S.A). Gauguin retravailla beaucoup ce dessin, presque certainement en 1894, quand il fit un monotype au pastel (cat. 162) ainsi que le pastel aujourd'hui conservé à Brooklyn (cat. 163). Il emprunta le petit personnage de l'Eve de la collection du British Rail Pension Fund directement au grand dessin préparatoire. Dans le dessin plus petit, il concentra son attention sur la figure d'Eve elle-même en la plaçant directement au centre de la feuille, évitant presque par là-même, la chimère qui l'avait préoccupé dans les premières variations sur la peinture. Si les gravures sur bois soulignent l'ambiguité de la chimère, le dessin du British Rail Pension Fund et les monotypes qui s'y rattachent donnent la place principale à Eve. En reportant le dessin préparatoire, Gauguin lui fit les épaules plus fines, le visage plus agréable et la poitrine plus ferme. Il l'orna aussi d'un bracelet d'esclave, alors à la mode[9]. Comme il partait d'un dessin préparatoire où elle n'avait pas de main droite, il dût en inventer une. Les diverses retouches de cette partie du dessin témoignent qu'il n'en était pas satisfait et suggèrent qu'il le fit en Bretagne, où il ne pouvait pas voir la peinture. Il est intéressant de noter qu'il y a deux études au dos de ce dessin, dont l'une fut réutilisée pour un monotype réalisé pendant l'été 1894[10] et acheté par Degas à la vente Gauguin de 1895[11].

Quand Gauguin acheva la forme de sa nouvelle Eve idéale, il réalisa trois monotypes en couleurs. Dans la plupart des cas, il les tirait à partir d'une matrice dessinée à l'aquarelle ou à la gouache (voir cat. 192-199), mais il semble qu'il ait employé ici une technique différente. Les trois œuvres (encore existantes) ont exactement la même échelle et la même proportion que le personnage et la composition du British Rail Pension Fund, dont on ne peut cependant prouver qu'il ait servi de matrice. On ne peut donc que faire des hypothèses. Peter Zegers a suggéré que Gauguin utilisait une plaque de verre comme matrice intermédiaire ; il la plaçait sur le dessin, peignait dessus avec des couleurs à l'eau, et tirait l'image ainsi tracée. Par cette méthode, chaque tirage était unique. On pourrait ainsi considérer ces trois œuvres comme de véritables monotypes, élaborés avec une technique proche de celle de Degas — dont Gauguin avait vu les monotypes — plutôt que comme de simples empreintes d'aquarelles.

Les monotypes en couleurs nous amènent à la superbe aquarelle, représentant le même sujet, qui est au musée des Beaux-Arts de Grenoble (cat. 182). Cette aquarelle pointilliste est unique dans l'œuvre de Gauguin et a longtemps laissé perplexes les spécialistes. Théoriquement, tout le monde accepte la date de 1892, à cause des liens évidents avec la peinture. Mais si on la replace dans le contexte des monotypes de 1894, les ressemblances de composition et d'échelle excluent une date antérieure. Le seul dessin qui montre une technique semblable dans l'euvre de Gauguin est une tête à l'aquarelle, visible dans une forme fragmentaire sous la page de garde de son manuscrit *Cahier pour Aline*, en fin de volume.

Mais cela ne nous aide pas à situer l'aquarelle de Grenoble. Tout s'oppose à une date ancienne : la sureté de la main, l'absence de rapport d'échelle avec une autre œuvre de l'ensemble étudié précédemment et sa singularité stylistique. Dans cette petite aquarellle, Gauguin se rapproche plus qu'à aucun autre moment de sa carrière de la technique du néo-impressionnisme, même s'il détestait la théorie scientifique de la couleur de Seurat et de Signac[12]. Il y a là une pointe de subversion et de satire. En fait, il a suivi en pointillé le contour des formes, dans une double intention, comme s'il imitait le procédé qui consiste à piquer un dessin pour le reporter sur la toile, comme il l'avait fait en 1892 pour reporter le corps de l'Eve du grand dessin de Des Moines sur la peinture (cat. 149). Il semble de plus en plus évident que ce dessin fut terminé en relation avec les monotypes à l'aquarelle de 1894, et on peut facilement imaginer le rappport de cette magnifique aquarelle avec cette dernière entreprise.

R.B.

5. Voir n. 3.
6. W 333.
7. Malingue 1946, n° XCI, 172.
8. W 532.
9. Julien Munhall, *Ingres and the Comtesse d'Haussonville*, New York 1986, ch. 7, « Costume », 102-103.
10. *Te fare Maorie* (*La case tahitienne*) ; localisation actuelle inconnue.
11. n° 61 ?, *Chaumière*, 40 francs.
12. *Avant et après*, 1923, 6.

172a-n

Variations sur «Nave nave fenua» (Terre délicieuse)

172a
Nave nave fenua

35,6 × 20,3
Buis.
Titre en capitales en haut sur la largeur, à l'envers, *NAVE NAVE FENUA*
Signé en capitales en bas à droite du monogramme *P/G/O* ; au verso, marque du fabricant en capitales LIESSLING/ *J. Lacroix Sucr./ Paris*

Boston, Museum of Fine Arts, legs W.G. Russell Allen, 60.361

Catalogue
Gu 29, K 14.

Exposé à Chicago

172b
Nave nave fenua

35,6 × 20,3
Gravure sur bois tirée en noir sur papier vélin.

Paris, Musée des Arts Africains et Océaniens (AF 14431 [2])

Catalogues
Gu 28, K 14 III.

Exposé à Paris

172c
Nave nave fenua

35,6 × 20,3
Gravure sur bois tirée en noir sur papier vélin.

Washington, National Gallery of Art, collection Rosenwald, 1947.12.53

Catalogues
Gu 28, K 14 II.

Exposé à Chicago

172d
Nave nave fenua

35,6 × 20,3
Gravure sur bois tirée en noir sur papier vélin.

Paris, Musée des Arts Africains et Océaniens (AF 14431 [2 bis])

Catalogues
Gu 28, K 14 III.

Exposé à Chicago

172e
Nave nave fenua

35,6 × 20,3
Gravure sur bois tirée en noir sur papier vélin, rehauts de couleurs à l'eau noirs et bruns au pinceau.

New York, The Metropolitan Museum of Arts, Fonds Rogers, 1922(22.26.11)

Catalogues
Gu 28, K 14 III.

Exposé à Chicago

172f
Nave nave fenua

35,6 × 20,3
Gravure sur bois tirée en noir brunâtre sur papier vélin havanne.

Boston, Museum of Fine Arts, legs W.G. Russell Allen, 60.331

Catalogues
Gu 28, K 14 III.

Exposé à Chicago

172g
Nave nave fenua

35,6 × 20,3
Gravure sur bois tiré en brun qui se mêle à des résidus d'encre noire des tirages antérieurs sur papier vélin havanne.

The Art Institute of Chicago, don du Print and Drawing Club, 1945.92

Catalogues
Gu 28, K 14 III.

Exposé à Chicago

172h
Nave nave fenua

35,5 × 20,5
Gravure sur bois réalisée à partir de deux tirages de la même planche en ocre et noir sur papier vélin préparé en ocre et vert.

New York, The Metropolitan Museum of Art, Harris Brisbane Dick Fund, 1936 (36.6.4)

Catalogues
Gu 29, K 14 IV B.

Exposé à Chicago

172i
Nave nave fenua

35,6 × 20,3
Gravure sur bois réalisée à partir de trois tirages de la même planche, l'un en ocre, les deux autres en noir, sur papier vélin préparé en ocre et vert.

New York, The Metropolitan Museum of Art, Harris Brisbane Dick Fund, 1936 (36.6.5)

Catalogues
Gu 29, K 14 IV B.

Exposé à Chicago

172j
Nave nave fenua

35,6 × 20,3
Gravure sur bois réalisée à partir de tirages de la même planche en ocre et noir, sur papier japon préparé en jaune, rouge et vert.

Collection particulière

Catalogues
Gu 29, K 14 IV B.

Exposé à Chicago

172k
Nave nave fenua

35,6 × 20,3
Gravure sur bois réalisée à partir de deux tirages de la même planche en ocre et noir sur une première impression en jaune, sur papier japon, rehauts de rouge.

Edward McCormick Blair

Catalogues
Gu 29, K 14 IV B.

Exposé à Chicago

172l
Nave nave fenua

35,6 × 20,3
Gravure sur bois tirée en noir sur impressions successives en jaune, orangé et rouge sur papier japon.

Williamstown, Massachusetts, Sterling and Francine Clark Institute

Catalogues
Gu 29, K 14 IV B.

Exposé à Chicago

172m
Nave nave fenua

35,6 × 20,3
Gravure sur bois tirée en noir sur impressions successives en jaune, orangé et rouge sur papier japon.

Collection Dr. et Mme Martin L. Gecht

Catalogues
Gu 29, K 14 IV B.

Exposé à Chicago

172n
Nave nave fenua

35,6 × 20,3
Gravure sur bois tirée en noir sur papier de Chine numérotée et signée au crayon à l'aniline, en haut à gauche, *n. 50* ; en dessous de la composition et de gauche à droite, *Paul Gauguin fait ; Pola Gauguin imp.*

The Art Institute of Chicago, don du Print and Drawing Club, 1924.1201

Catalogues
Gu 28, K 14 IV D.

Exposé à Chicago

177
Te nave nave fenua

1894 probablement
41,9 × 26
Gouache et encre de Chine sur papier vélin havanne sombre.
Titre et signature le long du bord supérieur à l'encre et au pinceau, *Pas Ecouter li/ li menteur. -/ PGO ;* numéroté en haut à gauche, au crayon bleu, *12.*

Washington, National Gallery of Art, collection Rosenwald

Expositions
Vente, Paris 1895, n° 62 (?) ;
Paris 1906, n° 34, *Pas écouter li ; li menteur.*

Exposé à Chicago

178

Tahitienne nue debout, Te nave nave fenua (recto)
Tahitien debout maniant une hache, et deux femmes assises (verso)

Autour de 1894
47,5 × 31,3
Fusain sur vergé.
Filigrane, *Lalanne*.

Londres, British Rail
Pension Fund Collection

Exposé à Chicago

179
Te nave nave fenua

1894
40,5 × 24,2
Monotype à l'aquarelle sur papier japon avec rehauts de couleurs à l'eau au pinceau.
Cachet de l'artiste, en bas à droite, *PGO.*

Boston, Museum of Fine Arts, legs W.C. Russell Allen, 60.268

Catalogue
F 6.

Exposé à Chicago

180
Te nave nave fenua

1894
39,5 × 24,5 bords irréguliers
Monotype à l'aquarelle sur papier japon, avec rehauts de couleurs à l'eau au pinceau et de craie blanche.
Cachet de l'artiste, en bas à gauche, *PGO.*

Collection particulière

Exposition
Philadelphie 1973, 7.

Catalogue
F 6.

Exposé à Chicago

181
Te nave nave fenua

1894
38,4 × 22,3
Monotype à l'aquarelle sur papier japon avec rehauts de couleur à l'eau, monté ; la montage est constitué d'une épaisseur de carton recouvert de papier vélin nuagé bleu et blanc, au verso est collé un tirage de Roy de *Maruru* (cat. 173).
Cachet de l'artiste en bas à gauche, *PGO*
Dédicacé et signé en bas sur le montage, à l'aquarelle et au pinceau, *à mon Président J. Dolent/P. Gauguin.*

Libby Howie Prints and Drawings

Non catalogué dans F.

Exposé à Chicago

182
Te nave nave fenua

vers 1892
40 × 32
Gouache au pinceau sur papier vélin.

Musée de Grenoble

verso

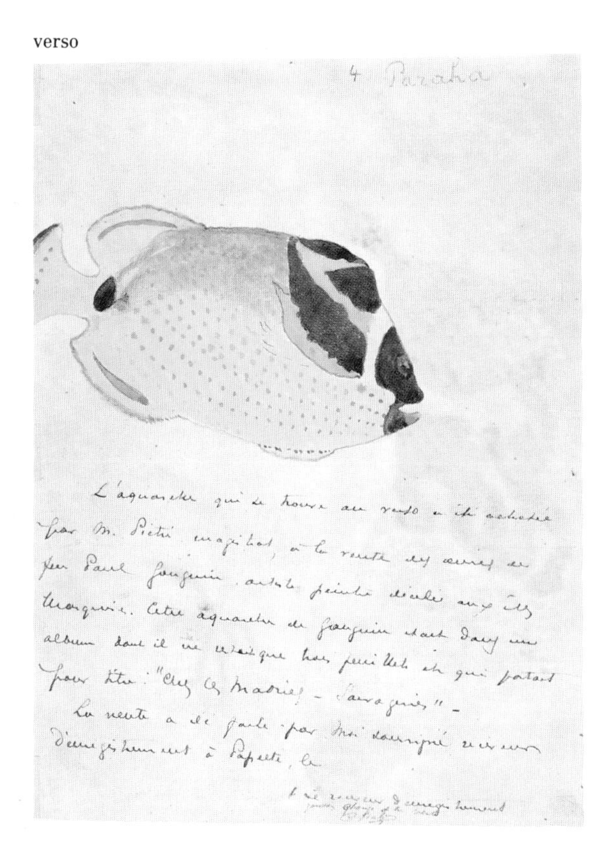

L'aquarelle qui se trouve au verso a été achetée par M. Pietri magistrat, à la vente des œuvres de feu Paul Gauguin artiste peintre décédé aux îles Marquises. Cette aquarelle de Gauguin était dans un album dont il ne restait que trois feuillets et qui portait pour titre : "Chez les Maories – Sauvageries" –
La vente a été faite par moi soussigné receveur d'enregistrement à Papeete, le

183

Dessin d'après «L'homme à la hache»

1893-1894
38,8 × 28 bords irréguliers
Plume, encre brune et encre de Chine à la plume avec rehauts de gouache au pinceau sur papier calque, monté sur deux feuilles de papier vélin après avoir été plié antérieurement.
Signé et dédicacé à l'encre brune et à la plume, en bas au centre, *PGo/ à l'ami Daniel.*

Edward McCormick Blair

Exposé à Washington et à Chicago

Gauguin, *L'homme à la hache,* 1891, huile sur toile (Bâle, Galerie Beyeler)

L'homme à la hache (W 430) daté 1891 et enregistré dans l'inventaire de Gauguin de 1892 sous le titre «*Fendeur de bois*»[1], fut présenté à l'exposition des œuvres de l'artiste en 1893[2]. Gauguin lui donnait évidemment une très grande place dans son œuvre. Il inséra dans le brouillon du manuscrit de *Noa Noa,* rédigé pendant l'hiver 1893-1894, un récit qui s'y rapporte[3]. Comme il n'y a pas de preuve que Gauguin s'intéressât à des textes littéraires ou à des manuscrits illustrés pendant son premier séjour à Tahiti, il y a peu de chance que cette version réduite du tableau soit une étude préparatoire pour la peinture. C'est plutôt une illustration pour le manuscrit. Alfred Jarry composa une variation poétique sur *L'homme à la hache* (W 430) à la fin de l'année 1893 ou, peut-être pendant l'été 1894[4].

Dans sa variation en prose sur l'image, Gauguin met d'abord en place la scène, puis il se concentre sur le personnage. « Près de ma case [à Mataiea] était une autre case (*Fare amu,* maison manger). Près delà (sic) une pirogue. Tandis que le cocotier malade semblait un immense perroquet laissant tomber sa queue dorée, et tenant dans ses serres une immense grappe de cocos.

L'homme presque nu levait de ses deux bras une pesante hache laissant en haut son empreinte bleue sur le ciel argenté, en bas son incision sur l'arbre mort qui tout à l'heure revivrait un instant de flammes — chaleurs séculaires accumulées chaque jour. Sur le sol pourpre de longues feuilles serpentines d'un jaune de métal, tout un vocabulaire oriental — lettres (il me semblait) d'une langue inconnue mystérieuse. Il me semblait voir ce mot originaire d'Océanie : Atua, Dieu — Taäta ou Takata, celui-ci arrivant jusqu'à l'Inde se retrouve partout ou dans tout (Religion du Boudha) : Aux yeux de Tathagata toutes les plus parfaites magnificences des Rois et de leurs ministres ne sont que comme du crachat et de la poussière./ A ses yeux la pureté et l'impureté sont comme la danse des six nagas./ A ses yeux la recherche de la voie du Bouddha est semblable à des fleurs placées devant les yeux./ Une femme rangeait dans la pirogue quelques filets et l'horizon de la mer était souvent interrompu par le vert de la crête des lames sur les brisants de corail. »[5]

En revanche, le poème de Jarry s'égare moins dans les religions comparées que celui de Gauguin et met l'accent sur la composition et sur le personnage masculin, sans faire mention de la femme qui fait partie intégrante de la description de Gauguin et de la peinture.

L'homme à la hache

D'après et pour Paul Gauguin

A l'horizon par les brouillards
Les tintamarres des hasards
Vagues nous armons nos démons
Dans l'entre-deux sournois des monts.

Au rivage que nous fermons
Dôme un géant sur les limons
Nous rampons à ses pieds, lézards
Lui sur son char tel un César.

Ou sur un piédestal de marbre
Taille une barque en un tronc d'arbre
Pour debout dessus nous poursuivre.

Jusqu'à la fin vert des lieues
Du rivage des bras de cuivre
Lèvent au ciel la hache bleue.

Le dessin lui-même est plus proche du texte de Jarry que de celui de Gauguin. Il est possible et même vraisemblable qu'il le fit à Pont-Aven pendant la visite de Jarry, en juin et début juillet 1894. Il est très proche du style des illustrations du manuscrit *Ancien culte Mahorie* qu'il écrivit aussi probablement en 1893-1894, après son arrivée à Paris. Le papier indique qu'il fut esquissé d'après une autre œuvre. Le personnage est toutefois plus petit que dans la peinture et le dessin ne correspond à aucune autre œuvre du milieu des années 1890. Peut-être fut-il dessiné pour servir d'illustration au texte de Jarry.

Les simplifications par rapport à la peinture peuvent s'expliquer par la réduction d'échelle. Le personnage superflu et la pirogue de l'arrière-plan ont été supprimés pour rendre la composition plus lisible. Les couleurs du dessin correspondent à celles de la peinture mais avec des différences qui réduisent la palette à quatre couleurs simples, pour une éventuelle impression. Le dessin a été plié en quatre, peut-être pour l'envoyer à un imprimeur ou à Jarry.

La technique de ce dessin est complexe. En utilisant semble-t-il une plume de roseau, Gauguin a tracé d'abord le dessin à l'encre brune ordinaire. Il a repris ensuite plusieurs contours et ajouté des traits rythmés à l'encre de Chine, avant de colorer l'œuvre à la gouache. Pour le personnage, il n'a pas recouvert le premier tracé. Il s'est contenté d'appuyer les contours et les formes principales, en laissant en clair les ombres hachurées. Comme le papier calque n'absorbe pas, la gouache, fait comme des flaques avant de sécher. Après avoir plié la feuille, Gauguin l'a montée sur un support secondaire et a réparé le rectangle manquant dans le coin inférieur droit. Peut-être fit-il cela quand il dédicaça le dessin à Daniel de Monfreid, sans doute avant son retour à Tahiti en 1895.

R.B.

1. « Fendeur de bois », Dorival 1954, 2.
2. Galerie Durand-Ruel, Paris, 9-25 novembre 1893.
3. *Noa Noa*, manuscrit du Musée Getty, 7.
4. « L'homme à la hache », inscrit dans le *Livre d'or* de la Pension Gloanec et daté juillet 1894. Quimper 1950, 25.
5. *Noa Noa*, manuscrit du Musée Getty, 7.

184

Pape moe (Eau mystérieuse)

1893-1894
35,4 × 25,6
Plume et encre, pinceau et aquarelle, sur papier vélin signé en bas à droite en lettres décoratives, *PGO*

The Art Institute of Chicago, don de Mme Emily Crane Chadbourne

Expositions
New York 1913, n° 180 ; New York 1946, n° 45 ; Chicago 1959, n° 109 ; Philadelphie 1973, hors catalogue.

Exposé à Washington et à Chicago

1. Loize 1966, 31.
2. Loize 1966, 58-59 ; voir manuscrit du Louvre, 89-92. Il y a dans le manuscrit du Louvre un autre poème intitulé *Pape moe* qui ne renvoie pas à cette peinture mais au *Manguier* (cat. 200 et 201).
3. Nous connaissons de première main quelques unes de ces œuvres de technique mixte : plume et encre, pinceau et lavis sur papier aquarelle à grain torchon (voir par exemple les catalogues des expositions de Philadelphie 1973, n°s 17-19, 48 et de Washington 1978, n°s 38 et 39). Nous en connaissons d'autres par des archives photographiques (Druet/ Vizzavona ; Rewald 1958, n°s 78, 85 et 87 ; Pickvance 1970, n° 85). Quelques unes ont, en fait, été reproduites par des procédés photomécaniques dans des revues telles que *Le Mercure de France* (dessin d'après Puvis de Chavanne, *L'Espoir*, février 1895, 163), *L'Epreuve* (*Ia orana Maria*, Guérin 51/ Kornfeld 26, et *Deux femmes maories accroupies*, Guérin 87 ; exposition de Tokyo 1937, n° 102). Cet ensemble de lavis est tour à tour rattaché à certains monotypes à l'aquarelle montrant des qualités de texture semblables, ou confondus avec eux, quoique ces derniers soient modifiés par le report et les retouches. Cet aspect du travail de Gauguin sera traité à fond dans l'ouvrage de Douglas Druick et de Peter Zegers (à paraître).
4. Charles Spitz, « Végétation aux Iles-sous-le-vent » (c. 1890). Reproduit dans *Autour du monde*, vol. 3 (Paris, c. 1899), ed. Boulanger, pl. CCCXLI. Voir Field 1977, 165.
5. Field 1968, 510.
6. Lettre de Morice à Gauguin, Bruxelles, 5 mars 1897. Archives Bengt Danielsson.
7. Lettre de Morice à Gauguin, Watermael (Belgique), 22 mai 1901 ; Joly-Segalen 1950, 217.

Cette magnifique aquarelle fut peinte d'après la célèbre toile de la collection Bührle (cat. 157), qui était l'une des œuvres maîtresses de l'exposition Gauguin de 1893. L'artiste décrit la scène dans *Noa Noa* : « Arrivé à un détour aperçu : — tableau de Pape moe,/ ... Je n'avais fait aucun bruit. Lorsqu'elle eut fini de boire elle prit de l'eau dans ses mains et se la fit couler entre les seins ; puis comme une antilope inquiète, et [qui] d'instinct devine l'étranger, elle scruta le fourré où j'étais caché. Vivement elle plongea en criant ce mot : — Taehae... (féroce)./ Précipitamment je regardai le fond de l'eau : disparue. — Une énorme anguille seule serpentait entre les petits cailloux du fond... »[1]. Charles Morice écrivit un poème sur cette peinture, sans doute en vue d'un livre en collaboration avec Gauguin sur ses voyages. Le poème se trouve dans le manuscrit *Noa Noa* du Louvre[2].

Richard Field et Peter Zegers ont recensé au moins treize œuvres présentant une technique semblable[3]. Ce sont toutes des aquarelles et des lavis « au pinceau sec », où le sujet est peint avec un pinceau non saturé sur du papier non mouillé. Gauguin appliquait ce genre de lavis sur du papier à l'aspect granuleux, ou à grain torchon. L'effet est comparable à celui d'une surface mousseuse en peinture à l'huile. Certaines couleurs pénètrent toutes les fibres du papier, d'autres, appliquées soit plus sèches soit par touches plus légères, frôlent les crêtes du papier et laissent voir « au fond » le papier lui-même ou la couleur qui l'a entièrement saturé.

Il est bien connu que le sujet de la jeune fille à la chute d'eau est tiré d'une photographie de Charles Spitz,[4] ami de Gauguin et photographe à *L'Illustration*. Une lettre de Morice à Gauguin du 5 mars 1897 semble faire allusion à ces lavis. On peut facilement en déduire qu'ils faisaient partie d'une nouvelle série d'illustrations, non pour une édition de *Noa Noa*, qui comme les autres n'aboutit pas[5]. Dans cette lettre, Morice écrivait qu'il était impossible de reproduire les dessins par le procédé [dont ils parlaient], que les couleurs ne venaient pas bien et que le grain du papier ressortait. Il lui demandait aussi s'il accepterait que les illustrations soient reproduites par un artiste qui le comprenait comme Séguin, ou s'il ne devait publier que le texte[6]. On ne sait pas de quel procédé de reproduction il s'agissait. Peut-être négociait-il aussi avec les éditeurs possibles de *La Plume*. Ce qui est clair en tout cas c'est qu'il garda ces lavis ainsi que les divers exemplaires du manuscrit en sa possession, quand Gauguin retourna à Tahiti[7]. La ressemblance de ces lavis avec certains monotypes à l'aquarelle de l'été et du début de l'automne 1894, semble indiquer qu'ils furent faits au même moment. R.B.

185-189 bis

Cinq gravures et une lithographie d'après « Manao Tupapau »

Pendant l'été 1894, en Bretagne, Gauguin réalisa le bois gravé le plus grand et le plus impressionnant de sa carrière (cat. 185). Il peignit à la main avec une grande virtuosité plusieurs exemplaires de cette gravure qui représente une femme en position foetale dans un étang imaginaire d'un village tahitien. Il avait déjà utilisé un personnage semblable dans un cadre imprécis. Il appela ces œuvres *Manao tupapau* (*Elle pense au revenant*). Elles étaient tout le contraire de la femme couchée dans un intérieur que Gauguin avait aussi appelé *Manao tupapau* et qui était à la fois le sujet de la peinture la plus appréciée de la première période tahitienne (cat. 154) et de sa lithographie la plus récente (Gu 50, voir cat. 189 bis). Sur l'une, une femme adulte attend sa propre naissance ; sur une autre, elle est saisie de terreur devant l'esprit de la mort. Gauguin lia à jamais ces images disparates en leur donnant le même titre.

Il renforça ce lien en gravant d'après la peinture le visage et le haut du corps de Teha'amana effrayée, au revers de ce très grand bois (Gu 39, K 27). Manquant de matériau en Bretagne, Gauguin grava au verso de la planche des scènes plus petites, après avoir gravé et tiré le recto. Une gravure du musée des Arts Africains et Océaniens (K 30) contient ainsi trois scènes ; la tête, les mains et le buste de Teha'amana, d'après *Manao tupapau*, une partie du superbe paysage tahitien du tableau de la collection Middleton, avec la femme accroupie et une tahitienne debout sur la plage. Chacune de ces scènes avait été encrée séparément avant que ne soit posée une grande feuille de papier sur la planche pour le tirage. Cette feuille semble être le seul exemple parvenu jusqu'à nous qui permette de prouver que Gauguin gravait plusieurs scènes sur un même bois, les tirait et les séparait alors en les découpant.

Deux des trois scènes sont étroitement juxtaposées : Teha'amana, dans un paysage tahitien différent, et la femme accroupie. Les deux scènes n'ont apparemment aucun rapport dans l'échelle, ni même dans l'arrière plan, et leurs climats psychologiques n'ont rien de commun. Mais le fait que Gauguin ait choisi de ne pas les séparer en les découpant laisse supposer qu'il les liait d'une manière ou d'une autre. Grâce à la peinture, on sait que la femme accroupie est en train d'uriner ; en lui juxtaposant le visage et le torse d'une femme nue

Gauguin, *Manao Tupapaù*,
1894, lithographie
(The Art Institute of Chicago, don Jeffrey Sheld)

Gauguin, *Te poipoi (Le matin)*,
1892, huile sur toile
(collection Joan Whitney Payson)

effrayée, Gauguin voulait peut-être introduire une notion de tabou ou de honte, de la part de la femme surprise.

La gravure *Manao tupapau* (cat. 189) est une réduction sommaire, une sorte de version renforcée de la célèbre peinture de Gauguin. Elle montre ensemble le visage terrifié de Teha'amana et le profil aveugle du *tupapau* à l'arrière plan. En ne représentant pas le buste éblouissant et les fesses de Teha'amana, Gauguin laisse libre d'interpréter la gravure comme une image de peur plutôt que comme un nu troublant par l'érotisme qu'il dégage. Le déplacement du *tupapau,* d'une composition à l'autre — loin sur le côté dans la peinture, en position de veille au chevet de Teha'amana dans la gravure — concentre le pouvoir de l'image, dans cette dernière.

Peut-être Gauguin avait-il l'intention de graver le corps entier de Teha'amana et, à cause d'erreurs dans le travail du bois, fut-il obligé de réduire la composition. Cette théorie est certainement plausible compte tenu de la position de la tête et des mains de Teha'amana sur la planche, mais elle n'est pas certaine (cat. 189 bis). Il y a trop peu de ressemblances précises entre la lithographie (cat. 189 bis) et le bois gravé (cat. 189) pour le prouver. Il est donc plus vraisemblable que Gauguin ait simplement choisi de graver plusieurs petites scènes au verso d'une grande planche.

Les différentes épreuves de ce bois parvenues jusqu'à nous montrent l'étendue des expériences de Gauguin dans l'art de tirer ses gravures. Dans la majorité des cas, il appliquait de l'encre presque sèche au rouleau de manière traditionnelle sur la planche, tandis que d'autres parties étaient séchées et imprimées à l'éponge d'encre diluée à l'eau ou avec un autre solvant. On retrouve sur une même épreuve ces plages sèches et ces plages humides qui confèrent à ces œuvres, déjà ambiguës, un aspect encore plus grand d'imprécision. R.B.

185

Manao tupapau

23 × 40
Gravure sur bois tirée en noir sur papier japon, rehauts de couleur à l'eau, au pinceau.

Edward McCormick Blair

Catalogues
Gu 36, K 29 III.

Exposé à Washington

186
Manao tupapau

22,8 × 52
Gravure sur bois tirée en noir sur papier japon préparé avec diverses couleurs à l'eau.
Au verso, marque du collectionneur à l'encre noire dans un cercle, *RH,* (Lugt Suppl. 2215b).

The Art Institute of Chicago, The John H. Wrenn Memorial Collection, 1946.341

Catalogues
Gu 36, K 29 III.

Exposé à Chicago

186 bis
Manao tupapau

11,5 × 23
Gravure sur bois tirée en noir et rehaussée d'aquarelle découpée et collée dans le manuscrit de *Noa Noa*, chap. IV, 75.

Paris, Musée du Louvre, Département des Arts Graphiques, Orsay

Catalogues
Gu 38, K 29 I b.

Exposé à Paris

187

Manao tupapau, Femme maorie debout

41 × 32
Gravure sur bois réalisée à partir de deux tirages de la même planche en ocre et brun-rouge sur papier vergé.

Paris, Musée des Arts Africains et Océaniens (AF 14464)

Exposition
Saint-Germain-en-Laye 1985-1986, n° 338.

Catalogues
Gu 40-41, K 30 ABC.

Exposé à Paris.

188

Femme maorie dans la forêt, Manao tupapau

22,5 × 25,6
Gravure sur bois tirée en noir sur papier japon.

Williamstown, Massachusetts, Sterling and Francine Clark Art Institute

Catalogues
Gu 40-41, K 30 AB.

Exposé à Paris

189

Manao tupapau

17 × 12
Gravure sur bois tirée en noir sur papier japon, reprise au solvant au pinceau.

The Art Institute of Chicago, don du Print and Drawing Club, 1950.109

Catalogues
Gu 40, K 30 A.

Exposé à Paris

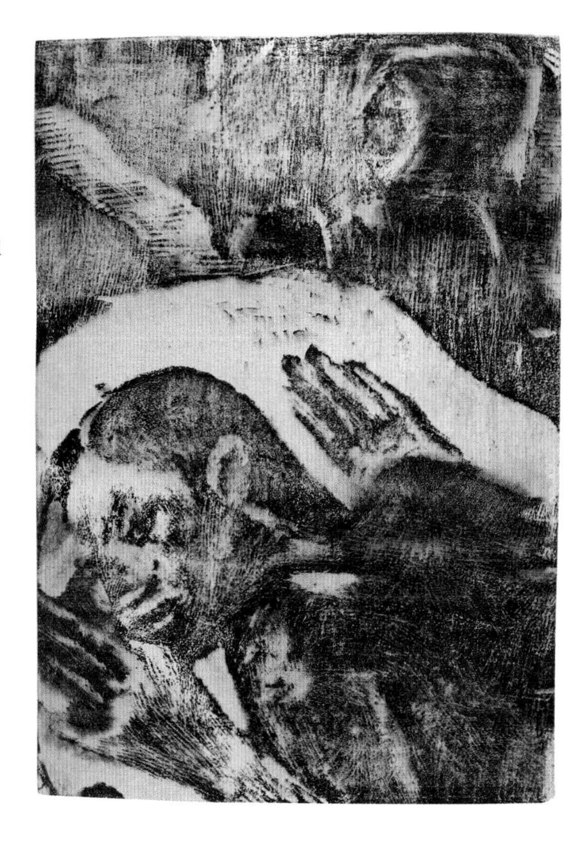

189 bis

Manao Tupapau

18 × 27,1
Lithographie
Signée en haut à gauche du monogramme, *PGO*.
Titre en bas à gauche, *Manao tupapau.*

The Art Institute of Chicago, don Jeffrey Shedd, 1975.1042

Catalogues
Gu 50, K 23C.

Exposé à Paris

190

Jeune chrétienne

1894
65 × 46
Huile sur toile.
Signé et daté en bas à droite, *P Gauguin 94*

Williamstown, Massachusets, Sterling and Francine Clark Art Institute

Expositions
Edimbourg 1955, nº 50 ; Paris 1960, nº 128 ; Munich 1960, nº 62.

Catalogue
W 518, *Bretonne en prière.*

Cette petite peinture pieuse est sans doute la plus belle de la dernière période bretonne de Gauguin. Bien qu'il ait consacré la plupart de son temps, entre avril et novembre 1894, à écrire *Noa Noa* et à travailler aux gravures, aquarelles et monotypes destinées à l'illustration de son texte, il trouva le temps de peindre. Dans l'ensemble, ces peintures ne valent pas celles des années 1880. Mais dans cette œuvre aux nombreuses références dans l'histoire de la peinture, Gauguin aborde la Bretagne avec la même force que ces sujets tahitiens.

Gauguin choisit pour modèle une jeune fille rousse dont l'identité reste incertaine. Etait-ce une jeune bretonne ou la maîtresse de Daniel de Monfreid, Annette Belfis, à qui Gauguin avait offert un masque tahitien en bois, pour la remercier d'avoir posé pour lui ?[1] Le paysage qui l'entoure ne se rapporte guère au titre, on n'y voit aucun monument religieux qui puisse expliquer son attitude. Cette peinture présente d'autres singularités dont la plus marquante est cette merveilleuse robe jaune qui, à elle seule, constitue tout le sujet du tableau. Il semblerait que Gauguin ait rapporté cette robe de mission en Bretagne et qu'il l'ait prêtée ou donnée à son modèle. Il vivait à l'époque avec Annah la Javanaise, qui avait un goût marqué pour les vêtements exotiques. Peut-être cette superbe robe de mission tahitienne fut-elle choisie dans sa garde-robe[2].

Les cheveux de la jeune fille tombent librement sur ses épaules comme ceux d'une tahitienne ou d'une très jeune fille. C'est une image très différente des nombreuses représentations de femmes bretonnes en prière, portant la coiffe et habillées en gris et noir, que l'on trouve en abondance dans les peintures faites en Bretagne dans les années 1880 et 1890. Cela justifie de s'en tenir au premier titre connu, *La jeune chrétienne*, utilisé dans le catalogue de la vente Gauguin de 1895[3], de préférence au titre moderne et d'usage récent, *Bretonne en prière*.

Van der Weyden, *Triptyque Braque*, vers 1450, huile sur bois (Paris, Musée du Louvre)

Cette peinture montre de grandes affinités avec les portraits et les peintures dévotes des artistes flamands et allemands de la Renaissance. On sait par Julien Leclercq que Gauguin avait dans son atelier de la rue Vercingétorix[4] des photographies de peintures de Cranach et de Holbein. Leclercq accompagna Gauguin en voyage à Bruxelles et à Bruges en février 1894, avant l'arrivée du peintre en Bretagne[5]. Ils ont dû y voir les fabuleuses collections de peintures de la Renaissance en Europe du Nord, au musée Royal des Beaux-Arts de Bruxelles, ainsi que l'importante collection de Memling à Bruges. Mais Gauguin pouvait aussi bien avoir trouvé des modèles pour cette composition sans s'aventurer plus loin qu'au Louvre. Le fameux *triptyque Braque* de Rogier van der Weyden montre une vierge en prière et sur le panneau latéral une Madeleine, qui ne sont pas sans rapport avec l'image dévote de Gauguin. Tout cela indique que, loin de rejeter l'art européen comme source de son nouveau primitivisme universel, Gauguin rechercha des modèles dans l'art de la première Renaissance. L'échelle, la composition et la noblesse de ce tableau trouvent de nombreux antécédents dans la peinture de la Renaissance en Europe du Nord[6]. Gauguin n'avait pas l'intention de puiser à une seule source. A la manière de nombreux artistes modernes, de Courbet et Manet à Pissarro et Seurat, il choisit de combiner les schémas de composition de plusieurs sources et d'introduire une vie et un éclat de couleurs nouveaux dans ces images éclectiques.

Cette jeune fille existe complètement dans son propre monde. La disparité entre sa robe de mission tahitienne et le paysage visiblement breton signifie que l'on ne peut pas lier le personnage et son cadre pour en faire une peinture régionale. Cette jeune fille virginale possède une innocence universelle, c'est une figure impénétrable qui garde les yeux baissés, et ses bras la protègent des avances. Elle est tout l'opposé, par l'échelle, la pause et l'attitude d'une autre grande peinture de femme de 1893-1894, *Aita tamari vahine Judith te parari* (cat. 160), nu éblouissant de la maîtresse de Gauguin, Annah[7]. On meurt d'envie de savoir au moins qui était cette jeune fille et pourquoi Gauguin décida de l'ennoblir. Une chose ressort clairement de la peinture : à cette époque le christianisme était pour lui une religion aussi étrangère et complexe que le polythéisme des mers du Sud.

R.B.

1. Comme le suggère Charles Stuckey. Voir cat. 150.
2. Sur le style vestimentaire d'Annah, voir Gérard 1951.
3. Paris 1895, nº 46, *Jeune chrétienne.*
4. Leclercq 1895, 121 : « Puis sur les murs de l'atelier radieux où la couleur ne perd rien de sa qualité, ce sont, entre les toiles, des estampes japonaises et des photographies d'œuvres anciennes (Cranach, Holbein, Boticelli) et modernes (Puvis de Chavannes, Manet, Degas) dont le voisinage, si dangereux pour d'autres, prouve que le maître de la maison est de la grande famille, de la belle famille des forts, de ceux-là dont la compagnie l'encourage ; ce sont aussi des dessins d'Odilon Redon, des tableaux de Cézanne et de Van Gogh. »
5. Le voyage à Bruxelles eut lieu du 16 au 22 février.
6. Imagerie des bois gravés de la Renaissance médiévale qui ornait *L'Epreuve* (voir la suite de gravures pour *Noa Noa*, cat. 167-176.
7. Tout comme le titre de *Aita tamari...* faisait allusion à Judith — la fille de treize ans de son voisin, le compositeur William Molard —, la peau blanche virginale de la *Jeune chrétienne* pourrait bien être un rappel indirect de la jeune fille. Elle occupait certainement ses pensées à cette période. Elle avait demandé à son père si elle pouvait se rendre en Bretagne, et Gauguin assurait Molard qu'il l'a traiterait « comme *un père* ». Malingue 1946, nº CLI, 259, lettre à Molard, 259.

191
L'Angélus

1894
27,5 × 30
Monotype à l'aquarelle sur papier vélin, monté. Signé en bas à droite, à l'aquarelle et au pinceau, *PGO*
Dédicacé, signé et daté sur le montage, en dessous de l'œuvre, à l'encre brune et à la plume, *For my friend O Connor/ One man of Samoa/ P. Gauguin/ 1894.*

Collection Josefowitz

Expositions
Londres 1966, nº 65 ;
New York 1966 ;
Philadelphie 1973, nº 25.

Catalogue
F 25.

Exposé à Chicago et à Paris

Cette œuvre pleine de charme est directement liée à une peinture exécutée en Bretagne par Gauguin en 1894 (cat. 190). Il réalisa ce monotype en couleur pour Roderick O'Connor, un artiste irlandais rencontré à Pont-Aven. Il avait espéré qu'il l'accompagnerait à Tahiti[1], mais O'Connor changea d'avis et Gauguin y retourna seul.

Souvent Gauguin se servait de compositions, de personnages ou d'éléments de ses peintures comme point de départ pour ses monotypes. Il fit rarement le contraire, à savoir comme ici, agrandir un dessin en le transposant sur une toile. Du monotype, il ne subsiste sur la peinture que la fille rousse à la robe jaune, on n'y voit plus ni ses compagnes en beau costume breton, ni le grand paysage, repris d'un monotype perdu (F 28). Le report sur monotype donne à la composition la qualité d'une miniature.

Gauguin avait fait un court voyage en Belgique en février 1894, avant de réaliser cette œuvre[2]. Il est possible que, pour représenter les bretonnes de profil, il se soit inspiré des portraits de donateurs, dans les peintures flamandes du quinzième siècle. La position centrale du personnage en prière entre les deux autres confère à cette œuvre le caractère d'une image de piété. R.B.

1. De même qu'Armand Séguin. Malingue 1946, nº CLII, 260.
2. Entre le 16 et le 22 février, il se rendit à Bruxelles avec Julien Leclercq pour voir l'ouverture de « La Libre Esthétique ». Ils allèrent aussi à Anvers et peut-être à Bruges.
3. Voir aussi cat. 190.

192-199
Dessins-empreintes à l'aquarelle et à la gouache sur des thèmes tahitiens

Gauguin réalisa une première série de dessins-empreintes à l'aquarelle, à la gouache et au pastel sur des thèmes tahitiens, en 1894, principalement au cours de l'été et au début de l'automne, alors qu'il se reposait à Pont-Aven après s'être cassé la jambe[1]. Il devait garder la chambre à l'hôtel et travaillait sur de petits formats avec du matériel léger. Il avait achevé le tirage de la première série de gravures de *Noa Noa*. Ayant ainsi exploré le monde mystérieux de la nuit tahitienne, avec les dessins-empreintes en couleur il portait résolument ses nouvelles recherches vers le jour. Les personnages en sont presque tous des femmes, elles se tiennent debout en parlant ou sont assises avec nonchalance, se baignent ou se parent. Les dieux tahitiens, les cérémonies en groupe, les feux ardents ou les lampes de la nuit tropicale, tout cela est loin.

Gauguin n'était pas le seul à faire des dessins-empreintes en couleurs en 1894 ; toutefois, il y a très peu de ressemblances réelles de style ou de technique entre son travail et les monotypes de Degas et Pissarro[2], et il n'est pas certain qu'il ait vu à l'époque les récents monotypes en couleur de ses aînés. En réalité, dès 1887, il avait déjà lui-même fait des empreintes de dessins, en partant le plus souvent d'une matrice au pastel.

Comme l'a découvert Peter Zegers, la technique des dessins-empreintes en couleurs de Gauguin est souvent basée, tout simplement, sur le principe des contre-épreuves. Gauguin préparait un dessin « matrice » (dont deux figurent à cette exposition, cat. 161 et 197) en utilisant comme medium l'aquarelle, la gouache ou le pastel, pigments solubles à l'eau. Ensuite il détrempait complètement une feuille de papier, la plaçait sur le dessin-matrice, et en la pressant au dos à l'aide d'une cuillère, il libérait le pigment et reproduisait ainsi le dessin à l'envers sur la deuxième feuille. Il pouvait obtenir jusqu'à trois empreintes à partir d'une seule matrice. Il renforçait certaines zones faibles, ou même ajoutait des éléments sur les impressions obtenues. C'est pour cette raison qu'il n'y en a pas deux semblables ; la plupart sont des hybrides d'impression et de dessin. Il n'existe aucune preuve qu'il poussa plus loin encore le procédé, en collant un papier de soie japonais sur le monotype, pour le rendre encore plus pâle et vague[3]. Au contraire, les dessins-empreintes étaient généralement faits sur des feuilles de papier relativement fines mais solides, fabriquées en Europe ou en Asie.

La femme dans la *Tahitienne en paréo rose* n'a pas d'équivalent direct dans l'œuvre antérieure de Gauguin et semble avoir été inventée à cette occasion. La matrice de cette empreinte — ou, à proprement parler, de cette contre-épreuve — existe encore (cat. 197) ainsi que deux variantes de l'impression (cat. 198, 199). Le spécimen de la collection de l'Art Institute de Chicago, parce qu'il semble n'avoir jamais été monté, révèle avec clarté la nature des techniques de Gauguin. Il n'y a que deux personnages principaux sur la matrice ; Gauguin n'avait donc pas à exercer de pression sur l'ensemble de la surface du papier pour reproduire l'image. On peut voir ainsi très clairement les traces vigoureuses de la cuillère sur le papier de l'épreuve seulement aux endroits où se trouvent les personnages.

A l'exposition dans l'atelier de Gauguin, en décembre 1894, figurait un ensemble de dessins-empreintes en couleurs, présenté avec des gravures sur bois de 1893-1894 et des peintures du premier voyage à Tahiti. Leclercq et Morice firent mention des dessins-empreintes en couleur dans leurs brefs comptes rendus de l'exposition[4]. Certains indices montrent que Gauguin montait les œuvres de petites dimmensions sur une feuille de carton simple recouverte de papier nuagé bleu et blanc. Dans au moins un cas, Gauguin plaça deux dessins-empreintes de la même matrice sur le même montage. Ils apparurent ensemble à la vente de l'atelier de Degas en 1918[5]. Ils furent ensuite séparés et sont ici réunis (cat. 192, 193). Gauguin reprit abondamment à l'aquarelle ces impressions tirées sur des feuilles de tailles différentes créant ainsi deux œuvres distinctes à partir d'une même source. Montées ensemble, elles montrent la souplesse du médium. Il est aussi prouvé que d'autres dessins-empreintes furent montés par deux. Gauguin donna lui-même le titre de *Croquis* à au moins l'un d'entre eux, suggérant ainsi qu'il voulait qu'on les considère plutôt comme des dessins que comme des impressions[6]. Il n'existe pas de paire de dessins-empreintes en couleur dans leur montage d'origine, mais des éléments de ces montages, découpés de telle manière qu'il est évident qu'ils contenait deux œuvres.

Cela suggère que les dessins-empreintes en couleurs de 1894 furent faits avec l'intention de les montrer ensemble. En clair, Gauguin voulait créer un contraste entre les dessins-empreintes en couleurs et les bois gravés de *Noa noa,* et aussi les autres bois faits pendant l'été 1894. Dans tous ces dessins-empreintes en couleurs, Gauguin insistait sur l'aspect doux des formes, il semble qu'il voulait défier les conventions de la gravure à partir d'un bloc dur ou d'une planche. Les arbres et les arbustes sont rendus par des orbes et les personnages sont formés de contours relâchés, calligraphiques ; même les zones de couleur pâle, presque évanescente, retiennent encore une certaine qualité d'humidité. Ces œuvres ne pouvaient pas être commentées dans les même termes que ses gravures exactement contemporaines : ni Leclercq ni Morice ne s'y risquèrent. De toute évidence, Gauguin lui-même était également fasciné par les deux techniques, car, au moment de préparer le manuscrit final de *Noa Noa* à la fin des années quatre-vingt-dix, il colla sur les pages de son texte aussi bien des gravures sur bois, des dessins-empreintes à l'aquarelle et à la gouache, que de véritables aquarelles.

En dépit du fait qu'ils ont été montés et présentés ensemble, les dessins-empreintes en couleur de 1894 ne forment pas un récit. C'est peut-être pour cela que Gauguin les appelle des croquis, soulignant leur caractère informel. Ils n'ont pourtant rien de spontané. Bien au contraire, ils ont ensemble un caractère de rêve éveillé ou d'une série de souvenirs. Personne n'imaginerait qu'ils aient été faits d'après nature. On est plutôt enclin à croire, à cause de leur pâleur et de leur subtilité, à un original perdu dont ils seraient le résidu. En ce sens, les monotypes se rattachent à l'esthétique symboliste d'artistes tels que Carrière et Redon, et d'écrivains comme Mallarmé, Jarry et Morice.

Ces monotypes en couleur ont en commun avec les petits dessins de travail et les aquarelles de Delacroix — rapportés de son premier voyage en Afrique du Nord — une certaine désinvolture et une simplicité répétitive. Peut-être ces travaux étaient-ils familiers à Gauguin dont on connaît l'admiration pour le premier grand coloriste moderne de l'art français. De fait, le Louvre avait acquis les carnets de croquis de Delacroix au Maroc, en 1891[7], juste au moment où Gauguin était en France. De là à penser que Gauguin, à son retour de la colonie exotique de Tahiti, se soit tourné vers l'œuvre de son grand prédécesseur, il n'y a qu'un pas. R.B.

1. Voir la chronologie, mai-septembre 1894.
2. Shapiro et Melot 1975, 17, Shapiro in *New York 1980.*
3. F 9, F 59.
4. « Impressions en couleur », Morice 1894, 2 ; « Un procédé d'impression à l'eau », Leclercq 1895, 121.
5. Paris 1918, n° 127, *Parau no varua* : « Deux monotypes en couleurs, variantes de la même composition. Sous verre. »
6. Chicago, collection particulière.
7. Le journal de voyage de Delacroix au Maroc et en Espagne, de janvier à juin 1832, annoté et illustré de nombreux croquis et aquarelles fut laissé au Louvre par Philippe Burty. Il entra dans les collections en 1891.

192

Arearea no varua ino
(L'amusement du mauvais esprit)

24,5 × 16,5
Dessin-empreinte à l'aquarelle sur papier japon avec rehauts de couleurs à l'eau au pinceau, monté ; le montage est constitué d'une épaisseur de carton recouvert de feuilles de papier vélin nuagé bleu et blanc ; au verso se trouve la moitié droite d'un tirage de Roy de *Auti te pape*.
Cachet de l'artiste en bas à droite, *PGO*.

Washington, National Gallery of Art, collection Rosenwald, 1943.3.9078

Expositions
Paris 1927, n° 41 ;
Chicago 1959, n° 193 ;
Munich 1960, n° 121 ;
Vienne 1960, n° 60 ;
Philadelphie 1973, n° 8.

Catalogue
F 8.

Exposé à Washington

193

Parau no varua

1894
24,3 × 23,5
Dessin-aquarelle sur papier japon, avec rehauts de couleurs à l'eau au pinceau ; monté sur carton de fabrication récente.
Titre en haut à gauche, à l'aquarelle et au pinceau, *Parau no varua ;* cachet de l'artiste en haut à gauche, *PGO.*

Dr. et Mme Martin L. Gecht

Expositions
Paris 1936, n° 123 ;
Philadelphie 1973, n° 9.

Catalogue
F 9.

Exposé à Washington

194

Deux Tahitiennes debout (I)

1894
18,6 × 16,7
Dessin-empreinte à l'aquarelle sur papier japon, avec rehauts de couleurs à l'eau au pinceau, monté.
Dédicacé, signé et daté en dessous de l'œuvre, sur le montage, à la mine de plomb, *à l'ami Baven PGO — 1894 —*

Londres, collection particulière, avec l'aimable concours de la galerie Anthony d'Offay

Expositions
Londres 1966, n° 64 ;
Zurich 1966, n° 51 ;
Philadelphie 1973, n° 16.

Catalogue
F 16.

Exposé à Washington

195

Deux Tahitiennes debout (II)

1894
18,5 × 14,5
Dessin-empreinte à l'aquarelle sur papier japon, avec rehauts de couleurs à l'eau au pinceau.
Signé le long du bord droit, à l'aquarelle et au pinceau, *P/G/O.*

Paris, Fondation Dina Vierny

Expositions
Philadelphie 1973, n° 17 ;
Tokyo 1987, n° 77.

Catalogue
F 17.

Exposé à Washington

196

Deux Tahitiennes debout (III)

1894
26 × 20
Dessin-empreinte à l'aquarelle sur papier japon, avec rehauts de couleurs à l'eau au pinceau.
Signé en bas à gauche à l'aquarelle, *PGO.*

The Cynthia Warrick Kemper Trust

Exposition
Philadelphie 1973, nº 18.

Catalogue
F 18.

Exposé à Washington

197

Jeune Tahitienne en pareo rose (I)

1894
25 × 24
Pinceau et gouache sur carton.

Collection William S. Paley

Catalogue
W 425.

Exposé à Chicago

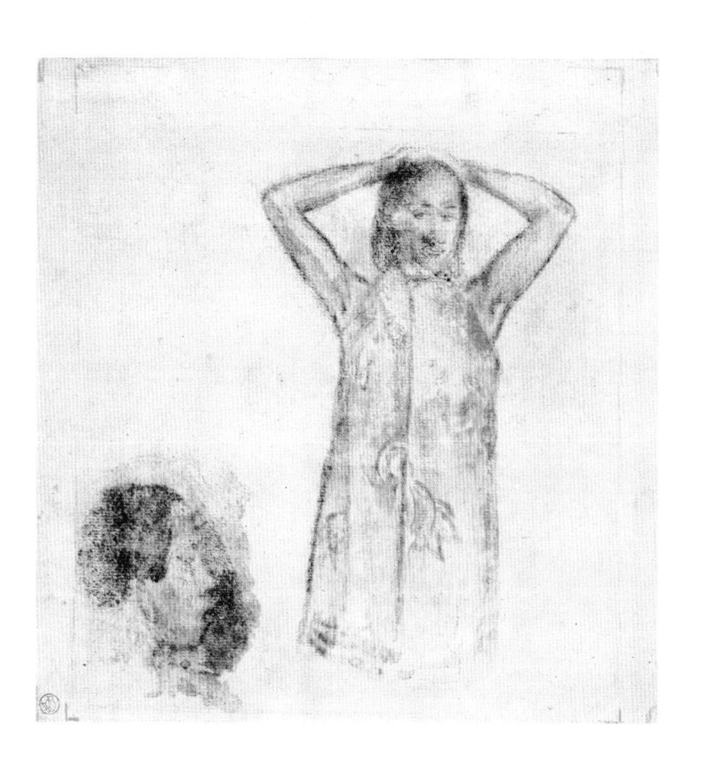

198

Jeune Tahitienne en pareo rose (II)

1894
27,5 × 26,8
Dessin-empreinte à la gouache sur papier vergé.

The Art Institute of Chicago, don de Walter S. Brewster, 1949.606

Expositions
San Francisco 1936, nº 17 ;
Munich 1936, nº 135 ;
Vienne 1960 ;
Philadelphie 1973, nº 22.

Catalogue
F 22.

Exposé à Chicago

199

Jeune Tahitienne en pareo rose (III)

1894
30 × 20
Dessin-empreinte à la gouache sur papier vergé.
Filigrane, *ED&Cie.*

Edward McCormick Blair

Expositions
Paris 1926, nº 27 ;
Bâle 1928, nº 225 ;
Berlin 1928, nº 221 ;
Philadelphie 1973, nº 21.

Exposé à Chicago

200

Le manguier

1894
26,4 × 17,7
Dessin-empreinte à l'aquarelle sur papier vélin, avec rehauts en couleurs à l'eau au pinceau et de craie blanche, monté.
Signé en bas à droite, à l'aquarelle et au pinceau, *OGP.*

Musée du Louvre, Département des Arts Graphiques, Orsay

Exposition
Philadelphie 1973, nº 4.

Catalogue
F 4.

Exposé à Chicago

201

Le manguier

1894
17 × 17,7 ; support : 24 × 23,2
Dessin-empreinte à l'aquarelle sur papier vélin, avec rehauts de couleurs à l'eau et de craie blanche, monté.
Signé en bas à gauche, à l'aquarelle et au pinceau, *PGO*
Annoté sur le montage, le long du bord droit, en bas, à la plume et à l'encre brune, *Paul Gauguin/ acheté par Maurice Clouet, vraisemblablement/ à Moline, ami de Vollard.*

Edward McCormick Blair

Exposition
Paris 1936, nº 125.

Catalogue
F 34.

Exposé à Chicago

Ces deux dessins-empreintes en couleur furent tirés d'une même matrice à l'aquarelle ou à la gouache, aujourd'hui disparue. Ce sont des tirages un peu pâles, comme les images du rêve ou du souvenir. Ils furent sûrement réalisés à Paris ou en Bretagne, loin du décor tahitien qu'ils représentent. Leur modèle est un magnifique paysage tahitien de 1892 qui se trouve au musée de l'Ermitage, à Leningrad (cat. 136). La peinture représente un très grand manguier et des cocotiers au pied d'une montagne.

Ces dessins-empreintes ont certainement un rapport assez vague avec la préparation de *Noa Noa,* car il y a dans le manuscrit plusieurs passages importants où il est question d'un grand manguier ou d'un cocotier mort[1]. Ici, les deux arbres essentiels du paysage tahitien sont orangés et jaunes, comme à la saison sèche. Le soleil brille ardemment et on aperçoit, au milieu du paysage, un cheval et son cavalier traverser la plaine. Ce petit événement trouble le sentiment d'intemporel et d'oisiveté qui baigne presque toutes les visions que Gauguin nous donne de ce paradis tropical. R.B.

1. Voir en particulier le manuscrit du Louvre de *Noa Noa,* 83-84 : « Le grand arbre autrefois fier de sa frondaison,/ L'arbre mort maintenant, vert seulement de lierre/ jette d'un geste aigu l'ombre inhospitalière/ D'un écueil sur la mer de glèbe et de gazon./ O matin ! L'Amour darde ses traits de lumière/ A Latour endormie la fenaison/ et la voix de Diane enchante la clairière./ Mais l'arbre humilié désole l'horizon. »

202

Paysage tahitien (recto), Paysans bretons (verso)

1894
21,5 × 24,7
Dessin-empreinte à l'aquarelle (recto) sur papier vélin, avec rehauts de couleurs à l'eau au pinceau et craie ; mine de plomb (verso).
Signé en bas à gauche, à l'aquarelle et au pinceau, *PGO*

Edward McCormick Blair

Exposé à Chicago

Ce paysage tahitien rarement reproduit date sans aucun doute de 1894, période où Gauguin réalisa la plupart de ses monotypes à l'aquarelle et dessins-empreintes. Richard Field n'y eut pas accès et ne put donc pas l'inclure dans son catalogue de monotypes. La technique, le style et la signature authentique rendent l'attribution à Gauguin incontestable, même si l'on ne connaît ni la matrice de l'œuvre, ni aucun autre dessin-empreinte en rapport. A en juger par la seule qualité de la surface, cette œuvre est un dessin-empreinte ou une contre-épreuve, sur une feuille de papier humidifiée, à partir d'une matrice à l'aquarelle. Le caractère volontairement pâle, presque onirique de la surface n'aurait pas pu être obtenu si Gauguin avait utilisé la technique élaborée d'une matrice provisoire sur plaque de verre (voir cat. 179-181). De façon évidente Gauguin avait une préférence pour cette pâleur, car il rehaussa certaines zones du premier plan avec un lavis d'aquarelle également pâle, et signa de ses initiales d'une couleur rose subtile.

On perçoit le paysage comme à travers un brouillard ou un nuage, et il semble surgir d'un rêve ou du subconscient, comme tant de dessins-empreintes en couleurs. Des personnages dansent sur la colline boisée à gauche, tandis que deux femmes se baignent dans la mare, en bas à droite. Les personnages qui dansent rappellent les trois danseurs élastiques, à l'arrière-plan de *Nave nave moe* (W 512), et d'une manière générale, les danseurs au centre de *Mahana no atua* (cat. 205). Ces danseurs ont à leur tour leur origine dans deux peintures de 1892 (voir cat. 155, W 467). Dans les deux peinture de 1894, Gauguin imagina des scènes mythiques tahitiennes où l'on voit la danse liée au culte, dans un paysage avec des figures féminines assises près d'un ruisseau ou qui se baignent. Il fait ainsi un lien entre les rites du bain et les activités religieuses.

On ne trouve aucun élément religieux dans ce paysage de la collection Blair ; aucune idole pour expliquer les danses dans les versions de 1892 et 1894. Au contraire, Gauguin oppose la danse et le bain, chacun placé dans une partie différente du paysage. Dans le dessin-empreinte, les danseuses perdent leur importance, et se confondent presque avec la forêt luxuriante qui les entoure. Notre attention est dirigée sur les deux femmes au bain. Elles forment entre elles un contraste intéressant, comme avec les deux personnages identiques du tableau *Nave nave moe.* Dans les deux cas, un personnage se baigne et l'autre l'assiste en portant sa serviette ou sa robe. La servante dans le dessin-empreinte est identique (quoique tournée de l'autre côté) à la servante de la peinture, mais la femme qui se baigne est complètement différente. Gauguin se contenta pour la peinture de 1894 de reprendre en plus petit la baigneuse monumentale de *Aha oe feii?* (cat. 153), mais on trouve une analogie plus étrange et plus intéressante pour le nu du dessin-empreinte. Par sa pose et son caractère, la baigneuse renvoie à la gravure symboliste, inhabituelle chez Gauguin, *Marie-Madeleine repentante,* publiée dans *L'Ymagier* en avril 1895[1]. Dans le dessin-empreinte, la baigneuse se tient sur un linge rouge et semble se rincer les cheveux ou les sécher ; dans la gravure, la femme pleure au pied de la croix, nue et repentante.

Il n'y a aucun moyen de savoir si Gauguin souhaitait que l'on établisse ce lien. Le fait qu'il place une auréole sur la tête d'un des personnages tahitiens dans *Nave nave moe* montre qu'il était passionné par les rapports entre le christianisme et la religion indigène. On ne connait pas exactement la date à laquelle Gauguin conçut la gravure de la Madeleine ni celle du dessin-empreinte. Si, comme certains ne manquent pas de le dire, la gravure a été faite avant ou en relation avec celui-ci, les intentions de Gauguin peuvent avoir été plus complexes qu'elles n'apparaissent au premier coup d'œil. Il est également possible que Gauguin ait emprunté le modèle de la Madeleine pénitente à ce simple personnage de baigneuse tahitienne et que seule la gravure, et non cette vision évanescente du paradis sur terre ait une signification religieuse.

R.B.

1. *L'Ymagier,* avril 1895, n° 3, 142.

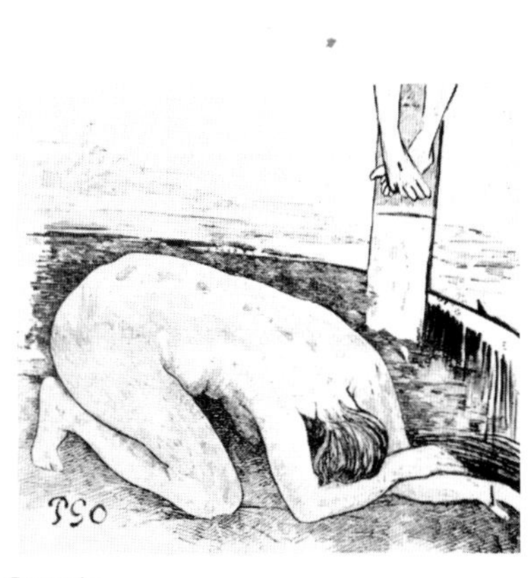

Gauguin,
«*La Madeleine pénitente*»
dessin-empreinte à l'aquarelle repris dans un bois paru dans «L'Ymagier»,
n° 3 ; avril 1895, 142

203

Eventail décoré avec des motifs de «Te raau rahi» (Le gros arbre) (rec
Dessins au lavis (verso)

Probablement 1894
17,2 × 57,5
Gouache au pinceau sur papier crêpon.

Australie, collection Carrick Hill

Expositions
Paris 1906, nº 127, *Tahiti* ;
Bâle 1928, nº 114 ;
Londres 1931, nº 66.

Catalogues
W 438, Gerstein 1978, nº 26.

Cet éventail est l'un des cinq (peut-être plus) décorés par Gauguin d'après des sujets tirés de ses premières peintures tahitiennes (voir aussi cat. 134, 204). La composition très colorée est reprise d'un tableau intitulé *Te rahau rahi* (*Le gros arbre*) (W 437) daté de 1891. Curieusement, Gauguin a inscrit le même titre sur une autre peinture de 1891 (W 439) qui représente un paysage différent. Une seconde version (W 436) de la scène figurant sur cet éventail mais dans des tons plus sombres porte un autre titre *Te Fare Maori* (*La maison maorie*). La maison, sur l'éventail et les deux tableaux, pourrait bien être celle que l'artiste loua à Mataiea, à l'automne 1891 (cat. 132) ; les femmes seraient alors des voisines. La maison au toit rouge, juste derrière la case indigène — sur l'éventail — serait alors une maison commune pour les repas dont il est question dans *Noa Noa*[1], ou la maison du propriétaire de Gauguin, Anani[2].

Comme la plupart des éventails, il fut probablement peint pendant le séjour de Gauguin en France, entre ses deux voyages à Tahiti. C'était un souvenir destiné à son ami, le sculpteur espagnol Francesco Durrio[3]. La facture, toute en fines touches de couleur, peut-être séchées au buvard, ressemble à celle de nombreux monotypes à l'aquarelle de cette période[4].

La richesse des couleurs — qui témoigne d'un dialogue constant entre Gauguin et Redon — ainsi que la frise semi-circulaire de motifs décoratifs marquisiens le long du bord inférieur sont les éléments les plus remarquables de cet éventail. Sans rapport avec le paysage représenté, la bordure est comparable à celle d'une gravure sur bois de 1894 (cat. 172). A l'extrémité du bord droit, on voit une zone légèrement décolorée à cause de l'aquarelle, au verso, qui a traversé le papier.

L'intérêt de Gauguin pour l'art des Marquises était antérieur à sa première arrivée à Tahiti[5] et se prolongea comme en témoignent les aquarelles exécutées pour le manuscrit *Noa Noa*. Ces motifs rappellent ceux obtenus par frottages à partir d'objets provenant des Marquises tels que des bols, des bâtons sculptés ou des objets semblables — aujourd'hui perdus — que Gauguin sculpta dans le même style[6]. L'un d'eux, en particulier, a une bordure de motifs qui ressemblent à des masques, presque identiques à ceux ajoutés par Gauguin au bord inférieur de l'éventail de la collection Carrick Hill[7].

C.F.S.

Gauguin, *Noa Noa*, 126
(Paris, Musée du Louvre (Orsay), Département des Arts Graphiques)

1. *Noa Noa*, ms. du Louvre, 38.
2. Danielsson 1975, 88-89.
3. Gerstein 1978, 337-338.
4. Gerstein 1978, 338-339 ; et Gerstein 1981, 10-11.
5. Jénot 1956, 121.
6. Teilhet-Fisk 1985, 130.
7. *Noa Noa*, ms. du Louvre, 126 ; voir Gerstein 1978, 339.

204

Eventail décoré avec des motifs d'«arearea» (Amusement)

1894 ou 1895
26 × 55,3
Gouache au pinceau, sur un dessin préliminaire à la mine de plomb, sur tissu tendu sur un châssis en bois.
Signé en bas à droite à l'aquarelle grise au pinceau, *P. Gauguin*
Dédicace en bas à gauche, en partie effacée, *Brunaud* (?)

Houston, The Museum of Fine Arts, collection John A. and Audrey Jones Beck

Expositions
Paris 1906, nº 92, *Éventail*;
Chicago 1959, nº 107.

Catalogues
W 469, Gerstein 1978, nº 27.

Cet éventail, comme plusieurs autres (cat. 203), fut probablement peint quand Gauguin rentra en France entre ses deux voyages à Tahiti. La composition est reprise d'*Arearea* (W 468), l'une des peintures de la fin de 1892[1], présentée à son exposition de novembre 1893 à Paris. La couleur rouge exagérée du chien, dans le coin gauche en bas de la peinture, fut la cible des critiques, ce qui expliquerait peut-être qu'il n'ait pas été repris dans l'éventail[2]. Malheureusement le nom du premier propriétaire n'est plus lisible sur l'inscription d'origine, mais on peut penser qu'il vivait en France puisque Vollard acheta l'œuvre en 1906. C'est le seul éventail de cette période peint sur une toile fine et pliée, comme pour être montée sur des bâtonnets en bois, et pour devenir un objet utilitaire[3].

Comme la peinture dont Gauguin traduit le titre par *Joyeusetés*[4], l'éventail représente le lit asséché d'une rivière avec, sur la rive proche, un arbre à bois de fer et sur l'autre[5] un sanctuaire imaginaire avec une idole en pierre représentant Hina (cat. 139). Comme dans les autres tableaux de Gauguin de composition similaire (W 476, W 500), de petits personnages féminins sont rassemblés près de l'idole et célèbrent un culte. Ces tableaux sont manifestement tous des scènes de jour, tandis que les couleurs saturées d'*Arearea* semblent indiquer un brillant clair de lune.

Au premier plan, une des deux femmes, la poitrine nue, joue du *vivo,* flûte de roseau maorie, peut-être pour accompagner les danseuses au loin, mais plus probablement pour divertir sa compagne habillée de blanc. La pose de cette dernière a été en partie tronquée pour transposer la composition originale rectangulaire, au format de l'éventail. La femme dans le tableau, évoque le personnage sculpté dans la position du boudha illuminé, de l'*Idole à la perle* (cat. 138). Au revers de cette sculpture figurent des danseuses et un personnage assis représentant Hina qui ressemble à l'idole située à l'arrière plan de *Arearea*[7]. Des fleurs blanches, des gardénias peut-être, descendent en grappes derrière le personnage en blanc.

L'accent mis ici par Gauguin sur le blanc, couleur de deuil chez les Tahitiens n'a jamais trouvé d'explication. Dans cet éventail et dans des tableaux proches par le sujet, le blanc rehausse la richesse des harmonies colorées. Avec sa joueuse de flûte et ses arabesques rythmiques, *Arearea* est l'une des compositions les plus lyriques de Gauguin. Elle concrétise l'esprit de ses remarques sur l'élément musical essentiel à l'expression picturale. En 1895, quand un journaliste demanda à Gauguin — faisant évidemment allusion à *Arearea* ou à *Pastorales tahitiennes* (cat. 155), — s'il avait peint volontairement les chiens en rouge, Gauguin répondit que de telles libertés étaient calculées pour éveiller en nous une approche de la peinture comparable à celle de la musique.

C.F.S.

1. Béguin 1961, 215-216; Field 1977, 167; Gerstein 1981, 9-10.
2. Gerstein 1981, 11-12.
3. Gerstein 1981, 7-8.
4. Béguin 1961, 217; Field 1977, nº 50, 330; Danielsson 1967, 230, nº 4; Gerstein 1981, 8.
5. Gauguin décrit cette composition dans *Noa Noa* (manuscrit du Louvre, 98-99), comme l'ont fait remarquer Béguin 1961, 219 et Gerstein 1981, 15.
6. Ce personnage fut ajouté par Gauguin à l'aquarelle sur un de ses monotypes (F 19). Gauguin décrit le son du *vivo* dans *Noa Noa* (manuscrit du Louvre 40-41; Wadley 1986, 17; inséré dans le manuscrit du Getty, 7) et l'associe à la nuit. Un dessin représentant les deux personnages du premier plan fut présenté à l'exposition de Tokyo 1987, nº 102. Une reproduction photomécanique fut faite d'après le dessin et publiée dans *L'Épreuve* vers 1895 (Gu 87). Un autre dessin avec des personnages légèrement différents a été publié par Van Dovski 1973, 117.
7. Amishai-Maisels 1985, 352-354; et Teilhet-Fisk 1985, 85-86.

205

Mahana no atua (Le jour de Dieu)

1894
68,3 × 91,5
Huile (peut-être mélangée à de la cire) sur toile.
Signature et inscription en bas à gauche, *Gauguin 94/ MAHANA no Atua.*

The Art Institute of Chicago, Helen Birch Bartlett Memorial collection

Expositions
Boston 1925 ;
New York 1936, nº 29 ;
Chicago, nº 57.

Catalogue
W 513.

Exposé à Washington et à Chicago

Mahana no atua (*Le jour de Dieu*), malgré son format réduit, est une peinture monumentale ayant le caractère d'une grande fresque religieuse, une sorte de « somme théologique » de la Polynésie. On peut aisément la comparer aux décorations monumentales de Puvis de Chavannes. La toile est divisée en trois plans horizontaux. La partie supérieure, la plus éloignée de nous, est paradoxalement la plus réelle. Dans un paysage tahitien plus ou moins conventionnel, des personnages s'affairent à des tâches quotidiennes ou exécutent peut-être un rituel religieux. Ce paysage « réel » est dominé par la sculpture monumentale d'un dieu qui occupe le centre et préside ainsi aux diverses activités qui s'organisent autour de lui. Il n'a rien d'un dieu tahitien, c'est une figure née des lectures de Gauguin sur les statues de l'Ile de Pâques dans l'ouvrage de J.A. Moerenhout, *Voyage aux îles du grand océan* (1837)[1], autant que des photographies des sculptures du grand temple de Borobudur. Gauguin avait plutôt l'intention de créer ici un dieu composite, que de peindre Tahiti à la manière d'un ethnographe[2]. Un dessin de Hina a peut-être été exécuté soit pour le manuscrit *Ancien Culte Mahorie* soit pour ce tableau.

Juste devant ce grand dieu se déroule la deuxième « zone » du tableau où trois personnages nus forment une composition hiératique. On croit voir d'abord trois femmes, mais seul le personnage central est clairement féminin. C'est l'archétype de la baigneuse, apparemment indifférente aux deux personnages à ses côtés. On est tenté de les voir tous trois comme des représentations de la naissance, de la vie et de la mort mais leur attitude écarte une analyse aussi facile. Le personnage de droite est à la fois le souvenir d'une momie sud-américaine et un être humain en position fœtale, avec au-dessus de lui une petite touche de peinture rose non-figurative. Le personnage de gauche semble, lui, simplement se reposer.

La partie la plus spectaculaire et mystérieuse du tableau est le tiers inférieur. C'est ici le règne de la couleur. Sans les rides de l'eau autour des pieds de la baigneuse et la petite langue de terre verte en bas à gauche, la surface serait abstraite. Ces quelques indices révèlent qu'il s'agit d'un étang sacré qui ne reflète pas le monde des apparences, mais l'essence dernière de la forme, la couleur. Dans l'espace illusionniste du tableau, la partie gauche de l'étang apparait comme un plan perpendiculaire à la surface. Dans la partie droite, traitée en à-plats parallèles à la surface de la peinture, le dialogue des couleurs a peu de précédents dans la peinture occidentale de chevalet. Nombreux sont les modèles ou les personnages en rapport avec ceux de *Mahana no atua* dans les œuvres antérieures et postérieures de Gauguin. La composition la plus proche est celle d'une gravure (Gu 42, K 31) dont le bois est aujourd'hui conservé à la National Gallery of Art de Washington (Gu 43, K 31) et dont Gauguin tira très peu d'exemplaires. La gravure et le tableau peuvent être interprétés comme une image synthétique des mers du Sud dépassant tout ce que Gauguin avait peint auparavant sur le sujet.

Puvis de Chavannes, *Le bois sacré*, 1887, fresque (Paris, Hémicycle de la Sorbonne)

Gauguin, *Étude de Hina*, photographie (Fonds de la galerie Charpentier, Paris, Musée d'Orsay, Service de Documentation)

Gauguin, *Manao tupapaù*, gravure sur bois
The Art Institute of Chicago

Gauguin, *Mahana no Atua*, gravure sur bois
(The Art Institute of Chicago, Clarence Buckingham Collection)

Si l'on regarde les choses ainsi, le tableau date très probablement de la période immédiatement postérieure à l'exposition de Gauguin chez Durand-Ruel en 1893, alors que la plupart des critiques étaient déroutés par l'iconographie de ses peintures. Gauguin commença alors à rédiger et à illustrer *Noa Noa.* De nombreux personnages de la *Mahana no atua* figurent de manière récurrente dans les gravures destinées au manuscrit. Ils forment comme un répertoire figuratif utilisé pour le tableau et les gravures en rapport. *Mahana no atua* semble avoir été conçu comme la synthèse de divers éléments repris de vrais tableaux tahitiens, exposés en 1893.

Ce serait une erreur de considérer ce tableau comme un échec parce que cet essai de synthèse n'a pas eu de suite dans l'œuvre de l'artiste. Aucune preuve n'indique que le tableau ait été exposé, mais il porte un titre, une signature, une date. On ne peut ignorer d'autre part que Gauguin a puisé dans son propre répertoire de personnages et d'idées. Quoiqu'il ait pensé de son tableau, ce dernier fut admiré presque unanimement par les critiques et les historiens du XXe siècle. Exposé pour la première fois en 1925[3], il a figuré depuis cette date dans presque toutes les grandes expositions consacrées à l'artiste. Le premier plan abstrait de la composition a suscité l'intérêt de nombreux peintres du XXe siècle, en écho à leurs préoccupations essentiellement formelles, tandis que l'iconographie indéchiffrable fascine plutôt les esprits plus littéraires. R.B.

1. Analysé pour la première fois par René Huyghe dans son introduction à l'*Ancien Culte Mahorie,* 1951, 26.
2. Varnedoe in New York 1984, 179-209.
3. Boston 1925.

206
Tahitienne allongée

1894
24,5 × 39,5
Dessin-empreinte à l'aquarelle sur papier japon avec rehauts de couleurs à l'eau au pinceau.
Cachet de l'artiste en bas à droite, *PGO*

Collection particulière

Expositions
Chicago 1959, nº 189 ;
Philadelphie 1973, nº 15.

Catalogue
F 15.

Exposé à Washington et Chicago

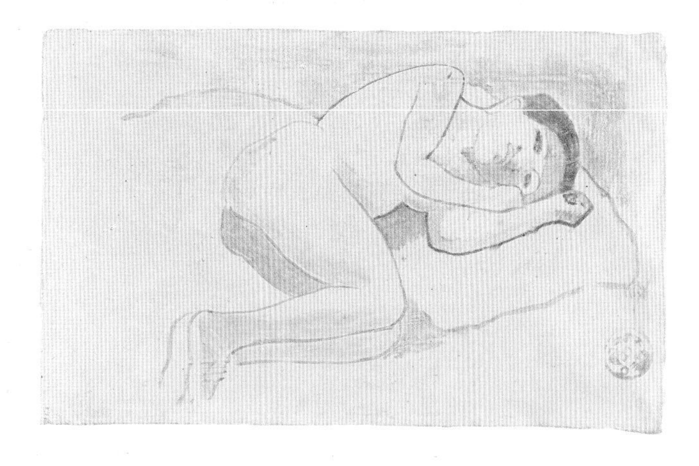

Ce subtil dessin-empreinte en couleurs représente une jeune tahitienne nue qui se repose les yeux ouverts. Couchée en chien de fusil, les jambes bien serrées, les bras couvrant la poitrine, elle offre une image d'innocence et de vulnérabilité. Cette figure devient cependant moins « réelle » qu'élémentaire quand elle apparaît à gauche dans la peinture de Gauguin de 1894, *Mahana no atua* (*Le jour de Dieu,* cat. 205). Comme souvent dans l'œuvre de Gauguin, il est difficile d'attribuer un sens précis à ce personnage. Figurant seul, sur un papier pâle couleur pêche, il présente, en commun avec les autres monotypes de la même année, un caractère onirique.

Bien qu'il existe une seconde impression de la même matrice (F 14), celle-ci peut être considérée comme « achevée » car elle porte le cachet souvent utilisé par l'artiste en 1894. L'une d'elle fut tirée sur un papier identique et conserve encore une partie de son montage d'origine. Le papier nuagé bleu du montage est le même que celui utilisé par Gauguin autour de certaines gravures de *Noa Noa,* au moment de son exposition d'œuvres graphiques dans son atelier en décembre 1894. Malheureusement la grande majorité d'entre-elles ont été soit coupées soit démontées. Il existe cependant encore aujourd'hui un dessin-empreinte très proche de cette *Tahitienne allongée,* avec un montage sur lequel Gauguin inscrivit le mot *croquis.* On peut supposer que deux dessins-empreintes, ou plus, étaient réunis dans le même montage où l'on pouvait peut-être lire « Croquis Tahitiennes ».

R.B.

207
Te faruru (Faire l'amour)

1894

Dessin-empreinte à l'aquarelle sur papier japon, avec rehauts de couleurs à l'eau au pinceau.

Edward McCormick Blair

Catalogue
F 5.

Exposé à Washington

Ce dessin-empreinte à l'aquarelle se rattache plus directement qu'aucune autre variante à une gravure sur bois de la série *Noa Noa* et pourrait avoir été réalisé juste après l'achèvement du bois. Son climat, sa tonalité et sa palette le distinguent des dessins-empreintes à l'aquarelle de 1894 caractérisés par une atmosphère de flou quotidien. Il partage avec les gravures sur bois une qualité de temps indéterminé. Comme la *Tahitienne allongée* (cat. 206), ce monotype ne représente pas seulement les amants de la gravure sur bois du même titre, mais aussi le couple enlacé qui se tient près de l'idole au centre de *Mahana no atua* (cat. 205).

Ces amants sont le sujet principal du dessin-empreinte et de la gravure (cat. 171). D'un geste protecteur l'homme enlace la femme abandonnée et blanche en une mystérieuse étreinte. Comme dans la gravure, on ne sait pas si elle est vivante ou morte, et s'il ne s'agit pas d'une ultime étreinte. Dans l'aquarelle, le motif est encore plus ambigu et l'on pourrait croire que les personnages sont immergés dans un élément liquide plutôt que bien plantés sur la terre ferme.

On ne sait rien des intentions de Gauguin sur ce dessin-empreinte dont il ne subsiste ni la matrice ni aucune autre impression. Sa relation avec le bois nous

suggère qu'il voulait peut-être l'intégrer à une « suite » d'œuvres réalisées à partir de transpositions d'une technique à l'autre. Mais ici, l'artiste s'est laissé prendre à la magie du médium et la transformation du bois est pratiquement totale. Sur la gravure, c'est la nuit, et le feu qui brûle à côté des amants dégage une fumée qui modèle des formes mystérieuses et des visages terrifiants. Sur le dessin-empreinte, Gauguin place les amants dans un paysage diurne. Dans l'atmosphère humide d'une journée tropicale, le feu fait rage derrière eux et une fumée noire emplit le coin supérieur droit. Mais quelle est donc la nature de leur amour ? R.B.

208

Aha oe feii? (Pourquoi es-tu rancunière?)

1894
Dessin-empreinte à l'aquarelle sur papier japon, avec rehauts de couleurs à l'eau, d'encre brune, et de craie blanche[1].

Edward McCormick Blair

Expositions
Paris 1926, nº 21 (?), *Eve* (dessin colorié) ; Philadelphie 1973, nº 10.

Catalogue
F 10.

Exposé à Chicago et à Paris

Ce superbe dessin-empreinte tire sa composition d'une peinture de 1892 (cat. 153). Il est aussi très proche d'une gravure sur bois de 1894 en rapport avec *Noa Noa* (cat. 167). Le titre est traduit : « Eh quoi ! tu es jalouse »[2]. Il ne ressemble en rien, ni par la tonalité, ni par l'atmosphère ni même la signification à une autre œuvre de ce genre et témoigne de l'empressement extraordinaire de Gauguin à transcrire une composition sous différentes formes en variant le médium. Comme la plupart des dessins-empreintes en couleur de 1894, il fut réalisé à partir d'une matrice maintenant disparue. L'empreinte qui en résulte est baignée de couleurs douces. On est loin du rose vibrant de la plage dans le tableau et de cette stupéfiante mer multicolore ; loin aussi de la force presque barbare de la gravure probablement exécutée un peu avant ce dessin-empreinte. R.B.

1. Cette image est imprimée au verso d'un fragment d'une lithographie en trois couleurs de Hermann Paul intitulée *Modistes,* publiée dans la livraison de juin 1894 de *L'Estampe originale* (VI) ; la même livraison contenait une lithographie de Gauguin, *Manao tupapau* (Gu 50, K 23).
2. Selon Danielsson la traduction littérale est « Pourquoi es-tu rancunière ? » mais Gauguin l'a traduit « Eh quoi ! tu es jalouse » (Danielsson 1967, 230).

209-210a

Trois masques de sauvage

Ni Gray ni Bodelsen ne connaissaient l'existence du curieux masque de céramique de l'Ile de la Réunion quand ils publièrent leurs études respectives sur la sculpture et la céramique de Gauguin. Les deux auteurs remarquèrent dans une lettre écrite à Monfreid en décembre 1896[1] que Gauguin faisait référence à une « tête de sauvage émaillée » mais aucun des deux n'arrivait à faire le lien entre une allusion aussi excitante et un objet précis[2]. En fait le masque de céramique fut donné au Musée Léon Dierx par Lucien Vollard et il est reproduit ici pour la première fois, avec le plâtre et le bronze correspondants.

Gauguin réalisa probablement cette tête en céramique pendant la période d'expérimentation intensive à l'atelier de Chaplet, en hiver 1894-1895. Le vernis tâcheté brun et turquoise éclatant, semble presque surgir de la surface, comme s'il ne pouvait tenir à la peau ou à la chevelure. La bouche est décolorée et les yeux sont aveuglément blancs. Seules les gravures exactement contemporaines intitulées *Oviri* (cat. 213), approchent cette mystérieuse qualité indéterminée de la surface du masque.

La tête coupée, ou le masque, fascinaient Gauguin comme beaucoup de ses amis symbolistes. Gray a rassemblé tout ce qui s'y rapporte dans les lettres et documents de l'artiste[3]. Mais personne ne s'est interrogé sur la fonction de ces masques. Il n'y a pas de précédent dans l'art de la Polynésie et Gauguin lui-même ne s'en est jamais expliqué. Bien qu'ils soient de taille humaine[4], les masques catalogués par Gray ne furent vraisemblablement pas faits pour servir dans des cérémonies. Leur caractère rituel n'est donc que suggéré. Il n'existe aucune indication sur la manière dont Gauguin les aurait montés ou exposés.

On peut voir l'origine du masque en question ici, dans une peinture de 1893, *Hina te fatou* (*La lune et la terre*, W 499), qui se trouve au musée d'art moderne de New York. Cette peinture renvoie — plus clairement qu'aucune autre œuvre — à un texte de Gauguin en partie plagié, sur la religion polynésienne et intitulé « *Ancien culte Mahorie*[5]. Le dieu Fatu[6], associé à la terre, était mentionné dans plusieurs légendes polynésiennes anciennes, transcrites dans le texte de Gauguin. Cependant, aucune de ces légendes n'aide à expliquer le tableau

1. Joly-Segalen 1950, nº XXVII, 97.
2. Bodelsen 1964, 146 suggère que ce masque pourrait être celui du diable cornu dont une photographie est collée dans le manuscrit du Louvre de *Noa Noa*, 56.
3. Gray 1963, 243.
4. Gray 1963, nºˢ 110 et 111.
5. Tiré de Moerenhout 1837.
6. Gauguin orthographie « Tefatou » dans son texte, mais l'orthographe correcte est « Fatu » ; voir Danielsson 1967, 231.
7. Joly-Segalen 1950, nº XXVII, 97 ; Rewald 1959, 62 ; repris in Rewald 1986, 178-179.
8. Rewald 1959, 32 et 62 ;

209

Masque de sauvage

1894-1895
25 × 19,5
Céramique émaillée et peinte (?).

Saint Denis de la Réunion, Musée Léon Dierx

Non exposé

210

Masque de sauvage

25 × 19,5
Plâtre peint.

Collection de la famille Phillips

Catalogue
G 110.

210a

Masque de sauvage

25 × 19,5
Bronze.

Paris, Musée d'Orsay
Don Lucien Vollard au Musée de la France d'Outre-Mer, 1944

Catalogue
G 110.

repris in Rewald 1986, 179.
9. Il est possible que Monfreid ait fait le moulage en plâtre. Dans une lettre à Vollard, non publiée (manuscrit dactylographié, archives Rewald), datée du 18 octobre 1900, Monfreid mentionne « la tête de Christ en céramique dont vous m'avez parlé ». Il expliquait qu'il n'en avait pas fondu d'autre après celui qu'il avait fait pour M. Viau (celui accroché dans son atelier n'était qu'un moulage en plâtre), que le moule était à la campagne et qu'il ne voulait pas fondre d'exemplaires pour la vente, car il le réservait pour la tombe de famille. Il n'est pas évident, cependant, qu'il s'agisse bien du *Masque de sauvage*.
10. Gray 1963, nº 115. Il existe trois versions de ce vase : à Copenhague, kunstindustrimuseet, à Paris, Musée d'Orsay et à New York dans une collection particulière.

ou le masque. Quoique le masque soit littéralement l'incarnation en terre glaise du visage de Fatu dans la peinture, Gauguin les a dissociés dans deux lettres où il parle du masque en le nommant « La tête de sauvage »[7].

Rewald a publié précédemment le plâtre de la collection Phillips, accompagné d'une lettre de Gauguin à Vollard d'avril 1897. Dans cette lettre, Gauguin demandait explicitement une édition en bronze de la sculpture : « Et le masque « Tête de sauvage », quel beau bronze cela ferait, et peu coûteux. Je suis sûr que vous trouverez facilement 30 amateurs à 100 francs, ce qui ferait 3 000 francs déduction faite des frais, 2 000 francs, plus la suite. Examinez donc cela[8]. » Vollard envisagea alors de faire éditer un bronze, mais pas tout à fait aussi rapidement que Gauguin l'espérait, ni avec le même optimisme. Il ne reste en fait que le plâtre de la collection Phillips et trois tirages en bronze.

Aucune preuve ne permet de douter de l'attribution du plâtre à Gauguin lui-même[9]. En comparant la céramique strictement contemporaine, *Vase carré aux dieux tahitiens*[10] que Gauguin fit en trois exemplaires presque identiques, on peut penser qu'il fit de la même façon un moule d'où il tira plusieurs plâtres ou masques de céramique ; encore que le plâtre peint soit très différent du masque de céramique tacheté et émaillé. Gauguin avait peut-être l'intention d'embellir la céramique pour séduire les collectionneurs. Les trois masques en céramique, plâtre et bronze sont présentés ensemble pour la première fois dans ce catalogue et il faudra attendre un examen comparatif détaillé pour parvenir à de nouvelles conclusions sur leurs relations. R.B.

Gauguin, *Hina te fatu (La lune et la terre)*, 1893, huile sur toile
(New York, The Museum of Modern Art, Lillie P. Bliss Collection)

211

Oviri

1894
75 × 19 × 27
Grès cérame émaillé par endroits, le corps de la femme n'est pas émaillé.
Signé en bas sur le côté droit en relief, *P Go.*
Titre sur la base de face en relief, *OVIRI.*
Daté en bas sous le pied gauche en relief, *1894* (le 4 est difficilement déchiffrable).

Paris, Musée d'Orsay

Expositions
Paris 1895, (?) ;
Béziers 1901, nº 162 ;
Paris 1906, nº 57 ;
Londres 1955, nº 75 ;
Paris 1988, nº 5.

Catalogue
G 113, B 57.

Réalisée à Paris pendant l'hiver 1894, *Oviri*, dont le musée d'Orsay a pu faire récemment l'acquisition[1], revêt une importance exceptionnelle dans l'œuvre de Gauguin. Véritable « céramique-sculpture » pour reprendre l'expression de l'artiste, c'est aussi sa plus grande œuvre exécutée dans cette technique qu'il ne pratiquera pour ainsi dire plus après son deuxième départ pour Tahiti en juillet 1895. Les témoignages de la correspondance, la récurrence du thème dans l'œuvre qui apparaît en peinture dès 1892 (W 478) pour être repris sous forme de gravure (voir cat. 213) et de monotype (voir cat. 212) ainsi que sa symbolique complexe permettent de situer *Oviri* sur le même plan que la grande toile *D'où venons-nous ? Que sommes-nous ? Où allons-nous ?* (W 561) de Boston, peinte à Tahiti deux ans plus tard. A des titres divers, chacune de ces deux œuvres mérite d'être considérée comme le testament de l'artiste.

Exécutée en grès cérame émaillé par endroits dans l'atelier parisien de Chaplet, *Oviri* témoigne, par la variété de son traitement de surface, les différentes colorations et textures du corps de la femme, des cheveux et des deux animaux, d'une habileté technique qui apparaît comme le fruit de la collaboration de Gauguin avec le grand céramiste depuis 1886 et de ses expérimentations personnelles. C. Gray[2] mentionne trois moulages en plâtre d'après *Oviri* dont le traitement de surface (notamment des fentes) pose le problème de l'existence d'un exemplaire en bois sur lequel on ne possède aucun document... L'exemplaire en plâtre donné à Daniel de Monfreid appartient à une galerie parisienne et a servi à l'édition récente d'une série de bronzes dont l'un a été placé en 1973 sur la tombe de l'artiste à Atuona.

Le titre même d'*Oviri* appelle plusieurs remarques. Oviri signifie « sauvage » en tahitien, tandis que dans la mythologie primitive de l'île, *Oviri-mœ-aihere* (Le sauvage qui dort dans la forêt sauvage) est l'un des dieux qui préside à la mort et au deuil[3]. *Oviri* est aussi le titre d'une chanson tahitienne transcrite par Gauguin en langue originale dans *Noa Noa*[4] et traduite par Danielsson[5] où s'exprime une mélancolie contemplative :

« Solo : « Voici la nuit au ciel attristant semé d'étoiles.
Mon cœur est pris par deux femmes
Qui se lamentent toutes les deux
Pendant que mon cœur et la flûte chantent
Chœur : A quoi pense-t-il ?
A jouer de la musique de danse sauvage sur la plage ?
A quoi pense-t-il ?
Qu'il est sauvage aussi, ce cœur troublé ».

On voit ainsi que le choix du titre *Oviri* n'est pas univoque mais que la notion dominante est celle de « sauvage » qui cristallise les aspirations de Gauguin à renouer avec un état de nature primitif par opposition à la civilisation occidentale par définition pernicieuse et corrompue. Les circonstances pénibles de l'automne et de l'hiver 1894-1895, notamment les suites douloureuses de la blessure de l'artiste à Concarneau, la perte du procès intenté à Marie Henry pour recel de ses toiles, l'échec enfin de la vente de ses œuvres à Drouot le 18 février 1895 donnent une acuité particulière à cette aspiration fondamentale à la « sauvagerie » dont le départ définitif pour les îles l'été suivant est l'aboutissement logique. « Tu t'es trompé un jour en disant que j'avais tort de dire que je suis un

1. Comité du 5 février 1987, Conseil du 11 février 1987.
2. Gray 1963, 245.
3. Gray 1963, 64, n. 7 citant Teuira Henry, *Ancien Tahiti*, Bulletin XLVIII, Bernice Pauahi Bishop Museum, Honolulu, 1928.
4. *Noa Noa*, manuscrit Louvre, Département des Arts Graphiques, Orsay, 50-51.
5. Danielsson 1975, 116-117.
6. Lettre de Gauguin à Charles Morice, [avril 1903], Malingue 1946, nº CLXXXI, 319.
7. Bodelsen 1964, 146-152.
8. Landy 1967, 244-246 ; voir aussi Jirat-Wasiutynski 1978, 373-383.
9. Gray 1963, 65.
10. Rewald 1959, 62 ; Bodelsen 1964, 146. Voir aussi Lettre de Gauguin à Daniel de Monfreid, [avril 1897], Joly-Segalen, 1950, nº XXXI, 105.
11. Joly-Segalen 1950, nº LXIII, 164-165.
12. Dessin au crayon, 31,1 × 20, feuillet nº 2, verso, du manuscrit de Gauguin vendu à Paris, Hôtel Drouot, le 8 juillet 1988, nº 43.
13. RF 28844 ; Le premier numéro du *Sourire* parut en réalité en août 1899.
14. Bodelsen 1964, 149.
15. *Noa Noa*, manuscrit du Louvre, Département des Arts Graphiques, Orsay, 78-80 et manuscrit du Getty Museum, 12.
16. Morice 1896, nº 440.
17. Landy 1967, 245-246.
18. Deux versions diffèrent à ce propos : celle de Morice (1920, 171) selon lequel la pièce fut « littéralement expulsée » et celle de Vollard (1937, 184) selon lequel *Oviri* ne fut admise que sous la menace expresse de Chaplet de retirer ses propres œuvres.

sauvage. Cela est cependant vrai : je suis un sauvage. Et les civilisés le pressentent : car dans mes œuvres, il n'y a rien qui surprenne, déroute si ce n'est ce « malgré-moi-de-sauvage ». C'est pourquoi c'est inimitable »[6].

C'est ce « *malgré-moi-de-sauvage* » qu'exprime avec une intensité unique cette céramique, ce que vient corroborrer l'association du mot *Oviri* dans l'*Autoportrait* en plâtre peint (voir le tirage en bronze, cat. 214) et l'insertion du bois gravé *Oviri* (Gu 48, K 35) à la page 61 du *Noa Noa* du Louvre.

La lecture de l'œuvre n'est pas univoque et l'on comprend qu'elle ait donné lieu à plusieurs interprétations symboliques dont les plus convaincantes sont celles de Merete Bodelsen[7] finement complétées par B. Landy[8]. Une femme de proportions monstrueuses, la tête à l'expression hallucinée, terrasse un loup gisant, gueule ouverte, à ses pieds dans une mare de sang tandis qu'elle étreint sur son flanc un louveteau dont on ne saurait dire si elle l'étouffe ou l'embrasse...

La figure d'*Oviri* combine deux iconographies d'origines diverses et de sens opposés : la tête dériverait, selon Gray[9], de la tradition marquisienne des crânes momifiés aux yeux incrustés de nacre des chefs primitifs divinisés après leur mort, tandis que le corps de la femme fait référence aux figures de Borobudur incarnant la fécondité. La vie et la mort semblent donc indissolublement liées dans l'étrange figure d'*Oviri*. Dans une lettre à Amboise Vollard d'avril 1897 qui lui demandait « des modèles de sculptures pour être tirés en bronze », lettre citée par J. Rewald et reprise par M. Bodelsen[10], Gauguin désigne sa céramique par le terme « *La Tueuse* » : « vous désirez des bois sculptés, modèles en bronze etc... Voilà quatre ans que tous ces objets sont à Paris sans aucune vente. Ou ils sont mauvais et alors ceux que je ferai à nouveau le seront aussi, par suite invendables, ou ils sont objets d'art. — Pourquoi ne les vendez-vous pas ? Il me semble pourtant que ma grande statue céramique *La Tueuse*, est un morceau exceptionnel qu'aucun céramiste n'a fait jusqu'à ce jour et qu'en outre, en bronze (non retouché et non patiné) ce serait très bien. Ce qui fait que l'acheteur aurait en outre de la pièce cérame une édition de bronze de rapport ».

Ainsi Gauguin pensait-il, sans grande conviction d'ailleurs, tirer un profit non négligeable d'une édition en bronze de sa céramique. L'importance affective qu'il accorde à *Oviri* éclate dans une lettre à Daniel de Monfreid d'octobre 1900[11] : « La grande figure céramique qui n'a pas trouvé amateur, tandis que de vilains pots de Delaherche se vendent très cher et vont dans les musées : je voudrais l'avoir pour la mettre sur ma tombe à Tahiti, et avant cela faire l'ornement de mon jardin. C'est pour vous dire que je voudrais que vous me l'envoyiez bien emballée aussitôt que vous aurez une vente quelconque pour payer les frais d'envoi et d'emballage. »

En 1895 Gauguin avait envoyé à son ami Mallarmé deux exemplaires de son bois gravé reprenant la figure d'*Oviri* montés sur le même support (cat. 213) avec cette dédicace : « A Stephane Mallarmé cette étrange figure cruelle énigme ».

Il y a fort à parier que cette « cruelle énigme » n'en finira pas de livrer son secret. Dès 1892, la figure de la femme et du louveteau apparaît, mais sans connotation meurtrière, dans la toile intitulée *E Haere oe i hia. Où vas-tu ?* (W 478) de la Staatsgalerie de Stuttgart. Elle ressurgit en 1898 dans le mystérieux paysage intitulé *Rave te hiti ramu* (W 570) du musée de l'Ermitage à Léningrad. Ce motif obsédant revient sous la forme d'un monstre enlaçant une femme qui semble lui résister au verso d'un feuillet de manuscrit[12] consacré à des réflexions sur les évangiles et diverses épitres. Enfin, la reprise du motif d'*Oviri* dans un dessin sur un exemplaire manuscrit du *Sourire* (nº 1 daté par erreur août 1891)[13] conservé au Département des Arts Graphiques du Musée du Louvre s'accompagne, par ailleurs, de cette mystérieuse inscription : « Et le monstre, étreignant sa créature, féconde de sa semence des flancs généreux pour engendrer Séraphitus-Séraphita ». « Séraphitus-Séraphita » renvoie au roman balzacien *Séraphita* influencé par Swedenborg dont le héros est un androgyne. M. Bodelsen[14] souligne justement que ce thème à la mode dans la littérature symboliste contemporaine (voir les écrits du Sâr Péladan) apparaît dans un épisode d'ailleurs particulièrement émouvant de *Noa Noa* où Gauguin voit dans le jeune tahitien qu'il accompagne dans la forêt l'idéal du sauvage dont la perfection morale et formelle s'accompagne d'une indifférenciation sexuelle[15].

Meurtrière — « la Tueuse » — et féconde à la fois, *Oviri* cette « Diane chasseresse » comme la désigne Charles Morice dans une page dithyrambique des *Hommes d'aujourd'hui*[16] signifie la valeur tant destructrice que régénératrice du retour à l'état de « sauvage » tel que le conçoit Gauguin, condition nécessaire pour lui à toute création authentique ; ce que B. Landy[17] interprète comme une destruction du moi civilisé de l'artiste, préalable indispensable à sa régénération par un retour à l'état sauvage qu'il faut comprendre dans la perspective du départ définitif pour Tahiti. L'étrangeté de la pièce tout comme son originalité formelle — le surgissement monstrueux d'*Oviri* pouvait-il être perçu comme beau à la fin du siècle dernier ? — explique la difficulté éprouvée par Gauguin à faire accepter *Oviri*. Le refus de l'œuvre au Salon de la Nationale en 1895[18] devait, selon le témoignage de Charles Morice affecter profondément Gauguin. *Oviri* fut alors entreposé 57 rue Saint-Lazare chez le marchand Lévy avec lequel Gauguin avait passé avant son départ pour Tahiti un arrangement supposé assurer sa subsistance par la vente de ses œuvres. C'est ce que révèle une lettre de Charles Morice à Mallarmé de février-mars (?) 1895 qui mérite d'être citée : « Cher ami,/ je désire vous voir au plus tôt... Avec Paul Gauguin j'achève un livre [*Noa Noa*] que je crois beau. Proses et vers, je voudrais vous en montrer des pages./ En outre, de Gauguin, on peut voir, 57 rue Saint-Lazare [chez Lévy], une œuvre sculpturale en cérame grand-feu, qui est suprême. La situation de Gauguin vis-à-vis de l'art officiel, des administrateurs officiels de l'art, et du public, est unique à titre de thème sur quoi varier l'expression de

Gauguin, *E Haere se i hia (Où vas-tu ?)*, 1892, huile sur toile (Stuttgart, Staatsgalerie)

Gauguin, *Rave te hiti ramu (L'idole)*, 1898, huile sur toile (Leningrad, Musée de l'Ermitage)

211

19. Lettre de Charles Morice à Mallarmé citée dans Mondor 1982, vol. VII, 161-162.
20. Archives Loize, Musée Gauguin, Papeari, Tahiti. On peut s'étonner de la curieuse méprise de Vollard : *Oviri* étant totalement évidée par derrière on voit mal comment elle aurait pu « recevoir des fleurs »...
21. Lettre de Gauguin à Daniel de Monfreid, Joly-Segalen 1950, nº LXXI, 170.
22. Lettre de G. Fayet à G.D. de Monfreid du 2 novembre 1903 citée par Loize 1951, nº 433.
23. Lettre de G. Fayet à G.D. de Monfreid du 2 octobre 1905 citée par Loize 1951, nº 437.
24. Lettre de G. Fayet à G.D. de Monfreid du 2 décembre 1905 citée par Loize 1951, nº 439.
25. Lettre inédite de Gauguin à Vollard du 25 août 1902 citée par Danielsson 1975, 302 n. 105.
26. Toronto 1981-1982 et New-York 1984.
27. Rubin in New York 1984-1985, 245-246.

notre haine pour les trois susdits facteurs de la vie. Offrir cette œuvre — *Diane Chasseresse* — au Luxembourg afin qu'elle soit refusée et qu'on puisse à ce sujet écrire et dire quelques mots significatifs: Voilà./ Vous disposez, comme il est juste, de plusieurs esprits ; un mot de vous à l'un d'eux et nous aurions en tête d'une liste d'amateurs un beau nom. S'y joindraient une CINQUANTAINE d'artistes : et les trois mille francs essentiels seraient trouvés. La cinquantaine est *prête*./ Causons de tout cela samedi si vous voulez bien... »[19]

Une telle tentative de souscription publique destinée à offrir une œuvre de Gauguin au Musée du Luxembourg n'est pas unique (voir cat. 154). Elle resta malheureusement sans effet.

C'est sans grand espoir que Gauguin suggère à Vollard en 1897 l'éventuel profit qu'il pourrait tirer d'une édition en bronze de sa céramique. En 1900, l'œuvre est toujours en dépôt chez Monfreid. Une lettre de Vollard à Monfreid du 21 octobre 1900 montre que ce marchand s'y intéresse : « Quant à la grande statue céramique, c'est une femme monstre debout disposée à recevoir des fleurs./ Comme il faut tout prévoir au cas où vous auriez à vous occuper de les vendre, prévenez-moi d'abord, à tout hasard. »[20]
En 1901, Gauguin ne voit qu'un amateur susceptible d'acquérir *Oviri*, Gustave Fayet. « Le prix de 2 000 Frs n'a rien d'excessif. Du reste M. Fayet est, je crois connaisseur dans la céramique »[21]. Ce n'est qu'en 1905, deux ans après la disparition de l'artiste, que Fayet se décidera à acheter la céramique, après l'avoir eue en dépôt[22], en avoir offert 700 F[23], pour finalement l'acquérir au prix de 1 500 F à verser au compte de Mette Gauguin[24].

Ces atermoiements auraient eu de quoi exaspérer Gauguin, convaincu qu'il était de la supériorité d'*Oviri* sur toute son œuvre céramique : « La meilleure chose de moi mais encore comme le *seul peut-être* de spécimen sculpture cérame en tant que céramique de Chapelet [sic] car tout ce qui s'est fait en sculpture par les artistes c'est du moulage qui a le même caractère du plâtre... j'ai été le premier à lancer la céramique sculpture et je crois qu'on l'a oublié, il pourrait se faire qu'un jour on soit moins ingrat à mon égard. En tout cas, j'affirme orgueilleusement que personne n'a encore fait cela »[25].

La rétrospective posthume de Gauguin au Salon d'Automne de 1906 devait rendre justice au peintre. On peut, en effet, raisonnablement penser que la présentation d'*Oviri* dut y faire le plus grand effet sur les artistes alors à Paris au premier rang desquels le jeune Picasso. Le caractère profondément sauvage d'*Oviri* rendu particulièrement sensible par le traitement brut de la matière soumise à l'épreuve du grand feu a dû compter dans le développement du Primitivisme dans la sculpture du début du XXe siècle dont Gauguin fait figure de pionnier. Les récentes expositions consacrées au Primitivisme en 1982 et 1984[26] ont mis en évidence l'influence de la sculpture de Gauguin sur Picasso notamment par l'intermédiaire de son ami le sculpteur Paco Durrio. Dans la postérité d'*Oviri* figurerait notamment une des figures des *Demoiselles d'Avignon* de 1907...[27]. C.F.T.

212-213
Dessin-empreinte et deux gravures sur bois d'après Oviri

212
Oviri

1894
28,2 × 22,2
Dessin-empreinte à l'aquarelle rehaussé par endroits au pinceau et couleurs à l'eau sur papier japon appliqué sur un support secondaire en carton.
Signé en bas à gauche du cachet de l'artiste, *PGO*.

New York, collection de Mr. et Mrs. Alexander E. Racolin

Catalogue
F 30.

La céramique *Oviri (Sauvage)* (cat. 211) n'est que l'une des manifestations de cette mystérieuse créature ; Gauguin en fit en effet au moins un dessin[1], deux monotypes en couleurs[2] et deux gravures en rapport[3], dont il ne subsiste pas moins de dix-sept épreuves uniques de l'une d'entre elles. On attribuait à ces œuvres graphiques une date postérieure à la céramique-sculpture, dont elles seraient la reproduction et non la préparation. Or, les différences notables que l'on relève entre les gravures et le dessin, et la céramique, donnent à penser que Gauguin créa peut-être le personnage sous forme de dessins et de gravures avant d'en modeler en céramique l'effrayante vision. Ainsi, dans le dessin à la plume et au lavis et dans les estampes, la figure d'Oviri a les jambes droites, et non pas étrangement fléchies, à la manière de Michel-Ange, comme le personnage de céramique[4]. De même le fait que, sur la gravure, la figure ne soit pas l'image inversée de la sculpture peut indiquer que Gauguin prit le bois pour point de départ de la série, puis l'imprima, et réalisa enfin la sculpture.

Eberhard Kornfeld conclut que Gauguin exécuta la gravure à Pont-Aven et à Paris, « d'après des esquisses et des dessins rapportés de Tahiti »[5]. Si tel est le cas, l'estampe et le dessin, très proches, ont dû être faits à Pont-Aven ou à Paris avant que Gauguin ne commence, dans l'atelier de Chaplet, à élaborer la céramique.

Il est tout aussi possible que les gravures d'Oviri aient été exécutées à Paris à la fin de 1894, après que Gauguin

1. Guérin 1927, XXVII. Ce dessin apparaît dans un numéro unique du journal de Gauguin *Le Sourire*, daté d'août 1891 et aujourd'hui

213
Oviri

20,8 × 12 ; forme irrégulière
Gravure sur bois tirée en brun, restes d'encre noire provenant d'un tirage précédent, sur papier japon, appliquée sur le côté gauche du support de présentation ; tirée au verso d'un fragment de *Mahna no varua ino* (Gu 34, K 19).
Dédicacée, signée et datée sur le support de présentation, en bas au centre, à la plume et à l'encre brune, *à Stéphane/ Mallarmé/ cette étrange figure cruelle énigme/ P. Gauguin 1895*
Marque de collection sur le support de présentation, en bas à gauche, monogramme à l'encre noire, *MG* (ne figure pas dans Lugt).

The Art Institute of Chicago. Print and Drawing Department Funds, 1947.686.1

Catalogues
Gu 48, K 35.

Exposé à Washington et Chicago

20,7 × 12 ; forme irrégulière
Gravure sur bois réalisée à partir de deux tirages du même bois, en brun et noir sur papier japon, appliquée sur le côté droit du support de présentation ; tirée au verso d'un fragment central d'un tirage de Roy de *Mahna no varua ino* (Gu 34, K 19).

The Art Institute of Chicago. Print and Drawing Department Funds, 1947.686.2

Catalogues Gu 48, K 35.

Exposé à Chicago

Gauguin, *Oviri*
dessin-empreinte à l'aquarelle
(localisation inconnue)

— Paul Gauguin

Et le Monstre étreignant sa créature féconde de sa semence des flancs généreux pour engendrer Seraphitus Seraphita.

Gauguin, *Le Sourire*, numéro spécial
(Paris, Musée du Louvre (Orsay),
Département des Arts Graphiques)

Gauguin, *Femmes cueillant des fruits et Oviri*, gravure sur bois
(The Art Institute of Chicago,
don du Print and Drawing Club)

au Louvre. Si cette date autographe correspond réellement à la date de création, ce dessin serait la toute première représentation de cette mystérieuse figure. Si, au contraire, la date participe de « l'irréalité » de cet unique numéro, 1894-1895 serait une date plus plausible, alors que Gauguin travaillait à la céramique et aux gravures en rapport.
2. F 30, F 31.
3. Gu 48 et 49 ; K 35, 36.
4. Il existe de passionnantes analogies entre *Oviri* et plusieurs sculptures de Michel-Ange, en particulier les *Esclaves enchaînés* du Louvre, et des œuvres inachevées que Gauguin aurait pu connaître grâce à divers ouvrages, tel celui de John A. Symonds, *The Life of Michelangelo Buonarroti*, 2 vols. (Londres, 1893).
5. Kornfeld 1988. Une seule image évoque pourtant celle d'Oviri, dans le tableau *Où allez-vous ?* (W 478). Mais les deux têtes, très différentes, indiquent deux sources distinctes. Le personnage féminin du tableau est représenté aux trois-quarts, debout et les jambes droites.
6. Gu 49.
7. Voir cat. 185.
8. Gu 52, *Tête d'homme endormi*, K 37, Gu 53, *Souvenir de Meyer de Haan*, K 38, Gu 54, *Jeunes Maoris*, K 39, Gu 55, *Deux Maoris*, K 40.

ait terminé la céramique. Plusieurs épreuves qui subsistent du bois d'Oviri apparaissent au revers de tirages par Roy de diverses gravures de *Noa Noa*. Si, comme on l'admet généralement, Gauguin lui confia à Paris les bois de *Noa Noa* avant de partir pour la Bretagne, il est bien improbable qu'il ait reçu avant son retour à Paris, au mois de novembre, la plupart des épreuves réalisées par Roy ; dès lors, la date des gravures d'Oviri remonterait au plus tôt aux dernières semaines de 1894[6].

On sait également qu'*Oviri* fut gravé de l'autre côté du gros bloc qui avait servi à *Manao tupapau* (cat. 185, 186), sculpté et certainement imprimé en Bretagne avant le retour de Gauguin à Paris. On voit clairement sur une épreuve de la gravure (213c) que les nœuds de ce gros bloc avaient commencé à se fendre, peut-être à la suite d'un changement climatique. Puisque ces fissures ne sont visibles sur aucune des épreuves qui subsistent de *Manao tupapau*, on peut penser qu'il s'écoula un certain temps entre la sculpture et l'impression du bloc, qui eurent lieu en Bretagne, et les diverses phases du développement d'*Oviri*, révélées au verso.

Le bloc de bois qui est à l'origine d'*Oviri* occupe une place à part dans l'œuvre graphique de Gauguin, par l'originalité de la méthode d'impression. Pendant l'été à Pont-Aven, Gauguin s'était livré à des expériences toutes personnelles d'encrage du bloc[7], poussées à l'extrême dans les épreuves d'*Oviri*, qui semblent avoir été tirées sans le recours d'encre d'imprimerie, mais à l'aide de mélanges de peintures à l'huile, d'encre et de solvants tamponnés sur le bloc lui-même ou éventuellement sur un support secondaire, toile grossière ou carton, placé alors sur le bois. Ce traitement donne à *Oviri* l'aspect d'une créature engendrée par le limon séculaire d'une noire terre nourricière, noyant le chien qu'elle tient dans ses bras dans le tableau ou le renardeau (loup ?) de la céramique, la transformant en un être androgyne du fond des âges, dans un cadre où l'on ne distingue, telles des flammes, que les feuilles d'un palmier sans tronc, sans racines, privé de toute réalité.

En entreprenant la gravure sur bois, Gauguin semble s'être intéressé surtout à la texture de la surface, rapprochant ainsi la gravure de la sculpture-céramique au grain tantôt brut, tantôt émaillé et lisse. Sans doute reprit-il le bloc de bois après l'apparition des premières fentes, retravaillant au moins la partie supérieure gauche de l'image pour la faire coïncider avec celle d'une femme cueillant des fruits, qui détourne la tête vers Oviri (Gu 49). La parfaite similitude de pose, d'échelle et de détail dans les deux versions de la gravure montre bien que Gauguin reprit tout simplement la sculpture de ce gros bloc de bois en amorçant l'agrandissement du paysage. Certains éléments du paysage ainsi développé permettent d'ailleurs un rapprochement intéressant avec le tableau représentant *Oviri*, signé et daté 1898, et conservé à l'Ermitage (W 570), dont la moitié s'avère presque identique à la gravure par les proportions et la position du personnage par rapport au palmier. Peut-être la conception de l'ample paysage de la partie gauche fut-elle d'ailleurs inspirée à Gauguin par sa petite gravure de la cueilleuse de fruits.

Découragé sans doute par l'aggravation des fentes du gros bloc de bois, Gauguin dut y renoncer, et se mit en devoir de graver nombre de blocs plus petits. Ces gravures postérieures[8] dateraient du début de 1895, peu avant son départ pour Tahiti, ou, comme on le pense couramment, juste après son arrivée. Quoiqu'il en soit, la lutte engagée contre les fentes récalcitrantes du plus grand bois qu'il ait jamais travaillé devait occuper Gauguin pendant tout le temps qu'il consacra à Oviri et au-delà, avant qu'il n'abandonne provisoirement la technique de la gravure sur bois. R.B.

213a
Oviri

20,4 × 11,7 ; forme irrégulière
Gravure sur bois en noir sur papier japon ; tirée au verso d'un fragment d'une contre-épreuve du pastel *Femme nue couchée* (voir cat. 162, F 12).
Au verso le long du bord supérieur de gauche à droite, à la mine de plomb, *n° G 157/17 ;* marque de collection, initiales à l'encre noire, *W.G./B* dans un cercle (ne figure pas dans Lugt).

The Art Institute of Chicago, collection Charles Buckingham, 1948.273

Catalogues Gu 48, K35.

Exposé à Chicago et Paris

213b
Oviri

20,5 × 12,3
Gravure sur bois en brun sur papier japon ; tirée au verso d'un fragment de la partie gauche d'un tirage de Roy de *Mahna no varua ino* (Gu 34, K 19).
Signée en bas au centre, à la plume et à l'encre brune, *Gauguin ;* signée et datée au verso le long du bord inférieur à la plume et à l'encre brune, *PG/15 mars.*

Washington, National Gallery of Art, collection Rosenwald, 1953.6.248

Catalogues
Gu 48,
K 35.

Exposé à Washingthon et Chicago

213c
Oviri

20,5 × 12,3
Gravure sur bois en brun foncé sur papier vélin.

Boston, Museum of Fine Arts, Legs de W.G. Russell Allen, 60.338

Catalogues
Gu 48,
K 35.

Exposé à Washington et Chicago

213d
Oviri

20,8 × 12,3 ; forme irrégulière
Gravure sur bois réalisée à partir de deux tirages du même bois, en brun et noir sur papier japon ; tirée au verso d'un fragment du côté gauche d'une épreuve de Roy de *Mahna no varua ino* (Gu 34, K 19).
Signée et datée au verso à la plume et à l'encre brune, *PG/ 15 mars ;* le

long du bord gauche, de gauche à droite à la mine de plomb, *nº G. 157/15-;* au recto, marque de collection, initiales à l'encre noire, *W.G./B* dans un cercle (ne figure pas dans Lugt).

The Art Institue of Chicago, collection Clarence Buckingham, 1948.272

Catalogues
Gu 48,
K 35.

Exposé à Washington et Chicago

213 e
Oviri

20,5 × 12
Gravure sur bois en brun et noir avec rehauts de lavis gris.

Paris, Musée des Arts Africains et Océaniens (AF 14342)

Catalogues
Gu 48, K 35.

Exposé à Paris

213 f
Oviri

22 × 12
Gravure sur bois, double impression en noir, l'une avec des rehauts d'encre, au verso d'un fragment d'un tirage de Roy de *Mahna no varua ino* (22 × 36, Gu 34, K 19)
Ex-collection Gustave Fayet, Igny

Catalogues
Gu 48, K 35.

Exposé à Paris

213 g
Oviri

20,5 × 12

Gravure sur bois en noir et brun foncé au verso d'un fragment d'un tirage de Roy de *Mahna no varua ins* (Gu 34, K 19)

Williamstown, Sterling and Francis Clark Art Institute (ex-coll. O'Conor)

Catalogues
Gu 48, K 35.

Exposé à Paris

214

Autoportait «Oviri»

1894-1895
36 × 34
Bronze.
Signé en haut et à gauche, *P. GO, Oviri.*

Collection particulière

Catalogue
G 109.

Il s'agit là d'un tirage en bronze exécuté à une date indéterminée, sans doute dans les années 20, d'après le plâtre autrefois dans la collection Schuffenecker, aujourd'hui non localisé. On en connaît peu d'autres tirages[1].

Il est exceptionnel dans la « galerie » des autoportraits de Gauguin, à plus d'un titre. D'abord le matériau du relief original, le plâtre, qu'il n'avait jamais travaillé directement : l'idée lui en est venue un jour qu'il a posé pour Ida Ericson, (sculpteur scandinave épouse de William Molard, voir cat. 164) dont la production artistique consiste surtout en des bustes et des bas-reliefs dans ce matériau classique[2]. Il travaille à partir d'un jeu de double miroir, qui lui permet de saisir son célèbre « profil inca », et rappelle celui du pot en forme de tête (cat. 64).

C'est une des premières fois qu'on le voit employer à son propos le mot tahitien d'*Oviri* (sauvage) (voir cat. 214) qui va devenir un de ses leitmotifs et qu'il accroche ici à son nom comme une épithète homérique. Le motif en haut et à droite est une fleur tahitienne bien souvent[3] représentée dans ses tableaux de l'année précédente, sans doute une fleur de tiaré, et qui lui sert de complément de signature — comme le papillon de Whistler, signifiant son moi exotique — et sans doute, par l'exubérance du pistil, son « moi » sexuel. F.C.

1. Voir Gray 1963, 241. C'est probablement ce même tirage que l'on suit dans plusieurs expositions, à Bâle, Londres (1955), Copenhague (1948 et 1956).
2. Danielsson 1975, 157.
3. W 418, W 420, W 423 et W 494.

Chronologie : juillet 1895-novembre 1903

Gloria Groom

1895

3 juillet
Gauguin quitte Marseille à bord du vapeur *L'Australien* (Danielsson 1975, 181).

9-29 août
Escales à Sidney, puis Auckland, en Nouvelle-Zélande, où il reste jusqu'au 29 (lettre mal datée, Malingue 1946, n° CLVIX, 269-270). Il étudie les collections d'art Maori de l'aile récemment ouverte du Musée d'Ethnologie d'Auckland, et en prend des croquis (Collins 1977, 173 ; Danielsson 1975, 182).

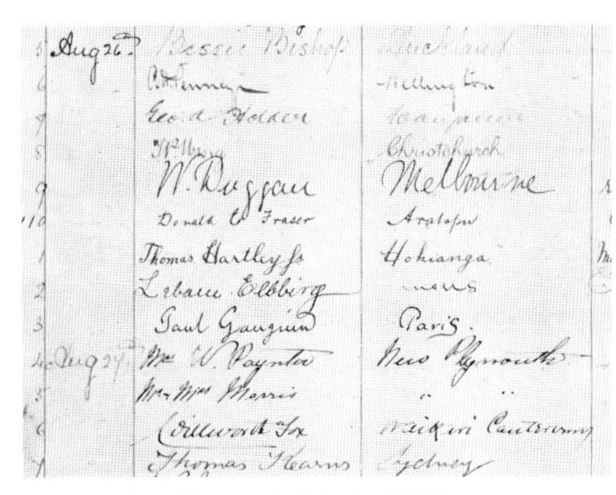

Registre des visiteurs du Musée, 1895, avec la signature de Gauguin
(Auckland City Art Gallery, Nouvelle-Zélande)

Port de commerce de Papeete, vers 1895, photographie
(Paris, Musée de la Marine)

9 septembre
Gauguin arrive à Papeete à bord du *Richmond* (Danielsson 1975, 183). Déplorant dans une lettre à Molard les nombreux changements intervenus depuis son départ, il annonce son intention de partir pour les Marquises (Malingue 1946, n° CLX, 271). Il se loge dans l'un des pavillons non meublés de Mme Charbonnier (Danielsson 1975, 188).

26 septembre
Il fait voile vers l'île voisine de Huanine en compagnie de plusieurs hauts fonctionnaires (Danielsson 1975, 186 n. 113) et fait la connaissance de deux photographes amateurs, Jules Agostini et Henry Lemasson (Lemasson 1950, 19).

28-29 septembre
Le groupe cingle vers l'île de Bora Bora (Danielsson 1975, 184-187).

début octobre
Gauguin retourne à Papeete (Danielsson 1975, 187).

novembre
Renonçant à partir pour les Marquises, il s'installe à Punaauia, à moins de cinq kilomètres de

Tahitienne vers 1895
(Photographie Henry Lemasson, collection O'Reilly)

Gauguin, *Huttes tahitiennes,* aquarelles collées dans le manuscrit de *Noa Noa*
(Paris, Musée du Louvre (Orsay), Département des Arts Graphiques)

Ci-contre :
Gauguin, *Nevermore,* détail
1897, huile sur toile
(Londres, Courtland Institute Galleries)

Papeete, sur la côte ouest. Il loue un petit terrain, et construit avec l'aide de la population locale un farí — case tahitienne traditionnelle en bambou et feuilles de palmier — (Danielsson 1975, 189). Il orne de peintures les fenêtres de son atelier (Joly-Segalen 1950, n° XX 83).

début décembre
Il fait venir Tehamana, qui s'est mariée entre temps, à Punaauia. Effrayée par l'eczéma dont souffre Gauguin, elle retourne sans tarder chez son mari, Ma'ari (Danielsson 1975, 190 n. 121).

1896

Début janvier ?
Il prend pour *vahiné* Pahura, une jeune fille de quatorze ans originaire de la région (Danielsson 1975, 182).

23 mars
Ouverture, à la *Librairie de l'art indépendant,* 11 rue de la Chaussée-d'Antin, d'une exposition qui comprend plusieurs œuvres non identifiées de Gauguin (*La Chronique des arts et de la curiosité,* mars 1896, 124).

début avril
A bout de ressources, déprimé, et affligé de fortes douleurs dans une jambe qu'il essaie d'atténuer en prenant de la morphine, Gauguin écrit à Morice qu'il est « au bord du suicide » (Malingue 1946, n° CLXII, 274).

10 avril
Il demande à Schuffenecker de vendre à Vollard ses « deux petits tableaux de soleils de van Gogh », et de lui envoyer l'argent. Pris de colère lorsqu'il apprend que Schuffenecker a envoyé les tableaux à Mette, il la soupçonne de l'avoir enjôlé (lettre à Schuffenecker-collection Alfred Dupont, Hôtel Drouot, 3-4 décembre 1958, n° 115). Il envoie à Monfreid un dessin et une description de *Te arii vahine* (cat. 215 et 215a), qu'il considère comme son meilleur tableau (Joly-Segalen 1950, n° XXI, 85).

juin
La Revue *Les Hommes d'aujourd'hui* publie un numéro écrit par Morice, « Paul Gauguin », avec une couverture illustrée par Schuffenecker (Morice 1896). Gauguin, dans une situation financière désespérée et obligé d'être hospitalisé, écrit à Monfreid et au peintre Maufra pour leur proposer de créer par souscription une société de quinze collectionneurs d'art qui achèteraient ses tableaux (Joly-Segalen 1950, n° XXII, 88-89).

6 juillet
Il entre à l'hôpital de Papeete et figure dans le registre des malades comme « indigent » (le Pichon 1986, 200, pl. 6). Par l'entremise d'un officier, il envoie plusieurs tableaux à Monfreid à Paris (Joly-Segalen 1950, n° XXIII, 91).

14 juillet
Affaibli mais ne souffrant plus, il quitte l'hôpital sans payer la note qui s'élève à 118.80 francs (le Pichon 1986, 200 ; Joly-Segalen 1950, n° XXIV, 92).

Vue de la rue de la Petite Pologné (rue Paul Gauguin) *à Papeete,*
vers 1900, photographie
(Gleizal, Encyclopédie de la Polynésie)

août
Gauguin est furieux d'apprendre que Schuffenecker a sollicité pour lui auprès du Ministre des Beaux-Arts une aide financière (Joly-Segalen 1950, n° XXIV, 93). Le besoin d'argent le pousse à obtenir de l'avocat Goupil la commande d'un portrait (cat. 216). Il donne des leçons de dessin à Vaïté Goupil et à ses sœurs (Renseignement communiqué par Mme D. Touze, nièce de Vaïté Goupil). Sa santé s'améliore peu à peu (Danielsson 1975, 198).

Les filles Goupil devant la villa de Outomaoro,
vers 1895, photographie
(Paris, Madame Touze)

11 octobre
Rejet de la demande faite auprès du Ministère des Beaux-Arts à Paris par le futur époux de Judith Molard d'acheter, pour 1.050 francs, *Manao tupapau* de Gauguin (cat. 154) et de tableaux de van Gogh (Danielsson 1975, 195 et n° 125, 304).

fin octobre
Gauguin cesse de travailler chez les Goupil. Peu de temps après, il exécute une statue très fruste de femme, par dérision pour les copies d'antiques qui ornaient le jardin de Goupil (Loize 1951, n° 102, 101).

2 novembre
Monfreid reçoit à Paris les tableaux envoyés par Gauguin en juillet (Loize 1951, n° 200, 100).

12 novembre
Schuffenecker prête le *Christ jaune* de Gauguin (cat. 88) à l'exposition de *L'Art mystique* qui se tient au Petit Théâtre Français, 10 faubourg Poissonnière à Paris (lettre à Schuffenecker de R. de Villejuiz, AL).

fin novembre
L'exposition Gauguin ouvre à la Galerie Vollard (Natanson 1896, 517).

début décembre ?
Pahura, la *vahiné* de Gauguin, donne le jour à une fille qui meurt très peu de temps après (Danielsson 1975, 199). Gauguin reçoit 200 francs du ministère des Beaux-Arts (sollicité par Schuffenecker), mais, dédaignant cette « charité », renvoie l'argent (lettre, vente à l'Hôtel Drouot, 8 décembre 1980, n° 87).

27 décembre
Arrivée à Papeete du bateau de Noël (Danielsson 1975, 199), avec un chèque de 1 200 francs de la part de Chaudet qui promet une somme supplémentaire de 1 600 francs (Joly-Segalen 1950, n° XXVIII, 98).

Fonctionnaires et Tahitiennes devant une maison à Papeete,
vers 1900, photographie de Charles Spitz
(Papeari, Musée Gauguin)

1897

7 janvier
Julien Leclercq demande à Molard de lui envoyer des tableaux de Tahiti, en particulier *Olympia noire* (cat. 215), pour une exposition de peinture moderne française qu'il organise à Stockholm (lettre dactylographiée, Papeete, A.D., 168-172). Il reçoit 1 200 francs de Chaudet et dit à Monfreid qu'il doit entrer à l'hôpital, car son état de santé ne lui permet toujours pas de travailler (Joly-Segalen 1950, n° XXVIII, 98).

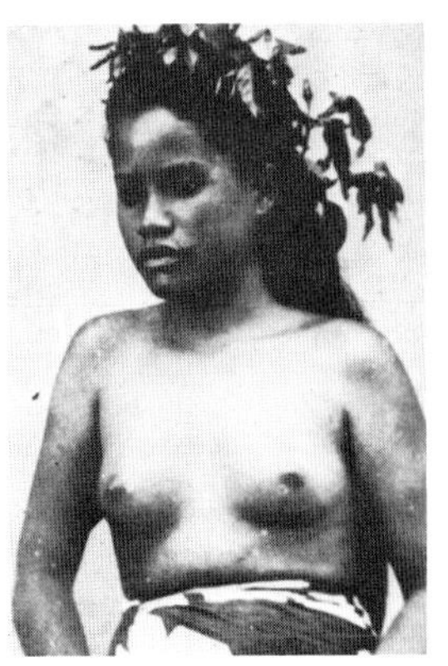

Tahitienne en paréo, vers 1895,
photographie
(Gleizal, Encyclopédie de la Polynésie)

vers la mi-janvier
L'hôpital le classe parmi les indigents, et il refuse d'être placé avec des soldats et des domestiques (Malingue 1946, n° CLXIII, 275). Il reçoit 1 035 francs de Chaudet (Joly-Segalen 1950, n° XXX, 103).

Aline Gauguin, vers 1895, photographie (Archives Malingue)

19 janvier
La fille de Gauguin, Aline, vingt ans, meurt à Copenhague des suites d'une pneumonie (Loize 1951, n° 121, 91).

25 février
Inauguration de la quatrième exposition de *La Libre Esthétique* à Bruxelles. Gauguin y est représenté par six tableaux (cat. 221 et W 464, W 451, W 500, W 538, W 540) (Dujardin, 1897).

12 mars
Il renvoie huit tableaux, dont un autoportrait dédicacé à Monfreid (W 556 ; Joly-Segalen 1950, n° XXX, 102).

Gauguin, *Baigneuses à Tahiti,* 1897 (Birmingham, The Barber Institute of Fine Arts)

avril
Il apprend la mort de sa fille par une lettre « courte et brutale » de sa femme (Joly-Segalen 1950, n° XXXI, 104). Il écrit à Vollard qu'il ne peut pas faire des dessins dans un but commercial et qu'il n'exécutera pas d'autres gravures sur bois ou sculptures avant que celles qu'il a laissées à Paris ne soient vendues. Il envoie à la place au marchand « quelques pauvres essais de gravures » (sans doute Gu 52-55 ; Rewald 1986, 178-179).

fin avril
Le colon français propriétaire du terrain de Gauguin meurt et ses héritiers le mettent en vente. Ainsi chassé, Gauguin obtient de la Caisse Agricole un prêt de 1 000 francs (Joly-Segalen 1950, n° XXXII, 105 ; acte translatif de propriété, Papeete, Musée Gauguin, publié dans Jacquier 1957, 678-681).

Rue de Papeete avec le bâtiment de la Société Commerciale des Océanies, vers 1900, photographie (Danielsson 1965, 65)

Maison et atelier de Gauguin, avec la statue imitant celles de Goupil, photographie d'Agostini (Papeari, Archives Danielsson)

11 mai
Il achète deux parcelles à Punaauia pour 700 francs et ajoute un atelier à une grande maison de bois (Danielsson 1975, 203 n. 135).

mai-juin
Il travaille à la construction de son atelier, complétant les panneaux sculptés déjà exécutés (Le-masson 1950, 19). Une nouvelle crise d'eczéma l'empêche de peindre (Malingue 1946, n° CLXIV, 276).

14 juillet
Il écrit à Monfreid qu'il est malade, couché et qu'il est « sans aucune espérance » (Joly-Segalen 1950, n° XXXIV, 108).

juillet-août
Son état de santé s'aggrave. Il souffre d'une infection à l'œil, des suites de sa fracture de la cheville, d'eczéma et de la syphilis. Celle-ci provoque des « éruptions » cutanées que colons et indigènes interprètent comme une forme de lèpre (Danielsson 1975, 205-206). A bout de ressources, il attend des nouvelles de Chaudet ou Vollard (Malingue 1946, n° CLXIV, 276). Il commence la rédaction d'un long texte, « L'Église Catholique et les temps modernes », qui devient une partie de « Diverses choses » (*Noa Noa,* Louvre ms, 273-310).

mi-août ?
Il écrit à sa femme une lettre amère et pleine de reproches dont elle est si bouleversée qu'elle cesse toute correspondance avec lui (Malingue 1946, n° CLXV, 278).

«Parahi te Marae», poème de Charles Morice pour Noa-Noa, illustré par Seguin (*L'Image,* septembre 1897, 37)

10 septembre
Morice achève la version définitive de *Noa Noa,* qu'il envoie à Félix Fénéon, rédacteur de *La Revue Blanche* (MA, Cahier IV).

vers le 10-12 octobre
Gauguin, victime de troubles cardiaques, écrit à Morice qu'il mourra probablement avant de voir *Noa Noa* publié (Malingue 1946, n° CLXVI, 279, redaté [1897]).

15 octobre
La première partie de *Noa Noa* est publiée dans *La Revue Blanche.* Gauguin reçoit 126 francs de la maîtresse de Monfreid, Annette. Il renonce à ses intentions de suicide (Joly-Segalen 1950, n° XXX-VIII, 114).

1er novembre
La deuxième partie de *Noa Noa* est publiée dans *La Revue Blanche.*

10 novembre
Chaudet forme avec Monfreid et Schuffenecker le projet d'exposer les œuvres tahitiennes récentes de Gauguin à la Galerie Vollard, et lui envoie 700 francs (AL).

1er décembre
Ouverture de la quinzième *Exposition d'Art Moderne* à la galerie Le Barc de Boutteville, où figure une nature morte de Gauguin, *Fleurs* (Fontainas 1898, 307).

début décembre
Victime d'une crise cardiaque, Gauguin décide d'entrer à l'hôpital. Il commence à travailler à son vaste tableau « testament », *D'où venons-nous ? Que sommes-nous ? Où allons-nous ?* (W 561 ; Joly-Segalen 1950, n° XL, 118-119).

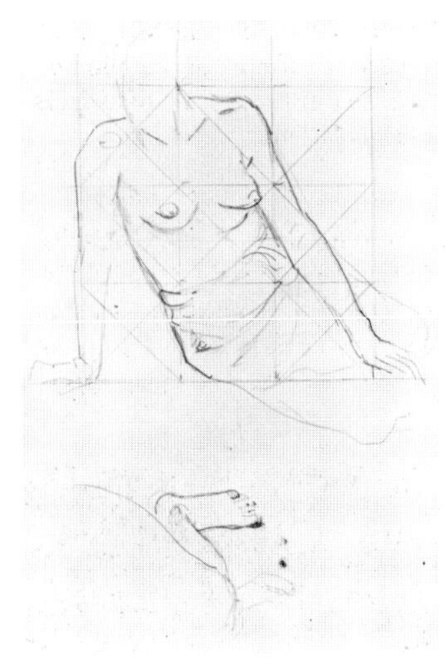

Gauguin, dessin préparatoire pour
D'où venons-nous? Que sommes-nous?
Où allons-nous?
(Papeari, Musée Gauguin)

30 décembre
Le courrier apporte le premier fascicule de *Noa Noa* arrangé par Morice, mais pas d'argent (Joly-Segalen 1950, n° XXXIX, 117). Gauguin se retire dans la montagne et tente de se suicider à l'arsenic. Au matin, il retourne en ville, épuisé mais vivant. Il décrit cette tentative manquée dans une lettre à Monfreid, accompagnée d'un dessin et d'une description de *D'où venons-nous?* (W 561 ; Joly-Segalen 1950, n° XL, 118-119).

1898

9 février
Leclercq organise une exposition d'art moderne français à l'Académie des Arts de Suède. Outre deux tableaux plus anciens peints par Gauguin en Bretagne et à la Martinique, Molard a envoyé *Manao tupapau* (cat. 154), *Arearea* (W 468), et *Te arii vahine* (cat. 215; L 1959, n° XLI). Le directeur de l'Académie, considérant *Manao tupapau* indécent, fait retirer le tableau de l'exposition (Danielsson 1964).

fin mars
Voyant sa santé s'améliorer, Gauguin pose sa candidature au poste de Secrétaire Trésorier de la Caisse Agricole de Papeete. Mais sa candidature n'est pas retenue et il se voit contraint d'accepter pour six francs par jour un travail de dessinateur au Bureau des Travaux Publics (Lemasson 1950, 19 ; Joly-Segalen 1950, n° XLII, 122). Il ne peut plus faire partie du prestigieux Cercle Militaire (Danielsson 1975, 218).

Julien Leclercq
photographie
(Carley 1975, 41)

mars-avril
Pour se rapprocher de son travail et de l'hôpital, Gauguin s'installe avec Pahura à Paofai, un faubourg de l'ouest de Papeete. Il loue une petite maison à un ami de Teha'amana (Danielsson 1975, 215). Il renonce à peindre pendant cinq mois (Joly-Segalen 1950, n°s XLII, XLV, XLVI, 123, 128). Julius Meier-Graefe, l'historien d'art allemand, rédacteur de la revue d'avant-garde *Pan* lui fait parvenir une demande d'information pour un ouvrage en préparation (Joly-Segalen 1950, n° XLII, 123).

15 mai
Il reçoit de Monfreid 300 francs, produit de la vente de *No te aha oe riri* (cat. 219 ; Loize 1951, n° 446, 147), et les 150 francs que lui devait encore Maufra (Joly-Segalen 1950, n° XLI, 121).

Gauguin, *D'où venons-nous? Que sommes-nous?*
Où allons-nous?, dans l'atelier,
photographie prise le 2 juin 1898
par Henry Lemasson (Danielsson 1975, 209)

7 juin
Degas et ses amis Henri et Ernest Rouart achètent des tableaux de Gauguin à Monfreid à Paris. Monfreid lui fait parvenir le montant de la vente : 650 francs (Loize 1951, n° 257, 107).

18 juin
Il envoie à Monfreid la photographie prise par Lemasson de sa grande composition, *D'où venons-nous?* (W 561; Joly-Segalen 1950, n° XLIV, 125-126).

mi-juillet
Il confie le tableau à un officier qui retourne en France et huit toiles en rapport (Joly-Segalen 1950, n° XLIV, 125).

août
Pahura le quitte, mais revient de temps en temps pour commettre quelques larcins (Leblond 1903, 536-537; Danielsson 1975, 219). A la suite du vol d'une bague avec effraction, Gauguin porte plainte, sans succès (Danielsson 1975, 218). Ambroise Millaud commande à Gauguin un tableau « compréhensible et reconnaissable ». Mais il refuse le résultat, *Le cheval blanc* (cat. 228), et le renvoie à Monfreid (Danielsson 1975, 219-220).

septembre
Gauguin, souffrant à nouveau de son pied, passe vingt-trois jours à l'hôpital (Joly-Segalen 1950, n° XLVII, 130).

1er octobre
Publication dans le *Mercure de France* de l'article de Gustave Kahn sur la critique d'art. Gauguin en extrait des passages qu'il copie dans un carnet où il consigne aussi des essais et des réflexions et sur lequel il travaillera pendant quatre ans *(Racontars de Rapin)* (Kahn 1898 ; Gauguin 1951, 43, 45).

11 novembre
Les tableaux expédiés en juillet arrivent à Paris ; Monfreid les confie à Chaudet pour qu'il les mette sur châssis et les encadre avant l'exposition (Joly-Segalen 1950, 209).

17 novembre-10 décembre
Exposition à la Galerie Vollard de *D'où venons-nous?* et de huit tableaux en rapport par la taille et le sujet (Geffroy 1898 ; Natanson 1898 ; Fontainas 1899, 238, en font des comptes rendus). Vollard achète l'ensemble par l'entremise de Monfreid pour 1 000 francs (Joly-Segalen 1950, 211), provoquant la colère de Gauguin lorsqu'il apprend ce

Gauguin, *Tahitienne levant les bras*,
1897
huile sur toile (collection particulière)

Gauguin, *Te pape nave nave* (cat. 227),
une des toiles exposées chez Vollard en 1898
(Washington, National Gallery of Art,
collection Mr. and Mrs. Mellon)

prix en février (Joly-Segalen 1950, nº LI, 136-137).

12 décembre
Hors d'état de peindre ou de marcher, Gauguin confesse à Monfreid qu'il a perdu toutes ses « raisons morales de vivre » (Joly-Segalen 1950, nº XLIX, 133).

1899

12 janvier
Il reçoit 1 000 francs de Monfreid, dont 500 pour la vente de *Nevermore* (cat. 222 ; Joly-Segalen 1950, nº L, 135).

fin janvier
Quittant son emploi au Bureau des Travaux Publics, il retourne à Punaauia où il trouve Pahura qui est enceinte de cinq mois. Les rats ont rongé le toit de sa maison, la pluie s'est infiltrée, et les cafards ont détruit plusieurs dessins et un tableau inachevé (W 569; Joly-Segalen 1950, nº LI, 137).

Famille tahitien devant sa case ou «faré», vers 1900
(Gleizal Encyclopédie de la Polynésie, Archives O'Reilly)

début mars
Il envoie à André Fontainas, critique d'art au *Mercure de France,* le portrait gravé de Mallarmé (cat. 116), accompagné d'une longue lettre sur la couleur et la musique (Rewald 1943, 22-23). Encore dans l'incapacité de peindre, il fait pousser des légumes et des fleurs, « un véritable éden » qui pourra lui servir de modèle quand il reprendra ses pinceaux (Joly-Segalen 1950, nº LIII, 141).

19 avril
Pahura donne naissance à un petit garçon que Gauguin prénomme Émile (Danielsson 1975, 221, n. 153).

mai
Il ne lui reste que 100 francs pour vivre (Joly-Segalen 1950, nº LIV, 142).

10 ou 11 juin
Il refuse l'offre de Maurice Denis de participer à une exposition des artistes ayant exposé au café Volpini dix ans auparavant (Malingue 1946, nº CLXXI, 290).

Gauguin, *Caricature inédite montrant le Gouverneur Gallet, transportant un seau de «haine publique»* (Paris, Archives O'Reilly)

12 juin
Le premier d'une longue suite d'essais et éditoriaux de Gauguin paraît dans le journal satirique *Les Guêpes* à Papeete.

juillet
Il ne lui reste pour peindre que quelques couleurs et trois mètres de toile (Joly-Segalen 1950, nº LVI, 147).

août
Gauguin crée son propre journal, *Le Sourire,* une feuille de quatre pages dont il assure les textes, les illustrations, la rédaction et l'imprimerie (Joly-Segalen 1950, nº LIX, 151).

septembre
Après avoir reçu de Monfreid un lot de toiles, il lui annonce son intention d'envoyer une dizaine de tableaux à l'Exposition Universelle de Paris au mois de janvier (Joly-Segalen 1950, nº LVIII, 150).

19 septembre
Mort de Georges Chaudet (acte de décès, 2 janvier 1900; AP, DQ7 12.594, nº 118). Gauguin n'apprend sa mort que l'année suivânte, lorsqu'il essaie de recouvrer ses tableaux et l'argent qui lui est dû (Joly-Segalen 1950, nº LX, 152).

décembre
Il écrit à Monfreid qu'il a terminé quinze gravures sur bois (Gu 56-71) qu'il lui enverra à Paris (Joly-Segalen 1950, nº LIX, 151).

1900

L'Exposition Universelle ouvre à Paris, mais les tableaux de Gauguin ne sont pas arrivés à temps, et il n'est représenté que par un *Paysage Breton* (W 307). Il énonce les termes d'un contrat avec Vollard dans une lettre au marchand (Rewald 1943, 34).

mi-janvier
Il envoie à Paris 475 gravures, dix dessins et dix tableaux, avec des instructions concernant leur répartition (Malingue 1946, nº CLXXIII, 297), mais une erreur dans l'adresse de l'atelier de Monfreid sera la cause d'un retard de neuf mois (Joly-Segalen 1950, nº LXIX).

début février
Il devient rédacteur en chef du journal *Les Guêpes,* qui intensifie ses attaques contre le Parti Protestant et le Gouverneur Gallet. Il écrit six des sept articles du numéro de février (O'Reilly 1966, 13-14).

Le Gouverneur Gallet près de sa femme et de sa fille (photographie Henry Lemasson, Archives O'Reilly)

mars
Il signe un contrat avec Vollard (nommant Monfreid son intermédiaire), prévoyant l'envoi de vingt à vingt-quatre tableaux par an à 200-250 francs chaque, en échange d'un salaire mensuel de 300 francs (Joly-Segalen 1950, nº LX, 166).

28 mars
Le prince Emmanuel Bibesco, qui avait acheté six tableaux de Gauguin au mois de janvier, propose de prendre la place de Vollard comme marchand de Gauguin (Loize 1951, nº 448, 147). Gauguin refuse cette offre (Joly-Segalen 1950, nº LXIV, 159).

avril
Il cesse la parution de son propre mensuel, *Le Sourire,* pour se consacrer aux *Guêpes.* Pendant cette période de sécurité matérielle, il commence à organiser des dîners pour les amis qu'il s'est fait en tant que journaliste (O'Reilly 1966, 15), allant parfois jusqu'à illustrer des menus (dont certains sont répertoriés dans *Onze Menus,* Rey, 1950).

L'imprimerie des «guêpes» dans les environs de Papeete, vers 1900, photographie
(Paris, Archives O'Reilly)

avril-mai ?
Un dessin au moins (de *Ia Orana Maria,* cat. 135) est exposé avec le « Groupe Ésotérique » chez Paul Valéry rue de Londres à Paris (Fontainas 1900, 546).

début mai
Malade, il ne parvient pas à peindre depuis six mois (Joly-Segalen 1950, n° LXIV, 160).

16 mai
Mort de son fils Clovis à l'âge de vingt et un ans, que Gauguin ne semble pas avoir apprise (Malingue 1946, 337).

juin ou **juillet**
Il reçoit un lot de toiles et tubes de couleurs envoyé par Vollard (Rewald 1943, 38).

23 septembre
Il fait un discours à Papeete au Parti Catholique contre l'émigration chinoise (des extraits en paraissent dans *Les Guêpes* du 12 octobre 1900, n° 21).

octobre
Il se plaint sans cesse que Vollard lui doive de l'argent, en dépit des versements que lui font de temps en temps ce dernier et le frère de Chaudet. Il craint que ses sculptures, dispersées, ne deviennent la propriété de ceux qui « ne les apprécient pas », et les lègue à Monfreid. Il demande qu'*Oviri* soit envoyé à Tahiti afin d'être placé sur sa tombe (voir cat. 211 ; Joly-Segalen 1950, n° LXVIII, 165).

18 ou **19 décembre**
Il reçoit de Gustave Fayet, collectionneur de Béziers, un chèque de 1 200 francs et entre à l'hôpital (Loize 1951, n° 425, 144).

27 décembre
A la demande de Gauguin, Monfreid, qui a déjà retiré plusieurs tableaux de chez Vollard, lui demande de rendre toutes les sculptures, dont aucune n'est à vendre (copie dactylographiée de la lettre originale, archives Rewald).

1901

Janvier
Morice fait publier des fragments de *Noa Noa* dans le magazine belge *L'Action humaine* (Loize 1951, n° 529, 150).

2 février-23 mars
Gauguin effectue trois séjours à l'hôpital. Il reçoit 600 francs, solde de la somme due par Vollard (Rewald 1943, 44). Il échafaude des plans pour aller s'installer aux îles Marquises, où « la vie est très facile et très bon marché » (Joly-Segalen 1950, n° LXXIII, 172).

12 avril
Gauguin publie dans *Les Guêpes* des extraits de *Noa Noa.*

avril-mai
Quatre tableaux et une céramique (*Oviri,* cat. 211) de Gauguin figurent à l'exposition de la Société des Beaux-Arts de Béziers, organisée par Gustave Fayet (Loize 1951, n° 445, 146-147).

1er mai
Le premier chapitre de *Noa Noa* est publié dans *La Plume* pour annoncer l'« Édition Originale de la Première Version » qui doit être publiée le même mois à Louvain (Loize 1951, 158, 531). Gauguin achève les préparatifs de son déménagement aux Marquises (Rewald 1943, 46).

Juillet
Morice l'informe qu'il lui a envoyé 100 exemplaires de *Noa Noa,* que Gauguin ne recevra jamais (Joly-Segalen 1950, 217), et qu'il est question que *D'où venons-nous ?* soit acheté par souscription pour le Musée du Luxembourg (Malingue 1946, n° CLXXIV, 302). Ce projet n'aboutit pas, et Vollard vend le tableau à un médecin de Bordeaux pour 1 500 francs seulement, ce qui provoque la colère de Gauguin (Joly-Segalen 1950, n° LXXVIII, 185).

7 août
Il vend son terrain de Tahiti 4 500 francs (Danielsson 1975, 243 et 307 n. 174), et rédige son dernier numéro du journal *Les Guêpes* (O'Reilly 1966, 17-18).

10 septembre
Il quitte Tahiti pour les Marquises à bord du vapeur *La Croix du Sud* (Danielsson 1975, 247 n. 181).

Le vapeur «La Croix du Sud» assurant la ligne Papeete-Les Marquises, vers 1901
(photographie Henry Lemasson, Paris, Archives O'Reilly, Gleizal, Encyclopédie de la Polynésie)

16 septembre
Il débarque à Atuona sur l'île marquisienne d'Hivaoa et reçoit un accueil enthousiaste des habitants familiers de son nom grâce à ses articles des *Guêpes.* L'un d'eux, Nyuyen van Cam (appelé Ky Dong), deviendra un ami très proche (Danielsson 1975, 248-249). Gauguin apprend que le terrain qu'il convoite appartient à l'évêque Martin. Il assiste à la messe pour témoigner de sa piété (*Avant et après,* 1923, 71-72).

27 septembre
L'évêque vend à Gauguin moyennant 650 francs deux parcelles au centre du village, entre la mission catholique et l'église protestante (Jacquier 1957, 682). Avec l'aide de ses voisins, il commence à construire sa « Maison du Jouir » (Le Bronnec 1954, 209).

octobre
Le *Mercure de France* publie les lettres de van Gogh où revient souvent le nom de Gauguin (Malingue 1946, n° CLXXVI, 305-307 ; Joly-Segalen 1950, 201-202).

31 octobre
Julien Leclercq meurt, pauvre et oublié ; Gauguin l'apprend en mars 1902 (Loize 1951, n° 178, 99).

novembre
Il s'installe dans sa nouvelle maison à Atuona avec un cuisinier (Kahui) et deux domestiques, son chien Pegau et un chat (Le Bronnec 1954, 210). Il envoie à Monfreid un croquis de sa nouvelle résidence (Joly-Segalen 1950, n° LXXVIII).

L'évêque Martin, vers 1894, photographie
(*Les Missions catholiques IV,* 1902, 44)

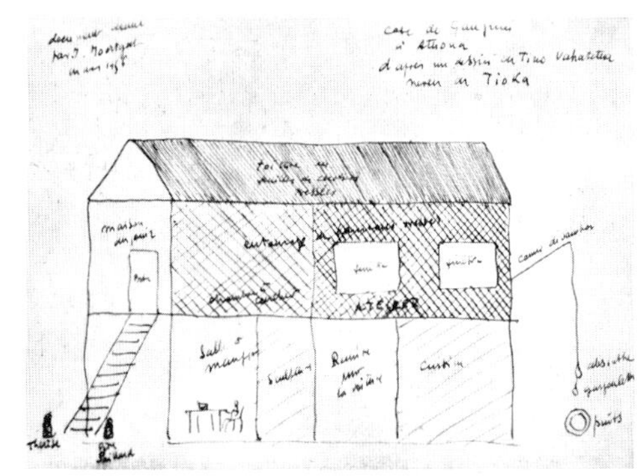

La «Maison du Jouir» à Atuona,
dessin du voisin de Gauguin Timo
(Le Bronnec 1956, 196)

Reconstitution par Danielsson de la «Maison du Jouir» à Atuona
(Danielsson 1975, 253)

18 novembre
Il convainc un chef marquisien de retirer sa fille de quatorze ans, Vaeoho Marie-Rose, de l'école catholique, pour en faire sa vahiné (Le Bronnec 1954, 202).

1902

janvier-mars
Gauguin travaille à l'achèvement de sa maison et termine le manuscrit de *L'Esprit moderne et le catholicisme.* C'est pour sa peinture une période très productive et il annonce pour le mois d'avril à Monfreid l'envoi de douze tableaux (Joly-Segalen

Les sœurs de l'école d'Atuona à Hivaoa
photographie
(*Les Missions catholiques IV,* 1902, 45)

Le comptoir de la Société Commerciale de l'Océanie (S.C.O.) où arrivaient les mandats de Vollard pour Gauguin aux Marquises, photographie
(Gleizal, Encyclopédie de la Polynésie)

1950, nos LX-XIX, 153-166) et à Vollard de vingt (Rewald 1943, 50 ; Loize 1951, 143, n° 424).

début mars
Gauguin reçoit pour la première fois du courrier aux Marquises, dont des paiements de Fayet et Vollard (Joly-Segalen 1950, 202).

début avril
Il envoie vingt toiles à Vollard (Loize 1951, n° 424, 143).

avril
Il déchaîne les foudres des autorités coloniales en refusant de payer ses impôts, et en encourageant les indigènes à la même rébellion (Danielsson 1975, 260-261).

juin-juillet
Éprouvant des difficultés à marcher, Gauguin achète une voiture et un cheval (Le Bronnec 1954, 211).

mi-août
Vaeoho, enceinte, retourne chez ses parents pour accoucher. Elle ne reviendra pas vivre avec Gauguin (Danielsson 1975, 270). L'évêque s'interpose pour que cessent les manœuvres de Gauguin pour dissuader les indigènes d'envoyer leurs filles à l'école. En guide de vengeance, Gauguin installe devant sa maison des caricatures sculptées de l'évêque (cat. 259) et de sa gouvernante nue (Chassé, 1938).

25 août
Découragé, Gauguin écrit à Monfreid qu'il envisage sérieusement de quitter les îles pour aller s'établir en Espagne (Joly-Segalen 1950, n° LXXXII, 190).

14 septembre
Vaeoho met au monde une fille, Tahiatikaomata (Danielsson 1975, 309). Gauguin envoie à Fontainas le manuscrit de *Racontars de Rapin* dans l'espoir de le voir publié par le *Mercure de France* (Rewald 1943, 55), mais les rédacteurs en refusent la publication (Malingue 1946, n° CLXXVII, 308).

fin octobre-novembre
L'Indépendant, mensuel qui a remplacé *Les Guêpes,* publie un pamphlet de Gauguin contre le Gouverneur Petit (Danielsson 1975, 310 n. 212 ; Siger 1904, 569-573).

décembre
Nouvelle crise d'eczéma ; ne pouvant plus peindre, Gauguin se consacre à son livre de souvenirs et d'observations sous forme de journal intime, *Avant et après* (Joly-Segalen 1950, n° LXXXIV, 195).

Gauguin s'intéressait aux tatouages marquisiens, il a peut-être vu cette photographie
(*Les Missions catholiques IV,* 1902, 56)

Tioka (au centre) qui a aidé Gauguin à construire sa «Maison du Jouir», photographie
(Papeari, Archives Danielsson)

1903

7-13 janvier
Un cyclone s'abat sur Hivaoa, mais épargne la maison de Gauguin. Celui-ci offre une partie de son terrain à son ami et voisin Tioka, dont l'ouragan avait détruit la maison (Danielsson 1975, 280).

février
Il écrit à Fontainas pour lui faire part de son désir de voir *Avant et après* publié (Rewald 1943, 59), et demande à Monfreid de vendre des tableaux pour financer la publication (Joly-Segalen 1950, n° LXXXIV, 195). Il essaie sans succès de défendre vingt-neuf indigènes accusés d'ivrognerie, mais on le renvoie le premier jour du procès lorsqu'il apparaît vêtu en tout et pour tout d'un paréo crasseux (Danielsson 1975, 285 et 292).

mars-mai
Armand Séguin consacre à Gauguin une série de trois articles dans la revue *L'Occident* (Séguin 1903 a, b, c).

26 mars
Il annonce à Vollard un envoi de quinze tableaux et douze dessins par le prochain courrier (Rewald 1943, 62).

Gauguin, *L'invocation,* 1903, huile sur toile
(Washington, National Gallery of Art, don de John et Louise Booth en souvenir de leur fille Winkie)

27 mars
Accusé de diffamation à l'encontre du gouverneur, Gauguin a trois jours pour préparer sa défense (Joly-Segalen 1950, n° LXXXV, 196).

31 mars
Il est condamné à trois mois de prison et 500 francs d'amende (Malingue 1946, n° CLXXXI, 318).

2 avril
Il fait appel pour obtenir un nouveau procès à Papeete (Danielsson 1975, 272), et, malade, écrit au révérend Paul Vernier : « Je suis malade. Je ne peux plus marcher » (Malingue 1946, n° CLXXXII, 320). Vernier constate que l'artiste a sur les jambes des plaies gravement envenimées (O'Brien 1920, 230).

vers la mi-avril
Il envoie à Vollard quatorze toiles, datant pour la plupart de 1899, et un ensemble de dessins - empreintes. Il prie le marchand de lui envoyer l'argent qu'il lui doit, dont il a un besoin pressant, son procès s'ouvrant bientôt (Rewald 1943, 63).

fin avril
A Papeete, Gauguin est condamné à un mois d'emprisonnement et une amende de 500 francs pour avoir tenu des propos diffamatoires contre un M. Guicheray (Chassé 1938, 72-73). Il écrit une lettre cinglante au chef de la police, M. Claverie.

8 mai
L'état de santé de Gauguin empire et Tioka fait venir le révérend Vernier. Gauguin meurt à 11 heures du matin, après avoir pris une forte dose de morphine, peut-être d'une crise cardiaque (Rotonchamp 1925, 225).

9 mai
Gauguin est enterré à 2 heures de l'après-midi dans le cimetière catholique d'Atuona.

20 juillet
Vente aux enchères du mobilier de Gauguin à Atuona (Jacquier 1957, 31-36).

23 août
Monfreid apprend la mort de Gauguin et se charge d'annoncer la nouvelle aux amis et clients du peintre, donnant le 9 mai pour date de la mort. Des faire-part sont publiés dans l'*Art Moderne* (20 septembre, 324) et la *Revue Universelle* (15 octobre, 535).

2-3 septembre
Vente aux enchères, à Papeete, des effets, œuvres d'art et objets divers provenant de la maison de Gauguin (Jacquier 1957, 707-711). Victor Segalen est le principal acquéreur d'œuvres d'art (voir cat. 226).

31 octobre-6 décembre
La première exposition du *Salon d'Automne* au Petit Palais comprend une salle consacrée à Gauguin, aménagée par Morice, où figurent huit tableaux, dont l'*Autoportrait au Christ jaune* (cat. 99).

4-28 novembre
Exposition à la galerie d'Ambroise Vollard de cinquante tableaux et vingt-sept dessins - empreintes *(Exposition Paul Gauguin*, exemplaire du catalogue dans A.DR).

13 novembre
Morice fait une conférence sur « Le Maître de Tahiti » (AM, carnet 16).

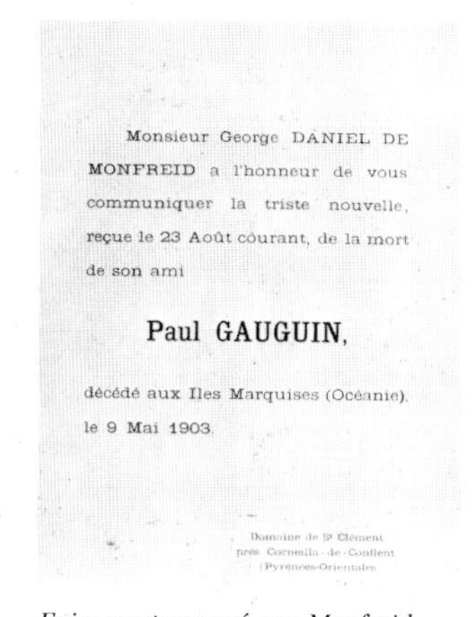
Monsieur George DANIEL DE MONFREID a l'honneur de vous communiquer la triste nouvelle, reçue le 23 Août courant, de la mort de son ami

Paul GAUGUIN,

décédé aux Iles Marquises (Océanie), le 9 Mai 1903.

Domaine de St Clément
près Corneilla-de-Conflent
(Pyrénées-Orientales)

Faire-part envoyé par Monfreid pour annoncer la mort de Gauguin, daté par erreur du 9 mai
(Musée d'Orsay, Service de Documentation)

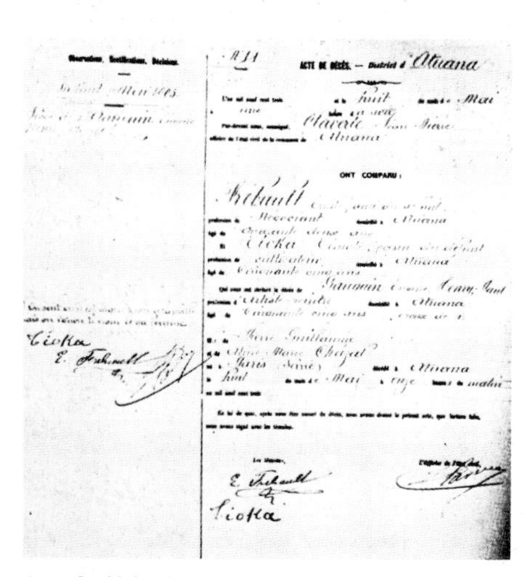
ACTE DE DÉCÈS. — District d'Atuona

ONT COMPARU :

Acte de décès de Gauguin rédigé par le gendarme Claverie à Atuona,
8 mai 1903 (Paris, Archives Malingue)

Tombe de Gauguin à Atuona, avec un tirage posthume en bronze d'Oviri,
voir cat. 211

ci-contre :
Gauguin, *Nature morte aux pamplemousses*, détail, 1901, huile sur toile
Lausanne, collection particulière

Les dernières années: Tahiti et Hivaoa

Richard Brettell

Le 3 juillet 1895, Gauguin quittait la France pour ne jamais y revenir. Il venait d'organiser une vente de ses œuvres qui s'était soldée par un échec et laissait la plupart de ses toiles entre les mains de deux hommes peu connus, Auguste Bauchy et Georges Chaudet. Grâce à eux, à Charles Morice chargé de ses écrits, à Daniel de Monfreid son ami fidèle et plus tard Ambroise Vollard son marchand, Gauguin resta au courant du destin de ses œuvres en France et connut des périodes de prospérité malgré des moments de découragement, de maladie et de dénuement. Ils veillaient de loin au bien-être matériel de Gauguin et les nombreuses lettres qu'il leur envoya nous donnent une multitude de renseignements sur ses problèmes financiers et son état de santé[1]. A travers cet ensemble de lettres, sa vie paraît plus misérable qu'elle ne l'était en réalité et tend à faire oublier les remarquables tableaux, dessins et gravures qu'il laissa derrière lui.

Au cours des huit années qui s'écoulèrent entre le moment où Gauguin quitta définitivement la France et sa mort sur l'île lointaine d'Hivaoa dans les Marquises[2], il fut hospitalisé au moins quatre fois, la plupart du temps pour de longues périodes ; il prétendit avoir une fois tenté de se suicider et succomba peut-être à la tentation en 1903 ; il construisit trois maisons ; engendra au moins trois enfants ; travailla pour un journal et en rédigea, édita et imprima un autre ; écrivit trois textes de la taille d'un livre ; expédia des toiles et des dessins pour un grand nombre d'expositions en Europe ; acheva près de 100 tableaux ; exécuta au moins 400 gravures sur bois ; fit des dizaines de sculptures sur bois ; écrivit près de 150 lettres et s'opposa avec la fougue d'un jeune homme aux autorités à la fois civiles et ecclésiastiques. Il n'avait que cinquatre-quatre ans à sa mort, mais il avait vécu une vie si ardente et tant travaillé quand il était en bonne santé qu'il nous faut garder présent à l'esprit tout ce qu'il a accompli même lorsque nous lisons dans la chronologie la litanie de ses échecs et de ses tourments.

Malheureusement, aucune des grandes expositions monographiques consacrées à Gauguin depuis sa mort n'a rendu justice à cette phase prodigieuse de sa carrière. Déjà quand les organisateurs français de l'exposition de 1906 se mirent au travail, bon nombre des toiles les plus importantes de Gauguin avaient quitté la France et se trouvaient dans des collections particulières en Russie et en Allemagne. De fait, sans les toiles acquises par Karl Ernst Osthaus, Chtchoukine et Ivan Morosov, il est difficile de vraiment bien comprendre le Gauguin de la dernière période et puisqu'à cette époque beaucoup de ces tableaux n'étaient plus en France, ils ne purent être prêtés pour l'exposition Gauguin de 1906[3]. Seule l'exposition de 1903, qui eut lieu à la galerie Vollard quelques mois après la mort de Gauguin, présenta une sélection suffisamment large de tableaux et de dessins-empreintes, parmi les plus importants, permettant ainsi d'appréhender à leur juste valeur les réalisations du Gauguin des dernières années. Toutefois, même cette grande rétrospective ne fut pas suffisante pour parvenir à une pleine compréhension du travail accompli de 1896 à 1903 car elle était presqu'exclusivement composée d'œuvres des trois dernières années de sa vie.

La présente exposition propose une sélection importante et harmonieuse de l'important corpus des œuvres de la dernière période polynésienne de Gauguin. Grâce aux prêts généreux de l'Union Soviétique, on peut, pour la première fois, voir ces œuvres parmi celles des principales collections

Relief de Borobudur,
en haut : *Le Tathagat rencontre le moine Agiwaka sur la route de Bénarès,*
en dessous : *Maitrakanyaka-Jakata, arrivée à Nadana,*
vers 1880-1889, photographie (collection particulière)

Relief de Borobudur,
en haut : *l'attaque de Mara,* en bas : *scène de Bahllatiyajataka,*
vers 1880-1889, photographie
(collection particulière)

européennes et américaines. Nous avons également voulu présenter des réalisations de Gauguin utilisant d'autres supports et nous avons choisi de montrer un certain nombre de gravures sur bois et de dessins imprimés — ou dessins-empreintes — ainsi qu'un des manuscrits qui nous sont parvenus, pour donner un aperçu de ses qualité d'écrivain et d'illustrateur. Toutefois, une exposition n'est pas le lieu idéal pour la littérature et il nous faudra attendre, pour une véritable lecture des écrits de Gauguin, une publication facilement accessible de ces documents actuellement dispersés.

L'œuvre de la dernière période polynésienne de Gauguin est, à maints égards, bien différente de celle de la première. Lors de son premier séjour, Gauguin travailla dans deux directions distinctes que les critiques de l'exposition de 1893 perçurent également. D'une part, il représenta des scènes de la vie quotidienne comme l'avait fait au Maroc Delacroix qu'il admirait tant, et d'autre part, il conçut des images idéalisées, illustrant des contes polynésiens, des récits religieux et mythiques qu'il avait lus. Ces deux démarches se caractérisaient par une approche en quelque sorte ethnographique de Tahiti avant la colonisation. De fait, les allusions à cette dernière sont si rares dans ces tableaux que même quand elles existent effectivement, seul un spectateur averti peut les percevoir[4].

Aucune de ces préoccupations ethnographiques n'apparaît de façon aussi manifeste dans l'œuvre de la dernière période polynésienne. De fait, Gauguin retourna à Tahiti avec en tête beaucoup d'idées nouvelles sur une approche comparative de la religion, la politique et la philosophie sociale. Il emporta également avec lui un plus grand nombre de photographies et de reproductions d'œuvres d'art qu'il ne l'avait fait pour les années de 1891 à 1893 et comme beaucoup d'auteurs l'ont souligné, il fit une ample utilisation de ce matériel. Deux des photographies auxquelles il se reporta souvent représen-

1. Voir Malingue 1946 ; Joly-Segalen 1950 et Rewald 1943.
2. Hivaoa est en général appelée La Dominique dans les écrits sur Gauguin et par Gauguin lui-même (dans ses lettres). Mendana, le navigateur espagnol qui découvrit l'île en 1595, lui donna le nom de La Dominique. De nos jours, cependant, elle est appelée par son nom polynésien, Hivaoa. Danielsson 1975, 308 n. 182.
3. Pour Osthaus, voir Herta Hesse-Frielinghaus, *Karl Ernst Osthaus : Leben und Werk* (Recklinghausen 1971) et pour Morosov et Chtchoukine, Beverly Whitney Kean *All the Empty Palaces* (New York, 1983, chap. 4 et 5).
4. La seule exception à cette règle, *Ia orana Maria* (cat. 135), considérée comme unique par Gauguin lui-même, représente le prototype le plus important de son premier séjour pour les tableaux peints pendant le second.

taient des vues du temple javanais de Borobudur. Le Tahiti que Gauguin retrouva en 1895 était encore plus profondément colonialisé que deux ans auparavant quand il en était parti et — à n'en pas douter — la plupart des « progrès » qu'il constata lui déplurent. Mais il faut bien penser que Tahiti avait peut-être moins changé que Gauguin lui-même pendant ces deux années et de par son expérience passée, le peintre aurait pu prévoir ce qu'il allait trouver à son retour.

Les toiles, les dessins sur calque, les empreintes et les sculptures de cette époque n'ont pas la spontanéité pleine de vie des œuvres de sa phase ethnographique antérieure. Au cours de ces années, il s'intéresse davantage à la création d'œuvres d'art venant transcender le lieu même où elles ont été élaborées. Son travail est, à l'évidence, davantage l'objet d'une réflexion qu'auparavant et il crée des œuvres qui pourraient servir de décor à un monde nouveau, mythique. Son matérialisme affiché, l'amalgame qu'il fait entre les traditions religieuses orientales, occidentales et océaniennes, passées et présentes, ont dû sembler étranges à bien des Parisiens de culture exclusivement européenne, auxquels cet art était destiné. Cette vision du monde paraît mieux convenir — être même importante — à notre époque dominée par un capitalisme international effréné.

En novembre 1895, Gauguin restaura et agrandit une habitation indigène sur un terrain qu'il avait loué. Il y installa l'atelier dans lequel il exécuta six toiles de dimensions identiques, les œuvres les plus grandes qu'il ait peintes depuis 1881 (cat. 7). Cinq étaient terminées en 1896 et la sixième le fut en 1897. Malheureusement, elles furent expédiées en France en plusieurs envois et Gauguin lui-même ne les vit jamais ensemble. C'est la raison pour laquelle rien ne permet de penser qu'elles aient été conçues comme une série. Les six tableaux sont maintenant à Leningrad, Munich, Chicago, Lyon, Moscou et Londres[5], et n'ont jamais été montrés ensemble. Quelques-uns seulement ont pu être réunis dans cette exposition. Regroupés, ils formeraient l'ensemble de peintures le plus vaste conçu jusqu'alors par Gauguin. Cependant, même la comparaison de reproductions montre bien qu'il tendait à concentrer ses efforts sur un moins grand nombre de tableaux, mais de plus grande importance, et qu'il y parvint brillamment.

Cette tendance au mythique et au monumental l'amena à concevoir et à réaliser ce qui fut, à ses yeux mêmes, un chef-d'œuvre, *D'où venons-nous ? Que sommes-nous ? Où allons-nous ?*[6]. Ce tableau capital a été exécuté en plusieurs périodes de travail concerté, à la fin de l'année 1897 et pendant le premier semestre 1898. Plus encore que les grandes toiles de 1896 et 1897 qui l'ont précédée, *D'où venons-nous ?* fut conçu pour incarner une somme philosophique de la vie, de la civilisation et de la sexualité. Gauguin en donna lui-même une description, la déchiffra comme il l'avait fait à plusieurs reprises pour d'autres œuvres-clé et l'envoya en France pour qu'elle y fut exposée. Il expédia, également pour cette exposition, un certain nombre d'autres tableaux parmi lesquels figuraient un groupe cohérent de toiles très étroitement liées à *D'où venon-nous ?* De novembre à décembre 1898, ces tableaux furent montrés ensemble à la galerie Vollard et à cette occasion, Gustave Geffroy les décrivit comme « une série de toiles qui témoignent toujours du même grand sens décoratif. »[7] Bien que Gauguin ait commenté cette exposition à diverses reprises dans des lettres à Monfreid (et ce, dès 1897)[8], certes mais en termes

5. Ces toiles mesurent toutes environ 96 × 130 cm. Il s'agit de cat. 219, 220, 221 et 223 ; W 542 et W 544, *Te Vaa*, Leningrad, Musée de l'Ermitage.
6. W 561. Boston, Museum of Fine Arts (trop fragile pour voyager, cette œuvre capitale n'a pu être incluse dans l'exposition).
7. Geffroy 1898, 1.
8. Juillet 1898. Joly-Segalen 1950, n° XLV, 126.
9. Natanson 1898, 544-546. Les tableaux exposés chez Vollard en 1898 sont les suivants : W 561, *D'où venons-nous ?*, Boston, Museum of Fine Arts ; W 568, *Te pape nave nave*, Washington, National Gallery of Art. cat. 227 ; W 570, *Rave te hiti ramu (L'Idole)*, Leningrad, Musée de l'Ermitage ; W 565, *La Récolte*, Leningrad, Musée de l'Ermitage ; W 562, *Paysage aux deux chèvres*, Leningrad, Musée de l'Ermitage ; W 563, *Te bourao II*, collection particulière ; W 564, *Baigneuses à Tahiti*. Birmingham, The Barber Institute ; W 560, *Tahiti. - Personnages de « D'où venons-nous ? »*, Buenos Aires, collection particulière ; W 559, *Vairumati*, Musée d'Orsay ; W 576, *Femme tahitienne*, Copenhague, Musée Ordrupgaard.
10. « ... ce sont huit motifs inspirés par le décor où vit le peintre et le grand panneau décoratif, mystérieux, qui les assemble mais ceux-ci peuvent aussi bien figurer des fragments-répliques que des études. » Natanson 1898, 545.
11. W 559, *Vairumati*, Paris, Musée d'Orsay ; W 560, *Tahiti*, Buenos Aires, collection particulière.

Gauguin, *D'où venons-nous? Que sommes-nous? Où allons-nous?*,
1897, huile sur toile
(Boston, Museum of Fine Arts, Tompkins Collection)

vagues, rien dans la correspondance publiée ne vient nous aider à la reconstituer. Fort heureusement, grâce à un long compte rendu de Thadée Natanson dans le numéro de décembre 1898 de *La Revue Blanche,* cette reconstitution est une tâche relativement aisée[9].

L'exposition de 1898 chez Vollard fut, de tout évidence, conçue comme une œuvre «d'art total». La toile principale, *D'où venons-nous?,* dominait l'ensemble, entourée de huit tableaux qui, selon Natanson, pouvaient s'interpréter aussi bien comme «des fragments-repliques que des études» pour la grande toile[10]. Tous ces tableaux ont survécu, mais personne ne s'est jamais rendu compte qu'ils avaient été peints précisément pour être exposés avec le chef-œuvre, *D'où venons-nous?* La mesure véritable de l'ambition de Gauguin en créant cet ensemble décoratif total n'a, en conséquence, jamais été perçue.

Chacun des huit tableaux représente une figure, un groupe de figures ou une section du décor de la grande toile et analyse, généralement dans une tonalité dominante, un fragment de l'ensemble. Alors que le tableau du musée d'Orsay, *Vairumati,* de format horizontal, est saturé d'orangés, de jaunes et de rouges, celui simplement intitué *Tahiti*[11] est un rectangle vertical où dominent les bleus foncés, les violets et les tons de gris. D'autres tableaux sont baignés de jaune, de vert ou de violet. Tous sont peints sur des toiles de 30, un format standard. Les archives Vollard n'ont pas encore donné d'information sur l'installation de cette exposition historique et le compte rendu de Natanson, d'une grande importance pour l'identification des œuvres, est muet sur l'emplacement des tableaux, la couleur des murs et n'apporte pas de précisions sur la nature de leurs relations que l'accrochage devait refléter. On sait que Degas visita l'exposition et acheta un petit tableau qui faisait partie de sa vente après décès, mais dont on a perdu la trace[12]. Ces bribes d'informations sont tout ce qui reste d'une exposition qui fut un échec commercial mais a certainement compté parmi les deux ou trois événements artistiques majeurs des années 1890.

Gauguin lui-même écrivit un texte qui, plus qu'aucun autre, aurait pu aider à l'interprétation de cette exposition. En février 1898, il envoyait un courrier à Charles Morice pour lui annoncer qu'il venait de terminer un essai sur la couleur. Il joignait cet essai et demandait à Morice de le faire publier. Il ne subsiste malheureusement qu'une transcription dactylographiée de la lettre originale[13]. Il n'existe pas de copie de l'essai dans les archives Morice (Temple University), ni d'article anonyme ou signé d'un nom de plume plausible qui puisse, en toute vraisemblance, correspondre au texte de Gauguin. Aussi, en sommes-nous réduits à des conjectures quant à son contenu, en nous fondant sur divers passages sur la couleur tirés de *Diverses choses,* une compilation de textes manuscrits réunis en 1896 et 1897 à l'époque où Gauguin travaillait à *D'où venons-nous ?*

On trouve au moins deux passages conséquents sur la couleur et nombre de mentions éparses dans ce manuscrit de Gauguin, le plus important de ses textes inédits. Le premier concerne l'utilisation de la couleur chez Delacroix et découle non seulement de l'étude des œuvres du maître mais également d'une lecture attentive de son *Journal* publié pour la première fois en 1893. En note d'une longue citation du *Journal* de Delacroix, Gauguin écrivit quelques phrases éloquantes sur la couleur[14]. « Il est étonnant que Delacroix si fortement préoccupé de la couleur la raisonne en tant que loi physique et imitation de la nature. La couleur ! cette langue si profonde, si mystérieuse, langue de rêve. Aussi dans toute son œuvre je perçois la trace d'une grande lutte entre sa nature si rêveuse et le terre à terre de la peinture de son époque. Et malgré lui son instinct se révolte ; souvent dans maints endroits il foule aux pieds ces lois naturelles et se laisse aller en pleine fantaisie. Je me plais à m'imaginer Delacroix venu au monde 30 ans plus tard et entreprenant la lutte que j'ai osé entreprendre. »

Le deuxième passage est trop complexe et trop long pour être cité ici dans son intégralité. Cependant, il reflète parfaitement les ambitions ultimes de Gauguin, peintre. Il se situait à la fin de ce qu'il considérait comme une prétendue bataille entre ligne et couleur, et après une période d'un tout aussi prétendu naturalisme scientifique illustré par les écrits de Rood, Chevreul et autres savants. Son but ultime en peinture était de réconcilier les arts plastiques avec les idées et les rêves de l'homme et ainsi de traduire la pensée en forme-couleur plutôt que de dépeindre des sensations réelles. Dans *Diverses choses* Gauguin reprenait, avec beaucoup de conviction, ce point de vue symboliste connu et si nous voulons donner une nouvelle interprétation de *D'où venons-nous ?* en le situant dans son contexte original, nous devons avant

12. Paris 1918, *Tahiti Paysage,* W 567.
13. D'une lettre à Morice de février 1898, publiée in Artur 1982. Voir aussi une lettre à Fontainas de mars 1899 in Rewald 1943, 21-24 ; repris in Rewald 1986, 182-184.
14. *Diverses choses* in *Noa Noa,* Louvre ms. 220-221.
15. Voir note 13.
16. Voir aussi sa lettre à Fontainas de mars 1899. « ... ces répétitions de tons, d'accords monotones, au sens musical de la couleur, n'auraient-elles pas une analogie avec ses mélopées orientales chantées d'une voix aigre, accompagnant des notes vibrantes qui les avoisinent, les enrichissant par opposition, Beethoven en use fréquemment (j'ai cru le comprendre) — dans la sonate pathétique, par exemple. Delacroix avec ses accords répétés de marron et de violets sourds, manteau sombre suggérant le drame. Vous allez souvent au Louvre : pensant à ce que je dis, regardez attentivement Cimabue. Pensez aussi à la part musicale que prendra désormais la couleur dans la peinture moderne. La couleur qui est vibration de même que la musique est à même d'atteindre ce qu'il y a de plus général et partant de plus vague dans la nature : sa force intérieure. » Malingue 1946, nº CLXX, 287-288.
17. W 585, Leningrad, Musée de l'Ermitage.
18. *Rupe Rupe,* 128 × 200 cm ; *D'où venons-nous ?,* 139 × 375 cm.

Gauguin, *Rupe Rupe (Luxuriant)*,
1899, huile sur toile
(Moscou, Musée Pouchkine)

tout penser aux ambitions intellectuelles de Gauguin. Comme il l'écrivait lui-même en février 1898 dans une lettre à Morice, alors que le tableau n'était probablement pas terminé « (...) je crois que le tableau explique la légende(...) je crois aussi que ce tableau couronne l'article sur la couleur que je t'ai envoyé. »[15] Chacune de ces phrases, par ailleurs anodines, exprime clairement que les tableaux sont eux-mêmes des idées, et qu'ils n'ont pas besoin d'être expliqués avec des mots. Et le long passage sur la couleur de *Diverses choses* identifie la couleur comme le langage de ces idées[16].

La production de Gauguin au cours des années 1896-1898 fut si brillante et pleine d'assurance qu'on a de la peine à imaginer qu'il ait pu maintenir un tel niveau, mais les tableaux de la fin de l'année 1898 et d'une bonne partie de 1899 sont d'une qualité fabuleuse. On y voit des personnages, parfaitement représentés, évoluant avec aisance dans des univers aux couleurs vibrantes. Arbres et arbustes contribuent parfois à définir ces espaces majestueux. Mais, le plus souvent, les zones colorées se transforment en paysages sans que la présence d'écorces, de feuilles ou de racines ne vienne distraire l'attention. Le plus grand de ces tableaux, *Rupe Rupe (Luxuriant)*[17], fut acheté par Chtchoukine, sans doute à Vollard, et n'est jamais sorti d'Union Soviétique pour être exposé. Bien que de plus petites dimensions que *D'où venons-nous ?*[18], c'est l'une des toiles les plus monumentales de la carrière de Gauguin ; elle parvient à un niveau de calme mythique que l'artiste n'avait encore jamais réussi à saisir. Le même sens de plénitude et de clarté métaphysique persiste dans la plupart des grands tableaux que Gauguin peignit au cours de la dernière année du dix-neuvième siècle. Mais, un peu comme si il eut été incapable de porter cette perfection plus avant, aucune toile de l'année 1900 ne nous est parvenue.

Il est, en un certain sens, dramatique que *Rupe Rupe*, le chef-d'œuvre de la carrière de Gauguin après *D'où venons-nous?* n'ait pas non plus pu venir à cette exposition. Son absence des principaux livres et catalogues d'expositions sur Gauguin fausse toute analyse critique et historique de l'artiste. Le chef-d'œuvre de Boston, plus accessible, a été reproduit et étudié, presqu'à l'excès par les historiens d'art américains et européens qui se délectent de son symbolisme manifeste et de ses images prémonitoires de la chute de l'homme. *Rupe Rupe* contraste par son aspect totalement paradisiaque et le cueilleur de fruits, figure traditionnelle de la tentation, est situé au cœur d'un paysage regorgeant de beauté luxuriante. Ici, les fruits ont déjà été cueillis et le seront encore car la chute de l'homme n'est pas une nécessité. En tant que spectateurs, nous sommes avec ce tableau confrontés à ce que l'on pourrait qualifier de décoration ultime car, plus encore qu'aucune œuvre de Matisse, il incarne l'idéal de Baudelaire «luxe, calme et volupté»[19].

Comme le montrent certains documents écrits, Gauguin avait plus ou moins cessé de peindre en août 1899, préférant se consacrer à ses manuscrits et sa carrière de journaliste qu'il menait parallèlement. Il collabora tout d'abord au journal *Les Guêpes* avant d'en devenir rédacteur et au cours des neuf mois où il dirigea *Le Sourire*, il s'investit pleinement dans la vie politique de Tahiti. Le journalisme engagé et incisif de Gauguin contraste totalement avec les toiles que nous venons de commenter. Il est effectivement très difficile de concevoir ces deux aspects des réalisations de Gauguin comme émanant d'une même sensibilité et peu de chercheurs amenés à étudier Gauguin sont parvenus à les accepter sans restriction. Il est pourtant évident que cette quête d'un idéal ne pouvait se limiter au domaine de l'art. Ses constantes ingérences dans les affaires du gouvernement colonial font tout autant partie de sa recherche d'une utopie sur cette terre, recherche certes vaine mais néanmoins importante.

On trouve peut-être un moyen terme entre ces deux extrêmes apparents dans les manuscrits de Gauguin, en particulier dans son texte le plus important, *L'Esprit moderne et le catholicisme*, dont il avait rédigé une ébauche en 1896-1897. Cet ouvrage et d'autres essais sur la vie de famille et la moralité qui l'accompagnaient ont été écrits comme un traité pour un public de lettrés. Manifestement, bien qu'il ne l'ait pas explicité, Gauguin présupposait que s'il expliquait avec clarté ses théories sur la politique, la société, la religion et la sexualité, il parviendrait à convaincre les hommes de changer leur comportement. Mais il ne semble pas avoir été, à l'époque, très convaincu du pouvoir de ces textes, car il se montra pour le moins plutôt désinvolte dans ses tentatives pour les publier. C'est la raison pour laquelle, tout comme d'autres de ses écrits antérieurs, ils furent publiés de façon fragmentaire ou en fac-similé et par conséquent, seuls quelques spécialistes les ont lus attentivement.

Quand on étudie les rapports de Gauguin avec son public européen pendant les dernières années de sa vie, il apparaît clairement que c'est pour la postérité qu'il conçut la majorité de ses œuvres d'art, et de ses textes. Du fait qu'il vivait dans les mers du Sud, loin de ceux qui achetaient et vendaient, il ne pouvait rien faire d'autre que d'imaginer les réactions que ses œuvres provoqueraient en France, et il en venait à la certitude qu'elles seraient négatives. Par certains aspects, cette même distance donnait à Gauguin des avantages psychologiques. Il pouvait ainsi se poser en « génie » et faire des déclarations sur la situation dans le monde sans crainte d'être contredit. Face à un public tahitien candide, il pouvait se permettre d'être plus audacieux dans son art comme dans ses idées, qu'il ne l'aurait été à Paris dans une atmosphère de rivalité et même de lutte.

En 1901, Gauguin s'installa dans une île encore plus lointaine, Hivaoa, qui fait partie du groupe d'îles le plus éloigné de la terre ferme. Depuis le petit village d'Atuona où il passa les deux dernières années de sa vie, il se tenait au courant des nouvelles du monde, suivait les événements artistiques et littéraires de toute l'Europe et s'occupa activement de la célèbre « Maison du Jouir », sa dernière œuvre « d'art total ». Après des années de lutte, il était parvenu à un accord financier avec Ambroise Vollard qui, en contrepartie d'un revenu plus ou moins régulier, lui imposait une certaine productivité. Puisqu'on attendait de lui un certain nombre de tableaux, il les terminait relativement rapidement et les envoyait par lots en France ; c'est peut-être la raison pour laquelle les toiles de la période des Marquises ne sont pas exécutées avec autant de soin que les précédentes. Il ne faudrait cependant pas les considérer comme bâclées ou sous-estimer leur valeur esthétique simplement parce qu'elles faisaient partie d'un accord financier. Au contraire, la rapidité avec laquelle il travailla eut un effet libérateur sur Gauguin. Ses compositions gagnèrent en diversité, et il s'engagea de façon encore plus spectaculaire dans des expériences sur les relations entre les couleurs.

Bien que beaucoup d'œuvres de la période des Marquises soient remarquables, elles n'ont pas cette intensité et cette hardiesse absolue des toiles de 1896 à 1899. Les dessins-empreintes sont peut-être ses œuvres les plus importantes par leur force et leur originalité mêmes, tout autant que par l'effet qu'elles eurent sans doute sur Matisse et Picasso ; vingt-sept d'entre eux furent d'ailleurs au centre de la dernière grande exposition Gauguin chez Vollard. Malheureusement, Gauguin était mort depuis cinq mois au moment de l'inauguration de cette exposition en novembre 1903. Aucune de ses lettres ne donne donc d'indication sur l'accrochage de ses œuvres ; de plus, il avait complètement cessé d'inscrire des titres tahitiens ou français sur ses tableaux. En raison de ce manque de documents, personne n'a vraiment jamais tenté de reconstituer l'exposition de 1903, et parmi ses dernières œuvres figurant au catalogue raisonné, fort peu comportent la mention de cette exposition majeure dans leur historique.

La reconstitution de cette exposition s'avère malheureusement difficile et au bout du compte, frustrante. Quand on examine le catalogue publié pour l'exposition, il semble que, manquant de temps, Vollard ait inventé les titres sans beaucoup y réfléchir ; ce qui aboutit à une série de titres génériques et cinq seulement ont pu être vraiment mis en rapport avec des tableaux connus. Le même problème se retrouve avec le groupe de dessins-empreintes, intitulés simplement « dessins » dans le catalogue de Vollard. Cependant, si on examine avec attention les tableaux et les dessins-empreintes connus exécutés entre 1899 et 1903, il est possible de relier des tableaux à des titres sans trop de risque d'erreur. De fait, beaucoup d'œuvres de la fin de sa vie sont, pour la première fois, associées à l'exposition de 1903 dans les notices de ce catalogue[20].

En 1903, alors que critiques et peintres se pressaient dans la petite galerie

19. Cette expression a acquis une notoriété avec le tableau de Matisse *Luxe, calme et volupté*. L'artiste fait ici très précisément référence au refrain du poème de Charles Baudelaire « L'invitation au voyage » tiré de son célèbre recueil de poèmes *Fleurs du mal*.
20. Une reconstitution de l'exposition Vollard de 1903 est actuellement en cours d'élaboration et sera publiée prochainement dans un article de Richard Brettell.

de Vollard pour voir les dernières œuvres de Gauguin, l'artiste était enterré dans le petit cimetière catholique d'Atuona. A cette époque, sa tombe était, comme la plupart des autres, ornée d'une simple croix blanche. Ce n'était pas ce qu'il avait voulu. En octobre 1900, il avait demandé à Monfreid de lui envoyer pour sa tombe, la sculpture en céramique *Oviri*[21]. De fait, quand il était arrivé à Papeete en 1895, Gauguin savait parfaitement qu'il ne rentrerait jamais en Europe. Son art était destiné à un monde futur qu'il n'aurait jamais pu vraiment prévoir. Et s'il est tant admiré aujourd'hui, c'est souvent pour des raisons qu'il aurait jugées détestables ou futiles. Il s'était d'ailleurs indigné avec amertume, quand il avait vu les prix atteints par les tableaux de son ami van Gogh après le suicide de l'artiste et la mort de Theo. On imagine sans peine les invectives insidieuses qui lui viendraient à la plume où à la bouche s'il assistait aujourd'hui à une vente chez Sotheby's ou Christie's.

Mais dès 1903, et plus nombreux encore en 1906 et par la suite, les artistes se pressèrent pour voir des œuvres de Gauguin. Picasso fut bouleversé par le pouvoir et la force brutale, sauvage des dessins-empreintes. Matisse se sentit emporté par la couleur et le dessin d'une facilité apparente des dernières toiles. De fait, si l'on mesure la valeur d'un artiste par celle de ses plus brillants spectateurs, Gauguin se situe parmi les plus grands de la fin du dix-neuvième siècle. Seul peut-être Cézanne pourrait rivaliser avec lui. Fort heureusement pour le renom de Gauguin, ses œuvres sont entrées dans les collections des musées les plus importants peu après sa mort et depuis les années 1920, elles continuent d'inspirer les artistes modernes. Gauguin est toujours enterré à Atuona, un petit tirage posthume en bronze d'Oviri a été posé sur sa tombe ; mais son art se trouve sur tous les continents, dans des pays socialistes et capitalistes, des collections publiques ou privées, et en reproduction sur des centaines de milliers, peut-être des millions de murs à travers le monde. Avec cette exposition, c'est l'original qu'on peut à nouveau contempler.

21. (Voir cat. 211) ; Joly-Segalen 1950, nº LXVIII, 165.

Ci-contre :
Gauguin, *Cavaliers sur la plage*,
détail, 1902, huile sur toile
collection particulière

215

Te arii vahine (La femme du Roi)

1896
97 × 130
Huile sur toile
Inscription, signature et date en bas à droite, *TE ARII Vahine/ P. Gauguin/ 1896.*

Moscou, Musée des Beaux-Arts Pouchkine

Expositions
Stockolm 1898, *Den Swarta Jungfrun (La Vierge noire)*;
Paris 1906, nº 13, *La Femme aux mangos*;
Moscou 1926, nº 13;
Bruxelles 1958, nº 98.

Catalogue
W 542.

La première et la meilleure description de *Te arii vahine* (*La femme du Roi*) est de Gauguin lui-même dans une lettre à Daniel de Monfreid (cat. 215a). « Je viens de faire une toile de 1,39 sur 1 mètre que je crois encore meilleure que tout auparavant : une reine nue couchée sur un tapis vert, une servante cueille des fruits, deux vieillards, près du gros arbre, discutent sur l'arbre de la science ; fond de rivage ; ce léger croquis trembloté ne vous donnera qu'une vague idée. Je crois qu'en couleur je n'ai jamais fait une chose d'une aussi grande sonorité grave. Les arbres sont en fleurs, le chien garde, les deux colombes à droite roucoulent.[1] »

Curieusement, Gauguin ne mentionne ni les mangues au premier plan, ni le magnifique éventail, ni le linge délicieusement trop petit que tient la grande reine. Il ne s'attarde pas davantage sur la figure elle-même bien que tout dans cet archétype de reine soit une référence à l'art du passé. La pose évoque indéniablement l'*Olympia* de Manet, copiée par Gauguin (cat. 117). D'ailleurs, Leclercq donna à *Te arii vahine* le titre « L'Olympia noire » quand elle fut exposée pour la première fois en 1898[2]. Elle devait y être montrée aux côtés du nu le plus célèbre de Gauguin, *Manao tupapau* (cat. 154) qui fut retiré pour des raisons morales. On a rapproché la position des bras et des jambes ainsi que le décor de plein air de ce tableau avec l'une des nombreuses versions du *Repos de Diane* de Lucas Cranach dont Gauguin possédait certainement une photographie[3]. On peut y voir aussi des allusions au célèbre tableau de Puvis de Chavannes *L'Espérance* d'après lequel Gauguin avait fait un dessin en 1894 qui fut publié, accompagné d'un court poème de son ami Morice, dans le *Mercure de France* de février 1895[4]. Il s'agit certainement du premier grand nu allongé indigène et ici, comme dans d'autres de ses toiles monumentales de 1896-1897, Gauguin nous donne une vision de Tahiti à la fois occidentalisée et classicisée.

Une source non occidentale importante n'a cependant jamais été publiée auparavant : une figure de moine étendu (*Bikkhu*) provenant d'une frise en haut relief de la deuxième galerie de Borobudur. Les scènes représentées sur les reliefs de cette galerie illustrent une suite de contes moraux des débuts du bouddhisme intitulés les *Awadana* et les *Jataka*[5]. Nous n'avons pas de preuve tangible que Gauguin ait vu cette figure à l'Exposition Universelle de 1889 ou du moins des reproductions photographiques. Pourtant, la physionomie, le volume des membres, les contours adoucis et l'exagération des pieds, caractéristiques du nu de Gauguin, le sont beaucoup plus de la figure de Borobudur que des modèles occidentaux mentionnés plus haut. Mis à part le moine, un grand nombre de plantes, oiseaux et animaux représentés sur le relief sont proches de ceux qu'on peut voir sur ce tableau et aussi dans d'autres œuvres du deuxième séjour de Gauguin à Tahiti. Ainsi, le « corbeau » aux étranges proportions du tableau de 1897 *Nervermore* (cat. 222) évoque les curieux oiseaux au grand bec que l'on trouve à profusion sur ce superbe relief.

Gauguin a peut-être conçu ce grand nu comme une sorte de pendant à une toile de dimensions identiques et de composition analogue *Te tamari no atua* (cat. 221), peinte en même temps ou un peu plus tard dans l'année. Malheureusement pour l'art moderne occidental, cette toile magnifique fut presque aussitôt séparée de *Te tamari no atua* et les deux toiles n'ont d'ailleurs encore jamais été montrées ensemble. Mais leurs harmonies de couleurs comparables et leurs rapports dialectiques sont chargés de significations que l'artiste lui-même leur a conférées. Si, dans la seconde, la tahitienne épuisée par l'accouchement est investie des attributs de la Vierge Marie, *Te arii vahine*, par contre, montre une Diane tahitienne. Cependant, quand celle-ci fut présentée au public lors d'une exposition de peinture moderne française à Stockholm en 1898, les critiques y virent une Eve[6], en dépit du fait que la première femme de la tradition judéo-chrétienne n'ai jamais été représentée dans un paysage avec trois autres personnages !

Les sombres harmonies chromatiques, mentionnées par Gauguin, donnent au tableau une aura mystérieuse et une dimension intemporelle. La reine se repose sur l'herbe fraîche, dans un crépuscule éternel ; les fleurs, les deux crotons dorés et le linge brodé semblent rougeoyer dans la verdure. La tête droite, comme celle d'*Olympia*, indique qu'elle est séductrice et non séduite, et la présence même d'un grand chien noir et des deux vieilles

1. Datée d'avril 1896, Joly-Segalen 1950, nº XXI, 85.
2. En ce qui concerne le rôle de Leclercq dans l'organisation de l'exposition, voir Danielsson 1964.
3. Leclercq, Jan. 1895, 121, indiquent que Gauguin avait des photographies d'œuvres de Cranach. Françoise Cachin en 1968 puis Yann Le Pichon 1986, 208, reproduit une photographie du *Repos de Diane* provenant de la maison Lauros-Giraudon. On trouve également un tampon de chez Giraudon au revers de

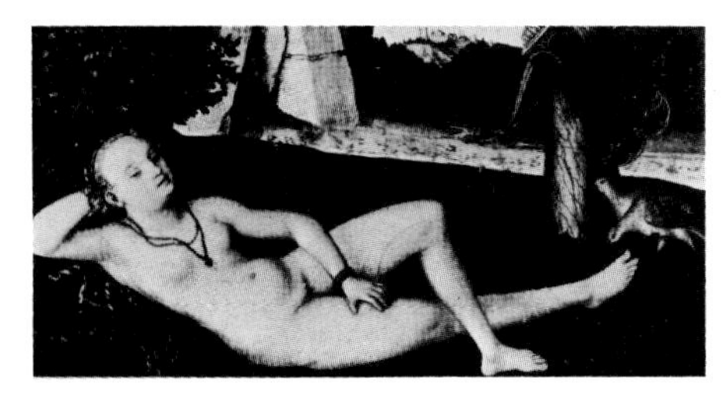

Cranach, *Diane au repos*, vers 1537, détail (Besançon, Musée des Beaux-Arts)

Scène des Awadenas et des Jatakas, temple de Borobudur, Java (*Beshrijuing van Barabuden*, séries II (B), planche VI)

Gauguin, *Décorative personne*, *Avant et après*, ms. p. 121

femmes rendent impossible toute intimité du spectateur avec cette noble femme. Gauguin réunit Diane la chasseresse et Eve la séductrice en une reine indigène, tout à la fois classique et biblique. Mais les vagues de Tahiti viennent se briser sur les récifs de corail et le ciel s'obscurcit d'un mystère presque étranger à l'imagination occidentale. La grande reine de la nuit, la reine éternelle de l'île est à jamais silencieuse, lointaine et inaccessible.

Gauguin n'oublia pas cette figure après avoir expédié le tableau en Europe pour l'exposition de 1897. On la retrouve sur une aquarelle, probablement exécutée peu après le tableau (cat. 215a) ; plus tard, en 1900 dans un dessin sur papier calque, dans une gravure sur bois pour son journal *Le Sourire* (Gu 80), puis en 1903 dans les pages illustrées de son dernier manuscrit *Avant et après*[7].

R.B.

la photographie d'une fresque égyptienne du British Museum que possédait Gauguin.
4. « A Puvis de Chavannes », *Mercure de France* (février 1895).
5. Étant donné que deux de ces frises ont été détruites, il n'est pas possible de préciser lequel de ces *Awadana* et *Jataka* cette frise décrit. Voir N.J. Krom et T. van Erp, *Beschrijving van Barabudur,* 1920, vol. III, 461-462 pour le texte ; voir série II (B), planche VI pour une reproduction.
6. Danielson 1964.
7. *Avant et après,* éd. fasc., 121.

215a

Te arii vahine (La femme du Roi)

1896
21 × 27
Lettre à Daniel de Monfreid, illustrée d'une esquisse à l'aquarelle.

Paris, collection Annick et Pierre Bérès

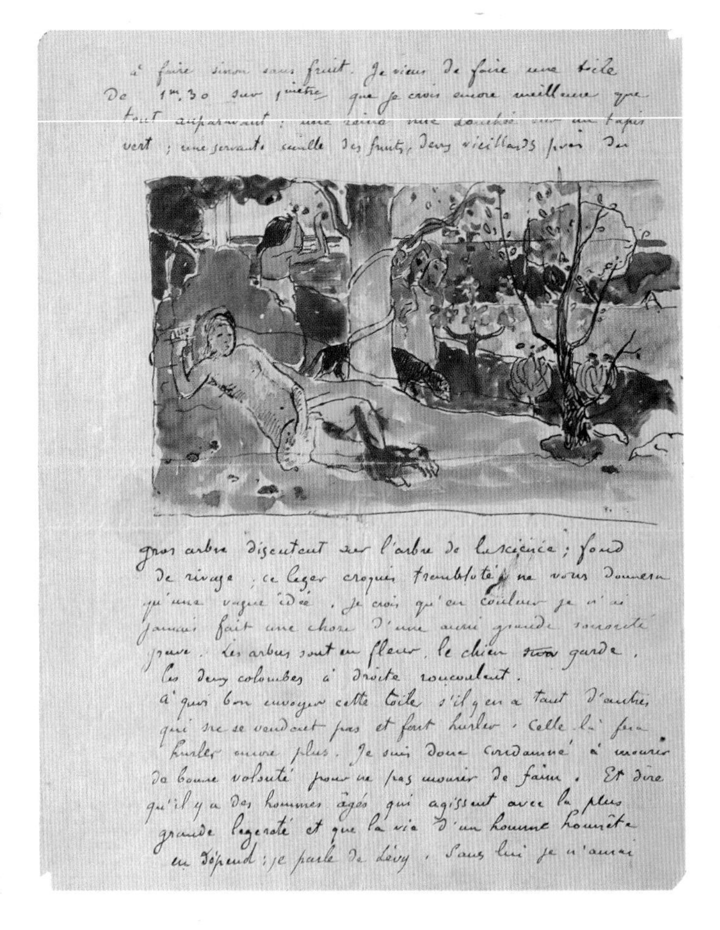
à faire sinon sans fruit. Je viens de faire une toile
de 1m,30 sur 1 mètre que je crois encore meilleure que
tout auparavant : une reine nue couchée sur un tapis
vert ; une servante cueille des fruits, deux vieillards près du

gros arbre discutent sur l'arbre de la science ; fond
de rivage ; ce léger croquis tremblotté ne vous donnera
qu'une vague idée. Je crois qu'en couleur je n'ai
jamais fait une chose d'une aussi grande sonorité
grave. Les arbres sont en fleur, le chien garde,
les deux colombes à droite roucoulent.
A quoi bon envoyer cette toile s'il y en a tant d'autres
qui ne se vendent pas et font hurler. Celle-là fera
hurler encore plus. Je suis donc condamné à mourir
de bonne volonté pour ne pas mourir de faim. Et dire
qu'il y a des hommes âgés qui agissent avec la plus
grande légèreté et que la vie d'un homme honnête
en dépend ; je parle de Lévy. Sans lui je n'aurai

216

Portrait de Vaïte (Jeanne) Goupil

1896
75 × 65
Huile sur toile
Signé et daté en haut à gauche, *P. Gauguin. 96.*

Copenhague, Ordruppgaardsamlingen

Exposition
Humlebaek 1982, nº 11.

Catalogue
W 535.

Quand Gauguin entreprit, cette fois en artiste, son premier périple exotique à Panama en 1887, il pensait pouvoir gagner sa vie en peignant pour la communauté française et, de fait, y reçut la commande d'un portrait, aujourd'hui malheureusement disparu. Mais il reste du deuxième séjour de Gauguin à Tahiti un de ses rares portraits de commande, celui de Jeanne, la plus jeune des filles d'Auguste Goupil, riche notaire vivant près de Papeete. Bien que la vaste demeure coloniale construite pour Goupil ait été démolie, des photographies de la maison, de son grand jardin et de la famille montrent clairement qu'à la fin du siècle, Goupil comptait parmi les hommes les plus riches de Tahiti et menait grand train.

Gauguin fit manifestement la connaissance d'Auguste Goupil au milieu de l'année 1896 et reçut peu après la commande de ce portrait. D'après Danielsson, Gauguin réussit à convaincre Goupil qu'un portrait s'imposait. La tradition familiale rapporte que Goupil, qui craignait d'être tourné en ridicule par un portrait insolite, choisit la plus jeune de ses filles, plutôt qu'une de ses aînées, pour servir de modèle à Gauguin. On raconte que Goupil fut si satisfait du résultat qu'il se mit à inviter régulièrement Gauguin à partager le dîner familial et l'engagea pour donner des leçons de dessin à ses enfants[1] ; les descendants de la famille mettent cependant en doute cette version[2].

Il ne subsiste pas de document qui le prouve, mais il ne peut s'agir que d'un portrait de commande car il resta dans la famille Goupil jusqu'au milieu des années vingt. Le visage de la fillette, d'un blanc laiteux, est si lisse et raffiné qu'il contraste avec le reste de la production de Gauguin en 1896. De fait, le tableau anticipe la surface émaillée de *Nevermore* (cat. 228), ce qui indique que Gauguin travailla à ce tableau sur une période assez longue. Dans le portrait de Gauguin, Jeanne Goupil, alors âgée de neuf ans et surnommée Vaïte en tahitien, est assise immobile dans un fauteuil sculpté de style colonial, vêtue d'une simple « robe mission » brun-orangé. Elle tient à la main un sac en paille indigène brodé de fleurs de couleurs et une fleur s'épanouit au-dessus de son épaule. Si la fillette et ses effets sont observés avec soin et représentés de façon conventionnelle, il n'en est pas de même pour le fond du tableau. Le mur rose et violet, couvert de fleurs imprimées ou estampées, présente de nombreuses anomalies. Le violet foncé en haut du mur correspond à l'ombre en dents de scie du porche ou d'un arbre voisin, bien que les motifs sur le mur ne soient pas

P. Gauguin 96

suffisamment irréguliers pour être « naturels », ni suffisamment réguliers pour être « architecturaux ». Gauguin a souvent juxtaposé les sujets de ses portraits avec un arrière-plan ainsi découpé, sans rapport direct avec la réalité.

Le portrait, à dessein, ne dévoile pas beaucoup le sujet, ni l'attitude du peintre à son égard. Gauguin parvient à exercer son art sans contrevenir aux goûts de Goupil mais il ne trouve pas là une occasion d'expérimenter. C'est peut-être la raison pour laquelle ce tableau représente une jeune fille parfaitement impénétrable, assise sur sa chaise dans une éternelle attente. R.B.

1. Danielson 1975, 196-198.
2. Communiqué oralement par Mme Denise Touze, nièce de Jeanne Goupil.

217

Théière et fruits

1896
48 × 66
Huile sur toile.
Signé et daté en bas à droite, *P Gauguin 96.*

Mr. Walter H. Annenberg

Dans une lettre du 14 février 1897, Gauguin écrit à Daniel de Monfreid qu'il est sur le point d'envoyer six ou sept toiles en France[1]. Deux d'entre elles étaient des natures mortes et celle qu'il appelle simplement « Nature morte » est sûrement *Théière et fruits*, peinte en 1896. Aucune nature morte de la première année du deuxième voyage tahitien ne peut se voir attribuer ce titre générique ; de plus, le fait que Gauguin l'ait signée et datée montre qu'il l'estimait assez pour l'envoyer en France. L'autre seule possibilité, *Nature morte aux mangues* (W 555) n'est ni signée ni datée.

L'œuvre elle-même est d'une puissante intensité par des formes aux contours épurés — d'un style presque cloisonniste — le caractère éclatant des jaunes du papier peint et des orangés des mangues qui se détachent sur des bleus intenses et des blancs lumineux. Elle semble avoir été conçue en partie comme un hommage à la grande nature morte de Cézanne qui appartenait alors à Gauguin *Compotier, verre et pommes* de 1879-1880 (fig. cat. 111)[2]. En 1890, Gauguin avait reproduit avec soin cette toile à l'arrière-plan d'un portrait (cat. 111). Ici, cependant, Gauguin « traduit » Cézanne en tahitien. Il

Exposition
Paris, Kléber 1949.

Catalogue
W 554.

Exposé à Washington et à Chicago

Gauguin, *Le Sourire*, couverture (Paris, Musée du Louvre (Orsay), Département des Arts graphiques)

remplace le compotier par une théière chinoise ou japonaise, le verre par une cruche en poterie, le couteau au manche d'ivoire par une cuillère en bois, les pommes par des mangues, le papier peint français par un papier japonais imprimé collé au mur. Gauguin montre aussi une tahitienne de l'autre côté d'une porte ou d'une fenêtre à droite de la composition.

Là où Cézanne dispose des pommes en tas au milieu de sa composition, Gauguin isole un fruit qu'il pose sur la fraîcheur d'un bleu moyen. Il est difficile de l'identifier mais tous les autres fruits sont des mangues et celui-ci, ressemble à la mangue jaune de l'extrême droite de la composition. Si ce n'est une mangue montrée à dessein en raccourci, c'est peut-être un citron pour le thé. Quoi qu'il en soit, Gauguin le traite comme un sein de femme dont il modèle amoureusement le mamelon et qu'il isole afin de nous encourager à y voir un fruit bien spécial sur lequel l'œil s'attarde.

Des commentateurs, soucieux de découvrir des éléments factices dans les tableaux de Gauguin, ont interprété les fleurs jaunes en suspension contre le bleu-vert foncé de l'arrière-plan, comme des fleurs « synthétistes » ou imaginaires. Mais il s'agit en fait de motifs floraux imprimés ou estampés, car Gauguin choisit un papier identique pour recouvrir la jaquette de sa collection du journal *Le Sourire* qu'il envoya à Daniel de Monfreid. Dans *Théière et fruits,* Gauguin utilise les fleurs imprimées comme un élément déterminant de la composition, équivalent primitivisant du papier peint bleu céleste aux feuilles languissantes de Cézanne. Une fois de plus, l'Extrême-Orient se substitue à l'Europe dans la plus « européenne » des natures mortes tahitiennes de Gauguin.

Cette toile ne fut probablement pas exposée du vivant de Gauguin et rien ne permet de l'identifier avec une des œuvres exposées lors de la rétrospective du Salon d'Automne de 1906. Parmi les natures mortes peintes par Gauguin à la fin de sa vie, celle-ci était une des plus connues du public européen dans les années quarante, car elle figurait parmi les planches en couleurs de la monographie de Maurice Malingue, magnifiquement illustrée[3]. R.B.

1. Joly-Segalen 1950, n° XXIX, 101.
2. Bodelsen 1962, 208.
3. Malingue 1943, 196 ; Malingue 1948, 200.

218

Autoportrait, près du Golgotha

1896 [été]
76 × 64
Huile sur toile.
Annoté, signé et daté en bas et à gauche, *Près/ du Golgotha/ P. Gauguin-96.*

São Paulo, Museu de Arte

Expositions
Cambridge 1936, n° 30 ;
Baltimore 1936, n° 19 ;
Tokyo 1987, n° 108.

Catalogue
W 534.

Peu après la mort de Gauguin, Victor Segalen visite son atelier aux Marquises et décrit : « un pèle-mèle d'armes indigènes (...), un petit orgue, puis une harpe, des meubles disparates, de rares tableaux, car le maître venait de faire son dernier envoi. Il s'était pourtant réservé une ancienne œuvre très poussée, un portrait de lui-même, portrait douloureux où, sur un lointain de calvaires devinés, se dresse le torse puissant : l'encolure est forte, la lèvre abaissée, les paupières alourdies »[1].

Il avait certes de quoi impressionner, cet « Ecce Homo » où Gauguin, une fois encore (cat. 90, 99) identifie sa vie à la passion du Christ, ici peu avant la crucifixion, « près du Golgotha » comme il l'écrit soigneusement près de sa signature.

Allusion à la tunique biblique, la rude chemise blanc-bleu est peut-être simplement une chemise d'hôpital — Gauguin vient d'y passer quelque temps[2] — mais évoque également le vêtement du condamné à mort. Plus qu'à l'image du Christ, Gauguin fait penser à celle de ces anarchistes guillotinés à Paris à la même époque et évoque une sorte de Ravachol[3] amer, au regard lourd de reproches. Ce portrait donne tout à fait l'impression d'être destiné à un public, celui-là même qui l'abandonne et ne le reconnaît pas, celui du monde artistique parisien, critiques, marchands, collectionneurs, etc. D'une frontalité dans sa tenue blanche qui rappelle peut-être le Christ de Mantegna qu'il avait pu admirer au Louvre, comme le *Pierrot* de Watteau, lui aussi identifié à l'artiste — en comédien triste[4] —, il se détache sur un fond sombre. Ce dernier est assez difficile à déchiffrer et ressemble autant à un portant de décor qu'à un mur de pierre où seraient sculptées en relief deux figures. On y a vu tantôt l'image de deux hommes qui conduisent le Christ au supplice vers la croix dont on voit la base en haut et à gauche, tantôt deux personnages symbolisant les deux versants de la personnalité de Gauguin, l'image tahitienne de gauche représentant son aspect « sauvage », et le visage pensif et comme enveloppé dans une pélerine médiévale, en haut

Gauguin, *La nuit de Noël*, détail, 1894, huile sur toile (collection Josefowitz)

1. Segalen 1904.
2. Danielsson 1975, 194.
3. Henri Ravachol, l'anarchiste récemment guillotiné (1859-1872).
4. *Cf.* P. Rosenberg in cat. Watteau, Paris, 1983-4, n° 69.

218

5. Amishai-Maisels 1985, 101, 102.
6. Rothschild 1961 et Mittelstadt, 1966, cités par Kunio Motoe in Tokyo 1987, 176.
7. Kunio Motoe, *Ibid.*
8. Anderson 1974, et Dorra 1978.
9. Joly-Segalen 1950, nº XXXII, 105-106.
10. Acheté 15 F, (voir Jaquier 1957) ; à son retour en France, il le cède à Ambroise Vollard.

et à droite, incarnant son côté « sensitif »[5]. Certains ont discerné dans le visage de gauche la Vierge, et dans celui de droite, saint Jean[6], ou remarqué que ce relief semble une transposition tahitienne des deux rois mages du calvaire breton dans *Nuit de Noël*, peint deux ans plus tôt[7]. D'autres enfin ont vu dans le visage de droite la silhouette au capuchon noir qui symboliserait la mort dans de nombreux tableaux de Gauguin — depuis la paysanne de *Bonjour M. Gauguin* jusqu'à *Manau Tupapau* (cat. 95, 154)[8]. En fait, l'analogie la plus directe me semble être les visages des saintes femmes du calvaire de Nizon peintes dans son *Christ Vert* (fig. cat. 88), dont il devait avoir conservé une photographie, ou dans *Nuit de Noël* (W 519).

Il est certain que Gauguin a voulu faire planer « l'esprit des morts » sur son tableau. Comme toujours chez lui on trouve ici le mélange de « pose » et de véritable désespoir. Segalen voit très juste quand il écrit : « dès son arrivée dans les îles, soit douze ans avant son cadavre, Gauguin songeait à la mort, non point imagée, mais à la sienne. Son existence dans ces douze dernières années est donc un *poignant spectacle* (c'est moi qui souligne) dont la détermination n'est pas moins belle pour être fatale »[9]. C'est précisément l'auteur de ces lignes, qui, présent à Papeete à la vente de la succession, acheta ce tableau pour le rapporter à Paris[10]. F.C.

219

No te aha oe riri (Pourquoi es-tu fâchée ?)

1896
95 × 130
Huile sur toile.
Inscrit en bas à gauche, *No te aha oe riri ;* signé et daté en bas à droite, *P. Gauguin 96.*

The Art Institute of Chicago, Mr. and Mrs Martin A. Ryerson Collection

Expositions
Bruxelles 1904, nº 55, *No te aha oe riri* ;
Edimbourg 1955, nº 54 ;
Chicago 1959, nº 60.

Catalogue
W 550.

Cette toile *No te aha oe riri (Pourquoi es-tu fâchée ?)* se distingue des autres toiles monumentales peintes par Gauguin en 1896-1897 en ce qu'elle trouve sa source dans un tableau tahitien antérieur. Les éléments essentiels de ce paysage, la case et les trois personnages principaux viennent presque littéralement de *Te raau rahi* (*Le Grand arbre*) de 1891 (W 437). Il est d'ailleurs possible que Gauguin ait laissé cette toile à Tahiti en 1893 car rien n'indique qu'elle ait été exposée en France ou à Bruxelles pendant son séjour. Nous ne savons donc pas si Gauguin fit cette « nouvelle version » de la toile de 1891 d'après le tableau lui-même, une photographie ou de mémoire.

Des modifications sensibles apparaissent. Ainsi Gauguin conserve la disposition d'ensemble avec le *faré* au centre, mais transforme le paysage. Le grand manguier et l'arbre à pain qui occupaient une place importante au premier plan de la toile de 1891 ont été remplacés par un palmier du plus bel effet qui marque le centre du tableau de 1896. Bien plus significatif est le changement de proportion de figures qui, ici, prennent le pas sur le paysage et justifient un nouveau titre : *Le Grand arbre* devenant *Pourquoi es-tu fâchée ?* (traduction de Gauguin). Ce qui invite à lire le tableau comme un récit. Qui est fâché dans cette scène d'une sérénité absolue ? Pas la figure debout, calme et digne, mais plutôt la femme assise tout à côté, la tête inclinée, l'expression boudeuse. Peut-être la femme à gauche qui se tourne vers celle qui est fâchée lui pose-t-elle précisément la question que Gauguin pose dans le titre. On ne voit pas ses lèvres mais elle semble s'adresser à son amie.

Comment devons-nous interprèter cette mystérieuse colère dans ce paradis ? La maison et sa gardienne nous repoussent vers l'extérieur, au premier plan de la composition, la fraîcheur de l'intérieur demeurant inaccessible. Mais au centre du tableau, deux poules avec leurs couvées de poussins dont la moitié sont blancs, l'autre noirs, apportent une indication. Gauguin fut toujours fasciné par les fables et les paraboles. Ses écrits fourmillent d'aphorismes et de contes en apparence simples, mais d'une portée morale complexe. Dans ce tableau, la scène que jouent les poussins oppose indépendance et éducation des petits ; elle prend toute sa signification par la présence du coq et des poules sans poussins à mi-distance à droite de la femme debout. Ces deux poules renvoient presque directement aux deux figures féminines à droite du tableau : l'une d'elles avance langoureusement, les seins nus alors que la deuxième va boitant, une canne à la main. Chaque poule à l'ombre correspond à une des femmes assises à l'ombre et chaque poule au soleil correspond à une des femmes au soleil.

Gauguin, *Te raau rahi (Le grand arbre)*, 1891, huile sur toile
(Cleveland Museum of Art et Collectionneur anonyme)

Tableaux de Gauguin exposés à la Libre Esthétique
Bruxelles, 1904 (photographie des Archives de l'art contemporain, Bruxelles,
Musées Royaux des Beaux-Arts)

219

Le titre, ainsi que les poules et les poussins donnent à penser que la femme en colère est une mère, les seins gonflés de lait, les mamelons étirés par l'allaitement. Peut-être se souvient-elle de sa liberté perdue en voyant la jeune fille qui se promène, sereine, dans le paysage, une bourse en paille de coco à la main, les cheveux frottés d'huiles odorantes, les oreilles ornées de fleurs de frangipanier.

Il existe une parenté entre la figure monumentale de la femme debout, à droite du tableau et la figure féminine vue de profil dans une position analogue dans le tableau de Georges Seurat, car ce fut le tableau qui rejeta dans l'ombre ses propres toiles en 1886 à la dernière exposition impressionniste. Après cette défaite Gauguin s'éloigna de Paris et de l'avant-garde « scientifique ». Pourtant, ici à Tahiti, dix ans après, il conçut en quelque sorte un équivalent indigène des grandes représentations de loisirs parisiens par Seurat. R.B.

220

Nave nave mahana (Jour délicieux)

1896
95 × 130
Huile sur toile.
Inscription en bas au centre, *Nave Nave Mahana.*
Signé et daté sous l'inscription , *P. Gauguin 1896.*

Lyon, Musée des Beaux-Arts

Expositions
Bruxelles 1904, n° 53, *Nave Nave Mahana* ;
Paris 1906, n° 218, *Nave Nave Mahana* ;
Bâle 1928, n° 100 ;
Bâle 1949, n° 58.

En février 1897, Gauguin fit parvenir à Daniel de Monfreid six de ses dernières toiles parmi lesquelles figurait cette frise de tahitiennes, *Nave nave mahana (Jour délicieux)*[1]. Dans cet envoi, deux grandes toiles de même format, celle-ci et *No te aha oe riri* (cat. 219)[2], doivent être considérées comme des pendants. Toutes deux représentent des tahitiennes dans un moment de détente et comparées aux scènes de genre tahitiennes datant de son premier voyage, on constate que les figures ont gagné en monumentalité et les paysages sont d'une composition plus subtile. Gauguin avait peint un autre ensemble de toiles de même format, *Te tamari no atua* (cat. 221) et *Te arii vahine* (cat. 215), représentant des femmes nues, seules, d'aspect monumental, en plein air ou dans un intérieur, et les avait envoyées en Europe pour être exposées quelques mois avant de terminer et d'envoyer *Nave nave mahana* et *No te aha oe riri.* Les deux premières sont un défi à l'art de Manet alors que les compositions en frise trouvent manifestement leur modèle dans l'œuvre de Puvis de Chavannes.

Voici plus de trente ans, Madeleine Vincent écrivit la meilleure description existante de *Nave nave mahana,* s'interrogeant sur la signification du titre, le contraste entre la souffrance physique de Gauguin et les vertus apaisantes du tableau ainsi que la complexité de sa structure chromatique. « Quant à la tonalité d'ensemble du tableau, elle est une sorte de condensé de la vie océanienne, de ce que cette vie a d'énigmatique, non d'une énigme de pénombre mais d'une énigme de clarté incendiaire ; elle est la transposition picturale d'un climat engourdi, de la chaleur brûlante des différents rouges superposés et des tons cuivrés des carnations, saturé du parfum capiteux d'une dense floraison qui éclate dans un ciel d'or. Transposition qui est, d'ailleurs, non seulement d'un climat mais d'un âge, car tout, dans cette toile, transpire l'archaïsme immobile et altier d'une nature libre et intacte, accueillante à l'homme, d'une race enfantine et heureuse qui se laisse bercer et nourrir avec la plus passive et la plus sereine dévotion filiale »[3].

Nave nave mahana montre sept tahitiennes et un enfant près d'un ruisseau bordé d'arbustes. Gauguin semble avoir été fasciné par le jeu rhytmique des figures évoluant avec souplesse et des courbes douces des troncs et des branches. Les deux femmes en conversation au

Catalogue
W 548.

Exposé à Washington et à Paris

1. Joly-Segalen 1950, nº XXIX, 101.
2. Gauguin a certainement fait une erreur en reportant le titre du deuxième tableau qu'il appelle dans sa lettre *Nave Aha Ve Riri. Pourquoi es-tu fâchée ?* Il n'existe pas d'autre tableau que cat. 219 correspondant à ce titre.
3. Vincent 1956, 225-226.
4. Des tahitiens voient dans cette figure un « avorton », un enfant malade que les femmes gardent près d'elles au lieu de l'envoyer jouer avec ses camarades.

centre portent des tuniques longues de couleurs contrastées, blanc et violet tirant sur le rouge. La figure en blanc se tient à la branche d'un arbre et le mouvement de sa tête fait d'elle la figure la plus animée de la composition. Juste derrière ce couple se tient une femme plus jeune, d'une beauté éblouissante, vêtue d'un éclatant pareo imprimé rouge et blanc, noué discrètement au-dessus des seins. A la différence des figures au centre, elle regarde vers le spectateur. Elle porte sur la tête une guirlande de petites fleurs blanches semblables à celles qui poussent, un peu à l'écart, sur l'arbre au premier plan et il semblerait que les autres femmes la protègent.

De chaque côté de ce trio se tiennent deux femmes vêtues de simples pareos rouges noués à la taille. Elles ont les cheveux dénoués dans le dos et les seins nus. La figure de droite tient un petit bol en bois, vraisemblablement une offrande et toutes deux regardent vers le spectateur. A chaque extrémité de la frise, deux figures assises semblent absorbées par leurs propres activités. Dans l'angle inférieur gauche, un petit enfant au vêtement sombre vert-brun mange un fruit. Minuscule, isolé et placé bien en évidence, cet enfant apporte une note discordante au tableau[4]. Il faut noter peut-être que le premier enfant de Gauguin avec son épouse tahitienne, Pahura, mourut quelques jours après sa naissance en décembre 1896, moins de deux mois avant que Gauguin n'expédie cette toile à Monfreid.

On trouve peu de parallèles à *Nave nave mahana* parmi les tableaux peints par Gauguin jusque là. Il ne trouve pas sa source dans une toile datant de son premier voyage tahitien, comme son pendant *No te aha oe riri*, et les figures n'ont pas vraiment de modèle dans son œuvre. Aucun de ses dessins figuratifs de Tahiti qui nous sont parvenus n'a de rapport direct avec les personnages représentés sur ce tableau. R.B.

221
Te tamari no atua (La naissance du Christ)

1895-1896
96 × 128
Huile sur toile.
Signé, daté et inscrit en bas à gauche, *P Gauguin 96/ TE TAMARI NO ATUA.*

Munich, Bayerische Staatsgemäldesammlungen, Neue Pinakothek

Expositions
Bruxelles 1897, nº 282, 1 000 francs *Te Tamari no atua* ;
Berlin 1906, nº 98 *Geburt Christi* ;
Stuttgart 1913, nº 306.

Catalogue
W 451.

Exposé à Washington

Le titre, littéralement *Le fils de dieu*, ne correspond pas vraiment au sujet de cette toile célèbre, qui serait plutôt la mère, étendue sur un lit monumental aux draps d'un jaune de chrome lumineux. L'arrière-plan christique, secondaire visuellement par rapport à la figure principale, est également un pastiche savant de deux autres tableaux. La partie de gauche vient d'un tableau de Gauguin *Bé Bé* (W 540), peint la même année ; celle de droite de l'*Intérieur d'une étable* (1837) par Tassaert. Gauguin avait sans doute une photographie de cette œuvre qui avait fait partie de la collection de son ami et tuteur, Gustave Arosa[1]. Le choix du tableau de Tassaert s'explique peut-être par la description bien observée du bétail, rare à Tahiti. Comme souvent chez Gauguin, l'Europe et la Polynésie se mêlent en une même image.

Des auteurs ont débattu la signification et les sources des différentes composantes du tableau. Le titre tahitien fait l'objet d'une controverse, Danielsson le trouve grammaticalement incorrect[2], mais Teilhet-Fisk le défend à juste titre et n'admet qu'une seule erreur dans l'orthographe du mot *tamari'i*, qui signifie enfant[3]. D'autres ont avancé des théories sur les implications libertines et sexuelles du chat qui dort sur le lit avec la mère, ainsi que sur la représentation de la nuit à l'arrière-plan et les prémonitions de mort ici nombreuses. Ce tableau a aussi une clé autobiographique puisqu'il fut peint vers la fin de 1896, peu de temps après que la vahiné de Gauguin, Pahura, ait donné naissance à leur enfant qui mourut quelques jours plus tard[4]. Gauguin avait fait la connaissance de Pahura début 1896 et Danielsson, le meilleur et le plus persévérant des biographes de la période tahitienne de Gauguin, la décrit comme une jeune femme négligée et paresseuse, d'une moralité douteuse. Néanmoins, elle consentit à vivre avec l'artiste vieillissant et lui donna deux enfants dont le premier naquit en décembre 1896 ou début janvier 1897[5].

Gauguin, *Bé bé*, 1896,
huile sur toile
(Leningrad, Musée de l'Ermitage)

La thèse selon laquelle le tableau représenterait précisément cet enfant incarnant ainsi l'enfant-Jésus, est difficilement défendable. Le tableau lui-même est vraiment grand, ambitieux et complexe et ne peut de ce fait, avoir été peint pendant la ou les deux semaines qui séparèrent la naissance de la mort de l'enfant. Le raffinement de la surface, peinte en plusieurs couches, donne à penser que Gauguin travailla longuement ce tableau revenant sur les surfaces colorées afin de parvenir au maximum d'harmonie et d'intensité. Gauguin a sans doute débuté cette composition dans la perspective de la naissance de l'enfant, car il le termina bien avant, et l'envoya, avec son pendant *Bé Bé*, pour l'exposition de Bruxelles début décembre. Il fut probablement conçu pour succéder à *Ia orana Maria* (cat. 135) et être le tableau de son deuxième voyage qui permettrait aux spectateurs et critiques de comprendre les significations complexes et multiples de ses autres tableaux tahitiens.

Malheureusement, cette superbe toile ne devait pas frapper la critique du Salon de *La Libre esthétique* de 1897. Seul Jules Dujardin, dans *La Réforme*[6] mentionna le titre de la toile mais dans l'énumération de titres

1. Paris 1878, n° 71.
2. Danielsson 1967, 232.
3. Teilhet 1979, 110 et Teilhet-Fisk 1983, 116-117.
4. Teilhet 1979, 110 et Teilhet-Fisk 1983, 116-117.
5. Danielsson 1965, 182-183 ; Danielsson 1975, 190-191.
6. Dujardin 1897.
7. C.V.Z. 1897 ; et un critique anonyme dans *La Libre Critique*, 7 mars 1897.
8. Post-scriptum adressé à Aline dans une lettre à Mette de décembre 1893. Malingue 1946, n° CXLVI, 252.
9. *Le Forum Républicain*, 30 décembre 188.
10. Danielsson 1975, 182.

tahitiens incompréhensibles. Dujardin pas plus que les autres critiques qui écrivent alors sur Gauguin, ne commenta d'œuvre en particulier, ce qui peut paraître étrange car *Te tamari no atua* traite un sujet éternel facile à identifier. L'étable, comme le nimbe de l'enfant Jésus sont aisément reconnaissables. En fait, cette toile monumentale, d'une merveilleuse lucidité, a été rejetée par la critique plus à cause de la réputation de l'artiste que de son œuvre. Pendant son séjour à Paris de 1893 à 1895, Gauguin avait acquis un certain renom dans l'avant-garde artistique et littéraire, ce qui déplut, pour le moins, à deux critiques belges[7].

Te tamari no atua est la dernière d'une remarquable série de toiles de Noël dont la plus célèbre est *Ia orana Maria* (cat. 135), celle qui rencontra le plus grand succès à l'exposition de 1893 chez Durand-Ruel. Gauguin avait de multiples raisons d'être fasciné et même obsédé par la plus célébrée des fêtes chrétiennes. Des événements décisifs de sa vie se produisirent à Noël ou juste avant. Le premier, mais aussi le plus important, fut la naissance de sa fille préférée, Aline, née le soir de Noël 1877 (Gauguin se rappellait le jour de sa naissance comme étant le jour de Noël 1876)[8]. En 1888, van Gogh s'était tragiquement mutilé la veille de Noël[9]. Gauguin s'identifia lui-même au Christ à plusieurs reprises dans sa carrière ; on peut ainsi sans difficulté avancer que ce tableau représente la naissance du Christ dans un décor tahitien et s'y superpose l'événement que fut la naissance de l'enfant de Gauguin.

La forme la plus étonnante, la plus mystérieuse du tableau est celle du lit. Les Tahitiens ne se servent pas de ce meuble, peut-être est-ce pour cette raison que Gauguin mis tout son talent dans cette création. Le grand lit-trône de Vairumati domine le tableau de 1897 (W 559), et le lit qu'il imagina pour *Te tamari no atua* est tout aussi intéressant. Le motif d'ajours peints qui décore le longeron du lit rappelle le décor géométrique de la plinthe de *Aita tamari vahine Judith te parari* (cat. 160), et les montants sculptés à la tête et au pied du lit dérivent moins de ses propres sculptures que du décor architectural maori qu'il avait étudié au musée d'Auckland (Nouvelle-Zélande), en route pour Tahiti[10]. Ce lit est en soi une œuvre d'art, et rappelle le mobilier éclectique de Victor Hugo, ou les superbes ensembles réalisés à la même époque par les artistes-décorateurs parisiens. R.B.

222

Nevermore

1897
60,5 × 116
Huile sur toile.
Inscription, signature et date en haut à gauche, *Nevermore/ P. Gauguin 970/ O. Tahiti.*

Londres, Courtauld Institute Galleries (Courtauld Collection)

Expositions
Paris 1906, nº 216, *Never More* ;
Cologne 1912, nº 168, *Nevermore* ;
Londres 1924, nº 52 ;
Paris 1949, nº 48 ;
Edimbourg 1955, nº 55 ;
Cleveland 1987, nº 40.

Catalogue
W 558.

Gauguin décrit et commente *Nevermore* dans une longue lettre à Monfreid du 14 février 1897. Après avoir énuméré les six autres toiles qu'il est sur le point d'envoyer à Monfreid, Gauguin parle de *Nevermore* qu'il n'a pas encore terminée : « Je tâche de finir une toile pour l'envoyer avec les autres mais *aurai-je le temps ?* Je vous recommande bien d'observer la verticale quand vous mettez sur châssis. Je ne sais si je me trompe mais je crois que c'est une bonne chose. J'ai voulu avec un simple nu suggérer un certain luxe barbare d'autrefois. Le tout est noyé dans des couleurs volontairement sombres et tristes ; ce n'est ni la soie, ni le velours, ni la batiste, ni l'or qui forme ce luxe mais purement la matière devenue riche par la main de l'artiste. Pas de foutimaise... l'imagination de l'homme seule a enrichi de sa fantaisie l'habitation.

Pour titre, *Nevermore,* non point le corbeau d'Edgar Poe mais l'oiseau du diable qui est aux aguets. C'est mal peint, (je suis si nerveux et je travaille par saccades,) n'importe je crois que c'est une bonne toile — un officier de marine vous enverra le tout dans un mois j'espère. »[1]

L'aspect lisse de *Nevermore* ne laisse pas transparaître la texture grossière de la toile de chanvre sur laquelle il est peint — sans doute parce que Gauguin avait apprêté la toile, peint un paysage avec des personnages, et puis l'avait recouvert d'une épaisse couche d'apprêt blanc avant de commencer *Nevermore.* Mais la couleur blanche de la deuxième couche d'apprêt arrête les rayons x ; aussi est-il difficile de reconstituer ce paysage. On distingue néanmoins des troncs sinueux de palmiers, une grande figure de femme assise au centre, ainsi qu'un bébé dans l'angle inférieur gauche. Ces éléments permettent de rapprocher cette « peinture sous la peinture » de *Te Vaa* (W 544) qu'il avait terminé en 1896 et aussi de *Nave nave mahana* (cat. 220) à laquelle Gauguin travaillait peut-être en même temps qu'il terminait *Nevermore.*

Si certains voient dans la lettre citée plus haut une preuve que Gauguin peignit le tableau rapidement, ce ne fut certainement pas le cas. Gauguin se mit sans doute à cette toile quelque temps avant la mi-février et il continua à y travailler au moins encore un mois après avoir envoyé la lettre. L'étude scientifique très poussée du tableau effectuée par l'Institut Courtauld, révèle qu'une bonne partie a été réalisée « mouillé sur mouillé », ce qui lui donna la possibilité de combiner des tons de valeurs très proches à l'intérieur d'une même zone picturale. Cela ne signifie pas forcément que le tableau ait été peint rapidement. Il est évident que Gauguin a travaillé sa peinture avec l'objectif de parvenir à une surface égale, clairement organisée, telle qu'elle nous est parvenue[2].

Le passage de la lettre concernant l'élément vertical du châssis a peut-être son importance. Gauguin se rendit sans doute compte que l'extrême horizontalité du tableau et l'épaisseur inhabituelle de la couche picturale rendaient nécessaire l'ajout d'une baguette verticale au châssis pour donner de la stabilité au tableau. Les dimensions de *Nevermore* n'ont pas d'équivalent dans l'œuvre de Gauguin. Parmi les nombreuses petites toiles horizontales de son premier voyage tahitien, la plus proche de *Nevermore* quant aux proportions est *Arearea no varua ino* (W 514), peinte en 1894 et expressément destinée à l'aubergiste de Gauguin, Mme Gloanec, probablement pour un décor. *Nevermore* a peut-être été découpée dans une toile plus grande, peut-être semblable par les dimensions aux six toiles monumentales de 1896-1897 dont il a été question plus haut.

Dans sa lettre, Gauguin prend bien garde de dissocier son tableau du texte d'Edgar Poe, *Le Corbeau*, dont provient pourtant le titre du tableau. Le poème était bien connu de l'avant-garde en France depuis sa publication en 1875 — plus de vingt ans auparavant — dans une traduction de Mallarmé illustrée de lithographies de Manet. Le regain d'intérêt de Gauguin pour l'art de Manet, ses affinités de toujours avec Mallarmé nous conduisent à reconsidérer les relations entre le texte et le tableau de Gauguin[3].

Le texte de Poe avec ses célèbres alitérations, ses répétitions et ses rimes hypnotiques présente le corbeau, messager du diable qui hante le poète et dont la présence maléfique l'empêche d'adorer l'image de Lénore, son idéal féminin. Dans le texte, le corbeau a la première place et Lénore est absente. Quant on le regarde après avoir lu Poe, le tableau de Gauguin s'interprète comme une antithèse du texte du grand poète américain. Pour Gauguin, la femme, « un simple nu », domine complètement le tableau et le corbeau terrifiant de Poe est réduit à l'état de jouet. Là où le poème mentionne à maintes reprises soies et velours somptueux, Gauguin souligne dans sa lettre à Monfreid leur absence dans son tableau. Alors que le texte poétique de Poe se passe dans un minuit sans fin, perturbé par les rafales d'un vent glacial, le poème pictural de Gauguin se situe dans l'intemporalité identique bien qu'opposée d'une journée tropicale que les tempêtes ne troublent pas. Le soleil parvient même à s'infiltrer dans la maison joliment décorée et joue avec la partie supérieure du corps, les bras et le visage de la « Lénore » de Gauguin, sa femme et modèle Pahura.

Le seul point commun entre le tableau et le poème est le décor. L'intérieur décrit par Poe est encombré de coussins de velours, de fenêtres avec une entrée surmontée d'un buste. Il est riche de formes et de sens mais il n'y a personne à l'exception du poète et de l'horrible corbeau. L'intérieur dans le tableau de Gauguin est plus simple mais chargé de présence humaine. Deux personnages parlent tranquillement dans le fond et la femme nue semble tout autant leur tourner le dos que regarder vers le spectateur. Pourtant, son regard oblique montre que même silencieuse elle est consciente de la présence du corbeau et du couple en conversation ; le spectateur lui n'a aucune place dans cette scène. Ainsi, la « Lénore » de Gauguin est tout aussi inaccessible que celle de Poe et elle n'a que peu de cette présence impudente de l'*Olympia* de Manet à laquelle on l'a souvent comparée[4].

L'époque où il travaillait à *Nevermore* coïncide chez Gauguin avec une longue période de réflexion sur les relations entre poésie et peinture. Quand il entreprit de travailler en collaboration avec Charles Morice sur *Noa Noa,* la peinture de Gauguin précédait les textes poétiques en partie rédigés par Morice à partir d'une trame narrative élaborée par le peintre. Pour Gauguin, dans *Noa Noa,* l'image précédait le texte. Ici, dans *Nevermore* il procède à l'inverse et crée une sorte de contre-illusion subversive.

Du fait que cette toile explore les relations entre des expressions artistiques différentes, Gauguin dut éprouver d'autant plus de plaisir quand il apprit en 1898 ou début 1899 que l'œuvre avait été vendue au compositeur anglais Frederik Delius dont il avait fait la connaissance chez les Molard rue Vercingétorix[5]. Par la suite, Delius prêta *Nevermore* à la rétrospective Gauguin du Salon d'Automne en 1906, où presque tous les grands artistes du début du siècle ont pu la voir et elle eut un impact extraordinaire sur Picasso et Matisse. Sans elle, il est difficile de concevoir le *Nu bleu* de Matisse peint en 1907[6] et ses tonalités brun violacé, et le modèle schématique de la forme féminine ne manquèrent pas de séduire le jeune Picasso. R.B.

1. Le passage a souvent été partiellement cité. Voir John House, *Impresionist and Post-Impresionist Masterpieces : the Courtauld Collection* (n. 40) ; Maurer 1985, et Joly-Segalen 1950, n° XXIX, 101.
2. L'analyse scientifique du tableau par l'Institut Courtauld précise que comme les autres œuvres de Gauguin peintes dans les années 1890, celui-ci fut ciré et non pas verni.
3. Au banquet organisé le 23 mars 1891 au Café Voltaire en l'honneur du départ de Gauguin, le poème d'Edgar Poe *Le Corbeau* fut récité dans la traduction de Mallarmé. Voir Rewald 1962, 485-486.
4. Gauguin avait une reproduction d'*Olympia* dans sa case à Tahiti et, à Paris, il fit une copie d'après le tableau. Voir cat. 117.
5. Sur Delius et le cercle autour des Molard et de Gauguin, voir la chronologie. Voir aussi Carley 1975, chap. 4, 45-62.
6. Baltimore Museum of Art, The Cone Collection.

223

Te rerioa (Le rêve)

1897
95 × 130
Huile sur toile.
Inscription au centre à gauche, *TE RERIOA*.
Signé et daté au dessous de l'inscription, *P. Gauguin 97/ TAITI*.

Londres, Courtauld Institute Galleries (Collection Courtauld)

Expositions
Béziers 1901 ;
Weimar 1905 (?), n° 30, *Träume* ;
Paris 1906, n° 4, *Intérieur de case à Tahiti* ;
Edimbourg 1955, n° 41 ;
Cleveland 1987, n° 41.

Te rerioa (Le rêve) est la dernière des grandes toiles de 1 mètre sur 1,30 peintes par Gauguin en 1896-1897 (cat. 215, 219, 220, 221, W 544). Gauguin lui-même la jugeait encore meilleure que les toiles antérieures bien qu'il prétendit l'avoir exécutée en toute hâte, pendant les dix jours qui précédèrent le départ d'un bateau pour la France[1]. Seule la minceur de la couche picturale et la simplicité du chromatisme trahissent sa précipitation.

Dans sa lettre, Gauguin explique qu'il n'avait aucun programme spécifique pour les cinq grands tableaux dont il est ici question. En fait, ce tableau fut exécuté pendant une période de tranquillité relative de la vie de Gauguin : il n'apprit qu'en avril la mort de son enfant préféré, sa fille Aline, décédée en janvier et il avait emménagé dans la plus grande de ses habitations tahitiennes fin janvier ou début février. Les rythmes mesurés, la composition stable, le calme presque classique de *Te rerioa* révèle un Gauguin manifestement en paix avec lui-même.

Le tableau décrit un intérieur tahitien décoré d'une frise sculptée ou peinte, sans aucun rapport avec Tahiti ni avec ce que Gauguin avait peint auparavant. Un bébé dort dans un berceau en bois merveilleusement sculpté qui semble être de l'invention de Gauguin et dont les gardiens noueux veillent sur le sommeil. La compagne de la mère est vue de profil devant un paysage en hauteur avec le cavalier dont parle Gauguin dans sa description. Quand, dans sa lettre à Monfreid, il énumère les personnages dans le tableau, il ne mentionne pas la compagne, mais seulement la mère, l'enfant et le cavalier. Pourtant, quand on regarde la mère et sa compagne comme un ensemble, le « couple » qu'elles forment rappelle immédiatement les figures centrales de la grande toile de Delacroix *Les Femmes d'Alger*[2]. Il est difficile de trouver un lien précis entre cette image des débuts de l'« Orientalisme » en France et la peinture « décadente » de Gauguin à la fin de sa vie. Mais en France, Gauguin semble avoir étudié de près l'art de Delacroix, et il avait également pris modèle sur le célèbre journal tenu par celui-ci pendant son voyage en Afrique du Nord en 1832 pour la rédaction de *Noa Noa*.

Comme *Nevermore* peint un mois auparavant, cette toile témoigne du regain d'intérêt de Gauguin pour le décor intérieur. Il venait d'être obligé de quitter sa

223

Catalogue
W 557.

Exposé à Washington et Chicago

maison de Punaauia et avait acheté à proximité une maison tahitienne à laquelle il avait ajouté un très grand atelier construit plus ou moins sur le modèle de la maison indigène traditionnelle. Malheureusement, la seule photographie de son atelier qui subsiste ne montre qu'un seul tableau. Cependant, ce que nous savons de son aspect extérieur et de la maison de Gauguin plus tard aux Iles Marquises permet d'imaginer un intérieur splendide, librement adapté de motifs tahitiens traités de façon très personnelle par Gauguin.

La frise décorative de *Te rerioa* est difficile à interpréter. Le long mur perpendiculaire au plan du tableau est divisé en deux parties distinctes : le bas est décoré d'une frise « animalière » composée d'éléments similaires à ceux que l'on trouvera dans les gravures sur bois de Gauguin de 1898 et 1899 (cat. 232-245) et l'espace, dans la partie supérieure, est essentiellement occupé par un couple enlacé où la femme est blottie dans les bras d'un homme qui regarde le monde les yeux grands ouverts[3]. Sa compagne est totalement passive, sans connotation sexuelle et semble presqu'endormie. A leur droite, on voit une femme dans un costume insolite dont la tête de profil émerge de feuilles et de pétales de fleurs. Par contraste avec le couple enlacé, elle fait l'objet d'un traitement décoratif très élaboré.

A droite du paysage, on trouve un décor peint ou sculpté où les motifs humains et animaliers, séparés dans l'autre décor, ont été ici réunis en une même large surface. Elle est dominée par un seul personnage, les bras levés dans une attitude semblable à celle de la déesse Hina dans *Mahana no atua* de 1894 (cat. 205) ou *Parau Hanahano* de 1892 (W 460). Ici, comme dans l'idole, le personnage n'a pas d'attributs sexuels et Gauguin a peut-être voulu mettre en contraste le royaume des dieux où prévaut l'androgynie avec celui des hommes dominé par la sexualité.

Gauguin lui-même assimilait le tableau à ses propres rêves aussi bien qu'à ceux du bébé ou de sa mère. Quoiqu'il en soit, il s'agit d'un rêve fait de zones mystérieuses qui ne peuvent s'expliciter mutuellement. Même le paysage, la partie « la plus simple » du tableau d'un point de vue iconographique, est difficile à lire et se pose alors la question de savoir s'il s'agit d'un paysage « réel » ou d'un tableau accroché dans la pièce comme une échappée décorative. Ainsi, dans *Te rerioa,* représentation et réel se cotoient éternellement pour créer une énigme à l'intérieur d'un rêve. Étant donné les similitudes d'échelle, d'iconographie et de texture, on peut légitimement penser que *Te rerioa* fut conçu comme un pendant à *Te vaa* (W 544). R.B.

1. Joly-Segalen 1950, nº XXX, 102, 12 mars 1897.
2. Acquis par Louis-Philippe au Salon de 1834.
3. On retrouve des couples enlacés analogues dans le bois sculpté *Te faruru* (cat. 171) ainsi que dans *Les massacres de Scio* de Delacroix. Field 1960, 131 ; éd. 1961, 147.

Delacroix, *Les femmes d'Alger,* 1834, huile sur toile (Paris, Musée du Louvre)

Gauguin, *Te vaa (La pirogue)* (Leningrad, Musée de l'Ermitage)

224

Baigneuses

1897
60,4 × 93,4
Huile sur toile.
Signé et daté en bas à droite en beige-violet, *P. Gauguin 97.*

Washington, National Gallery of Art (don Sam A. Lewisohn 1951.5.1.)

Expositions
New York 1946, nº 33 ;
Tokyo 1987, nº 72.

Catalogues
W 572, *Baigneuses ;*
W 567, *Tahiti. Paysage.*

Ce luxuriant paysage avec baigneuses a longtemps déconcerté les spécialistes de Gauguin. Il a fait l'objet de plusieurs publications donnant des titres et des dates différents, l'étude la plus récente avait d'ailleurs modifié radicalement la datation admise de 1898 pour 1893[1]. Ce changement venait de ce que la date inscrite était illisible mais on peut maintement lire clairement « 97 ». Le catalogue raisonné cite une lettre du 11 novembre 1898 dans laquelle Monfreid fait référence à une toile avec « Des femmes qui se baignent dans un paysage papillotant »[2] pour conforter la datation de 1898. Cependant, l'inscription et les dimensions du tableau correspondent exactement à celle d'une toile achetée par Degas à Monfreid le 7 juin 1898 et figurant au catalogue de la vente de la collection de Degas[3]. Il est donc très probable que *Baigneuses* appartint à Degas et fut acquis par Hessel à la vente Degas avant d'être acheté par Vollard qui par la suite le vendit à Lewisohn. Cette petite toile et les baigneuses de Cézanne ont ainsi peut-être incité Degas, plus âgé, à peindre lui aussi, à la fin du siècle, un groupe de baigneuses[4].

Les personnages de cette composition de baigneuses sont inspirés de sources très différentes dans l'œuvre même de Gauguin, et le fait que la figure centrale du nu assis, vu de dos, est proche d'une toile de 1892 (cat. 144) a conduit les partisans d'une date antérieure à sous-estimer l'importance des autres figures qui se rattachent manifestement à des œuvres plus tardives. Les deux femmes à gauche s'apparentent indubitablement à une œuvre de 1896 (W 539) et le nu vu de face à l'extrême droite rappelle une figure peinte en 1902 (W 615). Comme nous l'avons vu à maintes reprises, Gauguin, dans sa recherche de motifs, reprenait des figures de son propre carnet d'esquisses tout autant qu'il pillait l'œuvre d'autres artistes. Il serait séduisant de voir dans les compositions de baigneuses de Cézanne la source ultime

224

de cette toile. Cependant, Gauguin quitta Paris avant l'exposition Cézanne en 1895[5] chez Vollard et il n'a probablement jamais possédé aucune des premières compositions de baigneuses.

Malgré l'absence d'une source spécifique dans l'œuvre de Cézanne, bien des éléments tels que les proportions et l'échelle des figures, les rythmes de la composition apparentent ce tableau à nombre de compositions de Cézanne sur le même thème. Comme son aîné, Gauguin choisit une toile d'une horizontalité marquée et il se pourrait même qu'il ait coupé dix à douze centimètres d'une toile de 30 (2 × 92 cm) pour parvenir à ces dimensions inhabituelles. Mais, à la différence de Cézanne, il représente les baigneuses au cœur d'une forêt et non disposées en frise au premier plan. Ainsi, le spectateur semble découvrir par hasard ces femmes qui l'ignorent complètement. Les couleurs de ce tableau le rattachent indéniablement aux autres œuvres de Gauguin datées de 1897 et il fut sans doute peint dans les mois précédant le chef-d'œuvre de l'artiste *D'où venons-nous? Que sommes-nous? Où allons-nous?* (W 561, fig. essai R.B.). Elle aurait parfaitement été à sa place à l'exposition Gauguin chez Vollard que Degas avait tant admirée. La peinture respire l'aisance et la chaleur ; le rythme doux, la luxuriance de la végétation, le parfum suggéré des fleurs et la chaleur des corps dorés des femmes composent une image d'une innocence éternelle, au contraire de *D'où venons-nous? Que sommes-nous? Où allons-nous?* Alors que l'œuvre maîtresse pose des questions qui trouvent un écho dans toute l'histoire de l'humanité, ce petit tableau contient un message plus accessible, mais en définitive plus mythique. La grande toile est le « Paradis perdu » de Gauguin, *Baigneuses* son « Paradis reconquis ». R.B.

1. Kunio Motoe in Tokyo 1987, 172.
2. Joly-Segalen 1950, 209.
3. Voir la vente Degas, Paris 1918, n° 47, *Tahiti, paysage*. Voir aussi le catalogue Wildenstein, la notice 567.
4. Voir Brettell et Folds McCullagh in Chicago 1984, n° 91, 188-191.
5. La première exposition consacrée à Cézanne qui eut lieu en novembre et décembre.

D'où venons-nous? Que sommes-nous? Où allons-nous?

1898
20,5 × 37,5
Aquarelle bleue et pastel brun sur un dessin préliminaire à la mine de plomb sur papier calque mis au carreau doublé de papier velin. Titré à la plume en haut à gauche *D'où venons-nous ?/ Que sommes-nous ?/ Où allons-nous ?*; dédicacé, signé et daté à la plume en bas à gauche, *de l'amitié dans le souvenir/* (nom effacé)/ *cette pâle esquisse/ Paul Gauguin — Tahiti — 1898.*

Paris, Musée des Arts Africains et Océaniens

Expositions
Paris 1906, n° 79, *D'où venons-nous ?*
Saint-Germain-en-Laye 1985-1986, n° 367.

L'existence de ce dessin évanescent sur papier calque, mis au carreau en vue d'un report, vient contredire une déclaration de l'artiste au sujet du célèbre tableau auquel il se rapporte, *D'où venons-nous ? Que sommes-nous ? Où allons-nous ?* (W 561, fig. essai R.B.). A plusieurs reprises dans sa correspondance[1] Gauguin affirma n'avoir jamais fait de dessin préparatoire ou d'étude à l'huile pour ce tableau et avoir peint sa composition directement sur une toile immense pendant la période de travail intense qui précéda sa tentative de suicide à la fin de l'année 1897.

Gauguin fit le premier dessin daté de cette composition en bas d'une lettre qu'il adressa à Daniel de Monfreid en février 1898[2]. Ce dessin à la plume reprend les grandes lignes du tableau — mais disposées dans un espace pictural plus étiré — et indique des dimensions pour la toile (1,7 × 4,5 m) beaucoup plus importantes que celles de la toile qui nous est parvenue (1,39 × 3,75 m).

La première lettre à Monfreid laisse supposer que le tableau était plus ou moins terminé en février 1898. Cependant, il resta dans l'atelier de Gauguin au moins jusqu'au milieu de l'été. L'artiste y apporta des retouches au pastel de façon à ce qu'il puisse être photographié en juin 1898[3]. La photographie révèle une œuvre qui semble loin d'être achevée à quelques semaines de la date à laquelle elle devait être expédiée en France pour sa première exposition, à la galerie Vollard en novembre. Ce document donne à penser que Gauguin travailla intensément à cette toile pendant tout le premier semestre 1898, même si elle est datée de 1897. Peut-être Gauguin tenait-il à établir un lien entre l'élaboration de ce tableau et sa tentative de suicide. Au regard de ses réflexions ultérieures sur le suicide de van Gogh[4], on peut s'interroger sur les motivations de Gauguin pour construire un lien aussi fort.

Il est tout à fait possible que Gauguin n'ait jamais tenté de se suicider et que tout ce qu'il a raconté sur la brièveté de son travail pour ce tableau doive être mis en doute. Si nous considérons ce dessin comme un travail préparatoire, nous avons la preuve, une fois de plus, qu'il ne faut pas toujours croire Gauguin. Il est difficile de voir dans le dessin une œuvre postérieure au tableau, exécutée soit en vue de la gravure, soit comme cadeau pour un ami. L'absence de gravure ou de projet pour un catalogue de l'exposition de 1898 et le support du dessin, un papier calque avec une mise au carreau si évidente nous montrent de façon indéniable qu'il s'agit bien d'un dessin préparatoire.

Gauguin a utilisé du pastel bleu et orangé pâle sur un papier calque avant de faire une mise au carreau à la mine de plomb pour le report, puis il a titré et dédicacé son dessin à l'encre. Peu après son exécution, le dessin a été collé sur un deuxième support qui empêche l'examen du verso pour y rechercher d'autres indices. Le dessin ne comporte pas la large zone tout à fait droite dans le tableau, avec un chien en train de courir au-dessus duquel Gauguin a signé et daté la toile. C'est la raison pour laquelle le cueilleur de fruits, qui se trouve juste à droite du centre dans le tableau, occupe dans le dessin une place beaucoup moins importante. En réalité, les différents éléments figuratifs du dessin rivalisent les uns avec les autres pour retenir l'attention et la figure de la déesse Hina, d'une importance secondaire dans le tableau, a, dans le dessin, une importance tout aussi fondamentale que le cueilleur de fruits. R.B.

1. Joly-Segalen 1950, n° XL, 118, n° XLI, 121 ; Malingue 1946, n° CLXXIV, 300.
2. Joly-Segalen 1950, pl. 8 (entre 128 et 129), n° XL.
3. Joly-Segalen 1950, n° XLIV, 125-126. Voir aussi Lemasson 1950, 18.
4. *Avant et après*, ms. 8-16.

verrons à cette époque à recommencer d'une autre façon.
Il faut vous dire que ma résolution était bien prise pour
le mois de décembre alors j'ai voulu avant de mourir peindre
une grande toile que j'avais en tête et durant tout le
mois j'ai travaillé jour et nuit dans une fièvre inouïe.
Dame ce n'est pas une toile faite comme un Puvis de Chavannes,
études d'après nature, puis carton préparatoire etc. Tout
cela est fait de chic au bout de la brosse, sur une toile
à sac pleine de noeuds et rugosités aussi l'aspect en est terriblement
On dira que c'est lâché etc....

Gauguin, *Lettre illustrée à Daniel de Monfreid...*, février 1898
(Paris, Musée du Louvre, Orsay, Département des arts graphiques)

226
Autoportrait

15 × 10
Dessin à la mine de plomb.

Collection particulière

Expositions
Paris 1928, nº 5 ;
Paris, Orangerie 1949, nº 79.

Exposé à Paris

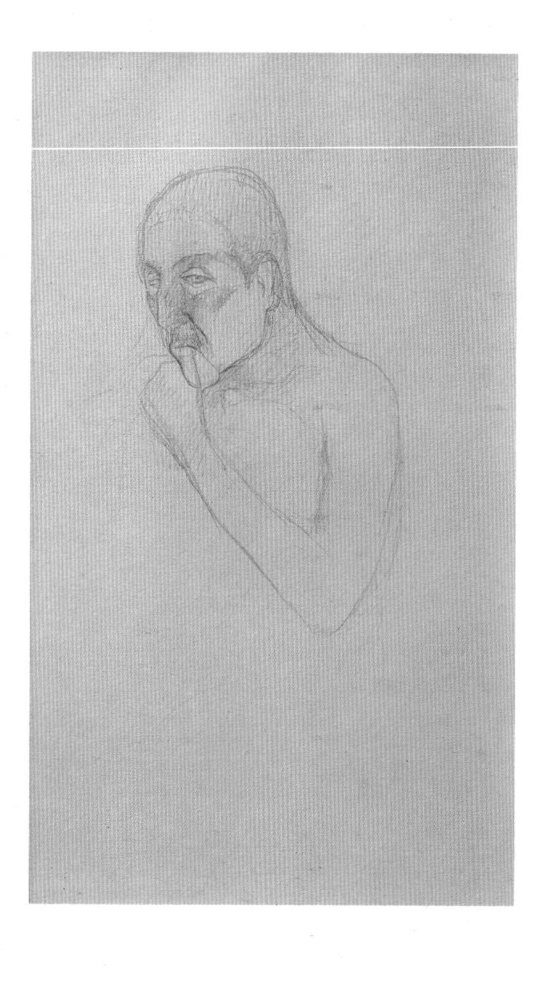

Trouvé dans les effets de Gauguin après sa mort à Atuona en mai 1903, ce dessin passe généralement pour son dernier autoportrait, ce qui n'est pas exclu, mais peu sûr : il est peut-être antérieur de plusieurs années[1]. Il semble en effet plus jeune — par son visage moins empâté et l'absence de lunettes de presbyte — que dans ce qui est vraisemblablement son dernier portrait de lui-même (W 634, fig. essai F.C.). Il faudrait plutôt le rapprocher de *L'autoportrait à l'ami Daniel* du musée d'Orsay ; (W 556) de 1897, où la barbe et les cheveux longs de *L'autoportrait près du Golgotha* (cat. 218) ont disparu. Le trait nerveux et concis est efficace pour exprimer sa farouche solitude et l'amertume qui se lit dans sa bouche. Il faut rapprocher son geste un peu traqué de protection de la main contre le visage, et du pouce sucé, de son portrait dans *Le pot à tabac* (cat. 65) ou dans *Soyez amoureuses* (fig. cat. 110).

Le dessin a été acheté par Victor Segalen à la vente des biens de Gauguin à Papeete le 2 septembre 1903. Il s'agit sans doute d'une page de l'un des albums (nº 119 et 122 de la vente) ou carnets (nº 135)[2]. L'auteur des *Immémoriaux,* qui n'a pas connu Gauguin personnellement, mais dont l'œuvre sera profondément marquée par cette rencontre posthume, conserva toute sa vie ce très émouvant témoignage.

F.C.

Gauguin, *Autoportrait à l'ami Daniel,* 1897, huile sur toile (Paris, Musée d'Orsay)

1. Pickvance le date autour de 1896 (1970, 43).
2. Jacquier 1957, 707.

227
Te pape nave nave (L'eau délicieuse)

1898
74 × 95,3
Huile sur toile.
Signé et daté en bas à gauche, *Paul Gauguin/ 98* ; intitulé en bas à gauche *TE PAPE NAVE NAVE.*

Washington, National Gallery of Art, Collection Mr and Mrs Paul Mellon 1973.68.2

En 1898, Gauguin envoya un ensemble de tableaux pour une exposition organisée par son ami Chaudet à la galerie Vollard. On sait depuis longtemps que la toile la plus importante peinte par Gauguin en 1897-1898, *D'où venons-nous ?* (W 561), fut exposée à cette occasion mais ce n'est que récemment que les autres toiles également présentées ont été identifiées. Dans un important compte-rendu de l'exposition, Thadée Natanson commente huit de ces toiles comme étant « des fragments-répliques (...) des études »[2]. Ces qualificatifs ainsi que des commentaires plus précis de ces tableaux permettent d'identifier *Te pape nave nave* (*Eau délicieuse*) comme l'un de ces huit tableaux.

Te pape nave nave étant signé et daté 1898, il nous faut y voir une « réplique fragmentaire » de *D'où venons-nous ?* (voir fig. essai R.B.). Les figures principales viennent

Gauguin, *Étude pour Te pape nave nave,* 1898, fusain (localisation inconnue, photographie Vizzanona)

Expositions
Paris 1898 1 ;
Chicago 1959, n° 63.

Catalogue
W 568.

1. C'est à tort que le catalogue Wildenstein cite ce tableau comme ayant figuré à l'exposition Vollard de 1903 sous le n° 4 (*La Joueuse de Flûte*) qui correspond plutôt au tableau portant le même titre, W 46.
2. Natanson 1898.
3. Amishai-Maisels 1985, 254-246.
4. Lettre à Morice in Artur 1982, 60.

de la partie droite de la grande décoration mais d'importantes modifications interviennent dans la couleur, la pose et la composition. Les deux figures assises à droite et la femme à la capuche à l'arrière-plan gardent la même attitude et la même position les unes par rapport aux autres. Cependant, Gauguin a remplacé la femme debout à côté de la femme à la capuche par un enfant et modifié la pose de la figure assise à droite du nu debout. Dans *D'où venons-nous ?*, il s'agit de la figure de *Pape moe* (cat. 137) qui a un bras levé et se détourne du spectateur. Dans *Te pape nave nave* le personnage est tourné vers nous. Pour stabiliser le plan médian, Gauguin emprunte la statue de la déesse tahitienne Hina à la partie gauche de *D'où venons-nous ?*

L'innovation la plus importante de ce tableau est le remplacement du cueilleur de fruits par un nu féminin debout qui, en fin de compte, vient de l'Eve déchue. La pose et les proportions sont manifestement apparentées à celles de Borobudur bien qu'on ne trouve aucun modèle précis dans la frise. Avant d'exécuter le tableau, Gauguin a, semble-t-il, élaboré la pose dans un grand dessin (R 105). Amishai-Maisels voit dans ce tableau une confrontation entre Péché/Mort à gauche et le Paradis à droite[3]. Les quatres baigneuses au premier plan peuvent également s'interpréter comme des créatures des paradis chrétien, tahitien et oriental, si on lit de gauche à droite. Comme les baigneuses de *Mahana no atua* (cat. 203), elles semblent appartenir à un royaume bien particulier. Un cours d'eau les sépare du paysage et, de même que les femmes dans *Nave nave mahana* (cat. 220), auquel ce tableau se rattache par son chromatisme, elles regardent vers le spectateur comme si elles posaient.

Tout en travaillant à ces toiles de la fin de 1897 et pendant toute l'année 1898, il développait de nouvelles idées sur la couleur. Il semble même avoir envoyé, en 1898, un manuscrit sur ce sujet à Charles Morice mais on ne l'a jamais retrouvé[4], et la seule preuve matérielle que nous ayons de ses théories chromatiques nous est fournie par une lettre célèbre qu'il adressa en février 1899 à Fontainas. Cette lettre contient le plus long développement de cette époque sur la couleur et on ne peut regarder la série de toiles peintes de 1897 à 1898 sans garder présent à l'esprit ce passage : « ... n'auraient-elles pas une analogie avec ces mélopées orientales chantées d'une voix aigre, accompagnement des notes vibrantes qui les avoisinent, les enrichissant par opposition, Beethoven en use fréquemment (j'ai cru le comprendre) —

dans la sonate pathétique, par exemple. Delacroix avec ses accords répétés de marron et de violets sourds, manteau sombre vous suggérant le drame. Vous allez souvent au Louvre : pensant à ce que je dis, regardez attentivement Cimabue. Pensez aussi à la part musicale que prendra désormais la couleur de la peinture moderne. La couleur qui est vibration de même que la musique est à même d'atteindre ce qu'il y a de plus général et partant de plus vague dans la nature : sa force intérieure. »[5]

R.B.

5. Malingue 1946, nº CLXX, 287.

228

Le cheval blanc

1898
140 × 91
Huile sur toile.
Signé et daté au centre à droite, en bleu foncé, *P. Gauguin/ 98.*

Paris, Musée d'Orsay

Expositions
Weimar 1905, nº 11, *Weisses Pferd im Fluss* ;
Paris 1906, nº 181, *Cavaliers sous bois* ;
Paris 1923, nº 26 ;
Venise 1928, nº 2 ;
New york 1936, nº 39 ;
Paris, Orangerie 1949, nº 53 ;
Bâle 1949, nº 60.

Catalogue
W 571.

Les circonstances dans lesquelles Gauguin conçut *Le cheval blanc* et sa signification sont mal connues. Le titre lui-même fait l'objet d'une controverse car le tableau a d'abord été intitulé *Cheval blanc dans une rivière* quand il fut exposé en 1905, puis un an plus tard *Cavaliers sous bois*. Le premier propriétaire, Daniel de Monfreid, lui donna son titre actuel quand il le publia en 1923 lors de la rétrospective Gauguin qu'il organisa à la galerie Druet à Paris. Depuis lors, *Le cheval blanc* est devenu à la fois le titre et par extension le sujet du tableau[1].

Les auteurs ont multiplié les analyses les plus élaborées sur son origine, lui conférant un degré de complexité inutile. Gauguin aurait non seulement « emprunté » le cheval de Phidias par le biais d'une photographie du moulage en plâtre de la frise du Parthénon, mais de plus, la couleur, le blanc, renverrait dans la culture polynésienne au surnaturel et à l'idée de mort et de pouvoir[2]. La source classique se combine ainsi avec le symbolisme de la couleur pour aboutir à une série d'interprétations dont beaucoup s'appuient sur le titre de Monfreid. Gauguin lui-même n'a pas, à notre connaissance, donné de titre à son tableau, et Monfreid en fait des descriptions différentes dans les lettres qu'il écrivit à Gauguin au printemps et pendant l'été 1902 : « un grand cheval blanc piaffant dans une rivière et des cavaliers dans le fond » ou « des chevaux sous bois »[3].

Le cheval blanc est le tableau le plus grand et le plus ambitieux peint par Gauguin en 1898, presqu'identique par ses dimensions au *Grand Bouddha* de 1899 (W 579) et peut-être a-t-il été conçu avec ce chef-d'œuvre pour former un vaste ensemble en relation avec *D'où venons-nous ?* (W 561). Les trois œuvres ont la même dimension pour la hauteur et les figures sont de proportions exactement identiques. *Le cheval blanc* est le premier d'une série de tableaux peints par Gauguin à la fin de sa vie sur le thème de l'homme et du cheval, introduit en Polynésie par les Espagnols au seizième siècle[4]. Les chevaux étaient relativement rares à Tahiti au dix-neuvième siècle. Cependant, sur les plus importantes des Iles Marquises, où Gauguin s'installa en 1901, il y avait une population de robustes chevaux « indigènes »[5]. Mais *Le cheval blanc* a été peint près de trois ans plus tôt.

Le cheval sans cavalier semble folâtrer dans le ruisseau, comme le souligne le jeu des vaguelettes sur l'eau fraîche. Gauguin célébra les courbes souples des buroas, ces arbres qui, à Tahiti, bordent les ruisseaux se jetant dans la mer. Elles mettent en place un réseau de courbes en opposition totale avec les principes architectoniques qui définissent le *Grand Bouddha*. De fait, *Le Cheval blanc* se caractérise par une liberté et une douceur de mouvement : l'eau glisse de bassin en bassin, les cavaliers nus semblent évoluer en toute liberté. Même le cheval, le plus européen des animaux, est devenu un indigène des mers du Sud.

On peut voir dans le cheval blanc de Gauguin une signification symbolique identique à celle du chien noir dans le tableau de Seurat *Un dimanche après-midi à l'île de la Grande Jatte* (The Art Institute of Chicago). Les deux artistes ont choisi de représenter un animal d'une non-couleur pour démontrer que même le blanc et le noir sont des couleurs à part entière. *Le cheval blanc* n'est pas blanc mais plutôt le résultat d'un amalgame de couleurs que l'on trouve sur l'ensemble de la toile, en plus claires. Il est blanchi plus que blanc, un peu suivant les théories optiques des impressionnistes auxquelles Pissarro avait, à l'origine, initié Gauguin.

En 1902 au plus tard, Gauguin envoya le tableau à Monfreid qui essaya, en vain, de le vendre[6]. Il semble qu'à la mort de Gauguin il en devint le propriétaire par défaut, même si par la suite le tableau suscita beaucoup d'intérêt. En effet, une lettre de Monfreid au collectionneur marseillais Frizeau, datée de 1912, indique qu'une copie du tableau a déjà été vendue à M.C.H. (peut-être Chenard Huche). Cette copie fut exposée en 1938 après que l'original fut entré au Musée du Luxembourg[7]. Le comité d'acquisition fut d'ailleurs réticent à l'achat du *Cheval blanc*[8].

Les jeunes artistes travaillant à Paris quand l'œuvre fut exposée en 1906 y ont certainement été très sensibles. Sans elle, il est difficile de concevoir les représentations d'animaux de Franz Marc. Qu'il ait vu ou non le tableau à Paris, il n'a pu manquer de remarquer la reproduction publiée en 1910 dans *Kunst und Künstler* où elle illustrait un article de Maurice Denis et était titrée *Fantasy* ![9].

R.B.

1. A l'origine, ce tableau avait été commandé par Ambroise Millaud, un pharmacien de Tahiti. Mais quand Millaud vit le tableau, il le refusa parce que le cheval lui semblait vert. Voir Danielsson 1975, 219-220 ; Danielsson 1965, 208. La fille de Millaud, Mme Marcel Peltier donna cette information à Danielsson.
2. Kane 1966, 361-362, nº 37 et 38.
3. Joly-Segalen 1950, 10 avril 1902, 226 ; 5 juillet 1902, 230.
4. Voir Edwin N. Ferdon, *Early Tahiti : As the Explorers Saw It 1767-1779* (Tuscon 1981).
5. Danielsson 1964, 288, n. 60.
6. Lettre de Monfreid à Gauguin, 10 avril 1902, Joly-Segalen 1950, 226, et 7 juin 1902, 228.
7. Archives du Musée Gauguin. Une copie par Monfreid est datée de 1939 in Saint-Germain-en-Laye 1986, nº 429, 215. Monfreid est datée de 1939 in Saint-Germain-en-Laye 1986, nº 429, 215.
8. Voir Rey 1950, 38-40.
9. Denis 1910, 89.

229

Femmes sur le bord de la mer

1899
95,5 × 73,5
Huile sur toile.
Signé et daté en bas à droite en bleu foncé, *Paul Gauguin 99.*

Leningrad, Musée de l'Ermitage

Expositions
Paris 1903, n° 43, *Femmes sur le bord de la mer* ;
Moscou 1926, n° 21 ;
Tokyo 1987, n° 119.

Catalogue
W 582.

Rien ne prouve que *Maternité*, titre traditionnel de ce tableau, ait été donné par Gauguin. On a pensé qu'il s'agissait du tableau intitulé *Mère allaitant son enfant* du catalogue de la grande exposition Gauguin de 1903 chez Vollard[1], mais cela semble très improbable. En fait, la mère allaitant son enfant n'est qu'une des trois principales figures féminines de la composition.

Femmes sur le bord de la mer faisait partie de l'ensemble des dix tableaux de Gauguin reçus par Vollard en octobre 1900. La liste dressée à cette occasion le décrit avec précision : « 8. Trois figures : femme accroupie allaitant un bébé, au premier plan, petit chien noir à droite ; à gauche femme debout en robe rouge, avec corbeille ; derrière, femme en robe verte tenant des fleurs. Fond de lagunes bleues sur sable rouge orangé avec pêcheur.[2] » Bien que cette description soit un peu plate, elle a le mérite d'accorder à chacune des figures et à ce décor fabuleux l'importance qu'ils ont effectivement dans le tableau. Seul le chien, qui a un rôle secondaire, fait l'objet d'une attention particulière.

C'est en fait le coloris des figures et de leur environnement tout autant que les activités ou les attributs de chacun qui, à l'époque, a frappé l'auteur de cette description[3]. L'harmonie vibrante du rouge-orangé posé près d'un rouge de valeur presque comparable, du bleu profond et du vert bouteille foncé donne au tableau une qualité presque spectrale qui contraste avec les tons bruns ambigus des figures elles-mêmes. C'est peut-être l'heure où le soleil se couche, quand le Pacifique prend les couleurs du ciel et les figures ont une expression de calme classique. La profondeur des tons évoque Poussin ; le tableau est un hymne à la beauté et à la jeunesse, situé à la fois à la fin de la journée et à la fin des temps.

Matisse, *Luxe, calme et volupté,*
1904, huile sur toile
(Paris, Musée d'Orsay)

Gauguin peignit une autre version, plus petite, de cette composition (W 582), avec des teintes plus éclatantes. Elle est signée mais non datée et on sait que Gauguin la garda avec lui car elle figurait à la vente de ses biens à Tahiti. Dans la petite version, le fond, d'un jaune-vert acide, est vivement éclairé et un nuage rose-saumon flotte derrière les figures. Ici, les femmes sont étendues à l'ombre. Le petit tableau n'a jamais fait l'objet d'une étude approfondie. Si Gauguin avait, auparavant, peint à plusieurs reprises deux versions d'une même composition, celle-ci est le seul exemple connu des dix dernières années de sa carrière. Pour cette raison, les motivations qui ont amené Gauguin à traduire cette composition dans un autre langage de couleurs ne sont pas claires. Il est certain qu'il s'est profondément intéressé au pouvoir expressif et pictural de la couleur ; en 1898, il avait envoyé à Morice un essai sur ce sujet pour le faire publier[4]. Malheureusement, ce document crucial n'a pas été retrouvé et il nous faut cerner les idées de Gauguin sur la théorie de la couleur à partir de passages disséminés dans ses lettres et ses critiques.

La principale « bizarrerie » de *Femmes sur le bord de la mer* réside peut-être dans ses dimensions. Quand on regarde une reproduction, la composition possède une indéniable monumentalité. On imagine facilement une toile d'un mètre quatre-vingts ou même deux mètres, dominée par des figures grandeur nature sur un fond coloré presqu'abstrait. Cependant, il s'agit d'une toile de 30, mesure standard, et sa monumentalité réside plutôt dans ses ambitions. Le tableau a certainement profondément troublé Matisse et Picasso quand ils le virent exposé avec les dernières œuvres de Gauguin à la galerie Vollard. Il émut également le collectionneur russe Chtchoukine qui l'acheta à Vollard peu de temps après la clôture de l'exposition. C'est la première fois depuis 1903 que le tableau est exposé en Europe occidentale ou aux Etats-Unis.

R.B.

1. Wildenstein 1964, 245. Le titre posthume *Maternité* a donné lieu à toute une série de fausses interprétations. Teilhet-Fisk 1983, 137, y voit un rapport direct avec la naissance d'Emile, le fils que Gauguin eut de sa « femme » tahitienne Pahura en avril 1899. Elle va jusqu'à écrire que Gauguin « célébra l'événement en peignant *Maternité* ». Cette lecture rejoint celle d'Andersen 1971, 248, qui voit des analogies avec « les trois grâces de la féminité dont une, dans l'épanouissement de sa jeunesse et de sa séduction, tient des fleurs à la main, une autre tient des fruits cueillis de l'arbre et prêts à être mangés, et une troisième porte un enfant qui tête — le fruit de sa fleur ». D'autres auteurs (Motoe in Tokyo 1987, 177) ont affirmé que le chien noir à droite représente Gauguin.
2. Reçu de Vollard, daté de Paris, le 17 octobre 1900. Rotonchamp 1925, 221, a modifié les termes de ce passage. De plus, il pense qu'il s'agit de la liste du dernier envoi à Vollard ce qui n'est pas exact.
3. Nous ne savons pas si le texte a été écrit par Gauguin ou par la personne qui a réceptionné les tableaux, Vollard ou l'un de ses employés.
4. Artur 1982, lettre à Morice, 16. Voir aussi cat. 227.

230

Deux tahitiennes

1899
94 × 72,2
Huile sur toile.
Signé et daté en bas à gauche, *99/ P. Gauguin.*

New York, The Metropolitan Museum of Art (don William Church Osborn, 1949)

Expositions
Paris 1906, nº 14, *Deux tahitiennes* ;
New York 1936, nº 41 ;
New York 1946, nº 35 ;
Paris, Orangerie 1949, nº 54 ;
Bâle 1949, nº 61 ;
Chicago 1959, nº 64.

Catalogue
W 583.

Exposé à Chicago et Paris

Deux tahitiennes était au nombre des quelques toiles de la grande rétrospective de Gauguin de 1906 qui reçurent un accueil particulièrement favorable de la critique[1]. Depuis lors, le tableau a été reproduit à l'infini et pour beaucoup, il incarne l'idéal de beauté féminine de Gauguin. Les figures possèdent cette qualité d'aisance classique, d'innocence et de grâce qui aurait, dès le premier abord, satisfait le public bourgeois français habitué aux nus du Salon[2].

On a beaucoup écrit sur ce tableau. Le modèle qui a posé pour le personnage principal a été identifié, sans doute à tort, comme étant la maîtresse tahitienne de Gauguin, Pahura[3]. Dorival, Nochlin et d'autres[4] ont mis en évidence des sources précises dans l'imagerie populaire de la Troisième République et on a beaucoup insisté sur le fait que Gauguin avait réutilisé ces mêmes figures dans d'autres tableaux, dessins et gravures. Mais personne n'a encore donné une analyse approfondie de la signification de la toile dans l'œuvre de Gauguin, ni une interprétation convaincante de la substance orangée sur le plateau tahitien en bois que porte la figure principale.

Comme beaucoup d'autres figures des tableaux de Gauguin de 1898 et 1899, les deux femmes semblent faire des offrandes de fruits ou de fleurs. Dans la plupart des autres tableaux, de telles offrandes sont destinées à une autre figure ou à une idole située à l'intérieur même de l'œuvre. Ici, les femmes se tournent franchement vers le spectateur. *Deux tahitiennes* de Gauguin évoque ainsi le souvenir de Manet dont les nus font si souvent face au spectateur. En mars 1894, alors que Gauguin était encore à Paris[5], Vollard avait acquis de Suzanne Manet un tableau représentant un nu de femme blonde. Bien que la toile de Manet n'ait pas été une source d'inspiration directe pour Gauguin, les deux artistes partageaient cependant le même intérêt pour ce type de nu, fréquent dans l'imagerie populaire et la peinture[6].

Deux dessins sont presque directement apparentés aux deux têtes du tableau. Aucun des deux n'a été daté de façon convaincante mais ils ont très probablement été exécutés au cours du premier séjour de Gauguin à Tahiti. La tête du personnage central a un rapport étroit avec un dessin au fusain (localisation inconnue)[7] et celui de la femme à droite avec cat. 124. Si Gauguin a vraiment emprunté les traits de ces deux beaux nus à des dessins antérieurs, l'identification de la figure centrale avec Pahura ne peut être maintenue. De plus, cette réutilisation de dessins antérieurs donne à penser que Gauguin avait alors une conception exclusivement symboliste de son travail. Même la pose, en apparence observée d'après nature, a ses racines dans la frise bouddhique de Borobudur.

Comme pour confirmer cette thèse, aucune des deux femmes ne porte le costume tahitien de façon traditionnelle. Le *paréo* ne se portait pas noué à l'épaule comme la figure de droite, de même qu'il n'était pas dans les habitudes d'en baisser le haut comme le fait la figure centrale. Toutefois les femmes nouaient fréquemment leurs *paréos* de façon à montrer leurs seins. De même, les tissus ne ressemblent pas à ceux que l'on voit sur les innombrables photographies de l'époque avec des tahitiennes vêtues de *pareos*. Les deux figures réapparaissent avec des costumes en fait identiques dans une œuvre maîtresse de Gauguin peinte en 1899, *Rupe Rupe* (W 585, voir fig. essai R.B.). Dans les deux toiles les vêtements des figures semblent avoir des sources non tahitiennes. Pour les plis, les couleurs et le drapé on peut faire des parallèles avec l'art classique ou médiéval ainsi qu'avec les célèbres frises narratives de Borobudur.

Que font ces femmes ? La figure de droite tient des fleurs à la main et tourne la tête comme pour écouter le spectateur. La fleur rose qu'elle semble porter à l'oreille serait plutôt une boucle. Sa couleur et sa place montrent que Gauguin voulait attirer l'œil du spectateur sur l'oreille de la femme et peut-être souhaitait-il créer un contraste avec la simplicité et l'absence d'ornement qui caractérisent la figure centrale. Celle-ci porte un plateau rempli de ce qu'on a identifié comme des pétales de fleurs de mangues. Pourtant, que ce soit dans *Deux tahitiennes* ou dans *Rupe Rupe*, la substance sur le plateau a une texture et un poids apparent qui suggèrent une interprétation différente. Il s'agit peut-être d'une compote de papaye et de mangue dont Gauguin a intensifié la couleur dans un but expressif.

Que peut-on dire alors de l'offrande ? A l'évidence, Gauguin a évité la comparaison traditionnelle dans l'art occidental entre le sein et la pomme. Il aurait pu facilement utiliser la « pomme » polynésienne, la mangue, mais il choisit au contraire de peindre une substance qu'aucun spectateur occidental n'a pu identifier avec certitude. Peut-on avancer qu'il voulait simplement représenter un superbe nu en train de faire une offrande qui n'est ni un fruit ni une fleur mais a les qualités des deux ? L'offrande est-elle simplement couleur ? Le pas est aisé à franchir dans l'interprétation de l'œuvre d'un artiste qui, un an auparavant, avait écrit un essai non publié sur les valeurs émotionnelles et musicales de la couleur. De ce point de vue, Gauguin choisit de représenter deux nus émergeant de l'ombre d'un bosquet dans la lumière du soleil. Leurs visages restent dans l'ombre tandis que l'offrande de la figure centrale est illuminée par le soleil. La chaleur et la générosité de la terre sont alors les sujets de cette toile magnifique.

Dans la société polynésienne traditionnelle, il était interdit aux hommes et aux femmes de manger ensemble[8]. Gauguin connaissait sans aucun doute ce tabou et sachant cela, le tableau peut s'interpréter encore à un autre niveau si cette substance est identifiée comme étant de la nourriture. Suivant cette interprétation, le tableau nous donne accès à un royaume féminin auquel nous n'appartenons pas, à moins d'être, nous aussi, des femmes. L'expression douce, accueillante de ces figures féminines rendent notre présence plus naturelle et il ne nous reste qu'à leur demander ce que nous allons manger.

R.B.

Gauguin, *Tahitienne,* fusain (localisation inconnue, photographie Boudaille 1964, 170)

1. « Jamais Gauguin n'a mieux rendu la joliesse frêle ni l'inconsciente aristocratie de la femme maorie ». Jamot 1906, 471.
2. De fait, son caractère plus européen que sauvage fut d'abord remarqué par Wilenski c.1940, 133, 138, pl. 45A.
3. Sterling et Salinger 1967, 176.
4. Dorival 1960, 60 ; éd. 1961, 44 ; éd. 1986, 47 ; Nochlin 1972, 9-11.
5. Voir New York 1983, 431-432.
6. Dorival 1960, 60 ; éd. 1961, 44 ; éd. 1986, 47, reproduit la couverture de la livraison du 30 novembre 1884 du *Courrier français* (cette illustration a été à nouveau reproduite dans le numéro du 5 juillet 1885), de M. Gray illustrant une femme portant des pommes et intitulée *Marchande de Pommes* ; il établit un rapport direct avec ce tableau (il cite Mme Thirion, auteur de cette découverte dans une thèse non publiée de l'Ecole du Louvre). Nochlin 1972, 11-12, reproduit également une photographie du dix-neuvième siècle montrant une femme nue portant un plateau de pommes intitulé « Achetez les pommes » tirée d'une revue populaire française de la fin du dix-neuvième siècle...
7. Boudaille 1964, 170.
8. Danielsson 1956, 193-194.

231

Portraits de femmes

1899-1900
73 × 92
Huile sur toile.

Walter H. Annenberg

Expositions
Paris 1903, nº 6 ou 49, *Portaits de femmes* (?) ;
Munich 1910 ;
Saint Petersbourg 1912, nº 116 ;
Chicago 1959, nº 65.

Catalogue
W 610.

Exposé à Washington et à Chicago

Ce double portrait a fort bien pu figurer en premier lieu à l'exposition de 1903 chez Vollard, intitulé simplement *Portaits de femmes*, car aucun autre tableau des dernières années de la vie de Gauguin n'est aussi manifestement et aussi profondément caractéristique du portrait que cette toile précise. De fait, la plus jeune des deux femmes a été identifiée comme étant Teahu A Raatairi et l'on pense que la plus âgée est sa tante par alliance[1].

Gauguin n'a ni daté ni signé le tableau, ce qui a provoqué une certaine confusion parmi les spécialistes de Gauguin et l'un d'entre eux est allé jusqu'à identifier ces figures à des créoles de la Martinique ![2] La plupart ont cependant plus raisonnablement situé le tableau dans les trois dernières années de la vie du peintre, et les dates varient entre 1900 et 1902 suivant les auteurs. Le catalogue raisonné a adopté la plus tardive, suivi en cela par Le Pichon qui compare le tableau avec un pendant présumé, *Les Amants*, signé et daté 1902[3]. Mais l'absence de signature et de date demeure gênante quand on considère l'œuvre peint de Gauguin à la fin de sa vie où, de fait, tout est signé et souvent daté. Quand on regarde les toiles peintes en 1903, d'une exécution rapide presque sciemment bâclée, il est difficile de considérer ce tableau comme inachevé.

Comme pour *Pape moe* (cat. 157) et *Jeune fille à l'éventail* (cat. 279), il existe une photographie en rapport direct avec le tableau. Elle était dans la collection de Mme Joly Segalen et c'est certainement Victor Segalen qui l'a trouvée dans l'atelier de la Maison du Jouir quand il arriva peu après la mort de Gauguin. Cette photographie est manifestement l'œuvre d'un professionnel et on peut penser qu'il s'agit d'un des amis photographes de Gauguin, Jules Agostini ou, comme l'affirme O'Reilly, Henri Lemasson[4].

Les deux visages occupent une place prépondérante dans la composition du tableau, alors que la photographie est centrée sur le rapport entre les physionomies, les attitudes et les drapés. De plus, le photographe a fait poser les deux femmes sur les marches d'une maison indigène sur lesquelles elles sont assises, alors que Gauguin les a placées en plein-air. Ce n'est que par de subtiles saillies dans le drapé, tout à fait en bas de cette composition horizontale, que Gauguin laisse apparaître qu'elles sont effectivement assises. Le changement le plus important apporté par le peintre réside dans les rapports de force entre les deux femmes. Alors que dans la photographie, la plus jeune protège manifestement sa mère plus frêle et plus petite, Gauguin inverse les rôles. Ainsi, la vieille femme incarne véritablement le matriarcat et la jeune femme se tourne vers elle pour être guidée. Dans le premier manuscrit de *Noa Noa*, conservé au Musée Getty, un paragraphe important, mais sans illustration, pourrait très bien se rapporter à cette toile. Gauguin y décrit un festin de noce. « Au centre de la table la cheffesse admirable de dignité, parée d'une robe de velours orangé : costume prétentieux, bizarre, un semblant de costume de foire. Et pourtant la grâce innée de ce peuple, la conscience de son rang ornait toute cette défroque (...) Près d'elle se tenait une aïeule centenaire, masque de mort que la rangée intacte de ses dents de cannibale rendait encore plus terrible. Sur sa joue, en tatouage, une marque sombre indécise dans sa forme, comme une lettre. J'avais déjà vu des tatouages mais pas comme celui-là, qui sûrement était européen. (Autrefois me dit-on les missionnaires sévissaient contre la luxure et marquaient quelques-unes à la joue comme un avertissement de l'enfer (...)[5] ».

Deux femmes, vers 1894 (photographie Henry Lemasson, Archives O'Reilly)

Ce passage est le seul qui oppose deux générations de Tahitiennes en fonction de l'attitude des missionnaires à leur égard. Le fait que les deux femmes dans le tableau portent des robes « missionnaires » et que celle de la plus jeune est rouge-orangé nous amène à nous demander si la petite marque sur la joue gauche de la vieille femme est le tatouage que Gauguin décrit avec une telle indignation. Si c'est le cas, le tableau peut fort bien dater de son premier voyage tahitien[6]. Il est difficile de savoir si Gauguin avait ce tableau présent à l'esprit quand il rédigea le texte ou l'inverse. Il avait déjà exécuté, en 1894-1895, un portrait à l'aquarelle de la vieille femme ainsi qu'un monotype (F 24), peut-être pour illustrer *Noa Noa*. Il est également possible que la photographie ait ravivé le souvenir de son propre texte.

Le tableau semble avoir été, assez tôt, accueilli favorablement. Il fut reproduit, en 1904, dans la prestigieuse revue artistique russe *Mir Iskusstva*[7], et Morice en illustra les deux éditions de 1919 et de 1920 de sa biographie sur Gauguin, avec simplement pour titre *Tahitiennes*[8]. Mais John Richardson, dans un long compte-rendu sur l'exposition Gauguin de Chicago et New York de 1958, le qualifiait de « déplaisant » ; il soutenait, de plus, qu'il n'avait jamais été dans la collection Fayet, comme le catalogue de l'exposition et par la suite le catalogue raisonné l'affirmaient[9]. Cette hypothèse a été reprise par Bodelsen dans son excellente analyse très détaillée du catalogue raisonné[10]. Il est clair que ces tentatives pour retirer le tableau de la collection Fayet, la plus importante collection d'œuvres de la fin de la vie de Gauguin au début du siècle, tendent à prouver qu'il ne s'agit pas d'une œuvre de premier plan. Mais ce n'est vraiment pas le cas : l'intensité hypnotique du visage de ces Tahitiennes les transfigurent en icônes.

R.B.

1. Information communiquée oralement à Tahiti par Mme Manjard, la petite fille de Teahu A Raatairi.
2. Alexandre 1930, 105.
3. W 614. Le Pichon 1986, 242-243.
4. Danielsson 1964, 180 et 286, n. 153. O'Reilly, *Les Photographes de Tahiti* (1969), 40-41. En 1898, Lemasson a également pris une photographie de *D'où venons-nous ?* (W 561). O'Reilly date la photographie de 1894, mais d'après Danielsson, Lemasson n'est pas arrivé à Tahiti avant 1895.
5. Loize 1966, 39. Wadley 1985, 38-39.
6. Ou de 1891, quand Gauguin vivait à Mataïea où l'on pense qu'habitait la sœur. Information orale de Mme Manjard, Tahiti.
7. *Mir Iskusstva* 9 :2222.
8. Morice 1919, 112 ; Morice 1920, 236.
9. Richardson 1959, 190.
10. Bodelsen 1966, 38. Roseline Bacou affirme qu'il n'y a pas trace de ce tableau dans les archives de la famille Fayet.

231bis

Te tiai na oe ite rata (Êtes-vous en train d'attendre une lettre ?)

0,73 × 0,94
Huile sur toile.
Titré, signé et daté en bas à droite, *Te tiai na oe ite rata/*
Paul Gauguin/99

Collection particulière

Exposition
New York 1946, n° 36,
Edimbourg 1955, n° 59.

L'iconographie très riche de ce tableau récapitule beaucoup d'images antérieures de la peinture de Gauguin. Le personnage central qui se retourne, revient à plusieurs reprises depuis environ un an[1], il apparaît à gauche dans *Pastorale tahitienne* (Faalheihe)[2], directement inspiré d'une porteuse d'offrandes de Borobudoni ; l'extraordinaire découpage festonné de l'ombre bleue des arbres sur la plage rose rappelle le fond de *Vaïte Goupil* (cat. 216), et les entrelacs des branches ceux du *Cheval blanc* (cat. 228) ou de *L'idole* (W 570). Quant à l'oie et ses oisillons — première apparition assez saugrenue dans le bestiaire tahitien de Gauguin — ils viennent tout droit de Pont-Aven (cat. 25, 28, 96 et W 383). Le bateau a un gréement et une coque plus ancienne que ceux des courriers qui arrivaient réellement à Tahiti du temps de Gauguin : il l'a emprunté à une reproduction d'Arosa d'après un tableau de Jongkind[3], emportée dans son petit « musée portatif » de photographies[4]. La cavalière de gauche reprend celle du *Cheval blanc* (cat. 228) mais annonce surtout quatre ans à l'avance les *Cavaliers sur la plage* (cat. 278).

On sent dans ce tableau la virtuosité de Gauguin coloriste, associant le jaune doré de la femme au rose et au bleu clair, harmonie risquant de n'être que suave, mais qu'il réussit à maintenir dans une audace savoureuse.

231 bis

Catalogue
W 587

Exposé à Paris

1. W 569, cat. 229, W 582, W 584, W 585, W 586.
2. W 569 - voir Wildenstein, 1956, 152 et ss.
3. Source communiquée par M. Sam Wastaff au propriétaire du tableau, que je remercie de l'information.
4. Lettre à O. Redon, Guérin, 65.
5. Danielsson, 1967, 761.
6. Rotonchamp, 1906, 221. Voir une variante du tableau, *Idylle à Tahiti*, W 598.

La signification de cette toile éclatante est liée à un thème fort mélancolique de la vie de Gauguin : il est particulièrement désargenté, attend avec impatience chaque rare bateau apportant courrier, argent, ou matériel pour peindre. Bengt Danielsson remarque que le titre « est le plus complexe des titres de Gauguin, c'est en même temps un des rares qui soit correct et idiomatique (...) je suis convaincu que les voisins tahitiens de Gauguin devaient lui poser cette question d'année en année chaque fois qu'ils le voyaient attendant nerveusement une lettre de France »[5].

Notons que ce superbe tableau tahitien, qui avait fait partie du dernier envoi de Gauguin à Vollard[6], n'avait pourtant jusqu'ici jamais été exposé en France. F.C.

232-245

Suite de gravures sur bois tardives 1898-1899

Au mois de janvier 1900, Gauguin écrivit une longue lettre à Vollard pour lui proposer une transaction, lui annonçant qu'il lui enverrait bientôt un grand ensemble de gravures à vendre : « J'envoie le mois prochain par quelqu'un qui va en France 475 épreuves environ de gravures sur bois. Chaque planche est tirée à 25 ou 30 numérotées, puis les planches détruites. D'ailleurs la moitié a servi deux fois et il n'y a que moi capable de tirer de cette façon. Je donnerai à Daniel des instructions. Voilà en fait *de dessin* une bonne affaire je crois pour un marchand à cause du peu de tirage. Je voudrais du tout 2 500 ou bien alors 4 000 au détail, la moitié comptant et le reste en trois mois. »[1]

Le 27 janvier, il écrivait à Monfreid qu'il avait déjà envoyé « quelques gravures » et qu'il avait fait une découverte technique de nature à transformer l'art de la gravure et permettre de belles impressions[2]. Sans doute s'agit-il de la « découverte » du procédé du dessin-empreinte qui allait dominer la dernière partie de son œuvre graphique (voir cat. 247-251). Ses lettres du début de l'année 1900 débordent d'un bel optimisme qui ne devait pas durer, puisque, resté pendant des mois sans nouvelles de France, Gauguin écrivait une lettre véhémente à Vollard au mois de septembre en lui demandant s'il avait au moins reçu les gravures ![3].

Toute cette correspondance avait trait à un ensemble de gravures sur bois qu'il avait lui-même imprimées sur du papier pelure japonais, dotant la plupart de numéros et d'initiales, afin de constituer des éditions. Heureusement, ces gravures parvinrent en France, sans que l'on sache exactement à quelle date. Vollard ne semble pourtant pas leur avoir accordé l'importance qu'espérait Gauguin ; elles ne figurent dans aucune des expositions qu'il consacra à l'artiste et rien ne permet d'affirmer qu'il l'ait payé selon le mode convenu, ou qu'il en ait même vendu du vivant de Gauguin[4]. Recensées et reproduites dans le catalogue des gravures de Gauguin dressé par Guérin, et exposées à plusieurs reprises, ces gravures tardives sont pourtant à peine mentionnées dans les comptes-rendus des séjours océaniens de Gauguin, et, tout comme les textes en rapport de la même période, ont suscité peu d'intérêt et fait l'objet de peu d'études.

Or, cette suite Vollard, fruit de l'expérience la plus assidue qu'ait jamais entreprise Gauguin dans le domaine de la gravure, ne mérite pas ce mépris. Gauguin effectua lui-même le tirage des quatorze gravures à partir de bois irréguliers d'essences tropicales dont les surfaces rugueuses contrastaient avec l'uniformité lisse de celles qui lui avaient servi pour accomplir ses deux premières suites de gravures. Cet ensemble constitue une série — au même titre que les zincographies Volpini de 1889 (cat. 67-77) et les gravures de *Noa Noa* en 1894 (cat. 167-176) — et résume par le truchement de la gravure le développement artistique et intellectuel de Gauguin entre 1896 et 1900.

Gauguin avait confié à des spécialistes le tirage des gravures Volpini, et, après avoir essayé sans succès d'imprimer lui-même les bois de *Noa Noa*, s'en était remis à son ami Louis Roy, pour être assuré de la qualité des éditions. Mais à Tahiti, il ne disposait d'aucune aide et avait d'ailleurs acquis une maîtrise suffisante du maniement des encres et de l'impression de feuilles de papier humidifiées pour mener à bien ce projet en assurant seul la tâche du graveur[5]. Les épreuves qui subsistent sont d'une belle qualité et l'homogénéité de l'ensemble dut surprendre jusqu'à l'auteur, peu enclin à tout travail méthodique. Il est caractéristique de Gauguin qu'il n'ait pas laissé le moindre indice de ce qu'il entendait faire de cet ensemble de gravures. Tout ce que l'on en sait, outre leur nombre approximatif, est qu'il les tira lui-même et les destinait à la vente. Mais les motifs qui le poussèrent à réaliser une telle quantité de gravures demeurent mystérieux.

Quelles durent être les réflexions de Daniel de Monfreid au reçu du petit paquet contenant près de cinq cents feuillets de mince papier pelure gravés par son ami Gauguin ? Que devait-il en faire ? Rien ne permet de supposer qu'aucun de ces objets si fragiles ait été envoyé déjà monté. En admettant que Gauguin ait vraiment eu l'intention, comme il l'intimait à Vollard, de faire vendre les gravures une par une, l'on ne sait rien de la manière dont il voulait les présenter. La minceur et la finesse du papier qu'il avait choisi rendaient un montage indispensable, et le fait que Gauguin n'ait laissé aucune instruction à Monfreid ou à Vollard est d'autant plus surprenant qu'il se montrait toujours soucieux de ce qui concernait la présentation de ses œuvres.

Il paraît vraisemblable que Gauguin ait envisagé ces gravures comme un tout, qu'il convient d'interpréter selon un déroulement suivi. L'une d'elles se prête d'ailleurs fort heureusement au rôle de titre. Il s'agit de *Te atua (Le Dieu)* dont le nom reprend exactement celui d'une gravure de la série antérieure de *Noa Noa*, et qui plus encore que *Soyez amoureuses*, l'autre estampe de ce groupe également dotée d'un titre annonce et définit, de par sa vigueur et sa disposition graphique, l'enchaînement de l'ensemble. Presque symétrique, *Te atua*, avec sa partie supérieure cintrée, découpée par Gauguin dans certaines épreuves, dans la feuille rectangulaire, évoque une icône.

La comparaison entre ce *Te atua*, créé entre 1898 et 1899, et celui qui le précédait, datant de l'hiver 1893-1894, s'avère des plus intéressantes ; au hiératisme et à l'hermétisme de la première image a succédé un décalage latéral plein de charme qui déplace à l'extrême gauche de la feuille, et non plus au centre, le motif d'adoration. Le premier *Te atua* se voulait mystérieux, étranger à toute référence occidentale, avec un personnage central assis en Bouddha flanqué de dieux à l'allure polynésienne, résolument déroutant pour un public français sans les explications de Gauguin. Dans le second *Te atua*, au contraire, l'antique divinité polynésienne, Taaroa, qui domine la partie supérieure, prête ses traits, identifiés à ceux d'Oviri, à la créature prosternée au centre aux pieds du Christ nouveau-né ! Quant au personnage qui, à droite, se détourne de la composition, on a voulu lui donner une origine bouddhique ; il reprend pourtant directement l'image de la Vierge Marie et de sa compagne de la partie droite de la *Nuit de Noël* (W 519), où apparaît le mélange subtil, la savante greffe d'éléments polynésiens sur fond de culture occidentale, voire européenne, qui caractérise tant d'œuvres datant du second voyage de Gauguin[6].

Il n'est jusqu'à la technique de gravure qui n'oppose les deux *Te atua ;* la première appartient à une série d'épreuves uniques, tandis que la seconde constitue une véritable édition, composée de deux états bien distincts. Après avoir sculpté le bloc de bois, Gauguin tira une épreuve de ce premier état sur papier pelure à l'aide d'encre gris foncé ou noire ; puis il refouilla le bois,

1. Malingue 1946, n° CLXXIII, 297, l'attribue par erreur à Bibesco. Voir également Rewald 1943, 33.
2. Joly-Ségalen 1950, n° LXI, 155.
3. Rewald 1943, 39.
4. Quatre gravures sur bois, exposées en avril et mai 1902 à Béziers, furent vendues 40 francs chaque ; Loize 1951, n° 427, 144. Voir la lettre de Vollard à Monfreid, le 16 septembre 1901 (Joly-Ségalen 1950, 224) : « Il a aussi envoyé ce paquet de gravures qui pour moi n'a aucune valeur ».
5. Voir la lettre à Fayet, où il décrit ce procédé ; Joly-Ségalen 1950, 203.
6. Gauguin devait utiliser de nombreux éléments de cette gravure dans ce qui semble être un dessin plus tardif destiné à *Avant et après*. L'on y voit Taaroa au fond de la gravure, la Vierge et une compagne encadrant une déposition empruntée au calvaire de Nizon. Le dessin fait appel à une christologie plus accentuée que *Te atua*, où Gauguin a cherché à équilibrer les apports polynésiens et européens.

creusant la tête de Taaroa et tout le centre, et grava en noir une autre édition. Il colla enfin la seconde épreuve sur la première, pour permettre une vision simultanée et logique des deux états, et créer par là même une impression de profondeur.

En dépit de ces complexités techniques, le second *Te atua* témoigne de la délicieuse naïveté archaïsante qui imprègne les séries créées en 1898 et 1899 et indique un regain d'intérêt chez Gauguin pour la gravure populaire sur bois dont *L'Ymagier*[7] reproduisait tant d'exemples ; on y trouvait aussi bien des estampes de la fin du quinzième siècle en Europe du Nord que des gravures des dix-septième et dix-huitième siècles, particulièrement les célèbres Images d'Epinal, ou des estampes japonaises ou chinoises, ces dernières offrant d'incontestables affinités de formes avec certaines des gravures tardives de Gauguin. Tout le bonheur que lui apporta la force presque brute du travail de la gravure sur bois éclate d'ailleurs dans cette dernière série, où ne subsiste nulle trace du souci de raffinement dans la finesse du grain de la surface et la délicatesse du tirage à la main qui domine la suite de *Noa Noa*.

Douze des quatorze gravures de la série semblent former des paires, ou même un arrangement en frises, selon une similitude de taille, de format, de mode d'impression et de composition. Ainsi groupées, les images acquièrent un pouvoir allégorique et une intelligibilité qui confèrent à la série une « architecture » plus compréhensible et plus intéressante que ne le ferait une lecture individuelle. (La séquence que nous proposons ici ne saurait être considérée comme fixe ou définitive).

Le pendant de *Te atua*, de par la taille et l'échelle des personnages, est *L'enlèvement d'Europe*, où le personnage placé à l'extrême gauche recueille le regard de celui qui, à l'extrême droite de *Te atua*, se détourne de la scène ; de même — le paon au plumage sombre symbole traditionnel des cieux, de la résurrection ou de l'immortalité — qui occupe le centre de *Te atua* répond-il au paon tout semblable, mais blanc, logé dans un cartouche dans l'angle supérieur droit de *L'enlèvement d'Europe?* On y retrouve l'amalgame entre la Polynésie et l'Europe, mais une Europe païenne et non plus chrétienne, et ce n'est plus le Dieu judéo-chrétien qui féconde l'héroïne, par la grâce de l'Esprit-Saint, mais Zeus sous la forme d'un taureau blanc. On sait que de cette union devait naître Minos, roi d'une île enchanteresse dont Gauguin a peut-être voulu faire un Tahiti occidental.

Les deux grandes gravures verticales représentant *Bouddha* et *Eve* (cat. 234, 235) semblent former une paire, étrangement liée par le contraste le plus complet. Elles doivent à leur taille, la plus grande de tout le groupe, l'allure de plats de livres. Ainsi *Eve* pourrait-elle annoncer le texte de Gauguin sur le catholicisme qui, après maints développements, prendra enfin en 1902, dans le dernier manuscrit, le titre *L'esprit moderne et le catholicisme*. Quant au Bouddha, dont la place toute désignée serait au dos de l'ouvrage, il apparaît sur un fond entièrement sombre, dans une position où Teilhet-Fisk, s'inspirant de Saunders, reconnaît le symbole du « droit chemin », du « siège de la suppression du démon », du « siège de la chance » ou de « l'attitude du héros »[8]. Il s'est d'ailleurs avéré impossible d'identifier avec précision la représentation de Bouddha à laquelle Gauguin eut recours. Il l'emprunta certainement à la photographie d'un relief de pierre, et l'on sait qu'il possédait, outre la reproduction d'un Bouddha et de sa suite de Borobudur[9], une gravure ou une photographie d'un Bouddha, accrochée au mur de son atelier à Atuona[10]. L'épaisseur du personnage et l'apparente cassure de son bras droit renforcent l'hypothèse d'un modèle en pierre. Mais Gauguin, qui ne se contentait jamais d'une simple transposition, a enjolivé le Bouddha d'un baldaquin, réminiscence de la frise de Borobudur. Par le biais de ce décor inventé, orné de serpents ou de branches de végétaux entrelacées inspirées de l'art Maori et de deux paires de figures se répondant symétriquement de chaque côté, le Bouddha, enfreignant les règles d'un bouddhisme strict, vient s'insérer dans la vision qu'entretenait Gauguin d'une religion universelle.

Détournant ainsi ce personnage sacré de sa fonction, Gauguin fait preuve d'une hardiesse et d'une modernité stupéfiantes en le représentant légèrement de côté. En accentuant le fait que la reproduction d'une œuvre d'art avait inspiré cette figure du Bouddha, il empêche le spectateur de poser sur l'image un regard de dévotion, et la gravure apparaît dès lors à l'opposé du *Te atua* de 1893 et 1894, d'inspiration résolument religieuse, et où Bouddha se présente au centre dans une frontalité totale. Si la première gravure provoquait chez le spectateur une émotion religieuse, ce n'est plus le cas de la seconde, et l'on peut penser que Gauguin était parvenu à une interprétation moderniste du bouddhisme qu'il considérait comme un élément d'une nouvelle religion universelle.

Il fit appel pour créer *Eve* à son propre répertoire iconographique, empruntant à *Parau na te varua ino* (cat. 147) la figure d'Eve déchue ; l'on retrouve la même pose, inversée, et Gauguin conçut sans doute la gravure d'après une œuvre intermédiaire, telle la photographie du dessin au pastel piqué et perforé qu'il avait collée dans le manuscrit de *Noa Noa* auquel il travaillait à cette époque[11]. Ainsi que dans le dessin, apparaît derrière Eve la tête détachée du corps du *tupapau* tiré de *Manao tupapau* (cat. 154), indiquant, comme le geste d'Eve pour couvrir son sexe, que la profanation a eu lieu. Même le rat polynésien perché sur la gauche au niveau exact de la tête du *tupapau* vient renforcer le thème, les rats étant considérés comme les « ombres des fantômes », référence supplémentaire au *tupapau*[12]. Ces deux symboles de mort encadrant une image archétypique du remords et du viol s'imposent avec d'autant plus de force dans la gravure de Gauguin qu'ils sont totalement isolés et ressortent violemment sur la blancheur vide et muette du papier[13]. Les initiales de Gauguin, détachées, jouent ici le quatrième grand rôle dans ce combat de symboles ; il avait déjà signé *Bouddha* au même endroit et avec la même insistance, imposant la marque de l'artiste aux images allégoriques qu'il livrait après les avoir choisies, gravées et imprimées.

La paire de gravures suivante (cat. 236, 238) juxtapose une fois encore un homme et une femme, mais dans des cadres semblables, évocateurs d'un paradis terrestre dans une terre promise. On appelle généralement la gravure à thème masculin *Le porteur de bananes*, tandis que son pendant féminin emprunte son titre au tableau représentant la même figure, *Te arii vahine* (cat. 215). Dans la première, un homme en capuchon, peut-être barbu, ceint d'un pagne, porte sur les épaules une gaule d'où pendent d'un côté une lourde grappe de fruits et de l'autre une longue et mystérieuse feuille. Près de lui se tient une grande vache inspirée d'un tableau d'Octave Tassaert et que Gauguin avait déjà utilisée dans un tableau (cat. 221). De même avait-il décrit une semblable vision d'abondance dans *I Raro Te Oviri* (W 431 et W 432), que l'on retrouve dans une gravure de *Noa Noa*. Ce n'est pourtant pas à ces prototypes trop généraux qu'il convient de rattacher *Le porteur de bananes*, mais plutôt, ce que ne manquerait pas de faire tout amateur de peinture française, au tableau de Poussin, *L'automne* ou *La terre promise*, le troisième de la série des quatre

7. C'était l'époque où Rémy de Gourmont, Alfred Jarry, Emile Bernard et d'autres artistes symbolistes firent des gravures sur bois imitant délibérément un style du début de la Renaissance, primitif et fruste. Pour une étude détaillée des gravures sur bois symbolistes, voir Baas 1982, chapitre VI, 177-211.
8. Teilhet-Fisk 1983, 155 ; Saunders 1960, 125-126. Demie (lotus) position : Hanka-za.
9. Gauguin possédait deux photographies de Borodubur, ramenées de Tahiti par Victor Ségalen après sa mort. Elles font aujourd'hui partie de la collection de Mme Joly-Ségalen. Voir Dorival 1951, 118.
10. On rapproché le *Bouddha* de Gauguin de celui que l'on voyait sur les photographies de Borobudur qu'il possédait (voir n. 9). Le Bouddha de la gravure est pourtant représenté de côté, et celui de la frise, de face.
11. *Noa Noa*, Louvre ms. 51.
12. Gray 1963, 83 ; Field à Philadelphie 1969, non paginé.
13. Voir Field à Philadelphie 1969, où il réfute l'idée que l'Eve du chambranle sculpté de l'église Bretonne de Guimiliau puisse être la seule source de cette gravure. Elle éclaire pourtant un aspect de l'image, en prouvant que le rapport d'Eve au serpent est le même qu'entre l'Eve de Gauguin et le *tupapau*.
14. Les titres de ces deux gravures sur bois sont dûs à Guérin, et non à Gauguin.
15. Voir n. 1.

Proposition de la disposition en frise des gravures cat. 236-239

saisons commandée par Richelieu peu après 1660 et dont s'enorgueillit le Louvre. Même s'il n'est pas sûr que Gauguin ait eu en sa possession une photographie de ce célèbre tableau, la ressemblance entre le personnage qu'il montre pliant sous le poids des fruits et ses deux émules au centre de la composition de Poussin ne saurait être pure coïncidence, et Gauguin dut en emprunter l'image parce qu'elle évoquait un royaume d'Arcadie, une nature bénie où tout est offert.

Le porteur de bananes est complètement entouré d'un foisonnant paysage d'arbres et de feuillages. Des buissons jaillissent les formes voluptueuses d'une femme nue, née semble-t-il d'un autre état de la gravure. Tout en introduisant une note de délassement dans cette scène de labeur rural, elle forme le lien avec le pendant de la gravure *Te arii vahine* où l'on voit une femme indigène noble, peut-être une reine, allongée au milieu de fleurs éparses et surmontée d'un feuillage démesuré qui rappelle, outre Poussin, Borobudur. Le personnage est emprunté à l'art occidental, et plus particulièrement à la *Diane* de Lucas Cranach dont Gauguin possédait sans doute la photographie. S'il est vrai que ces deux gravures de format et d'esprit si semblables forment une paire, elles décrivent un paradis terrestre et séculier, dominé par une reine débonnaire, mais puissante.

Vient ensuite une paire de gravures plus incertaine, puisque l'une d'entre elles, intitulée *Planche à la tête de diable cornu* (cat. 239), n'ayant pas été signée ni numérotée par Gauguin, ne peut donc être considérée comme partie intégrante de l'ensemble. Il en subsiste pourtant le même nombre d'épreuves que des autres, et elle offre tant d'affinités formelles avec *Femmes, animaux et feuillage* (cat. 237) qu'il paraît plausible de les étudier ensemble[14]. Toutes deux juxtaposent une quantité de petits personnages, animaux et végétaux dans un esprit plus complexe que celui de la paire de gravures précédente, malgré un format similaire. *Femmes, animaux et feuillage* fit l'objet d'une édition plus nombreuse que les « 25 à 30 » mentionnés par Gauguin dans sa lettre à Vollard[15], et l'existence d'une épreuve numérotée « 35 » l'arrête au moins à ce chiffre.

Chacune des deux gravures représente des créatures humaines et animales évoluant au sein d'un royaume végétal. Dans *Femmes, animaux et feuillage,* deux femmes assises au centre bavardent ou échangent des secrets sous la branche maîtresse d'un grand arbre à pain ; elles apparaissent dans un tableau de 1896 (W 538), mais proviennent des reliefs de Borobudur auxquels Gauguin attachait l'importance que l'on sait. A la droite du groupe central en conversation se tient la même figure qu'*Eve exotique* (W 389) dont la pose, au travers de plusieurs œuvres intermédiaires (cat. 148), est à rattacher également à Borobudur. Elle s'apprête à cueillir un énorme fruit à la grappe offerte au bout de l'arbre qui clôt à l'extrême droite la vision de ce paradis primitif. La forme féminine à l'extrême gauche demeure énigmatique ; elle évoque maintes figures des tableaux et dessins de Gauguin entre 1896 et 1899, sans vraiment leur ressembler, et pourrait être la gardienne de ce paradis mythique, répondant pour l'équilibre de la composition au personnage d'Eve, plus riche de sens. Mais sa présence, et le fait qu'elle soit vêtue, suffisent à nous prouver que nous ne sommes pas ici devant un paradis judéo-chrétien voué à Adam et Eve, mais dans le domaine des femmes, que l'on voit cueillir des fruits ou bavarder. Gauguin avait inséré cette gravure au dos du manuscrit de *L'esprit moderne et le catholicisme,* avec la légende « Paradis Perdu ».

A ce diurne « paradis perdu » répond la *Planche à tête de diable cornu* infiniment plus sombre, dominée par l'image du mal. Au centre, le corbeau du tableau *Nevermore* (cat. 222) immobilise un lézard dans ses serres sous le regard impassible du grand diable cornu qui hante si souvent les dernières œuvres sur papier de Gauguin. Certainement calqué sur le diable de la conception chrétienne populaire, il est ici associé à Fatu, dieu tahitien masculin de la lune, dont le regard pèse sur une femme assise seule, les yeux baissés, sous la courbe accueillante d'un arbre. A gauche, un chien aux allures de renard s'apprête à dévorer la proie qu'il vient d'occire. La gravure baigne dans une atmosphère de mystère digne de certaines gravures de *Noa Noa,* en particulier *L'univers est créé* (cat. 174), mais témoigne de la simplification qui caractérise l'ensemble envoyé à Paris en 1900.

Les quatre scènes que nous venons d'étudier se prêtent à un enchaînement sous forme de frise où apparaîtrait d'abord *Te arii vahine,* suivie de *Femmes,*

Proposition de la disposition en frise des gravures cat. 240-241

animaux et feuillage, puis du *Porteur de bananes*, enfin de la *Planche à tête de diable cornu*. La séquence reste assez souple, tant que la dernière gravure, « fermée » sur la droite, occupe cette partie de la frise. L'indéniable solution de continuité dans l'échelle des personnages et l'iconographie de l'ensemble ne fait que refléter celle qui marque chaque gravure, et la disposition en frise laisse se dérouler un monde paradisiaque. Gauguin devait être familier de cette présentation de textes imagés en rouleaux, et l'on pense à plusieurs passages de l'introduction poétique de *L'esprit moderne et le catholicisme* où, après l'évocation de jardins, de bouquets et de fleurs, « La raison reste : folle sans doute mais vivante. Et c'est alors que la frondaison commence »[16].

Il faut alors évoquer à nouveau le problème que posent la taille et le support de ces gravures. Ainsi que pour les épreuves de *Noa Noa*, la plupart des épreuves qui subsistent des gravures Vollard sont rognées au ras de l'image. D'autre part, l'extrême finesse de leur papier pelure appelle un support. Connaissant le goût très vif de Gauguin pour la décoration, l'on peut imaginer les gravures disposées sur des vitres, collées sur des cartons de montage de toutes les manières possibles, insérées dans des livres, ou simplement accrochées aux murs ou moulures pour décorer une pièce. Elles sont le symbole d'un art décoratif directement produit par un artiste, peu coûteux et délibérément promis aux plus larges usages.

Proposition de la disposition en frise des gravures cat. 242-244

Le message visuel le plus éloquent de l'ensemble Vollard est contenu dans les deux gravures intitulées *Changement de résidence* et *Soyez amoureuses, vous serez heureuses* (cat. 240, 241). De taille presque identique, elles furent gravées selon la technique variante du clair-obscur dont il a été question à propos de *Te atua*. Enfin, à l'inverse des trois précédentes paires de gravures, où s'affrontent explicitement un nombre restreint de personnages et d'animaux chargés de signification symbolique, elles accumulent les effets les plus divers. Pourtant, placées côte à côte, *Changement de résidence* à gauche et *Soyez amoureuses* à droite, elles acquièrent l'homogénéité d'une seule œuvre. L'inclinaison douce de la colline dans *Changement de résidence* épouse la pente ascendante de celle de *Soyez amoureuses ;* la queue du chien de *Changement de résidence* affleure le cartouche de signature de *Soyez amoureuses*, et l'inexplicable tête assortie d'un bras flottant dans le ciel au-dessus de la cavalière dans *Changement de résidence* trouve une contrepartie presque logique dans l'enchevêtrement des têtes et des corps qui peuplent le ciel de *Soyez amoureuses*.

Ces deux gravures nous aident à découvrir le rôle auquel Gauguin vouait les gravures de l'ensemble Vollard qui, au-delà de leur existence intrinsèque, devaient s'intégrer aux schémas les plus divers. Elles se transforment en paires, frises, colonnes, couvertures de livres et frontispices. Peut-être Gauguin voulait-il laisser le soin aux acheteurs de trouver et recréer les assemblages qui leur conviendraient. Et s'il n'a pas divulgué la disposition que lui-même préconisait, l'on peut penser qu'aucune n'avait sa préférence. La plupart de ses créations artistiques entendaient d'ailleurs se suffire à elles-mêmes tout en se prêtant à des échanges multiples. Mises en pendants, *Changement de résidence* et *Soyez amoureuses*[17] explicitent quelque peu la frise du paradis étudiée plus haut, mais tout arrangement différent des images permettrait à son tour de nouvelles associations décoratives.

Certaines de ces gravures s'insèrent malaisément dans les diverses séquences, en particulier les trois dont les sujets évoquent la Bretagne et qui s'écartent par l'échelle de toutes les scènes de paradis que nous venons d'étudier. *Misère humaine* (cat. 244) reprend un sujet qui hanta Gauguin presque jusqu'à l'obsession à la fin des années 1880, et auquel il s'était essayé dans la suite Volpini, ses premières lithographies. Mais la mélancolique jeune femme s'est ici transformée en une Polynésienne assise sous un arbre couvert de fruits, dans un paysage occupé par deux paysans français. Une fois de plus, l'Europe a rejoint la Polynésie, dans l'union délibérée des deux pôles de la carrière de l'artiste.

Les autres gravures consacrées à la Bretagne, *Calvaire Breton* et *Le char à bœufs* (cat. 242, 243), peuvent être rapprochées de deux tableaux qui, depuis les années 1920, embarrassent les spécialistes, *La nuit de Noël* (W 519) et *Le village sous la neige* (W 525). Le catalogue raisonné de Wildenstein leur attribue la date de 1894, se conformant sans doute à l'opinion émise sans preuve par Arsène Alexandre que Gauguin les emmena de France à Tahiti en 1896[18]. Aucun des deux tableaux n'est malheureusement daté et *Le village sous la neige* fut découvert par Ségalen dans l'atelier de Gauguin peu de temps après sa mort en 1903. A la suite des assertions romanesques de Ségalen, l'on pensa même un temps qu'il s'agissait de la dernière œuvre du peintre. Il ne nous appartient pas d'approfondir ici l'épineux problème de la datation de ces deux tableaux, ni de conclure qu'ils furent exécutés en Bretagne au cours de l'été et de l'automne 1894, alors qu'il n'y avait pas de neige, ou au contraire peints de mémoire à Tahiti, contredisant Alexandre. Il n'en reste pas moins qu'ils représentent la Bretagne, et renouent ainsi avec le souvenir que gardait Gauguin du petit village breton de Pont-Aven.

Si la plus petite des deux gravures s'avère bien terminée, certaines plages autour de la scène centrale de la plus grande demeurent illisibles ; l'on distingue nettement le char à bœufs, le paysan et les toits enneigés du

16. Gauguin, transcription de *L'esprit moderne et le catholicisme*, ms., St. Louis Art Museum, I.
17. Pour une étude de *Soyez amoureuses*, voir Field à Philadelphie 1969, qui voit dans cette gravure l'expression d'un désespoir.
18. Alexandre 1930, 251-252.

village, mais le reste est flou et imprécis. Les aspérités du bloc, visibles sur la plupart des épreuves introduisent un nouvel élément de doute, puisque la gravure fit l'objet d'une édition signée et numérotée. Il convient donc de l'accepter au même titre que les gravures plus achevées de ce remarquable ensemble.

Le clocher de Pont-Aven, qui domine la vallée dans les deux tableaux, est absent des gravures qui pourtant reproduisent les mêmes scènes. Dans la plus petite, Gauguin fait apparaître la célèbre sculpture du calvaire du village de Nizon qui figurait déjà dans le *Christ vert* (W 328) en 1889, et lui confère, comme dans le tableau, une telle importance qu'elle en vient à dominer le paysage tout de douceur et replace fermement cet épisode biblique dans la Bretagne du dix-neuvième siècle[19].

Peut-être faudrait-il chercher l'explication de ces gravures et des tableaux dont elles sont si proches dans l'ouvrage de Gauguin *L'esprit moderne et le catholicisme*. Esquissé entre 1896 et 1897, ce texte prolixe que Gauguin, dans une lettre à Monfreid en novembre 1897, considérait comme terminé, fut relié sous cette première forme dans les feuillets du manuscrit de *Noa Noa* conservé au Louvre intitulés *Diverses choses,* avant que le manuscrit ne reçoive sa forme définitive et son titre en 1902. Or, l'exécution des bois et l'impression de la série Vollard correspondent précisément au moment où Gauguin achevait l'ébauche du manuscrit, et deux des gravures, *Soyez amoureuses* et *Femmes, animaux et feuillage* furent collées à l'intérieur des plats du manuscrit relié.

En une argumentation aussi dense que fournie, le texte du manuscrit tente de concilier les évangiles du Nouveau Testament et l'esprit de l'ère moderne scientifique, en des termes d'anticléricalisme et d'opposition au catholicisme, même si le fond demeure profondément chrétien. Ce que recherche Gauguin à la source des textes religieux de la culture européenne n'est autre que la signification de la vie. Certes, il lui fallait essayer d'intégrer à ces textes évangéliques la prodigieuse richesse de ses expériences religieuses et sa vaste connaissance des religions comparées. Ses idées en la matière s'apparentaient à celles de Madame Blavatsky ou d'autres théoriciens de la fin du XIXe siècle. Mais aucun de ces écrivains ne partageait la conviction passionnée qui hantait Gauguin du pouvoir des images en tant que véhicules d'idées, et qui établit certainement un lien aussi étroit entre son œuvre graphique de cette époque et ses conceptions religieuses qu'avec des théories artistiques ou décoratives. Il faudrait alors assigner à ces gravures un rôle de paraboles ou fables en images, renouant avec la plus élémentaire méthode d'instruction et menant, en accord avec la vision de Gauguin de l'enseignement chrétien, bouddhique, hindou et égyptien, au premier pas vers la connaissance.

Or, tout l'œuvre de Gauguin, tant écrit que pictural, témoigne d'une aspiration aux progrès de la connaissance, et l'on n'en veut pour preuve que la quatorzième et dernière gravure de la série Vollard, *Intérieur d'une case* (cat. 245). C'est la seule qui décrive une scène vraiment nocturne et qui rappelle directement un tableau de la première période tahitienne, *Te fare hymanee* (*La maison des hymnes*, W 477). Le sujet en est pourtant la conquête de la nuit par la lumière, sinon par la religion. L'on y voit les cloisons en bambou d'une maison tahitienne éclairées à la lueur d'un invisible feu. Au premier plan, une femme est endormie, une autre semble se lever et dirige son regard vers un groupe au fond de la case. Malgré leur présence incompréhensible, l'atmosphère est celle d'une scène sacrée, la Cène ou la naissance du Christ. L'éclair de lumière au milieu de ces personnages pourrait-il symboliser une nuit de Noël tahitienne ? Quelque immense mystère se déroule-t-il à l'arrière-plan d'une gravure vouée à première vue à l'évocation des deux phases de l'état conscient, le rêve et l'éveil ? Nous ne pourrons jamais le savoir, et les textes écrits par Gauguin à cette époque offrent peu d'éclaircissements. Remarquons pour tout épilogue que la femme endormie au premier plan repose sa tête sur un oreiller irradié de lumière où Gauguin a gravé ses initiales. L'énigme née de son imagination demeure à jamais son inviolable secret.

R.B.

19. Voir Kane 1966, n° 12, 365, qui fait remarquer que le bétail est sans doute inspiré d'une fresque Egyptienne du British Museum à Londres (Dix-huitième dynastie, Tombe de Nebamon à Thèbes, cat. n° 37.976), provenant de la même tombe que la scène de banquet (British Museum, Londres, cat. n° 37.984) dont Gauguin possédait une photographie (Dorival 1951, 120-121, aujourd'hui dans la collection de Mme Joly-Ségalen). Dans les gravures, le *Calvaire Breton,* le *Char à bœufs,* comme dans le tableau *Paysage d'hiver en Bretagne* (W 519), les bœufs rappellent cette fresque par le rendu stylisé et l'attelage double.
20. Il en subsiste une épreuve d'essai (Gu 5), ainsi annotée de la main de Gauguin : « 30 numérotés à 8f. » Cela signifierait soit que Gauguin entendait vendre les gravures à Tahiti, soit qu'il indiquait le prix de chacune à Monfreid, partant, à Vollard. En multipliant la somme de 8 francs par le nombre total de gravures, l'on parvient d'ailleurs au chiffre de 4 000 francs qu'exigeait Gauguin dans le cas d'une vente au détail.

232

Te atua (Le Dieu)

22,4 × 22,7
Gravure sur bois tirée en noir, collée verso-recto sur une épreuve du premier état tirée en noir et ocre sur papier Japon, appliquée sur papier vélin.

The Art Institute of Chicago, don du Print and Drawing Club, 1945.93

Catalogues
Gu 60 ; K 53 B6.

Exposée à Chicago

233
L'enlèvement d'Europe

24 × 23
Gravure sur bois tirée sur papier Japon numérotée à la plume et à l'encre, 4.

The Art Institute of Chicago, don du Print and Drawing Club, 1949.934

Catalogues
Gu 65 ; K 47.

Exposée à Chicago

234
Bouddha

29,5 × 22,2
Gravure sur bois tirée en noir sur papier Japon numérotée à la plume et à l'encre, 1.

The Art Institute of Chicago. Print and Drawing Department Funds, 1947.687

Catalogues
Gu 63 ; K 45.

Exposée à Chicago

235
Eve

28,7 × 21,5
Gravure sur bois tirée en noir sur papier Japon numérotée à la plume et à l'encre, 21.

The Art Institute of Chicago. The Frank Hubachek Collection. 1951.5.

Catalogues
Gu 57 ; K 42 II.

Exposée à Chicago

236
Te arii vahine (La femme du Roi)

16,4 × 30,4
Gravure sur bois tirée en noir sur papier Japon numérotée à la mine de plomb, 25.

The Art Institute of Chicago, don du Print and Drawing Club, 1955.15

Catalogues
Gu 62 ; K 44A.

Exposée à Chicago
et Paris

237

Femmes, animaux et feuillage

16,3 × 30,5
Gravure sur bois tirée en noir sur papier Japon numérotée à la plume et à l'encre, 29.

The Art Institute of Chicago, don du Print and Drawing Club, 1949.933

Catalogues
Gu 59 ; K 43 II.

Exposée à Chicago

238

Le porteur de bananes

16,2 × 28,7.
Gravure sur bois tirée en noir sur papier Japon numérotée à la plume et à l'encre, 7.

The Art Institute of Chicago. The William McCallin McKee Memorial Collection, 1954.1192

Catalogues
Gu 64 ; K 46.

Exposée à Chicago

239

Planche à la tête de diable cornu

16,2 × 28,7
Gravure sur bois tirée en noir sur papier Japon.

The Art Institute of Chicago, don du Print and Drawing Club, 1945.95

Catalogues
Gu 67 ; K 48.

Exposée à Chicago

240

Changement de résidence

16,3 × 30,5
Gravure sur bois tirée en noir, collée sur une épreuve du premier état tirée en ocre. Numérotée à la plume et à l'encre, 21.

The Art Institute of Chicago. The Albert H. Wolf Memorial Collection, 1939.322

Catalogues
Gu 66 ; K 54 IIB.

Exposée à Chicago

241

Soyez amoureuses, vous serez heureuses

16,2 × 27,5
Gravure sur bois tirée en noir, collée sur la première épreuve du premier état tirée en ocre sur papier Japon, appliquée sur papier vélin. Numérotée à la plume et à l'encre, 20.

The Art Institute of Chicago. The Joseph Brooks Fair Collection, 1949.932

Catalogues
Gu 58 ; K 55 IIB.

Exposée à chicago

242

Calvaire breton

16 × 26,3
Gravure sur bois tirée en noir sur papier Japon.
Numérotée à la plume et à l'encre, P/13.

The Art Institute of Chicago, don de Frank B. Hubachek, 1947.435

Catalogues
Gu 68 ; K 50.

Exposée à chicago

243
Le char à bœufs

16 × 28,5
Gravure sur bois tirée en noir sur papier Japon.
Signée et numérotée à la plume et à l'encre, PGO/26.

The Art Institute of Chicago. Print and Drawing Department Fund, 1949.935

Catalogues
Gu 70 ; K 51.

Exposée à Chicago

244
Misères humaines

19,4 × 29,5
Gravure sur bois tirée en noir sur papier Japon.
Numérotée à la mine de plomb, 16.

The Art Institute of Chicago, don de Frank B. Hubachek, 1947.436

Catalogues
Gu 69 ; K 49.

Exposée à Chicago

245
Intérieur d'une case

11,3 × 21,2
Gravure sur bois tirée en noir sur papier Japon.
Numérotée à la plume et à l'encre, 7.

The Art Institute of Chicago, don du Print and Drawing Club, 1950.1517

Catalogues
Gu 56 ; K 41.

Exposée à Chicago

232a
Te atua (Le Dieu)

22,4 × 22,7
Gravure sur bois tirée en noir sur papier vélin montée à l'envers sur une épreuve du premier état tirée en noir sur papier Japon très fin.
Numérotée au verso de l'épreuve du 2e état, 27.

Washington, National Gallery of Art, collection Rosenwald, 1943.3.4608

Catalogues
Gu 60 et Gu 61 ; K 53BG.

Exposée à Washington et Paris

232b
Te atua (Le Dieu)

22,4 × 22,7
Gravure sur bois, 2e état, tirée en noir sur papier Japon de fine épaisseur sur une impression du premier état, tirée sur papier velin.
Numérotée à l'encre, 11.

Washington, National Gallery of Art, collection Rosenwald, 1943.3.4609

Catalogues
Gu 60 et Gu 61 ; K. 53 Ba.

Exposée à Paris

233a
Bloc de bois, L'enlèvement d'Europe

24 × 23 ; irrégulier, d'épaisseur inégale

Boston, Museum of Fine arts. Harriet Otis Cruft Fund, 36.624

Catalogues
Gu 65 ; K 47.

Exposé à Washington et Chicago

233b
L'enlèvement d'Europe

24 × 23
Gravure sur bois tirée en noir sur papier Japon.
Numérotée à la plume et à l'encre, 13.

Washington, National Gallery of Art, collection Rosenwald, 1950.16.65

Catalogues
Gu 65 ; K 47.

Exposée à Washington et Paris

234a
Bouddha

29,5 × 22,2
Gravure sur bois tirée en noir sur papier Japon.
Numérotée à la plume et à l'encre, 10.

Washington, National Gallery of Art, collection Rosenwald, 1950.16.62

Catalogues
Gu 63 ; K 45.

Exposée à Washington

234b
Bouddha

30,3 × 22,2
Gravure sur bois tirée en noir sur papier japon, numérotée *19*.

Paris, Bibliothèque Nationale

Catalogues
Gu 63, K 45.

Exposée à Paris

235a
Eve

28,7 × 21,5
Gravure sur bois tirée en noir sur papier Japon.
Numérotée à la plume et à l'encre, 18.

Washington, National Gallery of Art, collection Rosenwald, 1948.11.117

Catalogues
Gu 57 ; K 42 II.

Exposée à Washington

235b
Ève

28,3 × 21,5
Gravure sur bois tirée en noir sur papier japon, numérotée *19*.

Paris, Bibliothèque Nationale

Catalogues
Gu 57, K 42 II.

Exposée à Paris

236a
Te arii vahine (La femme du Roi)

16,4 × 30,4
Gravure sur bois tirée en noir sur papier Japon.
Numérotée à la plume et à l'encre, 22.

Washington, National Gallery of Art, collection Rosenwald, 1948.11.119

Catalogues
Gu 62 ; K 44A.

Exposée à Washington

236b
Te arii vahine (La femme du Roi)
17,1 × 30,4
Gravure sur bois tirée en noir sur papier japon fin, monogravure en haut à gauche, *PG*, numérotée *25*.

The Art Institute of Chicago

Catalogues
Gu 62, K 44 A.

Exposée à Paris

237a
Femmes, animaux et feuillage

16,3 × 30,5
Gravure sur bois tirée en noir sur papier Japon.
Numérotée à la plume et à l'encre, 9.

Washington, National Gallery of Art, collection Rosenwald, 1950.16.66

Catalogues
Gu 59 ; K 43 II.

Exposée à Washington

237b
Femmes, animaux et feuillage

16,3 × 30,5
Gravure sur bois tirée en noir sur papier japon, numérotée *30*.

Paris, Bibliothèque Nationale

Catalogues
Gu 59, K 43 II.

Exposée à Paris

238a
Le porteur de bananes

16,2 × 28,7
Gravure sur bois tirée en noir sur papier Japon.
Numérotée à la plume et à l'encre, 25.

Washington, National Gallery of Art, collection Rosenwald, 1943.3.4607

Catalogues
Gu 64 ; K 46.

Exposée à Washington

238b
Le porteur de fei

16,2 × 28,7
Gravure sur bois tirée en noir sur papier japon, numérotée *8*.

Paris, Fondation Dina Vierny

Catalogues
Gu 64, K 46 I.

Exposée à Paris

239a
Planche à la tête de diable cornu

16,2 × 28,7
Gravure sur bois tirée en noir sur papier Japon.

Washington, National Gallery of Art, collection Rosenwald, 1950.16.70

Catalogues
Gu 67 ; K 48.

Exposée à Washington

239b
Planche au diable cornu

15 × 27,8
Gravure sur bois tirée en noir sur papier japon fin.

Paris, Fondation Dina Vierny

Catalogues
Gu 67, K 48.

Exposée à Paris

240a
Changement de résidence

16,3 × 30,5
Gravure sur bois tirée en noir, collée sur une épreuve du premier état tirée en ocre.
Numérotée à la plume et à l'encre, 22.

Brooklyn Museum, 37. 152

Catalogues
Gu 66 ; K 54 IIB.

Exposée à Washington

240b
Changement de résidence

16,3 × 30,5
Gravure sur bois tirée en noir sur papier japon très fin, collée sur une impression du premier état en ocre, numérotée *2*.

Paris, Fondation Dina Vierny

Catalogues
Gu 66, K 54 Ib.

Exposée à Paris

241a
Soyez amoureuses, vous serez heureuses

16,2 × 27,5
Gravure sur bois tirée en noir, collée sur une épreuve du premier état tirée en ocre sur papier Japon, appliquée sur papier vélin.
Numérotée à la plume et à l'encre, 3.

Washington, National Gallery of Art, collection Rosenwald, 1950.16.71

Catalogues
Gu 58 ; K 55 IIb.

Exposée à Washington et Paris

242a
Calvaire breton

16 × 26,3
Gravure sur bois tirée en noir sur papier Japon.
Numérotée à la plume et à l'encre, 9.

Washington, National Gallery of Art, collection Rosenwald, 1943.3.4605

Catalogues
Gu 68 ; K 50.

Exposée à Washington et Paris

243a
Le char à bœufs

16 × 28,5
Gravure sur bois tirée en noir sur papier Japon.
Numérotée à la plume et à l'encre, 9.

Washington, National Gallery of Art, collection Rosenwald, 1950.16.63

Catalogues
Gu 70 ; K 51.

Exposée à Washington

243b
Le char à bœufs

16 × 28,5
Gravure sur bois tirée en noir sur papier japon.

Paris, Bibliothèque Nationale

Catalogues
Gu 70, K 51.

Exposée à Paris

244a
Misère humaine

19,4 × 29,5
Gravure sur bois tirée en noir sur papier Japon.
Numérotée à la plume et à l'encre, 9.

Washington, National Gallery of Art, collection Rosenwald, 1943.3.4610

Catalogues
Gu 69 ; K 49.

Exposée à Washington

244b
Misères humaines

19,3 × 29,6
Gravure sur bois tirée en noir sur papier japon, numérotée *21*.

Paris, Bibliothèque Nationale

Catalogues
Gu 69, K 49.

Exposée à Paris

245a
Intérieur d'une case

11,3 × 21,2
Gravure sur bois tirée en noir sur papier Japon.
Numérotée à la plume et à l'encre, 1.

Washington, National Gallery of Art, collection Rosenwald, 1955.16

Catalogues
Gu 56 ; K 41.

Exposée à Washington

246

Éventail orné de motifs de Mahana no atua

1900-1903
20,8 × 41,7
Pinceau et gouache rehaussant un dessin préliminaire à la mine de plomb sur vélin.
Signé à l'intérieur de la composition en bas à droite, au pinceau et à la gouache rouge, *PGO*.

Chicago, Edward McCormick Blair

Catalogue
Gerstein 1978, nº 30.

Sur ce dessin en forme d'éventail, en bon état de conservation, apparaît l'un des paysages les plus lumineux, les plus arcadiens qu'ait exécutés Gauguin aux alentours de 1900. Il rappelle dans sa souplesse harmonieuse les paysages peints datés entre 1899 et 1901. Peut-être date-t-il de 1900, alors que Gauguin, délaissant la peinture à l'huile, se tournait vers l'art graphique et le journalisme. Le paysage est placé sous les auspices d'une énorme déesse en pierre, Hina, que Gauguin devait représenter à maintes reprises après avoir lu en 1892 le *Voyage aux îles du grand océan* de Moerenhout. Comme dans *D'où venons-nous ? Que sommes-nous ? Où allons-nous?* (W 561, voir fig. essai R.B.), Hina fait face aux spectateurs qui deviennent ainsi ses adorateurs en lieu et place des personnages du dessin. En plaçant la déesse dans un paysage apparemment ordinaire, Gauguin entendait symboliser le retour à une Polynésie précoloniale, quoique Tahiti n'ai jamais connu de semblables idoles et alors que lui-même n'avait pas encore été aux îles Marquises, où se voyaient au début du siècle de nombreux et immenses *tikis* en pierre.

L'éventail se divise approximativement en deux parties. Celle de gauche est dominée par la forme de la déesse Hina, tandis qu'en bas à gauche niche un oiseau-lyre ou paon ; il semble que dans certaines œuvres de Gauguin entre 1899 et 1900, un oiseau de ce genre symbolise le Christ ; or, celui-ci se tient au bord des eaux miroitantes d'un fleuve sacré. Dès 1892 (W 468 et cat. 155) et jusqu'au début du siècle, Gauguin devait marquer le caractère sacré des rivières par les rouges, pourpres et orangés qu'il employait pour les peindre. Quant à la situation d'Hina au sein de ce monde tout d'illusion, elle demeure obscure ; elle a presque l'air de flotter au-dessus de la rivière et ses mains désignent l'exact confluent de la terre et de la mer.

A une partie gauche dévolue au sacré répond l'indéniable sécularité de la partie droite de l'éventail, où le personnage d'Hina est remplacé par une case primitive, entre le bord de mer et le pied de grandes montagnes bleues et pourpres. Dans l'angle inférieur droit, un cavalier correspond au paon de la partie gauche ; il s'apparente à tous ceux qui apparaissent dans ses tableaux entre 1898 et 1903, année de sa mort, en particulier les *Cavaliers sur la plage* (cat. 278), et c'est certainement dans l'œuvre de Degas que l'on en retrouve l'origine. Placé ici de trois-quarts, le cheval ne doit rien aux modèles auxquels Gauguin avait le plus souvent recours, tels ceux de la frise du Parthénon ou du *Cavalier, la mort et le diable* de Dürer (fig. cat. 256). Le cavalier, dont il est impossible de déterminer l'âge et le sexe, tourne le dos à la maison et au fleuve, comme s'il les quittait. Et le mystère de sa destination accentue encore celui de l'ensemble.

Suivant le sort de presque toutes les compositions de Gauguin destinées à des éventails, celle-ci ne fut jamais montée, et, s'il utilisa cette forme si décorative propre à l'éventail européen, c'est qu'elle se prêtait à l'évocation d'une atmosphère de repos, chaleureuse et oisive. L'éventail de la collection Blair est le dernier exemple qui subsiste ; au fur et à mesure que Gauguin s'éloignait de l'Europe, il en abandonna peu à peu les coutumes.

R.B.

247-251

Suite de monotypes (technique du dessin-empreinte)

Les cinq grands dessins-empreintes (voir cat. 212) que nous exposons font partie d'un ensemble de dix où Richard Field a reconnu ceux que Gauguin envoya à Vollard au printemps de 1900[1]. L'unique preuve de cet envoi consiste en une lettre adressée à Monfreid et datée de mars 1900, où Gauguin écrivait : « Je lui envoie ce mois-ci 10 dessins, ce qui au prix de 40 F qu'il me propose, fait 400 F (...)[2] », insistant avant tout, comme de coutume, sur des problèmes d'argent et sa terreur d'être dupé. En fait, ce sont des chefs-d'œuvre de l'art graphique.

Quoique Gauguin, qui utilisait les mots à bon escient, ait appelé ces œuvres « dessins », il s'agit en réalité de dessins imprimés, ou dessins-empreintes, apparaissant au verso, et en sens inverse, du dessin proprement dit. L'on connaît bien la description que Gauguin devait faire plus tard de ce procédé dans une lettre à son client et protecteur Gustave Fayet, et qui correspond peut-être à la technique d'impression révolutionnaire qu'il évoquait dans sa lettre à Monfreid du 27 janvier 1900[3]. Cette méthode consistait à encrer entièrement une feuille de papier et à la couvrir d'une autre feuille sur laquelle il dessinait au crayon et aux crayons de couleurs, le contact avec la première feuille encrée permettant au dessin de se retrouver redoublé au verso de la feuille sur laquelle il dessinait. De toute évidence, ce n'est pas le dessin lui-même qui consituait pour Gauguin l'œuvre d'art digne d'être montrée, mais bien l'empreinte.

Gauguin se consacra à ces œuvres pendant les mois qui suivirent l'exécution des gravures sur bois de la série Vollard. Ces dernières avaient fait l'objet d'éditions, tandis que chacun des dessins est unique et que presque tous se distinguent par leur très grande taille. On notera que pour la feuille encrée, Gauguin s'est souvent servi de deux morceaux de papier se chevauchant, sans doute parce qu'il disposait d'un nombre restreint de grandes feuilles.

Vollard semble avoir accueilli cet envoi avec un médiocre enthousiasme, puisque ces dix dessins-empreintes ne figurent pas dans un récipissé daté du 17 octobre 1900[4], alors qu'il les avait bien reçus. Il les envoya à Monfreid au mois de septembre 1901 avec un petit paquet de gravures sur bois[5]. En revanche, l'exposition des dernières œuvres de Gauguin qui se tint à la galerie Vollard au mois de novembre 1903 comprenait vingt-sept dessins, qui devaient être en majorité des « dessins-empreintes ». Ils n'étaient désignés, comme les cinquantes tableaux qui figuraient à l'exposition, que par les titres les plus vagues, rendant bien difficile toute identification précise. Il est probable qu'une partie, sinon la totalité de ces dix dessins imprimés envoyés par Gauguin en 1900 furent rendus à Vollard pour être exposés, assortis de titres tels que « *Tahitiennes* », « *Famille* », « *Buste de femme* », « *Etude de nu* », et « *Groupe de femmes* ».

A partir de ces titres trop généraux, l'on parvient à reconstituer partiellement l'exposition avec quelque vraisemblance. *Le cauchemar* (cat. 251) y figurait certainement, sous le « *n° 8, Eve* », ou le « *n° 5, Rêve* » ; « *Tahitiennes* », « *Famille Tahitienne* » et « *Intérieur* » correspondent sans doute aux numéros 247, 249 et 250 du catalogue ; mais « *L'esprit veille* » échappe à toute spéculation.

Le cauchemar reprend le personnage d'Eve violée, inspiré du *Parau na te varua ino* (*Les mots du diable*, cat. 147) datant de 1892 et de la gravure sur bois de la série Vollard intitulée *Eve*[2]. Or, l'interprétation thématique de la gravure, dans sa nudité et sa clarté, offre un complet contraste avec celle du dessin un peu plus tardif. Alors que dans la gravure Eve ressort, solitaire, sur un fond blanc, le dessin la montre en marge d'un monde de mystère et de ténèbres, peuplé de formes qui lui disputent la primauté. Il faut attendre 1901 pour voir réapparaître une figure de cavalier encapuchonné dans un tableau (W 527) et un autre de ces dessins imprimés (cat. 277), montrant un *tupapau* à cheval. Si, dans les œuvres tardives, le cheval est emprunté à la célèbre gravure de Dürer, *Le chevalier, la mort et le diable,*[7] la source des œuvres plus anciennes remonterait à l'art classique ; certains chercheurs établissent un lien avec les chevaux de la frise du Parthénon[8] dont Gauguin possédait une photographie, mais la comparaison s'avère peu concluante.

Outre cet insondable cavalier, Gauguin a accumulé à l'arrière-plan du dessin les difficultés d'interprétation en le peuplant non seulement du traditionnel serpent (qui a sans doute déjà accompli sur Eve son œuvre de tentation), mais d'une figure avec toutes les apparences d'une femme nageant dans les vagues. Elle rappelle, avec ses bras levés et sa pose par rapport à l'eau, la baigneuse *Ondine* (cat. 80), reprise par Gauguin dans la gravure sur bois *Les Roches Noires,* entre 1899 et 1900 (Gu 71). Mais la frénésie du geste de cette créature aux mains tendues n'a pas d'équivalent dans l'œuvre de Gauguin, et, en l'absence de tout recours analogique, devant cette œuvre seules demeurent les interrogations : s'agit-il d'une femme, d'une baigneuse, et que signifie son geste ?

La symbolique inextricable et déconcertante de ce dessin-empreinte obscurcit plus encore la signification du titre *Le cauchemar.* L'association d'images d'innocence et de culpabilité, de peur et d'autorité, de formes et de masses amorphes, de terre et d'eau, d'Orient et d'Occident, crée une impression de malaise, renforcée par l'aspect fumeux et ambigu de la surface. Gauguin eut en effet recours à divers instruments, et, une fois l'impression terminée, soumit sans doute le dessin à un lavage à la térébenthine ou à un autre solvant pour diluer des zones trop sombres autour de la malheureuse Eve, tenaillée par le remords. Il devait lui-même appeler « infantile » ce procédé de dessin par impression en l'expliquant à Fayet en 1902[9]. Enfin le passage du temps, favorisant l'oxydation de l'un des composants métalliques de l'œuvre, en a beaucoup amplifié le caractère mystérieux.

A première vue, les « *Tahitiennes* » (cat. 247) nous ramènent à plus de limpidité. L'on y voit deux femmes en conversation, l'une tournée vers le spectateur, l'autre comme suspendue à une branche ou un sarment, justifiant le titre « *Deux Tahitiennes cueillant des fruits* ». Mais si les fruits apparaissent clairement dans le dessin, ils sont à peine visibles sur le dessin-empreinte. Quant au personnage, il évoque un modèle professionnel, figé les bras en l'air pendant les longues heures de pose requises, et les références iconographiques à la cueillette des fruits sont innombrables, mais aucune ne semble assez proche de cette œuvre mystérieuse pour établir le bien-fondé du titre imposé par la tradition[10].

Les deux Tahitiennes, douées d'une beauté rayonnante et d'un maintien fort digne, échangent leurs secrets dans un monde paradisiaque inaccessible au spectateur.

Semblables à bien d'autres personnages de cet ensemble de dix dessins-empreintes, elles n'ont aucun précédent direct dans l'œuvre de Gauguin, même si les poses et les vêtements dénudant les épaules trouvent un écho dans les tableaux datant de 1899.

La Tahitienne et l'Esprit du mal (cat. 248) offre l'une des images les plus fortes de l'ensemble. Gauguin a emprunté au nu de *Te arii vahine,* peint en 1896 (cat. 215), le visage et le buste qu'il a partiellement vêtu. (Le visage pourrait s'inspirer de la photographie d'un couple royal marquisien que possédait Gauguin). Tout contre, apparaît une face de diable semi-humain pourvu d'une épaule et d'une grande main. Insensible pourtant à la proximité de la belle jeune femme, le diable a les yeux perdus dans le vide. Quant à la jeune beauté offerte, elle dévisage le spectateur avec une hardiesse que la présence à ses côtés d'une créature venue d'une autre monde rend énigmatique.

Deux des plus grands et plus beaux dessins de la série firent partie de la célèbre collection Fayet. *La nativité* (cat. 249), souvent appelée à tort *Nativité Tahitienne,* figura peut-être à l'exposition Vollard sous le titre «*Famille*». L'on y voit une jeune femme au regard fixe et aux orbites vides, tenant sur ses genoux un gros poupon qui serre le poing et s'agite en tous sens, et qu'une auréole désigne comme étant le Christ. Un autre enfant, plus âgé, observe attentivement l'enfant-Dieu, si nerveux, dont il semble vouloir imiter le geste.

Gauguin a placé la scène dans un cour de ferme où l'on reconnaît la barrière et les deux vaches du tableau *La nuit de Noël* (W 519), exécuté entre 1899 et 1900, et de la gravure de la même époque, *Le char à bœufs* (cat. 244). La présence des bovidés et la coiffure médiévale de Marie enlèvent à cette nativité tout caractère tahitien, et il faudrait plutôt y voir l'image, délibérément primitive, d'un amalgame culturel de la Bretagne et de Tahiti. Les bras de la Vierge, puissants et tubulaires, durent impressionner le jeune Picasso, dont on connaît l'émotion éprouvée devant les dessins contre-tirés, tels celui-ci, et la série de Nativités qui suivirent (cat. 260, 261, 262, 263).

Les Tahitiennes repassant (cat. 250) correspond sans doute à ce que l'exposition Vollard avait intitulé «*Intérieur*». Empreint d'une fraîcheur et d'une simplicité narrative qui rompent avec le caractère religieux et légendaire de l'ensemble envoyé par Gauguin en 1900, il représente deux solides Tahitiennes s'affairant dans un intérieur. Celle du premier plan, vêtue de la robe imposée par les missionnaires, a l'air de se livrer à une activité bien occidentale, couture ou repassage. Sa compagne a la poitrine découverte tient une grande couverture ou un ballot de linge. Gauguin n'a pas craint d'accentuer la pose inconfortable de la première femme, à même le sol une jambe allongée, l'autre repliée sous le corps, qui lui donne un aspect étrangement déséquilibré, désarticulé, reflétant l'architecture de la pièce. Ce personnage est inspiré d'un dessin qui faisait partie du carton *Documents Tahiti — 1891/ 1892/ 1893* où il apparaît précisément dessiné et mis au carreau en vue du transfert au grand dessin contre-tiré. Le style du petit dessin l'apparente au premier groupe d'études de figures exécuté par Gauguin à Tahiti ; il devait en intégrer quelques-unes à des tableaux ou des gravures datant de son premier voyage, gardant les autres dans le carton afin de les utiliser plus tard. Il est probable que, retrouvant ce dessin déjà ancien, il s'en servit pour élaborer un petit dessin-empreinte contre-tiré (F 39), et le mit au carreau avant de le reporter à l'échelle plus large des *Tahitiennes repassant.* Si cette dernière opération eut lieu en 1899 ou 1900, la conception du personnage remonte sans doute aux débuts du premier voyage de Gauguin à Tahiti.

Leur particularité technique confère à tous ces dessins-empreintes l'aspect primitif et la rugosité de la peinture murale, et leur surface irrégulière évoque les taches qui marbrent les parois d'une grotte ou les aspérités d'un mur de stuc. Force est de se rendre à l'évidence que Gauguin provoqua sciemment les maladresses, voire les salissures de ces épreuves. Il cherchait moins à faire preuve d'imagination qu'à créer des images fortes rappelant les frottis, les peintures rupestres ou les dessins tracés à même les murs. Images virtuelles où se révèlent les réactions de la matière à l'action de l'artiste, les dessins-empreintes de la fin de sa vie deviennent aussi précieux que des vestiges, calques d'œuvres perdues, ou plans de projets seulement ébauchés. Le retentissement de ces dessins — fruits d'une démarche multiple — sur ceux qu'exécutera Picasso en 1904 traduit assez l'intensité de l'impression qu'imposait leur présence dans la galerie de Vollard au mois de novembre 1903. R.B.

1. Philadelphie 1973, 28-31.
2. Joly-Ségalen 1950, n° LXII, 157.
3. Joly-Ségalen 1950, n° LXI, 156.
4. Archives Loize.
5. Joly-Ségalen 1950, lettre de Vollard à Monfreid, 16 septembre 1901, 224.
6. Pour le complet exposé des diverses formes données par Gauguin à ce personnage, voir Philadelphie 1973, 95.
7. H. 74, 1513. R.W.H. Hollstein, *German Engravings, Etchings and Woodcuts ca. 1400-1700* (Amsterdam 1962), vol. 7, 68-69.
8. Amishai-Maisels 1985, 264-265.
9. Lettre à Fayet, mars 1902, Joly-Ségalen 1950, 203.
10. Field a rapproché à tort ce dessin-empreinte d'une lithographie de Delacroix (Delteil 1908, vol. 3, n° 95), *Femmes de Tanger faisant sécher du linge.*

247
Deux Tahitiennes cueillant des fruits

1899-1900
63 × 51,5
Au recto,
dessin-empreinte en noir et ocre, sur papier vélin ; au verso, mine de plomb et crayon bleu.
Signé à la mine de plomb en bas à droite, *P. Gauguin.*

Upperville (Virginie), collection de Mr et Mrs Paul Mellon

Expositions
Paris 1903, nº 10 ou 14, *Tahitiennes* (?) ;
Paris 1906, nº 43, *Deux Tahitiennes cueillant des fruits* ;
Philadelphie 1973, nº 64.

Catalogue
F 64.

Exposé à Washington et Chicago

248
Femme tahitienne et l'Esprit du mal

1899-1900
56,1 × 45,3
Au recto dessin-empreinte en noir et ocre sur papier vélin ; au verso mine de plomb et crayon bleu.
Signé à la mine de plomb en bas à droite, *P. Gauguin.*

Collection Max Schmidheiny

Expositions
Munich 1960, nº 124 ;
Paris 1960, nº 139 ;
Philadelphie 1973, nº 66.

Catalogue
F 66.

249

Nativité

1899-1900
58,5 × 45
Dessin-empreinte en noir et brun sur papier vélin.
Signé en bas à droite à la mine de plomb, *P. Gauguin.*

France, collection particulière

Expositions
Paris 1903, nº 4, *Famille* (?) ;
Paris 1906, nº 36, *Nativité* (?).

Catalogue
F 68.

Exposé à Paris

250

Tahitiennes repassant

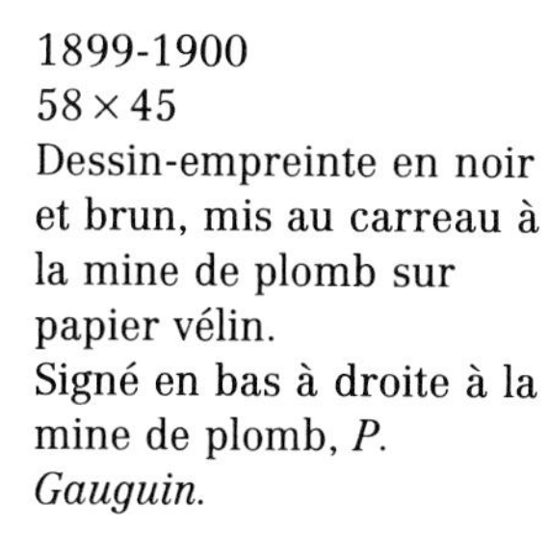

1899-1900
58 × 45
Dessin-empreinte en noir et brun, mis au carreau à la mine de plomb sur papier vélin.
Signé en bas à droite à la mine de plomb, *P. Gauguin.*

France, collection particulière

Expositions
Paris 1903, nº 7, *Intérieur* (?) ;
Paris 1906, nº 49, *Intérieur de case* (?).

Catalogue
F 69.

Exposé à Paris

251
Le cauchemar

1899-1900
58,4 × 43
Au recto, dessin-empreinte en noir et ocre, sur papier vélin ; au verso, mine de plomb et crayon bleu.
Signé en bas à droite à la mine de plomb, *P. Gauguin.*

Collection particulière

Expositions
Paris 1093, nº 5, *Rêve* (?), ou nº 8, *Eve* (?) ;
Paris 1906, nº 39, *Eve* (?) ;
Paris 1936, nº 121.

Catalogue
F 70.

Exposé à Washington et Chicago

252
Le départ

Vers 1900
53 × 40
Dessin-empreinte en noir, mis au carreau à la mine de plomb sur papier vergé.
Signé à la mine de plomb en bas à droite, *P. Gauguin.*

Ancienne collection Gustave Fayet, Igny

Expositions
Paris 1903, nº 18, *Le départ* ;
Paris 1906, nº 38, *Le départ* ;
Paris 1927.

Catalogue
F 105.

Voici l'un des plus importants et plus remarquables dessins-empreintes de la fin de l'œuvre de Gauguin. Par sa dimension, son mystère et sa concision, il rompt avec la linéarité et la rudesse de contour délibérées qui marquent généralement ces dessins ; la fluidité du trait, l'élégance du rythme et la sobriété des éléments figuratifs s'avèrent unique dans tout l'ensemble.

Aucune œuvre en rapport ne vient en élucider le sujet ou la date. Il porte ici un titre emprunté à la liste des dessins-empreintes exposés chez Vollard en 1903, qui ne saurait d'ailleurs s'appliquer à aucun autre[1].

Le personnage masculin qui domine, incontestablement inspiré d'un soldat de la colonne de Trajan, a connu également maints avatars dans l'œuvre de Gauguin. Il apparaît pour la « première fois » dans un tableau aujourd'hui au musée Pouchkine (W 537), signé et daté 1896. Or, si la signature et la date, bien lisibles, semblent autographes, le tableau ne saurait néanmoins s'intégrer à l'ensemble d'œuvres documentées de cette année. Tous les personnages s'apparentent à des gravures, dessins-empreintes et tableaux exécutés plus tard, et le style même plaide en faveur d'une date tardive. Aucune preuve irréfutable ne vient malheureusement corroborer la date antérieure et le tableau ne semble pas avoir figuré dans une exposition consacrée à Gauguin avant 1926. Le même personnage masculin reparaît dans *Le porteur de bananes* (cat. 236) en 1898-1899, dans *Guerre et paix* (G 127) en 1901, et dans l'un des dessins-empreintes, dépourvu de titre, *d'Avant et après* en 1903. Aucune autre représentation de cette figure ne s'avère assez proche pour prouver qu'un transfert fut fait, malgré la mise au carreau préalable du dessin-empreinte par Gauguin.

Le personnage, toujours représenté portant quelque chose — une hache ou des bananes —, tient ici un bout de

Détail de la *Colonne de Trajan*

bois dont la courbe reprend celle de la branche qui surplombe le couple. Quant à la femme, également inspirée de l'un des soldats de la colonne Trajane, on ne la retrouve nulle part dans l'œuvre de Gauguin. Accompagnés de leur chien, ces deux êtres s'avancent sans hésiter vers un destin qui nous échappe. L'homme a la tête couverte d'un capuchon, et son visage reste dans l'ombre, tandis que sa compagne lève vers le ciel un regard concentré. Comme bien souvent dans les dernières œuvres de Gauguin, l'on serait tenté d'intituler ce dessin *D'où venons-nous ? Que sommes-nous ?* ou plutôt ici, *Où allons-nous ?* R.B.

1. Rien ne prouve qu'il faille attribuer ces titres à Gauguin, ou qu'il ait eu l'intention d'intituler cette œuvre *Adam et Eve*. Voir Philadelphie 1973, nº 105.

253

Fleurs de tournesol dans un fauteuil

1901
73 × 91
Huile sur toile.
Signé et daté en bas à droite, *Paul Gauguin 1901*.

Leningrad, Musée de l'Ermitage

Expositions
Paris 1903, *Nature morte* (?) ;
Moscou 1926, nº 27 ;
Tokyo 1987, nº 141.

Catalogue
W 603.

Gauguin peignit deux versions de cette mystérieuse nature morte avant de quitter Tahiti pour les îles Marquises en septembre 1901, celle-ci et W 602. Il avait écrit à Monfreid, en octobre 1898, pour lui demander des graines de tournesol, et plus d'un an après il fêtait sa récolte la plus spectaculaire en peignant quatre natures mortes dans lesquelles triomphaient ces fleurs européennes par excellence, cultivées en exil[1]. La lettre de Gauguin pour se procurer des graines de tournesol fut expédiée de Tahiti presque exactement dix ans après son arrivée à Arles, où il vit pour la première fois les tournesols de van Gogh.

La nature morte du Musée de l'Ermitage se différencie incontestablement et même délibérément des toiles de Vincent. De fait, on pourrait presque avancer que Gauguin a conçu une nature morte aux tournesols diamétralement opposée à celles de son ancien compagnon. Alors que les toiles de van Gogh sont lumineuses, éclatantes et verticales, celles de Gauguin sont sombres, mélancoliques et horizontales. Les fleurs de van Gogh jaillissent d'un vase en céramique posé sur une table, celles de Gauguin ont été négligemment placées dans un panier qui n'est pas posé sur une table mais dans un fauteuil. Au début de sa carrière, Gauguin avait mis au point ce « contre-procédé », la substitution de la table, et l'avait utilisé assez fréquement[2]. Peu d'autres artistes modernes adoptèrent une telle stratégie, qui, comme souvent dans l'œuvre de Gauguin, consiste à prendre un parti contraire. De même que Cézanne défiait les conventions de la peinture de nature morte et les lois de la pesanteur dans ses représentations, donnant l'impression que ses fruits pourraient rouler de la table, de même Gauguin brise la convention la plus traditionnelle de la nature morte, le dessus de table. Ce faisant, il modifie la relation physique entre le spectateur et les objets de la nature morte qu'il situe dans un espace qui leur est propre, au lieu de les disposer à l'intention du spectateur.

Les éléments de cette nature morte sont là moins pour notre délectation que pour être étudiés. Le linge blanc retombe en plis sur le dos d'un fauteuil de style purement colonial, comme pour sécher à l'air. Le modeste panier de provenance indigène est posé sur le cannage de joncs habilement tressés d'un fauteuil d'importation. Quelques fleurs se fanent à cause de la chaleur et du manque d'eau et se tournent dans toutes les directions comme pour chercher de l'aide. La plus spectaculaire est la « fleur-œil » qui domine la partie sombre de la pièce, derrière le fauteuil. Elle ajoute encore à l'artificiel de cette composition. L'œil qui voit tout, émergeant de l'obscurité, est en un sens, le contraire des fleurs de tournesol dont l'existence même est déterminée par le soleil. En plaçant les fleurs de tournesol dans un intérieur assombri, Gauguin les a privées de la principale source de leur pouvoir.

Le dernier élément dans le tableau est la tête d'une Tahitienne qui s'encadre dans la fenêtre. Il y a de toute évidence quelque chose d'ambigu dans cette figure. Elle se détache sur un fond vert qui n'a pas vraiment la profondeur d'un paysage et devient ainsi un tableau avec son cadre à l'intérieur du tableau. Cependant, le fait que Gauguin a clairement dessiné le rebord et les boiseries de la fenêtre indique que la femme est bien réelle et se trouve à l'extérieur. La tête elle-même est caractéristique des larges visages des Polynésiennes que peignait Gauguin mais elle a moins de grâce et de beauté que beaucoup de ceux qu'il exécuta au cours des dernières années à Tahiti. Ses yeux bridés regardent au-delà du tableau. Pour le

Redon, *L'œil comme le ballon bizarre*, planche I de *A Edgar Poe*, 1882, lithographie
(The Art Institute of Chicago, Collection Stickney)

1. Joly-Ségalen 1950, nº XLII, 131.
2. L'exemple le plus ancien qui nous soit parvenu est une nature morte de 1880 exposée lors de la sixième exposition impressionniste sous le titre *Pour faire un bouquet* (W 49).

spectateur, elle est en même temps très présente et inaccessible, réelle et illusoire.

Comme dans beaucoup de tableaux de la fin de sa vie, Gauguin s'essaie à une confrontation de cultures différentes. Ici, les fleurs de tournesol et le mobilier européens rivalisent avec le panier et la figure polynésiens. Et l'œil qui-voit-tout de Redon, « artificiel », domine les fleurs de tournesol de van Gogh, « naturelles ». La femme indigène refuse la nature morte toute entière et son regard se détourne du « sujet » du tableau qui retient notre attention. Il se produit ainsi un conflit entre le spectateur européen de la toile et la population indigène de Polynésie. R.B.

254

Fleurs de tournesol et mangues

1901
93 × 73
Huile sur toile.
Signé et daté en bas à gauche, *Paul Gauguin/ 1901.*

Lausanne, collection particulière

Expositions
Paris 1903, *Fleurs* (?) ;
Edimbourg 1955, nº 61.

Catalogue
W 606.

C'est à la demande de Vollard, alors son marchand, que Gauguin peignit, de plus ou moins bon gré, des natures mortes de fleurs. Dans sa lettre à Vollard de janvier 1900, il consacre deux paragraphes à ce sujet, exprimant clairement son peu d'enthousiasme : « Vous me parlez de fleurs peintes, je ne sais vraiment pas lesquelles malgré le petit nombre que j'en ai fait : et cela tient (comme vous avez pu le voir sans doute) que je ne suis pas un peintre d'après nature — aujourd'hui moins qu'avant. Tout chez moi se passe en ma folle imagination. Et quand je suis fatigué de faire des figures (ma prédilection) je commence une nature morte que je termine d'ailleurs sans modèle. Puis ici ce n'est vraiment pas le pays des fleurs. Et vous ajoutez (ce qui semble contradictoire) que vous prendriez tout ce que je ferais. Je demande à comprendre. Des fleurs seulement ! ou bien des figures et des paysages ? »[1].

Bien qu'il y travaillât à contrecœur, les résultats furent spectaculaires, et on peut être reconnaissant à Vollard d'avoir insisté pour que Gauguin peigne des fleurs. Parmi celles que nous connaissons, les plus belles datent de 1901 et quatre représentent des fleurs de tournesol. La nature morte ici présentée, que Douglas Cooper qualifia de chef-d'œuvre du genre[2], est peut-être la plus proche, par la construction et la composition, de la grande série des tournesols peinte par van Gogh en 1888 pour décorer la Maison Jaune. Ce tableau de Gauguin, comme trois autres de format horizontal mais sur ce même thème, ont été, à l'évidence, peints en hommage à van Gogh dix ans après son tragique suicide.

Gauguin a disposé les fleurs de tournesol dans un vase en bois sculpté. Il est surprenant que cet objet n'ait jamais été étudié dans les textes consacrés aux céramiques et bois sculptés de l'artiste et cette lacune signifie peut-être que ce vase sculpté n'est pas considéré comme étant de la main de Gauguin. Mais les éléments prouvant qu'il s'agirait d'un vase indigène sont tout aussi inexistants. Même si l'excellente et brève notice consacrée à ce tableau[3] le décrit comme un « vase nègre aux sculptures primitives », il n'est certainement pas africain. C'est dans l'art tahitien que l'on trouve les plus grandes similitudes, avec ses sculptures en bois de figures accroupies aux larges têtes et aux mâchoires proéminentes qui se présentent sous de multiples aspects[4]. On n'en a cependant jamais trouvé sur des vases cylindriques et malgré la présence de figures polynésiennes sculptées, la forme de l'objet dans la nature morte de Gauguin est fondamentalement européenne. On remarque même certaines affinités entre la forme du vase et celle d'un récipient en bois (G 5) sculpté par Gauguin lui-même dans les « mers du Sud ». Teilhet-Fisk a établi un rapport entre les deux anses figuratives de la panse du vase et le berceau sculpté de *Te rerioa* (cat. 223)[5].

Quelles que soient les origines de ce vase, son rôle dans la nature morte est de symboliser le monde exotique dans lequel Gauguin, l'Européen transplanté, introduisit des fleurs de tournesol venues de France. Les fleurs occupent la partie supérieure de la composition. Tout à fait en haut du tableau, se trouve l'« œil-fleur » de Redon, l'ami de Gauguin, déjà introduit dans deux des natures mortes horizontales avec des fleurs de tournesol peintes cette même année (cat. 253, W 602). Ici, il a donné une tige à l'« œil-fleur » qui est ainsi partie intégrante du bouquet plutôt qu'une intrusion du monde imaginaire du peintre.

La coupe en métal dans la partie inférieure de la composition réapparait dans une autre nature morte de la même année (W 607), et Gauguin utilisa également de nombreuses fois la mangue, un fruit courant, dans ses natures mortes de Tahiti et des Marquises, peut-être parce que les mangues ont des formes mais aussi des couleurs variées. Malheureusement, on sait peu de choses de l'histoire de ce tableau. Il s'agit peut-être d'une des quatre toiles au titre laconique, *Fleurs,* exposées chez Vollard en 1903, mais rien ne prouve qu'elle ait figuré à aucune des expositions importantes consacrées à Gauguin avant 1955. R.B.

1. Rewald 1943, 32.
2. Cooper in Edimbourg 1955, 35.
3. Cooper in Edimbourg 1955, n. 61.
4. Barrow 1979, 42-46.
5. Teilhet-Fisk 1975, 331-332.

255

255
Nature morte aux pamplemousses

1901
66 × 76
Huile sur toile.
Signé et daté en bas à gauche, *Paul Gauguin 01* (?)

Lausanne, collection particulière

Expositions
Paris 1903, *Nature morte* (?) ;
Chicago 1959, n° 35.

Catalogue
W 631.

Cette magnifique nature morte, tardive dans l'œuvre de Gauguin, s'est vue attribuer différents titres et différentes dates. Les fruits dans la grande coupe sont indéniablement des pamplemousses qui poussent en abondance à Tahiti. La date du tableau n'a jamais vraiment été élucidée. Le catalogue raisonné ne fait pas mention des fragments de date qui subsistent à côté de la signature en bas à droite mais rapproche le tableau des natures mortes de 1902. Un auteur a été jusqu'à avancer la date de 1891 ![1]

Il semble très probable que le tableau ait été exécuté à Tahiti en 1901. La même malle de cabine recouverte de cuir, sur laquelle Gauguin a disposé les fruits, est encore plus visible dans une nature morte de fleurs probablement peinte en 1899 (W 594). Gauguin avait, cette année là, reçu d'Europe des graines de fleurs et de légumes envoyées par Monfreid, et en avril il avait écrit son intention de peindre des « études de fleurs »[2]. Mais il avait certainement conservé la même malle quand, en 1901, il peignit la *Nature morte au couteau* (W 607) très proche par le sujet et le format de ce tableau. D'après les fragments de date qui subsistent, on lit « 01 » ou « 02 ». Des raisons stylistiques, et le fait que Gauguin ait peint la plupart de ses natures mortes en 1901, incitent donc à adopter la première date.

Le style de cette *Nature morte* doit beaucoup à Cézanne. Les fruits sont peints avec une rigueur et une clarté de forme qui viennent de celles des années 1870 du peintre provencal, dont d'ailleurs Gauguin en possédait au moins une (voir fig. cat. 111), et même l'éclatant papier peint de Gauguin présente des analogies avec les papiers à motifs que l'on trouve si souvent dans les fonds des natures mortes cézanniennes des années 1870 et 1880. Mais Gauguin ne reste pas soumis, loin s'en faut, à sa source. Il a peint une nature morte qui est à la fois un hommage à Cézanne et un détournement des modèles. La couleur du papier peint est presque l'exacte complémentaire du bleu de Cézanne. Et les célèbres pommes rouges de ce dernier, sur lesquelles on a tant écrit, sont devenues des pamplemousses. Même des éléments secondaires chez Gauguin — les piments rouges, les orchidées et les fleurs odorantes de frangipanier — sont volontairement exotiques par contraste avec les éléments traditionnels de Cézanne. Seule la nappe échappe à ce détournement et comme Cézanne, Gauguin se refuse à la peindre en blanc. Toutefois, les nuances du blanc sont plus marquées chez Gauguin, plus subtiles chez Cézanne. En dépit de la force de son « opposition » à Cézanne, la *Nature morte aux pamplemousses* de Gauguin possède une présence classique indéniable. L'équilibre entre les fruits et les fleurs, les vases blancs et noirs, le goût et l'odorat, les couleurs chaudes et froides, les pleins et les vides est étudié avec soin et tous les éléments du tableau s'harmonisent à la perfection pour atteindre une clarté absolue. R.B.

1. Chicago 1959, n° 35.
2. Joly-Segalen 1950, n° LIII, 141.

256
Cavaliers

1901
73 × 92
Huile sur toile.
Signé et daté en bas à droite, *Paul Gauguin/ 1901.*

Moscou, Musée des Beaux-Arts Pouchkine

Expositions
Paris 1903, n° 34, *Cavaliers* ;
Weimar 1905, n° 19 ou n° 27, *Die Flucht* (?) ou n° 20, *Die Furt* (?) ;
Paris 1906, n° 20, *La Fuite* ou n° 22, *Le Gué* ;
Moscou 1926, n° 28 ;
Tokyo 1987, n° 138.

Catalogue
W 597.

Ce tableau pourrait être l'illustration d'un conte mythique oublié. On lui a obstinément donné deux titres, *La Fuite* ou *Le Gué*, aucun n'étant l'original. Cependant, l'un des deux lui fut attribué lors de la grande rétrospective Gauguin au Salon d'Automne de 1906. Bodelsen a montré de façon convaincante que le tableau avait été exposé sous le titre *Le Gué*, mais le bien-fondé de ces deux dénominations n'a jamais été remis en question par les auteurs[1]. Ce tableau figura très certainement en premier lieu à l'exposition Gauguin chez Vollard en 1903, intitulé simplement *Les Cavaliers*, et les diverses tentatives des auteurs modernes pour interpréter le tableau en se servant de l'un ou l'autre des deux titres sont insatisfaisantes.

C'est surtout à partir de l'identification des sources qu'il est devenu possible de mieux comprendre ce tableau. Kane, dans un remarquable article, rapproche la tête du cheval blanc et le chien qui court entre les pattes du cheval brun avec la célèbre gravure de Dürer, *Le Chevalier, la Mort et le Diable* dont Gauguin avait une reproduction[2]. Il établit également un rapport entre l'attitude du cavalier et celle d'un personnage debout dans la frise du Parthénon. Partant de ces sources, Kane et la plupart des auteurs qui, après lui, se sont intéressés à ce tableau, en viennent à la conclusion que la figure encapuchonnée serait une transformation de l'image, traditionnelle en Occident, de la mort sur un cheval blanc en un démon polynésien ou *tupapau*, l'« esprit des morts » qui conduit un jeune homme de l'autre côté d'une rivière, dans l'au-delà. Seul Field refusa d'identifier la figure encapuchonnée à un *tupapau* et il la rapprocha plutôt d'une des figures dans le tableau de Delacroix, le *Naufrage de Don Juan* dont Gauguin avait également une reproduction[3]. En expliquant ce tableau comme un mythe polynésien occidentalisé, les interprètes de Gauguin ont tout naturellement démontré qu'il s'agit, en fait, d'une manifestation des propres angoisses de l'artiste ou de ses interrogations face à sa mort. Même si, à la lecture de sa correspondance, il est évident que pendant les premières années de ce siècle, son état de santé était déplorable et qu'il souffrait beaucoup, rien ne permet de supposer que l'idée de la mort l'obsédait. Le comportement du peintre tenait tout autant d'une volonté de vivre que d'une certaine morbidité. Cette peinture aux couleurs éclatantes d'un voyage mythique dans l'au-delà est une toile parmi tant d'autres sur ce thème que Gauguin reprit tout au long de sa vie.

Cavaliers est une des nombreuses représentations d'homme à cheval peintes par Gauguin au cours des trois dernières années de sa vie. Quatre des tableaux figurant à l'exposition de 1903 comportaient le terme de « cavalier » dans leur titre. En fait, tous font appel à l'art occidental et puisent à des sources aussi diverses que le Parthenon en passant par Dürer jusqu'à Degas. Gauguin s'est peut-être également souvenu des deux merveilleuses séries de gravures sur bois, illustrant des poèmes sur

256

Dürer, *Le chevalier, la mort et le diable,* 1513, gravure
Une reproduction en a été collée au dos du manuscrit *Avant et après,* 1903
(The Art Institute of Chicago, The Robert Walker Fund)

Image populaire de cavalier reproduite dans «L'Ymagier», octobre 1894, p. 57

LES CAVALIERS

(Ancien bois des imprimeries troyennes ou normandes.)

Or chevauche Richars li preus
Ains ne chevaucha si honteus.
Mout est dolans, ne sét que fache,
D'unne verge son cheval cache,
Car rien ne fait pour esporons.

MAITRE REQUIS, *Richard-le-Beau.*

57

des cavaliers, publiées par *L'Ymagier* en 1894 et en 1895[4]. Cependant, les chevaux étaient nombreux aux îles Marquises. Quand Gauguin vivait à Atuona, il avait un cheval et une carriole[5]. Les voir quotidiennement a certainement joué un rôle dans cet intérêt si soudain dans son œuvre.

R.B.

1. Bodelsen 1966, 38.
2. Kane 1966, 361.
3. Dans une lettre du 24 mai 1885, Gauguin avait demandé à Schuffenecker une photographie de ce tableau, le *Naufrage de Don Juan* entré au Musée du Louvre en 1883. Malingue 1946, nº XXII ; Field 1963.
4. « Les Cavaliers », *L'Ymagier* 1 (octobre 1894), 57-61 ; 2 (janvier 1895), 95-101.
5. *Bulletin de la société des études Océaniennes* (1975), 695, nºs 20 et 21.

257a-d, 258

Panneaux sculptés de la Maison du Jouir

1902
39 × 242,5
Bois de séquoïa, sculpté et peint.
Inscription, *MAISON DU JOUIR.*
Montant droit, 159 × 40
Montant gauche, 200 × 39,5
Partie droite du soubassement, 40 × 205

Paris, Musée d'Orsay

Expositions
Paris 1928, nº 24;
Paris 1938, nº 172;
Paris, Kléber 1949, nº 55;
New York 1984.

Catalogue
G 132.

Cat. 258
Partie gauche du soubassement, 40 × 153
Bois de séquoïa, sculpté et peint.
Inscription, *SOYEZ MYSTERIEUSES.*

Tahiti, collection particulière, prêt au Musée Gauguin, Papeari

La dernière maison de Gauguin, à Atuona dans l'île d'Hivaoa de l'archipel des Marquises, constituait l'ensemble décoratif le plus important de l'artiste. Lors de son premier voyage à Tahiti, il s'était logé très simplement, et c'est à Paris, et non dans les mers du Sud, qu'il s'entoura pour la première fois d'un cadre polynésien. Au cours de son second voyage, il vécut à Tahiti dans deux maisons vastes et soignées, mais que l'on ne saurait pourtant comparer à celle qu'il édifia à Atuona.

Les renseignements que l'on possède sur cette maison sont à la fois abondants et restreints, et les diverses tentatives pour en reconstituer le plan reposent sur des témoignages sommaires. Victor Ségalen publia un premier compte-rendu en 1904, après avoir visité la maison[1]. D'autres renseignements apparurent dans l'étude consacrée beaucoup plus tard aux amis de Gauguin encore en vie par un habitant d'Atuona, et publiée en 1954[2]. C'est à partir de ces éléments, et d'une brève discussion figurant dans une lettre de Gauguin à Monfreid, que Danielsson a pu procéder récemment à une reconstitution[3].

La maison, pourvue d'un étage, comprenait au rez-de-chaussée diverses pièces — cuisine, salle à manger en plein air, atelier de sculpture et peut-être remise pour le cabriolet — compartimentées par des colonnes de bois et des cloisons en bambou, d'autres ouvertes à tout vent. Le sol était en terre battue. Tous les visiteurs y avaient accès. On atteignait en montant le domaine de Gauguin, une chambre et un atelier où seuls étaient admis les intimes et les amis. L'entrée dans l'atelier, la « Maison du Jouir », ne se faisait, et ce n'était certes pas l'effet du hasard, que par la petite pièce dominée par un grand lit et tapissée, aux dires des témoins, d'images pornographiques[4]. Les reliefs exposés ici encadraient l'entrée.

C'est à ce merveilleux encadrement menant à l'appartement de Gauguin au premier étage que Ségalen consacrait le plus clair de sa description. Il la basait malheureusement plus sur sa connaissance de cette œuvre qu'il avait acquise après la mort du peintre que sur sa familiarité avec la maison. Il situait ce décor sculpté à l'extérieur de l'habitation. Il devait ramener à Paris d'autres éléments décoratifs, mais ce chambranle sculpté constitue certainement la pièce maîtresse du dernier ensemble artistique conçu par Gauguin.

Ségalen, pas plus que les autres commentateurs, ne mentionne d'ailleurs de porte, mais l'emplacement prévu pour une serrure permet de penser qu'il y en avait bien une et qu'elle jouait un rôle dans le cérémonial de l'entrée. Les mots « Maison du Jouir » appparaissent sculptés en grandes lettres dans le linteau au-dessus de la porte, tandis que les maximes chères à Gauguin, « Soyez mystérieuses » et « Soyez amoureuses et vous serez heureuses » sont gravées dans les soubassements en lettres plus petites aisément lisibles au niveau du sol. L'iconographie du chambranle s'inspire des tableaux de l'époque du second voyage à Tahiti, et l'on retrouve la plupart des motifs dans la dernière suite de gravures sur bois, assez fruste, qu'avait exécutée Gauguin avant de quitter Tahiti pour les îles Marquises.

Gauguin a réparti son imagerie avec une éblouissante habileté. Les deux soubassements foisonnent de têtes, de torses, d'animaux et de mots dont l'enchevêtrement transforme le bas-relief en un lacis de formes imaginaires. Ces têtes, toutes animées de mouvements, s'inspirent de tableaux de l'année 1902. La pose des deux femmes nues debout qui dominent les montants verticaux n'évoque en revanche aucun tableau, et leur charme naïf et naturel s'oppose au contenu symbolique et mythique des représentations d'Eve, Diane, Vairumati, Europe ou Marie chères à Gauguin. Sur le linteau apparaissent de profil deux têtes assez semblables à Taaroa, l'antique dieu polynésien dominant l'encadrement de *Te atua* (*Le Dieu,* cat. 232), la gravure de titre de la suite Vollard, ainsi que le paon qui figurait également auprès de Taaroa dans la même gravure.

Autour des personnages s'enroule une jungle envahissante et paradisiaque de tiges grimpantes et de feuillages, mais l'harmonie entre mots et images, hommes et dieux, faune et flore s'établit parfaitement. Il n'y a plus trace dans ce décor de l'iconographie compliquée qui emplissait gravures et tableaux, de références appuyées à l'art occidental, de divinités religieuses ou mystiques. La puissance incisive dont sont empreintes ces formes oblige pourtant à les distinguer des sculptures plus délicates qu'exécutait Gauguin pour les autres, et l'on rêve de l'effet magique qu'elles devaient produire lorsque, ayant gravi l'échelle, on les découvrait entre des cloisons tressées, sous l'auvent d'un vaste pignon[5]. Ce

258

Maison de Diane de Poitiers,
Rouen

Maison de la rue des Arpentes à Rouen

Expositions
Paris 1906, nº 173, *Un bois sculpté «Soyez heureuses»;*
Paris 1917, nº 19;
Paris 1923, nº 58;
Paris 1928, nº 10;
Paris 1936, nº 46;
Bâle 1949, nº 71.

Catalogue
G 132.

décor sculpté n'est d'ailleurs guère éloigné de ce que l'on voit sur les maisons françaises de la Renaissance, des riches ornements de pierre des hôtels parisiens aux naïfs personnages de bois des maisons à colombages qui parsèment Rouen et les villes normandes.

Grâce à l'inventaire de la maison de Gauguin dressé juste après sa mort[6], on en connaît le moindre objet; certains furent vendus aux enchères à Tahiti, d'autres restèrent dans l'île. Selon la tradition locale, la maison fut achetée par un marchand américain, Varney, qui, après en avoir vendu certains éléments, la fit détruire. La maison elle-même figurait au numéro 20 de la vente, assorti de la description suivante: «Maison de bois et bambou, toit recouvert de feuilles de cocotier»[7]. Outre l'assortiment ménager hétéroclite de cuillères, assiettes, valises ou parapluies, l'inventaire met le comble à notre frustration en énumérant sommairement des photographies, treize manuscrits (dont seuls cinq subsistent), douze carnets de notes, des livres et des instruments de musique, harmonium, harpe, guitare et mandoline. Quant au mobilier, seule la description du lit permet de penser que les sculptures étaient l'œuvre de Gauguin.

L'inventaire comprend également des sculptures, et prouve l'importance de cette discipline pendant le séjour de Gauguin aux îles Marquises dont témoigne l'existence, au rez-de-chaussée de la maison, de l'atelier réservé à la sculpture sur bois. Les cannes, le tiki doré, deux tikis de pierre, neuf cuillères sculptées, cinq sculptures en bois, trois en cire, un coupe-papier gravé et des bijoux de bois sont la preuve que Gauguin se consacrait à la sculpture autant qu'à la peinture. Enfin, la description du numéro 61 nous apprend qu'il collait à même les murs des épreuves de ses gravures sur bois, mêlant ainsi en un même ensemble décoratif panneaux sculptés et gravures tirées de ce travail[8].

Très peu de grandes sculptures nous sont parvenues. Le *Père paillard* se veut une allusion ironique et publique à Monseigneur Martin, l'évêque du lieu, qui avait fustigé

Reconstitution du décor de la porte de la «Maison du Jouir»

257 a-d

1. Segalen 1904, 679-685.
2. Le Bronnec 1954, 198-211.
3. Danielsson 1975, 250-254.
4. Le Bronnec 1954, 209.
5. Grâce à Le Bronnec 1954, 200, l'on sait également que l'atelier, long de treize mètres, prenait jour par six grandes baies.
6. Jacquier 1957, 673-711.
7. Jacquier 1957, 695.
8. Jacquier 1957, 696.

les mœurs très libres de Gauguin tout en menant lui-même une vie rien moins qu'irréprochable. Gauguin avait en effet placé cette statue et celle d'une femme, *Thérèse,* devant sa maison d'Atuona, afin que nul n'oublie l'attitude hypocrite de l'église en matière de sexualité. Mais cette anecdote, pour jolie qu'elle soit, ne suffit pas à justifier la qualité de ces deux œuvres tardives, sculptées avec le plus grand soin, nimbées d'une intensité hiératique qui transcende profondément l'insignifiance du propos initial.

Une grande partie de la dernière production de Gauguin a donc presque entièrement disparu, et il est aussi difficile de la reconstituer à partir de ces quelques fragments que d'imaginer une cathédrale gothique dont ne subsisteraient qu'un montant de porte ou une console d'encorbellement. Certes la matière travaillée par Gauguin était par essence éphémère, mais ses ambitions, dans leur complexité visionnaire et mythique, ne le cédaient en rien à celles des maîtres-d'œuvre de la cathédrale de Chartres. R.B.

259
Père paillard

H. 65
Bois (Thespia populnea).
Signé, *PGO.*
Inscription, *PERE PAILLARD.*

Washington, National Gallery of Art, collection Chester Dale

Expositions
Paris 1910 ;
Paris 1917, nº 23 ;
Paris 1923, nº 59 ;
Paris 1928, nº 22 ;
New York 1956, nº 102 ;
Chicago 1959, nº 124.

Catalogue
G 136.

Gauguin, *Noa Noa,* p. 56
(Paris, Musée du Louvre (Orsay), Département des Arts Graphiques)

Gauguin, *Père Paillard, Cylindre à deux figures* et *Thérèse,* vers 1903, photographie
(Papeari, Musée Gauguin)

260-263
Quatre dessins-empreintes à thèmes religieux

De l'année 1902 datent, outre un petit tableau représentant la *Nativité* (W 621), la transcription et la compilation finales de l'important manuscrit de Gauguin, *L'Esprit moderne et le catholicisme* et au moins cinq monotypes en rapport avec la *Nativité* dont il devait coller deux exemplaires sur les plats du manuscrit. Toutes ces œuvres sont étroitement liées à la fascination de Gauguin pour la religion comparée et à ses propres théories sur la sexualité, la prostitution et la vie de famille. Il avait certainement l'intention d'écrire, en « pendant » de son traité sur la religion, un texte consacré à l'étude de la sexualité chez l'être humain, dont il subsiste des bribes de projets dans *Diverses choses*[1] et au Getty Center for Art Historical Research : l'ensemble aurait constitué une « metathéorie » d'une ampleur et d'une portée intellectuelle sans précédent dans l'œuvre écrite d'un artiste depuis la Renaissance.

L'on sait que la *Nativité* peinte en 1902 figura sous ce titre à l'exposition organisée par Vollard en 1903[2]. La petite dimension du tableau et son sujet de pure christologie pourraient expliquer le peu d'intérêt qu'il suscita chez les critiques contemporains et dans toutes les études consacrées à Gauguin. Aucun des monotypes du même sujet ne fut gratifié de son titre dans le catalogue de l'exposition de 1903, le plus grand d'entre eux ayant peut-être été exposé avec le titre *Groupe de femmes* et un autre avec celui de *Femmes et enfants*[3]. Personne ne connaissait en 1903 le manuscrit de *L'Esprit moderne et le catholicisme*, et bien peu de contemporains de Gauguin pouvaient se targuer d'avoir suivi l'argumentation touffue de l'ébauche reliée avec *Diverses choses*, privant ainsi ce petit groupe d'images de son substrat littéraire ; et si nul ne conteste la valeur artistique de cet ensemble, nul ne tient compte, pour l'étudier, de la démarche de Gauguin.

Gauguin, *Nativité*, 1902, huile sur toile (collection particulière, photographie Wildenstein and Co.)

Gauguin avait du christianisme une intime connaissance ; familier de l'Ancien et du Nouveau Testament, il

260
Femmes et anges dans un atelier

1902
53 × 48
Dessin-empreinte sur papier vélin.
Signé en bas à droite, *P. Gauguin.*

Monsieur Marcel Lejeune

Expositions
Paris 1903, n° 17 (?), *Groupe de femmes* ;
Paris 1936, n° 120.

Catalogue
F 81.

Exposé à Washington et Chicago

261a

L'Esprit moderne et le catholicisme : Nativité (sur les plats)

1902
Plat de couverture : 32 × 18 ; monotype, forme irrégulière, 24,5 × 16,5 ; plat de dos : 32 × 17,5 ; monotype, forme irrégulière, 28,2 × 20
Dessin-empreinte en noir sur papier vélin, appliqué à l'extérieur des deux plats.
Daté à la dernière page du manuscrit avec l'inscription, *ouvrage 1897 et 98/ Transcrit à Atuana 1902/ Paul Gauguin.*

The Saint Louis Art Museum, don de Vincent Price en mémoire de ses parents

Exposition
Chicago 1959, nº 193a.

Catalogues
F 82a, 82b.

lisait avec passion tous les textes ayant trait à la religion comparée. Fidèle à la pratique intellectuelle de son temps, il se plaisait à comparer les diverses philosophies religieuses et à les confronter avec les grands mouvements scientifiques et économiques d'Europe. Il vouait un ardent intérêt à la vie du Christ, d'ailleurs « annoncée » par bien d'autres textes religieux et source d'un riche florilège littéraire. Mais il se distinguait des peintres religieux de son temps en affichant un vigoureux anticléricalisme ; en fait, sa critique du catholicisme, la religion de son enfance, était aussi acerbe que ses théories anti-bourgeoises bien connues sur l'union libre.

La fascination qu'éprouvait Gauguin pour le Christ rend d'autant plus intéressante son interprétation de la naissance du Sauveur. Il est certain que dans ses premières œuvres, il s'était souvent identifié à la figure du Christ[4], et que sa connaissance de la mythologie christologique alla s'affinant à mesure que s'élaborait son traité religieux en 1897 et 1898. Les écrits de Gauguin sur la naissance du Christ sont trop abondants pour qu'il soit possible d'en donner ici le résumé ; ils n'ont d'ailleurs jamais été liés aux diverses représentations de la Nativité qui pourtant s'y rapportent.

Ces écrits illustrent la ferme conviction de Gauguin que la naissance du Christ relevait du surnaturel, et non de l'événement historique, et il s'attacha à « prouver » que cette naissance, présagée dans de nombreux textes, dépassait dans ses manifestations le cadre strictement « chrétien »[5]. L'impression qui se dégage de toutes les pages consacrées à la Nativité est celle d'un phénomène complexe et intemporel, d'un « événement » qui se trouve être au cœur de la dernière grande série de Nativités.

Le tableau de la *Nativité* a pour cadre une grotte sombre, d'un brun rougeâtre, dont l'ouverture laisse entrevoir un paysage avec une vache — symbole du Christ — empruntée, comme presque toutes les vaches européennes peintes par Gauguin, au tableau d'Octave Tassaert *Vache à l'étable* dont il possédait une photographie[6]. Les personnages, qui tranchent sur l'iconographie classique d'une scène de Nativité ou d'Adoration, constituent trois groupes distincts dont Gauguin a séparé les deux du premier plan dans les divers monotypes. A gauche, une suivante nue baigne à l'aide d'un linge blanc, sans doute en guise de purification sexuelle ou de relevailles, une femme également nue à la coiffure rouge, sous l'œil impassible d'une troisième. Gauguin devait intituler cette scène *Rengaines classiques* lorsqu'il inclut ces trois personnages dans son dernier manuscrit, *Avant et après*[7], à côté d'un autre dessin-empreinte de la Nativité, reprenant deux des trois personnages du groupe de droite du tableau de 1902, dont l'un tient le Christ nouveau-né, et intitulé *Fantaisies religieuses*[8] ; ce titre conviendrait d'ailleurs parfaitement à l'ensemble.

Même si l'on admet que les deux groupes de personnages au premier plan du tableau représentent deux des trois Marie, la Madeleine à gauche, et la Vierge Marie à droite, la Nativité dépeinte par Gauguin n'en demeure pas moins inacceptable, témoignant d'un refus des conventions aussi férocement iconoclaste que les diatribes contre l'église catholique dans *L'Esprit moderne et le catholicisme.* La Vierge apparaît dans une grotte, et non dans l'étable « conforme », entourée de compagnes nues que l'on verrait plus volontiers dans un harem ou un bain turc qu'assistant à une traditionnelle Nativité. Enfin la

261b-c

L'Esprit moderne et le catholicisme : Soyez amoureuses vous serez heureuses

(à l'intérieur du plat de couverture)

Femmes, animaux et feuillages

(à l'intérieur du plat de dos).

16,2 × 27,5
Gravure sur bois tirée en noir et ocre sur papier japon, appliqué sur papier vélin, et monté ensuite à l'intérieur du plat de couverture.

The Saint Louis Art Museum, don de Vincent Price en mémoire de ses parents

Catalogue
Gu 58.

16,3 × 30,5
Gravure sur bois tirée en noir sur papier japon, monté à l'intérieur du plat de dos.
Inscription sur la page de garde du plat de dos, à la plume et à l'encre bistre, *Paradis perdu.*

The Saint Louis Art Museum, don de Vincent Price en mémoire de ses parents

Catalogue
Gu 59.

présence d'une femme à ses ablutions après une naissance ou un acte sexuel est un blasphème à la face de tout catholique français.

La grandeur primitive et la clarté qui marquent cette fantaisie religieuse laissent pourtant transparaître la vivante réalité et l'importance accordées par Gauguin à la naissance du Christ ainsi dépouillée de ses canons. En échappant aux représentations conventionnelles, ses images de Nativité insufflent au thème une nouvelle vie, façonnée par d'abondantes lectures, des emprunts à de nombreux textes, et la transposition sur la toile d'une « vision imaginaire » tout à la fois mystérieuse et accessible.

Les divers dessins-empreintes en rapport avec le tableau s'avèrent beaucoup plus complexes et d'une interprétation plus difficile. Nous intitulons ici le plus grand d'entre eux *Femmes et anges dans un atelier* (cat. 260), le titre traditionnel, *Nativité,* paraissant sans objet puisque le Christ nouveau-né n'y figure pas. Gauguin a emprunté au tableau, non sans les modifier, cinq personnages du premier plan et deux de l'arrière-plan. Tous présentent d'importantes altérations ; certains apparaissent à l'envers, d'autres vêtus ; enfin et surtout, la Vierge et l'Enfant ont été omis, remplacés par deux anges qui dominent le groupe de femmes dénudées ou habillées. Disposés dans les écoinçons, un homme portant des fruits à droite et peut-être un artiste à son chevalet à gauche complètent cette étrange scène, évocatrice d'un bordel, lui prêtant une autre atmosphère et une autre dimension que l'épisode sacré dépeint dans le tableau dont ils sont absents.

Picasso, *Étude pour Baigneuses dans la forêt,* 1908, crayon
(Paris, Musée Picasso)

Cet ambitieux dessin-empreinte pourrait être celui, intitulé *Nativité,* que prêta Vollard à l'exposition Gauguin du Salon d'Automne en 1906 où Picasso le vit peut-être. Il existe indéniablement un rapport entre ce dessin, les études des *Nus dans la forêt* de Picasso et les préliminaires des *Demoiselles d'Avignon*. Le style de cet ensemble de dessins-empreintes s'écarte d'ailleurs étonnamment de celui du « Groupe Vollard », exécuté vers 1900 (cat. 242, 248, 249, 250, 251), dont les lignes sinueuses et les grandes taches de lavis ont fait place à des scènes denses et compactes, presque baroques, taillées à puissantes contre-hachures et aux contours anguleux. La manière en évoque, dans sa force brute, certaines fresques des catacombes de Rome dont Gauguin possédait au moins deux photographies. Et l'on demeure frappé par l'élan primitif et la puissance qui s'en dégagent, allant jusqu'à imposer, dans le présent dessin, une

262
Nativité

1902
24,3 × 22,2
Dessin-empreinte en noir et bistre sur papier vélin (recto) ; mine de plomb et crayon bistre (verso).

The Art Institute of Chicago, don de Robert Allerton. 1922.4317

Expositions
Paris 1903 (?) ;
Chicago 1959, nº 191 ;
Philadelphie 1973, nº 84.

Catalogue
F 84.

Exposé à Washington et chicago

263
Nativité

1902
22,5 × 22,5
Dessin-empreinte en noir et bistre (recto) ; mine de plomb (verso).

Paris, Musée des Arts Africains et Océaniens

Expositions
Paris 1906 (?), nº 86 ;
Saint-Germain-en-Laye 1985, nº 384 ;
Philadelphie 1973, nº 85 ;
Tokyo 1987, nº 142.

Catalogue
F 85.

Exposé à Paris

1. Ms. du Louvre.
2. Paris 1903, nº 28 ou nº 47 ; W 621.
3. Paris 1903, nºs 17, 18.
4. Amishai-Maisels 1985, 72-121.
5. Sa manière d'envisager « Marie » et « le Christ » est complexe, et il confère à chacun diverses identités tirées de plusieurs sources pré-chrétiennes. Il parvient dans son texte à situer l'événement surnaturel de la naissance de Dieu fait homme dans une grotte, et non pas dans l'étable « traditionnelle », et peuple volontiers la scène de témoins d'origine divine et d'assistants humains.
6. Paris 1878, nº 72.
7. *Avant et après*, facsimile, 203.
8. *Avant et après*, facsimile, 205.
9. *Noa Noa*, ms. du Louvre, 92.

complète transformation du thème de la naissance du Christ; la grotte est devenue atelier, Dieu, l'artiste-créateur, et les « vierges », ses prostituées.

Les autres dessins-empreintes représentant la *Nativité* semblent devoir former des paires, mettant en pendant la « maison de prostitution » de la Madeleine et la présentation de l'enfant Jésus par la Vierge. Les personnages-anges — porteur de fruits, artiste et suivantes — sont groupés différemment au gré des diverses versions. Gauguin fit choix de la scène de bordel au porteur de fruits pour orner la couverture du manuscrit de *L'Esprit moderne et le catholicisme* (cat. 261a, F 82a), exilant au dos la *Nativité* (cat. 261a, F 82b). Le catalogue montre également les deux gravures sur bois plus anciennes collées par Gauguin à l'intérieur des plats du manuscrit, *Soyez amoureuses vous serez heureuses* (cat. 261b), et *Femmes, animaux et feuillages* (cat. 261c), peut-être pour établir un parallèle entre des sujets tirés de l'Ancien et du Nouveau Testament, et les deux procédés auxquels il avait eu successivement recours, d'abord la gravure sur bois puis le transfert.

La *Nativité* conservée à Chicago (cat. 262) doit être mise en rapport avec une autre de dimensions presque identiques (cat. 263). La scène représente la naissance du Christ, mais les deux personnages dont l'a assortie Gauguin en modifient une fois de plus l'interprétation. A gauche de la Vierge, légèrement renversé en arrière, apparaît un massif torse d'homme dont on ne sait s'il symbolise le père de l'enfant, ou peut-être Gauguin ? Quant au second personnage, il domine l'ensemble de son inquiétante présence. Cet être sans âge, décharné, aux côtes saillantes, au visage hâve, au geste théâtral, sème le trouble dans la tranquille sérénité du premier plan. Son attitude évoque celle de la figure de *Pape moe* (cat. 157) dans le manuscrit de *Noa Noa*[9], et celle d'un personnage très similaire dans *D'où venons-nous?* (W 561). Mais alors que le tableau dépeint un jeune être androgyne qui se détourne du spectateur, l'image hideuse de la mort vient ici nous dévisager, nous obligeant à remettre en question le mystère même de la « Nativité ». Et c'est cette figure, encore plus poussée dans la caricature, que Gauguin reprendra pour le dernier dessin-empreinte *Fantaisies Religieuses*, destiné à *Avant et après*. R.B.

264-265

Dessins en rapport avec la sœur de charité

Ce dessin est directement à l'origine du personnage assis que l'on retrouve dans le dessin-empreinte (cat. 264) et dans celui qui est inséré dans le manuscrit *d'Avant et après*[1]. La comparaison avec l'original montre bien que les coups de crayon coïncident exactement avec les traits reportés des deux dessins-empreintes. Ces trois représentations s'apparentent étroitement à la figure de femme assise que l'on voit dans *La sœur de charité* (cat. 266) il est fort probable que les deux monotypes et, à tout le moins, les traits de report à la mine de plomb du dessin furent exécutés en 1902 à Atuona.

La date qu'il convient d'attribuer au dessin qui servit de matrice et au dessin-empreinte (cat. 264) a toujours fait l'objet d'un débat car ils faisaient partie du carton constitué par Gauguin, *Documents Tahiti — 1891/ 1892/ 1893*, en partie publié avant d'être dispersé en 1942[2]. Pour Marcel Guérin, nombre de ces dessins et dessins-empreintes seraient en réalité postérieurs à

264

Femme assise

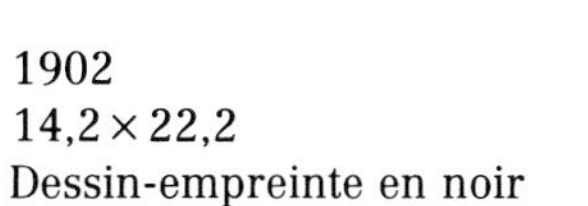

1902
14,2 × 22,2
Dessin-empreinte en noir sur papier japon.

Collection Edward McCornick Blair

Catalogue
F 43.

Exposé à Paris

265
Tahitienne assise

1891/1892-1902
17 × 14,5
Dessin à la plume et à l'encre, repassé par endroits à la mine de plomb sur papier vélin. Inscription par l'artiste, en haut au centre, à la plume et à l'encre, *tête plus gros.*

Collection Edward McCormick Blair

Exposé à Paris

1893 : dans presque tous les cas il énumère les analogies avec des tableaux, dessins et gravures incontestablement plus tardifs. L'assertion de Guérin que la pose de la femme assise dans ce dessin est similaire à celle d'une femme dans *No te aha oe riri* (Pourquoi es-tu en colère ? W 550) a amené Richard Field à lui donner la date inexacte de 1896, celle du tableau[3]. Pourtant la figure du tableau, si elle a bien la même pose, diffère par l'âge, le type physique et la coiffure, du personnage du dessin qui lui s'avère presque identique au personnage de *La sœur de charité* (cat. 266).

En vertu de cette similitude et sachant que le dessin est bien la source des monotypes, l'on peut conclure que tout au moins ces derniers datent de 1902, moment du manuscrit d'*Avant et après* et de *La sœur de charité.* Sans doute, emporta-t-il ce carton de ses premiers dessins tahitiens en 1894 ou 1895, lorsqu'il retourna dans les mers du Sud, le complétant de feuilles volantes jusqu'à sa mort, ce qui expliquerait les contraditions entre les dates portées sur la couverture et celles de la plupart des œuvres qu'il contient[4].

Il n'est toutefois pas impossible que ce dessin, exécuté en 1891 ou 1892, ait été réutilisé en 1902 et que Gauguin en ait fait choix dans le carton parce qu'il avait alors besoin d'un modèle. Le style du feuillet ne correspond pas exactement à celui de 1901 ou 1902, et l'image de femme qui figure au verso rappelle de très près celle dont s'inspira Gauguin en 1891 pour la femme assise du tableau *Sur la plage* (cat. 150). Si cette hypothèse est exacte, les traits à l'encre du dessin originel dateraient de 1891 ou 1892 et les traits de crayon qui correspondent précisément aux monotypes auraient été dessinés en

Gauguin, *Femme assise*
en rapport avec un des personnages de cat. 266
(Paris, Musée du Louvre (Orsay),
Département des Arts Graphiques)

Gauguin, *En famille,*
Avant et après, p. 179,
ed. fac-similé

1. F 119 ; *Avant et après,* facsimilé, 179.
2. Paris 1942, n°s 38, 39 ; 9-13.
3. Philadelphie 1973, 77.
4. Pour une reconstitution des arcanes de *Documents Tahiti,* voir Philadelphie 1973, 24-27.
5. *Avant et après,* facsimilé, 179.

1902, au cours de l'élaboration des reports. Le Louvre conserve un dessin en rapport qui faisait également partie de l'album *Documents Tahiti — 1891/ 1892/ 1893,* et où la femme apparaît à gauche du feuillet, à côté d'une tête de femme endormie. S'il est difficile de le dater, en l'absence d'une comparaison précise, la disposition sur la page permettrait d'avancer une fois de plus la date de 1902, alors que Gauguin travaillait aux monotypes.

Afin de varier la composition des dessins-empreintes, ainsi qu'il ressort des expériences auxquelles s'est livré Peter Zegers pour retrouver les méthodes de Gauguin, celui-ci plaça la figure de femme assise d'un côté de chaque feuille et esquissa ensuite deux scènes différentes à l'arrière-plan. L'on retrouve dans deux tableaux les deux personnages assis à l'arrière-plan du numéro 265 du catalogue (W 538 et W 596) mais le dessin qui en permit le report, ou dont ils s'inspiraient indirectement, est perdu. Cependant le cochon en train d'uriner et les chatons en train de têter que l'on voit à l'arrière-plan du dessin-empreinte intitulé *En famille* dans *Avant et après*[5] reparaissent dans deux autres dessins-empreintes (F 80, *Vache et cochons couchés,* localisation actuelle inconnue, et cat. 251), sans doute également en rapport direct avec les numéros 264 et 265 du catalogue. Gauguin parvenait ainsi, en changeant les fonds, à donner du personnage central plusieurs interprétations.

Le personnage féminin, à l'envers dans l'un de ces dessins, apparaît à l'endroit dans l'autre. Puisque ces deux dessins-empreintes furent sans doute exécutés simultanément, l'on peut penser que Gauguin encra une feuille de papier des deux côtés, l'inséra entre deux feuilles blanches, plaça le petit dessin à l'encre représentant la femme sur le dessus de la « pile » et repassa au crayon quelques-uns des traits à l'encre, imprimant les traits de crayon à l'envers sur la feuille du dessus et à l'endroit sur la feuille du dessous. Il lui restait alors à changer l'ordre de la « pile » pour imprimer sur les deux feuilles les autres éléments du dessin. Les similitudes entre ceux-ci et des fragments d'autres dessins indiquent dans leur précision les changements incessants apportés aux « piles » de feuillets encrés par Gauguin, soucieux de parvenir à des résultats multiples, dont il dut plus d'une fois se trouver lui-même surpris. R.B.

266

La sœur de charité

65 × 76
Huile sur toile.
Signé et daté en bas à gauche, *Paul Gauguin 1902.*

San Antonio, Legs Marion Koogler McNay. Avec l'aimable autorisation du Marion Koogler McNay Art Museum.

Expositions
Paris 1903, n° 38, *La sœur de charité* ;
Paris 1906, n° 65, *La religieuse.*

Catalogue
W 617.

Exposé à Chicago

Si Gauguin se montrait souvent violemment anticlérical dans ses écrits, ses tableaux religieux ne manquent pas d'une certaine sympathie, en témoigne dans *La vision après le sermon* (cat. 50), par exemple, le portrait, quoique caricatural, du prêtre. Et dans la seule de ses œuvres qui fasse preuve d'un véritable anticléricalisme, *Père paillard* (cat. 259), datant de 1902, un diable lubrique et cornu symbolise le prêtre, au lieu de l'habit ecclésiastique. *La sœur de charité,* exposé en 1903 chez Vollard pour la première fois, montre une religieuse assise sur une petite chaise, ou tabouret de style européen, entourée de Marquisiens. A son teint cireux l'on reconnaît une Européenne, œuvrant avec les missionnaires que, pour la plupart, Gauguin détestait. On connaît deux sources distinctes à ce personnage qui ne fut pas étudié directement d'après nature : la tête s'inspire d'un dessin qu'avait fait Gauguin lors de son premier voyage à Tahiti[1], et le corps de la photographie d'une religieuse française d'Alexandrie, découverte par Gauguin dans un ouvrage intitulé *Les Missions Catholiques Françaises au XIXe siècle*[2].

La presse passa le tableau sous silence lorsqu'il fut exposé en 1903, puis en 1906, et il est rarement mentionné dans les études consacrées à Gauguin[3]. La pièce très simple qui forme le cadre du tableau n'offre aucun caractère polynésien, et évoque plutôt les intérieurs de Giotto et des premiers maîtres de la Renaissance italienne. Dans l'œuvre même de Gauguin, elle rappelle l'espace de l'*Idole* (W 580) et de la *Nativité* (W 621) contemporaine. Comme toutes les créations spatiales de Gauguin, elle prête à équivoque ; comment interpréter les rectangles irréguliers qui ponctuent le mur, sans être pourtant des ouvertures ? S'agit-il de tableaux, de tapisseries, ou même de dessins à fresque ?

Les personnages participent de la même ambiguïté. La religieuse a tout l'air de diriger une mission catholique du haut de son siège. L'une des deux indigènes, assise par

Parloir du pensionnat des sœurs d'Alexandrie (*Les missions catholiques françaises au XIXe siècle,* vers 1901, vol. I, p. 427)

Gauguin, *Carnet de Tahiti,* p. 97 (Paris, Musée du Louvre (Orsay), Département des Arts Graphiques)

266

1. Dorival 1954, 97. Ce dessin est identifié à tort dans Amishai-Maisels 1985, 458, comme faisant partie du *Carnet Huyghe*, Carnet de croquis de Bretagne, 97d (voir Huyghe 1952).
2. Gauguin reçut le volume en 1902. Père J.B. Piolet, s.j. (Paris, 1901), 427. Voir *Avant et après*, facsimilé, 95.
3. Le seul passage de quelque importance concernant cet étrange tableau se trouve dans Amishai-Maisels 1985, 458, qui en donne une interprétation strictement anticléricale, d'une confrontation entre les cultures indigène et européenne, et traite le personnage de la religieuse de « froide tache endeuillant une atmosphère chaleureuse » (358). Cette analyse repose sur l'hypothèse que le personnage debout devant la religieuse est une femme enceinte, permettant alors de mettre en opposition chaleur et froideur, indigène et européen, stérilité et fécondité, vêtement et nudité. Or, il est peu probable que le personnage soit une femme, et moins encore une femme enceinte. La comparaison avec ses semblables dans les œuvres contemporaines de Gauguin nous oblige à y voir un androgyne, ou plutôt un homme. L'on trouve dans *Les baigneurs* (cat. 272) et *Les cavaliers sur la plage* (cat. 278) des figures comparables, aux cheveux courts, et en compagnie masculine. Seul un dessin-empreinte (F 97) montre une figure aux longs cheveux et au ventre arrondi. L'interprétation de Maisels nous paraît donc excessive, et une étude approfondie de tous les personnages du tableau ouvre la voie d'une lecture plus nuancée et plus intéressante.
4. O'Reilly et Teissier 1962, 29.

terre, torse nu, s'inspire directement d'un dessin et de deux dessins-empreintes datant visiblement de la même époque que le tableau (cat. 264, F 43). Mais sa compagne, qui, elle, est vêtue, n'a aucun précédent dans l'œuvre de Gauguin. Derrière la religieuse, une autre femme apporte de la nourriture dans un bol en bois, sans doute en guise d'offrande à la visiteuse. Elle reprend le type des figures que l'on voit porter de la nourriture dans les dessins-empreintes de la *Nativité* à la même époque (cat. 260, 263). Si la partie gauche du tableau est dominée par l'élément féminin, seule la religieuse semble avoir remarqué la présence de deux hommes, debout à droite. Elle fixe le plus grand des deux, dirigeant le regard non pas sur son visage, mais sur le bas de son corps, peut-être plus précisément sur le pagne dont il est ceint. Quant à son compagnon, debout devant ce qui pourrait être l'entrée, il observe également la religieuse. Si l'on envisage cette scène dans une perspective théâtrale, elle pourrait représenter le moment où le jeune homme s'adresse à la religieuse pour se disculper, à en croire son geste. Les femmes de la mission réagissent de diverses façons ; deux d'entre elles, vêtues de « robes-mission » accordent toute leur attention à la religieuse, tandis que la plus âgée, en costume indigène, s'absorbe dans la confection d'un collier de fleurs qui lui tient lieu de chapelet. Mais rien ne permet de deviner la teneur de la conversation entre la religieuse et le jeune homme, pas même les textes religieux de Gauguin, tout abondants qu'ils soient. Il est vrai qu'il avait essayé de dissuader les parents marquisiens d'envoyer leurs filles à l'école religieuse d'Atuona, et qui sait si ces hommes ne sont pas des pères venus retirer leurs filles de l'école ?

La religieuse symbolise certainement la civilisation chrétienne occidentale transposée dans les mers du Sud. Sa présence, telle que la montre Gauguin, ne semble menacer en rien la population locale. Et il se pourrait que ces hommes discutent avec la religieuse pour la persuader du bien-fondé de leurs usages. La présence des deux femmes en « robe-mission » souligne pourtant l'incidence de celle-ci dans la culture des Marquises. Et le tableau montre des indigènes compétents et sûrs d'eux, prêts à faire entendre raison à la religieuse sans se départir d'une attitude respectueuse.

Qui était donc cette « sœur de charité » ? Le tableau lui confère une valeur symbolique, mais le modèle du dessin original pourrait fort bien être Sœur Louise, née Anne Barnay, la directrice de l'école de Mataiea où Gauguin avait pris tant de croquis qui figurent sur son carnet tahitien en 1891. Douée d'une forte personnalité, elle joua un rôle assez considérable pour être citée dans le célèbre dictionnaire biographique des Tahitiens publié par O'Reilly en 1962[4]. En dépit des assertions erronées d'Amishai-Maisels, l'habit que portaient Sœur Louise et les religieuses des Marquises n'était pas blanc, mais bien celui dépeint par Gauguin en 1902. R.B.

267
L'offrande

1902
68,5 × 78,5
Huile sur toile.
Signé et daté dans la partie supérieure gauche, *P. Gauguin 1902.*

Zurich, collection Fondation E.G. Bührle

Expositions
Paris 1903, nº 2, *Mère allaitant son enfant* (?) ; Berlin 1927, nº 101 ; Berlin 1928, nº 77 ; Bâle 1928, nº 90 ou 106 ; Bâle 1949, nº 64 ; Edimbourg 1955, nº 64.

Catalogue
W 624.

Ce tableau traverse telle une lueur d'espoir l'œuvre d'une année vouée par Gauguin à des images de sexualité masculine, de croyances religieuses et de vieillesse. Il représente deux jeunes femmes, l'une offrant le sein à son bébé, et l'autre des fleurs à la jeune mère et à son enfant. Quelle différence entre le naturel et la simplicité de cette maternité et les scènes contemporaines où Gauguin montre la naissance du Christ dans une grotte où s'entassent des femmes ! Les deux protagonistes se tiennent ici debout près d'une fenêtre du premier étage donnant sur un luxuriant paysage marquisien, vibrante toile de fond dominée par le toit d'une case recouvert de feuilles de palmier tressées. Le palmier lui-même, aux feuilles mortes d'un éclatant rouge-orangé, vient couronner le paysage. L'œuvre polynésienne de Gauguin n'offre que de rares exemples de cette vue plongeante si typiquement urbaine et plus encore parisienne, qui évoque maints tableaux de Manet, Caillebotte, Degas, Monet et Morisot. De tels souvenirs devaient surgir bien inconsciemment chez Gauguin, qui avait choisi l'exil.

Le caractère d'ambiguïté que prête au tableau cette vue plongeante anime toute la scène, et l'on aimerait en découvrir le lieu. Dans tout Hivaoa, seuls trois édifices comportaient un étage : la maison de Gauguin, le magasin de l'Américain Ben Varney et l'église. Les photographies montrent que le magasin de Varney avait des fenêtres verticales à meneaux de bois et que de petites meurtrières ornaient la flèche tripartite, assez complexe, de l'église. Les détails sur la maison de Gauguin sont trop sommaires pour permettre une identification formelle, mais c'est pourtant le lieu le plus plausible, et les témoignages de ceux qui le voyaient vivre nous le laissent imaginer sans peine invitant les deux jeunes femmes à monter poser dans son atelier.

Les débuts de l'historique de ce tableau sont mal connus ; il est certain qu'il apparut pour la première fois en 1927 lors de l'ouverture de la galerie Thannhauser à Berlin. Mais il appartint sans doute à Vollard et dut figurer sous le titre « Mère allaitant son enfant » à l'exposition consacrée à Gauguin dans sa galerie en 1903. Ainsi que pour la plupart des tableaux peints en 1902, il existe de *L'offrande* plusieurs dessins-empreintes en rapport. Trois d'entre eux représentent la tête de la femme qui offre des fleurs[1], et dans un autre domine la

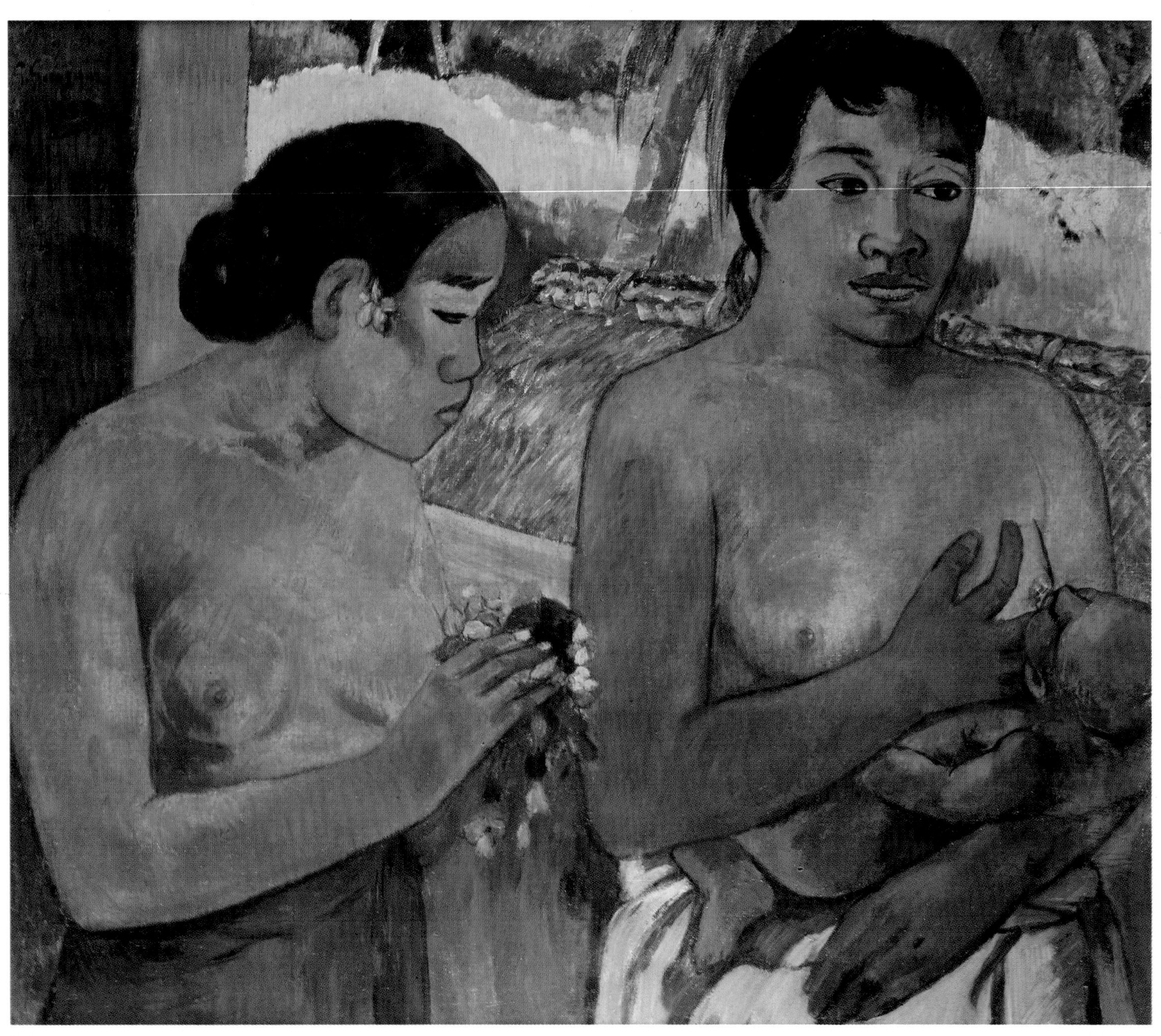

267

tête de la jeune mère (F 89). Aucun ne reprend l'ensemble de la composition, ni le moindre fragment de la vue sur le paysage.

Gauguin a signé et daté le tableau par deux fois, d'abord en rouge-orangé, puis, légèrement en-dessous, dans un riche ton de brun. Si l'on admet qu'il avait adopté la méthode de son premier maître, Pissarro, cela signifierait qu'il était revenu sur l'œuvre terminée, apposant alors une nouvelle signature et une nouvelle date. Le tableau n'ayant malheureusement pas été soumis à la radiographie, l'examen de la surface ne permet guère de conjectures sur les repentirs qu'aurait pu y apporter Gauguin. R.B.

1. Cat. 269 ; F 90 ; et un dessin dans *Avant et après*, facsimilé, 1948, 129.

268-270

Dessins-empreintes tardifs

Deux au moins de ces trois dessins-empreintes, les numéros 269 et 270 du catalogue, firent probablement partie de l'exposition chez Vollard en 1903, sous le titre *Deux têtes*. S'ils sont très proches, ils ne sauraient avoir de filiation directe, étant donné la différence d'échelle et les quelques légères divergences entre les têtes. Ici, on retrouve des figures de deux tableaux de 1902, *L'offrande* (cat. 267) et *Deux femmes* (W 626). Ce dessin s'inspire presque entièrement du dernier tableau, même si Gauguin a inversé l'une des figures. Pour la version sur papier, il supprima le personnage en prière et changea la pose et l'échelle du cavalier à l'arrière-plan.

L'échelle du dessin précédent (cat. 269) est presque exactement identique à celle d'un autre aujourd'hui perdu, *Deux Marquisiennes* (F 89), peut-être conçu comme son pendant. La tête la plus haut placée reprend trait pour trait celle qui occupe la même position dans le tableau *Deux femmes* tandis que celle qui apparaît au-dessous est empruntée au personnage de gauche dans *L'offrande*. Gauguin conserva le personnage en prière des *Deux femmes*, et supprima le cavalier du paysage.

Il utilisait le truchement du dessin-empreinte pour bouleverser ou réarranger l'ordonnance de ses tableaux, donnant ainsi naissance à de nouvelles images, en une

268

Deux Marquisiens

Vers 1902
32,1 × 51, forme irrégulière.
Dessin-empreinte en brun sur papier vélin au recto, mine de plomb au verso.
Signé en bas à droite, *P. Go*.

Londres, The British Museum

Expositions
Paris 1903, nº 12 ou 27, *Deux têtes* (?) ;
Paris 1906, nº 42, *La fuite* ;
Paris 1927, nº 43 ;
Paris 1936, nº 115 ;
Philadelphie 1973 ; nº 86.

Catalogue
F 86.

Exposé à Chicago

269

Deux têtes

Vers 1902
37,2 × 31,2/32,5, forme irrégulière.
Dessin-empreinte en noir, rehaussé par endroits au pinceau à l'aquarelle et à des résidus de peinture sur papier vélin fauve au recto ; mine de plomb et crayon noir au verso.
Signé en bas à droite, *P. Gauguin.*

Philadelphie, Philadelphia Museum of Art. Alice Newton Osborn Fund

Expositions
Paris 1903, nº 12 ou 27, *Deux têtes* (?) ;
Philadelphie 1973, nº 87.

Catalogue
F 87.

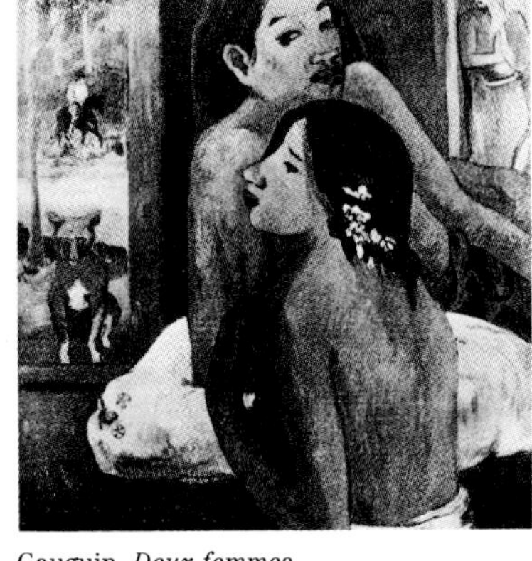

Gauguin, *Deux femmes,* 1902, huile sur toile (photographie, Archives Durand-Ruel)

270

Deux têtes

1902
45,8 × 35,2, forme irrégulière.
Dessin-empreinte en noir et vert olive, sur papier vélin fauve au recto ; mine de plomb et crayon noir au verso.
Signé en bas à gauche, *PGO.*

Washington, National Gallery of Art, collection Rosenwald

Expositions
Paris 1903, nº 12 ou 27, *Deux têtes* (?) ;
Chicago 1959, nº 196 ;
Paris 1960 ;
Munich 1960 ;
Philadelphie 1973, nº 88.

Catalogue
F 88.

Exposé à Washington et Chicago

démarche qui rappelle les divers tableaux peints avant ou après *D'où venons-nous ?* (W 561), incorporant des éléments du grand tableau dotés d'échelles et de tons différents. Le fait qu'il ait envoyé à Paris ce tableau accompagné de huit œuvres en rapport, pour qu'ils soient exposés tous ensemble chez Vollard en 1898, révèle le prix qu'il attachait à leur présentation simultanée. En 1902, il semble qu'il ait eu recours à la technique du dessin soit pour découvrir des combinaisons de figures qui à leur tour reparaîtraient dans des tableaux, soit comme le prolongement expérimental de ses œuvres peintes dans le vaste domaine de la gravure. A mi-chemin entre gravure et dessin, les dessins-empreintes ne se réclament vraiment ni d'une œuvre préparatoire, ni d'une tentative de reproduction. *Avant et après* comprend un autre dessin-empreinte encore plus petit, représentant deux têtes, et intitulé par Gauguin « causeries sans paroles »[1], ce qui permettrait de reconnaître dans le tableau appelé actuellement *Deux têtes* (W 561) le numéro 17 du catalogue de l'exposition de 1903 qui portait le titre *Causeries.* Quant à *Deux Marquisiens* (cat. 268), il se rapporte directement à un autre tableau, *Les amants* (W 614), dont il reproduit fidèlement le cadre et les deux personnages. La tension dramatique et l'impulsion du mouvement sont pourtant beaucoup plus prononcées dans le dessin-empreinte, à cause sans doute de la puissance et de la rapidité du trait de Gauguin. Mais l'on n'y ressent pas l'atmosphère de crainte, voire de culpabilité, qui imprègne le tableau, et les deux personnages semblent plutôt, échappant à un être ou à une force inconnus, se hâter vers une mystérieuse destination.

La femme à la partie gauche est caractéristique des jeunes Polynésiennes dépeintes par Gauguin, avec ses traits réguliers et harmonieux et ses cheveux libres dans le dos. Le second personnage est fort étrange ; il a été établi que la tête, au profil nettement expressionniste, s'inspirerait d'une tête d'un tableau de Delacroix, *Le naufrage de Don Juan,* entré au Louvre en 1883. Mais la source pourrait tout aussi bien en être la tête de la jeune métisse indienne dans *Les Natchez* de Delacroix, peint en 1835 et que Gauguin avait vu à la rétrospective Delacroix en 1885. Si cette hypothèse s'avérait l'on toucherait à un point très sensible chez Gauguin qui s'imaginait avoir du sang indien[2].

Quelle qu'en soit la source précise dans l'œuvre de Delacroix, Gauguin devait réemployer ce visage dans plusieurs tableaux en 1902, et l'attirance qu'il ressentait pour ce morceau était certainement dûe à sa qualité expressive plus qu'à sa valeur de référence, clin d'œil aux connaisseurs. Quoique la formation artistique de Gauguin ait accordé peu de place à l'expression du jeu des émotions sur le visage ou le corps humain, nombre de ses œuvres traduisent à partir de 1902 une sensibilité accrue, grâce peut-être à l'influence de Delacroix, le plus grand coloriste de l'art du dix-neuvième siècle, et le peintre qu'admiraient le plus, même à contre-cœur, les modernistes des années 1860 et 1870, en particulier Paul Cézanne. R.B.

1. F 109 ; *Avant et après*, facsimilé, 155.
2. Lettre à Mette, février 1888, Malingue 1946, nº LXI, 126.

Personnages masculins des Iles Marquises

Ces deux tableaux, comme la plupart des dernières œuvres de Gauguin, ont reçu plus d'un titre. Le *Marquisien à la cape rouge* (cat. 271) s'était vu attribuer les titres grandiloquents de *L'enchanteur* ou *Le sorcier d'Hivaoa,* ce dernier inventé sans doute de toutes pièces en 1949 lorsque le tableau fut exposé à Bâle[1]. Le présent tableau et son pendant (cat. 272) figurèrent probablement tous deux à l'exposition chez Vollard en 1903, mais aucun des titres de la liste ne correspond à ceux que l'on connaît de ces deux tableaux. La première photographie publiée du numéro 271 portait le titre *Aux Iles Marquises*[2], alors qu'il s'intitulait peut-être *L'esprit veille* dans l'exposition de 1903. Quant au numéro 272, son pendant, le titre traditionnel de *Famille Tahitienne* est manifestement inexact, puisque l'œuvre, peinte aux Iles Marquises et non à Tahiti, ne représente certainement pas une famille. Certes, on a pu prendre le personnage central pour une femme, et c'est ainsi que l'identifiait le premier commentaire consacré à ce tableau, publié en 1926 dans le numéro d'*Academy Notes* de la Buffalo Fine Arts Academy[3], mais il s'agit plutôt d'un homme aux cheveux longs qui se voile modestement d'un linge blanc au sortir de la mer ou avant d'y plonger.

La parfaite similitude d'échelle et de pose du personnage masculin dans les deux tableaux, d'ailleurs de taille identique, permet de les considérer comme une paire qui partagent juqu'au modèle. *Les baigneurs* représenterait alors l'exaltation du corps humain dans ses activités quotidiennes, par opposition à son pendant qui évoque le monde mystérieux d'un homme costumé porteur de lourds secrets. *Les baigneurs* a pour cadre une éblouissante plage de coraux roses et jaunes inondée de lumière, tandis que le Marquisien se tient dans un bosquet près du lit ombreux d'une rivière. L'homme au costume fixe sur le spectateur un regard presque hypnotique et son visage est dépeint avec soin. La personnalité du baigneur est au contraire à peine esquissée, et le regard glisse sans s'y arrêter sur les traits flous du visage, Gauguin ayant concentré l'intérêt sur son corps et sa tenue sommaire. Danielsson comme Teilhet-Fisk ont reconnu dans le Marquisien Haapuani, célèbre figure d'Hivaoa[4] d'ailleurs ami de Gauguin, en s'appuyant sur le commentaire de Guillaume Le Bronnec où l'on apprend que cet Haapuani avait le rang de *taua,* ou prêtre indigène, avant l'arrivée des missionnaires. Une fois ces derniers installés, renonçant à sa prêtrise, il devint « organisateur et maître de cérémonie des festivals et célébrations d'Hivaoa »[5]. Danielsson et Teilhet-Fisk admettent le titre traditionnel, *Le sorcier d'Hivaoa,* et fondent leur examen du tableau sur le prémisse qu'il décrit les pratiques religieuses ancrées dans la culture marquisienne. Ils s'appuient, semble-t-il, sur un seul et unique témoignage d'un *taua*

271

272

271
Marquisien à la cape rouge

1902
92 × 73
Huile sur toile.
Signé et daté en bas à gauche, *Paul Gauguin 1902.*

Liège, Musée d'Art Moderne

Expositions
Paris 1903, nº 32, *L'esprit veille* ;
Munich 1910 ;
Paris, Orangerie 1949, nº 58 ;
Bâle 1949, nº 63 ;
Humlebaek 1982, nº 20 ;
Saint-Germain-en-Laye 1985, nº 391.

Catalogue
W 616.

Non exposé

272
Baigneurs

1902
92 × 73
Huile sur toile.
Signé et daté en bas à gauche, *P. Gauguin/ 1902.*

Lausanne, collection Basil Goulandris

Expositions
Paris 1903, nº 9, *Scène de paysans* (?).

Catalogue
W 618.

Exposé à Washington et Chicago

des Marquises revêtu d'une couverture rouge « dans l'emplacement sacré de cette vallée »[6], sur le fait que Gauguin connaissait un ancien *taua* du nom d'Haapuani, et sur le titre moderne, pour élaborer leur interprétation de cet énigmatique tableau[7].

Gauguin devait exécuter en 1902 une série d'œuvres montrant des hommes aux cheveux longs que rien ne laissait présager, si ce n'est l'aspect ambigu, presque androgyne, de plusieurs nus féminins datant du premier voyage à Tahiti. Dans les tableaux de cette époque, en particulier *Pape moe* (cat. 157), les femmes sont en effet dotées d'une musculature qui leur donne l'air masculin, mais restent incontestablement de leur sexe. Dans les présents tableaux et dans *Les amants* (W 614), tous datés de 1902, Gauguin met en scène au contraire des hommes à l'allure effeminée, remarquables par leur longue chevelure flottante. Le modèle de cet être étrange devait

Cézanne, *Baigneurs,*
1877, huile sur toile
(photographie, copyright, The Barnes Foundation)

exister à Hivaoa, sans que l'on puisse prouver qu'il s'agisse d'Haapuani, et sa présence réitérée dans tableaux et gravures atteste la fascination qu'il exerçait sur Gauguin. Ce type d'homme efféminé, ou *mahu*, était courant dans la société polynésienne. L'anthropologue Robert Levy, au cours de ses récents travaux sur les Tahitiens, s'intéressa à l'homosexualité masculine en Polynésie, et découvrit l'habitude couramment acceptée d'élever en fille un garçon efféminé[8]. Bengt Danielsson mentionne également l'existence d'homosexuels aux longs cheveux, ou *mahu*, dans la littérature missionnaire et dans la réalité[9]. Gauguin ne pouvait ignorer cette caractéristique et, dès 1896, peignait peut-être un enfant *mahu* dans *Nave mahana* (cat. 220). L'année 1902 le voit obsédé par les aspects équivoques de la sexualité masculine. Le tableau intitulé *Les amants* montre un homme aux longs cheveux entourant d'un geste protecteur les épaules d'une fort belle femme nue ; mais les tendances sexuelles du baigneur et de ceux qui l'entourent dans le numéro 272 du catalogue demeurent indéfinissables.

Les baigneurs doit son titre à la filiation évidente du personnage central avec l'homme en costume de bain qui apparaît dans trois tableaux de Cézanne, *Baigneurs au repos*[10]. Nous ignorons malheureusement laquelle des trois versions Gauguin eut l'occasion de voir. La plus célèbre[11] appartenait à Gustave Caillebotte dont Gauguin n'aurait guère pu connaître la collection avant 1880. Mais elle faisait partie des tableaux du legs Caillebotte qui furent refusés par l'Etat, et il est possible que Gauguin l'ait étudiée à loisir au plus fort de la controverse, entre 1894 et 1895. La seconde version, plus petite[12], figura sans doute à l'exposition impressionniste de 1877 sous le titre *Les Baigneurs; Étude de projet de tableau*[13]. Affirmer que Gauguin garda le souvenir de cette petite étude, s'inspira du tableau de la collection Caillebotte ou encore vit la troisième version[14], petite également, dans la collection Leclanché — l'un des rares acheteurs à la vente Gauguin en 1895 — relève de la conjecture, d'autant plus qu'il a pu connaître, à un moment ou à un autre, les trois versions de cette étonnante composition.

Deux circonstances viennent renforcer les liens entre le baigneur de Cézanne et le Marquisien de Gauguin. Au cours de l'année 1898, Vollard chargea Cézanne d'exécuter un dessin préparatoire à une lithographie, et choisit pour thème la version Caillebotte des *Baigneurs au repos*. L'édition en noir et blanc de cette gravure offrant de nombreuses affinités de formes avec les dessins-empreintes que Gauguin semble avoir destinés à la préparation du tableau[15], l'on peut penser que Vollard fit parvenir à Gauguin, à un moment quelconque de leur association, une épreuve de la gravure de Cézanne ; cette gravure, et non plus l'une des versions peintes, serait alors à l'origine du tableau.

Il peut paraître surprenant que Gauguin ait accumulé les références à l'œuvre des plus grands maîtres français, anciens et contemporains — non seulement Cézanne, mais Poussin, Delacroix, Manet, Puvis de Chavannes, van Gogh et Redon — pendant ses dernières années en exil dans le Pacifique. Il ne peignait que rarement des nus masculins, et l'on peut se demander s'il ne fit pas appel à un prototype occidental pour amplifier une scène de vie indigène, allant jusqu'à rapprocher le geste du personnage qui couvre sa nudité de l'épisode de l'Ancien Testament où Adam et Eve, déchus, doivent se couvrir. La présence d'un bébé et d'autres personnages confirme d'ailleurs semblable hypothèse. Le baigneur hérité de Cézanne est ici surpris au moment où il vient de se rhabiller, ou s'apprête à se dévêtir. En peignant en rouge vif orné de motifs jaune-orangé la doublure du pagne blanc, Gauguin laisse entendre qu'une plus grande beauté se dissimule derrière le blanc. Dans cette optique, l'influence de Cézanne s'explique, puisque le personnage de son tableau esquisse le même geste, s'apprêtant à se couvrir ou à se dénuder au milieu de figures nues ou sommairement vêtues. Ces deux peintres évitaient la représentation de nus masculins vus de face, et pourtant le tableau de Gauguin ressemble quelque peu à un défi à la notion convenue de pudeur. Il est vrai qu'il s'exhibait à Hivaoa sans le moindre scrupule, et l'on sait que ce qui concernait la pruderie l'intéressait. En plaçant côte à côte un adulte vêtu et un petit garçon entièrement nu, il accroît le rôle symbolique et conventionnel du pagne blanc dont se couvre l'adulte, encore renforcé lorsqu'on s'aperçoit que les deux personnages vêtus du tableau ne sont autres que ceux qui, dans *La sœur de charité*, affrontent la religieuse.

Loin de peindre d'après nature le cadre de cette scène, Gauguin l'emprunta avec précision au *Paysage avec deux chèvres* (W 562) qu'il avait envoyé à Vollard en 1898. Ce tableau et le dessin dérivé inclus par Gauguin dans le manuscrit de *Noa Noa*[16] doivent à l'intensité de leurs tons de pourpres et de bleus profonds une atmosphère crépusculaire ou même nocturne. Or Gauguin, non content d'introduire dans le présent tableau un personnage inspiré de Cézanne, situe la scène au grand jour, évoquant alors curieusement le poème, dû sans doute à Charles Morice qui précède dans *Noa Noa* le paysage de nuit[17] et exalte au contraire, dans les chants d'un Tahitien entouré de fleurs, la lumière du jour et les bords de la mer. Intitulé *Vivo*, le poème célèbre avant tout les délices d'une vie paradisiaque que Morice voulait sans ombres, et Gauguin semble avoir donné corps dans *Les baigneurs* à l'optimisme de commande de son jeune ami.

Le texte n'offre pourtant aucune interprétation de la chèvre qui, tout en flattant du museau le personnage du milieu, touche presque le grand baigneur central. Le cadre de paysage du tableau antérieur dont s'inspire celui-ci comprend deux chèvres, tranquillement couchées sur la plage ; une seule apparaît ici, que l'on dirait apprivoisée. Or les chèvres sont rares dans les tableaux de Gauguin, qui préférait montrer des chiens, des bovins, des cochons et quantité d'oiseaux, tous investis d'un rôle symbolique tiré de fables ou légendes populaires, et cette chèvre ne saurait faire exception. Est-elle l'emblème de l'avidité, de la cupidité, du désir insatiable surgissant au paradis ? C'est précisément une chèvre qu'avait choisie Gauguin pour qualifier son ennemi, le Père paillard[18], et la présence de cet animal dans *Les baigneurs* s'avère d'autant plus énigmatique.

Loin d'être élucidée, l'incursion de Gauguin dans le trouble domaine de la sexualité masculine et ses diverses représentations n'éclaire en rien le véritable sujet du *Sorcier*. Il convient seulement de remarquer que personne n'y voit une femme, en dépit des longs cheveux et du costume effeminé du personnage. Gauguin n'a jamais peint d'homme ainsi vêtu, et rare dans son œuvre est l'atmosphère d'orientalisme exotique qui imprègne ce tableau. Selon Teilhet-Fisk, le personnage fait claquer ses doigts[19], ce qui est peu vraisemblable, puisqu'il tient à la main un petit objet vert qu'il tend peut-être à la femme derrière lui. En l'absence de toute preuve concluante qu'il s'agit d'Haapuani ou d'un sorcier, mieux vaut ne voir dans ce tableau que le portrait d'un homme effeminé portant un costume. A la suite de Danielsson, commentant les souvenirs de Forster, le compagnon de Cook, d'une flottille d'Arioris portant « des ceintures de feuilles jaunes et des manteaux rouges »[20], l'on s'interroge sur la tenue exotique du sorcier. D'odorantes fleurs de frangipanier ornent sa chevelure et il tient à la main une petite feuille : drogue, médicament, aphrodisiaque ?

Peut-être la parabole lisible dans l'angle inférieur droit livre-t-elle la solution ; le petit chien aux allures de renard qui mordille affectueusement l'aile d'un oiseau exotique s'inspire directement d'une des gravures de Gauguin, *Le sourire* (Gu 75), tout en rappelant une étrange aquarelle, intitulée *Aimez-vous les uns les autres*[21], où l'on voit un oiseau batifoler avec deux chiens. C'est là un sentiment contre nature, et peut-être Gauguin entendait-il, en juxtaposant ce symbole et un homme efféminé et costumé, nous obliger à envisager les limites du « naturel » dans le domaine de la sexualité humaine. R.B.

1. Bâle 1949, 43.
2. *Deutsche Kunst und Dekoration*, novembre 1910, 112.
3. *Academy Notes*, nº 1-2 (Buffalo Fine Arts Academy 1925-1926), 8.
4. Danielsson 1975, 257 ; Teilhet-Fisk 1975, 356 ; 1983, 154.
5. Le Bronnec 1956, 196.
6. Handy 1971, 227.
7. L'on retrouve heureusement la même figure dans un autre tableau, d'une interprétation tout aussi délicate. Publié pour la première fois sous le titre *L'incantation* (Alexandre 1930, 175), il était devenu en 1948 *L'apparition*, deux titres qui n'apparaissent pas dans les catalogues de l'exposition de 1903 ou de celle de 1906. Et l'on se heurte une fois de plus à un système d'interprétation édifié sur des titres évocateurs qui ne reposent sur rien.
8. Levy 1973, 130-141.
9. Danielsson 1956, 150.
10. Venturi 1936, nºs 273, 274, 276.
11. Venturi 1936, nº 276.
12. Venturi 1936, nº 273.
13. Paris 1877, nº 26, *Les Baigneurs ; Étude de projet de tableau*.
14. Venturi 1936, nº 274.
15. Philadelphie 1973, 34-35. Les monotypes en rapport correspondent à F 97, F 98, F 99.
16. Musée du Louvre, Département des Arts Graphiques, Orsay.
17. *Noa Noa*, facsimilé, 53-53.
18. *Avant et après*, facsimilé, 46.
19. Teilhet-Fisk 1983, 155.
20. Danielsson 1956, 176.
21. Field 1977, nº 33.

273-274
Deux dessins-empreintes

273
Famille tahitienne

Vers 1902
48 × 29
Dessin-empreinte en noir, mis au carreau à la mine de plomb sur papier vélin au recto ; mine de plomb et crayon noir au verso.
Signé en bas à droite, *Paul Gauguin.*

Paris, Musée des Arts Africains et Océaniens

Expositions
Paris 1903, n° 4, *Famille* (?) ;
Paris 1906, n° 91, *Famille Tahitienne* ;
Philadelphie 1973, n° 99 ;
Saint-Germain-en-Laye 1985, n° 389 ;
Tokyo 1987, n° 143.

Catalogue
F 99.

Ces deux grands dessins-empreintes se rattachent directement à des tableaux ; le *Cavalier* reprend le personnage central d'un tableau de 1901 (cat. 256), alors que la *Famille tahitienne,* malgré de nombreux points communs avec *Les baigneurs* (cat. 272), peint en 1902, entretient avec le tableau un rapport beaucoup plus complexe que le *Cavalier ;* ainsi le personnage principal de la *Famille tahitienne,* un baigneur presque nu, devient-il plus important par rapport au paysage, tandis que le personnage qui occupait le fond a changé de place. Le passage de la peinture à l'huile au dessin-empreinte (sinon du dessin-empreinte à la peinture) se traduit par un bouleversement de l'esprit et de la signification de l'œuvre ; le *Cavalier* au contraire se contente de clarifier, voire de simplifier, le tableau dont il est issu.

L'apparence des deux dessins-empreintes reflète d'ailleurs cette divergence. Le *Cavalier* est entièrement composé de traits homogènes, d'égale longueur ; le recours à un double transfert, à l'encre noire, puis à l'encre grise, n'en a pas altéré l'ordonnance, ni l'impression d'unité et de clarté décorative dont témoigne toute l'image.

Il en est tout autrement de la *Famille tahitienne,* assemblage hétéroclite de personnages sur un feuillet irrégulier maculé de taches et de marques, où même la signature de l'artiste apparaît estompée et illisible ; et l'on a peine à croire que Gauguin ait sciemment recherché ce résultat. Il envoya pourtant certainement ce dessin-empreinte en France, et l'on rencontre si souvent dans les dessins-empreintes de ses dernières années cette même impression d'inachèvement qu'il semble impossible de l'interpréter hors du contexte de ses pairs.

La création d'impressions entièrement originales par le simple jeu de feuilles de papier ne laisse pas que d'intriguer. Gauguin aurait-il eu recours à cette technique intermédiaire pour envisager toutes les compositions possibles avant de parvenir à la version peinte définitive ? C'est ce que suggère Richard Field dans son étude de la *Famille tahitienne* et des impressions comparables, qu'il regroupe sous le vocable « études en rapport avec les tableaux de 1902 »[1]. Le mot est malheureusement trop imprécis, et l'on ne peut déterminer s'il s'agit d'études préparatoires, ou d'œuvres faites d'après le tableau.

Si l'on se réfère à l'œuvre gravé de Gauguin, cette dernière solution semble plus plausible. Mais si l'on s'arrête à la notion de dessin, il est plus difficile de trancher. Gauguin exécuta autant de dessins préparatoires que de dessins d'après des tableaux, et l'on peut déduire du fait que, dans tous les dessins-empreintes de 1902, les personnages évoluent seulement dans leur rapport réciproque ou avec le fond, qu'ils furent élaborés en même temps que le tableau, sinon après. Ces impressions, comme les gravures antérieures, semblent bien avoir été conçues comme un ensemble autonome, lié aux tableaux dont il s'inspire, et pourvu néanmoins d'une identité distincte. Gauguin les voulait œuvres inachevées.

R.B.

1. Philadelphie 1973, 122.

274
Cavalier

1901-1902
50 × 44
Dessin-empreinte en noir et gris sur papier vélin, appliqué sur support secondaire.
Signé en bas à gauche, *Paul Gauguin.*

Paris, Musée des Arts Africains et Océaniens

Expositions
Paris 1903, n° 9, *Chevauchée* (?), ou n° 13, *Le Cavalier* (?), ou n° 19, *Homme à cheval* (?) ; Paris 1906, n° 84, *Le Cavalier* ; Philadelphie 1973, n° 99.

Catalogue
F 104.

275-277

Trois dessins-empreintes à la gouache

Ces trois dessins-empreintes à la gouache appartiennent à un groupe de quatre, d'une grande complexité technique, exécutés par Gauguin en 1902 ou au début de l'année 1903. Leur genèse demeure inconnue, et ils ne furent sans doute pas exposés en 1903 chez Vollard. Imprimés tous les quatre à partir d'une matrice à base de couleurs à l'eau, ils s'apparentent à ce que l'on pourrait appeler des dessins-empreintes à l'aquarelle de 1894-1895 par une douceur séduisante et diffuse bien éloignée de la puissance quelque peu brutale des monotypes contemporains. Gauguin paraît avoir délaissé les dessins-empreintes à la gouache à la fin de sa vie, préférant à leurs délicats matériaux le maniement d'outils et de feuillets encrés, et ces gouaches, rompant avec son ultime démarche esthétique, renouent plutôt avec le style des aquarelles de 1894 à 1895.

La splendide figure de *Baigneur ou baigneuse* est directement liée au personnage d'un tableau de 1902 (W 613), assis sur un rocher au milieu d'une rivière qui court dans un paysage dominé par de grands arbres. Le transfert s'avère infiniment plus intimiste ; le personnage est assis dans l'eau auprès d'un rivage aux merveilleuses frondaisons. Sa position stylisée au centre de la composition lui confère une valeur d'emblème moins accusée dans le tableau, et il est résolument androgyne, féminin par la grâce des formes et la pose, mais rendu ambigu par la chevelure courte, également nette dans le tableau.

Le *Poney,* légèrement plus grand que le *Baigneur,* participe du même procédé technique. Le personnage, inspiré d'un tableau de 1901 (cat. 256), reparaît dans plusieurs autres œuvres, et revêt ici un aspect presque enfantin, alors que l'on s'accorde à y voir l'image de la mort dans la version peinte. Placé au bord de la composition, le cavalier est entouré d'un paysage où l'on retrouve le même motif floral que dans le fond de paysage du tableau apparenté au *Baigneur.* L'alliance de cet exotisme léger et de la joliesse délicate propre à la technique alanguit la rigidité d'icône du cavalier, protégé par un univers paradisiaque où la mort n'a plus de prise.

L'illusion d'un paradis habité domine en vérité tous les derniers dessins-empreintes en couleurs, en particulier le *Paysage marquisien avec un personnage.* Entre les troncs de trois arbres vénérables s'épanouit une nature saturée de l'odeur des fruits et des fleurs. Au centre de la scène, une unique figure humaine, insensible au monde extérieur, s'enfonce dans la végétation. Tout n'est que rêve dans ce paysage mystérieusement détaché ; même si les fruits rouge-orangé qui couvrent l'arbre du premier plan symbolisaient les pommes de la tentation, nul ne succomberait. A se perdre dans ce bois sacré, l'on évoque, au-delà de la vision édenique de Gauguin, celle de William Blake, dont il connaissait peut-être les *Songs of Innocence* et *Songs of Experience* (*Chants d'Innocence et Chants d'Expérience*). R.B.

1. Le quatrième correspond à F 135.

275

Paysage des Marquises avec un personnage

Vers 1902
31 × 55
Dessin-empreinte à la gouache, rehaussé par endroits à la craie blanche sur papier vélin fauve.

Collection particulière

Exposition
Tokyo 1987, n° 151.

Catalogue
F 136.

Exposé à Washington et Chicago

276
Baigneur ou baigneuse

Vers 1902
53,2 × 28,3
Dessin-empreinte à la gouache, rehaussé par endroits à la craie blanche, sur papier vélin fauve.
Signé en haut à droite à la mine de plomb, *P. Gauguin.*

Mr et Mrs Eugen Victor Thaw

Expositions
Paris 1936, nº 124 ;
Chicago 1959, nº 194 ;
Philadelphie 1973, nº 133.

Catalogue
F 133.

277
Le poney

Vers 1902
33,3 × 59,6
Dessin-empreinte à la gouache, rehaussé par endroits à la craie blanche et un reste de gomme arabique sur papier vélin fauve.
Signé en haut à gauche à la mine de plomb, *P. Gauguin ;* et en bas à gauche à la mine de plomb (en partie effacée), *P.G.*

Washington, National Gallery of Art, collection Rosenwald, 1947.7.60

Expositions
Chicago 1959, nº 198 ;
Munich 1960, nº 134 ;
Philadelphie 1973, nº 134.

Catalogue
F 134.

Exposé à Washington et Chicago

Cavaliers sur la plage

1902
73 × 92
Huile sur toile.
Signé et daté en bas à gauche, *Paul Gauguin/ 1902.*

Collection particulière

Expositions
Paris 1903, nº 39 ou 42, *Cavaliers au bord de la mer*;
Cologne 1912, nº 173;
Bâle 1928, nº 105;
New York 1956, nº 51;
Chicago 1959, nº 69;
Paris 1960, nº 170;
Munich 1960, nº 75.

Catalogue
W 620.

En 1902, Gauguin peignit à deux reprises des hommes chevauchant le long de grandes plages roses, dont les six cavaliers disposés sur la toile en des points stratégiques évoquent immédiatement les courses de chevaux peintes par Degas aux alentours de 1870[1]. Comme dans la majorité des tableaux des dix dernières années de la vie de Gauguin, la civilisation polynésienne est représentée d'après des modèles occidentaux, probablement pour créer un langage artistique universel et mythique.

Dans le présent tableau comme dans l'œuvre similaire conservée à Essen (W 619), Gauguin s'écarte avec insistance de la nature réelle d'Hivaoa, remplaçant la configuration d'îles et d'énormes escarpements montagneux plongeant abruptement en de petites vallées ourlées de plages de sable noir par les vastes langues de plages de corail rose ponctuées de trois troncs noueux. A vrai dire, Hivaoa ne compte plus, effacée par la réflexion approfondie sur la nature et l'origine de l'art à laquelle Gauguin consacra ses dernières années.

Après Cézanne, Redon ou van Gogh présents dans les tableaux de la même année, c'est l'ombre de Degas qui domine ce manifeste silencieux venu d'une île lointaine, et jamais Gauguin n'en fut si proche. L'on retrouve dans les *Cavaliers sur la plage* les chevaux des *Courses à Longchamp* de Degas (L 334) inversés, sans qu'il soit possible de déterminer quelles variantes au pastel représentant des chevaux dans des poses similaires Gauguin avait pu voir. L'unique gravure d'un champ de courses dans le recueil de Thornley consacré en 1889 à des reproductions d'œuvres de Degas, et que connaissait certainement Gauguin, n'a pas de rapport avec les tableaux, et ses dessins ne fournissent aucune réponse.

Les *Cavaliers sur la plage* décrit un monde entièrement masculin. Les quatre hommes montés sur des chevaux bais et le seul personnage à pied appartiennent vraisemblablement à la race marquisienne, tandis que les deux formes vêtues de couleurs vives caracolant à l'arrière-plan sur des chevaux à la robe blanc-gris s'apparentent aux esprits, ou *tupapau*, tels que les dépeint Gauguin. Leurs montures s'inspirent de la frise du Parthénon[2], et on les voit s'éloigner de la mer en direction d'un paysage invisible. Ils symbolisent la mort, chevauchant peut-être vers l'au-delà, tandis que, sur la plage, les mortels n'en ont cure. L'époque où il peignit ce tableau en 1902 correspondait pour Gauguin à un moment privilégié ; sa nouvelle maison était achevée et il se plaisait à parcourir le village en cabriolet, bavardant au passage avec voisins et amis. Cette période relativement douce et sans contrainte ne devait pas durer, et le tableau, déserté par les esprits mauvais, sous un ciel à peine troublé de nuages, ne fait qu'esquisser l'événement qui mettra un terme à la camaraderie entre ces marquisiens.

R.B.

Degas, *Chevaux de course à Longchamp*, 1873-1876, huile sur toile (Boston, Museum of Fine Arts, S.A. Denio Collection)

Merino, *Cavaliers sur la plage* (ex-collection Arosa ; photographie Paris, Bibliothèque Nationale)

1. Voir Kane 1966, 358, qui le rapprochait de trois tableaux de Degas, *Chevaux de courses à Longchamp*, vers 1873-1875 (Boston, Museum of Fine Arts, L 334) ; *Avant la course*, pastel, vers 1884-1886 (jadis dans la collection Durand-Ruel, Paris L 878) ; *L'Entraînement*, 1894, pastel (collection de Mrs J. Watson Webb, New York). Voir aussi, L 1145, Le Pichon 1986, 248. D'autres chercheurs s'attachant à retrouver les innombrables sources dont s'inspira Gauguin ont relevé certains des chevaux de la frise du Parthénon (Chicago 1959, nº 69) et un tableau du même titre dû à un peintre obscur, Ignacio Merino, et conservé dans la collection Arosa.
2. Voir note 1.

279

Femme à l'éventail

1902
92 × 73
Huile sur toile.
Signé et daté en haut à gauche, *Paul Gauguin/ 1902.*

Essen, Museum Folkwang

Exposition
Paris 1903, nº 15, *Femme dans un fauteuil* (?).

Catalogue
W 609.

Exposé à Washington

Tout ce tableau n'est qu'un hymne à la couleur. Modèle et fond baignent dans la richesse de celle qu'irradie la chair de la femme. Les tons passent de la nuance moutarde du fond teinté de vert sur la droite aux dégradés d'orangé de la carnation de la jeune femme, à la touche de gris-violet du mamelon, au rose et à l'orangé des lèvres, au flamboiement orangé de la chevelure ponctuée d'éclats pourpres et verts. Le brun noisette des prunelles ressort sur le beige laiteux de l'œil. Même le bois du fauteuil sur lequel elle est juchée semble vibrer, et l'on suit du regard la moindre anfractuosité de ses bras agrémentés de sculptures.

L'harmonieuse symphonie des tons du bois et des chairs forme un contraste délibéré avec le blanc du vêtement du modèle et l'éventail en plumes blanches, son unique attribut. Le vêtement est d'une si parfaite simplicité que le spectateur verrait dans cette noble sauvageonne l'image de la plus virginale pureté, n'était le message de puissance et de mort imparti au blanc dans la culture marquisienne.

Gauguin s'inspira pour peindre ce tableau, comme il le fit maintes fois, d'une photographie que son ami des Marquises, le pasteur Vernier, enverrait à Monfreid après la mort du peintre. Le modèle, Tohotaua, que l'on reconnaît dans les *Contes Barbares* (cat. 280), mystérieuse figure au centre du tableau, avait une chevelure rousse qui faisait sensation dans ses visites à l'île d'Hivaoa.

Le tableau s'écarte sensiblement de la photographie, n'en conservant que la pose et les traits de Tohotaua. Sans doute Gauguin avait-il moins besoin de la photographie pour composer le tableau que pour se remémorer le modèle, qui habitait une île distante. Sur la photographie, Tohotaua a revêtu le traditionnel pareo imprimé noué autour du cou pour voiler la poitrine. Le tableau la montre dans un costume différent, inventé par Gauguin, ou peint d'après nature avant que le tableau ne soit terminé avec l'aide de la photographie. Les changements apportés à la chevelure et aux yeux de Tohotaua sont encore plus significatifs et révélateurs ; au lieu du flot ondoyant cascadant dans le dos du modèle sur la photographie, Gauguin peint une chevelure assagie, dont toute la luxuriance s'est réfugiée dans la couleur. De même l'expression du modèle, au regard noyé, rend-elle le tableau infiniment plus mystérieux que la photographie, où il fixe directement l'objectif.

Cette photographie, prises sans doute dans l'atelier de la *Maison du Jouir*, est un précieux témoignage du dernier et plus bel atelier qu'ait aménagé Gauguin. Derrière Tohotaua, sur les murs en fibres tressées, sont accrochées des reproductions, entre autres le célèbre *Femme et enfant* d'Edgar Degas[1], et la photographie d'un Bouddha. Mais l'on n'y voit pas l'extraordinaire siège où s'est installé le modèle dans le tableau d'Essen. Gauguin l'inventa sans doute de toutes pièces, ainsi qu'il l'avait fait pour les intérieurs tahitiens dans les tableaux du début de l'année 1897 (cat. 222, 223).

L'éventail en plumes blanches que tient Tohotaua est sans précédent dans l'œuvre de Gauguin. Il n'apparaît dans aucun des tableaux peints à Tahiti ou aux Iles Marquises ; en revanche, dans *Les ancêtres de Tehamana* (cat. 158), souvent comparé au présent tableau, la jeune fille tient un éventail tressé semblable — et ce sont là les deux seuls exemples — à celui qu'affiche la femme de haute naissance dans les deux variantes de *Te arii vahine* (W 542 et W 543). En Polynésie, l'éventail marquait l'appartenance à l'artistocratie[2].

Ce portrait, l'un des derniers qu'ait peint Gauguin, fut peut-être exposé sous le titre *Femme dans un fauteuil* chez Vollard en 1903 avec des œuvres de la même époque. Le seul autre tableau auquel ce titre pourrait être attribué datait sans doute de 1894 et portait en tahitien l'inscription *Aita tamari vahine Judith te parari* (voir cat. 160). Le titre est d'ailleurs trompeur, puisque le tableau, plus encore qu'une femme, dépeint une reine.

R.B.

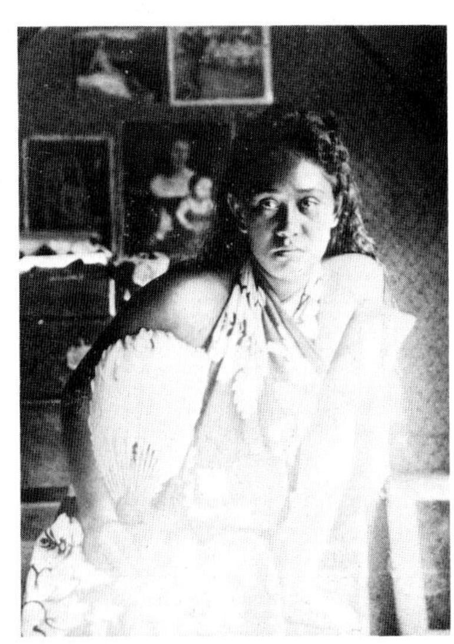

Photographie de Tohotaua prise dans l'atelier de Gauguin, 1901

1. Danielsson 1975, 256.
2. Barrow 1979, 73.

Paul Gauguin
1902

280

Contes Barbares

1902
131,5 × 90,5
Huile sur toile.
Inscrit, signé et daté en bas à droite, *CONTES BARBARES/ Paul Gauguin/ 1902/ Marquises.*

Essen, Museum Folkwang

Expositions
Paris 1903, nº 24, *Contes barbares*;
Dresde 1914, nº 47;
Berlin 1928, nº 75;
Londres 1979, nº 93;
Washington 1980, nº 57.

Catalogue
W 625.

Exposé à Chicago

Décontenancé sans doute par la violence des critiques à l'encontre de ses titres tahitiens, Gauguin n'inscrivit que rarement des titres sur ses derniers tableaux, dont *Contes Barbares* est l'un des plus importants. Compris dans la première grande exposition consacrée aux œuvres tardives de l'artiste à la galerie de Vollard en novembre 1903, il en fut certainement le point de mire, ainsi que l'*Appel* (W 612), seul tableau de 1902 d'une ampleur comparable. L'*Appel* est une déclinaison de rose, orangé pâle, pastèque et lavande, tandis que *Contes Barbares* est essentiellement composé de teintes froides, bleus de nuit et pourpres. Deux Tahitiennes à la mine grave et un Européen des plus énigmatiques surgissent de nuées fleuries. L'apparition de ces figures dans ce cadre onirique ne manqua pas de séduire Karl Osthaus, de Hagen, qui constituait au début du siècle une grande collection de peinture moderne française. Il acheta le tableau à Vollard en 1903 dès la fermeture de l'exposition, le soustrayant ainsi à la plus vaste exposition consacrée à Gauguin au vingtième siècle, le Salon d'Automne de 1906.

Le personnage masculin, qui reparaît à plusieurs reprises dans l'œuvre de Gauguin, a fait l'objet de maintes discussions: il s'agit de Meyer de Haan, un peintre hollandais fort riche qui avait travaillé en Bretagne près de Gauguin (voir cat. 93). Gauguin était incontestablement hanté par les traits de son vieil ami, curieux être aux allures de nain, qu'il transforme ici en créature sardonique, mi-faune, mi-diable.

Contes Barbares montre un de Haan aux pieds nus pourvus de griffes ou de serres en guise de doigts, vêtu d'une robe violette, qui conviendrait mieux à une femme, et d'un béret plus français que nature, la main enfoncée dans la bouche, et transperçant le spectateur d'un regard hypnotique[1]. L'on serait tenté d'attribuer à la seule imagination de Gauguin le visage poupin et rose, les cheveux d'un roux orangé, et l'inquiétante lueur verte des yeux; Meyer de Haan avait pourtant les cheveux roux et les yeux verts, et Gauguin a pu se contenter d'accentuer ces caractéristiques pour les harmoniser avec les teintes de la palette qu'il souhaitait.

Tour à tour comparé à un chat, un renard[2], voire au symbole du monde occidental et européen, ce personnage n'a point encore livré les secrets d'un costume, d'une pose, d'une identité sibyllins, et reste l'une des énigmes persistantes dont Gauguin émailla délibérément ses dernières œuvres. Excentrée par rapport à la composition, la figure de de Haan en est cependant l'élément le plus marquant, dominant dans son étrangeté les deux autres personnages.

Les deux femmes s'avèrent tout aussi mystérieuses; la brune est assise dans une position bouddhique, «Virasana», selon Teilhet-Fisk[3]. D'autres spécialistes voient dans cette pose l'influence des sculptures de Borobudur, auxquelles Gauguin eut si souvent recours pour élaborer des formes humaines ou végétales[4]. Indéniablement bouddhique, cette pose établit un lien avec l'Orient, et un parallèle avec la figure de de Haan, personnifiant peut-être l'Occident. Mais la jeune femme appartient à la race polynésienne, et non orientale, et les allusions semées par Gauguin demeurent autant d'embûches.

Le personnage central, une Polynésienne rousse, évoque immédiatement l'exotisme. Le modèle en est bien connu, c'est Tohotaua (cat. 279); Gauguin fit au moins deux portraits de son mari, Haapuani, qui, d'après les spécialistes, aurait été sorcier (cat. 271, W 615), donnant créance à l'interprétation selon laquelle cette jeune femme introduit dans les *Contes Barbares* la conception polynésienne du surnaturel. Meyer de Haan symboliserait alors «l'Occident», le personnage dans une pose bouddhique, «l'Orient», et Tohotaua, «la Polynésie». Or, le tableau lui-même nous replonge dans la perplexité, puisque la pose de cette dernière et son costume, aussi élégant que succinct, loin de l'apparenter à la Polynésie, s'inspirent eux aussi du monument bouddhique de Borobudur.

Naomi Maurer a cherché la clé de l'énigme dans le titre du tableau, *Contes Barbares,* donnant aux deux femmes le rôle de conteuses, dont de Haan écouterait «les récits de vérités symboliques ancrées dans le mythe avec... L'intensité de qui ne comprend pas»[5]. Pour J. House, l'instant où sont dévoilés les «contes» est fixé «dans» le tableau[6]. Mais rien n'étaye cette hypothèse; les personnages, silencieux et immobiles, semblent être plus à l'affût de lointains «contes barbares» que conteurs eux-mêmes.

Le mot «conte», pour Flaubert et d'autres maîtres français du genre, ne s'entend pas au sens d'«histoire», mais plutôt de «récit populaire», plus inspiré des traditions orales locales que de la littérature. C'est ainsi que les trois héros des *Trois Contes* de Flaubert (1876) sont des illettrés. Et c'est à dessein que Gauguin, infiniment rigoureux en matière de forme littéraire, a choisi pour titre d'un tableau énigmatique, au lieu d'une évocation littéraire, un mot chargé de sens folklorique.

Habitués à travailler d'après des photographies, les exégètes de l'œuvre de Gauguin fondent le plus souvent leurs interprétations sur les personnages. Bien différent est le contact direct avec le tableau, dont l'aura de troublant mystère, les brumes vaporeuses, le «parfum» entêtant, et l'exotique foisonnement végétal de fruits, fleurs et arbres engloutissent presque les personnages, surgis de cette luxuriance qu'ils ne sauraient dominer. Leurs yeux grands ouverts s'estompent derrière les larges corolles blanches éparses sur la toile, et les orchidées roses qui surplombent le personnage central le disputent à sa cascade de cheveux roux. En vérité, les fleurs, que l'on croit respirer, triomphent ici des humains, dont on oublie les regards vides pour admirer l'iris stylisé à droite du personnage central, ou les «lotus» chers à Gauguin à Tahiti. R.B.

Gauguin, *L'appel*,
1902, huile sur toile
(Cleveland, Museum of Art, don Hanro)

1. Tout le visage et la main s'inspirent directement du tableau (cat. 93) peint en 1889, et destiné par Gauguin à l'armoire de Marie Henry, l'aubergiste du Pouldu. Il reprit également cette figure dans une gravure sur bois en 1896-1897, Gu 53.
2. Teilhet-Fisk 1983, 155; Andersen 1971, 101.
3. Teilhet-Fisk 1983, 155. Voir aussi Saunders 1960, 125-126. Les diverses «significations» de cette position font également l'objet d'un débat.
4. House, Londres 1979, 79.
5. Maurer 1985, 1052.
6. House, Londres 1979, 79.

CONTES BARBARES

Bibliographie

Bibliographie établie par Isabelle Cahn, Gloria Groom et Marla Prather

Adhémar 1958
Adhémar, Hélène, et Charles Sterling, *Peintures : Ecole française. XIXe Siècle* [Musée du Louvre] (Paris, 1958-1961).

Albis 1968
Albis, Jean d', « La Céramique impressionniste à l'atelier de Paris-Auteuil (1873-1885) », *Cahiers de la céramique, du verre et des arts du feu,* n° 41 (1968), 32-42.

Alexandre 1930
Alexandre, Arsène, *Paul Gauguin : Sa vie et le sens de son œuvre* (Paris, 1930).

Alhadeff 1979
Alhadeff, A., « Minne and Gauguin in Brussels : An unexplored encounter », *La scultura nel XIX secolo* (Bologne, 1979), 177-188.

Amishai-Maisels 1973
Amishai-Maisels, Ziva, « Gauguin's Philosophical Eve », *Burlington Magazine,* 115, n° 843 (Juin 1973), 373-382.

Amishai-Maisels 1985
Amishai-Maisels, Ziva, *Gauguin's Religious Themes,* thèse de l'Université Hébraïque de Jérusalem, 1969 (New York et Londres, 1985).

Amsterdam 1986
The Prints of the Pont-Aven School : Gauguin and His Circle in Brittany [cat. expo. , Smithsonian Institution Traveling Exhibitions Service, Amsterdam, The Rijksmuseum Vincent van Gogh ; Washington, D.C., The Phillips Collection ; Detroit Institute of Art ; Toronto, The Art Gallery of Ontario ; New York, Museum of Modern Art ; Cleveland Museum of Arts ; Boston, Museum of Fine Arts ; Houston, Museum of Fine Arts ; Fine Arts Museums of San Francisco ; The Art Institute of Chicago ; Londres, Royal Academy of Arts].

Andersen 1964
Andersen, Wayne V., « Review of Christopher Gray, *Sculpture and Ceramics of Paul Gauguin* », *Art Bulletin,* 46, n° 4 (décembre 1964), 579-586.

Andersen 1967
Andersen, Wayne V., « *Gauguin and a Peruvian Mummy* », *Burlington Magazine,* 109, n° 769 (avril 1967), 238-242.

Andersen 1971
Andersen, Wayne V., *Gauguin's Paradise Lost* (New York, 1971)

Anonyme 1893a
« Gauguin et l'École de Pont-Aven », *Essais d'art libre,* vol. 4-5 (novembre 1893), 164-168.

Anonyme 1893b
« Opinions d'artiste », *L'Escarmouche* (19 novembre 1893), 3.

Antoine 1889
Antoine, Jules, « Impressionnistes et Synthétistes », *Art et Critique* (9 novembre 1889), 369-371.

Artur 1982
Artur, Gilles, « Notice historique du Musée Gauguin de Tahiti suivie des quelques lettres inédites de Paul Gauguin », *Journal de la Société des Océanistes,* 38, n°s 74-75 (1982), 7-17.

Aurier 1889
Aurier, Albert, « Concurrence », *Le Moderniste* (27 juin 1889), 2.

Aurier 1891
Aurier, G. Albert, « Le Symbolisme en peinture », *Mercure de France,* 2, n° 15 (mars 1891), 155-65.

Aurier 1892a
Aurier, Albert, « Les Symbolistes », *Revue Encyclopédique,* 2, n° 32 (avril 1892), 474-486).

Aurier, 1892b
Aurier, Albert, « Deux expositions : Deuxième exposition des peintres Impressionnistes et Symbolistes », *Mercure de France,* 5, n° 31 (juillet 1892), 260-263.

Aurier, 1892c
Aurier, G. Albert, « Choses d'art », *Mercure de France* 6, n° 33 (septembre 1892), 92.

Aurier 1893
Aurier, G. Albert, *Œuvres Posthumes* (Paris, 1893).

Baas 1982
Baas, Jacquelynn, « Auguste Lepère and the Artistic Revival of the Woodcut in France », thèse, Ann Arbor, University of Michigan, 1982.

Baas et Field 1984
Baas, Jacquelynn, et Richard S. Field, *The Artistic Revival of the Woodcut in France 1850-1900* [cat. expo., Ann Arbor, University of Michigan Museum of Art ; New Haven, Yale University Art Gallery].

Bacou 1960
Voir page 489, les écrits de Paul Gauguin.

Bailly-Herzberg 1980, 1986
Bailly-Herzberg, Janine, éd., *Correspondance de Camille Pissarro,* vol. 1, 1865-1885, (Paris, 1980) ; vol. 2, 1886-1890 (Paris, 1986).

Bantens, 1983
Bantens, Robert James, *Eugène Carrière : His Work and His influence,* thèse, Pennsylvania State University, University Park, Pennsylvanie (Ann Arbor, 1983).

Barrow 1979
Barrow, Tul Terence, *The Art of Tahiti* (Londres, 1979).

Barth 1929
Barth, Wilhelm, « Eine unbekannte Plastik von Gauguin », *Das Kunstblatt,* 13 (juin 1929), 182-183.

Béguin 1961
Béguin, Sylvie, « Arearea », *La Revue du Louvre et des Musée de France,* 11 (1961), 215-222.

Bernard 1895
Bernard, Émile, « Lettre ouverte à M. Camille Mauclair », *Mercure de France,* 14, n° 66 (Juin 1895), 332-339.

Bernard 1903
Bernard, Émile, « Notes sur l'école dite de « Pont-Aven » » *Mercure de France,* 48, n° 168 (décembre 1903), 675-682.

Bernard [1939]
Bernard, Émile, *Souvenirs inédits sur l'artiste peintre Paul Gauguin et ses compagnons lors de leur séjour à Pont-Aven*

et au Pouldu, préface de René Maurice (Lorient [1939]).

Bernard 1942
Voir page 489, les écrits de Paul Gauguin.

Berryer 1944
Berryer, Anne-Marie, « A propos d'un vase de Chaplet décoré par Gauguin », *Bulletin des Musées Royaux d'art et d'histoire*, 3e ser., 16, nos 1-2 (janvier-avril 1944), 13-27.

Bessanova et al 1985
Bessanova, Marina et al, *Impressionists and Post-Impressionists in Soviet Museums* (Leningrad, 1985).

Bidou 1903
Bidou, Henry, « Paul Gauguin », *Journal des Débats* (11 septembre 1903), 499.

Bjürstrom 1986
Voir page 490, les écrits de Paul Gauguin.

Blanche 1928
Blanche, Jacques-Émile, *De Gauguin à la Revue nègre* (Paris, 1928).

Bodelsen 1957
Bodelsen, Merete, « An Unpublished Letter by Theo van Gogh », *Burlington Magazine*, 99, no 651 (juin 1957), 199-202.

Bodelsen 1959
Bodelsen, Merete, « The Missing Link in Gauguin's Cloisonism », *Gazette des Beaux-Arts*, 6e ser., 53 (mai-juin 1959), 329-344.

Bodelsen 1959a
Bodelsen, Merete, « Gauguin's Bathing Girl », *Burlington Magazine*, 101, no 674 (mai 1959), 186-190.

Bodelsen 1961
Bodelsen, Merete, « Gauguin and the Marquesan God », *Gazette des Beaux-Arts*, 6e sér., 57 (mars 1961), 167-80.

Bodelsen 1962
Bodelsen, Merete, « Gauguin's Cézannes », *Burlington Magazine*, 104, no 710 (mai 1962), 204-211.

(B) Bodelsen 1964
Bodelsen, Merete, *Gauguin's Ceramics : A Study in the Development of His Art* (Londres, 1964)

Bodelsen 1965
Bodelsen, Merete, « The Dating of Gauguin's Early Paintings », *Burlington Magazine*, 107, no 747 (juin 1965), 306-313.

Bodelsen 1966
Bodelsen, Merete, « The Wildenstein-Cogniat Gauguin Catalogue », *Burlington Magazine*, 108, no 754 (janvier 1966) 27-38.

Bodelsen 1967
Bodelsen, Merete, « Gauguin Studies », *Burlington Magazine*, 109, no 769 (avril 1967), 217-227.

Bodelsen 1968
Bodelsen, Merete, *Gauguin og Impressionisterne* (Copenhague, 1968).

Bodelsen 1970
Bodelsen, Merete, « Gauguin, the Collector », *Burlington Magazine*, 112, no 810 (septembre 1970), 590-615.

Boston 1984
Edgar Degas : The Painter as Printmaker [cat. expo., Boston, Museum of Fine Arts : Philadelphia Museum of Art ; London, Hayward Gallery.

Boudaille 1964
Boudaille, Georges, *Gauguin* (1re éd. Paris, 1963 ; éd. anglaise, Londres, 1964).

Bouge 1956
Bouge, L.-J., « Traduction et interprétations des titres en langue tahitienne inscrits sur les œuvres océaniennes de Paul Gauguin », *Gazette des Beaux-Arts*, 6e ser., 47 (janvier-avril 1956 [éd. 1958]), 161-164. Repris in *Gauguin, sa vie, son œuvre* (Paris, 1958).

Bouret 1951
Bouret, Jean, « Gauguin toujours inconnu », *Arts* (27 avril 1951), 1 et 8.

Brettell 1977
Brettell, Richard, « Pissarro and Pontoise : The Painter in a Landscape », thèse, New Haven, Yale University, 1977.

Brettell 1987
Brettell, Richard, *French Impressionists* [in The Art Institute of Chicago] (New York, 1987).

Breton 1957
Breton, André, *L'Art Magique* (Paris, 1957).

Buffalo 1942
Painting and Sculpture from Antiquity to 1942 [cat. expo. Buffalo, New York, Albright-Knox Art Gallery].

Cachin 1968
Cachin, Françoise, *Gauguin* (Paris, 1968 ; rééd. 1988).

Cachin 1979
Cachin, Françoise, « Un bois de Gauguin : *Soyez mystérieuses* », *La Revue du Louvre et des Musées de France*, 29 (1979), 215-218.

Cardon 1893
Cardon, Louis, « Exposition Paul Gauguin chez Durand Ruel », compte rendu critique paru dans un journal non identifié, collé dans le « Cahier pour Aline », 42.

Carley 1975
Carley, Lionel, *Delius, the Paris Years* (Londres, 1975).

Castel 1982
Castel, Jane, « Gauguin to Moore : Primitivism in Modern Culture », *RACAR*, 9, nos 1-2 (1982), 94-98.

Chassé 1921
Chassé, Charles, *Gauguin et le groupe de Pont-Aven* (Paris, 1921).

Chassé 1922
Chassé, Charles, « Gauguin et Mallarmé », *L'Amour de l'art*, 3 (août 1922), 246-256.

Chassé 1938
Chassé, Charles, « Les Démêlés de Gauguin avec les gendarmes et l'évêque des îles Marquises », *Mercure de France*, 288 (15 novembre 1938), 62-75.

Chassé 1947
Chassé, Charles, *Le mouvement symboliste dans l'art du XIXe siècle* (Paris, 1947).

Chassé 1955
Chassé, Charles, *Gauguin et son temps* (Paris, 1955).

Chassé 1959
Chassé, Charles, « Le sort de Gauguin est lié au Krach de 1882 », *Connaisance des Arts*, no 84 (février 1959), 41-43.

Chicago 1984
Degas in The Art Institute of Chicago [cat. expo., The Art Institute of Chicago].

Christophe 1893
Christophe, Jules, *La Plume*, no 107 (14 octobre 1893), 416.

Cogniat et Rewald 1962
Voir page 490, les écrits de Paul Gauguin.

Collins 1977
Collins, R.D.J., « Paul Gauguin et la Nouvelle Zélande », *Gazette des Beaux-Arts*, 6e ser., 90 (novembre 1977), 173-176.

Cooper 1983
Voir page 489, les écrits de Paul Gauguin.

Cooper 1983a
Cooper, Douglas, « Lugano : French Paintings from Russia », *Burlington Magazine*, 125, no 966 (septembre 1983), 575-576.

C.V.Z. 1987
C.V.Z., *La Gazette* (28 février 1897).

Damiron 1963
Voir page 490, les écrits de Paul Gauguin, « Cahier pour Aline ».

Danielsson 1956
Danielsson, Bengt, *Love in the South Seas* (Londres, 1956).

Danielsson 1964
Danielsson, Bengt, « När Gauguin censurerades i Stockholm (When Gauguin Was Censored in Stockholm), *Svenska Dagbladet* (11 novembre 1964).

Danielsson 1965, 1966
Danielsson, Bengt, *Gauguin in the South Seas* (Londres, 1965 ; New York, 1966).

Danielsson 1967
Danielsson, Bengt, « les titres tahitiens de Gauguin », *Bulletin de la Société des Études Océaniennes,* n° 160-161 (septembre-décembre 1967), 738-762.

Danielsson 1975
Danielsson, Bengt, *Gauguin à Tahiti et aux îles Marquises* (Papeete, 1975).

Dayot 1894
Dayot, Armand, « La Vie artistique : Paul Gauguin », *Figaro Illustré,* 12, n° 46 (janvier 1894), 110-111.

Delaroche 1894
Delaroche, Achille, « D'un point de vue esthétique : A propos du peintre Paul Gauguin », *L'Ermitage,* 5 (janvier 1894), 36-39.

Delouche 1986
Delouche, Denise, et al, *Pont-Aven et ses peintres à propos d'un centenaire* (Rennes, 1986).

Delsemme 1958
Delsemme, Paul, *Un Théoricien du symbolisme : Charles Morice* (Paris, 1958).

Delteil 1908
Delteil, Loys, *Le peintre-graveur illustré XIXe et XXe siècles : Ingres et Delacroix,* vol. 3 (Paris, 1908).

Denis 1890
Denis, Maurice, « Définition du néo-traditionnisme », *Art et Critique* (23 et 30 août 1890). Repris in *Théories, 1890-1910, du symbolisme et de Gauguin vers un nouvel ordre classique* (Paris, 1912, Paris, 1913 ; Paris, 1920 ; Paris, 1964).

Denis 1909, 1910
Denis, Maurice, « De Gauguin et de van Gogh au classicisme », *L'Occident,* n° 90 (mai 1909), 187-202. Repris in *Théories, 1890-1910, du symbolisme et de Gauguin vers un nouvel ordre classique* (Paris 1912, Paris 1913 ; Paris 1920 ; Paris 1964). « Von Gauguin and Van Gogh zum Klassizismus », *Kunst und Künstler,* 8 (1910), 86-101.

Denis 1942
Denis, Maurice, « Paul Sérusier : Sa vie, son œuvre », in Paul Sérusier, *ABC de la Peinture* (Paris, 1942).

Dolent 1891
Dolent, Jean, « Chronique : Paul Gauguin », *Journal des Artistes* (22 février 1891), 49.

Dorival 1951
Dorival, Bernard, « Sources of the Art of Gauguin from Java, Egypt and Ancient Greece », *Burlington Magazine,* 93, n° 577 (avril 1951), 118-122.

Dorival 1954
Voir page 490, les écrits de Paul Gauguin.

Dorival 1960, 1961, 1986
Dorival, Bernard, « Le Milieu », *Gauguin* (Paris 1960 ; Paris 1961 ; Paris 1986).

Dorra 1953
Dorra, Henri, « The First Eves in Gauguin's Eden », *Gazette des Beaux-Arts,* 6e ser., 40 (mars 1953), 189-202.

Dorra 1954
Dorra, Henri, « Gauguin and His Century », *Art Digest,* 28 (15 mars 1954), 12-13.

Dorra 1967
Dorra, Henri, « More on Gauguin's Eves », *Gazettes des Beaux-Arts,* 6e ser., 49 (février 1967), 109-12.

Dorra 1970
Dorra, Henri, « Gauguin's Unsympathetic Observers », *Gazette des Beaux-Arts,* 6e ser., 76 (décembre 1970), 367-372.

Dorra 1976
Dorra, Henri, « Munch, Gauguin, and Norwegian Painters in Paris », *Gazette des Beaux-Arts,* 6e ser., 88 (novembre 1976), 175-179.

Dorra 1978
Dorra, Henri, « Gauguin's Dramatic Arles Themes », *Art Journal,* 38, n° 1 (automne 1978), 12-17.

Dorra 1980
Dorra, Henri, « Extraits de la correspondance d'Émile Bernard des débuts à la Rose Croix (1876-1892) », *Gazette des Beaux-Arts,* 6e ser., 96 (décembre 1980), 235-242.

Dorra 1984
Dorra, Henri, « Le « Texte Wagner » de Gauguin », *Bulletin de la Société de l'Histoire de l'Art Français* (1984), 281-288.

Dortu 1971
Dortu, M.G., *Toulouse-Lautrec et son œuvre,* 6 vol. (New York, 1971).

Dujardin 1897
Dujardin, Jules, *La Réforme* (26 février 1897).

Duranty 1876, 1946
Duranty, Edmond, *La Nouvelle peinture à propos du groupe d'artistes qui expose dans les Galeries Durand-Ruel* (Paris, 1876 ; éd. rev., Paris, 1946 ; voir San Francisco 1986, 477-484).

Duranty 1879
Duranty, Edmond, « La quatrième exposition faite par un groupe d'artistes indépendants », *La Chronique des arts et de la curiosité* (19 avril 1879), 126-128.

La Faille 1970
La Faille, J.B. de, *The Works of Vincent van Gogh : His Paintings and Drawings* (New York, 1970).

Fénéon 1888a
Fénéon, Félix, « Calendrier de décembre 1887 : V. Vitrines des marchands de tableaux », *La Revue Indépendante* (janvier 1888). Repris in Félix Fénéon, *Œuvres plus que complètes,* éd. Joan U. Halperin, vol. 1 (Genève, 1970), 90-91.

Fénéon 1888b
Fénéon, Félix, « Calendrier de janvier », *La Revue Indépendante* (février 1888, 307-308). Repris in Félix Fénéon, *Œuvres plus que complètes,* éd. Joan U. Halperin, vol. 1 (Genève, 1970), 94-96.

Fénéon 1889a
Fénéon, Félix, « Autre groupe impressionniste », *La Cravache Parisienne,* (6 juillet 1889), 1-2. Repris in Félix Fénéon, *Œuvres plus que complètes,* éd. Joan U. Halperin, vol. 1 (Genève, 1970), 157-159.

Fénéon 1889b
Fénéon, Félix, « Certains », *Art et Critique,* 14 Décembre, 1889. Repris dans Félix Fénéon, *Œuvres plus que complètes,* éd. Joan U. Halperin, vol. 1 (Genève, 1970), 171-173.

Fénéon 1893
Fénéon, Félix, « Expositions », *La Revue anarchiste* (15 novembre 1893). Repris dans Félix Fénéon, *Œuvres plus que complètes,* éd. Joan U. Halperin, vol. 2, (Genève, 1970), 930.

Fernier 1978
Fernier, Robert, *La Vie et l'œuvre de Gustave Courbet : catalogue raisonné,* 2 vol. (Genève, 1977-1978).

(FM) Fezzi et Minervino 1974
Fezzi, Elda, et Fiorella Minervino, *« Noa Noa » e il primo viaggio a Tahiti di Gauguin* (Milan, 1974).

Field 1960, 1961, 1986
Field, Richard S., « Plagiaire ou créateur ? », in *Gauguin* (Paris, 1960 ; Paris, 1961 ; Paris, 1986).

Field 1968
Field, Richard S., « Gauguin's Noa Noa Suite », *Burlington Magazine,* 110, nº 786 (septembre 1968), 500-511.

(F) Field 1973
Field, Richard S., *Paul Gauguin, Monotypes* [cat. expo., Philadelphia Museum of Art].

Field 1977
Field, Richard S., *Paul Gauguin : The Paintings of the First Trip to Tahiti,* Cambridge, Harvard University, Massachusetts, 1963 (New York et Londres 1977).

Fontainas 1898
Fontainas, André, « Art moderne », *Mercure de France,* 25 (janvier 1898), 300-307.

Fontainas 1899
Fontainas, André, « Art moderne », *Mercure de France,* 29 (janvier 1899), 235-242,

Fontainas 1900
Fontainas, André, « Art moderne », *Mercure de France,* 34 (mai 1900), 540-547.

Fouquier 1891
Fouquier, Henry, « L'Avenir Symboliste », *Le Figaro* (24 mai 1891), 1.

Gauguin, Paul
Voir page 489, les écrits de Paul Gauguin.

Gauguin, Pola 1937, 1938
Gauguin, Pola, *My Father, Paul Gauguin* (New York, 1937 ; trad. du norvégien par Arthur G. Chater) ; *Paul Gauguin, mon Père* (Paris, 1938 ; trad. par Georges Sautreau).

Geffroy 1891
Geffroy, Gustave, « Paul Gauguin », *La Justice* (22 février 1891), 1.

Geffroy 1893a
Geffroy, Gustave, « Paul Gauguin », *La Justice* (12 novembre 1893), 1.

Geffroy 1893b
Geffroy, Gustave, « Paul Gauguin », *Le Journal* (12 novembre 1893).

Geffroy 1898
Geffroy, Gustave, « L'art d'aujourd'hui : Falguière-Chauval-Gauguin », *Le Journal* (20 novembre 1898), 1-2.

Geffroy 1924
Geffroy, Gustave, *Claude Monet, sa vie, son œuvre* (Paris, 1924).

Genthon 1958
Genthon, István, *Rippl-Rónai : The Hungarian « Nabi »* (Budapest, 1958).

Gérard 1951
Gérard, Judith, « Den lilla flickan och gengangaren » in Gerda Kjellberg, *Hänt och Sant* [Events and Truths] (Stockholm, 1951), 53-74 (trad. française inédite « La Petite fille et le Tupapau », Archives Danielsson).

Gerstein 1978
Gerstein, Marc S., « Impressionist and Post-Impressionist Fans », thèse, Cambridge, Massachussetts, Havard University, 1978.

Gerstein 1981
Gerstein, Marc S., « Paul Gauguin's Arearea », *Bulletin, The Museum of Fine Arts Houston,* 7, nº 4 (1981), 2-20.

Gerstein 1982
Gerstein, Marc S., « Degas' Fans », *Art Bulletin,* 64, nº 1 (1982), 105-118.

Gide 1924
Gide, André, *Si le grain ne meurt* (Paris, 1924).

Giry 1970
Giry, Marcel, « Une source inédite d'un tableau de Gauguin », *Bulletin de la Société d'Histoire de l'Art Français* (1970), 181-187.

Goulinat 1925
Goulinat, J.G., « Les Collections Gustave Fayet », *L'amour de l'Art* (1925), 131-142.

(G) Gray 1963
Gray, Christopher, *Sculpture and Ceramics of Paul Gauguin* (Baltimore, 1963 ; nouv. éd., New York, 1980).

(Gu) Guérin 1927
Guérin, Marcel, *L'Œuvre gravé de Gauguin* (Paris, 1927 ; éd. rev., San Francisco, 1980).

Handy 1927
Handy, Edward Smith Craighill, *Polynesian Religion* (Honolulu 1927).

Handy 1971
Handy, Edward Smith Craighill, *The Native Culture in the Marquesas* (Honolulu, 1929 ; repris, New York, 1971).

Hartrick 1939
Hartrick, Archibald S., *A Painter's Pilgrimage through Fifty Years* (Cambridge, 1939).

Hauke 1961
Hauke, C.M. de, *Seurat et son œuvre,* 2 vol. (Paris, 1961).

Havard 1882
Havard, Henry, « Exposition des artistes indépendants », *Le Siècle* (2 mars 1882).

Heller 1985
Heller, Reinhold, « Rediscovering Henri de Toulouse-Lautrec's *At the Moulin Rouge* », *Museum Studies,* 12, nº 2 (1985), 115-135.

Hennequin 1882
Hennequin, Émile, « Beaux-Arts : Les expositions des arts libéraux et des artistes indépendants », *La Revue littéraire et artistisque* (1882), 154-155.

Hepp 1882
Hepp, Alexandre, « Impressionnisme », *Le Voltaire* (3 mars 1882).

Herban 1977
Herban III, Mathew, « The Origin of Paul Gauguin's *Vision after the Sermon : Jacob Wrestling with the Angel* (1888) », *The Art Bulletin,* 59, nº 3 (septembre 1977), 415-420.

Herbert 1958
Herbert, Robert, « Seurat in Chicago and New York », *Burlington Magazine,* 100 (1958), 146-155.

Hermann and Celay 1974
Hermann, B., and J. Cl. Celay, *Plants and Flowers of Tahiti* (Singapour, 1974).

Hoog 1987
Hoog, Michel, *Paul Gauguin : Vie et œuvre* (Fribourg, New York (éd. angl.), 1987).

Hulsker 1980
Hulsker, J., *The Complete van Gogh : Paintings, Drawings, Sketches* (Oxford et New York, 1980).

Humbert 1954
Humbert, Agnès, *Les Nabis et leur époque, 1888-1900* (Genève, 1954).

Huret 1891
Huret, Jules, « Paul Gauguin devant ses tableaux », *L'Écho de Paris* (23 février 1891), 2.

Huyghe 1951
Voir page 490, les écrits de Paul Gauguin, « Ancien Culte Mahorie ».

Huyghe 1952
Voir page 490, les écrits de Paul Gauguin.

Huyghe 1959
Huyghe, René, *Paul Gauguin* (Paris, 1959).

Huyghe 1967
Huyghe, René, *Paul Gauguin* (Paris, 1967).

Huysmans 1883
Huysmans, Joris-Karl, « L'exposition des indépendants en 1881 », *L'Art moderne* (Paris, 1883), 85-123.

Jacquier 1957
Jacquier, Henri, « Histoire locale : Le dossier de la succession Paul Gauguin », *Bulletin de la Société des Études Océaniennes* (septembre 1957), 673-711.

Jamot 1906
Jamot, Paul, « Le Salon d'Automne », *Gazette des Beaux-Arts,* 3e ser., 36 (1906), 465-471.

Jarry 1972
Jarry, Alfred, *Œuvres complètes* (Paris, 1972).

Jénot 1956
Jénot, Lieutenant, « Le premier séjour de Gauguin à Tahiti d'après le manuscrit Jénot (1891-1893) », *Gazette des Beaux-Arts,* 6e ser. (janvier-avril 1956) [publié en 1958], 115-126. Repris in *Gauguin, sa vie, son œuvre* (Paris, 1958).

Jirat-Wasiutynski 1976
Jirat-Wasiutynski, Vojtech, « Vincent van Gogh's Magical Conception of Portraiture and Paul Gauguin's *Bonjour Monsieur Gauguin », RACAR,* 3, nº 1 (1976), 65-67.

Jirat-Wasiutynski 1975
Jirat-Wasiutynski, Vojtech, *Paul Gauguin in the Context of Symbolism,* thèse, Princeton University, 1975 (New York et Londres, 1978).

Jirat-Wasiutynski et al 1984
Jirat-Wasiutynski, Vojtech, H. Travers Newton, Eugène Farrell, et Richard Newman, *Vincent van Gogh's Self-portrait dedicated to Paul Gauguin : an historical and technical study* (Cambridge, Massachusetts, 1984).

Jirat-Wasiutynski, Vojtech, « Paul Gauguin's Self Portrait with Halo and Snake : The Artist as Initiate and Magus », *Art Journal,* 46, nº 1 (printemps 1987), 22-28.

Johnson 1975
Johnson, Ronald, « Primitivism in the Early Sculpture of Picasso », *Arts Magazine,* 49, nº 10 (juin 1975), 64-68.

Johnson 1986
Johnson Lee, *The Paintings of Eugène Delacroix : A Critical Catalogue,* vol. 3 (Paris, 1986).

Joly-Segalen 1950
Voir page 489, les écrits de Paul Gauguin.

Jouin 1888
Jouin, Henry, *Musée de portraits d'artistes [...] nés en France et y ayant vécu, état de 3000 portraits* (Paris, 1888).

Kahn 1898
Kahn, Gustave, « Roger-Marx », *Mercure de France,* 28, nº 196 (octobre 1898), 43-52.

Kahn 1925
Kahn, Gustave, « Paul Gauguin », *L'Art et les artistes,* nº 61 (novembre 1925), 37-64.

Kane 1966
Kane, William M., « Gauguin's *Le Cheval Blanc:* Sources and Syncretic Meanings », *Burlington Magazine,* 108, nº 760 (juillet 1966), 352-362.

Kopplin 1984
Kopplin, Monika, *Kompositionen im Halbrund: Fächerblätter aus vier Jahrhunderten* [cat. exp., Staatsgalerie Stuttgart Graphische Sammlung, 1984].

(K) Kornfeld
Kornfeld, Eberhard, Harold Joachim, et Elizabeth Morgan, *Paul Gauguin: Catalogue Raisonné of his Prints* (Berne, 1988).

Kostenevich et Bessonova 1983
Kostenevich, Albert, et Marina Bessonova, *Capolavori impressionisti dai musei sovietici* (1983).

Lausanne 1985
L'Autoportrait [cat. exp., Lausanne, Musée Cantonal des Beaux-Arts ; Stuttgart, Württembergischer Kunstverein.

Landy 1967
Landy, Barbara, « The Meaning of Gauguin's « Oviri » Ceramic », *Burlington Magazine,* 109, nº 769 (avril 1967), 242-246.

Leblond 1903
Leblond, Marius-Ary, « Gauguin en Océanie », *Revue Universelle* 3, nº 96 (15 octobre 1903), 536-537.

Le Bronnec 1954
Le Bronnec, Guillaume, « La vie de Gauguin aux îles Marquises », *Bulletin de la Société des Études Océaniennes,* (9 mars 1954), 198-211.

Leclercq 1892
Leclercq, Julien, « Albert Aurier », *Essais d'art libre,* 2 (novembre 1892), 201-208.

Leclercq 1894
Leclercq, Julien, « Sur la peinture (de Bruxelles à Paris) », *Mercure de France,* 10, nº 53 (mai 1894), 71-77.

Leclercq 1894b
Leclercq, Julien, « La Lutte pour les peintres », *Mercure de France,* 12 (novembre 1894), 254-271.

Leclercq 1895
Leclercq, Julien, « Choses d'art : Exposition Paul Gauguin », *Mercure de France,* 13, nº 61 (janvier 1895), 121-122.

Lemasson 1950
Lemasson, Henri, « La vie de Gauguin à Tahiti », *Encyclopédie de la France et d'outremer* (février 1950), 18-19.

Lemoisne 1946-1949
Lemoisne, Paul-André, *Degas et son œuvre,* 4 vol. (Paris, 1946-1949) ; repris avec un supplément par Philippe Brame et Théodore Reff (New York et Londres, 1984).

Le Paul et Dudensing 1978
Le Paul, C.G., et G. Dudensing « Gauguin et Schuffenecker », *Bulletin des amis des musées de Rennes* (été 1978), 48-60.

Le Pichon 1986
Le Pichon, Yann, *Sur les traces de Gauguin,* (Paris, 1986 ; trad. anglaise, New York, 1986).

Levy 1973
Levy, Robert I., *Tahitians : Mind and Experience in the Society Islands* (Chicago, 1973).

Loize 1951
Loize, Jean, *Les Amitiés du peintre Georges-Daniel de Monfreid et ses reliques de Gauguin* (Paris, 1951).

Loize 1961
Voir page 490, les écrits de Paul Gauguin, « Noa Noa ».

Loize 1966
Voir page 490, les écrits de Paul Gauguin, « Noa Noa ».

London 1981
Camille Pissarro, 1830-1903 [cat. exp., Paris, Galeries Nationales du Grand Palais, Londres, Hayward Gallery ; Boston, Museum of Fine Arts.

Longwy 1979
Exposition Paul Aubé [cat. exp., Musée Municipal de Longwy].

Loti 1879
Loti, Pierre [Julien Viaud], *Le Mariage de Loti* (Paris, 1880). Première publication : *Rarahu : idylle polynésienne* (Paris, 1879).

Luthi 1982
Luthi, Jean-Jacques, *Émile Bernard : Catalogue raisonné de l'œuvre peint* (Paris, 1982).

Malingue 1943, 1948
Malingue, Maurice, *Gauguin, le peintre et son œuvre* (Paris, 1943 ; Paris 1948).

Malingue 1949
Voir page 489, les écrits de Paul Gauguin.

Malingue 1959
Malingue, Maurice, « Du nouveau sur Gauguin », *L'Œil* (juillet-août 1959), 35 et 38.

Mantz 1881
Mantz, Paul, « Exposition des œuvres des artistes indépendants », *Le Temps* (23 avril 1881).

Marks-Vandenbroucke unpub. thesis 1956
Marks-Vandenbroucke, Ursula, « Gauguin - Ses origines et sa formation artistique », *Gazette des Beaux-Arts*, 6e sér., 47, (janvier-avril 1956) [publié en 1958], 9-62. Repris in *Gauguin, sa vie, son œuvre* (Paris, 1958).

Marks-Vandenbroucke 1956
Marks-Vandenbroucke, Ursula, « Paul Gauguin », thèse inédite, Université de Paris, 1956.

Mauclair 1893
Mauclair, Camille, « Les Portraits du prochain siècle », *Essais d'art libre*, 4 (1893), 117-121.

Mauclair 1895
Mauclair, Camille, «Choses d'art», *Mercure de France*, 14, nº 66 (juin 1895), 357-359.

Maugham 1949
Maugham, Somerset, *A Writer's Notebook* (Londres, 1949).

Mauner 1978
Mauner, Georges, *The Nabis : Their History, Their Art 1886-1896* (New York, 1978).

Maurer 1985
Maurer, Naomi, « The Pursuit of Spiritual Knowledge : The Philosophical Meaning and Origins of Symbolist Theory and its Expression in the Thought and Art of Redon, van Gogh, and Gauguin», thèse, University of Chicago, 1985.

Maus 1889
Maus, Octave, «Le Salon des XX à Bruxelles », *La Cravache*, nº 417 (16 février 1889), 1.

Mellerio 1913
Mellerio, André, *Odilon Redon* (Paris, 1913).

Menard 1981
Menard, Wilmon, « Author in Search of an Artist », *Apollo*, 114, nº 234 (août 1981), 114-117.

Merki 1893
Merki, Charles, « Apologie pour la peinture », *Mercure de France*, 8, nº 42 (juin 1893), 139-153.

Merlhès 1984
Voir page 489, les écrits de Paul Gauguin.

Merson 1893
Merson, Olivier, « Chronique des Beaux-Arts : Exposition Paul Gauguin », *Le Monde illustré* (16 décembre 1893), 395.

Millard 1976
Millard, Charles W., *The Sculpture of Edgar Degas* (Princeton, 1976).

Mirbeau 1891
Mirbeau, Octave, «Paul Gauguin», *L'Écho de Paris* (16 février 1891), 1. Publié comme préface *Catalogue d'une vente de 30 tableaux de Paul Gauguin* (Paris, 1891), 3-12. Repris in *Des Artistes* (Paris, 1922), 119-129.

Mirbeau 1891a
Mirbeau, Octave, « Paul Gauguin », *Le Figaro* (18 février 1891), 2.

Mirbeau 1893
Mirbeau, Octave, « Retour de Tahiti », *Écho de Paris* (11 novembre 1893).

Mirbeau 1914
Mirbeau, Octave, *Cézanne* (Paris, 1914).

Mirbeau 1922
Mirbeau, Octave, « Letters à Claude Monet », *Les cahiers d'aujourd'hui*, nº 9 (1922), 161-176.

Mittelstädt 1966
Mittelstädt, Kuno, *Die Selbstbildnisse Paul Gauguins* (Berlin 1966 ; trad. anglaise par E.G. Hull, Oxford et Londres, 1968).

Moerenhout 1837
Moerenhout, J.-A., *Voyage aux îles du grand océan*, 2 vol. (Paris, 1837).

Mondor 1973-1983
Mondor, Henri, éd., *Stéphane Mallarmé : Correspondance*, 11 vol. (Paris, 1959-1985).

Monfreid 1903
Monfreid, Daniel de, « Sur Paul Gauguin », *L'Ermitage*, 3 (décembre 1903), 265-283.

Mont 1881
Mont, Elie de, « L'exposition du Boulevard des Capucines, *La Civilisation*, (21 avril 1881).

Morice 1891
Morice, Charles, Compte rendu de *La Décoration et l'art industriel à l'Exposition Universelle de 1889* par Claude Roger-Marx, *Mercure de France*, 2, nº 14 (février 1891), 123-124.

Morice 1893a
Morice, Charles, « Paul Gauguin », *Mercure de France*, 9, nº 48 (décembre 1893), 289-300.

Morice 1893b
Morice, Charles, Introduction de *Exposition d'œuvres récentes de Paul Gauguin* [cat. exp., Galerie Durand-Ruel, Paris, 1893].

Morice 1894
Morice, Charles, « L'Atelier de Paul Gauguin », *Le Soir* (4 décembre 1894), 2.

Morice 1895
Morice, Charles, « Le Départ de Paul Gauguin », *Le Soir* (28 juin 1895), 2.

Morice 1896
Morice, Charles, « Paul Gauguin », *Les Hommes d'aujourd'hui*, 9 (1896). Publié en partie dans « Paul Gauguin », *Journal des artistes* (19 avril 1896).

Morice 1903a
Morice, Charles, «Paul Gauguin», *Mercure de France*, 48, nº 166 (octobre 1903), 100-135.

Morice 1903b
Morice, Charles, «Quelques opinions sur Paul Gauguin», *Mercure de France*, 48, nº 167 (novembre 1903), 413-433.

Morice 1919, 1920
Morice, Charles, *Gauguin* (Paris, 1919 ; 2e éd., Paris, 1920).

Mucha 1967
Mucha, Jirí, *The Master of Art Nouveau, Alphonse Mucha* (Prague, 1966 ; nouv. éd., Prague, 1967).

Natanson 1893
Natanson, Thadée, «Expositions : Œuvres récentes de Paul Gauguin», *La Revue Blanche*, 5, nº 26 (décembre 1893), 418-422.

Natanson 1896
Natanson, Thadée, «Peinture», *La Revue Blanche* (1er décembre 1896), 516-518.

Natanson 1898
Natanson, Thadée, «Petite Gazette d'art : De M. Paul Gauguin», *La Revue Blanche*, 17 (décembre 1898), 544-546.

New York 1980
The Painterly Print : Monotypes from the Seventeenth Century to the Twentieth century [cat. exp., New York, Metropolitan Museum of Art ; Boston, Museum of Fine Arts].

New York 1983
Manet [cat. exp., Paris, Galeries nationales du Grand Palais, New York, Metropolitan Museum of Art.

New York 1984
Van Gogh à Arles [cat. exp., New York, Metropolitan Museum of Art].

Nochlin 1972
Nochlin, Linda, «Eroticism and Female Imagery in Nineteenth-century Art», *Woman as Sex Object* (New York, 1972).

O'Brien 1920
O'Brien, Frederick, «Gauguin in the South Seas», *The Century*, 100, nº 2 (juin 1920), 225-235.

Olin 1891
Olin, Pierre-M., «Les XX», *Mercure de France*, 2, nº 16 (avril 1891), 236-240.

O'Reilly
O'Reilly, Patrick, *La Danse à Tahiti* (Paris, n.d.).

O'Reilly 1962, 1966
O'Reilly, Patrick, et Raoul Teissier, *Tahitiens: Répertoire bio-bibliographique de la Polynésie Française* (Paris, 1962). *Tahitiens: Supplément* (Paris, 1966).

Paris 1877
3e Exposition de peinture [cat. exp., Paris].

Paris 1878
Catalogue de tableaux modernes composant la collection de M.G. Arosa (Paris, vente, 25 février 1878).

Paris 1985
L'Impressionnisme et le paysage français [cat. exp., Paris, Galeries Nationales du Grand Palais].

Passe 1891
Passe, Jean, «Impressionnistes et symbolistes», *Journal des artistes* (27 décembre 1891), 390.

Pazdirek 1967
Pazdirek, Franz, éd., *Universal-Handbuch der Musikliteratur aller Zeiten und Völker* (Hilversum, 1967).

Perruchot 1961
Perruchot, Henri, *La vie de Gauguin* (Paris, 1961).

Philadelphie 1973
Paul Gauguin, Monotypes [cat. exp., Philadelphia Museum of Art].

Pickvance 1970
Pickvance, Ronald, *The Drawings of Gauguin* (Londres, New York, Sydney, Toronto, 1970).

Pickvance 1985
Pickvance, Ronald, «Review of *Correspondance de Paul Gauguin : Tome Premier, 1873-1888.* Éd. Victor Merlhès», *Burlington Magazine,* 127, n° 987 (juin 1985), 394-395.

Pissarro et Venturi 1939
Pissarro, Ludovic, et Lionello Venturi, *Camille Pissarro : son art son œuvre,* 2 vol. (Paris, 1939).

Pissarro 1950
Pissarro, Camille, *Camille Pissarro: Lettres à son fils Lucien,* John Rewald, éd. (Paris, 1950).

Pope 1981
Pope, Karen Kristine Rechnitzer, «Gauguin and Martinique», thèse, Austin, University of Texas, 1981.

Psichari 1947
Psichari, Henriette, *Renan et la guerre de 1870* (Paris, 1947).

Rachilde 1891
Rachilde [Marguerite Vallette], *Théâtre, avec un dessin inédit de Paul Gauguin et une préface de l'auteur* (Paris, 1891).

Reff 1967
Reff, Théodore, «Pissarro's Portrait of Cézanne», *Burlington Magazine,* 109, n° 776 (novembre 1967), 627-633.

Reff 1967a
Reff, Théodore, *Degas: The Artist's Mind* (New York, 1976).

Reff 1976b
Reff, Théodore, *The Notebooks of Edgar Degas,* 2 vol. (Oxford, 1976 ; 2e éd. rev., New York, 1985).

Renan 1947
Renan, Ernest, *Lettres familières* (Paris, 1947).

Renard 1894
Renard, Jules, *Journal* (Paris, 1894).

Reverseau 1972
Reverseau, Jean-Pierre, «Pour une étude de la tête coupée dans la littérature et la peinture dans la seconde partie du XIXe siècle», *Gazette des Beaux-Arts,* 6e sér., 80 (septembre 1972), 173-184.

Rewald 1938
Rewald, John, *Gauguin* (Paris, 1938).

Rewald 1943
Voir page 489, les écrits de Paul Gauguin.

Rewald 1958
Rewald, John, *Gauguin Drawings* (New York et Londres, 1958).

Rewald 1959
Rewald, John, «The Genius and the Dealer», *Art News,* 58, n° 3, (mai 1959), 30-31, 62-65.

Rewald 1961, 1973, 1975
Rewald, John, *The History of Impressionism* (3e éd. rev., New York, 1961 ; 4e éd. rev., New York, 1973 ; trad. française, Paris, 1975).

Rewald 1956, 1962, 1978
Rewald, John, *Post-Impressionism from van Gogh to Gauguin* (New York, 1956 ; 2e éd. rev., New York, 1962 ; 3e éd. rev., New York, 1978 ; trad. française, Paris, 1961).

Rewald 1973
Rewald, John, «Theo van Gogh, Goupil, and the Impressionists», *Gazette des Beaux-Arts,* 6e sér., 81 (janvier et février 1973), 1-108. Repris in Rewald 1986, 7-115.

Rewald 1986
Rewald, John (Irène Gordon et Francis Weitzenhoffer, éd.), *Studies in Post-Impressionism* (New York, 1986).

Rey 1927
Rey, Robert, «La Belle Angèle de Paul Gauguin», *Beaux Arts,* 5, n° 7 (avril 1927), 105-106.

Rey 1928
Rey, Robert, «Les Bois sculptés de Paul Gauguin», *Art et Décoration* (février 1928), 57-64.

Rey 1950
Rey, Robert, *Onze Menus de Gauguin* (Genève, 1950).

Ribault-Menetière 1947
Ribault-Menetière, J., «Une lettre inédite de Gauguin», *Arts* (28 mars 1947).

Richardson 1959
Richardson, John, «Gauguin at Chicago and New York», *Burlington Magazine,* 101, n° (mai 1959), 188-192.

Rippl-Rónai 1957
Rippl-Rónai, József, *Emlékezései* (Budapest, 1957).

Rivière 1882
Rivière, Henri, «Aux Indépendants», *Le Chat Noir* (8 avril 1882).

Robaut 1905
Robaut, Alfred, *L'Œuvre de Corot* (Paris, 1905).

Roger-Marx 1891a
Roger-Marx, Claude, «Paul Gauguin», *Le Voltaire* (20 février 1891), 1-2.

Roger-Marx 1891b
Roger-Marx, Claude, «Arts Décoratifs et industriels aux Salons du Palais de l'Industrie et du Champ de Mars», *Revue Encyclopédique* (15 septembre 1891), 586-587.

Roger-Marx 1894
Roger-Marx, Claude, «Revue artistique : Exposition Paul Gauguin», *Revue Encyclopédique*, 4, n° 7 (1er février 1894), 33-34.

Roger-Marx 1910
Roger-Marx, Claude, «Souvenirs sur Ernest Chaplet», *Art et Décoration* (mars 1910).

Roinard et al, 1894
Roinard, P.-N. et al, *Portraits du prochain siècle: Poètes et prosateurs,* vol. 1 (Paris, 1894 ; repris Paris, 1970).

Roskill 1969
Roskill, Mark, supplément inédit de *Van*

Gogh, Gauguin, and the Impressionist Circle, 1969.

Roskill 1970
Roskill, Mark, *Van Gogh, Gauguin, and the Impressionist Circle* (Greenwich, Connecticut, 1970).

Rostrup 1956
Rostrup, Havaard, «Gauguin et le Danemark», *Gazette des Beaux-Arts*, 6e sér., 47 (janvier-février 1956) [publié en 1958], 63-82. Repris in *Gauguin, Sa Vie, Son Œuvre* (Paris, 1958).

Rostrup 1960
Rostrup, Haavard, «Éventails et pastels de Gauguin», *Gazette des Beaux-Arts*, 6e sér., 56 (septembre 1960), 157-164.

Rothschild 1961
Rothschild, Ruth Deborah, «A Study in the Problems of Self-Portraiture: The Self-Portraits of Paul Gauguin», thèse, New York, Columbia University, 1961.

Rotonchamp 1906, 1925
Rotonchamp, Jean de [Louis Brouillon], *Paul Gauguin* (Weimar, 1906; nouv. éd., Paris, 1925).

Rouart et Wildenstein 1975
Rouart, Denis et Daniel Wildenstein, *Édouard Manet: Catalogue Raisonné*, 2 vol. (Lausanne et Paris, 1975).

Saint-Germain-en-Laye 1981
Filiger [cat. exp., Musée Départemental du Prieuré, Saint-Germain-en-Laye].

San Francisco 1986
The New Painting: Impressionism 1874-1886 [cat. exp., The Fine Arts Museums of San Francisco, M.H. de Young Memorial Museum; National Gallery of Art, Washington].

Saunders 1960
Saunders, E. Dale, *Mudra: A Study of Symbolic Gestures in Japanese Buddhist Sculpture* (New York, 1960).

Segalen 1904
Segalen, Victor, «Gauguin dans son dernier décor», *Mercure de France*, 50, nº 174 (juin 1904), 679-685.

Segalen 1918
Segalen, Victor, «Hommage à Gauguin», in *Lettres de Paul Gauguin à Georges-Daniel de Monfreid* (Paris, 1918, 1-77; éd. rev., Paris, 1950, 11-47).

Séguin 1903a
Séguin, Armand, «Paul Gauguin», *L'Occident* (mars 1903), 158-167.

Séguin 1903b
Séguin, Armand, «Paul Gauguin», *L'Occident* (avril 1903), 230-239.

Séguin 1903c
Séguin, Armand, «Paul Gauguin», *L'Occident* (mai 1903), 298-305.

Sérusier 1942
Voir page 489, les écrits de Paul Gauguin.

Shapiro et Melot 1975
Shapiro, Barbara, et Michel Melot, «Les Monotypes de Camille Pissarro», *Nouvelles de l'estampe*, nº 19 (janvier, février 1975), 16-17.

Siger 1904
Siger, Carl, «Paul Gauguin colon», *Mercure de France* (August 1904), 569-573.

Silvestre 1880
Silvestre, Armand, «Le Monde des arts: Exposition de la rue des Pyramides», *La Vie moderne* (24 avril 1880), 262.

Sprinchorn 1968
Sprinchorn, Evert, éd., *Inferno, Alone and Other Writings* (Garden City, New York, 1968).

Sterling et Salinger 1967
Sterling, Charles, et Salinger Margaretta M., *French Paintings, a Catalogue of the Collection of the Metropolitan Museum of Art*, vol. 3 (New York, 1967).

Strindberg 1981
Strindberg, Auguste, *Folke Olffon* (Stockholm, 1981).

Strinberg 1895
Strindberg, Auguste, «L'Actualité: le misogyne Strinberg [sic] contre Monet», *L'Éclair* (15 février 1895), 1.

Stuckey et Maurer 1979
Stuckey, Charles et Naomi E. Maurer, *Toulouse-Lautrec: Paintings* [cat. exp., The Art Institute of Chicago, 1979].

Sutton 1949
Sutton, Denys, «*La Perte du pucelage* par Paul Gauguin», *Burlington Magazine*, 91, nº 553 (avril 1949), 103-105.

Tardieu 1895
Tardieu, Eugène, «M. Paul Gauguin», *L'Écho de Paris* (13 mai 1895), 2.

Teilhet 1979
Teilhet, Jehanne H., «‹Te Tamari No Atua›: An Interpretation of Paul Gauguin's Tahitian Symbolism», *Arts*, 53, nº 5 (janvier 1979), 110-111.

Teilhet-Fisk 1983
Teilhet-Fisk, Jehanne, *Paradise Reviewed: An Interpretation of Gauguin's Polynesian Symbolism*, thèse, Los Angeles, University of California, 1975 (Ann Arbor, Michigan, 1983).

Thirion 1956
Thirion, Yvonne, «L'Influence de l'estampe japonaise dans l'œuvre de Gauguin», *Gazette des Beaux-Arts*, 6e sér., 47 (janvier-avril 1956), 95-114. Repris in *Gauguin, Sa Vie, Son Œuvre* (Paris, 1958).

Thomson 1987
Thomson, Belinda, *Gauguin* (Londres, 1987).

Trianon 1881
Trianon, Henry, «Sixième exposition de peinture par un groupe d'artistes, 35 boulevard des Capucines», *Le Constitutionnel* (24 avril 1881).

Trollope 1840
Trollope, T. Adolphus, *A Summer in Brittany*, 2 vol., (Londres, 1840).

Van Dovski 1950
Van Dovski, Lee [Herbert Lewandowski], *Paul Gauguin oder die Flucht von der Zivilisation* (Berne, 1950).

Van Dovski, 1973
Van Dovski, Lee [Herbert Lewandowski], *Die Wahrheit über Gauguin* (Darmstadt, 1973).

Van Gogh 1952-1954
Van Gogh, Vincent, *Verzemelden brieven van Vincent van Gogh*, 4 vol. (Amsterdam, 1952-1954).

Van Gogh 1960, 1978
Van Gogh, Vincent, *Correspondance complète de Vincent Van Gogh*, 3 vol. (Paris, 1960; trad. angl., Boston, 1978).

Van Hook 1942
Van Hook, Katrina, «A Self-Portrait by Paul Gauguin from the Chester Dale Collection», *Gazette des Beaux-Arts*, 6e sér., 22 (décembre 1942), 183-186.

Venturi 1936
Venturi, Lionello, *Cézanne, son art, son œuvre* (Paris 1936).

Vielliard 1893
Vielliard, Fabien, «Paul Gauguin», *L'Art littéraire*, nº 13 (décembre 1893), 51.

Viirlaid 1980
Viirlaid, H.K., «The Concept of Vision of Paul Gauguin's *Vision After the Sermon*», thèse, Ottawa, National Library of Canada, 1980.

Vincent 1956
Vincent, Madeleine, *La Peinture des XIXe et XXe siècles, Musée de Lyon* (Lyon, 1956).

Vollard 1936, 1937
Vollard, Ambroise, *Recollections of a Picture Dealer*, trad. du manuscrit original par Violet M. Macdonald (Londres, 1936); *Souvenirs d'un marchand de tableaux* (Paris, 1937).

Vollard 1938
Vollard, Ambroise, *En écoutant Cézanne, Degas, Renoir* (Paris, 1938).

Wadley 1985
Voir page 490, les écrits de Paul Gauguin, «Noa-Noa».

Walter 1978
Walter, Elisabeth, «Madeleine au Bois d'Amour par Emile Bernard», *Revue du Louvre,* 28 (1978), 286-291.

Washington 1984
Watteau [cat. exp., Washington, National Gallery of Art].

Washington 1987
Master Drawings from the Armand Hammer Collection [cat. exp., Washington, National Gallery of Art].

Wauters 1891
Wauters, A.J., «Aux XX», *La Gazette* (20 février 1891).

Welsh 1989
Welsh, Robert, «Gauguin et l'auberge de Marie Henry au Pouldu», *Revue de l'Art,* article à paraître.

Wichmann 1980
Wichmann, Siegfried, *Japonismus: Ostasien-Europa, Begegnungen in der Kunst des 19. und 20. Jahrhunderts* (Herrsching, 1980).

Wichmann 1981, 1985
Wichmann, Siegfried, *Japonisme: the Japanese Influence on Western Art in the 19th and 20th Centuries* (New York, 1981; 2e éd., New York, 1985).

Wildenstein 1956
Wildenstein, Georges, «Gauguin in Bretagne», *Gazette des Beaux-Arts,* 6e sér. (janvier-avril 1956) [publié en 1958], 83-94. Repris in *Gauguin, Sa Vie, Son œuvre* (Paris, 1958).

(W) Wildenstein 1964
Wildenstein, Georges, *Gauguin,* éd. par Raymond Cogniat et Daniel Wildenstein, vol. 1, Catalogue (Paris, 1964).

Wilenski [1940]
Wilenski, Reginald Howard, *Modern French Painters* (New York, [1940]).

Wysewa 1886
Wysewa, Teodor de, «Notes sur la peinture Wagnérienne et le salon de 1886», *La Revue Wagnérienne* (8 mai 1886), 100-113.

Expositions

Seules les expositions et les ventes comprenant les œuvres de Gauguin citées dans le catalogue sont mentionnées ici.

Paris 1876
Salon, Palais des Champs-Élysées.

Paris 1879
4e Exposition de peinture.

Paris 1880
5e Exposition de peinture.

Paris 1881
6e Exposition de peinture.

Paris 1882
7e Exposition des artistes indépendants.

Rouen 1884
Exposition de la collection Murer dans les salles de l'Hôtel du Dauphin et d'Espagne.

Rouen 1884
Exposition municipale des Beaux-Arts.

Kristiana [Oslo] 1884
Kunstudstillingen.

Copenhague 1885
Exposition de la Société des Amis de l'Art.

Nantes 1886
Exposition des Beaux-Arts, Palais du Cours St-André.

Paris 1886
8e Exposition de peinture.

Paris 1887
Exposition de peintures et céramiques chez Boussod & Valadon.

Paris 1888
Œuvres exposées pendant l'année et exposition dans le sous-sol en novembre chez Boussod & Valadon.

Paris, Boussod & Valadon 1889
Œuvres exposées pendant l'année chez Boussod & Valadon.

Bruxelles 1889
Les XX, sixième exposition annuelle.

Paris 1889
Exposition de peintures du groupe impressionniste et synthétiste, Café des Arts [Café Volpini], Champ-de-Mars.

Copenhague 1889
Nordiske og Franske Impressionister, Kunstforeningen.

Paris 1890
Œuvres exposées pendant l'année chez Boussod & Valadon.

Bruxelles 1891
Les XX, huitième exposition annuelle.

Paris, Drouot 1891
Vente de tableaux de Paul Gauguin, Hôtel Drouot (exposition, 22 février 1891 ; vente, 23 février 1891).

Paris 1891
Salon de la Société Nationale des Beaux-Arts, Champ-de-Mars.

Paris 1891
Exposition dans le foyer du Théâtre du Vaudeville (21 mai 1891).

Paris 1891
Peintres impressionnistes et symbolistes, Galerie Le Barc de Boutteville.

Paris 1892
Deuxième exposition des peintres impressionnistes et symbolistes, Galerie Le Barc de Boutteville.

Paris 1892
Premier tableau tahitien (W 420) exposé chez Boussod & Valadon (septembre).

Paris 1892
Troisième exposition des peintres impressionnistes et symbolistes, Galerie Le Barc de Boutteville.

Copenhague, Kleis 1893
Martsudstillingen, Kleis Gallery.

Copenhague, Udstilling 1893
Den frie Udstilling.

Paris 1893
Œuvres exposées à la Galerie Le Barc de Boutteville (été).

Paris 1893
Portraits du prochain siècle, Galerie Le Barc de Boutteville.

Paris, Durand-Ruel 1893
Exposition d'œuvres récentes de Paul Gauguin, Galerie Durand-Ruel.

Paris, Le Barc de Boutteville 1893
Cinquième exposition des peintres impressionnistes et synthétistes, Galerie Le Barc de Boutteville.

Bruxelles 1894
Première exposition de la Libre Esthétique.

Paris 1894
Sixième exposition des peintres impressionnistes et symbolistes, Galerie Le Barc de Boutteville.

Paris 1894
Vente Mme Vve Tanguy, Hôtel Drouot (1er-2 juin 1894).

Paris, Drouot 1895
Vente de tableaux et dessins par Paul Gauguin, Hôtel Drouot (18 février 1895).

Paris 1895
Exposition de plusieurs œuvres à la Galerie Ambroise Vollard (mars).

Paris 1895
Salon de la Société Nationale des Beaux-Arts, Champ-de-Mars.

Paris 1896
Œuvres exposées à la Librairie de l'Art Indépendant, 11, rue de la Chaussée-d'Antin.

Bruxelles 1896
Troisième exposition de la Libre Esthétique.

Paris 1896
Exposition de l'art mystique, Petit Théâtre Français (12 novembre 1896).

Paris, Vollard 1896
Exposition à la Galerie Ambroise Vollard.

Bruxelles 1897
Quatrième exposition de la Libre Esthétique.

Paris 1897
Quinzième exposition des peintres impressionnistes et symbolistes, Galerie Le Barc de Boutteville.

Stockholm 1898
Exhibition of Modern French Art, Swedish Academy of Arts.

Paris 1898
Exposition à la Galerie Ambroise Vollard.

Paris 1900
L'Exposition centennale de l'art français de 1800 à 1889, Exposition Universelle.

Paris 1900
Groupe Ésotérique, 9 bis, rue de Londres (chez Paul Valéry).

Béziers 1901
Société des Beaux-Arts, Salle Berlioz, rue Solférino.

Paris, Salon d'Automne 1903
Salon d'Automne, Petit Palais.

Paris 1903
Exposition Paul Gauguin, Galerie Ambroise Vollard.

Bruxelles 1904
Exposition des peintres impressionnistes, La Libre Esthétique.

Weimar 1905
Exposition im Grossherzoglichen Museum am Karlsplatz.

Berlin 1906
Berliner Sezession.

Paris 1906
Salon d'Automne, 4e exposition: Œuvres de Gauguin, Grand Palais.

Budapest 1907
Gauguin, Cézanne et al., Nemzeti Szalon.

Paris 1910
Exposition d'œuvres de Paul Gauguin, Galerie Ambroise Vollard.

Paris 1910
Galerie E. Blot.

Munich 1910
Die Sammlung Vollard, Moderne Galerien Thannhauser; Arnold Kunstsalon, Dresde.

Londres 1910
Manet and the Post-Impressionists, Grafton Galleries.

Londres 1911
Exhibition of Pictures by Paul Cézanne and Paul Gauguin, Stafford Gallery.

Saint-Pétersbourg 1912
Exposition centennale de l'art français 1812-1912, Institut français.

Cologne 1912
Internationale Kunstausstellung des Sonderbundes, Städtische Ausstellunghalle.

New York [Chicago-Boston] 1913
The Armory Show: International Exhibition of Modern Art, Armory of the Sixty-ninth Infantry [The Art Institute of Chicago; Copley Hall, Boston].

Francfort 1913
Union Artistique.

Stuttgart 1913
Grosse Kunstausstellung, Königliches Kunstgebäude.

Dresde 1914
Französische Malerei des 19. Jahrhunderts, Ernst Arnold-Kunstsalon.

Paris 1917
Exposition Paul Gauguin, Galerie Nunès & Fiquet.

Zürich 1917
Französische Kunst des XIX. und XX. Jahrhunderts, Zürcher Kunsthaus.

Paris 1918
Catalogue des tableaux modernes et anciens composant la collection Edgar Degas, Galerie Georges Petit (26 et 27 mars 1918).

Paris 1919
Paul Gauguin: Exposition d'œuvres inconnues, Galerie Barbazanges.

New York 1921
Loan Exhibition of Impressionist and Post-Impressionist Paintings, The Metropolitan Museum of Art.

Paris 1923
Exposition rétrospective de Paul Gauguin, Galerie L. Dru.

Londres 1924
Paul Gauguin, Leicester Galleries.

Boston 1925
Boston Art Club.

Paris 1926
Exposition rétrospective: Hommage au génial artiste Franco-Péruvien, Association Paris-Amérique latine.

Moscou 1926
Gauguin, Moscow Museum of Modern Art.

Oslo 1926
Foreningen Fransk Kunst: Paul Gauguin, Nasjonalgalleriet.

Berlin 1927
Erste Sonderausstellung in Berlin, Galerien Thannhauser (Berliner Künstlerhaus).

Paris 1927
Sculptures de Gauguin, Musée du Luxembourg.

Paris 1928
P. Gauguin, sculpture et gravure, Musée du Luxembourg.

Venise 1928
XVIa Esposizione internationale d'arte della città di Venezia: Mostra retrospettiva di Paul Gauguin, Pallazzo dell' esposizione.

Bâle 1928
Paul Gauguin, Kunsthalle Basel.

Berlin 1928
Paul Gauguin, Galerien Thannhauser.

Londres 1931
Exhibition of The Durrio Collection of Works by Paul Gauguin, The Leicester Galleries.

New York 1936
Paul Gauguin 1848-1903: A Retrospective Loan Exhibition for the Benefit of les Amis de Gauguin and the Penn Normal Industrial and Agricultural School, Wildenstein and Company.

Cambridge 1936
Paul Gauguin, The Fogg Art Museum.

Baltimore 1936
Paul Gauguin: A Retrospective Exhibition of his Paintings, Baltimore Museum of Art.

San Francisco 1936
Paul Gauguin: Exhibition of Paintings and Prints, San Francisco Museum of Art.

Paris 1936
La Vie ardente de Paul Gauguin, Gazette des Beaux-Arts.

Paris 1938
Georges-Daniel de Monfreid et son ami Paul Gauguin, Galerie Charpentier.

Paris 1942
Gauguin: Aquarelles, monotypes, dessins, Galerie Marcel Guiot.

New York 1946
A Loan Exhibition of Paul Gauguin for the Benefit of the New York Infirmary, Wildenstein and Company.

Copenhague 1948
Paul Gauguin, 1848-1903: Retrospectiv Udstilling i Anledning af Hundsedaaret for hans Fødsel, Ny Carlsberg Glyptotek.

Paris, Kléber 1949
Gauguin et ses amis, Galerie Kléber.

Paris, Orangerie 1949
Gauguin: Exposition du centenaire, Orangerie des Tuileries.

Bâle 1949
Ausstellung Gauguin zum 100. Geburtsjahr, Kunstmuseum.

Lausanne 1950
Gauguin: Exposition du centenaire, Musée cantonal des Beaux-Arts.

Quimper 1950
Gauguin et le groupe de Pont-Aven, Musée des Beaux-Arts de Quimper.

Pont-Aven 1953
Commémoration du cinquantenaire de la mort de Paul Gauguin — Exposition d'œuvres de Paul Gauguin et du Groupe de Pont-Aven, Hôtel de Ville.

Houston 1954
Paul Gauguin: His Place in the Meeting of East and West, Museum of Fine Arts of Houston.

Edimbourg 1955
Paul Gauguin: Paintings, Sculpture, and Engravings, The Royal Scottish Academy, Edinburgh; The Tate Gallery, London.

Oslo 1955
Paul Gauguin, Kunstnerforbundet.

Palm Beach 1956
Paul Gauguin, The Society of the Four Arts.

New York 1956
Gauguin, Wildenstein and Company.

Copenhague 1956
Gauguin og hans Venner, Winkel & Magnussen.

Bruxelles 1958
Cinquante ans d'art moderne, Exposition universelle et internationale, Palais International des Beaux-Arts.

Chicago 1959
Gauguin, The Art Institute of Chicago; The Metropolitan Museum of Art, New York.

Paris 1960
Cent œuvres de Gauguin, Galerie Charpentier.

Munich 1960
Paul Gauguin, Haus der Kunst.

Vienne 1960
Paul Gauguin, Osterreichische Galerie im Oberen Belvedere.

Paris 1960-1961
Les Sources du XXe siècle: Les arts en Europe de 1884 à 1914, Musée national d'art moderne.

Londres 1966
Gauguin and the Pont-Aven Group, The Tate Gallery.

Zürich 1966
Gauguin und sein Kreis in der Bretagne, Kunsthaus.

New York 1966
Gauguin and the Decorative Style, Solomon R. Guggenheim Museum.

Philadelphie 1969
Gauguin and Exotic Art, University Museum, University of Pennsylvania.

Stockholm 1970
Gauguin i Söderhavet, Etnografiska Museet, Nationalmuseum.

Londres 1972
French Symbolist Painters: Moreau, Puvis de Chavannes, Redon and Their Followers, Hayward Gallery; Walker Art Gallery, Liverpool.

San Diego 1973
Dimensions of Polynesia, Fine Arts Gallery of San Diego.

Philadelphie 1973
Gauguin: Monotypes, Philadelphia Museum of Art.

Paris 1976
Ernest Chaplet, Musée des Arts Décoratifs.

Paris 1978
De Renoir à Matisse: 22 Chefs-d'œuvre des musées soviétiques et français, Grand Palais.

Londres 1979
Post-Impressionism: Cross Currents in European Painting, Royal Academy of Arts.

Washington, D.C. 1980
Post-Impressionism: Cross Currents in European and American Painting, 1880-1906, National Gallery of Art.

Toronto 1981
Vincent van Gogh and the Birth of Cloisonism, Art Gallery of Ontario, Toronto; Rijksmuseum Vincent van Gogh, Amsterdam.

Paris 1981
Gauguin et les chefs-d'œuvre de l'Ordrupgaard de Copenhagen, Musée Marmottan.

Toronto 1981-1982
Gauguin to Moore: Primitivism in Modern Sculpture, Art Gallery of Ontario.

Humlebaek 1982
Gauguin pa Tahiti, Louisiana Museum Humlebaek, Danemark.

Los Angeles 1984
A Day in the Country: Impressionism and the French Landscape, Los Angeles County Museum of Art; The Art Institute of Chicago; Galeries nationales du Grand Palais, Paris.

New York 1984-1985
Primitivism in 20th-Century Art, Museum of Modern Art; Detroit Institute of Arts; Dallas Museum of Art.

Copenhague 1984
Gauguin and van Gogh in Copenhagen in 1893, Ordrupgaard.

Copenhague 1985
Gauguin og Denmark, Ny Carlsberg Glyptotek.

Stuttgart 1985
Die Musik in der Kunst des 20. Jahrhunderts, Staatsgalerie.

Saint-Germain-en-Laye 1985-1986
Le Chemin de Gauguin: Genèse et rayonnement, Musée départemental du Prieuré 2e éd. rev., Saint-Germain-en-Laye 1986.

Paris 1986
La sculpture française au XIXe siècle, Galeries nationales du Grand Palais.

Tokyo 1987
Paul Gauguin, The National Museum of Modern Art, Tokyo; Aichi Prefectural Art Gallery.

Cleveland 1987
Impressionist and Post-Impressionist Masterpieces: The Courtauld Collection, The Cleveland Museum of Art; The Metropolitan Museum of Art, New York; The Kimbell Art Museum, Fort Worth; The Art Institute of Chicago; The Nelson-Atkins Museum of Art, Kansas City.

Paris 1988
Les Demoiselles d'Avignon, Musée Picasso.

Écrits de Paul Gauguin

Articles publiés du vivant de l'artiste

Gauguin 1889a
« Notes sur l'art à l'Exposition Universelle », I et II, *Le Moderniste* (4 et 13 juillet 1889), 84-86 et 90-91.

Gauguin 1889b
« Qui trompe-t-on ici ? » *Le Moderniste* (21 septembre 1889), 170-171.

Gauguin 1894a
« Natures mortes », *Essais d'art libre*, 4 (janvier 1894), 273-275 ; repris dans *Essais d'art libre* (Genève, 1971).

Gauguin 1894b
« Exposition de la Libre Esthétique », *Essais d'art libre*, 5 (février-avril 1894), 30-32 ; repris dans *Essais d'art libre* (Genève, 1971).

Gauguin 1894c
« Sous deux latitudes », *Essais d'art libre*, 5 (mai 1894), 75-80 ; repris dans *Essais d'art libre* (Genève, 1971).

Gauguin 1894d
« Lettre de Paul Gauguin », *Journal des artistes*, nº 46 (18 novembre 1894), 818.

Gauguin 1895a
« Armand Séguin », *Mercure de France*, 13, nº 62 (février 1895), 222-224. Préface du catalogue de l'exposition Armand Seguin à la Galerie Le Barc de Boutteville.

Gauguin 1895b
« Strindberg contre Monet », *L'Éclair* (16 février 1895), 2.

Gauguin 1895c
« Une lettre de Paul Gauguin à propos de Sèvres et du dernier four », *Le Soir* (23 avril 1895), 1.

Gauguin 1895d
« Les peintres français à Berlin, » *Le Soir* (1er mai 1895), 2.

Guérin 1974
Guérin, Daniel, éd. *Oviri, Écrits d'un sauvage* (Paris 1974). Choix d'extraits de lettres, d'articles ou de manuscrits de Gauguin.

Les Guêpes, 1899-1901, vingt-quatre articles de Gauguin tirés de son journal réunis et publiés dans Bengt Danielsson et Patrick O'Reilly, *Gauguin journaliste à Tahiti & ses articles des « Guêpes »* (Paris, 1966).

Le Sourire, 1899-1900, Journal édité par Gauguin à Papeete, *Le Sourire de Paul Gauguin* (Paris, 1952), éd. en fac-similé par L.-J. Bouge. Ne comprend pas le numéro du *Sourire* daté de manière incorrecte « août 1891 », Musée du Louvre (Orsay), Département des Arts Graphiques, RF 28844.

Articles publiés après la mort de l'artiste

« Quatre pages inédites de Gauguin », *Arts* (juillet-septembre 1949).

« Huysmans et Redon », dans Jean Loize, « Un inédit de Gauguin », *Les Nouvelles Littéraires* (7 mai 1953).

« Notes sur Bernard », dans Henri Dorra, « Emile Bernard and Paul Gauguin », *Gazette des Beaux-Arts*, 6e sér., 45 (avril 1955), 227-260.

Lettres

Cette liste comprend les ouvrages contenant des lettres de Gauguin. Un premier volume de la correspondance complète de l'artiste a été publié par Victor Merlhès, deux autres sont en préparation. Les archives Danielsson et Loize à Papeari, celles du Center for History of Art and Humanity du Musée Getty à los Angeles, le Département des Arts Graphiques du Musée du Louvre (Orsay) constituent les principales sources de la correspondance inédite.

Bacou 1960
Bacou, Roseline et Redon Ari, éd. *Lettres de Gauguin, Gide, Huysmans, Jammes, Mallarmé, Verhaeren... à Odilon Redon* (Paris, 1960).

Bernard 1942
Bernard, Émile, *Lettres de Vincent van Gogh, Paul Gauguin, Odilon Redon, Paul Cézanne, Elémir Bourges, Léon Bloy, Guillaume Apollinaire, Joris-Karl Huysmans, Henry de Groux à Émile Bernard* (Bruxelles, 1942).

Cooper 1983
Cooper, Douglas, éd. *Paul Gauguin : 45 Lettres à Vincent, Theo et Jo van Gogh* (Gravenhage et Lausanne, 1983). Lettres en fac-similé avec notes de l'éditeur. Lettres de l'édition Malingue redatées.

Gauguin 1921
Lettres de Gauguin à André Fontainas (Paris, 1921). Introduction par André Fontainas.

Gauguin 1954
Lettres de Paul Gauguin à Émile Bernard, 1888-1891 (Genève, 1954).

Joly-Segalen 1950
Joly-Segalen, A., éd. *Lettres de Paul Gauguin à Georges-Daniel de Monfreid* (Paris, 1918, éd. rev., Paris, 1950). Essai de Victor Segalen. Édition revue réintroduisant les noms et les passages effacés dans la première édition, avec un appendice et des notes de Mme A. Joly-Ségalen.

Malingue 1949
Malingue, Maurice, éd. *Lettres de Gauguin à sa femme et à ses amis* (Paris, 1946 ; trad. anglaise par Henry J. Stenning, Londres, 1946).

Merlhès 1984
Merlhès, Victor, éd. *Correspondance de Paul Gauguin* (Paris, 1984). Édition complète des lettres de 1873 à 1888. Contient aussi des lettres importantes adressées à Gauguin.

Rewald 1943
Rewald, John, éd. *Paul Gauguin : Letters to Ambroise Vollard and André Fontainas* (San Francisco, 1943 ; trad. anglaise par G. Mack). Repris dans Rewald 1986 (avec une lettre supplémentaire), 168-213.

Rey 1950
Voir page 483, Bibliographie. Contient des lettres adressées au Ministère des Beaux-Arts, Paris.

Sérusier 1942
Sérusier, Paul, *ABC de la Peinture : Correspondance* (Paris, 1942).

Voir aussi *Œuvres écrites de Gauguin et Van Gogh,* [cat. expo. Paris, Institut Néerlandais, 1975].

Carnets de croquis publiés, présentés par ordre alphabétique d'éditeurs

Bjurström 1986
Bjurström, Per, *French Drawings : Nineteenth Century* (Stockholm, 1986) ; avec la reproduction de toutes les pages du carnet de 1877-1887, Stockholm, Musée national.

Cogniat et Rewald 1962
Cogniat, Raymond et Rewald, John, *Paul Gauguin, A Sketchbook* (Paris et New York, 1962) ; éd. en fac-similé du carnet daté d'environ 1884-1888, collection Armand Hammer, avec un essai de Gauguin de 1885, « Notes synthétiques » publié pour la première fois comme « Notes synthétiques de Paul Gauguin », *Vers et Prose,* 1910, 51-55, avec une introduction de Henry Mahaut).

Dorival 1954
Dorival, Bernard, *Carnet de Tahiti* (Paris, 1954) ; carnet de 1891-1893, aujourd'hui démonté et dispersé.

Huyghe 1952
Huyghe, René, *Le Carnet de Paul Gauguin* (Paris, 1952), carnet de 1888, Jérusalem, Musée d'Israël.

Carnets de croquis inédits

Album Briant, carnet non daté [1885-1887], comprenant un dessin tahitien, Paris, Musée du Louvre (Orsay), Département des Arts Graphiques, RF 30273.

Album Walter, carnet non daté [1888-1889], Paris, Musée du Louvre (Orsay), Département des Arts Graphiques, RF 30569.

Album RF 29877, carnet non daté comprenant des dessins de 1882 jusqu'à la période tahitienne, Paris, Musée du Louvre (Orsay), Département des Arts Graphiques.

Manuscrits

« Ancien Culte Mahorie, » manuscrit, probablement commencé à la fin de 1893, Paris, Musée du Louvre (Orsay), Département des Arts Graphiques, RF 10755. *Ancien Culte Mahorie,* René Huyghe, éd., en fac-similé (Paris, 1951), comprenant un essai de l'éditeur, « Présentation de l'ancien culte mahorie — la clef de Noa Noa ».

« Avant et après », manuscrit, 1903, collection particulière ; *Avant et après,* éd. en fac-similé (Leipzig, repris, Copenhague, 1951 ; transcription, Paris, 1923). Publié en anglais sous le titre *The Intimate Journals of Paul Gauguin,* trad. par Van Wyck Brooks ; préface par Emil Gauguin (Londres, 1921).

« Cahier pour Aline, » manuscrit, commencé vers décembre 1892, Paris, Bibliothèque d'art et d'archéologie, Fondation Jacques Doucet. Comprend un essai de Gauguin « Genèse d'un tableau ». *Cahier pour Aline,* S. Damiron, éd. en fac-similé avec commentaires de l'éditeur (Paris, 1963).

« Diverses choses, » 1896-1897 ; manuscrit faisant suite à « Noa Noa », Paris, Musée du Louvre (Orsay), Département des Arts Graphiques ; inédit (à l'exception de quelques extraits dans Guérin 1974).

« L'Esprit moderne et le catholicisme », manuscrit, 1902, St. Louis Art Museum ; première version de 1896-1897, comprenant « Diverses choses », « L'église catholique et les temps modernes ». Extraits et illustrations du manucrit de 1902 publié par H.S. Leonard, « An Unpublished Manuscript by Paul Gauguin », *Bulletin of the St. Louis Art Museum* 34, nº 3 (été 1949), 41-48. Trad. angl. avec notes de Frank Lester Pleadwell, 1927, documentation St. Louis Art Museum. Édité par Philippe Verdier, *Wallral-Richartz Jahrbuch,* XLVI, 1985, 273-328.

La section qui suit est ordonnée selon l'ordre chronologique des trois versions de Noa Noa

« Noa Noa », manuscrit Getty. Probablement commencé en octobre 1893, Malibu, J. Paul Getty Museum. Première version « Noa Noa », manuscrit sans illustration de Gauguin avant la collaboration de Charles Morice. *Noa Noa,* Berthe Sagot-le Garrec, éd. (Paris, 1954) ; première éd. en fac-similé du manuscrit Getty. *Paul Gauguin : Noa Noa, Voyage to Tahiti,* Jean Loize, éd. (Oxford, 1961) ; première trad. angl. par Jonathan Griffin du manuscrit Getty comprenant un essai par Jean Loize, « The Real Noa Noa and the Illustrated Copy ». *Noa Noa par Gauguin,* Jean Loize, éd. (Paris, 1966) ; traduction du manuscrit Getty comprenant d'importantes notes et un essai de l'éditeur. *Noa Noa, Tahiti de Gauguin,* Nicholas Wadley, éd. (Londres, 1985), trad. angl. du manuscrit Getty par Jonathan Griffin avec des notes détaillées de l'éditeur. *Noa Noa,* Gilles Arthur éd. (Papeari et New York, 1987), éd. du manuscrit Getty avec les illustrations du manuscrit du Louvre. *Noa Noa,* Pierre Petit, éd. (Paris, 1988), éd. du manuscrit Getty avec publication de la suite des gravures de *Noa Noa.*

« Noa Noa », manuscrit du Louvre, en collaboration avec Charles Morice, 1893-1897, Paris, Musée du Louvre (Orsay), Département des Arts Graphiques. Avec de nombreuses illustrations par Gauguin. « Noa Noa, » extraits dans *Les Marges,* nº 21 (mai 1910), 169-174. *Noa Noa, Voyage de Tahiti* (Paris, 1924), transcription du manuscrit du Louvre. *Noa Noa* (Berlin, 1926), et *Noa Noa, Voyage à Tahiti* (Stockholm, 1947) éditions en fac-similé.

« Noa Noa, » *La Plume* édition, 1901, en collaboration avec Charles Morice. Le manuscrit non illustré appartenant à Morice et daté 1897, est conservé dans les archives Morice, Philadephie, Paley Library, Temple University. « Noa Noa », extraits publiés dans *Revue Blanche,* 14, nº 105 (15 octobre 1897), 81-103 ; nº 106 (1er novembre 1897), 166-190 (première de toutes les publications de « Noa Noa ». « Noa Noa », extraits publiés dans *L'Action humaine* (janvier 1901). « Noa Noa », extraits publiés dans *La Plume* (1er mai 1901), 294-300. *Noa Noa* (Paris, 1901) dernière édition de « La Plume » sous forme de livre. « Noa Noa », extraits publiés dans *Kunst und Künstler,* 6 (1907), 78-81, 125-127, 160-164. *Noa Noa* (New York, 1919), trad. angl. par O.F. Theis.

« Racontars de Rapin », manuscrit, 1898-1902, Collection Josefowitz, *Racontars de Rapin* (Paris, 1951), traduction du manuscrit original.

« Le Texte Wagner », manuscrit, 1889, Paris, Bibliothèque Nationale Département des Manuscrits, NAF 14903, ff, 43-46 ; recopié plus tard dans « Diverses choses ».

« Manuscrit tiré du livre des métiers de Vehbi-Zumbul Zadi, » hiver 1885-1886, Paris, Bibliothèque Nationale, Département des Manuscrits, recopié plus tard dans « Diverses choses » et « Avant et après » (voir Dorra 1984).

Index des titres

Crédits photographiques :
Toutes les photographies ont été obtenues des auteurs,
des propriétaires ou des conservateurs des œuvres.

Cet ouvrage a été achevé d'imprimer le 31 décembre 1988
sur les presses de l'imprimerie Blanchard fils au Plessis-Robinson
d'après les maquettes de Bruno Pfäffli.

Le texte a été composé en Centennial par l'imprimerie Blanchard fils.
Illustrations couleurs par S.R.G., illustrations noires par France Photogravure.
Le papier provient des papeteries Job.

Dépôt légal janvier 1989.
ISBN 2-7118-2-220-6 édition brochée
8000-475
ISBN 2-7118-2-223-0 édition reliée
8000-476